Nirgendwo in Afrika
Kenia ist der Schauplatz dieses autobiographischen Romans. Der jüdische Rechtsanwalt Walter Redlich aus Leobschütz rettet sich 1938 nach Ostafrika und kann seine Frau Jettel und seine fünfjährige Tochter Regina nachholen.
Walter ist entschlossen, ein neues Leben in dem Land zu beginnen, das ihn und diesen kleinen Teil der Familie vor dem Schlimmsten bewahrte. Doch insgeheim leidet er an seiner Liebe zu Deutschland, und die Eingewöhnung in diese gänzlich andere Welt fällt ihm wie auch Jettel schwer. Was den Eltern nicht gelingt, glückt Regina: Rasch verfällt sie dem Zauber Afrikas, der überwältigenden Natur, den Menschen mit ihren Riten und Überlieferungen, die ihr zu Freunden werden. Und der Faszination der Tiere, ihren einzigen Spielgefährten …

Irgendwo in Deutschland
Mit diesem Roman schreibt Stefanie Zweig die Geschichte von Walter und Jettel, Regina und Max fort, die 1947 an dem im Krieg zerstörten Frankfurter Hauptbahnhof ankommen.
Für Walter ist der Start in eine dritte Existenz nicht einfach. Manchmal geht er in seinen Gedanken auf Safari nach Afrika. Dann singt er seinem in Nairobi geborenen Sohn Suaheli-Lieder vor und ahnt, daß auch seine Tochter Afrika nie vergessen kann …

Die Autorin
Stefanie Zweig, in Leobschütz/Oberschlesien geboren, wanderte 1938 mit ihren Eltern nach Kenia aus und verlebte ihre Kindheit auf einer Farm. 1947 kehrte die Familie nach Deutschland zurück. Stefanie Zweig schrieb sieben Jugendbücher. 1993 erhielt sie die Verdienstmedaille des Verdienstordens der Bundesrepublik Deutschland.

STEFANIE ZWEIG

NIRGENDWO
IN AFRIKA

IRGENDWO
IN DEUTSCHLAND

Zwei Romane in einem Band

WILHELM HEYNE VERLAG
MÜNCHEN

HEYNE ALLGEMEINE REIHE
Band-Nr. 01/13078

22. Auflage

Taschenbuchausgabe 5/2000
Copyright © dieser Ausgabe 2000
by Wilhelm Heyne Verlag GmbH & Co. KG, München
Printed in Germany 2003
Quellenverzeichnis: s. Anhang
Umschlagillustration: Bavaria Bildagentur/TCC, Gauting
Umschlaggestaltung: Nele Schütz Design, München
Druck und Bindung: Elsnerdruck, Berlin

ISBN: 3-453-17202-7

http://www.heyne.de

NIRGENDWO
IN AFRIKA

Im Andenken an meinen Vater

1

Rongai, den 4. Februar 1938

Meine liebe Jettel!

Hol Dir erst mal ein Taschentuch, und setz Dich ganz ruhig hin. Du brauchst jetzt gute Nerven. So Gott will, werden wir uns sehr bald wiedersehen. Jedenfalls viel früher, als wir je zu hoffen wagten. Seit meinem letzten Brief aus Mombasa, den ich Dir am Tag meiner Ankunft schrieb, ist so viel passiert, daß ich immer noch ganz wirr im Kopf bin. Ich war nur eine Woche in Nairobi und schon sehr niedergeschlagen, weil mir jeder sagte, daß ich mich hier ohne Englischkenntnisse gar nicht erst nach einer Arbeit in der Stadt umzusehen brauchte. Ich sah aber auch keine Möglichkeit, auf einer Farm unterzukommen, wie das hier fast jeder tut, um erst einmal ein Dach über dem Kopf zu haben. Dann wurde ich vor einer Woche zusammen mit Walter Süßkind (er stammt aus Pommern) zu einer reichen jüdischen Familie eingeladen.

Ich habe mir zunächst gar nicht viel dabei gedacht und nahm einfach an, die würden es hier auch nicht anders als meine Mutter in Sohrau halten, die ja immer irgendwelche armen Schlucker mit an ihrem Tisch sitzen hatte. Inzwischen weiß ich jedoch, was ein Wunder ist. Die Familie Rubens lebt schon seit fünfzig Jahren in Kenia. Der alte Rubens ist Vorsitzender der Jüdischen Gemeinde Nairobi, und die wiederum kümmert sich um die Refugees (das sind wir), wenn sie frisch ins Land kommen.

Bei Rubens' (fünf erwachsene Söhne) war man ganz außer sich, als herauskam, daß Du und Regina noch in Deutschland seid. Hier sieht man die Dinge ganz anders als ich zu Hause. Du und Vater hattet also ganz recht, als Ihr nicht wolltet, daß ich allein auswandere, und ich schäme mich, daß ich nicht auf Euch gehört habe. Wie ich später erfuhr, hat mich Rubens schrecklich beschimpft, aber

9

ich konnte ihn ja nicht verstehen. Du kannst Dir gar nicht vorstellen, wie lange es gedauert hat, ehe ich kapierte, daß die Gemeinde für Dich und Regina die hundert Pfund für die Einwanderungsbehörden vorstrecken will. Mich hat man sofort auf eine Farm verfrachtet, damit wir alle drei erst mal eine Unterkunft haben und ich wenigstens etwas verdienen kann.

Das heißt, Ihr müßt so schnell wie möglich abfahren. Dieser Satz ist der allerwichtigste im ganzen Brief. Obwohl ich mich wie ein Schaf benommen habe, mußt Du mir jetzt vertrauen. Jeder Tag, den Du mit dem Kind länger in Breslau bleibst, ist verloren. Geh also sofort zu Karl Silbermann. Er hat die größte Erfahrung mit Auswanderungsproblemen und wird Dich zu dem Mann vom Deutschen Reisebüro bringen, der schon so anständig zu mir war. Er wird Dir sagen, wie Du am schnellsten an Schiffskarten kommst, und es ist ganz egal, was es für ein Schiff ist und wie lange es unterwegs sein wird. Wenn möglich, nimm eine Drei-Bett-Kabine. Ich weiß, das ist nicht angenehm, aber sehr viel billiger als die zweite Klasse, und wir brauchen jeden Pfennig. Hauptsache, Ihr seid erst mal an Bord und auf See. Dann können wir alle wieder ruhig schlafen.

Du mußt Dich auch sofort mit der Firma Danziger wegen unserer Kisten in Verbindung setzen. Du weißt, wir haben noch eine leer gelassen für Dinge, die uns einfallen. Sehr wichtig ist ein Eisschrank für die Tropen. Wir brauchen auch unbedingt eine Petromaxlampe. Sieh zu, daß sie Dir zusätzlich ein paar Strümpfe mitgeben. Sonst haben wir die Lampe und sitzen trotzdem im Dunkeln. Auf der Farm, auf der ich gelandet bin, gibt es kein elektrisches Licht. Kaufe auch zwei Moskitonetze. Wenn das Geld reicht, drei. Rongai ist zwar keine ausgesprochene Malariagegend, aber man weiß ja nicht, wo wir noch landen werden. Wenn der Platz für den Eisschrank nicht ausreicht, dann laß das Rosenthalgeschirr wieder auspacken. Wir werden es wohl in diesem Leben nicht mehr brauchen und haben uns schon von ganz anderen Dingen trennen müssen als von Tellern mit Blümchenmuster.

Regina braucht Gummistiefel und Manchesterhosen (Du übrigens auch). Wenn jemand ihr was zum Abschied schenken möchte, bitte um Schuhe, die ihr auch noch in zwei Jahren passen. Ich kann mir, jedenfalls heute, nicht vorstellen, daß wir einmal reich genug sein werden, um Schuhe zu kaufen.

Mach erst die Liste für das Auswanderungsgut, wenn Du alles beisammen hast. Es ist wichtig, daß jedes Stück aufgezählt wird, das mitgehen soll. Sonst gibt es schrecklichen Ärger. Und laß Dich bloß von keinem überreden, irgend jemandem etwas mitzunehmen. Denk an den armen B. Den Kummer mit dem Hamburger Zoll hat er nur seiner Gutmütigkeit zu verdanken. Wer weiß, ob er je nach England kommt und wie lange er unter Buchen wandern wird. Am besten Du sprichst so wenig wie möglich über Deine Pläne. Man weiß nicht mehr, was aus einem Gespräch werden kann und was aus Menschen geworden ist, die man ein Leben lang gekannt hat.

Von mir will ich heute nur kurz berichten, sonst schwirrt Dir auch der Kopf. Rongai liegt ungefähr tausend Meter hoch, ist aber sehr heiß. Die Abende sind sehr kalt (nimm also Wollsachen mit). Auf der Farm wächst hauptsächlich Mais, doch habe ich noch nicht herausgefunden, was ich mit ihm machen soll. Außerdem haben wir fünfhundert Kühe und jede Menge Hühner. Für Milch, Butter und Eier ist also gesorgt. Sieh zu, daß du ein Backrezept für Brot mitbringst.

Das, was der Boy bäckt, sieht aus wie Matze und schmeckt noch schlechter. Setzei kann er wunderbar, Rührei gar nicht. Und wenn er weiche Eier kocht, singt er ein ganz bestimmtes Lied. Leider ist das Lied zu lang, und die Eier werden immer hart.

Wie Du siehst, habe ich schon einen eigenen Boy. Er ist groß, natürlich schwarz (bitte mache Regina klar, daß nicht alle Menschen weiß sind) und heißt Owuor. Er lacht sehr viel, was mir bei meiner gegenwärtigen Unruhe guttut. Boys sind hier die Diener, aber es heißt gar nichts, wenn man einen Boy hat. Auf einer Farm hat man so viel Personal, wie man will. Du kannst also Deine Sorgen um ein Dienstmädchen sofort einstellen. Es leben hier sehr viele Menschen. Ich beneide sie, weil sie nicht wissen, was in der Welt geschieht und weil sie ihr Auskommen haben.

Im nächsten Brief erzähle ich Dir mehr von Süßkind. Er ist ein Engel, fährt heute nach Nairobi und will die Post mitnehmen. Da gewinnt man mindestens eine Woche, und ein reger Briefwechsel ist für uns jetzt sehr wichtig. Wenn Du antwortest, numeriere Deine Briefe und schreib genau, auf welchen Du antwortest. Sonst kommt unser Leben noch mehr durcheinander, als es schon ist. Schreib, so bald Du kannst, an Vater und Liesel, und nimm ihnen die Angst um uns alle.

Mein Herz zerspringt bei dem Gedanken, daß ich vielleicht schon sehr bald Dich und das Kind in die Arme schließen kann. Und es wird schwer, wenn ich daran denke, daß dieser Brief Deiner Mutter sehr weh tun wird. Nun bleibt ihr von ihren beiden Mädels nur noch eins, und wer weiß, wie lange. Aber Deine Mutter ist immer eine großartige Frau gewesen, und ich weiß, daß sie Dich und ihr Enkelkind lieber in Afrika weiß als in Breslau. Gib Regina einen dicken Kuß von mir und verpimple sie nicht. Arme Leute können sich keine Ärzte leisten.

Ich kann mir denken, in welche Aufregung Dich dieser Brief stürzen wird, aber du mußt jetzt stark sein. Für uns alle. Es umarmt Dich voller Sehnsucht

Dein alter Walter

P. S. Die Söhne von Mr. Rubens hätten Dir gefallen, richtig fesche Burschen. Wie früher bei uns in der Tanzstunde. Ich hielt sie alle für unverheiratet, habe jedoch später erfahren, daß ihre Frauen sich immer zum Bridge treffen, wenn es um uns Refugees geht. Das Thema hängt ihnen zum Hals heraus.

Mein lieber Vater!

Ich hoffe, Du hast inzwischen von Jettel Nachricht bekommen und somit erfahren, daß Dein Sohn Farmer geworden ist. Mutter hätte bestimmt gesagt »schön, aber schwer«, doch Besseres kann sich ein gelöschter Rechtsanwalt und Notar nicht wünschen. Heute früh habe ich bereits ein neugeborenes Kalb aus dem Bauch einer Kuh gezogen und es Sohrau getauft. Ich hätte lieber bei der Geburt eines Fohlens Hebamme gespielt, denn Reiten habe ich ja bei Dir schon gelernt, ehe Du des Kaisers Rock angezogen hast.

Denk bloß nicht, daß es ein Fehler war, mich studieren zu lassen. Das scheint nur so im Augenblick. Wie lange mag es wohl dauern? Mein Chef, der nicht auf der Farm, sondern in Nairobi lebt, hat eine Menge Bücher im Schrank. Darunter die Encyclopaedia Britannica und ein lateinisches Wörterbuch. Ich könnte also hier in der Wildnis gar nicht Englisch lernen, wenn ich nicht Latein gelernt hätte. So aber kann ich mich bereits über Tische, Flüsse, Legionen und Kriege unterhalten und sogar sagen: »Ich bin ein Mann ohne Heimat.« Leider klappt das nur in der Theorie, denn hier auf der Farm sind nur Schwarze, und die sprechen Suaheli und finden es furchtbar ulkig, daß ich sie nicht verstehe.

Ich bin gerade dabei, im Konversationslexikon über Preußen nachzulesen. Wenn ich schon die Sprache nicht kann, muß ich mir ja Themen heraussuchen, die ich kenne. Du kannst Dir nicht vorstellen, wie lange die Tage auf so einer Farm sind, aber ich will nicht klagen. Ich bin dem Schicksal dankbar, besonders seitdem ich die Hoffnung habe, Regina und Jettel bald hier zu haben.

Um Euch beide mache ich mir große Sorgen. Was ist, wenn die Deutschen in Polen einmarschieren? Die wird es nicht interessieren, daß Du und Liesel Deutsche geblieben seid und nicht für Polen optiert habt. Für die seid Ihr Juden, und glaub bloß nicht, daß Dir Deine Auszeichnungen aus dem Krieg etwas nutzen. Das haben wir ja nach 1933 erlebt. Andererseits dürftet Ihr, gerade weil Ihr nicht für

Polen optiert habt, nicht unter die polnische Quote fallen, die ja überall die Auswanderung erschwert. Wenn Du das Hotel verkaufen würdest, könntest auch Du an Auswanderung denken. Vor allem für Liesel solltest Du es tun. Sie ist doch erst zweiunddreißig und hat bisher noch nichts vom Leben gehabt.

Ich habe einem ehemaligen Bankier aus Berlin (er zählt jetzt Säcke auf einer Kaffeefarm) von Liesel erzählt und daß sie noch in Sohrau ist. Der meinte, ledige Frauen seien bei den hiesigen Einwanderungsbehörden gar nicht ungern gesehen. Vor allem kommen sie gut als Kindermädchen bei den reichen englischen Farmersfamilien unter. Hätte ich die hundert Pfund, um für Euch beide zu bürgen, würde ich Dich noch ganz anders zur Auswanderung drängen. Es ist aber schon mehr als eine Gnade, daß ich Jettel und das Kind nachholen kann.

Vielleicht könntest Du Dich mal mit Rechtsanwalt Kammer in Leobschütz in Verbindung setzen. Der war bis zum Schluß hoch anständig zu mir. Als ich gelöscht wurde, sagte er mir zu, die Mandantengelder, die noch eingehen müßten, für mich in Verwahrung zu nehmen. Der würde Dir bestimmt helfen, wenn Du ihm erklärst, daß Du zwar immer noch ein Hotel, aber kein Geld hast. In Leobschütz weiß man ja, wie es den Deutschen in Polen all die Jahre ergangen ist.

Erst hier, wo ich so allein mit meinen Gedanken bin, kommt mir so richtig zu Bewußtsein, daß ich mich viel zu wenig um Liesel gekümmert habe. Sie hätte mit ihrer Herzensgüte und Opferbereitschaft nach Mutters Tod einen besseren Bruder verdient. Und Du einen Sohn, der Dir beizeiten gedankt hätte für alles, was Du für ihn getan hast.

Du brauchst mir wirklich nichts hierher zu schicken. Mit den freien Lebensmitteln von der Farm habe ich alles, was ich zum Leben brauche, und bin guter Hoffnung, daß ich eines Tages eine Stellung bekomme, bei der ich genug verdiene, um Regina zur Schule zu schicken (kostet hier enormes Geld, und Schulpflicht haben sie auch nicht).

Über Rosensamen würde ich mich allerdings sehr freuen. Dann würden auf diesem gottverdammten Fleck Erde die gleichen Blumen blühen wie vor meinem Vaterhaus. Vielleicht kann mir Liesel auch ein Rezept für Sauerkraut schicken. Ich habe gehört, daß Kraut hier gedeihen soll.

Es umarmt Euch beide in Liebe
Euer Walter

Rongai, den 27. Februar 1938

Meine liebe Jettel!

Heute kam Dein Brief vom 17. Januar an. Er mußte mir erst aus Nairobi nachgeschickt werden. Daß das überhaupt klappt, ist ein Wunder. Du kannst Dir gar nicht vorstellen, was Entfernungen in diesem Land bedeuten. Von mir zur Nachbarfarm sind es fünfundfünfzig Kilometer, und Walter Süßkind ist auf den schlechten, teilweise verschlammten Straßen drei Stunden unterwegs zu mir. Trotzdem war er bisher jede Woche da, um mit mir Schabbes zu feiern. Er stammt aus einem frommen Haus. Er hat das Glück, daß ihm sein Chef ein Auto zur Verfügung gestellt hat. Meiner, Mr. Morrison, glaubt leider, daß seit der Wüstenwanderung alle Kinder Israels gut zu Fuß sind. Ich bin nicht mehr von der Farm weggekommen, seitdem mich Süßkind hierher gebracht hat.

Leider gibt es keine Pferde. Der einzige Esel auf dieser Farm hat mich so oft abgeworfen, daß ich grün und blau war. Süßkind hat schrecklich gelacht und gesagt, afrikanische Esel könne man nicht reiten. Die ließen sich nicht für so dumm verkaufen wie die in deutschen Seebädern. Wenn du herkommst, wirst Du Dich auch daran gewöhnen müssen, daß es direkt ins Schlafzimmer regnet. Man stellt einfach einen Eimer auf und freut sich über das Wasser. Das ist nämlich kostbar. Vorige Woche hat es überall gebrannt. Ich war entsetzlich aufgeregt. Zum Glück war Süßkind gerade zu Besuch und hat mich über Buschfeuer aufgeklärt. Die gibt es hier immerzu.

Es tut mir gut zu wissen, daß der größte Teil Deines Briefes überholt ist. Inzwischen wirst Du ja erfahren haben, daß Deine Tage in Breslau gezählt sind. Bei dem Gedanken, Euch beide hier zu haben, schlägt mein Herz wie einst im Mai, als wir uns eine große Zukunft ausmalten. Heute wissen wir beide, daß nur eines wichtig ist – das Davonkommen.

Unbedingt weitermachen solltest Du mit Deinen Englischstunden, und es spielt wirklich keine Rolle, daß Dir der Lehrer nicht gefällt. Mit Spanisch kannst Du sofort aufhören. Das war doch nur für den Fall gedacht, daß wir Visa für Montevideo bekommen hätten. Um mit den Menschen auf der Farm zu reden, muß man Suaheli lernen. Da hat es der liebe Gott mal ausgesprochen gut mit uns gemeint. Suaheli ist eine sehr einfache Sprache. Ich konnte kein Wort, als ich nach Rongei kam, und jetzt bin ich schon soweit, daß ich mich leidlich mit Owuor verständigen kann. Er findet es wunderbar, wenn ich auf Gegenstände zeige und er mir dann die Dinge beim Namen nennen darf. Mich nennt er Bwana. So redet man hier die weißen Männer an. Du wirst die Memsahib sein (der Begriff wird nur für weiße Frauen gebraucht) und Regina das Toto. Das heißt Kind.

Vielleicht kann ich bis zu meinem nächsten Brief schon genug Suaheli, um Owuor klarzumachen, daß ich die Suppe nicht gern nach dem Pudding esse. Pudding kann er übrigens wunderbar kochen. Beim erstenmal habe ich viele schmatzende Geräusche gemacht. Er hat zurückgeschmatzt, und seitdem kocht er jeden Tag den gleichen Pudding. Eigentlich müßte ich mehr lachen, aber es lacht sich nicht gut allein. Nachts schon gar nicht, wenn man sich nicht gegen die Erinnerungen wehren kann.

Wenn ich bloß schon Nachricht von Dir hätte und ob Ihr Schiffskarten habt. Wer hätte je gedacht, daß es so wichtig werden könnte, aus der Heimat herauszukommen. Jetzt gehe ich zum Melken. Das heißt, ich sehe zu, während die Boys melken, und lerne die Namen der Kühe. Das lenkt ab.

Schreib bitte sofort, wenn Du meine Briefe bekommst. Und versuche, Dich so wenig wie möglich aufzuregen. Du kannst sicher sein, daß meine Gedanken Tag und Nacht bei Euch sind.

Einen dicken Kuß für Euch beide, Deine Mutter und Deine Schwester.

Dein alter Walter

Rongai, den 15. März 1938

Meine liebe Jettel!

Heute kam Dein Brief vom 31. Januar. Er hat mich sehr traurig gemacht, weil ich Dir gar nicht helfen kann in Deiner Angst. Ich kann mir gut vorstellen, daß Du jetzt sehr viel Trauriges hörst, aber das müßte Dir auch zeigen, daß das Schicksal nicht nur uns getroffen hat. Es stimmt übrigens nicht, daß nur ich allein ausgewandert bin. Hier sind viele Männer, die erst versuchen wollen, eine Existenz zu schaffen, ehe sie die Familie nachholen, und die sind nun in der gleichen Lage wie ich – nur ohne das Glück, daß ein rettender Engel wie Rubens eingegriffen hat. Du mußt fest daran glauben, daß wir uns bald wiedersehen. Das sind wir dem lieben Gott schuldig. Es hat auch keinen Zweck, darüber zu grübeln, ob wir besser nach Holland oder nach Frankreich gegangen wären. Wir hatten ja gar keine Wahl mehr, und wer weiß, wozu es gut ist.

Es ist nicht mehr wichtig, daß sie Regina nicht in dem Kindergarten nehmen wollen. Und es spielt auch keine Rolle für unser ferneres Glück, daß Dich Leute nicht mehr grüßen, die Du seit Jahren kennst. Du mußt jetzt wirklich lernen, Unwichtiges von Wichtigem zu unterscheiden. Unser Leben nimmt keine Rücksicht mehr darauf, daß Du als verwöhnte höhere Tochter aufgewachsen bist. In der Emigration zählt nicht das, was man war, sondern nur, daß Mann und Frau am selben Strang ziehen. Ich bin sicher, daß wir es schaffen. Wenn du nur schon hier wärst und wir damit beginnen könnten.

Einen ganz dicken Kuß für Euch beide

Dein alter Walter

Rongai, den 17. März 1938

Lieber Süßkind!

Ich weiß nicht, wie lange der Boy mit diesem Brief unterwegs sein wird. Ich habe vierzig Fieber und bin nicht immer klar im Kopf. Falls mir was passieren sollte, findest Du die Adresse von meiner Frau im Kästchen auf der Kiste neben meinem Bett.

Walter

Rongai, den 4. April 1938

Meine geliebte Jettel!

Heute kam Dein Brief mit der so sehnsuchtsvoll erwarteten guten Nachricht. Süßkind hat ihn von der Bahnstation mitgebracht und ist natürlich schrecklich erschrocken, als ich in Tränen ausbrach. Stell Dir vor, dann hat der lange Lulatsch von einem Mann mitgeweint. Das ist das Gute, wenn man ein Refugee und kein deutscher Mann mehr ist. Man braucht sich seiner Tränen nicht zu schämen.

Wie lang wird mir die Zeit bis Juni werden, bis Ihr an Bord geht. Wenn ich mich richtig erinnere, ist die »Adolf Woermann« ein Luxusschiff und fährt rund um Afrika. Das heißt, daß Ihr oft und lange in den Häfen anlegen und länger unterwegs sein werdet als ich mit der »Ussukuma«. Versuche, die Zeit so gut wie möglich zu genießen, aber es ist besser für Euch, wenn Ihr Euch an Menschen haltet, die Neujahr im September feiern. Sonst gibt es überflüssige Probleme. Ich habe mich auf der Reise zu sehr in meiner Kabine verkrochen, und es war doch die letzte Gelegenheit, mit Menschen zu reden.

Schade, daß Du meinem Rat mit der Drei-Bett-Kabine nicht gefolgt bist. Das hätte uns viel Geld gespart, das uns nun hier fehlen wird, und dem Kind hätte eine fremde Schlafgenossin bestimmt nicht geschadet. Sie muß lernen, daß sie zwar Regina heißt, aber keine Königin ist.

Ich will jedoch nicht mit dir in einem Moment rechten, in dem ich so dankbar und glücklich bin. Es ist jetzt wichtig, daß Du deine Sinne beisammen hast und zusiehst, daß die Kisten mit Euch reisen können. Nicht, weil wir die Dinge so nötig brauchen, doch habe ich von Leuten gehört, die sich ihr Auswanderungsgut haben nachschicken lassen und heute noch darauf warten. Ich fürchte, Du hast nicht verstanden, wie wichtig ein Eisschrank für uns ist. In den Tropen braucht man den so nötig wie das tägliche Brot. Du solltest Dich doch noch mal bemühen, einen zu finden. Süßkind könnte mir Fleisch aus Nakuru mitbringen, ohne Eisschrank ist es jedoch schon nach einem einzigen Tag verdorben. Und Mr. Morrison nimmt es als Chef sehr genau. Eins seiner Hühner darf nur dann geschlachtet werden, wenn er auf die Farm kommt. Ich bin froh, daß er mich wenigstens die Eier essen läßt.

Gratuliere zur Petromaxlampe. Da müssen wir nicht mit Mr. Morrisons kostbaren Hühnern zu Bett gehen. Das Abendkleid hättest Du nicht kaufen sollen. Hier wirst Du keine Gelegenheit haben, es zu tragen. Du bist nämlich gewaltig im Irrtum, wenn Du glaubst, Leute wie Rubens würden Dich zu ihren Gesellschaften einladen. Erstens besteht eine gewaltige Kluft zwischen den alteingesessenen, reichen Juden und uns mittellosen Refugees, und zweitens lebt die Familie Rubens in Nairobi, und das ist weiter entfernt von Rongai als Breslau von Sohrau.

Ich darf Dir Deine falschen Vorstellungen von Afrika jedoch nicht verübeln. Ich hatte ja auch keine Ahnung, was uns erwartet, und staune immer noch über Dinge, die Süßkind nach zwei Jahren selbstverständlich findet. Suaheli kann ich schon recht gut und merke immer mehr, wie rührend sich Owuor um mich sorgt.

Ich war nämlich krank. An einem Tag hatte ich hohes Fieber, und da hat Owuor darauf gedrungen, daß ich nach Süßkind schickte. Der kam noch spät in der Nacht hier an und erkannte sofort, was mit mir los war. Malaria. Zum Glück hatte er Chinin dabei, und es ging mir schnell wieder besser. Du darfst jedoch nicht erschrecken, wenn Du mich siehst. Ich habe sehr abgenommen und bin ziemlich gelb im Gesicht. Du siehst, der kleine Spiegel, den mir Deine Schwester zum Abschied schenkte und der mir damals so überflüssig vorkam, ist doch sehr nützlich. Leider erzählt er meistens unerfreuliche Geschichten.

Durch meine Krankheit ist mir klargeworden, wie wichtig Medikamente sind in einem Land, in dem man nicht nach dem Arzt telefonieren kann und ihn auch gar nicht bezahlen könnte. Vor allem brauchen wir Jod und Chinin. Deine Mutter wird bestimmt einen Arzt kennen, der es noch gut mit Menschen wie uns meint und der Dir die Sachen verschafft. Laß Dir auch erklären, wieviel Chinin man einem Kind gibt. Ich will Dir keine Angst machen, aber in diesem Land muß man lernen, sich selbst zu helfen. Ohne Süßkind wäre es übel um mich bestellt gewesen. Und natürlich ohne Owuor, der nicht von meiner Seite gewichen ist und mich gefüttert hat wie ein Kind. Er will übrigens nicht glauben, daß ich nur ein Kind habe. Er hat sieben, aber, wenn ich ihn richtig verstanden habe, auch drei Frauen. Stell Dir vor, er müßte für die ganze Familie Bürgschaften besorgen! Aber er hat ja eine Heimat. Ich beneide ihn sehr. Auch, weil er nicht lesen kann und nicht mitbekommt, was in der Welt geschieht. Merkwürdigerweise scheint er jedoch zu wissen, daß ich eine ganz andere Art von Europäer bin als Mr. Morrison.

Erzähl Regina von mir. Ob sie ihren Papa noch erkennt? Was mag das Kind von den Dingen mitbekommen? Am besten Du sprichst erst auf dem Schiff mit ihr. Da macht es nichts mehr, wenn sie was ausplappert. Mach Du nicht zu viele Abschiedsbesuche. Sie brechen nur das Herz. Mein Vater wird auch Verständnis dafür haben, wenn Ihr nicht noch einmal nach Sohrau fahrt. Ich glaube, es wird ihm sogar recht sein. Und gib Deiner Mutter und Käte einen Kuß von mir. Es wird schlimm für die beiden sein, wenn der Tag der Trennung kommt. Manche Gedanken kann man gar nicht zu Ende denken.

Seid beide innigst umarmt
Dein alter Walter

Meine liebe Regina!

Heute bekommst du einen eigenen Brief, weil dein Papa so glücklich ist, daß er Dich bald wiedersehen wird. Du mußt jetzt besonders artig sein, abends immer beten und Mama helfen, wo du nur kannst. Die Farm, auf der wir alle drei leben werden, wird Dir bestimmt gefallen. Es sind nämlich sehr viele Kinder hier. Du mußt nur ihre Sprache lernen, ehe du mit ihnen spielen kannst. Hier scheint die Sonne jeden Tag. Aus Eiern kriechen kleine, niedliche Küken. Zwei Kälber sind auch schon geboren worden, seitdem ich hier bin. Aber eins mußt du wissen: Es werden nur Kinder nach Afrika hereingelassen, die keine Angst vor Hunden haben. Üb also, tapfer zu sein. Mut ist im Leben viel wichtiger als Schokolade.

Ich schicke Dir so viele Küsse, wie auf Deinem Gesicht Platz haben. Gib Mama, Oma und Tante Käte welche ab.

Dein Papa

Rongai, den 1. Mai 1938

Mein lieber Vater, meine liebe Liesel!

Gestern kam Euer Brief mit Rosensamen, Sauerkrautrezept und den neuesten Sohrauer Nachrichten hier an. Wenn ich doch nur in Worte fassen könnte, was so ein Brief bedeutet. Ich komme mir wie der kleine Junge vor, dem Du, lieber Vater, von der Front geschrieben hast. In jedem Deiner Briefe kamen Mut und Vaterlandstreue vor. Nur kam damals keiner von uns auf den Gedanken, daß man den meisten Mut braucht, wenn man kein Vaterland mehr hat.

Ich mache mir noch größere Sorgen um Euch als zuvor, seitdem die Österreicher heim ins Reich geholt worden sind. Wer weiß, ob die Deutschen nicht ein ähnliches Glück für die Tschechen vorgesehen haben. Und was wird aus Polen?

Ich habe mir immer vorgestellt, ich könnte etwas für Euch tun, wenn ich erst in Afrika bin. Aber natürlich habe ich nie geahnt, daß man im zwanzigsten Jahrhundert Menschen nur auf Kost und Logis anstellt. Bis Jettel und Regina hier sind, ist nicht an eine Veränderung zu denken. Auch danach wird es schwer sein, eine Stellung zu finden, bei der es zu Eiern, Butter und Milch zusätzlich noch ein Gehalt gibt.

Setzt Euch wenigstens mit einer jüdischen Stelle in Verbindung, die Auswanderer berät. Dafür lohnt sich auch die Reise nach Breslau. Da könntet Ihr Regina und Jettel noch einmal sehen. Ich wollte ja nicht, daß die beiden vor der Abfahrt noch einmal nach Sohrau kommen. Aus Jettels Briefen merke ich, wie nervös sie ist.

Vor allem, lieber Vater, mach Dir keine Illusionen mehr. Unser Deutschland ist tot. Es hat unsere Liebe mit Füßen getreten. Ich reiße es mir jeden Tag aufs neue aus dem Herzen. Nur unser Schlesierland will nicht weichen.

Ihr fragt Euch vielleicht, weshalb ich hier draußen so gut über die Welt Bescheid weiß. Das Radio, das mir Stattlers zum Abschied geschenkt haben, ist ein wahres Wunder. Ich bekomme Deutschland so klar wie zu Hause. Außer meinem Freund Süßkind (er lebt auf der Nachbarfarm und war schon in seinem ersten Leben Landwirt) ist das Radio der einzige Mensch, der mit mir Deutsch spricht. Ob es Herrn Goebbels gefallen würde, daß der Jude von Rongai den Durst nach Muttersprache mit seinen Reden stillt?

Den Genuß gestatte ich mir nur abends. Tagsüber rede ich mit den Schwarzen, was immer besser klappt, und erzähle den Kühen von meinen Prozessen. Die Tiere mit den sanften Augen haben für alles Verständnis. Erst heute morgen sagte mir ein Ochse, daß ich recht hatte, mich nicht von meinem BGB zu trennen. Trotzdem kann ich mich des Gefühls nicht erwehren, daß es einem Farmer weniger nutzt als einem Rechtsanwalt.

Süßkind behauptet immer, ich hätte genau den Humor, um in diesem Land zu bestehen. Ich fürchte, er verwechselt da einiges. Übrigens würde Wilhelm Kulas hier große Karriere machen. Mechaniker nennen sich Ingenieure und finden schnell Arbeit. Wenn ich jedoch behaupten würde, ich sei zu Hause Justizminister gewesen, würde mich das auch keinen Schritt weiterbringen. Dafür habe ich meinem Boy beigebracht, »Ich hab' mein Herz in Heidelberg verloren« zu singen. Wenn einer so viel Mühe mit jedem Wort hat wie er, dauert das Lied genau viereinhalb Minuten und eignet sich wunderbar als Eieruhr. Meine weichen Eier schmecken jetzt wie zu Hause. Ihr seht, ich habe auch meine kleinen Erfolge. Schade, daß die größeren so lange dauern.

Voller Hoffnung, daß sich bei Euch doch etwas tun wird, umarmt Euch mit sehr viel Sehnsucht

Euer Walter

Rongai, den 25. Mai 1938

Meine liebe Ina, meine liebe Käte!

Wenn Euch dieser Brief erreicht, sind Jettel und Regina, so Gott will, schon unterwegs. Ich kann mir denken, wie Euch zumute ist, aber in Worte kann ich nicht fassen, was mich bewegt, wenn ich an Euch und Breslau denke. Ihr habt Jettel geholfen, die Zeit unserer Trennung zu ertragen, und wie ich meine verwöhnte Jettel kenne, hat sie es Euch bestimmt nicht leichtgemacht.

Sorgt Euch nicht um Jettel. Ich bin bester Hoffnung, daß sie sich hier einleben wird. Bestimmt hat sie durch die Erfahrungen der letzten Jahre und besonders der letzten Monate begriffen, daß nur eines zählt, nämlich, daß wir zusammen und in Sicherheit sind. Ich weiß, liebe Ina, daß Du Dir oft Sorgen machst, weil ich ein Hitzkopf bin und Jettel ein störrisches Kind ist, das schnell die Fassung verliert, wenn es nicht nach seinem Willen geht, aber mit unserer Ehe hat das nichts zu tun. Jettel war die große Liebe meines Lebens und wird es auch immer bleiben. So schwer sie es mir auch manchmal macht.

Du siehst, die ewige afrikanische Sonne öffnet Herz und Mund, aber ich finde, manche Dinge muß man beizeiten aussprechen. Und da ich gerade dabei bin: eine bessere Schwiegermutter als Du, meine geliebte Ina, gibt es nicht noch einmal. Ich spreche hier nicht von Deinen Bratkartoffeln, sondern von meiner ganzen Studentenzeit. Ich war neunzehn Jahre alt, als ich in Dein Haus kam und Du mir das Gefühl gabst, ich sei Dein Sohn. Wie lange scheint das her, und wie wenig habe ich Dir Deine Güte entgelten können.

Ihr braucht jetzt alle Kraft für Euch selbst. Große Hoffnung setzte ich auf Euren Briefwechsel mit Amerika. Nutzt jede Möglichkeit. Ich weiß, daß Du nicht viel vom Beten hältst, Ina, aber ich kann es nicht lassen, Gott um seinen Beistand zu bitten. Hoffentlich gibt er mir eines Tages Gelegenheit, ihm zu danken.

Jettel und Regina werden hier wie Fürsten empfangen werden. Für Regina habe ich ein wunderbares Bett aus Zedernholz mit einer Krone am Kopfende bauen lassen. (Ich habe hier zwar nichts zum Leben, darf aber so viele Bäume fällen, wie ich will.) Die Krone habe ich auf Papier gezeichnet, und Owuor, mein treuer Boy und Kamerad, hat einen fast nackten Riesen mit einem Messer angeschleppt, der unsere Krone schnitzte. So ein schönes Stück gibt es bestimmt in ganz Breslau nicht. Für Jettel haben wir den Pfad zwischen dem Wohngebäude und dem Plumpsklo mit Brettern gepflastert, damit sie nicht im Lehm versinkt, wenn sie in der Regenzeit muß. Hoffentlich erschrickt sie nicht zu sehr, wenn sie erlebt, daß man hier selbst die kleinsten Geschäfte genau berechnen muß. Zwischen Haus und Klo läuft man drei Minuten. Bei Durchfall weniger.

Grüßt mir das Rathaus und alle, die den Meinen beigestanden haben. Und gebt gut auf Euch acht. Wie dumm komme ich mir vor, so etwas zu schreiben, aber wie soll man ausdrücken, was man empfindet?

In großer Liebe
Euer Walter

Rongai, den 20. Juli 1938

Meine geliebte Jettel!
Heute erhielt ich Deinen Brief aus Southampton. Kann ein einzelner Mensch so dankbar, glücklich und erleichtert sein? Endlich, endlich, endlich. Wir können uns wieder

ohne Angst schreiben. Ich bewundere Dich sehr, daß du mir die Häfen angegeben hast, in denen die »Adolf Woermann« Post aufnimmt. Auf die Idee bin ich damals nicht gekommen. Dieser Brief geht also nach Tanger. Wenn die Post sich nach meinen Berechnungen richtet, müßte er Dich gut dort erreichen. Um Dir nach Nizza zu schreiben, wäre die Zeit zu knapp gewesen. Hoffentlich bist Du nicht zu enttäuscht. Ich weiß inzwischen sehr gut, wie es ist, wenn man auf Post wartet.

In Tanger wird Regina die ersten schwarzen Menschen sehen. Hoffentlich erschrickt unser kleiner Angsthase nicht zu sehr. Ich habe mich sehr gefreut, daß sie die Aufregungen der Abfahrt gut überstanden hat. Vielleicht haben wir sie immer für zarter gehalten, als sie ist. Wie es Dir zumute war, kann ich mir denken. Daß Deine Mutter Dich nach Hamburg begleitet hat, ist mir sehr nahegegangen. Daß ein Herz ohne Hoffnung immer noch an andere denken kann!

Laß Dir keine grauen Haare wachsen, weil Du nun doch nicht den Eisschrank gekauft hast. Wir legen Fleisch und Butter einfach in Dein neues Abendkleid und hängen das Ganze in der prallen Sonne in den Wind. So kühlt man hier wirklich Lebensmittel, wenn auch nicht in Seidenstoffen, aber wir können es ja versuchen. Dann hast Du das Gefühl, daß so ein Abendkleid wenigstens zu etwas nutze ist. Gestern habe ich Bananen gekauft. Nicht ein Pfund und nicht ein Kilo, sondern einen ganzen Stamm mit mindestens fünfzig Stück. Regina wird staunen, wenn sie so etwas sieht. Von Zeit zu Zeit kommen Frauen mit riesigen Bananenstauden vorbei und bieten sie auf den Farmen an. Beim erstenmal sind alle Schwarzen zusammengelaufen und haben sich fast totgelacht, weil ich nur drei Stück kaufen wollte. Die Bananen sind sehr billig (selbst für Nebbiche) und ganz grün, aber sie schmecken wunderbar. Ich wollte, alles würde hier so gut schmecken.

Ich glaube, Owuor freut sich, daß Ihr kommt. Mit mir war er drei Tage lang böse. Als ich nämlich endlich genug Suaheli gelernt hatte, um ganze Sätze zu bilden, habe ich ihm verraten, daß ich nicht jeden Tag den gleichen Pudding will. Das hat ihn vollkommen aus der Fassung gebracht. Immer wieder warf er mir vor, daß ich seinen Pudding schon am ersten Tag gelobt hätte. Dabei ahmte er meine schmatzenden Geräusche von unserer ersten Puddingbegegnung nach und sah mich höhnisch an. Ich stand wie ein begossener Pudel da und wußte natürlich nicht, was Abwechslung auf Suaheli heißt, falls es dieses Wort überhaupt gibt.

Es dauert sehr lange, ehe man die Mentalität der Menschen hier versteht, aber sie sind sehr liebenswert und bestimmt auch klug. Vor allem kämen sie nie auf die Idee, Menschen einzusperren oder sie aus dem Land zu jagen. Ihnen ist es egal, ob wir Juden oder Refugees oder unglücklicherweise gleich beides sind. An guten Tagen glaube ich manchmal, daß ich mich an dieses Land gewöhnen könnte. Vielleicht haben die Schwarzen eine Medizin (heißt hier Daua) gegen Erinnerungen.

Jetzt muß ich Dir noch von einem ganz großen Erlebnis erzählen. Vor einer Woche stand plötzlich Heini Weyl vor mir. Genau der mit dem großen Wäschegeschäft am Tauentzienplatz, den ich damals auf Vaters Rat hin aufsuchte, als ich gelöscht wurde und nicht wußte, wohin wir auswandern sollten. Heini hat mir ja damals zu Kenia geraten, weil man ja nur fünfzig Pfund pro Kopf brauchte.

Er ist schon seit elf Monaten im Land und hat versucht, in einem Hotel unterzukommen, was jedoch nicht geklappt hat. Kellner zu sein gilt als nicht standesgemäß für Weiße, und für die besseren Positionen muß man Englisch können. Nun hat er eine Stellung als Manager (ist hier jeder, selbst ich) auf einer Goldmine in Kisumu gefunden. Seinen Optimismus hat er behalten, obwohl Kisumu ein schrecklich heißes Klima haben soll und als Malariagegend verrufen ist. Weil Rongai auf dem Weg von Nairobi nach Kisumu ist, hat Heini in einem Wagen, den er für sein letztes Geld gekauft hat, mit seiner Frau Ruth bei mir Station gemacht. Wir haben die ganze Nacht gequatscht und uns von Breslau erzählt.

Owuor vergaß seinen Puddingärger und kam mit einem Huhn an, obwohl die ja nur für Mr. Morrison geschlachtet werden dürfen. Er behauptete, das Huhn sei ihm direkt vor die Füße gelaufen und tot umgefallen.

Du kannst Dir gar nicht vorstellen, was Besuch auf der Farm bedeutet. Man kommt sich wie ein Toter vor, der wieder zum Leben erweckt worden ist.

Leider haben Weyls erzählt, daß Fritz Feuerstein und die beiden Brüder Hirsch verhaftet worden sind. Wie ich aus einem Brief von Schlesingers aus Leobschütz weiß, haben sie auch Hans Wohlgemut und seinen Schwager Siegfried geholt. Ich weiß das schon lange, aber ich hatte Angst, Dir von Verhaftungen zu schreiben, solange Du noch in Breslau warst. So habe ich Dir auch nie berichtet, daß unser guter, treuer Greschek, der es sich ja bis zum Schluß nicht nehmen ließ, zu einem jüdischen Anwalt zu gehen, mich im Zug bis nach Genua begleitet hat. Und einen Brief hierher hat er mir auch geschrieben. Hoffentlich versteht er, daß ich ihm um seinetwillen nicht geantwortet habe.

Was sind wir doch für Glückskinder, daß wir uns wieder ohne Angst schreiben können. Was spielt es da für eine Rolle, daß Du Dir auf der »Adolf Woermann« anhören mußt, wie die Nazis an Deinem Tisch das Hitlerbild anschwärmen? Du mußt wirklich lernen, Kränkungen nicht mehr wichtig zu nehmen. Das können sich nur reiche Leute leisten. Es zählt allein, daß Ihr auf der »Adolf Woermann« seid, und nicht, wer mitfährt.

In einem Monat wirst Du die Leute, die Dir auf den Magen schlagen, nicht mehr sehen. Owuor weiß überhaupt nicht, wie man Menschen kränkt.

Süßkind ist bester Hoffnung, daß sein Chef ihm erlauben wird, mit dem Wagen nach Mombasa zu fahren. Dann können wir Euch beide abholen und direkt hierherbringen. Direkt bedeutet übrigens eine Reise von mindestens zwei Tagen auf ungeteerten Straßen, aber wir können eine Nacht in Nairobi bei einer Familie Gordon unterkommen. Gordons leben schon vier Jahre dort und sind immer bereit, Neuankömmlingen zu helfen. Sollte Süßkinds Chef nicht einsehen, daß ein Refugee nach Monaten der Todesangst das Bedürfnis hat, seine Frau und sein Kind in die Arme zu schließen, dann sei nicht traurig. Einer von der Jüdischen Gemeinde wird Euch in Mombasa in den Zug nach Nairobi setzen und dann für die Weiterfahrt nach Rongai sorgen. Die Gemeinden sind hier großartig. Schade, daß das nur für die Ankunft gilt.

Ich zähle nicht mehr die Wochen, sondern die Tage und Stunden, bis wir uns wiedersehen, und komme mir dabei wie der Bräutigam vor der Hochzeitsnacht vor.

Sei innigst umarmt von
Deinem alten Walter

2

»Toto«, lachte Owuor, als er Regina aus dem Auto hob.
Er warf sie ein kleines Stück dem Himmel entgegen, fing
sie wieder auf und drückte sie an sich. Seine Arme waren weich und warm, die Zähne sehr weiß. Die großen
Pupillen der runden Augen machten sein Gesicht hell,
und er trug eine hohe, dunkelrote Kappe, die wie einer
jener umgestülpten Eimer aussah, die Regina vor der
großen Reise im Sandkasten zum Kuchenbacken genommen hatte. Von der Kappe schaukelte eine schwarze
Bommel mit feinen Fransen; sehr kleine schwarze Lok-
ken krochen unter dem Rand hervor. Über seiner Hose
trug Owuor ein langes weißes Hemd, genau wie die
fröhlichen Engel in den Bilderbüchern für artige Kinder.
Owuor hatte eine flache Nase, dicke Lippen und einen
Kopf, der wie ein schwarzer Mond aussah. Sobald die
Sonne die Schweißtropfen auf der Stirn glänzen ließ,
verwandelten sie sich in bunte Perlen. Noch nie hatte
Regina so winzige Perlen gesehen.

Der herrliche Duft, der Owuors Haut entströmte, roch
wie Honig, verjagte Angst und ließ ein kleines Mädchen
zu einem großen Menschen werden. Regina machte ihren
Mund weit auf, um den Zauber besser schlucken zu können, der Müdigkeit und Schmerzen aus dem Körper
trieb. Erst spürte sie, wie sie in Owuors Armen stark
wurde, und dann merkte sie, daß ihre Zunge fliegen gelernt hatte.

»Toto«, wiederholte sie das schöne, fremde Wort.

Sanft stellte sie der Riese mit den mächtigen Händen
und der glatten Haut auf die Erde. Er ließ ein Lachen aus
der Kehle, das ihre Ohren kitzelte. Die hohen Bäume
drehten sich, die Wolken fingen an zu tanzen, und
schwarze Schatten jagten sich in der weißen Sonne.

»Toto«, lachte Owuor wieder. Seine Stimme war laut

und gut, ganz anders als die der weinenden und flüstern-
den Menschen in der großen grauen Stadt, von der Regina nachts träumte.

»Toto«, jubelte Regina zurück und wartete gespannt auf
Owuors sprudelnde Fröhlichkeit.

Sie riß die Augen so weit auf, daß sie glitzernde Punkte
sah, die im hellen Licht zu einem Ball aus Feuer wurden,
ehe sie verschwanden. Papa hatte seine kleine weiße Hand
auf Mamas Schulter gelegt. Das Wissen, wieder Papa und
Mama zu haben, erinnerte Regina an Schokolade. Erschrocken schüttelte sie den Kopf und spürte sofort einen
kalten Wind auf der Haut. Ob der schwarze Mann im
Mond nie mehr lachen würde, wenn sie an Schokolade
dachte? Die gab es nicht für arme Kinder, und Regina
wußte, daß sie arm war, weil ihr Vater nicht mehr Rechtsanwalt sein durfte. Mama hatte ihr das auf dem Schiff erzählt und sie sehr gelobt, weil sie alles so gut verstanden
und keine dummen Fragen gestellt hatte, doch nun, in der
neuen Luft, die gleichzeitig heiß und feucht war, konnte
sich Regina nicht mehr an das Ende der Geschichte erinnern.

Sie sah nur, daß die blauen und roten Blumen auf dem
weißen Kleid ihrer Mutter wie Vögel umherflogen. Auch
auf Papas Stirn leuchteten winzige Perlen, nicht so schön
und bunt wie auf Owuors Gesicht, aber doch lustig genug,
um zu lachen.

»Komm, Kind«, hörte Regina ihre Mutter sagen, »wir
müssen sehen, daß du sofort aus der Sonne kommst«, und
sie merkte, daß ihr Vater nach ihrer Hand griff, doch die
Finger gehörten ihr nicht mehr. Sie klebten an Owuors
Hemd fest.

Owuor klatschte in die Hände und gab ihr die Finger
zurück.

Die großen schwarzen Vögel, die auf dem kleinen Baum
vor dem Haus gehockt hatten, flogen kreischend zu den
Wolken, und dann flogen Owuors nackte Füße über die
rote Erde. Im Wind wurde das Engelshemd eine Kugel.
Owuor weglaufen zu sehen, war schlimm.

Regina spürte den scharfen Schmerz in der Brust, der immer vor einem großen Kummer kam, aber sie erinnerte sich rechtzeitig, daß ihre Mutter gesagt hatte, sie dürfe in ihrem neuen Leben nicht mehr weinen. So kniff sie die Augen zu, um die Tränen einzusperren. Als sie wieder sehen konnte, kam Owuor durch das hohe gelbe Gras. In seinen Armen lag ein kleines Reh.

»Das ist Suara. Suara ist ein Toto wie du«, sagte er, und obwohl Regina ihn nicht verstand, breitete sie die Arme aus. Owuor gab ihr das zitternde Tier. Es lag auf dem Rücken, hatte dünne Beine und so kleine Ohren wie die Puppe Anni, die nicht mit auf die Reise hatte kommen dürfen, weil kein Platz mehr in den Kisten gewesen war. Noch nie hatte Regina ein Tier angefaßt. Aber sie spürte keine Angst. Sie ließ ihr Haar über die Augen des kleinen Rehs fallen und berührte seinen Kopf mit ihren Lippen, als hätte sie schon lange danach verlangt, nicht mehr nach Hilfe zu rufen, sondern Schutz zu geben.

»Es hat Hunger«, flüsterte ihr Mund. »Ich auch.«

»Großer Gott, das hast du in deinem ganzen Leben nicht gesagt.«

»Mein Reh hat das gesagt. Ich nicht.«

»Du bringst es hier noch weit, scheue Prinzessin. Du redest jetzt schon wie ein Neger«, sagte Süßkind. Sein Lachen war anders als das von Owuor, aber auch gut für die Ohren.

Regina drückte das Reh an sich und hörte nichts mehr als die regelmäßigen Schläge, die aus seinem warmen Körper kamen. Sie machte ihre Augen zu. Ihr Vater nahm das schlafende Tier aus ihren Armen und gab es Owuor. Dann hob er Regina hoch, als sei sie ein kleines Kind, und trug sie ins Haus.

»Fein«, jubelte Regina, »wir haben Löcher im Dach. So etwas hab' ich noch nie gesehen.«

»Ich auch nicht, bis ich herkam. Warte nur ab, in unserem zweiten Leben ist alles anders.«

»Unser zweites Leben ist so schön.«

Das Reh hieß Suara, weil Owuor es am ersten Tag so

genannt hatte. Suara lebte in einem großen Stall hinter dem kleinen Haus, leckte mit warmer Zunge Reginas Finger ab, trank Milch aus einer kleinen Blechschüssel und konnte schon nach einigen Tagen an zarten Maiskolben kauen. Jeden Morgen machte Regina die Stalltür auf. Dann sprang Suara durch das hohe Gras und rieb bei der Heimkehr den Kopf an Reginas braunen Hosen. Sie trug die Hosen seit dem Tag, an dem der große Zauber begonnen hatte. Wenn abends die Sonne vom Himmel fiel und die Farm in einen schwarzen Mantel hüllte, ließ sich Regina von ihrer Mutter die Geschichte von Brüderchen und Schwesterchen erzählen. Sie wußte, daß sich auch ihr Reh in einen Jungen verwandeln würde.

Als Suaras Beine länger waren als das Gras hinter den Bäumen mit den Dornen und Regina schon die Namen von so vielen Kühen kannte, daß sie ihrem Vater beim Melken sagen mußte, wie sie hießen, brachte Owuor den Hund mit weißem Fell und schwarzen Flecken. Seine Augen hatten die Farbe heller Sterne. Die Schnauze war lang und feucht. Regina schlang ihre Arme um den Hals, der so rund und warm war wie Owuors Arme. Mama rannte aus dem Haus und rief: »Du hast doch Angst vor Hunden.«

»Hier nicht.«

»Den nennen wir Rummler«, sagte Papa mit einer so tiefen Stimme, daß Regina sich verschluckte, als sie zurücklachte. »Rummler«, kicherte sie, »ist ein schönes Wort. Genau wie Suara.«

»Rummler ist aber Deutsch. Dir gefällt doch nur noch Suaheli.«

»Rummler gefällt mir auch.«

»Wie kommst du auf Rummler?« fragte Mama. »Das war doch der Kreisleiter in Leobschütz.«

»Ach, Jettel, wir brauchen unsere Spiele. Jetzt können wir den ganzen Tag Rummler, du Mistkerl, rufen und uns freuen, daß uns keiner verhaften kommt.«

Regina seufzte und streichelte den großen Kopf des Hundes, der mit seinen kurzen Ohren die Fliegen vertrieb. Sein Körper dampfte in der Hitze und roch nach Regen.

Papa sagte zu oft Dinge, die sie nicht verstand, und wenn er lachte, kam nur ein kurzer heller Ton, der nicht wie Owuors Gelächter vom Berg zurückprallte. Sie flüsterte dem Hund die Geschichte vom verwandelten Reh zu, und er schaute in die Richtung von Suaras Stall und begriff sofort, wie sehr sich Regina einen Bruder wünschte.

Sie ließ sich vom Wind die Ohren streicheln und hörte, daß ihre Eltern immer wieder Rummlers Namen nannten, aber sie konnte sie nicht richtig verstehen, obwohl die Stimmen sehr deutlich waren. Jedes Wort war wie eine Seifenblase, die sofort platzte, wenn man nach ihr greifen wollte.

»Rummler, du Mistkerl«, sagte Regina schließlich, doch erst als die Gesichter ihrer Eltern so hell wurden wie Lampen mit einem frischen Docht, erkannte sie, daß die drei Worte ein Zauberspruch waren.

Regina liebte auch Aja, die kurz nach Rummler auf die Farm gekommen war. Sie stand eines Morgens vor dem Haus, als die letzte Röte vom Himmel verschwand und die schwarzen Geier auf den Dornakazien den Kopf unter den Flügeln hervorholten. Aja war das Wort für Kinderfrau und schon deshalb schöner als andere, weil es sich ebensogut vorwärts wie rückwärts sprechen ließ. Aja war, genau wie Suara und Rummler, ein Geschenk von Owuor.

Alle reichen Familien auf den großen Farmen mit tiefen Brunnen auf den Rasenflächen vor den mächtigen Häusern aus weißem Stein hatten eine Aja. Ehe Owuor nach Rongai gekommen war, hatte er auf so einer Farm bei einem Bwana gearbeitet, der sich ein Auto und viele Pferde hielt und natürlich eine Aja für seine Kinder.

»Ein Haus ohne Aja ist nicht gut«, hatte er an dem Tag gesagt, als er die junge Frau von den Hütten am Ufer des Flusses anbrachte. Die neue Memsahib, der er beigebracht hatte, »senta sana« zu sagen, wenn sie danken wollte, hatte ihn mit ihren Augen gelobt.

Ajas Augen waren so sanft, kaffeebraun und groß wie die von Suara. Ihre Hände waren zierlich und an den Innenflächen weißer als Rummlers Fell. Sie bewegte sich so schnell wie junge Bäume im Wind und hatte eine hellere Haut als Owuor, obgleich beide zum Stamm der Jaluo gehörten. Wenn der Wind an dem gelben Umhang riß, der an einem dicken Knoten auf Ajas rechter Schulter lag, schaukelten die festen kleinen Brüste wie Kugeln an einem Strick. Aja wurde nie böse oder ungeduldig. Sie sprach wenig, aber die kurzen Laute, die sie aus ihrer Kehle ließ, klangen wie Lieder.

Lernte Regina von Owuor das Sprechen so gut und schnell, daß sie sehr bald von den Menschen besser verstanden wurde als ihre Eltern, so brachte Aja das Schweigen in ihr neues Leben. Jeden Tag nach dem Mittagessen saßen die zwei im runden Schattenfleck vom Dornenbaum, der zwischen dem Haus und dem Küchengebäude stand. Dort konnte die Nase besser als irgendwo sonst auf der Farm den Duft von warmer Milch und gebratenen Eiern jagen. Waren die Nase satt und die Kehle feucht, rieb Regina ihr Gesicht leicht am Stoff von Ajas Umhang. Dann hörte sie zwei Herzen klopfen, ehe sie einschlief. Sie wachte erst auf, wenn die Schatten lang wurden und Rummler ihr Gesicht leckte.

Es folgten die Stunden, in denen Aja aus langen Gräsern kleine Körbe flocht. Ihre Finger rissen kleine Tiere mit winzigen Flügeln aus dem Schlaf, und nur Regina wußte, daß es Luftpferde waren, die mit ihren Wünschen zum Himmel flogen. Aja machte beim Arbeiten kleine, schnalzende Laute mit der Zunge, aber sie bewegte dabei nie die Lippen.

Die Nacht hatte auch ihre immer wiederkehrenden Geräusche. Sobald es dunkel wurde, heulten die Hyänen, und von den Hütten drangen Gesangsfetzen herüber. Selbst im Bett fanden Reginas Ohren noch Nahrung. Weil die Wände im Haus so niedrig waren, daß sie nicht bis zum Dach reichten, hörte sie jedes Wort, das ihre Eltern im Schlafzimmer sprachen.

Auch wenn sie flüsterten, waren die Laute so deutlich wie die Stimmen vom Tage. In guten Nächten klangen sie schläfrig wie das Summen der Bienen und Rummlers

Schnarchen, wenn er mit nur wenigen Bewegungen seiner Zunge den Napf geleert hatte. Es gab aber sehr lange und böse Nächte mit Worten, die beim ersten Heulen der Hyänen aufeinander losgingen, Angst machten und erst im Schweigen erstickten, wenn die Sonne die Hähne weckte.

Nach den Nächten mit dem großen Lärm war Walter morgens früher in den Ställen als die Hirten, die die Kühe melkten, und Jettel stand mit roten Augen in der Küche und rührte ihren Zorn in den Milchtopf auf dem rauchenden Ofen. Nach den Qualen der Nacht fand keiner von beiden mehr den Weg zum anderen, ehe die kühle Abendluft von Rongai die Glut des Tages löschte und sich der verwirrten Köpfe erbarmte.

In solchen Momenten einer Versöhnung voller Scham und Verlegenheit blieb Walter und Jettel nur das seltsame Wunder, das die Farm an Regina hatte geschehen lassen. Dankbar teilten sie Staunen und Erleichterung. Das verschüchterte Kind, das zu Hause die Arme hinter dem Rücken verschränkt und den Kopf gesenkt hatte, wenn es von Fremden nur angelächelt wurde, hatte sich als Chamäleon entpuppt. Regina war am Gleichmaß der Tage von Rongai gesundet. Sie weinte selten und lachte, sobald Owuor in ihrer Nähe war. Dann hatte ihre Stimme keinen Hauch von Kindlichkeit und sie selbst eine Entschlossenheit, die Walter neidisch machte.

»Kinder finden sich schnell ab«, sagte Jettel an dem Tag, als Regina erzählte, sie habe Jaluo gelernt, um mit Owuor und Aja in ihrer Sprache reden zu können, »das hat schon meine Mutter gesagt.«

»Dann gibt's ja noch Hoffnung für dich.«

»Das finde ich nicht komisch.«

»Ich auch nicht.«

Walter bereute seinen kleinen Ausbruch sofort. Er vermißte sein früheres Talent zu harmlosen Scherzen. Seitdem seine Ironie bissig geworden war und Jettels Unzufriedenheit sie unberechenbar machte, hielten beider Nerven nicht mehr die kleinen Sticheleien aus, die ihnen in besseren Zeiten selbstverständlich gewesen waren.

Zu kurz hatten Walter und Jettel das Glück des Wiederfindens erleben dürfen, ehe die Niedergeschlagenheit zurückkehrte, die sie peinigte. Ohne daß sie es sich einzugestehen wagten, litten beide noch mehr an der erzwungenen Gemeinsamkeit, die die Einsamkeit auf der Farm ihnen abforderte, als an der Einsamkeit selbst.

Sie waren es nicht gewöhnt, sich vollkommen aufeinander einzustellen, und mußten doch jede Stunde des Tages ohne die Anregungen und Abwechslungen der Welt außerhalb ihrer Gemeinschaft miteinander verbringen. Der kleinstädtische Klatsch, den sie in den ersten Jahren ihrer Ehe belächelt und oft sogar als lästig empfunden hatten, erschien ihnen im Rückblick heiter und spannend. Es gab keine kurzen Trennungen mehr und so auch nicht die Wiedersehensfreude, die den Streitereien den Stachel genommen hatten und die ihnen in der Erinnerung wie harmlose Plänkeleien erschienen.

Walter und Jettel hatten sich seit dem Tag gestritten, an dem sie sich kennengelernt hatten. Sein aufbrausendes Temperament duldete keinen Widerspruch; sie hatte die Selbstsicherheit einer Frau, die ein auffallend schönes Kind gewesen und von ihrer früh verwitweten Mutter vergöttert worden war. In der langen Verlobungszeit hatten sie die Auseinandersetzungen über Banalitäten und ihrer beider Unfähigkeit zum Einlenken noch beschwert, ohne daß sie einen Ausweg gefunden hatten. Erst in der Ehe lernten sie das vertraute Wechselspiel zwischen kleinen Kämpfen und belebenden Versöhnungen als Teil ihrer Liebe zu akzeptieren.

Als Regina geboren wurde und sechs Monate später Hitler an die Macht kam, fanden Walter und Jettel mehr Halt aneinander als zuvor, ohne sich bewußt zu werden, daß sie bereits Außenseiter im vermeintlichen Paradies waren. Erst im monotonen Lebensrhythmus von Rongai erkannten sie, was tatsächlich geschehen war. Sie hatten fünf Jahre lang die Kraft ihrer Jugend für die Illusion eingesetzt, sich eine Heimat zu erhalten, die sie schon längst verstoßen hatte. Nun wurden beide von der Kurzsichtigkeit und dem Wissen beschämt, daß sie nicht hatten sehen wollen, was viele bereits sahen.

Die Zeit hatte leichtes Spiel mit ihren Träumen gehabt. Im Westen Deutschlands wurden schon am 1. April 1933 mit dem Boykott der jüdischen Geschäfte die Weichen für die Zukunft ohne Hoffnung gestellt. Jüdische Richter wurden aus dem Amt, Professoren von den Universitäten gejagt, Anwälte und Ärzte verloren ihre Existenz, Kaufleute ihre Geschäfte und alle Juden die anfängliche Zuversicht, der Schrecken würde nur von kurzer Dauer sein. Die Juden in Oberschlesien blieben jedoch dank des Genfer Minderheitenschutzabkommens zunächst vor einem Schicksal verschont, das sie nicht fassen konnten.

Walter begriff nicht, daß er dem Schicksal der Verfemten nicht entkommen konnte, als er seine Praxis in Leobschütz aufzubauen begann und sogar Notar wurde. So waren in seinen Erinnerungen die Leobschützer – freilich mit einigen Ausnahmen, die er namentlich aufzählen konnte und es in Rongai auch immer wieder tat – freundliche und tolerante Menschen. Trotz der auch in Oberschlesien beginnenden Hetze gegen die Juden, hatten es sich einige, deren Anzahl in seinem Gedächtnis immer größer wurde, nicht nehmen lassen, zu einem jüdischen Anwalt zu gehen. Er hatte sich mit einem Stolz, der ihm im Rückblick ebenso unwürdig wie vermessen erschien, zu den Ausnahmen der vom Schicksal Verdammten gezählt.

Am Tag, als das Genfer Minderheitenschutzabkommen auslief, erhielt Walter seine Löschung als Anwalt. Das war seine erste persönliche Konfrontation mit dem Deutschland, das er nicht hatte wahrhaben wollen. Der Schlag war vernichtend. Daß sein Instinkt ebenso versagt hatte wie sein Verantwortungsbewußtsein für die Familie, empfand er als sein nie wieder gutzumachendes Versagen.

Jettel hatte mit ihrer Lust am Leben noch weniger Sinn für die Bedrohung gehabt. Ihr hatte es genügt, umschwärmter Mittelpunkt eines kleinen Kreises von Freunden und Bekannten zu sein. Als Kind hatte sie, eher zufällig als beabsichtigt, nur jüdische Freundinnen gehabt, nach der Schule bei einem jüdischen Anwalt eine Lehre gemacht und durch Walters Studentenverbindung, den KC, wiederum nur mit Juden Kontakt gepflegt. Ihr machte es nichts aus, daß sie nach 1933 nur mit den Leobschützer Juden verkehren konnte. Die meisten waren im Alter ihrer Mutter und empfanden Jettels Jugend, ihren Charme und ihre Freundlichkeit als belebend. Zudem war Jettel schwanger und rührend in ihrer Kindlichkeit. Bald wurde sie von den Leobschützern ebenso verwöhnt wie von ihrer Mutter, und sie genoß, im Gegensatz zu ihren anfänglichen Befürchtungen, das kleinstädtische Leben. Und sobald sie sich langweilte, fuhr sie nach Breslau.

Sonntags ging es oft nach Tropau. Es war nur ein kurzer Spaziergang zur tschechischen Grenze. Dort gab es zum schmackhaften Schnitzel und der großen Tortenauswahl wenigstens für Jettel immer zusätzlich die Illusion, daß auch die Auswanderung, von der man schon deshalb gelegentlich sprechen mußte, weil so viele Bekannte es taten, nicht sehr viel anders sein würde als die heiteren Ausflüge in das gastliche Nachbarland.

Nie wäre Jettel auf die Idee gekommen, daß Bedürfnisse wie der tägliche Einkauf, Einladungen zu Freunden, die Reisen nach Breslau, Kinobesuche und ein teilnahmsvoller Hausarzt am Bett, sobald die Patientin nur erhöhte Temperatur hatte, nicht gestillt werden könnten. Erst der Umzug nach Breslau als Vorstufe zur Auswanderung, die verzweifelte Suche nach einem Land, das zur Aufnahme von Juden bereit war, die Trennung von Walter und schließlich die Angst, ihn nie mehr wiederzusehen und mit Regina allein in Deutschland zurückbleiben zu müssen, rüttelten Jettel wach. Sie begriff, was in den Jahren geschehen war, in denen sie eine Gegenwart genossen hatte, die schon lange keine Zukunft mehr versprach. Und so schämte sich auch Jettel, die sich für lebensklug gehalten und die geglaubt hatte, einen sicheren Instinkt für Menschen zu haben, im nachhinein ihrer Sorglosigkeit und Gutgläubigkeit.

In Rongai wucherten ihre Selbstvorwürfe und Unzufriedenheit wie das wilde Gras. In den drei Monaten, die sie auf der Farm war, hatte Jettel nichts anderes gesehen als Haus, Kuhstall und den Wald. Sie hatte einen ebenso großen Widerwillen gegen die Trockenheit, die bei ihrer Ankunft den Körper kraftlos und den Kopf willenlos gemacht hatte, wie gegen den bald darauf einsetzenden großen Regen. Er reduzierte das Leben auf den aussichtslosen Kampf gegen den Lehm und das fruchtlose Bemühen, das Holz für den Ofen in der Küche trocken zu bekommen.

Immer da war die Furcht vor Malaria und daß Regina todkrank werden könnte. Vor allem lebte Jettel in der ständigen Panik, Walter könnte seine Stellung verlieren und sie müßten alle drei von Rongai fort und hätten keine Unterkunft. Mit ihrem geschärften Sinn für die Realität erkannte Jettel, daß Mr. Morrison, der bei seinen Besuchen selbst zu Regina unfreundlich war, ihren Mann für die Geschehnisse auf der Farm verantwortlich machte.

Für den Mais war es erst zu trocken gewesen und dann zu naß. Vom Weizen war die Saat nicht aufgegangen. Die Hühner hatten eine Augenkrankheit; mindestens fünf Stück verendeten täglich. Die Kühe gaben nicht genug Milch. Die letzten vier neugeborenen Kälber waren keine zwei Wochen alt geworden. Der Brunnen, den Walter auf Mr. Morrisons Wunsch hatte bohren lassen, gab kein Wasser. Größer wurden nur die Löcher im Dach.

Der Tag, als das erste Buschfeuer nach dem großen Regen den Menengai zur roten Wand machte, war besonders heiß. Trotzdem stellte Owuor Stühle für Walter und Jettel vor das Haus. »Ein Feuer muß man ansehen, wenn es lange geschlafen hat«, sagte er.

»Warum bleibst du dann nicht hier?«

»Meine Beine müssen fort.«

Der Wind war zu stark für die Stunde vor Sonnenuntergang, der Himmel grau vom schweren Rauch, der in dichten Wolken über die Farm rollte. Die Geier flogen von den Bäumen. Im Wald kreischten die Affen, und auch die Hyänen heulten zu früh. Die Luft war stechend. Sie machte das

Sprechen schwer, aber plötzlich sagte Jettel sehr laut: »Ich kann nicht mehr.«

»Mußt keine Angst haben. Das erstemal habe ich auch gedacht, das Haus brennt ab, und wollte die Feuerwehr holen.«

»Ich rede nicht vom Feuer. Ich halte es hier nicht mehr aus.«

»Du mußt, Jettel. Wir werden nicht mehr gefragt.«

»Aber was soll hier aus uns werden? Du verdienst keinen Cent, und unser letztes Geld ist bald weg. Wie sollen wir Regina in die Schule schicken? Das ist doch kein Leben für ein Kind, immer nur mit Aja unter dem Baum zu hokken.«

»Glaubst du, ich weiß das nicht? Die Kinder müssen bei den großen Entfernungen hier ins Internat. Das nächste ist in Nakuru und kostet fünf Pfund im Monat. Süßkind hat sich erkundigt. Wenn kein Wunder geschieht, können wir uns das auch in einigen Jahren nicht leisten.«

»Immer warten wir auf Wunder.«

»Jettel, so kurz hat uns der liebe Gott damit nicht gehalten. Sonst wärst du nicht hier, um dich zu beklagen. Wir leben, und das ist die Hauptsache.«

»Ich kann«, würgte Jettel, »das schon nicht mehr hören. Wir leben. Wozu? Um uns über tote Kälber und krepierte Hühner aufzuregen? Ich komme mir auch schon wie tot vor. Manchmal wünsche ich es mir sogar.«

»Jettel, sag das nie wieder. Um Himmels willen, versündige dich nicht.«

Walter stand auf und zog Jettel von ihrem Stuhl hoch. Er war reglos in seiner Verzweiflung und ließ es zu, daß die Wut in ihm Gerechtigkeit, Güte und Vernunft verbrannte. Dann aber sah er, daß Jettel weinte, ohne daß sie schluchzen konnte. Ihr bleiches Gesicht und ihre Hilflosigkeit rührten ihn. Endlich empfand er genug Mitleid, um seine Vorwürfe und den Zorn hinunterzuschlucken. Mit einer Sanftheit, die ihn ebenso betroffen machte wie zuvor seine Heftigkeit, zog Walter seine Frau an sich. Einen kurzen Moment wärmte er sich an der von früher her noch vertrauten Erregung, ihren Körper an seinem zu spüren, doch dann verweigerte ihm sein Kopf auch diesen Trost.

»Wir sind davongekommen. Wir haben die Verpflichtung weiterzumachen.«

»Was soll das schon wieder heißen?«

»Jettel«, sagte Walter leise und erkannte, daß er die Tränen, die ihn seit Tagesanbruch drückten, nicht mehr würde lange halten können, »gestern haben in Deutschland die Synagogen gebrannt. Sie haben die Scheiben jüdischer Geschäfte eingeschlagen und Menschen aus ihren Wohnungen geholt und halb totgeprügelt. Ich wollte es dir schon den ganzen Tag sagen, aber ich konnte nicht.«

»Woher weißt du? Wie kannst du so etwas sagen? Woher willst du das auf dieser verdammten Farm erfahren haben?«

»Ich habe heute früh um fünf den Schweizer Sender reinbekommen.«

»Sie können doch nicht einfach Synagogen anzünden. Kein Mensch kann so etwas tun.«

»Doch sie können. Diese Teufel können. Für die sind wir keine Menschen mehr. Die brennenden Synagogen sind nur der Anfang. Die Nazis sind nicht mehr zu bremsen. Siehst du jetzt ein, daß es keine Rolle spielt, wann und ob Regina lesen lernt?«

Walter scheute sich, Jettel anzuschauen, doch als er es schließlich wagte, merkte er, daß sie nicht begriffen hatte, was er ihr hatte sagen wollen. Für ihre Mutter und Käte, für seinen Vater und Liesel gab es keine Hoffnung mehr, der Hölle zu entkommen. Seitdem er morgens das Radio ausgeschaltet hatte, war Walter bereit gewesen, seine Pflicht zu erfüllen, die Wahrheit auszusprechen, aber der Moment der Herausforderung lähmte seine Zunge. Es war die Sprachlosigkeit, die ihn vernichtete, nicht der Schmerz.

Erst als es Walter gelang, seine Augen von Jettels bebendem Körper wegzuzwingen, fühlte er Leben in seinen Gliedern. Seine Ohren empfingen wieder Geräusche. Er hörte den Hund bellen, die Geier schreien, Stimmen von den Hütten und den dumpfen Klang der Trommeln aus dem Wald.

Owuor rannte durch das verdorrte Gras auf das Haus zu. Sein weißes Hemd leuchtete im letzten Licht des Tages. Er ähnelte so sehr den Vögeln, die sich groß machten, daß Walter sich beim Lächeln erwischte.

»Bwana«, keuchte Owuor, »Sigi na kuja.«

Es war gut, die Ratlosigkeit in den Augen vom Bwana zu sehen. Owuor liebte diesen Ausdruck, weil er seinen Bwana so dumm machte wie einen Esel, der noch die Milch der Mutter trinkt, und ihn selbst so klug wie die Schlange, die lange gehungert hat und durch ihren Kopf vor der Zeit Beute findet. Das schöne Gefühl, mehr zu wissen als der Bwana, war süß wie der Tabak im Mund, der noch lange nicht fertig gekaut ist.

Owuor nahm sich viel Zeit, ehe er sich von seinem Triumph trennte, aber dann verlangte es ihn doch nach der Erregung, die seine Worte auszulösen hatten. Er war schon dabei, sie zu wiederholen, als ihm aufging, daß der Bwana ihn gar nicht verstanden hatte.

So sagte Owuor nur »Sigi« und holte umständlich eine Heuschrecke aus seiner Hosentasche. Es war nicht leicht gewesen, sie beim Rennen am Leben zu halten, aber sie schlug noch mit den Flügeln.

»Das ist«, erklärte Owuor mit der Stimme einer Mutter, die ein dummes Kind hat, »eine Sigi. Sie war die erste. Ich habe sie für dich gefangen. Wenn die anderen da sind, fressen sie alles auf.«

»Was sollen wir machen?«

»Großer Lärm ist gut, aber ein Mund ist zu klein. Es hilft nichts, Bwana, wenn du allein schreist.«

»Owuor, hilf mir, ich weiß nicht, was ich machen soll.«

»Man kann die Sigi vertreiben«, erklärte Owuor und sprach nun genau wie Aja, wenn sie Regina vom Schlaf zurück in die Hitze holte. »Wir brauchen Töpfe und Löffel und müssen sie schlagen. Wie Trommeln. Noch besser ist es, wenn Glas zerbricht. Jedes Tier hat Angst, wenn Glas stirbt. Hast du das nicht gewußt, Bwana?«

3

Als am Tag nach den Heuschrecken die Sonne aufging, wußten alle auf den Schambas und in den Hütten, dazu die Trommeln aus den Wäldern von den fernen Nachbarfarmen, daß Owuor mehr war als nur ein Hausboy, der in den Töpfen rührte und aus zahmen kleinen Blasen wütende Löcher machte. Im Kampf gegen die Sigi war er schneller gewesen als die Pfeile der Massai. Owuor hatte die Männer und Frauen und auch alle Kinder, die schon laufen konnten, ohne dabei nach dem Tuch um die Hüften der Mutter zu greifen, zu Kriegern gemacht.

Ihre Schreie und der gewaltige Lärm von Töpfen, der Schall schwerer Eisenstangen, die aufeinandergeschlagen wurden, am meisten das schrille Gewitter von splitternden Glasscherben auf den großen Steinen hatten die Heuschrecken vertrieben, ehe sie auf die Schambas mit Mais und Weizen niederkamen. Sie waren weitergeflogen wie verirrte Vögel, die zu schwach sind, um ihr Ziel noch zu kennen.

Am Tag, als der Bwana wie ein Kind brüllte, das am eigenen Zorn verbrennt und Owuor zum rächenden Retter wurde, hatte er seinen Kämpfern sogar die runden Krais, in denen abends das Poscho gekocht wurde, in die Hand gedrückt. Nach dem großen Sieg hatte Owuor die Nacht nicht mit Schlafen vertan und auch seine Ohren nicht für die lauten Scherze der Freunde geöffnet. Zu sehr berauschte ihn das Wissen, daß er zaubern konnte, zu süß war der Geschmack im Mund, wenn er seine Zunge das Wort »Sigi« sagen ließ.

Am Tag nach dieser herrlich langen Nacht kehrte der Bwana zurück vom Melken, ehe die letzte Milch im Eimer war. Er rief Owuor ins Haus, als er gerade das Lied für die Eier beginnen wollte. Die Memsahib saß auf dem Stuhl mit der roten Decke, die wie ein Stück von der untergehenden

Sonne aussah, und lächelte. Regina hockte auf dem Boden mit Rummlers Kopf zwischen den Knien. Sie schüttelte den Hund wach, als Owuor den Raum betrat.

Der Bwana hatte einen dicken schwarzen Ball in der Hand. Er faltete ihn auseinander, machte aus ihm einen Mantel und zog Owuors Hand zu sich, damit sie den Stoff fühlen konnte. Der Mantel war wie die Erde nach dem großen Regen. An den beiden Seiten und am Kragen glänzte ein Stoff, der noch weicher war als der am Rücken; ebenso sanft war die Stimme vom Bwana, als er Owuor den Mantel um die Schultern legte und sagte: »Der ist für dich.«

»Du schenkst mir deinen Mantel, Bwana?«

»Das ist kein Mantel, das ist eine Robe. Ein Mann wie du muß eine Robe tragen.«

Owuor probierte das fremde Wort sofort aus. Weil es weder aus der Sprache der Jaluo stammte noch Suaheli war, machte es ihm große Schwierigkeiten im Mund und in der Kehle. Die Memsahib und das Kind lachten. Auch Rummler öffnete sein Maul, aber der Bwana, der seine Augen auf eine Safari geschickt hatte, stand da wie ein Baum, der nicht hoch genug gewachsen ist, um seine Krone mit der Kühle des Windes zu tränken.

»Robe«, sagte der Bwana, »du mußt es oft sagen. Dann kannst du es so gut wie ich.«

Sieben Nächte lang zog Owuor, wenn er nach der Arbeit zu den Männern in den Hütten ging, hinter einem Busch den schwarzen Mantel an, der sich im Wind so gewaltig aufblähte, daß Kinder, Hunde und auch die alten Männer, die nicht mehr gut sehen konnten, wie verängstigte Vögel kreischten. Sobald der Stoff, der in der Sonne schwarzes Licht gab und selbst bei Mondlicht dunkler war als die Nacht, Hals und Schultern berührte, bemühten sich Owuors Zähne um das fremde Wort. Für Owuor waren Mantel und Wort ein Zauber, von dem er wußte, daß er mit seinem Kampf gegen die Heuschrecken zu tun hatte. Als die Sonne zum achtenmal aufging, wurde das Wort endlich so weich in seinem Mund wie ein kleiner Bissen

Poscho. Es war gut, daß er nun dem Drang nachgeben durfte, mehr über den Mantel zu erfahren.

Bis es Zeit war, das Feuer in der Küche zu wecken, ließ sich Owuor vom Wissen satt machen, daß sein Bwana, die Memsahib und das Toto ihn seit einiger Zeit ebensogut verstanden wie Menschen, die keine Angst vor Heuschrekken und großen Ameisen hatten. Eine Weile ließ er noch die Frage wachsen, die seinen Kopf nun schon so lange unruhig machte, aber die Neugierde fraß an seiner Geduld, und er ging den Bwana suchen.

Walter stand am Blechtank und klopfte die Rillen ab, um zu hören, wie lange das Trinkwasser noch reichen würde, als Owuor frage: »Wann hast du die Robe getragen?«

»Owuor, das war meine Robe, als ich noch kein Bwana war. Ich trug die Robe zur Arbeit.«

»Robe«, wiederholte Owuor und freute sich, weil der Bwana endlich begriffen hatte, daß gute Worte zweimal gesagt werden mußten. »Kann ein Mann in der Robe arbeiten?«

»Ja, Owuor, ja. Aber in Rongai kann ich nicht in meiner Robe arbeiten.«

»Hast du mit deinen Armen gearbeitet, als du noch kein Bwana warst?«

»Nein, mit dem Mund. Für eine Robe muß man klug sein. In Rongai bist du klug. Nicht ich.«

Erst in der Küche wurde Owuor klar, weshalb der Bwana so anders war als die weißen Männer, für die er bis dahin gearbeitet hatte. Sein neuer Bwana sagte Worte, die einen Mund beim Zauber des Wiederholens trocken machten, die aber im Ohr und Kopf blieben.

Es dauerte genau acht Tage, bis die Kunde von den besiegten Heuschrecken in Sabbatia ankam und Süßkind nach Rongai trieb, obwohl bei den Kühen auf seiner Farm die ersten Fälle von Ostküstenfieber ausgebrochen waren.

»Mensch«, rief er noch aus dem Auto heraus, »aus dir wird noch ein Farmer. Wie hast du das bloß fertiggebracht? Mir ist das mein Lebtag nicht gelungen. Nach der letzten Regenzeit haben die Biester die halbe Farm leergefressen.«

Es wurde ein Abend voller Harmonie und Heiterkeit. Jettel trennte sich von den letzten Kartoffeln, die sie für eine besondere Gelegenheit aufbewahrt hatte, und brachte Owuor bei, schlesisches Himmelreich zu kochen und erzählte ihm von den getrockneten Birnen, die sie ihrer Mutter immer in dem kleinen Laden an der Goethestraße geholt hatte. Wehmütig, aber doch fröhlich zog sie den weißen Rock mit der rot-blau gestreiften Bluse an, die sie seit Breslau nicht mehr herausgeholt hatte, und durfte sich bald an Süßkinds Bewunderung berauschen.

»Ohne dich«, sagte er, »wüßte ich gar nicht mehr, wie schön eine Frau sein kann. Hinter dir müssen ja alle Männer von Breslau hergewesen sein.«

»So war es«, bestätigte Walter, und Jettel genoß es, daß seine Eifersucht nichts von ihrem früheren Ernst verloren hatte.

Regina mußte nicht ins Bett. Sie durfte vor dem Feuer schlafen und stellte sich vor, sobald sie von den Stimmen wach wurde, der Kamin wäre der Menengai und die schwarze Asche nach einem Buschfeuer Schokolade. Sie lernte einige neue Worte für die geheime Kiste in ihrem Kopf. Das Wort Reichsfluchtsteuer gefiel ihr am besten, obwohl es die meiste Mühe beim Merken machte.

Walter erzählte Süßkind von seinem ersten Prozeß in Leobschütz und wie er anschließend den unerwarteten Erfolg mit Greschek bei einem Schlachtfest in Hennerwitz begossen hatte. Süßkind versuchte, sich an Pommern zu erinnern, aber er verwechselte bereits die Jahre, Orte und Menschen, die er aus seinem Gedächtnis holte.

»Wartet ab«, sagte er, »das wird euch bald auch so gehen. Das große Vergessen ist das Beste an Afrika.«

Am Tag danach kam Mr. Morrison auf die Farm. Es gab keinen Zweifel, daß die Rettung der Ernte auch in Nairobi bekannt war, denn er reichte Walter die Hand, was er noch nie getan hatte. Noch auffallender war, daß er im Gegensatz zu seinen früheren Besuchen nun auch Jettels Zeichen verstand, die für ihn Tee gemacht hatte. Er trank ihn aus der Rosenthaltasse mit den bunten Blumen und schüttelte jedesmal den Kopf, wenn er sich mit der silbernen Zange Zucker aus der Porzellandose nahm.

Als Mr. Morrison von den Kühen und Hühnern zurück ins Haus kam, nahm er den Hut ab. Sein Gesicht wirkte jünger; er hatte hellblondes Haar und buschige Augenbrauen. Er bat um eine dritte Tasse Tee. Eine Weile spielte er mit der Zuckerzange, und wieder schüttelte er den Kopf. Dann stand er plötzlich auf, ging an den Schrank mit dem lateinischen Wörterbuch und der Encyclopaedia Britannica, holte einen Serviettenring aus Elfenbein aus der Schublade und drückte ihn Regina in die Hand.

Der Ring erschien ihr so schön, daß sie ihr Herz klopfen hörte. Sie hatte sich aber so lange nicht mehr für ein Geschenk bedanken müssen, daß ihr nichts einfiel, außer »sente sana« zu sagen, obwohl sie wußte, daß ein Kind mit einem so mächtigen Mann wie Mr. Morrison nicht Suaheli sprechen durfte.

Ganz falsch war es aber wohl doch nicht, denn Mr. Morrison zeigte beim Lachen zwei goldene Zähne. Regina lief voller Spannung aus dem Haus. Zwar hatte sie Mr. Morrison schon oft gesehen, aber er hatte kein einziges Mal gelacht und sie auch kaum bemerkt. Wenn er sich so sehr verändert hatte, war er vielleicht doch ihr Reh, das zurück in einen Menschen verzaubert worden war.

Suara schlief unter dem Dornenbaum. Die Erkenntnis, daß in dem weißen Ring keine besondere Kraft steckte, nahm ihm ein wenig von seiner Schönheit. So flüsterte Regina nur »das nächstemal« in Suaras Ohr, wartete, bis das Reh seinen Kopf bewegte, und ging langsam zurück ins Haus.

Mr. Morrison hatte seinen Hut aufgesetzt und sah aus wie immer. Er machte aus seiner rechten Hand eine Faust und schaute zum Fenster hinaus. Einen Moment wirkte er ein bißchen wie Owuor am Tag, als die Heuschrecken kamen, doch er holte keinen flügelschlagenden, kleinen Teufel aus seiner Hose heraus, sondern sechs Geldscheine, die er einzeln auf den Tisch legte.

»Every month«, sagte Mr. Morrison und ging zu seinem Wagen. Erst heulte der Anlasser, dann Rummler, und schon kam die Staubwolke, in der das Auto verschwand.

»Mein Gott, was hat er bloß gesagt? Jettel, hast du ihn verstanden?«

»Ja. Also fast. Month heißt Monat. Das weiß ich genau. Wir haben das Wort im Kurs gehabt. Ich war auch die einzige, die es richtig aussprechen konnte, aber glaubst du, das Ekel von Lehrer hat mich gelobt oder wenigstens mit dem Kopf genickt?«

»Das ist doch jetzt ganz unwichtig. Was heißt das andere Wort?«

»Brüll doch nicht gleich. Das haben wir auch gehabt, aber ich kann mich nicht erinnern.«

»Du mußt. Das hier sind sechs Pfund. Das hat doch was zu bedeuten.«

»Month heißt Monat«, wiederholte Jettel.

Sie waren beide so erregt, daß sie sich eine Zeitlang immer nur die Scheine zuschoben, sie auf den Tisch blätterten und mit den Schultern zuckten.

»Mensch, wir haben doch ein Lexikon«, fiel es Jettel endlich ein. Sie kramte aufgeregt ein Buch mit gelb-rotem Einband aus einer Kiste. »Hier, tausend Worte Englisch«, lachte sie. »Tausend Worte Spanisch haben wir auch.«

»Die nutzen uns nichts mehr. Spanisch war doch für Montevideo. Soll ich dir mal was verraten, Jettel? Wir sind beide im Beruf gestorben. Wir wissen überhaupt nicht, nach welchem Wort wir suchen müssen.«

Erregt von der Erwartung, die ihre Haut verbrannte, setzte sich Regina auf den Boden. Sie begriff, daß ihre Eltern, die immerzu ein einzelnes Wort aus der Kehle holten und dabei wie Rummler rochen, wenn er hungrig war, ein neues Spiel erfunden hatten. Um die Freude lange zu genießen, war es besser, nicht selbst mitzumachen. Regina unterdrückte auch den Wunsch, Owuor und Aja zu holen, und knabberte so lange an Rummlers Ohr, bis er kleine, leise Freudenlaute ausstieß. Da hörte sie ihren Vater sagen: »Vielleicht weißt du, was Morrison gesagt hat?«

Regina wollte das Vergnügen, daß sie endlich im neu-en Kreislauf der fremden Worte, Kopfschütteln und Schulterwackeln mitspielen durfte, noch ein wenig auskosten. Ihre Eltern rochen immer noch wie Rummler, wenn er zu lange auf sein Futter warten mußte. So machte sie schon mal den Mund auf, streifte den Serviettenring über ihre Hand und schob ihn Stück für Stück zum Ellbogen. Es war gut, daß sie von Owuor gelernt hatte, Laute einzufangen, die sie nicht verstand. Man mußte sie nur im Kopf einsperren und von Zeit zu Zeit herausholen, ohne den Mund aufzumachen.

»Every month«, erinnerte sie sich, doch sie ließ sich zu lange vom Staunen ihrer Eltern streicheln und versäumte so den richtigen Moment, um den Zauber zu wiederholen. Trotzdem wurden ihre Ohren belohnt, als ihr Vater sie lobte: »Du bist ein kluges Kind.« Dabei sah er aus wie der weiße Hahn mit dem blutroten Kamm. Doch verwandelte er sich zu schnell in den Vater mit den roten Augen der Ungeduld zurück, nahm das Buch vom Tisch, legte es jedoch sofort wieder hin, rieb die Hände aneinander und seufzte: »Ich bin ein Kamel. Ein richtiger Nebbich von einem Kamel.«

»Warum?«

»Man muß die Worte, die man im Lexikon sucht, auch buchstabieren können, Regina.«

»Dein Vater hat zu wenig Mumm, er denkt, und ich handle«, sagte Jettel. »Aver«, las sie vor, »heißt sich behaupten. Aviary ist ein Vogelhaus. Das ist ja noch blöder. Dann gibt es noch avid. Heißt begierig.«

»Jettel, das ist Mumpitz. So schaffen wir das nie.«

»Wozu ist denn ein Lexikon gut, wenn man nichts drin findet?«

»Also gut. Gib her. Jetzt schlage ich bei E nach. Evergreen«, las Walter, »heißt immergrün.«

Regina merkte zum erstenmal, daß ihr Vater noch besser spucken konnte als Owuor. Sie nahm ihre Hände von Rummlers Kopf und klatschte.

»Halt den Mund, Regina. Verdammt noch mal, das ist

kein Kinderspiel. Evergreen wird es sein. Natürlich, Morrison hat von seinen immergrünen Maisfeldern gesprochen. Komisch, so etwas hätte ich ihm nie und nimmer zugetraut.«

»Nein«, sagte Jettel, und ihre Stimme wurde sehr leise, »ich hab's. Wirklich, ich hab's. Every heißt jeder, jeden, jedes. Du, Walter, every month muß jeden Monat heißen. Es kann gar nicht anders sein. Soll das etwa bedeuten, daß er uns jeden Monat sechs Pfund geben will?«

»Ich weiß es nicht. Wir müssen warten, ob sich das Wunder wiederholt.«

»Immer sprichst du von Wunder.« Regina lauerte, ob ihr Vater erkennen würde, daß sie die Stimme ihrer Mutter nachgeahmt hatte, aber weder ihre Augen noch ihre Ohren machten Beute.

»Diesmal hat er recht«, flüsterte Jettel, »er muß einfach recht haben.« Sie stand auf, zog Regina an sich und gab ihr einen Kuß, der nach Salz schmeckte.

Das Wunder wurde Wirklichkeit. Am Anfang eines jeden Monats kam Mr. Morrison auf die Farm, trank erst zwei Tassen Tee, besuchte seine Hühner und Kühe, ging zu den Maisfeldern, kam zurück für die dritte Tasse Tee und legte schweigend sechs einzelne Pfundnoten auf den Tisch.

Jettel konnte ihren Stolz aufblähen wie Owuor, wenn vom Schicksalstag die Rede war, der das Leben in Rongai verändert hatte. »Siehst du«, sagte sie dann, und Regina sprach die vertrauten Worte mit, ohne ihre Lippen zu bewegen, »was nützt dir deine ganze schöne Bildung, wenn du noch nicht einmal Englisch gelernt hast?«

»Nichts, Jettel, nichts, so wenig wie meine Robe.«

Wenn Walter das sagte, waren seine Augen nicht mehr so müde wie in den Monaten zuvor. An guten Tagen sahen sie aus wie vor der Malaria, und dann lachte er auch, wenn Jettel ihren Sieg auskostete, nannte sie »mein kleiner Owuor« und genoß in den Nächten die Zärtlichkeit, die sie beide schon für immer verloren gewähnt hatten.

»Sie haben mir in der Nacht einen Bruder gemacht«, erzählte Regina unter dem Dornenbaum.

»Das ist gut«, sagte Aja, »Suara wird kein Kind mehr.«

Abends schlug Walter vor: »Wir schicken Regina zur Schule. Wenn Süßkind das nächstemal in Nakuru ist, soll er sich erkundigen, wie man das macht.«

»Nein«, wehrte Jettel ab, »noch nicht.«

»Aber du hast doch so gedrängt. Und ich will es ja auch.«

Jettel merkte, daß ihre Haut zu brennen anfing, aber sie schämte sich nicht ihrer Verlegenheit. »Ich habe«, sagte sie, »nicht vergessen, was an dem Tag war, bevor die Heuschrecken kamen. Du hast damals gedacht, ich habe nicht kapiert, was du erzählt hast, aber ich bin nicht so dumm, wie du denkst. Regina kann auch noch lesen lernen, wenn sie sieben ist. Jetzt brauchen wir das Geld für Mutter und Käte.«

»Wie stellst du dir das vor?«

»Wir haben hier genug zum Sattwerden. Warum kann es nicht eine Weile so bleiben? Ich hab's genau ausgerechnet. Wenn wir das Geld nicht anrühren, haben wir in siebzehn Monaten die hundert Pfund zusammen, um Mutter und Käte herzuholen. Und noch zwei Pfund übrig. Du wirst sehen, wir schaffen das.«

»Wenn nichts geschieht.«

»Was soll denn geschehen? Hier geschieht doch nie etwas.«

»Aber in der restlichen Welt, Jettel. Es sieht schlimm aus zu Hause.«

Jettels Eifer und Bereitschaft zum Verzicht, der Jubel, mit dem sie jeden Monat die sechs Pfund in ein Kästchen legte und immer wieder zählte, die Zuversicht, ihr würde es gelingen, die rettende Summe rechtzeitig zusammenzubekommen, waren für Walter schwerer zu ertragen als die Nachrichten, die er am Tag jede Stunde und oft auch in der Nacht hörte.

Die Abstände zwischen den Briefen aus Breslau und Sohrau wurden länger, die Briefe selbst, bei allem Bemühen, Angst zu verschweigen, so besorgniserregend, daß Walter sich oft fragte, ob seine Frau wirklich nicht merkte, daß Hoffnung Frevel war. Manchmal glaubte er sie tatsächlich arglos, war gerührt und beneidete sie. Wenn die Niedergeschlagenheit ihn jedoch so peinigte, daß er nicht einmal mehr Dankbarkeit für seine eigene Rettung empfinden konnte, schlug seine Verzweiflung um in Haß auf Jettel und ihre Illusionen.

Der Vater hatte von vergeblichen Versuchen, das Hotel zu verkaufen, geschrieben, daß er kaum noch ausgehe und daß nur noch drei jüdische Familien in Sohrau lebten, es ihm aber den Umständen nach gutgehe und er nicht klagen wolle. Einen Tag nach dem Brand der Synagogen schrieb er: »Liesel kann vielleicht nach Palästina auswandern. Wenn ich sie nur überreden könnte, sich von mir altem Esel zu trennen.« Seit dem 9. November 1938 hatte der Vater in seinen Briefen auch die zuversichtlichen Beschwörungen »Bis wir uns wiedersehen« gestrichen.

Den Briefen aus Breslau war in jeder Zeile die Angst vor Zensur anzumerken. Käte sprach von Einschränkungen, die »uns sehr zu schaffen machen« und erwähnte jedesmal gemeinsame Freunde, die »plötzlich verreisen mußten und nichts mehr von sich hören lassen«. Ina berichtete, daß sie keine Zimmer mehr vermieten konnte und schrieb »ich gehe nur noch zu bestimmten Zeiten aus dem Haus«. Das Geschenk zu Reginas Geburtstag im September war im Februar aufgegeben worden. Walter begriff die verschlüsselte Botschaft mit Schaudern. Seine Schwiegermutter und Schwägerin wagten nicht mehr, in größeren Zeiträumen zu rechnen, und hatten die Hoffnung aufgegeben, noch aus Deutschland herauszukommen.

Er litt an seiner Pflicht, Jettel mit der Wahrheit zu konfrontieren, und wußte, daß es Sünde war, es nicht zu tun. Wenn sie aber ihr Geld zählte und dabei wie ein Kind aussah, das die Erfüllung seiner Wünsche genau berechnet hat, ließ er jede Gelegenheit zur Aussprache ungenutzt. Sein Schweigen empfand er als Kapitulation, seine Schwäche ekelte ihn. Er ging nach Jettel ins Bett und stand vor ihr auf.

Die Zeit schien stillzustehen. Mitte August brachte Süßkinds Boy einen Brief mit der Mitteilung: »Jetzt haben wir endgültig das verfluchte Ostküstenfieber in Sabbatia. Vorerst ist es nichts mehr mit Schabbes. Ich muß für meine Kühe beten und versuchen, ob ich hier noch etwas retten kann. Falls bei Dir die Kühe im Kreis herumlaufen sollten, ist es zu spät. Dann ist die Seuche schon in Rongai.«

»Warum«, fragte Jettel aufgebracht, als Walter ihr den Brief zeigte, »kann er denn nicht kommen? Er ist doch nicht krank.«

»Er muß wenigstens auf der Farm sein, wenn seine Kühe krepieren. Auch Süßkind hat Angst um seine Stellung. Es kommen immer mehr Refugees ins Land und wollen auf den Farmen unterkommen. Das macht jeden von uns noch leichter ersetzbar.«

Süßkinds Besuche am Freitag waren der Höhepunkt der Woche gewesen, die Erinnerung an ein Leben mit Gesprächen, Abwechslung, gegenseitigem Geben und Nehmen, ein Funken Normalität. Nun waren Vorfreude und Freude dahin. Je eintöniger das Leben wurde, desto mehr dürstete Jettel nach Süßkinds Berichten aus Nairobi und Nakuru. Er wußte stets, wer neu ins Land gekommen und wo er untergekommen war. Noch mehr vermißte sie seine gute Laune, die Scherze und Komplimente, den Optimismus, der ihn immer nach vorne schauen ließ und sie selbst in ihrem Vertrauen auf die Zukunft bestätigte.

Walter litt noch mehr. Seitdem er auf der Farm war und erst recht nach seiner Malaria sah er in Süßkind den Retter aus lebensbedrohlicher Not. Er brauchte das selbstbewußte Naturell des Freundes, um nicht seinen depressiven Zuständen und der Sehnsucht nach Deutschland nachzugeben, die ihn an seinem Verstand zweifeln ließ. Süßkind war für ihn der Beweis, daß sich ein Mann mit dem Schicksal der Heimatlosigkeit abfinden konnte. Mehr noch: Er war sein einziger Kontakt zum Leben.

Selbst Owuor jammerte, daß der Bwana Sabbatia nicht mehr auf die Farm kam. Keiner wackelte so gut mit dem Mund wie er, wenn der Pudding hereingetragen wurde. Niemand konnte so laut lachen wie der Bwana Sabbatia, wenn Owuor die Robe trug und dabei »Ich hab' mein Herz in Heidelberg verloren« sang. »Bwana Sabbatia«, klagte Owuor, wenn wieder ein Tag ohne Besuch zur Nacht wurde, »ist wie eine Trommel. Die schlage ich in Rongai, und sie ruft vom Menengai zurück.«

»Auch unser Radio vermißt Süßkind«, sagte Walter am Abend des 1. September. »Die Batterie ist futsch, und ohne daß er sein Auto laufen läßt, können wir sie nicht aufladen.«

»Hörst du jetzt keine Nachrichten mehr?«

»Nein, Regina. Die Welt ist für uns gestorben.«

»Ist das Radio auch tot?«

»Mausetot. Jetzt können nur noch deine Ohren wissen, was es Neues gibt. Also leg dich auf die Erde und erzähl mir was Schönes.«

Freude und Stolz machten Regina schwindlig. Nach dem kleinen Regen hatte Owuor ihr beigebracht, sich flach und regungslos hinzulegen, um der Erde ihre Geräusche zu entlocken. Seitdem hatte sie oft Süßkinds Wagen gehört, ehe er zu sehen war, doch ihr Vater hatte ihren Ohren nie geglaubt, immer nur böse »Quatsch« gesagt und sich noch nicht einmal geschämt, wenn Süßkind tatsächlich gekommen war, nachdem sie ihn angekündigt hatte. Nun, da er keine Stimmen mehr aus einem toten Radio hörte, hatte er endlich begriffen, daß er ohne Reginas Ohren so taub wie der alte Cheroni war, der die Kühe zum Melken trieb. Sie fühlte sich stark und klug. Trotzdem ließ sie sich Zeit mit der Jagd auf jene Laute, die auf Safari über den Menengai mußten, ehe sie in Rongai zu hören waren. Erst am Abend nach dem Tod des Radios legte sich Regina auf den steinigen Pfad, der zum Haus führte, aber die Erde gab kein Geräusch frei außer dem Reden der Bäume im Wind. Auch am nächsten Morgen empfing sie nur Stille, aber um die Mittagszeit wurden ihre Ohren wach.

Als sie der erste Laut erreichte, wagte Regina es nicht, ihn auch nur durch ihren Atem zu stören. Bis zum zweiten hätte nur die Zeit vergehen dürfen, die ein Vogel braucht, um von einem Baum zum nächsten zu fliegen. Der Ton ließ aber so lange auf sich warten, daß Regina fürchtete, sie hätte ihr Ohr zu hoch gehalten und nur die Trommeln im Wald gehört. Sie wollte aufstehen, ehe Enttäuschung ihre Kehle trocken machte, dann sprang sie ein Klopfen in der Erde jedoch so heftig an, daß sie sich sogar beeilen mußte. Dieses eine Mal durfte ihr Vater nicht denken, sie hätte den Wagen gesehen und nicht zuvor gehört.

Sie hielt die Hände vor den Mund, um ihre Stimme schwer zu machen, und brüllte: »Schnell, Papa, Besuch kommt. Aber es ist nicht Süßkinds Auto.«

Der Lastwagen, der den steilen Hang zur Farm heraufkeuchte, war größer als alle anderen, die je nach Rongai gekommen waren. Die Kinder liefen von den Hütten zum Haus und drängten ihre nackten Körper aneinander. Ihnen folgten die Frauen mit den Säuglingen auf dem Rükken, die jungen Mädchen mit Kalebassen voll Wasser und die von bellenden Hunden getriebenen Ziegen. Die Schambaboys warfen ihre Hacken hin und verließen die Felder, die Hirten ihre Kühe.

Sie hielten die Arme über den Kopf, schrien, als seien die Heuschrecken zurückgekehrt, und sangen die Lieder, die sonst nur nachts von den Hütten herüberwehten. Das Gelächter der neugierigen und erregten Menschen stieß immer wieder in den Menengai hinein und kam als klares Echo zurück. Es verstummte so plötzlich, wie es begonnen hatte, und in dieser Stille kam der Lastwagen zum Stehen.

Erst sahen alle nur eine feine Wolke von roter Erde, die gleichzeitig hochstieg und vom Himmel fiel. Als sie sich auflöste, wurden die Augen groß und die Glieder starr. Selbst die ältesten Männer von Rongai, die schon nicht mehr die Regenzeiten zählten, die sie erlebt hatten, mußten ihre Augen erst besiegen, ehe sie zum Sehen bereit waren. Der Lastwagen war so grün wie Wälder, die nie trokken werden, und hinten auf der Ladefläche für Vieh hockten keine Ochsen und Kühe auf ihrer ersten Safari, sondern Männer mit weißer Haut und großen Hüten.

Neben der Aja und Owuor standen Walter, Jettel und Regina regungslos am Wassertank vor dem Haus und hat-

ten Angst, den Kopf zu heben, aber alle sahen doch, daß
der Mann neben dem Fahrer die Tür des Lastwagens aufstieß und langsam herunterkletterte.

Er hatte eine kurze Khakihose an, sehr rote Beine und
schwarzglänzende Stiefel, die bei jedem Schritt die Fliegen
aus dem Gras hochtrieben. In der einen Hand hielt der
Mann einen Bogen Papier, das heller war als die Sonne.
Mit der anderen berührte er seine Mütze, die wie ein fla-
cher, dunkelgrüner Teller auf seinem Kopf lag. Als der
Fremde endlich den Mund aufmachte, bellte Rummler
mit.

»Mr. Redlich«, befahl die große Stimme, »come along! I
have to arrest you. We are at war.«

Noch immer hatte sich niemand bewegt. Dann klang
ein vertrauter Laut vom Lastwagen herunter; es war Süßkind, der rief: »Mensch, Walter, sag nur, du weißt es nicht?
Der Krieg ist ausgebrochen. Wir werden alle interniert.
Komm, steig auf. Und mach dir keine Sorgen um Jettel
und Regina. Die Frauen und Kinder werden noch heute
abgeholt und nach Nairobi gebracht.«

4

Die jungen Männer mit den noch frischen Erinnerungen an englische Schulen und fröhliche Nächte in Oxford empfanden den Kriegsausbruch, so sehr sie ihn auch für das bedrohte Mutterland bedauerten, als eine nicht unwillkommene Abwechslung. Ebenso erging es den Veteranen mit den verwelkten Illusionen, die bei der Polizei in Nairobi und den Streitkräften im übrigen Land ihren Pflichten mit einer gewissen Verdrossenheit an der monotonen Routine des kolonialen Lebens nachkamen. Für sie ging es mit einem Mal nicht mehr nur um Viehdiebstähle, gelegentlich ausbrechende Stammeskämpfe der Eingeborenen und Eifersuchtsdramen in der guten englischen Gesellschaft, sondern um die Kronkolonie selbst.

Die hatte in den letzten fünf Jahren immer mehr Menschen vom Kontinent aufgenommen, und gerade die konfrontierten nun die Behörden mit Neuland. In Friedenszeiten waren die mittellosen Flüchtlinge mit Namen, die sich gleich schwer aussprechen wie schreiben ließen, zwar schon wegen ihres scheußlichen Akzents und ihres für die britische Neigung zum Maßhalten als unsportlich empfundenen Ehrgeizes ein Ärgernis. Sie galten indes allgemein als diszipliniert und leicht lenkbar. Es war lange Zeit ein Hauptanliegen der Behörden gewesen, nicht am bewährten Lebens- und Wirtschaftsgefüge in Nairobi zu rütteln, also die Stadt von den Emigranten zu verschonen und sie auf Farmen unterzubringen. Dies war dank der Jüdischen Gemeinde, deren alteingesessene Mitglieder ebenso dachten, immer sehr rasch und zur großen Zufriedenheit der Farmer geschehen.

Der Krieg stellte andere Forderungen. Wichtig war nur noch, das Land vor Menschen zu schützen, die durch Geburt, Sprache, Erziehung, Tradition und Loyalität dem Feind verbundener sein könnten als dem Gastland. Die

Autoritäten wußten, daß sie schnell und effizient handeln mußten, und sie waren zunächst absolut nicht unzufrieden mit der Art, wie sie die ungewöhnliche Aufgabe bewältigt hatten. Innerhalb von drei Tagen waren alle feindlichen Ausländer aus den Städten und auch von den weit auseinanderliegenden Farmen dem Militär in Nairobi übergeben und informiert worden, daß sie fortan nicht mehr den Status von »Refugees« hatten, sondern »Enemy Aliens« waren.

Es gab entsprechende Erfahrungen aus dem Weltkrieg, der ja nun der Erste war, und auch noch genug altgediente Offiziere, die wußten, was zu tun war. Interniert wurden alle Männer ab dem sechzehnten Lebensjahr; Kranke und Pflegebedürftige wurden auf Krankenhäuser mit entsprechenden Möglichkeiten zur Bewachung verteilt. Sofort geräumt wurden die Baracken des Zweiten Regiments der King's African Rifles im Ngong, zwanzig Meilen von Nairobi entfernt.

Die Soldaten mit dem Auftrag, die Männer von den Farmen abzuholen, waren unerwartet rasch und äußerst gründlich vorgegangen. »Ein wenig zu gründlich«, wie Colonel Whidett, dem die Aktion »Enemy Aliens« unterstand, in seiner ersten Besprechung nach deren erfolgreichem Abschluß befand.

Die jungen Soldaten hatten den »bloody refugees«, wie sie sie in ihrem neubelebten Patriotismus nannten, bei der überstürzten Verhaftung nicht einmal Zeit gelassen, einen Koffer zu packen, und mit ihrem falsch dosierten Eifer ihren Vorgesetzten prompt vermeidbare Schwierigkeiten bereitet. Die Männer, die nur mit Hose, Hemd, Hut oder manchmal gar im Schlafanzug im Ngong abgeliefert wurden, mußten erst einmal eingekleidet werden. Im Mutterland wäre ein solches Problem sofort mit Häftlingskleidung zu lösen gewesen.

In Kenia war es aber so sittenwidrig wie geschmacklos, Weiße in die gleiche Kleidung zu stecken wie schwarze Gefangene. Es gab in den Gefängnissen des Landes keinen einzigen Europäer und folglich noch nicht einmal so selbstverständliche Dinge des täglichen Bedarfs wie Zahnbürsten, Unterhosen oder Waschlappen. Um nicht schon in den ersten Kriegstagen den Etat zu belasten und das Kriegsministerium in London zu unangenehmen Fragen zu provozieren, wurden die überraschten Bürger zu entsprechenden Spenden aufgerufen. Das führte zu peinlich spöttischen Leserbriefen im »East African Standard«.

Noch schlimmer wurde der Umstand empfunden, daß die Internierten nun ebenso Khakiuniformen trugen wie ihre Bewacher. Gerade in Militärkreisen erregte die ungewollte, aber notwendig gewordene Gleichheit der äußeren Erscheinung zwischen den Verteidigern der Heimat und ihren eventuellen Angreifern viel Unwillen. Gerüchte wollten nicht verstummen, daß die Männer vom Kontinent den Ernst der Lage mißbrauchten. Es gab bereits Berichte, daß sie einander feixend salutierten und, soweit sie Englisch sprachen, das Wachpersonal recht ungeniert nach dem Weg zur Front fragten. Die »Sunday Post« riet ihren Lesern: »Wenn Sie einen Mann in britischer Uniform treffen, lassen Sie ihn zu Ihrer eigenen Sicherheit zuerst ›God Save the King‹ singen.« Der »Standard« begnügte sich mit einem Kommentar, der allerdings die Überschrift »Skandal« trug.

Auch bei strengster Auslegung des Sicherheitsrisikos hätten Frauen und Kinder nicht sofort interniert werden müssen. Das Militär empfand es durchaus als ausreichend, nur Radios und Kameras zu konfiszieren, um zu verhindern, daß sie zur eventuellen Kontaktaufnahme mit dem Feind auf den europäischen Schlachtfeldern mißbraucht wurden. Andererseits erinnerte man sich, daß es auch 1914 und schon im Burenkrieg üblich gewesen war, Frauen und Kinder in Lagern zu konzentrieren. Noch stärker wog das Argument, daß es der britischen Tradition von Ehre und Verantwortungsbewußtsein widersprach, Wehrlose ohne männlichen Schutz auf einer Farm zurückzulassen. Wiederum wurde schnell und unbürokratisch vorgegangen. Keine Frau mußte bei Kriegsausbruch länger als drei Stunden allein auf einer Farm zurückbleiben.

Weibliche Internierte und erst recht Kinder waren nicht in Militärbaracken unterzubringen, aber auch da fand Colonel Whidett eine befriedigende Lösung. Ohne Rücksicht auf das Wochenendvergnügen der Farmer aus dem Hochland wurden das traditionsreiche Norfolk Hotel und das luxuriöse New Stanley als Quartier für die Familien der Enemy Aliens requiriert. Dieser Ausweg war schon deshalb geboten, weil es nur in Nairobi genug kompetente Beamte gab, um sich mit einem Zustand zu beschäftigen, der nicht auf Dauer so bleiben konnte.

Die internierten Frauen waren verblüfft, als sie nach den langen und beschwerlichen Fahrten von den Farmen in Nairobi ankamen. Sie wurden jubelnd vom Hotelpersonal empfangen, das bis dahin immer dazu angehalten worden war, Gäste freudig zu begrüßen, und das nicht mehr rechtzeitig auf die Veränderungen umgeschult werden konnte, die der Krieg mit sich brachte. Auch Ärzte, Krankenschwestern, Kindergärtnerinnen und Lehrer waren in die beiden Hotels befohlen worden. Wegen der Dringlichkeit ihrer Einberufung rechneten sie mit Zuständen, die sie in einen Kausalzusammenhang mit einem Krieg brachten, doch merkten sie sehr schnell, daß es in diesem speziellen Fall weder um Ausbruch von Seuchen noch um psychologische Probleme ging, sondern um Verständigungsschwierigkeiten. Die hätten sich am besten mit Suaheli lösen lassen, das selbstbewußte Kolonialbeamte jedoch längst nicht so gut beherrschten wie die Menschen, die erst kurze Zeit im Land waren und so gar nicht den gängigen Vorstellungen von feindlichen Agenten entsprachen.

Der Transport von Nakuru, Gilgil, Sabbatia und Rongai traf als letzter im Norfolk Hotel ein. Jettel hatte schon auf der Fahrt, getröstet und beruhigt von der Schicksalsgemeinschaft, ihre Angst vor der ungewissen Zukunft und den Schock der plötzlichen Trennung von Walter überwunden und empfand die unerwartete Erlösung von der Einsamkeit und Eintönigkeit der Farm als Wohltat. Sie war so fasziniert von der Eleganz und der animierten Stimmung des Hotels, daß sie zunächst einmal, wie die anderen Frauen auch, die Ursache für die abrupte Wende in ihrem Leben aus dem Blickfeld verlor.

Auch Regina war geblendet. In Rongai hatte sie sich geweigert, auf den Lastwagen zu steigen, und mußte mit Gewalt hinaufgezerrt werden. Auf der Fahrt hatte sie nur geweint und nach Owuor, Aja, Suara, Rummler und ihrem Vater gerufen, doch der Glanz der vielen Lichter, die Gardinen aus blauem Samt an den hohen Fenstern, die Bilder in Goldrahmen und die roten Rosen in silbernen Kelchen, dazu die vielen Menschen und Düfte, die sie noch mehr erregten als die Bilder, lenkten sie sofort von ihrem Kummer ab. Sie stand mit offenem Mund da, hielt sich am Kleid ihrer Mutter fest und starrte die Krankenschwestern mit den gestärkten weißen Häubchen an.

Das Dinner hatte gerade begonnen. Es war eines jener sorgsam komponierten Menüs, für die das Norfolk nicht nur in Kenia, sondern in ganz Ostafrika berühmt war. Der Chefkoch, ein Mann aus Südafrika und mit Erfahrungen auf zwei Luxusschiffen, hatte nicht die Absicht, nur deshalb mit der Tradition des Hauses zu brechen, weil irgendwo in Europa ein Krieg ausgebrochen war und ausschließlich Frauen und Kinder im Speisesaal saßen.

Am Vortag war Hummer aus Mombasa angeliefert worden, Lamm aus dem Hochland und grüne Bohnen, Sellerie und Kartoffeln aus Naivasha. Zum Fleisch gab es die Minzsauce, die als legendäre Spezialität des Norfolk galt, Gratin auf französische Art, tropische Früchte in zartem Bisquit und eine Käseauswahl, die mit Stilton, Cheshire und Cheddar aus England durchaus noch dem Friedensangebot entsprach. Daß viele Portionen Hummer und Lamm unberührt in die Küche zurückgingen, führte der Koch am ersten Abend auf die Übermüdung der Gäste zurück. Als jedoch die Abneigung gegen Schalentiere und Fleisch anhielt, wurde ein Vertreter der Jüdischen Gemeinde Nairobi um Rat gebeten. Er konnte zwar über die jüdischen Speisevorschriften aufklären, wußte aber auch nicht, weshalb die Kinder ihre Minzsauce über die Desserts gossen. Der Koch verfluchte erst den »bloody war« und sehr bald die »bloody refugees«.

Auch ein geräumiges Hotel wie das Norfolk hatte nicht genug Platz für einen so ungewöhnlichen Ansturm von Gästen. So mußten sich zwei Frauen mit ihren Kindern ein Zimmer teilen. Man scheute sich, auf die Räumlichkeiten für das Personal zurückzugreifen. Die standen zwar frei, weil die Frauen und Kinder entgegen den üblichen Gewohnheiten im Norfolk ohne ihre persönlichen Boys und Ajas angereist waren, aber es widersprach dem Geschmacksempfinden des Hotelmanagers, Europäer in den Quartieren für Schwarze wohnen zu lassen.

Regina teilte mit einem Mädchen, das einige Monate älter war als sie, eine Couch. Das führte in der ersten Nacht zu Schwierigkeiten, weil beide als Einzelkinder nicht an engen Kontakt gewöhnt waren, überbrückte aber um so rascher Angst und Scheu. Inge Sadler war ein kräftiges Kind, das Dirndl trug und in Nachthemden aus blau-weiß kariertem Flanell schlief. Sie war sehr selbständig, liebenswürdig und sichtbar beglückt von der Aussicht auf eine Freundin. Ihren bayerischen Dialekt hielt Regina in den ersten Tagen für Englisch, aber sie gewöhnte sich schnell an die Aussprache der neuen Freundin und bewunderte sie, weil sie lesen und schreiben konnte.

Inge war noch ein Jahr in Deutschland zur Schule gegangen und bereit, ihre Kenntnisse an Regina weiterzugeben. Wenn Inge nachts aufwachte, weinte sie angstvoll und mußte von der Mutter beruhigt werden, die trotz ihrer Energie und Strenge am Tage so sanft wie Aja trösten konnte und Reginas Herz ebenso schnell eroberte, wie es Owuor im alten Leben getan hatte. Als Regina Frau Sadler von Suara erzählte, holte sie aus ihrem Handarbeitskorb blaue Wolle und häkelte ihr ein Reh.

Die Sadlers stammten aus Weiden in der Oberpfalz und waren erst ein halbes Jahr vor Kriegsausbruch nach Kenia gekommen. Zwei Brüder hatten ein Bekleidungsgeschäft gehabt, der dritte war Landwirt. Ihre drei Frauen waren zu resolut, um dem Glanz der Vergangenheit nachzutrauern.

Sie strickten Pullover und nähten Blusen für ein renommiertes Geschäft in Nairobi und hatten ihre Männer ermutigt, eine Farm in Londiani zu pachten, die schon nach sechs Monaten erste Erträge brachte.

Inge hatte in Weiden das Pogrom vom 9. November erlebt und zusehen müssen, wie die Schaufenster des elterlichen Geschäfts zertrümmert, Stoffe und Kleider auf die Straße geworfen und die Wohnung geplündert worden waren. Ihr Vater und die beiden Onkel waren aus dem Haus gezerrt, geschlagen und nach Dachau verschleppt worden. Als sie nach vier Monaten wiederkamen, hatte Inge keinen der drei erkannt. In der zweiten Woche im Norfolk, weil sie sich ihres Weinens in der Nacht schämte, erzählte sie Regina von den Erlebnissen, über die sie nie mit ihren Eltern sprach.

»Mein Papa«, sagte Regina, als Inge fertig war, »hat keiner gehauen.«

»Dann ist er kein Jude.«

»Du lügst.«

»Ihr kommt ja gar nicht aus Deutschland.«

»Wir kommen«, erklärte Regina, »aus der Heimat. Aus Leobschütz, Sohrau und Breslau.«

»In Deutschland werden alle Juden verprügelt. Das weiß ich genau. Ich hasse die Deutschen.«

»Ich auch«, versprach Regina, »ich hasse die Deutschen.«

Sie nahm sich vor, sobald wie möglich ihrem Vater von ihrem neuen Haß, von Inge, den Kleidern auf der Straße und von Dachau zu erzählen. Obwohl sie den Vater viel seltener erwähnte als Owuor, Aja, Suara und Rummler, vermißte sie ihn und empfand die Trennung um so stärker, weil sie ihr Gewissen quälte. Sie hatte sich auf die Erde gelegt und den Lastwagen als erste gehört, der sie alle aus Rongai vertrieben hatte.

Am kleinen Teich mit den weißen Wasserlilien, auf denen in der Mittagshitze die Schmetterlinge wie gelbe Wolken lagen, verriet sie Inge: »Ich habe den Krieg gemacht.«

»Quatsch, die Deutschen haben den Krieg gemacht. Das weiß doch hier jeder.«

»Das muß ich meinem Papa erzählen.«

»Der weiß das schon.«

Erst nach diesem Gespräch fiel Regina auf, daß alle Frauen vom Krieg sprachen. Sie waren schon lange nicht mehr so fröhlich wie in der ersten Zeit der Internierung. Immer häufiger sagten sie: »Wenn wir erst wieder auf der Farm sind«, und keine der Frauen mochte an die Hochstimmung erinnert werden, in der sie in Nairobi angekommen war. Der veränderte Ton im Norfolk steigerte die Sehnsucht nach dem Farmleben.

Der Hotelmanager, ein hagerer und unliebenswürdiger Mann, hieß Applewaithe und gab sich schon längst keine Mühe mehr, seinen Ekel vor Menschen zu verbergen, die seinen Namen nicht aussprechen konnten. Er verabscheute Kinder, mit denen er bisher weder privat noch im Beruf zu tun gehabt hatte, und verbot den jungen Müttern, die Milch für die Babys in der Küche aufzuwärmen, Windeln auf den Balkon zu hängen und Kinderwagen unter die Bäume zu stellen. Immer deutlicher ließ er die Frauen spüren, daß sie für ihn ungebetene Gäste und, noch schlimmer, Enemy Aliens waren.

Nach der ersten verwirrenden Euphorie, die das Glück der Gemeinschaft bei ihnen ausgelöst hatte, kehrten die Frauen konsterniert und schuldbewußt in die Realität zurück. Fast alle hatten noch Angehörige in Deutschland und begriffen nun, daß es für Eltern, Geschwister und Freunde kein Entkommen mehr gab. Das Wissen um diese Endgültigkeit und dazu die Erkenntnis, wie ungewiß die eigene Zukunft war, lähmten sie. Sie sehnten sich nach den Ehemännern, die zuvor alle Entscheidungen allein getroffen und die Verantwortung für die Familie übernommen hatten und von denen sie noch nicht einmal wußten, wohin sie gebracht worden waren. Das Bewußtwerden der eigenen Ohnmacht machte sie ratlos und führte erst zu kleinlichen Zänkereien und dann zu einer Apathie, die sie in die Vergangenheit flüchten ließ. Die Frauen überboten sich in

Schilderungen, wie gut sie es in einem Leben gehabt hatten, das mit jedem Tag der erzwungenen Untätigkeit heller in der Erinnerung strahlte. Sie schämten sich ihrer Tränen und noch mehr, wenn sie »daheim« oder »zu Hause« sagten und nicht mehr wußten, ob sie von den Farmen oder von Deutschland sprachen.

Jettel litt sehr am ungestillten Bedürfnis nach Schutz und Trost. Sie sehnte sich nach dem Leben in Rongai mit Owuors guter Laune und dem vertrauten Rhythmus der Tage, die ihr nicht mehr einsam, sondern voller Zuversicht und Zukunft erschienen. Sie vermißte selbst den Streit mit Walter, der im Rückblick zu einer Kette von zärtlichen Neckereien wurde, und sie weinte, sobald sie auch nur seinen Namen erwähnte. Nach jedem Ausbruch sagte sie: »Wenn mein Mann wüßte, was ich hier durchmache, würde er mich sofort holen.«

Meistens verzogen sich die Frauen in ihre Zimmer, wenn Jettel sich ihrer Verzweiflung hingab, aber eines Abends, als ihr Schmerz noch lauter war als sonst, schnauzte Elsa Conrad sehr unerwartet und sehr laut: »Hör endlich auf mit dem Geplärre und tu was. Glaubst du, wenn man meinen Mann fortgebracht hätte, würde ich hier herumsitzen und heulen? Ihr jungen Frauen seid zum Kotzen.«

Jettel war so verblüfft, daß sie sofort zu schluchzen aufhörte. »Was kann ich denn tun?« fragte sie mit einer Stimme, die alle Weinerlichkeit verloren hatte.

Seit dem ersten Tag im Norfolk war Elsa Conrad eine von allen respektierte Autorität, die keinen Widerspruch duldete. Sie fürchtete weder Auseinandersetzungen noch Menschen, war die einzige Berlinerin in der Gruppe und als einzige nicht jüdisch. Schon ihre äußere Erscheinung imponierte. Elsa, so dick wie unbeweglich, hüllte bei Tag ihre Körperfülle in lange, geblümte Gewänder und abends in tief ausgeschnittene Festkleider. Sie trug feuerrote Turbane, die die Babys so erschreckten, daß sie losbrüllten, wenn sie Elsa nur sahen.

Sie stand morgens nie vor zehn Uhr auf, hatte bei Mr.

Applewaithe durchgesetzt, daß ihr Frühstück im Zimmer serviert wurde, und ermahnte ständig Kinder und mit der gleichen Ungeduld Frauen, die sich in ihrem Kummer vergruben oder sich über Kleinigkeiten beklagten. Gefürchtet wurde sie nur in den ersten Tagen. Ihre Schlagfertigkeit machte ihre Provokationen erträglich, ihr Humor versöhnte mit ihrem Temperament. Als sie ihre Geschichte erzählte, wurde sie zur Heldin.

Elsa hatte in Berlin eine Bar gehabt und nie die Angewohnheit, sich mit Gästen abzugeben, die ihr mißfielen. Wenige Tage nach den Synagogenbränden war eine Frau mit zwei Begleitern in Elsas Bar gekommen und hatte, noch im Mantel, Hetzreden gegen die Juden gehalten. Elsa hatte sie am Kragen gepackt, sie vor die Tür gesetzt und geschrien: »Wo glaubst du, kommt dein teurer Pelz her? Von den Juden gestohlen hast du ihn, du Hure.«

Das hatte ihr sechs Monate Zuchthaus und anschließend die sofortige Ausweisung aus Deutschland eingebracht. Elsa war mittellos in Kenia angekommen und schon in der ersten Woche von einem schottischen Ehepaar in Nanyuki als Kindermädchen engagiert worden. Mit den Kindern hatte sie sich nicht gut verstanden, mit den Eltern trotz der nur wenigen Brocken Englisch, die sie auf dem Schiff aufgeschnappt hatte, um so besser. Sie brachte ihnen Skat bei und dem Koch, Soleier einzulegen und Buletten zu braten. Bei Kriegsausbruch hatten sich die Schotten schweren Herzens von Elsa getrennt und nicht geduldet, daß sie auf den Lastwagen stieg. Sie hatten sie mit ihrem Wagen ins Norfolk gefahren und sie zum Abschied mit Flüchen auf die Engländer und Chamberlain umarmt.

Elsa kannte nur Sieg. »Was soll ich denn tun«, ahmte sie Jettels Stimme an dem Abend nach, als sie die Weichen für die Zukunft stellte. »Wollt ihr den ganzen Krieg hier hocken und Däumchen drehen, während man eure Männer festhält? Was schaut ihr mich denn so dämlich an? Könnt ihr nicht einmal vergessen, daß man euch auf Händen getragen hat? Setzt euch auf eure verwöhnten Hintern und schreibt an die Behörden. Es kann doch nicht so schwer sein, denen klarzumachen, daß die Juden nicht für Hitler sind. Eine von den feinen Damen wird doch bestimmt zur Schule gegangen sein und genug Englisch können, um einen Brief zu schreiben.«

Der Vorschlag, so wenig Erfolg er auch versprach, wurde schon deshalb angenommen, weil sich alle mehr vor Elsas Zorn fürchteten als vor der britischen Armee. Sie konnte ebenso gut organisieren wie reden und befahl vier Frauen mit ausreichenden Englischkenntnissen und Jettel wegen ihrer schönen Schrift, Briefe zu formulieren, die Schicksal dokumentierten und Standpunkte klärten. Mr. Applewaithe ließ sich unerwartet rasch überzeugen, daß es seine Pflicht war, die Post von Menschen weiterzuleiten, die das Hotelgelände nicht verlassen durften.

Mit einem so schnellen Erfolg der Aktion hatte selbst Elsa nicht gerechnet. Für die Militärbehörde war weder Ton noch Inhalt der Briefe ausschlaggebend, sondern der Umstand, daß ihr Bedenken gekommen waren. Nach den ersten Reaktionen aus London zweifelte man in Nairobi, ob tatsächlich alle Refugees hätten interniert werden müssen oder ob es nicht rationeller gewesen wäre, zuvor ihre politische Einstellung zu überprüfen.

Hinzu kam, daß viele Farmer mit der Einberufung zum Militär rechneten und ihre Farmen von den billigen und angenehm verantwortungsbewußten Refugees versorgt wissen wollten. Die Leserbriefspalte im »East African Standard« bestand fast ausschließlich aus Anfragen, weshalb ausgerechnet in Nairobi Kriegsgefangene in Luxushotels wohnen müßten. Auch die Besitzer vom Norfolk und New Stanley drängten fordernd auf deren Freigabe. Colonel Whidett hielt es für klug, zunächst einmal Flexibilität zu zeigen. Fürs erste gestattete er Kontakte für Ehepaare mit Kindern und stellte weitere Überlegungen in Aussicht. Genau zehn Tage, nachdem Mr. Applewaithe die Briefe bei der Militärbehörde abgegeben hatte, fuhren wieder die Lastwagen der Army vor. Sie hatten Auftrag, Mütter und Kinder ins Männerlager im Ngong zu bringen.

Den Männern war es wie ihren Frauen ergangen. Die

Internierung hatte sie aus Einsamkeit und Sprachlosigkeit zurück ins Leben geholt. Der Rausch der Erlösung war gewaltig. Alte Bekannte und Freunde, die sich zum letztenmal in Deutschland gesehen hatten, trafen sich wieder; Schicksalsgenossen vom Schiff fielen einander in die Arme; Fremde stellten fest, daß sie gemeinsame Freunde hatten. Tage- und nächtelang wurden Erfahrungen, Hoffnungen und Ansichten ausgetauscht. Die Davongekommenen erfuhren vom Leid, das das eigene klein machte. Sie lernten, wieder zuzuhören, und durften reden. Es war, als wäre ein Damm gebrochen.

Nach der Zeit auf den Farmen allein mit Frau und Kindern und der Verpflichtung, Haltung zu bewahren und Angst zu verdrängen, oder auch nach Jahren allein auf einer Farm war jeder froh, in einer Gruppe von Männern zu leben. Wenigstens vorübergehend waren alle ohne wirtschaftliche Sorgen und ohne die quälende Gewißheit, daß eine Kündigung den sofortigen Verlust der Bleibe bedeutete. Schon die Atempause gaukelte dem Gemüt heilende Sicherheit vor. Es war Walter, der das danach immer wieder zitierte Wort prägte: »Jetzt haben die Juden endlich wieder einen König, der für sie sorgt.«

In den ersten Tagen im Camp war es ihm, als sei er nach langer Reise auf entfernte Verwandte gestoßen, denen er sich sofort verbunden fühlte. Der ehemalige Frankfurter Rechtsanwalt Oscar Hahn, seit sechs Jahren Farmer in Gilgil, Kurt Piakowsky, ein Arzt aus Berlin und nunmehr Leiter der Wäscherei im Krankenhaus von Nairobi, und der Erfurter Zahnarzt Leo Hirsch, der als Manager auf einer Goldmine in Kisumu untergekommen war, waren Bundesbrüder von Walter und allzeit bereit, mit ihm Erinnerungen an die gemeinsamen Freunde und Freuden der Studentenzeit auszutauschen.

Heini Weyl, der Freund aus Breslau, hatte sich trotz Gelbfiebers und Amöbenruhr in Kisumu weder Lebensmut noch Humor nehmen lassen. Ebenfalls Breslauer war Henry Guttmann, der viel beneidete Optimist. Er war zu jung gewesen, um in Deutschland Beruf und Existenz zu verlieren, und gehörte zum kleinen Kreis der Auserwählten, die mehr Zukunft als Vergangenheit hatten. Max Bilawasky, der sich innerhalb eines Jahres mit einer eigenen Farm in Eldoret ruiniert hatte, stammte aus Kattowitz und kannte Leobschütz.

Siegfried Cohn, ein Fahrradhändler aus Gleiwitz, war gut bezahlter Ingenieur in Nakuru und hatte auch sprachlich den Anschluß an sein neues Leben gefunden, indem er sein hartes Oberschlesisch mit nasalem englischem Klang durchsetzte. Überglücklich war Walter mit Jakob Oschinsky. Er hatte in Ratibor ein Schuhgeschäft gehabt, war auf einer Kaffeefarm in Thika untergekrochen und hatte auf einer Reise mal in Redlichs Hotel in Sohrau übernachtet. Er konnte sich gut an Walters Vater erinnern und schwärmte von Liesels Schönheit, Hilfsbereitschaft und Krautkuchen.

Alle Internierten hatten solche Erlebnisse. Sie holten unterdrückte Bilder aus der Versenkung, die wie ein Jungbrunnen für die verwirrten Seelen waren. Dennoch hielt die gute Stimmung bei den Männern nicht so lange an wie bei den Frauen. Zu schnell wurde ihnen bewußt, daß Muttersprache und Erinnerungen kein ausreichender Ersatz waren für die Heimat, die gestohlene Habe, für den Verlust von Stolz und Ehre und für zerstörtes Selbstbewußtsein. Als die hastig vernarbten Wunden wieder aufbrachen, waren sie schmerzhafter als zuvor.

Der Krieg hatte den Funken Hoffnung erlöschen lassen, in Kenia schnell und nur deshalb Wurzeln zu schlagen, weil die Sehnsucht so gewaltig war, kein Außenseiter und Ausgestoßener mehr zu sein. Bei jedem starb endlich die lange Zeit wider alle Vernunft gehegte Illusion, den Zurückgebliebenen in Deutschland doch noch helfen und sie nach Kenia nachholen zu können. Obwohl er sich zu wehren versuchte, gab Walter seinen Vater und seine Schwester ebenso verloren wie schon die Schwiegermutter und Schwägerin.

»Von den Polen haben sie keine Hilfe zu erwarten«, erzählte er Oscar Hahn, »und für die Deutschen sind sie polnische Juden. Jetzt hat mir das Schicksal ein für allemal bestätigt, daß ich versagt habe.«

»Versagt haben wir alle, aber nicht jetzt, sondern 1933. Wir haben zu lange an Deutschland geglaubt und die Augen zugemacht. Verzagen dürfen wir nicht. Du bist nicht nur Sohn. Du bist auch Vater.«

»Ein schöner Vater, der noch nicht einmal das Geld für den Strick verdient, an dem er sich aufhängen kann.«

»So etwas darfst du noch nicht einmal denken«, sagte Hahn wütend. »Es werden so viele von uns sterben, die leben wollen, daß die Geretteten keine andere Wahl haben, als für ihre Kinder weiterzuleben. Davonkommen ist nicht nur Glück, sondern Verpflichtung. Vertrauen ins Leben auch. Reiß dir endlich Deutschland aus dem Herzen. Dann wirst du wieder leben.«

»Ich hab's versucht. Es geht nicht.«

»Das dachte ich früher auch, und wenn ich jetzt an den feinen Frankfurter Rechtsanwalt und Notar Oscar Hahn denke, der eine Bombenpraxis und mehr Ehrenämter als Haare auf dem Kopf hatte, kommt er mir wie ein fremder Mann vor, den ich früher einmal flüchtig gekannt habe. Mensch Walter, nutz die Zeit hier, um mit dir selbst Frieden zu schließen. Dann kannst du wirklich neu anfangen, wenn wir hier rauskommen.«

»Gerade das macht mich so verrückt. Was wird aus mir und meiner Familie, wenn King George nicht mehr für uns sorgt?«

»Noch hast du deine Stellung in Rongai.«

»Das ›Noch‹ hast du besonders hübsch gesagt.«

»Wie wär's, wenn du mich Oha nennst?« lächelte Hahn, »den Namen hat meine Frau für die Emigration erfunden. Fand ihn nicht so deutsch wie Oscar. Ist eine patente Frau, meine Lilly. Ohne sie hätte ich nie gewagt, die Farm in Gilgil zu kaufen.«

»Versteht sie denn so viel von der Landwirtschaft?«

»Sie war Konzertsängerin. Vom Leben versteht sie viel. Die Boys liegen ihr zu Füßen, wenn sie Schubert singt. Und die Kühe geben gleich mehr Milch. Du wirst sie ja hoffentlich bald kennenlernen.«

»Du glaubst also an Süßkinds Theorie?«

»Ja.«

»Leute wie Rubens«, pflegte Süßkind bei den Diskussionen um die Zukunft und die Haltung der Militärbehörde zu dozieren, »können es sich gar nicht leisten, daß man alle Juden zu Enemy Aliens stempelt und uns hier den ganzen Krieg schmoren läßt. Ich wette, der alte Rubens und seine Söhne sind schon dabei, den Engländern klarzumachen, daß wir lange vor ihnen gegen Hitler waren.«

Colonel Whidett mußte sich tatsächlich mit Problemen beschäftigen, für die er absolut unzureichend präpariert war. Er fragte sich fast jeden Tag, ob selbst schwerwiegende Differenzen mit dem Kriegsministerium in London unangenehmer hätten sein können als die regelmäßigen Besuche der fünf Brüder Rubens in seinem Büro, ganz zu schweigen von dem temperamentvollen Vater. Der Colonel gestand sich ohne Scham ein, daß ihn bis Kriegsausbruch die Ereignisse in Europa nicht sehr viel mehr interessiert hatten als die Stammeskämpfe zwischen den Jaluo und Lumbwa rund um Eldoret. Es irritierte ihn jedoch, daß die Familie Rubens so genau über wirklich schockierende Details im Bilde war und er sich wie ein Ignorant vorkam, wann immer sie ihn heimsuchte.

Whidett kannte keine Juden, sah er von den beiden Brüdern Dave und Benjie ab, denen er im ersten Jahr in der Boarding School in Epsom begegnet war und die ihm als widerlich ehrgeizige Schüler und miserable Cricketspieler in Erinnerung geblieben waren. Er fühlte sich also zunächst durchaus im Recht, wenn er in den unangenehmen Gesprächen, die die Zeit ihm aufzwang, auf das Herkunftsland der Internierten verwies und die daraus nicht zu unterschätzenden Schwierigkeiten für sein kriegführendes Mutterland. Allerdings erschienen ihm bedauerlicherweise seine Einwände sehr schnell nicht so stichhaltig wie ursprünglich gedacht. Schon gar nicht, wenn er sie vor seinen unwillkommenen Gesprächspartnern hervorbringen mußte, die die Beredsamkeit von arabischen Teppichhändlern und die Überempfindlichkeit von Künstlern hatten.

Ob Whidett wollte oder nicht, die Familie Rubens, die ältere Bindungen an Kenia hatte als er selbst und ein so gepflegtes Englisch sprach wie die »old boys« in Oxford, machte ihn nachdenklich. Widerstrebend begann er sich mit dem Schicksal von Menschen zu beschäftigen, denen »man anscheinend Unrecht getan« hatte. Diese vorsichtige Formulierung pflegte er indes nur im privaten Kreis zu gebrauchen und dann auch zögernd, entsprach es doch weder seiner Erziehung noch seinen Prinzipien, besser über die Vorgänge im verdammten Europa Bescheid zu wissen als andere.

So sagte Whidett zu, wenn auch ohne Vertrauen in sein Urteil, den Vorschlag zu überprüfen, ob nicht wenigstens jene Leute aus dem Camp entlassen werden konnten, die auf den Farmen arbeiteten und wohl keine Möglichkeiten hatten, Kontakt mit dem Feind aufzunehmen. Zu seiner Überraschung wurde der Entschluß in Militärkreisen als weitsichtig begrüßt. Er erwies sich auch sehr bald als nötig. Wegen der Lage in Abessinien kündigte London die Entsendung eines Infanterieregiments aus Wales an, für das der Colonel die Baracken im Ngong brauchte.

Die Lastwagen vom Norfolk und New Stanley fuhren an einem Sonntag nach dem Mittagessen im Camp vor. Die Kinder winkten verlegen, und die Mütter wirkten ebenso verkrampft, als die Männer in ihren Khakiuniformen am Stacheldrahtzaun erschienen. Die meisten Frauen hatten sich angezogen, als seien sie zu einem Gartenfest der besten Gesellschaft geladen. Manche hatten dekolletierte Kleider an, die sie zuletzt in Deutschland getragen hatten; einige hielten kleine, verwelkte Blumen in der Hand, die die Kinder im Hotelgarten gepflückt hatten.

Walter sah Jettel in ihrer roten Bluse und mit den weißen Handschuhen, die sie sich zur Auswanderung gekauft hatte. Das Abendkleid fiel ihm ein, und er hatte Mühe, seinen Ärger herunterzuschlucken. Gleichzeitig aber wurde ihm bewußt, wie schön seine Frau war und daß er sie selbst in den intimsten und erfüllten Momenten mit seinem gebrochenen Herzen betrogen hatte, das nur noch den Pulsschlag der Vergangenheit zu beleben wußte. Er fühlte sich alt, verbraucht und unsicher.

Einige bange Sekunden, die ihm unbarmherzig lang vorkamen, war ihm auch Regina fremd. Sie erschien ihm in den vier Wochen der Trennung gewachsen, und auch ihre Augen waren anders als in den Tagen von Rongai, als sie mit Aja unter dem Baum gesessen hatte. Walter versuchte, auf den Namen vom Reh zu kommen, um die Gemeinsamkeit zu finden, nach der ihn verlangte, aber das Wort fiel ihm nicht mehr ein. Da sah er Regina auf sich zurennen.

Während sie wie ein junger Hund an ihm hochsprang und noch ehe sie ihre dünnen Arme um seinen Hals legte, begriff er mit lähmendem Erschrecken, daß er seine Tochter mehr liebte als seine Frau. Schuldbewußt und doch mit einer Erregung, die er als belebend empfand, schwor er, daß keine von beiden je die Wahrheit erfahren würde.

»Papa, Papa«, schrie Regina in Walters Ohr und holte ihn in die Gegenwart, die mit einem Mal so viel leichter zu ertragen war als zuvor, »ich hab' eine Freundin. Eine richtige Freundin. Sie heißt Inge. Sie kann auch lesen. Und Mama hat einen Brief geschrieben.«

»Was für einen Brief?«

»Einen richtigen Brief. Damit wir dich besuchen dürfen.«

»Ja«, sagte Jettel, als sie Regina weit genug abgedrängt hatte, um Platz an Walters Brust zu finden, »ich habe eine Eingabe gemacht, damit du entlassen wirst.«

»Seit wann weiß meine Jettel, was eine Eingabe ist?«

»Ich mußte doch etwas für dich tun. Man kann doch nicht einfach dasitzen und Däumchen drehen. Vielleicht können wir bald zurück in unser Rongai.«

»Jettel, Jettel, was haben sie bloß aus dir gemacht? Du warst doch todunglücklich in Rongai.«

»Die Frauen wollen doch alle wieder auf die Farmen zurück.«

Der Stolz in Jettels Stimme rührte Walter. Noch mehr, daß ihr der Mut fehlte, ihn beim Lügen anzuschauen. Er hatte das Verlangen, ihr eine Freude zu machen, doch fielen ihm Schmeicheleien ebensowenig ein wie der Name vom Reh. Er war froh, als er Regina sprechen hörte.

»Ich hasse die Deutschen, Papa. Ich hasse die Deutschen.« – »Von wem hast du denn das gelernt?«

»Von Inge. Sie haben ihren Vater verhauen und die Fenster in Dachau kaputtgeschmissen und alle Kleider auf die Straße geworfen. Inge weint in der Nacht, weil sie die Deutschen haßt.«

»Nicht die Deutschen, Regina, die Nazis.«

»Gibt es auch Nazis?«

»Ja.«

»Das muß ich Inge erzählen. Dann wird sie auch die Nazis hassen. Sind denn die Nazis so böse wie die Deutschen?«

»Nur die Nazis sind böse. Sie haben uns aus Deutschland vertrieben.«

»Das hat Inge nie gesagt.«

»Dann geh sie mal suchen und erzähl ihr, was dein Vater gesagt hat.«

»Du machst das Kind noch ganz verrückt«, schimpfte Jettel, als Regina fort war, aber sie ließ Walter keine Zeit zu einer Antwort. »Weißt du«, flüsterte sie »daß es keine Hoffnung mehr für Mutter und Käte gibt, seitdem wir Krieg haben?«

Walter seufzte, und doch spürte er nichts als die Erleichterung, daß er endlich offen reden durfte.

»Ja, ich weiß. Auch Vater und Liesel sitzen jetzt in der Falle. Und frag mich bloß nicht, wie wir damit fertig werden sollen. Ich weiß es nicht.«

Als Walter sah, daß Jettel weinte, umarmte er sie und war getröstet, daß Tränen, die ihm selbst schon lange nicht mehr kamen, sie noch erlösen konnten. Der kurze Augenblick der Gemeinsamkeit erschien ihm trotz des Anlasses zu kostbar, um ihn nicht wenigstens einige wenige Herzschläge lang der Niedergeschlagenheit zu entreißen. Dann aber zwang er sich, nicht noch einmal der Angst nachzugeben, die zum Schweigen verführte.

»Jettel, wir werden nicht mehr nach Rongai zurückkehren.«

»Warum? Woher willst du das wissen?«

»Ich habe heute morgen Post von Morrison bekommen.«

Walter nahm den Brief aus seiner Tasche und hielt ihn Jettel entgegen. Er wußte, daß sie ihn nicht lesen konnte, aber er brauchte die Gnadenfrist ihrer Ratlosigkeit, um sich selbst zu fassen. Er ließ es zu, daß er sich demütigte, indem er hilflos zusah, wie Jettels Augen sich an den Zeilen festfraßen, die ihm Süßkind vor ein paar Stunden übersetzt hatte.

»Dear Mr. Redlich«, hatte Morrison geschrieben, »I regret to inform you that there is at present no possibility of employing an Enemy Alien on my farm. I am sure you will understand my decision and wish you all the best for the future. Yours faithfully, William P. Morrison.«

»Schau mich an, Jettel, nicht den Brief. Morrison hat mir gekündigt.«

»Wo sollen wir denn hin, wenn du hier rauskommst? Was sollen wir Regina sagen? Sie fragt jeden Tag nach Owuor und Aja.«

»Am besten wir überlassen es Inge«, sagte Walter müde. »Ich werde Owuor auch vermissen. Unser Leben besteht nur noch aus Abschied.«

»Haben die anderen auch solche Briefe bekommen?«

»Ein paar von uns. Die meisten nicht.«

»Warum wir? Warum immer wir?«

»Weil du dir einen Nebbich als Mann ausgesucht hast, Jettel. Du hättest auf deinen Onkel Bandmann hören sollen. Der hat dir das schon vor unserer Verlobung gesagt. Komm, weine nicht. Da kommt mein Freund Oha. Der hat das Glück gehabt, daß die Nazis ihn schon 1933 gelöscht haben. Jetzt hat er eine eigene Farm in Gilgil. Du mußt ihn kennenlernen und brauchst dich nicht zu genieren. Er weiß Bescheid. Er hat sogar versprochen, uns zu helfen. Ich weiß nicht, wie er das machen will, aber es tut mir gut, daß er's gesagt hat.«

5

Am 15. Oktober 1939 hingen am Schwarzen Brett im Camp
Ngong zwei Veröffentlichungen, die bei den Refugees ein
sehr unterschiedliches Echo hatten. Die Nachricht von der
Versenkung des britischen Schlachtschiffs »Royal Oak«
durch ein deutsches U-Boot war in militärisch knappem
Englisch gehalten und sorgte schon deshalb für mehr Verwirrung als Anteilnahme, weil zunächst den wenigsten
klarwurde, wer in der Bucht von Scapa Flow angegriffen
und wer gesiegt hatte. Große Erregung löste indes die in
fehlerfreiem Deutsch gehaltene Ankündigung aus, Enemy
Aliens mit einer festen Anstellung auf einer Farm könnten
mit ihrer Entlassung rechnen. Sofort fand das seit einigen
Tagen kursierende Gerücht neue Nahrung, die Militärbe-
hörden in Nairobi planten die Deportation von männlichen Internierten nach Südafrika.

»Jetzt muß ich mir also doch einen Manager für meine
Farm nehmen«, erklärte Oha, als er nach langem Suchen
Walter hinter der Latrinenbaracke aufstöberte.

»Warum? Du kommst doch bald hier raus.«

»Aber du nicht.«

»Nein, ich hab' das große Los gezogen. Und Jettel und
Regina auch. Schicken die auch Frauen und Kinder nach
Südafrika?«

»Mensch, kapierst du denn nie etwas? Du wirst meine
Farm leiten. Jedenfalls bis du eine Stellung gefunden hast.
Es ist bestimmt nicht verboten, daß ein Enemy Alien einen
anderen anstellt. Süßkind ist schon dabei, den Anstel-
lungsvertrag zu übersetzen, den ich dir ausgestellt habe.«

Obwohl Süßkinds Umgang mit juristischen Formulie-
runge ungenau und unbeholfen war, stellte er Colonel
Whidett zufrieden. Er hatte wenig Neigung, sich für den
Rest des Kriegs mit Menschen zu beschäftigen, die sein Leben aus dem Lot brachten, und nur noch das Ziel, mög-

lichst viele von ihnen zu entlassen. Er verfügte nicht nur, daß Oscar Hahn und Walter zu den ersten gehörten, die das Camp verlassen durften, sondern sorgte auch dafür, daß Lilly vom New Stanley und Jettel mit Regina aus dem Norfolk abgeholt und mit den beiden Männern nach Gilgil gebracht wurden.

»Warum tust du das alles für uns?« hatte Walter am letzten Abend im Ngong gefragt.

»Eigentlich müßte ich jetzt sagen, daß es meine Pflicht ist, einem Bundesbruder zu helfen«, hatte Hahn erwidert, »aber ich mach es einfacher. Ich hab' mich an dich gewöhnt, und meine Lilly braucht Publikum.«

Die Farm von Hahns mit Kühen und Schafen auf sanften grünen Hügeln und Hühnern, die neben dem großen Gemüsegarten in einer Sandfläche scharrten, mit akkurat angelegten Maisfeldern und dem Haus aus weißem Stein vor dem kurzgeschorenen Rasen, um den Rosen, Nelken und Hibiskus wuchsen, hieß Arkadia und erinnerte an einen deutschen Gutshof. Die Wege um das Haus waren mit Stein belegt, die Außenwände vom Küchengebäude in blau-weißem Rautenmuster gestrichen, das Toilettenhaus grün und die hellen Holztüren vom Wohnhaus mit einer Lackfarbe überzogen.

Unter einer hohen Zeder stand eine mit lila Bougainvilleen bewachsene Laube mit weißen Stühlen vor einem runden Tisch. Manjala, der Hausboy, hatte um sein weißes Kanzu, in dem er die Mahlzeiten servierte, einen silbernen Gürtel, den Lilly auf dem letzten Faschingsball ihres Lebens getragen hatte. Der Pudel mit den schwarzen Locken, die in der Sonne wie winzige Stücke Kohle glänzten, hieß Bajazzo.

Walter und Jettel kamen sich auf Arkadia wie verirrte Kinder vor, die von ihren Rettern mit der Ermahnung zu Hause abgeliefert werden, nie mehr allein fortzulaufen. Es war nicht nur die Herzlichkeit und Gelassenheit ihrer Gastgeber, die ihnen neue Kraft gab, sondern die Geborgenheit in dem Haus selbst. Alles erinnerte sie an eine Heimat, die sie in solcher Üppigkeit nie kennengelernt hatten.

Die runden, mit grünem Leder überzogenen Tische, der wuchtige Frankfurter Schrank vor eierschalfarbenen Stores, mit grauem Samt bezogene Stüble, Ohrensessel mit Bezügen aus geblümtem englischem Leinen und eine Mahagonikommode mit goldenen Beschlägen stammten von Ohas Eltern, das schwere Tafelsilber, die Kristallgläser und das Porzellan aus Lillys Aussteuer. Es gab gefüllte Bücherschränke, an den hellen Wänden Kopien von Frans Hals und Vermeer und im Wohnzimmer das Bild einer Kaiserkrönung im Frankfurter Römer, vor dem Regina jeden Abend saß und sich von Oha Geschichten erzählen ließ. Vor dem Kamin stand ein Flügel mit einer weißen Mozartbüste auf einer roten Samtdecke.

Unmittelbar nach Sonnenuntergang trug Manjala Getränke in bunten Gläsern herein und bald darauf so vertraute Gerichte, als könne Lilly täglich bei deutschen Metzgern, Bäckern und Kolonialwarenhändlern einkaufen. Ihre Stimme, die selbst dann zu singen schien, wenn sie nach den Boys rief oder die Hühner fütterte, und Ohas Frankfurter Zungenschlag kamen Walter und Jettel wie Botschaften aus einer fremden Welt vor. Abends sang Lilly das Repertoire ihrer Vergangenheit.

Vor der Tür hockten die Boys; die Frauen standen mit Säuglingen auf dem Rücken vor den offenen Fenstern, und in den Pausen setzte sich der Pudel auf seine Hinterpfoten und bellte leise und melodisch in die Nacht. Obwohl Walter und Jettel solche musikalischen Erlebnisse nie kennengelernt hatten, vergaßen sie bei den nächtlichen Konzerten alle Bedrückung und gaben sich romantischen Gefühlen hin, die ihnen Hoffnung und Jugend zurückbrachten.

Oha hatte ebensogroße Freude an seinen Gästen wie sie an seiner Gastfreundschaft, denn weder er noch die Menschen auf der Farm konnten lange genug Lillys Bedürfnis nach neuen Zuhörern stillen, doch er wußte, daß der Zustand von beglückendem Geben und dankbarem Nehmen nicht von Dauer sein durfte.

»Ein Mann muß seine Familie ernähren können«, sagte er zu Lilly.

»Du redest wie früher, Oha. Du bist und bleibst ein Deutscher.«

»Leider. Ohne dich wäre ich in der gleichen trostlosen Lage wie Walter. Wir Juristen haben eben nichts gelernt außer dummes Zeug.«

»Da ist eine Sängerin doch besser dran.«

»Nur, wenn sie so ist wie du. Übrigens habe ich an Gibson geschrieben.«

»Du hast einen englischen Brief geschrieben?«

»Englisch wird er erst, wenn du ihn übersetzt hast. Ich könnte mir vorstellen, daß Gibson Walter gebrauchen kann. Aber sag ihm noch nichts. Die Enttäuschung wäre zu groß.«

Oha kannte Gibson, von dem er einige Male Pyrethrum bezogen hatte, nur flüchtig. Er wußte aber, daß er schon seit langem nach einem Mann suchte, der für sechs Pfund bereit war, auf seiner Farm in Ol' Joro Orok zu arbeiten. Geoffry Gibson hatte eine Essigfabrik in Nairobi und nicht die Absicht, mehr als viermal im Jahr nach seiner Farm zu sehen, auf der er ausschließlich Pyrethrum und Flachs anbaute. Er reagierte schnell.

»Genau das Richtige für dich«, freute sich Oha, als Gibsons Zusage eintraf, »du bringst dort weder Kühe noch Hühner um, und von ihm selbst hast du auch nichts zu befürchten. Du mußt dir nur ein Haus bauen.«

Zehn Tage, nachdem ein kleiner Lastwagen auf der schlammigen Straße in die Berge von Ol' Joro Orok gekeucht war, bekam das kleine Haus zwischen den Zedern sein Dach. Der indische Schreiner Daji Jiwan hatte mit dreißig Arbeitern von den Schambas das Haus für den neuen Bwana aus groben, grauen Steinen gebaut. Ehe das Dach mit Gras, Lehm und Dung beworfen wurde, durfte Regina zum letztenmal auf den Holzstangen sitzen, die, anders als bei den Hütten der Eingeborenen, nicht zu einer Spitze, sondern schräg zusammenliefen.

Regina ließ sich von Daji Jiwan mit den schwarzglänzenden Haaren, der hellbraunen Haut und den sanften Augen hochheben und kletterte genau zur Mitte des

Dachs. Dort hatte sie seit der Ankunft in Ol' Joro Orok so lange und schweigend gesessen wie in den Tagen, als sie noch ein Kind war, das nichts wußte und mit seiner Aja unter den Bäumen von Rongai gelegen hatte.

Sie schickte ihre Augen zum großen Berg mit der weißen Decke, von der ihr Vater behauptete, sie sei aus Schnee, und wartete, bis sie satt wurden. Dann machte ihr Kopf eine schnelle Bewegung zum dunklen Wald, aus dem abends die Trommeln die Schauris vom Tag erzählten und bei Sonnenaufgang die Affen kreischten. Als Hitze in ihren Körper kam, machte sie ihre Stimme stark und schrie ihren Eltern auf der Erde zu: »Es gibt nichts Schöneres als Ol' Joro Orok.« Das Echo kam schneller, klarer und lauter zurück als in den Tagen, die nun nicht mehr waren, und der Menengai ihr geantwortet hatte. »Es gibt nichts Schöneres als Ol' Joro Orok«, rief Regina noch einmal.

»Sie hat Rongai schnell vergessen.«

»Ich auch«, sagte Jettel. »Vielleicht haben wir hier mehr Glück.«

»Ach, eine Farm ist wie die andere, Hauptsache, wir sind zusammen.«

»War dir bange nach mir im Camp?«

»Sehr«, erwiderte Walter und fragte sich, wie lange die neue Gemeinsamkeit das Leben in Ol' Joro Orok überleben würde. »Schade um Owuor«, seufzte er, »er war ein Freund der ersten Stunde.«

»Da waren wir ja auch noch keine EnemyAliens.«

»Jettel, seit wann bist du ironisch?«

»Ironie ist eine Waffe. Hat Elsa Conrad gesagt.«

»Bleib du mal bei deinen Waffen.«

»Irgendwie habe ich das Gefühl, hier ist's noch einsamer als in Rongai.«

»Ich fürchte fast. Ohne Süßkind.«

»Dafür«, tröstete Jettel, »ist es doch nicht so furchtbar weit nach Gilgil zu Oha und Lilly.«

»Nur drei Stunden, wenn man ein Auto hat.«

»Und ohne?«

»Dann ist Gilgil auch nicht besser erreichbar als Leob-schütz.«

»Du wirst sehen, wir kommen wieder hin«, beharrte Jettel, »und außerdem hat Lilly fest versprochen, uns hier zu besuchen.«

»Hoffentlich erfährt sie nicht vorher, was sich die Leute hier erzählen.«

»Was denn?«

»Daß selbst die Hyänen es nicht länger als ein Jahr in Ol' Joro Orok aushalten.«

Ol' Joro Orok bestand nur aus ein paar Lauten, die Regina liebte, und aus dem Duka, einem winzigen Laden in einem Bau aus Wellblech. Der Inder Patel, dem das Geschäft gehörte, war ebenso wohlhabend wie gefürchtet. Er verkaufte Mehl, Reis, Zucker und Salz, Fett in Dosen, Puddingpulver, Marmelade und Gewürze. Waren Händler aus Nakuru bei ihm gewesen, bot er Mangos, Papayas, Kohlköpfe und Lauch an. Es gab Benzin in Kanistern, Paraffin in Flaschen für die Lampen, Alkohol für die Farmer der Umgebung und dünne Wolldecken, kurze Khakihosen und grobe Hemden für die Schwarzen.

Nicht nur wegen seines Warenangebots mußte der unfreundliche Patel bei Laune gehalten werden, sondern weil dreimal in der Woche ein Wagen von der Bahnstation in Thompson's Falls abgeschickt wurde, der bei ihm die Post ablieferte. Wer Patels Mißfallen erregte, was schon geschah, wenn man sich beim Kaufen zuviel Bedenkzeit gönnte, wurde durch Postentzug bestraft und war von der Welt abgeschnitten. Der Inder hatte schnell heraus, daß Menschen aus Europa so begierig auf ihre Briefe und Zeitungen waren wie seine Landsleute auf Reis, von dem er ohnehin nie genug hatte.

In seiner verdrossenen Art empfand Patel sogar ein wenig Sympathie für die Refugees. Sie gingen zwar für seinen Geschmack übertrieben sorgsam mit ihrem Geld um, aber sie waren zu Enemy Aliens erklärt worden, und das war immerhin ein deutliches Zeichen, daß die Engländer sie nicht mochten. Seinerseits verabscheute Patel die Engländer, die ihn fühlen ließen, daß er für sie auf der gleich niedrigen Stufe stand wie die Schwarzen.

Gibsons Farm war sechs Meilen von Patels Duka entfernt, lag dreitausend Meter hoch am Äquator und war größer als jede andere Farm in der Umgebung. Selbst Kimani, der schon dort gelebt hatte, ehe das erste Flachsfeld angelegt worden war, mußte lange überlegen, welchen Weg er zu gehen hatte, wollte er ein bestimmtes Ziel erreichen. Kimani, ein Kikuyu von ungefähr fünfundvierzig Jahren, war klein, klug und dafür bekannt, daß er mit der Zunge schneller war als eine flüchtende Gazelle mit ihren Beinen. Er befahl den Schambaboys, was sie auf den Feldern zu tun hatten, und hatte, so lange die Farm ohne einen Bwana war, auch ihren Lohn festgesetzt.

Sobald am späten Nachmittag der Schatten die vierte Rille des Wassertanks erreichte, schlug Kimani mit einem langen Stock gegen das dünne Blech und gab so das Zeichen für das Ende der Tagesarbeit. Als Herr der Zeit und auch, weil er die tägliche Ration Mais für den abendlichen Poschobrei verteilte, wurde Kimani von allen auf der Farm respektiert – selbst von den Nandis, die weder auf den Feldern arbeiteten noch Mais erhielten, sondern jenseits des Flusses lebten und eigene Herden hatten.

Kimani hatte sich schon lange einen Bwana auf der Farm gewünscht, wie es in Gilgil, Thompson's Fall und selbst in Ol' Kalao üblich war. Was nutzten ihm Ansehen und Anerkennung, wenn das Land, für das er sorgte, nicht gut genug für einen weißen Mann war? Das neue Haus nährte seinen Stolz. War abends die Arbeit beendet und legte sich Kälte auf die Haut, blieben die Steine noch warm genug, um den Rücken an ihnen zu reiben. Mit Daji Jiwan, der die Pracht vollbracht hatte, sprach er voller Achtung, obwohl er sonst die Inder noch weniger schätzte als die Menschen aus dem Stamm der Lumbwa.

Kimani gefielen der neue Bwana mit den toten Augen und die Memsahib mit dem zu flachen Bauch, der aussah, als würde aus ihm kein Kind mehr geholt werden. Sehr viel rascher als sonst tötete er seinen Argwohn gegen

Fremde und verjagte seine Schweigsamkeit. Er führte Walter zu den Feldern am Rande des Waldes und bis zu dem Fluß, der nur in der Regenzeit Wasser hatte. Er nahm die kräftigen Blüten vom Pyrethrum und die leuchtend blauen vom Flachs in die Hand, machte auf die Farbe der Erde aufmerksam und immer wieder auf den Abstand, den die Pflanzen voneinander brauchten, um zu gedeihen. Kimani war schnell aufgegangen, daß der neue Bwana eine lange Safari hinter sich hatte und nichts von den Dingen wußte, die ein Mann zu wissen hatte.

Nach dem Haus baute Daji Jiwan ein Küchengebäude in der runden Form der Eingeborenenhütten und danach, sehr widerwillig, über eine tiefe Grube einen Bretterverschlag mit einer Bank, in die er drei Löcher von verschiedener Größe hineinschneiden ließ. Die Toilette war Walters Entwurf, und er war so stolz auf sie wie Kimani auf seine Felder. In die Holztür ließ er ein Herz schnitzen, das bald auf der Farm eine solche Attraktion wurde, daß sich Daji Jiwan doch noch mit dem Bau versöhnte, für den er selbst keine Verwendung hatte. Seine Religion verbot es ihm, den Körper zweimal an derselben Stelle zu entleeren.

Als die Küche fertig war, brachte Kimani einen Mann an, den er als seinen Bruder vorstellte, der Kania hieß und die Zimmer fegen sollte. Um die Betten zu machen, holte er Kinanjui von den Feldern. Kamau kam, um das Geschirr zu spülen. Er saß viele Stunden vor dem Haus und polierte Gläser, die er in der Sonne zum Leuchten brachte. Schließlich stand noch Jogona vor der Tür. Er war fast noch ein Kind und hatte Beine, die so dünn waren wie die Äste eines jungen Baums.

»Besser als eine Aja«, sagte Kimani zu Regina.

»War der mal ein Reh?« fragte sie.

»Ja.«

»Aber er redet nicht.«

»Er wird reden. Kessu.«

»Was soll er machen?«

»Für den Hund kochen.«

»Aber wir haben doch keinen Hund.«

»Heute haben wir keinen Hund«, sagte Kimani, »aber Kessu.«

Kessu war ein gutes Wort. Es hieß morgen, bald, irgendwann, vielleicht. Kessu sagten die Menschen, wenn sie Ruhe für Kopf, Ohr und Mund brauchten. Nur der Bwana wußte nicht, wie Ungeduld zu heilen war. Jeden Tag fragte er Kimani nach einem Boy, der der Memsahib in der Küche helfen sollte, aber da kaute Kimani Luft mit geschlossenen Zähnen, ehe er antwortete.

»Du hast doch einen Boy für die Küche, Bwana.«

»Wo, Kimani, wo?«

Kimani liebte dieses tägliche Gespräch. Oft ließ er, wenn es soweit war, kleine, bellende Geräusche aus seinem Mund. Er wußte, daß sie den Bwana ärgerten, doch er durfte nicht auf sie verzichten. Es war nicht leicht, den Bwana mit Ruhe zu zähmen. Seine Safari war zu weit gewesen. Kimanis hartnäckige Weigerung, die Lage zu klären, machte Walter unsicher. Jettel brauchte eine Hilfe in der Küche. Sie konnte den Brotteig nicht allein kneten, die schweren Behälter mit Trinkwasser nur mühsam heben und schon gar nicht, Kamau, den Geschirrspüler, bewegen, den rauchigen Ofen in der Küche zu versorgen oder das Essen von dort ins Haus zu tragen.

»Das ist nicht meine Arbeit«, sagte Kamau, sobald er um Hilfe gebeten wurde, und rieb weiter die Gläser blank.

Der tägliche Streit machte Jettel mißmutig und Walter nervös. Er wußte, daß er sich ohne ausreichendes Hauspersonal bei den Leuten auf der Farm lächerlich machte. Noch mehr ängstigte ihn der Gedanke, Mr. Gibson könne plötzlich auftauchen und dann sofort sehen, daß sein neuer Manager noch nicht einmal fähig war, für einen Boy in der Küche zu sorgen. Er spürte, daß ihm nicht viel Zeit blieb, um seinen Willen durchzusetzen.

Auf seinen Rundgängen mit Kimani fragte er Männer, die ihm besonders freundlich »Jambo« zuriefen oder die auch nur so aussahen, als hätten sie nichts dagegen, statt auf den Schambas im Hause zu arbeiten, ob sie nicht der Memsahib beim Kochen helfen wollten. Tag für Tag geschah das gleiche. Die angesprochenen Arbeiter drehten verlegen den Kopf zur Seite und stießen die gleichen bellenden Laute aus wie Kimani, schauten in die Ferne und liefen eilig davon.

»Es ist wie ein Fluch«, sagte Walter an dem Abend, als zum erstenmal Feuer im Haus gemacht wurde. Kania hatte sich den ganzen Tag mit dem neuen Kamin beschäftigt, ihn gekehrt, ausgewischt und das Holz davor zu einer Pyramide gestapelt. Nun saß er zufrieden auf seinen Beinen, zündete ein Stück Papier an, blies die Flamme zärtlich zur Glut und lockte Wärme in den Raum.

»Was kann denn um Himmels willen so schwer daran sein, einen Boy für die Küche zu finden?«

»Jettel, wenn ich das wüßte, hätten wir einen.«

»Warum kommandierst du nicht einfach einen ab?«

»Als Kommandant habe ich zu wenig Erfahrung.«

»Ach, du mit deiner Vornehmheit. Im Norfolk haben alle Frauen erzählt, wie gut ihre Männer mit den Boys fertig werden.«

»Warum haben wir keinen Hund?« fragte Regina.

»Weil dein Vater zu blöd ist, auch nur einen Küchenboy zu finden. Hast du nicht eben gehört, was deine Mutter gesagt hat?«

»Ein Hund ist doch kein Küchenboy.«

»Herrgott, Regina, kannst du nicht einmal in deinem Leben den Mund halten?«

»Das Kind kann doch nichts dafür.«

»Mir reicht es schon, wenn du nach den Fleischtöpfen von Rongai jammerst.«

»Ich«, bohrte Regina, »hab' nichts von Rongai gesagt.«

»Man kann auch sagen, ohne zu sagen.«

»Und du«, fiel es Jettel ein, »hast immer gesagt, eine Farm ist wie die andere.«

»Diese verfluchte hier nicht. Die hat einen Kamin, aber keinen Küchenboy.«

»Gefällt dir der Kamin nicht, Papa?«

Es war das Lauern in Reginas Stimme, das Walters Zorn entzündete. Er spürte nur noch den Drang, der ihm so kindisch wie grotesk erschien, nichts mehr zu hören und nichts mehr zu sagen. Auf dem Fensterbrett standen die drei Lampen für die Nacht.

Walter nahm sich seine, füllte Paraffin nach, zündete sie an und drehte den Docht so weit herunter, daß die Lampe nur einen schwachen Schimmer von Licht gab.

»Wohin gehst du?« schrie Jettel angstvoll.

»In die Kneipe«, brüllte Walter zurück, doch er merkte sofort, daß Reue ihm die Kehle aufrieb. »Ein Mann wird doch noch mal allein pinkeln gehen dürfen«, sagte er und winkte, als wollte er sich für längere Zeit verabschieden, aber der Scherz mißlang.

Die Nacht war kalt und sehr dunkel. Nur die Feuerstellen vor den Hütten der Schambaboys leuchteten als winzige, hellrote Punkte. Am Waldrand heulte ein Schakal, der zu spät zur Jagd aufgebrochen war. Walter war es, als verspotte auch er ihn, und er drückte seine Hände fest gegen die Ohren, aber das Geräusch verstummte nicht. Es narrte ihn so quälend, daß er in Abständen glaubte, ein Hund habe gebellt. Es waren die gleichen demütigenden Laute, die Kimani ausstieß, wenn er nach dem Küchenboy gefragt wurde.

Leise rief Walter Kimanis Namen, doch das Echo, das ihn verhöhnte, kam laut zu ihm zurück. Er wurde gewahr, daß die Rebellion seines Kopfes den Magen zu attakieren begann, und er hetzte weg vom Haus, um sich nicht vor der Tür übergeben zu müssen. Das Würgen brachte ihm keine Erleichterung. Der Schweiß auf der Stirn, das taube Gefühl in seinen klammen Händen und der feine Schleier vor den Augen erinnerten ihn an seine Malaria und den Umstand, daß er in Ol' Joro Orok keinen Nachbarn hatte, zu dem er um Hilfe schicken konnte.

Er rieb die Augen und stellte erleichtert fest, daß sie trocken waren. Trotzdem spürte er Feuchtigkeit auf dem Gesicht und danach einen so beängstigenden Druck in seiner Brust, daß er zu stürzen glaubte. Als das Bellen immer lauter in seinem rechten Ohr dröhnte, warf Walter die Lampe ins Gras und machte seinen Körper steif. Wärme stieg in ihm auf. Ein Geruch, den er nicht deuten konnte, wehte zuerst eine Erinnerung zu ihm herüber und dämpfte dann seine Erregung. Ihm ging auf, daß die zitternden Bewegungen nicht von seinem Herzen kamen, und endlich spürte er auch die rauhe Zunge, die sein Gesicht ableckte.

»Rummler«, flüsterte Walter, »Rummler, du verdammtes Mistvieh. Wo kommst du her? Wie hast du mich gefunden?« Abwechselnd wiederholte er den Namen und Koseworte, die ihm zuvor nie eingefallen waren, hielt den kräftigen Nacken des Hundes mit beiden Händen, roch sein dampfendes Fell und merkte, daß seine Kräfte zurückkamen und er wieder deutlich sehen konnte.

Während Walter das aufgeregt hechelnde Tier im Rausch einer Seligkeit, die ihn genierte, an sich drückte und es staunend streichelte, blickte er sich scheu um, als fürchtete er, im Taumel seiner Zärtlichkeit überrascht zu werden. Da sah er eine Gestalt auf sich zukommen.

Schwerfällig, weil er sich nur mühsam aus der Umklammerung von übermäßiger Freude und Verlegenheit freimachen konnte, holte Walter die Lampe aus dem Gras und drehte den Docht hoch. Erst sah er nur eine Gestalt, die einer dunklen Wolke ähnelte, bald aber die Konturen eines kräftigen Mannes, der immer schneller lief. Walter glaubte auch, die Umrisse eines Mantels auszumachen, der bei jedem der großen Schritte flatterte, obwohl es seit Tagen keinen Wind mehr gegeben hatte.

Rummler winselte und bellte, ehe seine Stimme zu einem großen freudigen Heulen wurde, das einen kurzen Augenblick taub machte für jeden anderen Klang und dann plötzlich in Töne überging, die nur von einem Menschen stammen konnten. Laut und klar zerriß vertrauter Klang das Schweigen der Nacht.

»Ich hab' mein Herz in Heidelberg verloren«, sang Owuor und stellte sich in den gelben Schein der Lampe. Ein Fleck von seinem weißen Hemd leuchtete unter seiner schwarzen Robe.

Walter schloß die Augen und wartete erschöpft auf das

Erwachen aus dem Traum, doch seine Hände fühlten den Rücken des Hundes, und Owuors Stimme blieb. »Bwana, du schläfst auf deinen Füßen.«

Walter brachte die Zähne auseinander, doch er konnte seine Zunge nicht bewegen. Er merkte noch nicht einmal, daß er die Arme ausgebreitet hatte, bis er Owuors Körper an seinem und den Seidenbesatz der Robe am Kinn spürte. Einige kostbare Sekunden ließ er es zu, daß Owuors Gesicht mit der breiten Nase und der glatten Haut die Züge seines Vaters annahm. Schneidend spürte er den Schmerz, als sich das Bild aus Trost und Sehnsucht auflöste, aber die Beglückung blieb.

»Owuor, du Mistvieh, wo kommst du her?«

»Mistvieh«, kostete Owuor das fremde Wort und schluckte Behagen, weil es ihm sofort gelungen war. »Aus Rongai«, lachte er, grub unter der Robe in seiner Hosentasche und holte ein kleines, sorgsam gefaltetes Stück Papier heraus. »Ich habe den Samen mitgebracht«, sagte er, »deine Blumen kannst du jetzt auch hier pflanzen.«

»Das sind die Blumen von meinem Vater.«

»Das sind die Blumen von deinem Vater«, wiederholte Owuor, »sie haben dich gesucht.«

»Du hast mich gesucht, Owuor.«

»Die Memsahib hat in Ol' Joro Orok keinen Koch.«

»Nein. Kimani hat keinen für sie gefunden.«

»Er hat gebellt wie ein Hund. Hast du Kimani nicht bellen gehört, Bwana?«

»Ja. Aber ich wußte nicht, warum er bellte.«

»Das war Rummler, der aus Kimanis Mund gesprochen hat. Er hat dir gesagt, daß er mit mir auf Safari war. Es war eine lange Safari, Bwana. Aber Rummler hat eine gute Nase. Er hat den Weg gefunden.«

Owuor wartete voller Spannung, ob der Bwana den Scherz glauben würde oder ob er noch so dumm wie ein junger Esel war und nicht wußte, daß ein Mann auf Safari seinen Kopf und nicht die Nase eines Hundes brauchte.

»Ich war noch einmal in Rongai, Owuor, um meine Sachen zu holen, aber du warst nicht da.«

»Ein Mann, der fort muß aus seinem Haus, hat keine guten Augen. Ich wollte deine Augen nicht sehen.«

»Du bist klug.«

»Das«, freute sich Owuor, »hast du gesagt am Tag, als die Heuschrecken kamen.« Er schaute, während er sprach, in die Ferne, als wollte er die Zeit zurückholen, und doch spürte er jede Regung der Nacht. »Da ist die Memsahib kidogo«, jubelte er.

Regina stand vor der Tür. Sie schrie einige Male und immer lauter Owuors Namen, sprang an ihm hoch, während Rummler ihre nackten Beine ableckte, befreite ihre Kehle und schnalzte mit der Zunge. Auch als Owuor sie zurück auf die weiche Erde stellte und sie sich zu dem Hund hinabbeugte und sein Fell mit ihren Augen und dem Mund feucht machte, hörte sie nicht zu reden auf.

»Regina, was laberst du da dauernd? Ich versteh kein Wort.«

»Jaluo, Papa. Ich rede Jaluo. Wie in Rongai.«

»Owuor, hast du gewußt, daß sie Jaluo kann?«

»Ja, Bwana. Das weiß ich. Jaluo ist doch meine Sprache. Hier in Ol' Joro Orok gibt es nur Kikuyus und Nandis, aber die Memsahib kidogo hat eine Zunge wie ich. Deshalb konnte ich zu dir kommen. Ein Mann kann nicht dort sein, wo er nicht verstanden wird.«

Owuor schickte sein Lachen in den Wald und danach auch zu dem Berg mit dem Hut aus Schnee. Das Echo hatte die Kraft, die seine hungrigen Ohren brauchten, und doch war seine Stimme leise, als er sagte: »Das weißt du doch, Bwana.«

6

Die Nakuru School auf dem steilen Berg über einem der berühmtesten Seen der Kolonie war beliebt bei jenen Farmern, die sich keine Privatschule leisten konnten und die dennoch Wert auf die Tradition und den guten Ruf einer Schule legten. Bei den renommierten Familien in Kenia galt die in Nakuru, weil sie staatlich war und sich ihre Schüler nicht aussuchen konnte, zwar als »etwas gewöhnlich«, aber Eltern, die sich aus finanziellen Gründen mit ihr abfinden mußten, pflegten diese bedauerliche Peinlichkeit mit einem deutlichen Hinweis auf die doch sehr außergewöhnliche Persönlichkeit des Direktors zu negieren. Er war ein Oxford-Mann mit den noch gesunden Ansichten aus der Zeit Königin Victorias und hatte vor allem keine neumodischen pädagogischen Ideen; Gewährenlassen und Verständnis für die Psyche der Kinder in seiner Obhut gehörten nicht zu seinen Prinzipien.

Arthur Brindley, in seiner Jugend in der Rudermannschaft von Oxford und im Ersten Weltkrieg mit dem Victoria Cross ausgezeichnet, hatte einen gesunden Sinn für Proportionen und entsprach genau dem Ideal der Erziehung im Mutterland. Er langweilte die Eltern nie mit pädagogischen Thesen, die sie nicht hören wollten und ohnehin nicht begriffen hätten. Ihm reichte allzeit der Hinweis auf das Motto der Schule. »Quisque pro omnibus« stand in goldfarbenen Lettern auf der Mittelwand der Aula und war auf dem Wappen eingestickt, das auf die Jacken, Krawatten und Hutbänder der Schuluniform genäht wurde.

Mr. Brindley war zufrieden und an guten Tagen sogar ein wenig stolz, wenn er aus dem Fenster seines Arbeitszimmers in dem imposanten Hauptgebäude aus weißem Stein und mit wuchtigen Rundsäulen am Haupteingang schaute. Die vielen kleinen Gebäude aus hellem Holz und mit Wellblechdächern, die als Schlafsäle dienten und von übertrieben klassenbewußten Anhängern der Privatschulen seiner Meinung nach absolut zu Unrecht als Personalquartiere verspottet wurden, erinnerten ihn an seine Kindheit in einem Dorf in der Grafschaft Wiltshire. Die akkurat angelegten Rosenbeete hinter den dichten Hecken um die Häuser für die Lehrer und der dichte Rasen zwischen den Hockeyfeldern und den Wohnungen für die Lehrerinnen ließen den Direktor an gutgeführte englische Landsitze denken. Der See mit seiner durch die Flamingos rosagetönten Oberfläche war noch nahe genug, um ein an englischer Sanftheit geschultes Auge zu entzücken, doch wiederum so weit entfernt, um bei Kindern kein unnötiges Verlangen nach Natur oder gar nach einer Welt jenseits der Schulgrenzen aufkommen zu lassen.

Seit einiger Zeit irritierten allerdings die niedrigen Bäume mit den dünnen Stämmen, um die sich wuchernde Pfefferbüsche rankten, den Direktor. Lange Zeit hatte er gefunden, daß die Bäume besonders gut in die karge Landschaft des Rift-Tals paßten, doch sie machten ihm kaum noch Freude, seitdem er täglich erleben mußte, daß sich neuerdings einige Kinder in ihrer Freizeit dorthin zurückzogen. Mr. Brindley hatte diese störende Flucht ins Private nie ausdrücklich verboten, allerdings auch keinen Grund für ein solches Verbot gehabt. Um so mehr verdroß ihn der Beweis, daß es gewissen Schülern und erst recht den neuen Schülerinnen auffallend schwerfiel, sich einem Leben zu stellen, das Individualismus und Außenseiter mißbilligte.

Für Arthur Brindley waren solche Abweichungen von der harmonischen Norm unstreitig eine Folge des Kriegs. Der Direktor mußte immer mehr Kinder in seine Schule aufnehmen, die zu wenig Sinn für die gute alte englische Tugend hatten, nicht aufzufallen und vor allem die Gemeinschaft vor die eigene Person zu stellen. Ein Jahr nach Kriegsausbruch hatten die Behörden in Kenia die allgemeine Schulpflicht für weiße Kinder eingeführt. Mr. Brindley empfand das nicht nur als Einschränkung der elterlichen Freiheit, sondern auch als eine recht übertriebene

Anstrengung der Kolonie, es in Notzeiten dem bedrohten Mutterland gleichzutun.

Gerade für die Nakuru School im Zentrum des Landes brachte die Schulpflicht einschneidende Veränderungen. Sie mußte sogar Kinder von Buren aufnehmen und hatte sich noch glücklich zu schätzen, daß es nicht allzu viele waren. Die meisten wurden auf die Afrikaans-Schule in Eldoret geschickt. Diejenigen aus der Umgebung, die in Nakuru landeten, waren störrisch und machten trotz ihrer mangelhaften Sprachkenntnisse keinen Hehl aus ihrem Haß auf England. Weder versuchten sie, mit ihren Mitschülern auszukommen, noch ihr Heimweh zu verbergen. Trotzdem war der Umgang mit den hitzköpfigen kleinen Buren leichter als anfänglich vermutet. Sie verlangten keine Beachtung, und die Lehrkräfte brauchten nur dafür zu sorgen, daß sich die widerspenstigen kleinen Rebellen nicht zusammenrotteten und die Schulordnung störten.

Ein viel größeres Problem waren für den Direktor die Kinder der sogenannten Refugees. Wurden sie in der Schule von Eltern abgeliefert, die einen peinlichen Hang zu typisch kontinentalen Abschiedsszenen mit Händeschütteln, Umarmungen und Küssen hatten, wirkten sie wie die kleinen, jämmerlichen Gestalten aus den Romanen von Dickens. Ihre Schuluniformen waren aus billigem Stoff und bestimmt nicht in dem dafür zuständigen Geschäft für Schulbedarf in Nairobi gekauft, sondern von indischen Schneidern genäht worden. Kaum ein Kind hatte das Wappen der Schule.

Dies widersprach der gesunden Tradition der Gleichmachung durch die Schuluniform und wäre vor der Einführung der Schulpflicht Grund genug gewesen, solche Schüler gar nicht erst aufzunehmen. Der Direktor ahnte aber, daß er, falls er auf die bewährte Art verfuhr, unliebsame Diskussionen mit der obersten Schulbehörde in Nairobi heraufbeschwören würde. Arthur Brindley empfand die Situation als störend. Er war gewiß nicht intolerant gegen Menschen, von denen er gehört hatte, ihnen wäre Unrecht geschehen und sie hätten nicht dort bleiben können, wohin sie gehörten.

Seinem ausgeprägten Sinn für Fairneß widerstrebte es jedoch, daß jüdische Kinder durch die fehlenden Wappen irgendwie gezeichnet schienen. Für die Mädchen galt dies auch am Sonntag, denn ihnen fehlten die vorgeschriebenen weißen Kleider für den Kirchgang. Er war sicher, daß sie deswegen so große Schwierigkeiten machten, wenn ihnen befohlen wurde, zur Kirche zu gehen.

»Die verdammten kleinen Refugees«, wie Mr. Brindley sie im Kollegenkreis nannte, machten dem Direktor noch auf ganz andere Art zu schaffen. Sie lachten kaum, sahen immer älter aus, als sie tatsächlich waren, und hatten für englische Maßstäbe einen geradezu absurden Ehrgeiz. Kaum beherrschten diese ernsten, unangenehm frühreifen Geschöpfe die Sprache, und das war erstaunlich schnell der Fall, machten sie sich durch ihre Wißbegier und selbst für engagierte Pädagogen sehr lästiges Streben zu Außenseitern in einer Gemeinschaft, in der nur sportliche Erfolge zählten. Mr. Brindley, der Literatur und Geschichte mit sehr befriedigenden Resultaten studiert hatte, hegte selbst nicht solche Vorurteile gegen geistige Leistungen. Er hatte jedoch in langen Jahren gelernt, die doch sehr beruhigende Lethargie der Farmerskinder im Unterricht als typisch für das Lebensgefühl in der Kolonie zu akzeptieren. Mit Religion hatte er sich nie befassen müssen. So grübelte er oft, ob der übertriebene Lerneifer seinen Ursprung in der jüdischen Lehre haben könnte. Für nicht ganz ausgeschlossen hielt er auch seine These, daß Juden wohl von klein auf ein traditionsgebundenes Verhältnis zu Geld hatten und vielleicht nur das meiste aus den Schulgebühren herausholen wollten. Mr. Brindley bekam ja immer wieder mit, obgleich er solche Einblicke in die Privatsphäre verabscheute, daß sehr viele Refugee-Eltern die paar Pfund für die Schulgebühren nur mit äußerster Mühe zusammenkratzten und es auch dann nicht schafften, ihren Kindern die vorgeschriebene Summe Taschengeld zu geben.

Typisch erschien dem Direktor der Fall des Mädchens mit dem unaussprechlichen Vornamen und den drei aufgeregten Männern, die es vor sechs Monaten zum erstenmal in der Nakuru School abgeliefert hatte. Inge Sadler hatte damals kein Wort Englisch gesprochen, obgleich sie offenbar lesen und schreiben konnte, was ihrer Lehrerin allerdings eher als Hindernis denn als Vorteil erschienen war. In der ersten Zeit hatte das verschüchterte Kind nur geschwiegen und wie ein Mädchen vom Land gewirkt, das in einem Herrschaftshaus den Tee servieren soll.

Als Inge zu reden anfing, sprach sie fast fließend Englisch, sah man von einem störenden Rollen aller R-Laute ab. Danach waren ihre Fortschritte ebenso enorm wie irritierend. Miß Scriver, die sich sehr energisch gegen die Aufnahme eines Kindes ohne Sprachkenntnisse in ihrer Klasse gewehrt hatte, mußte selbst vorschlagen, Inge gleich zwei Klassen höher einzustufen. Eine solche Versetzung mitten im Schuljahr war in der Schule noch nie vorgekommen und wurde entsprechend ungern gesehen, weil weniger begabte Kinder eine Bevorzugung hätten wittern können. So etwas führte oft zu unliebsamen Disputen mit den Eltern.

Auch das Mädchen aus Ol' Joro Orok mit einem ebenso unaussprechlichen Vornamen wie die kleine Streberin aus Londiani hatte es Mr. Brindley unmöglich gemacht, sein bewährtes Prinzip beizubehalten, keine Präzedenzfälle zu schaffen. Genau wie Inge vor ihr, hatte Regina in den ersten Wochen in der Nakuru School alle Vorgänge stumm verfolgt und ängstlich genickt, wenn sie angesprochen wurde. Dann ließ sie mit einer Plötzlichkeit, die Mr. Brindley schon ein wenig provozierend fand, ihre Lehrer merken, daß sie nicht nur Englisch gelernt hatte, sondern auch lesen und schreiben konnte. Auch Regina war soeben zwei Klassen höher eingestuft worden. Also saßen die zwei kleinen Refugees, die ohnehin unzertrennlich waren, wieder zusammen und würden gewiß sehr bald mit ihrem aufdringlichen Ehrgeiz für Unruhe sorgen.

Mr. Brindley seufzte, wann immer er an solche Komplikationen dachte. Aus Gewohnheit schaute er zu den Pfefferbüschen hin. Sein Ärger über Begabungen, die aus dem Rahmen fielen, erschien ihm kleinlich. Er fand es aber bezeichnend, daß ausgerechnet die beiden Mädchen, die ihn dazu gebracht hatten, seinen Prinzipien von gleicher Behandlung für alle untreu zu werden, sich immer wieder von der Gemeinschaft ausschlossen. Wie erwartet, sah er die kleinen schwarzhaarigen Fremdlinge im Gebüsch sitzen. Der Gedanke verdroß ihn, daß sie wahrscheinlich noch in der Freistunde lernten und am Ende miteinander auch Deutsch sprachen, obwohl außerhalb des Unterrichts alle Unterhaltungen in fremden Sprachen streng untersagt waren.

Der Direktor täuschte sich. Inge hatte immer nur dann Deutsch mit Regina gesprochen, wenn sie sich nicht mehr weiterzuhelfen wußte. Das unverhoffte Wiedersehen mit der Freundin aus dem Norfolk war ihr zunächst Glück genug, und sie hatte den ausgeprägten Instinkt einer Außenseiterin, nicht mehr als nötig aufzufallen. So trieb Inge, unbewußt und unbeirrt, Regina dazu, sich ebenso entschlossen aus ihrer Sprachlosigkeit zu erlösen, wie sie es einige Monate zuvor selbst getan hatte.

»Jetzt«, sagte sie, als Regina erstmals neben ihr sitzen durfte, »kannst du Englisch. Wir müssen nie mehr flüstern.«

»Nein«, erkannte Regina, »jetzt kann uns jeder verstehen.« Es war eine Schicksalsgemeinschaft zwischen zwei Gleichaltrigen von sehr verschiedenem Naturell. Inge empfand Regina als die gute Fee, die sie von der Qual der Einsamkeit befreit hatte. Regina bemühte sich nicht einmal um Kontakt zu ihren Mitschülerinnen. Die faszinierten sie, aber Inge reichte ihr. Beide Mädchen spürten, daß ihnen nicht nur die sprachlichen Barrieren ihres schwierigen Anfangs den Zugang zu der Gemeinschaft verwehrten. Die heiter-robusten Kinder der Kolonie, die trotz der unerbittlichen Schulordnung das Leben miteinander genossen, kannten nur die Gegenwart.

Sie sprachen nur selten von den Farmen, auf denen sie lebten, und fast immer ohne Sehnsucht von ihren Eltern.

Sie verachteten das Heimweh neuer Schülerinnen, verspotteten alles, was ihnen fremd war, und verabscheuten im gleichen Maße körperliche Schwäche wie gute Leistungen im Unterricht. Weder das kalte Bad morgens um sechs und der Dauerlauf vor dem Frühstück noch die angebrannten Süßkartoffeln mit fettem Hammelfleisch zum Mittagessen und selbst die Schikanen älterer Schüler, die Strafarbeiten und Prügel vermochten die Gelassenheit von Kindern zu erschüttern, die auch von ihren Eltern zur Härte erzogen wurden.

Sonntags machten sie sich nur widerwillig an die vorgeschriebenen Briefe nach Hause, während Inge und Regina die Stunde zum Schreiben als Höhepunkt der Woche empfanden. Trotzdem waren ihre Briefe nicht unbeschwert, wußten sie doch, daß ihre Eltern die englisch geschriebenen Briefe nicht lesen konnten, aber es fehlte ihnen der Mut, sich einem Lehrer anzuvertrauen. Inge half sich mit kleinen Bildern, die sie an den Rand malte, Regina mit Suaheli. Beide ahnten, daß sie gegen die Schulordnung verstießen, und beteten in der Kirche flehentlich um Hilfe. Inge hatte das so bestimmt.

»Juden«, erklärte sie jeden Sonntag, »dürfen auch in einer Kirche beten. Wenn sie dabei die Finger kreuzen.«

Sie war praktisch, resolut und nicht so empfindsam wie die Freundin, kräftiger und geschickter. Fantasie hatte sie keine und schon gar nicht Reginas Talent, mit Worten Bilder zu zaubern. Als die Freundinnen nicht mehr in die Muttersprache flüchten mußten, um einander zu verstehen, genoß Inge Reginas Schilderungen wie ein Kind, das sich von der Mutter vorlesen läßt.

Ausführlich, mit ausgeprägtem Sinn für Details, voller Sehnsucht und berauscht von ihren Erinnerungen erzählte Regina vom Leben in Ol' Joro Orok, von ihren Eltern, Owuor und Rummler. Es waren Geschichten voller Verlangen, die sie aus einer sanften Welt heraufbeschwor. Sie trieben ihr Hitze in den Körper und Salz in die Augen, aber sie waren der große Trost in einer Welt von Gleichgültigkeit und Zwang.

Regina konnte auch zuhören. Indem sie immer wieder nach der Farm in Londiani und Inges Mutter fragte, an die sie sich gut aus der Zeit im Norfolk erinnerte, brachte sie auch Inge dazu, Erinnerungen wie eine verfrühte Heimkehr zu empfinden. Beide Kinder haßten die Schule, fürchteten die Mitschülerinnen und mißtrauten den Lehrkräften. Als schwerste Bürde empfanden sie die Hoffnungen, die ihre Eltern in sie setzten.

»Vati sagt, ich darf ihm keine Schande machen und muß die Beste in der Klasse sein«, erzählte Inge.

»Das sagt Papa auch«, nickte Regina. »Ich wünsche mir oft«, fügte sie am vorletzten Sonntag vor den Ferien hinzu, »einen Daddy und keinen Papa.«

»Dann wäre dein Vater nicht dein Vater«, entschied Inge, die immer lange zögerte, ehe sie Regina auf der Flucht in die Fantasie folgte.

»Er wäre doch mein Vater. Ich wäre ja gar nicht Regina. Mit einem Daddy wäre ich Janet. Ich hätte lange blonde Zöpfe und eine Schuluniform aus ganz dickem Stoff, der nicht drückt. Und überall hätte ich Wappen, wenn ich Janet wäre. Ich könnte gut Hockey spielen, und keiner würde mich anstarren, weil ich besser lesen kann als die anderen.«

»Du könntest ja gar nicht lesen«, wandte Inge ein. »Janet kann ja auch nicht lesen. Sie ist schon drei Jahre hier und noch immer in der ersten Klasse.«

»Ihrem Daddy ist das bestimmt egal«, beharrte Regina, »alle haben Janet gern.«

»Vielleicht, weil Mr. Brindley in den Ferien mit ihrem Vater auf die Jagd geht.«

»Mit meinem Vater wird er nie auf die Jagd gehen.«

»Geht denn dein Vater auf die Jagd?« fragte Inge verblüfft.

»Nein. Er hat kein Gewehr.«

»Meiner auch nicht«, erwiderte Inge beruhigt. »Aber wenn er ein Gewehr hätte, würde er alle Deutschen totschießen. Er haßt die Deutschen. Meine Onkel hassen sie auch.«

»Nazis«, verbesserte Regina, »ich darf zu Hause die Deutschen nicht hassen. Nur die Nazis. Aber ich hasse den Krieg.«

»Warum?«

»Der Krieg ist an allem schuld. Weißt du das nicht? Vor dem Krieg mußten wir nicht zur Schule.«

»In zwei Wochen und zwei Tagen«, rechnete Inge aus, »ist alles vorbei. Dann dürfen wir nach Hause. Ich kann«, lachte sie, weil ihr der Einfall, der ihr soeben gekommen war, gut gefiel, »dich ja Janet nennen, wenn wir allein sind und uns keiner hört.«

»Quatsch. Das ist doch nur ein Spiel. Wenn wir allein sind und uns keiner hört, will ich ja auch nicht Janet sein.«

Auch Mr. Brindley sehnte sich nach den Ferien. Je älter er wurde, desto länger erschienen ihm die drei Monate Schulzeit. Er hatte nicht mehr genug Freude an einem Leben mit Kindern und in der Gemeinschaft von Kollegen, die alle jünger waren als er und weder seine Ansichten noch seine Ideale teilten. Die Zeit vor den Ferien, wenn er die Examensarbeiten des Semesters lesen und die Zeugnisse ausstellen mußte, zehrte so an seiner Kraft, daß er selbst sonntags arbeitete.

Obwohl er erschöpft war und die Welt sich für ihn auf den monotonen Wechsel zwischen blauer und roter Tinte reduzierte, fiel Mr. Brindley sofort auf, daß die kleinen Refugees, wie er sie immer noch nannte, wenn er mit sich allein war, wieder einmal besonders gut bei den Prüfungen abgeschnitten hatten. Er lauerte auf die Irritation, die jede Abweichung von der Norm bei ihm auslöste, doch erstaunt merkte er, daß das gewohnte Unbehagen sich nicht einstellte.

Trotz seiner depressiven Gedanken über seine nachlassende Flexibilität ging er sogar weit genug von seinen Prinzipien ab, Mittelmaß sehr viel mehr zu schätzen als jene Brillanz, von der er fand, auf sie sei kein rechter Verlaß. Mit einem Trotz, der ihn verwunderte, weil er seinem Wesen nicht genehm war, sagte er sich, eine Schule hätte schließlich auch die Aufgabe, Kinder geistig zu formen

und sie nicht nur auf sportliche Höchstleistungen hinzu-
drillen.

Ein wenig widerwillig bemerkte Mr. Brindley, daß ihm
solche Gedanken nicht mehr seit seiner Studienzeit in Oxford gekommen waren. In guter Verfassung wäre er ihnen
gewiß nicht nachgegangen, aber in seinem gegenwärtigen
Zustand von verdrossener Müdigkeit und nicht erklärbarer Auflehnung belebten die Grübeleien Gefühle, die er
sich in den langen Jahren als Direktor abgewöhnt hatte.

»Die Kleine aus Ol' Joro Orok«, sagte er laut, als er Reginas Zeugnis sah, »ist wirklich eine erstaunliche Schülerin.«

Mr. Brindley hatte im allgemeinen eine Aversion gegen
Leute, die zu Selbstgesprächen neigten. Trotzdem lächelte
er, als er seine Stimme hörte. Unmittelbar darauf erwischte
er sich bei dem Gedanken, daß er den Namen Regina gar
nicht so unaussprechlich fand, wie er immer gedacht hatte.
Schließlich hatte er lange Jahre Latein gelernt und das mit
einiger Freude. So grübelte er nur, wie wohl die Deutschen
auf die Idee kamen, ihre Kinder mit so anspruchsvollen
Namen zu belasten. Er kam zu dem Ergebnis, daß dies
wahrscheinlich mit ihrem Ehrgeiz zu tun hatte, auch in
kleinen Dingen aufzufallen.

Ohne daß er sich überhaupt bemühte, ein Verhalten zu
rechtfertigen, das ihm ebenso unpassend wie absonderlich
erschien, suchte er Reginas Aufsatz aus einem Stapel Hefte
auf dem Fensterbrett heraus und begann zu lesen. Schon die
ersten Sätze machten ihn neugierig, das Ganze verblüffte
ihn. Er hatte eine solche Ausdrucksweise noch nie bei einem
achtjährigen Kind erlebt. Regina schrieb nicht nur fehler-
freies Englisch. Sie hatte auch einen gewaltigen Wortschatz
und eine ungewöhnliche Fantasie. Besonders die Verglei-
che, die für Mr. Brindley alle aus einer fremden Welt stammten und die ihn in ihrer übertriebenen Art rührten, beschäf-
tigten ihn. Miß Blandford, die Klassenlehrerin, hatte an den
Schluß des Aufsatzes »Well done!« geschrieben. Einem Impuls folgend, den er seiner Vorfreude auf die Ferien zu-
schrieb, nahm er Reginas Zeugnis und wiederholte das Lob
in seiner steilen Schrift.

Es war nie Mr. Brindleys Art gewesen, sich mehr als nötig mit einem einzelnen Kind zu befassen. Er war auch stets gut damit gefahren, sich nicht von Emotionen zu einer Sentimentalität hinreißen zu lassen, die er in seinem Beruf als töricht empfand, aber weder Regina noch ihr Aufsatz gönnten ihm Ruhe. Lustlos begann er die übrigen Arbeiten zu lesen, doch es fiel ihm schwer, sich zu konzentrieren. Widerstrebend gab er der bei ihm seltenen Regung nach, in eine Vergangenheit einzutauchen, die er schon lange vergessen wähnte. Sie narrte ihn mit einer Bilderflut, die ihm in ihrer Ausführlichkeit kurios und aufdringlich erschien.

Um fünf Uhr ließ er sich, ganz gegen seine Überzeugung, dies nur zu tun, wenn er krank war, den Tee in seinen Räumen servieren. Er mußte sich zwingen, die abendliche Andacht in der Aula zu halten. Er erschrak sehr, daß er Reginas Gesicht in der Menge suchte, und hätte fast gelächelt, als ihm auffiel, daß sie beim Vaterunser nur die Lippen bewegte und nicht mitbetete. Mit jener Kompromißlosigkeit gegen sich selbst, die ihn sonst so gut vor den Gefährdungen weicher Regungen schützte, schalt sich Mr. Brindley einen alten Narren, aber er empfand doch den Beweis nicht unwillkommen, daß er längst nicht so erstarrt in der Routine des Alltags war, wie er häufig in dem nun endenden Semester gedacht hatte. Am nächsten Tag ließ er Regina rufen.

Sie stand in seinem Zimmer, sah blaß, dünn und für einen Direktor, der Wert darauf legte, daß auch die jüngeren Kinder Courage zeigten und genug Disziplin hatten, ihre Gefühle zu beherrschen, beleidigend schüchtern aus. Verärgert fiel Mr. Brindley ein, daß die meisten Kinder vom Kontinent nicht kräftig genug wirkten und zudem während der Schulzeit immer an Gewicht verloren. Wahrscheinlich, überlegte er, waren sie anderes Essen gewöhnt. Bestimmt wurden sie zu Hause verzärtelt und nicht angehalten, mit ihren Problemen allein fertig zu werden.

Er hatte in seiner Jugend auf einer Italienreise viele solche Beobachtungen gemacht und erlebt, wie Mütter ihre

Kinder auf geradezu schamlose Weise vergötterten und sie zum Essen drängten. Manchmal wurmte es ihn immer noch, daß er damals die tyrannischen kleinen Prinzen und die aufgeputzten Prinzessinnen sogar beneidet hatte. Er merkte, daß er seine Gedanken hatte schweifen lassen. In letzter Zeit kam das bei ihm zu oft vor. Er war wie ein alter Hund, der nicht mehr wußte, wo er den Knochen vergraben hat.

»Bist du so verdammt klug, oder kannst du es einfach nicht aushalten, wenn du nicht die Erste in deiner Klasse bist?« fragte er. Sein Ton mißfiel ihm sofort. Er sagte sich betreten, daß es nicht seine Aufgabe sei und früher bestimmt nicht seinem Berufsethos entsprochen hätte, so mit einem Kind zu reden, das nichts anderes getan hatte, als sein Bestes zu geben.

Regina hatte Mr. Brindleys Frage nicht begriffen. Die einzelnen Worte waren ihr klar, aber sie ergaben keinen Sinn. Sie war erschrocken und geängstigt von den lauten Schlägen ihres Herzens, und so bewegte sie nur den Kopf ganz leicht von einer Seite zur anderen und wartete auf das Nachlassen der Trockenheit in ihrem Mund.

»Ich habe dich gefragt, warum du so gut lernst.«

»Weil wir kein Geld haben, Sir.«

Der Direktor erinnerte sich, irgendwo einmal gelesen zu haben, daß es eine jüdische Angewohnheit war, bei jedem Thema von Geld zu sprechen. Er hatte aber eine zu große Abscheu vor Verallgemeinerungen, um sich mit einer Erklärung zufriedenzugeben, die er einfältig und irgendwie gehässig fand. Er kam sich wie ein Jäger vor, der versehentlich die Mutter eines Jungtiers erlegt hatte, und er verspürte einen unangenehmen Druck im Magen. Auch das leichte Pochen seiner Schläfen machte ihn benommen.

Das Verlangen nach einer überschaubaren Welt ohne Komplikationen und mit den traditionellen Maßstäben, die einem alternden Mann Halt gaben, war wie ein körperlicher Schmerz. Einen kurzen Moment erwog Mr. Brindley, Regina wieder fortzuschicken, doch er sagte sich, daß es lächerlich wäre, ein Gespräch zu beenden, ehe es überhaupt angefangen hatte. Ob die Kleine noch wußte, wovon die Rede war? Wahrscheinlich, so eifrig sie war, alles mitzubekommen.

»Mein Vater«, unterbrach Regina das Schweigen, »verdient nur sechs Pfund im Monat, und die Schule hier kostet fünf.«

»Das weißt du so genau?«

»O ja, Sir. Mein Vater hat mir das gesagt.«

»Tatsächlich?«

»Er sagt mir alles, Sir. Vor dem Krieg konnte er mich nicht zur Schule schicken. Das hat ihn sehr traurig gemacht. Meine Mutter auch.«

Mr. Brindley war noch nie in der peinlichen Lage gewesen, die Höhe der Schulgebühren zu erörtern, und daß er ausgerechnet mit einer Schülerin, und noch dazu mit einer so kleinen, wie ein indischer Händler über Geld reden sollte, erschien ihm grotesk. Sein Sinn für Autorität und Würde gebot ihm, das Gespräch neu zu beginnen, wenn er es schon nicht beenden konnte, doch statt dessen fragte er: »Was hat der verfluchte Krieg damit zu tun?«

»Als der Krieg kam«, berichtete Regina, »hatten wir genug Geld für die Schule. Wir brauchten es ja jetzt nicht mehr für meine Großmutter und meine Tante.«

»Warum?«

»Die können nicht mehr aus Deutschland nach Ol' Joro Orok kommen.«

»Was machen die denn in Deutschland?«

Regina spürte, daß ihr Gesicht brannte. Es war nicht gut, bei Angst die Farbe zu wechseln. Sie überlegte, ob sie nun erzählen mußte, daß ihre Mutter immer weinte, wenn jemand von Deutschland sprach. Vielleicht hatte Mr. Brindley noch nie von weinenden Müttern gehört, und bestimmt würden sie ihn stören. Er mochte ja noch nicht einmal weinende Kinder.

»Vor dem Krieg«, schluckte sie, »haben meine Großmutter und meine Tante Briefe geschrieben.«

»Little Nell«, sagte Mr. Brindley leise. Er war erstaunt, aber auch auf eine geradezu absurde Weise erleichtert, daß

er endlich den Mut gefunden hatte, den Namen auszusprechen. Regina hatte ihn schon an Little Nell erinnert, als sie in
sein Zimmer gekommen war, doch da hatte er sich noch
gegen sein Gedächtnis wehren können. Merkwürdig, daß er
nach all den Jahren ausgerechnet an diesen Roman von
Dickens denken mußte. Er hatte ihn immer als einen seiner
schlechtesten empfunden, zu sentimental, melodramatisch
und ganz und gar unenglisch, nun erschien er ihm jedoch
warmherzig und irgendwie auch schön. Es war schon kurios, wie sich die Dinge im Alter veränderten.

»Little Nell«, wiederholte der Direktor mit einer Ernst-
haftigkeit, die ihm absolut nicht mehr unangenehm war
und ihn sogar erheiterte, »lernst du nur deshalb so gut,
weil diese Schule so verdammt viel kostet?«

»Ja, Sir«, nickte Regina. »Mein Vater hat gesagt: Du
darfst unser Geld nicht zum Fenster hinauswerfen. Wenn
man arm ist, muß man immer besser sein als die anderen.«

Sie war zufrieden. Es war nicht leicht gewesen, Papas
Worte in Mr. Brindleys Sprache zu bringen. Immerhin
konnte er sich noch nicht einmal den Namen seiner Schülerinnen merken, und sicherlich hatte er auch noch nie von
Menschen gehört, die kein Geld hatten, aber vielleicht hatte er sie doch verstanden.

»Dein Vater, ich meine, was hat er in Deutschland gemacht?« Hilflosigkeit machte Regina wieder stumm. Wie
sollte sie in Englisch sagen, daß Papa ein gewesener
Rechtsanwalt war?

»Er hat«, fiel ihr ein, »einen schwarzen Mantel ange-
habt, wenn er arbeitete, aber auf der Farm braucht er ihn
nicht mehr. Er hat ihn Owuor geschenkt. Am Tag, als die
Heuschrecken kamen?«

»Wer ist Owuor?«

»Unser Koch«, erzählte Regina und erinnerte sich mit
Behagen an die Nacht, als ihr Vater geweint hatte. Warme
Tränen ohne Salz. »Owuor ist von Rongai nach Ol' Joro
Orok gelaufen. Mit unserem Hund. Er konnte nur kom-
men, weil ich Jaluo kann.«

»Jaluo? Was zum Teufel ist denn das?«

»Owuors Sprache«, erwiderte Regina überrascht. »Owuor hat nur mich auf der Farm. Alle anderen sind Kikuyus. Außer Daji Jiwan. Der ist Inder. Und wir natürlich. Wir sind Deutsche, aber«, sagte sie hastig, »keine Nazis. Mein Vater sagt immer: Menschen brauchen ihre eigene Sprache. Und Owuor sagt das auch.«

»Du liebst deinen Vater sehr, nicht wahr?«

»Ja, Sir. Und meine Mutter auch.«

»Deine Eltern werden sich freuen, wenn sie dein Zeugnis sehen und deinen guten Aufsatz lesen.«

»Das können sie nicht, Sir. Aber ich werde ihnen alles vorlesen. In ihrer Sprache. Die kann ich auch.«

»Du kannst jetzt wieder gehen«, sagte Mr. Brindley und machte das Fenster auf. Als Regina fast schon an der Tür war, fügte er hinzu: »Ich glaube nicht, daß es deine Mitschülerinnen interessieren wird, was wir hier gesprochen haben. Du brauchst es ihnen nicht zu erzählen.«

»Nein, Sir. Das wird Little Nell nicht tun.«

7

Montags, mittwochs und freitags fuhr der Lastwagen, der zu breit für die enge Straße war und durch die zitternden Äste der Bäume getrieben werden mußte, von Thomson's Falls nach Ol' Joro Orok und lieferte in Patels Laden außer den brauchbaren Dingen wie Paraffin, Salz und Nägel einen großen Sack mit Briefen, Zeitungen und Paketen ab. Kimani saß immer lange vor der Zeit der Entscheidung im Schatten der dichten Maulbeerbäume. Sobald er die ersten Umrisse der roten Staubwolke sah, die wie ein Vogel auf ihn zuflog, trieb er das Leben zurück in seine schlafenden Füße, stand auf und spannte seinen Körper wie die Sehne in einem schußbereiten Bogen. Kimani liebte diese regelmäßige Wiederkehr von Warten und Erwartung, denn als Überbringer von Post und Waren war er dem Bwana wichtiger als Regen, Mais und Flachs. Alle Männer auf der Farm beneideten Kimani um seine Bedeutung.

Besonders Owuor, der Jaluo mit den lauten Liedern, die das Gelächter in die Kehle vom Bwana zauberten, versuchte immer wieder, Kimanis Tage zu stehlen, doch der blieb stets ein glückloser Jäger nach einer Beute, die ihm nicht zustand. Es gab auch in den Hütten der Kikuyu viele junge Männer mit gesünderen Beinen und mehr Luft in der Brust als Kimani, die ohne Mühe zu Patels Duka und zurück zur Farm hätten laufen können, aber die Kraft von Kimanis kluger Zunge wehrte jeden Angriff auf sein Recht ab.

Zog er morgens von seiner Hütte los, sah er noch die Sterne am Himmel; er traf erst bei dem üblen Hund Patel ein, wenn die Sonne gerade ansetzte, ihre Schatten zu verschlingen. Immer aber war es Kimani, der auf den Lastwagen warten mußte und nicht der Lastwagen auf ihn. Der lange Weg durch den Wald mit den schweigsamen schwarzen Affen, die nur bei dem Sprung von einem Baum zum anderen ihre weiße Mähne sehen ließen, war beschwerlich. An den heißen Tagen zwischen den Regenzeiten hörte Kimani schon auf dem Weg zum Laden seine Knochen schreien. Bei der Heimkehr brannten bereits die Feuer vor den Hütten. Da waren seine Füße so heiß, als hätten sie eilig Glut austreten müssen. Freude aber machte Kimanis Körper satt, obwohl er den ganzen Tag nur Wasser getrunken hatte. Die Memsahib füllte es immer am Abend zuvor in die schöne grüne Flasche.

Schlecht waren die Tage, wenn die Hyäne Patel die Frage nach Post für die Farm mit bösem Kopfschütteln beantwortete und dabei aussah, als hätte sie den Geiern die besten Brocken weggeschnappt. Der Bwana brauchte nämlich seine Briefe wie ein verdurstender Mann die paar Tropfen Wasser, die ihn davor schützen, sich für immer hinzulegen. Brachte Kimani nichts anderes aus Patels stinkendem Duka nach Hause als Mehl, Zucker und den kleinen Eimer mit dem halbflüssigen gelben Fett für die Memsahib, wurden die Augen vom Bwana glanzloser als das Fell eines sterbenden Hundes. Schon eine einzige Zeitung machte ihn fröhlich, und er nahm die kleine Rolle Papier mit einem Seufzer entgegen, der eine süße Medizin für Ohren war, die den ganzen Tag nur die Laute aus dem Maul von Tieren hatten fressen dürfen.

Der Bwana war nun seit drei kleinen und zwei großen Regenzeiten auf der Farm. Kimani reichte die Zeit, um – allerdings so langsam wie ein zu früh geborener Esel – die vielen Dinge zu begreifen, die zu Beginn seines neuen Lebens mit dem Bwana den Kopf schwergemacht hatten. Er wußte nun, daß die Sonne am Tag und der Mond in der Nacht dem Bwana nicht genug waren, nicht der Regen auf ausgetrockneter Haut oder ein laut schreiendes Feuer bei Kälte, nicht die Stimmen aus dem Radio, die sich keinen Schlaf gönnten, selbst nicht das Bett der Memsahib und die Augen der Tochter, wenn sie von der Schule im fernen Nakuru auf die Farm zurückkehrte.

Der Bwana brauchte Zeitungen. Sie fütterten seinen Kopf und schmierten seine Kehle, und die erzählte dann Schauris, von denen kein Mensch in Ol' Joro Orok je gehört hatte.

Auf dem Weg vom Haus zu den Flachsfeldern und zu den blühenden Pyrethrumplantagen erzählte der Bwana vom Krieg. Es waren aufregende Geschichten von weißen Männern, die einander töteten, wie es in alten Zeiten die Massai mit ihren friedlichen Nachbarn getan hatten, deren Vieh und Frauen sie begehrten. Kimanis Ohren liebten die Worte, die wie ein kräftiger junger Wind waren, aber seine Brust spürte auch, daß der Bwana beim Reden an einer alten Traurigkeit kaute, denn er hatte nicht daran gedacht, sein Herz mitzunehmen, als er zu seiner langen Safari nach Ol' Joro Orok aufgebrochen war. Einmal zog der Bwana aus seiner Hosentasche ein blaues Bild mit vielen bunten Flecken und zeigte mit dem Nagel seines längsten Fingers auf einen winzigen Punkt.

»Hier, mein Freund«, sagte er, »ist Ol' Joro Orok«, und dann bewegte er den Finger ein wenig und sprach sehr langsam weiter. »Hier stand die Hütte von meinem Vater. Da komme ich nie wieder hin.«

Kimani lachte, denn seine große Hand konnte ohne Mühe beide Punkte auf dem blauen Bild gleichzeitig berühren, und doch erkannte er, daß sein Kopf nicht begriffen hatte, was der Bwana ihm sagen wollte. Mit den Bildern in den Zeitungen, die Kimani aus Patels Laden holte, war das anders. Er ließ sie sich immer wieder vom Bwana zeigen und lernte sie auch deuten.

Da gab es Häuser, die höher als Bäume waren, und doch wurden sie von den Gewehren aus den wütenden Flugzeugen niedergemacht wie der Wald vom Buschfeuer. Schiffe mit hohen Schornsteinen gingen im Wasser unter, als wären sie kleine Steine in einem nach dem großen Regen zu rasch angeschwollenen Fluß. Immer wieder zeigten die Bilder tote Männer. Manche lagen so ruhig auf der Erde, als wollten sie nach getaner Arbeit schlafen, andere waren geplatzt wie tote Zebras, die zu lange in der Sonne gelegen haben. Alle Toten hatten Gewehre neben sich liegen, aber die hatten ihnen nicht helfen können, denn im Krieg der gutbewaffneten Weißen hatte jeder Mann ein Gewehr.

Sprach der Bwana vom Krieg, dann immer auch von seinem Vater. Nie schaute er dabei Kimani an; er schickte seine Augen zu dem hohen Berg, ohne daß sie den Kopf aus Schnee sehen. Wenn er sprach, redete er mit der Stimme eines ungeduldigen Kindes, das tags den Mond und nachts die Sonne haben will, und sagte: »Mein Vater stirbt.«

Die Worte waren Kimani so vertraut wie sein eigener Name, und, obwohl er sich Zeit ließ, ehe er seinen Mund aufmachte, wußte er doch, was er zu sagen hatte, und fragte: »Will dein Vater sterben?«

»Nein, er will nicht sterben.«

»Ein Mann kann nicht sterben, wenn er nicht will«, sagte Kimani dann jedesmal. Anfangs hatte er seine Zähne beim Sprechen gezeigt, wie er es immer tat, wenn er fröhlich war, doch mit der Zeit gewöhnte er sich an, einen Seufzer aus seiner Brust zu lassen. Es bekümmerte ihn, daß sein Bwana, der so viel wußte, nicht klug genug wurde, um zu begreifen, daß Leben und Tod nicht die Sache von Menschen war, sondern nur vom mächtigen Gott Mungo.

Noch mehr als nach den Zeitungen mit den Bildern von den zerstörten Häusern und toten Männern verlangte es den Bwana nach Briefen. Über Briefe wußte Kimani genau Bescheid. Als der Bwana auf die Farm gekommen war, hatte Kimani noch geglaubt, ein Brief sei wie der andere. So dumm war er nicht mehr. Briefe waren nicht wie zwei Brüder, die zusammen aus dem Bauch ihrer Mutter gekommen waren. Briefe waren wie Menschen und nie gleich.

Es kam auf die Briefmarke an. Ohne sie war ein Brief nur ein Stück Papier und konnte nicht auf die kleinste Safari gehen. Eine einzige Marke mit dem Bild eines Mannes, der helles Haar und das Gesicht einer Frau hatte, erzählte von einer Reise, die ein Mann mit seinen Füßen schaffen konnte. Gerade solche Briefe holte Kimani oft aus Patels Duka. Sie kamen aus Gilgil und waren von dem Bwana, der beim Lachen seinen dicken Bauch tanzen ließ und eine Memsahib hatte, die schöner als ein Vogel singen konnte.

Die beiden kamen oft von Gilgil auf die Farm, und wenn der große Regen die Straße zu Lehm machte und die Freunde vom Bwana nicht nach Ol' Joro Orok kommen konnten, schickten sie Briefe. Aus Nakuru kamen die Briefe von der Memsahib kidogo, die in der Schule schreiben lernte. Die gelben Kuverts hatten die gleiche Marke wie die aus Gilgil, aber Kimani wußte, wer den Brief geschrieben hatte, ehe der Bwana es ihm sagte. Bei denen von der kleinen Memsahib leuchteten seine Augen wie junge Flachsblüten, und nie roch seine Haut nach Angst.

Weit gereist waren Briefe mit vielen Marken. Sobald der Bwana sie in Kimanis Hand sah, nahm er sich noch nicht einmal Zeit, die Luft aus seiner Brust zu lassen, ehe er den Umschlag aufriß und zu lesen begann. Und es gab eine Briefmarke, die allein mehr Kraft hatte als alle anderen zusammen, um den Bwana in Brand zu setzen. Auch sie zeigte einen Mann ohne Arme und Beine, aber er war nicht blond. Das Haar, das von seinem Kopf stürzte, war so schwarz wie das von dem stinkenden Hund Patel. Die Augen waren klein, und zwischen seiner Nase und dem Mund wuchs ein sauber gepflanzter, sehr niedriger Busch aus dichtem schwarzen Haar.

Kimani schaute sich gerade diese Marke gern und lange an.

Der Mann sah aus, als wollte er reden und als hätte er eine Stimme, die schwer von einem Berg zurückprallen konnte. Sobald der Bwana die Marke sah, wurden seine Augen zu tiefen Löchern und er selbst so steif wie ein Mann, der von einem wild gewordenen Dieb mit einer frisch geschliffenen Panga bedroht wird und der vergessen hat, wie sich ein Mann wehren muß.

Das Bild von dem Mann mit dem Haar unter der Nase trieb das Leben aus dem Körper vom Bwana, und er schwankte wie ein Baum, der noch nicht gelernt hat, sich unter dem Wind zu ducken. Ehe der Bwana so einen Brief voll Feuer aufriß, rief er immer: »Jettel.« Seine Stimme wurde dünn wie die eines Tieres, das nicht mehr den Willen hat, dem Tod davonzulaufen.

Trotzdem wußte Kimani, daß der Bwana gerade die Briefe bekommen wollte, die ihm angst machten. Er war immer noch wie ein Kind, das nicht genug Ruhe hat, nur dazusitzen und den Tag wie feine Erde durch die Finger rieseln zu lassen, bis der Kopf auf die Brust fällt und der Schlaf kommt. Kimani trieb es Salz in die Kehle, wenn er daran dachte, daß der Bwana die Erregung brauchte, die ihn krank machte, um noch Kraft in seinen Gliedern zu spüren.

Schon lange war kein solcher Brief mehr gekommen. Als aber Kimani am Tag vor der großen Flachsernte bei Patel nach Post fragte, griff der Inder in das Holzregal an der Wand und holte einen Brief heraus, der Kimanis großen Hunger nach Vertrautheit nicht befriedigte. Er sah sofort, daß der Brief anders war als jeder andere, den er bis dahin nach Hause getragen hatte.

Das Papier war dünn und machte in Patels Hand Geräusche wie ein sterbender Baum im ersten Wind des Abends. Das Kuvert war kleiner als die Umschläge sonst. Die bunte Marke fehlte. Kimani sah statt dessen einen schwarzen Kreis mit dünnen kleinen Linien in der Mitte, die winzigen Eidechsen ähnelten. Ein rotes Kreuz leuchtete auf der rechten Ecke des Umschlags. Es sprang Kimani schon von weitem an wie eine Schlange, die zu lange gehungert hat. Einen Moment fürchtete er, das rote Kreuz könnte auch Patel gefallen und er würde ihm den Brief gar nicht erst geben. Der Inder stritt aber gerade mit einer Kikuyu-Frau, die ihren Finger zu tief in einen Sack Zucker gesteckt hatte, und schob schimpfend den Brief über den dreckigen Tisch.

Erst im Wald blieb Kimani stehen, um, befreit von Patels bösen Augen, das Kreuz zu betrachten. Im Schatten leuchtete es noch heller als im Laden und war eine Freude für Augen, die selbst bei Tag unter den Bäumen immer nur die Farben der Nacht einfingen. Kniff Kimani das eine Auge zu und bewegte gleichzeitig seinen Kopf, fing das Kreuz zu tanzen an. Er lachte, als ihm aufging, daß er sich wie ein Affenkind benahm, das zum erstenmal eine Blume sieht.

Immer wieder fragte sich Kimani, ob das schöne rote Kreuz dem Bwana ebenso gut gefallen würde wie ihm oder ob es auch den bösen, brennenden Zauber hatte wie der Mann mit dem schwarzen Haar. Er konnte sich nicht entscheiden, so sehr er auch seinen Kopf zur Arbeit antrieb. Die Ungewißheit nahm ihm die Freude an dem Brief und machte die Beine schwer. Müdigkeit drückte seinen Rücken krumm und klebte in den Augen. Das Kreuz sah anders aus als im Laden und in der Zeit der langen Schatten. Es hatte sich die Farbe stehlen lassen.

Kimani erschrak. Er spürte, daß er die Nacht zu nahe an sich herangelassen hatte. Sie würde es ausnutzen, daß er ohne eine Lampe unterwegs war. Wenn er seinen Körper nicht stark machte und zur Eile antrieb, würde er die Hyänen hören, ehe er die ersten Felder sah. Das war nicht gut für einen Mann in seinem Alter. Er mußte das letzte Stück vom Weg rennen und, als er die ersten Felder erreichte, hatte er mehr Luft im Mund als in der Brust.

Die Nacht war noch nicht zur Farm gekommen. Vor dem Haus putzte Kamau die Gläser und fing den letzten roten Strahl Sonne ein. Er wickelte ihn in ein Tuch und ließ ihn wieder frei. Owuor saß auf einer Holzkiste vor der Küche und machte seine Nägel mit einer silbernen Gabel sauber. Er schickte seine Stimme zum Berg mit dem Lied, das Kimanis Haut immer zum Kochen und den Bwana zum Lachen brachte.

Die kleine Memsahib lief mit dem Hund zu dem Haus mit dem Herz in der Tür und sprang über das hohe gelbe Gras. Sie schwenkte die Lampe, die noch nicht angezündet war, als wäre sie so leicht wie ein Stück Papier. Kania schnitt mit seinem Besen runde Löcher in die Luft. Er kaute an einem Stöckchen, um seine Zähne, auf die er sehr stolz war, noch weißer zu polieren. Wie immer, wenn er auf Post lauerte, stand der Bwana bewegungslos wie ein Krieger, der den Feind noch nicht erblickt hat, vor dem Haus. Die Memsahib war neben ihm. Kleine weiße Vögel, die nur auf ihrem Kleid lebten, flogen zu den gelben Blumen auf dem schwarzen Stoff.

Keuchend von der Anstrengung des schnellen Laufens, wartete Kimani auf die Freude, die er sonst empfand, wenn die beiden auf ihn zuliefen, aber die Zufriedenheit zögerte ihre Ankunft zu lange hinaus und verschwand so plötzlich wie der Nebel am Morgen. Obwohl die Kälte schon an seiner Haut leckte, liefen ihm scharfe Tropfen von Schweiß in die Augen. Mit einem Mal kam sich Kimani wie ein alter Mann vor, der seine Söhne verwechselt und in den Söhnen von den Söhnen seine Brüder sieht.

Kimani spürte die Hand vom Bwana auf seiner Schulter, aber er war zu verwirrt, um Wärme aus dem vertrauten Genuß zu holen. Er bemerkte, daß die Stimme vom Bwana nicht kräftiger war als die eines Kindes, das die Brust seiner Mutter nicht sofort findet. Da wußte er, daß die Furcht, die wie ein plötzlich ausgebrochenes Fieber über ihn gekommen war, ihn rechtzeitig angetrieben hatte.

»Sie haben durch das Rote Kreuz geschrieben«, flüsterte Walter. »Ich wußte gar nicht, daß das geht.«

»Wer? Sag schon. Wie lange willst du den Brief noch in der Hand halten? Mach ihn auf. Ich habe schreckliche Angst.«

»Ich auch, Jettel.«

»Mach schon.«

Als Walter das dünne Blatt Papier aus dem Umschlag holte, fiel ihm das Herbstlaub im Sohrauer Stadtwald ein. Obwohl er sich sofort und verbissen gegen die Erinnerung wehrte, sah er in peinigender Deutlichkeit die Umrisse eines Kastanienblattes. Danach wurden seine Sinne stumpf. Nur die Nase narrte ihn noch mit einem Duft, der ihn quälte.

»Vater und Liesel?« fragte Jettel leise.

»Nein. Mutter und Käte. Soll ich dir vorlesen?«

Die Zeit, die Jettel brauchte, um ihren Kopf zu bewegen, war Gnadenfrist. Sie reichte Walter, die zwei unverkennbar in großer Not geschriebenen Zeilen zu lesen und dabei den Brief so dicht vor seinem Gesicht zu halten, daß er Jettel nicht anschauen mußte und sie ihn nicht sehen konnte.

»Meine Lieben«, las Walter vor, »wir sind sehr aufgeregt. Morgen müssen wir nach Polen zur Arbeit. Vergeßt uns nicht. Mutter und Käte.«

»Ist das alles? Das kann doch nicht alles sein?«

»Doch, Jettel, doch. Sie durften nur zwanzig Worte schreiben. Eins haben sie verschenkt.«

»Warum Polen? Dein Vater hat doch immer gesagt, die Polen seien noch schlimmer als die Deutschen. Wie konnten sie das nur tun? In Polen ist doch Krieg. Dort sind sie noch schlechter dran als in Breslau. Oder glaubst du, sie wollen versuchen, noch über Polen auszuwandern? Sag doch endlich was!«

Der Kampf, ob es eine verzeihbare Sünde sein könnte, Jettel zum letztenmal der Barmherzigkeit der Lüge anzuvertrauen, war nur kurz. Schon der Gedanke an Flucht erschien Walter Gotteslästerung und Fluch.

»Jettel«, sagte er und gab es auf, nach Worten zu suchen, um die Wahrheit erträglich zu machen, »du mußt es wissen. Deine Mutter wollte es so. Sonst hätte sie diesen Brief nicht mehr geschrieben. Wir dürfen nicht mehr hoffen. Polen bedeutet Tod.«

Regina lief langsam mit Rummler von der Toilette zum Haus. Sie hatte ihre Lampe angemacht und ließ den Hund auf dem mit hellen Steinen gepflasterten Pfad zwischen dem Rosenbeet und der Küche nach den schwankenden Schatten jagen. Der Hund versuchte, seine Pfoten in die schwarzen Flecke zu graben, und jaulte enttäuscht, sobald sie zum Himmel flogen.

Walter sah, daß Regina lachte, doch gleichzeitig hörte er, daß sie »Mama« schrie, als sei sie in Todesnot. Zunächst dachte er, die Schlange wäre aufgetaucht, vor der Owuor am Morgen gewarnt hatte, und er brüllte: »Bleib stehen.« Als die Schreie jedoch lauter wurden und jeden anderen Laut in der herbeistürzenden Dunkelheit verschluckten, erkannte er, daß es nicht Regina war, die nach ihrer Mutter rief, sondern Jettel.

Walter streckte seiner Frau beide Arme entgegen, ohne daß er sie erreichte, und es gelang ihm schließlich, einige Male ihren Namen in die Angst hineinzurufen. Aus der Scham, daß er unfähig zum Mitleiden geworden war, wurde Panik, die jedes seiner Glieder lähmte. Noch mehr demütigte ihn die Erkenntnis, daß er seiner Frau die furchtbare

Gewißheit neidete, die das Schicksal ihm für seinen Vater und seine Schwester versagte.

Nach einer Zeit, die ihm sehr lang erschien, wurde ihm bewußt, daß Jettel aufgehört hatte zu schreien. Sie stand vor ihm mit hängenden Armen und bebenden Schultern. Da endlich fand Walter die Kraft, sie zu berühren und nach ihrer Hand zu greifen. Schweigend führte er seine Frau ins Haus.

Owuor, der sonst nie die Küche verließ, ehe er den Tee zum Abendessen aufgebrüht hatte, stand vor dem brennenden Kamin und schickte seine Augen zum gestapelten Holz. Auch Regina war schon da. Sie hatte ihre Gummistiefel ausgezogen und saß mit Rummler unter dem Fenster, als sei sie nie fortgewesen. Der Hund leckte ihr Gesicht ab, doch sie blickte zu Boden, kaute an einer Haarsträhne und drückte sich immer wieder an den massigen Körper des Tieres. Da wußte Walter, daß seine Tochter weinte. Er würde ihr nichts mehr erklären müssen.

»Mama hat mir versprochen«, schluchzte Jettel, ohne daß ihr noch Tränen kamen, »dazusein, wenn ich wieder ein Kind bekomme. Sie hat es mir ganz fest versprochen, als Regina geboren wurde. Kannst du dich nicht erinnern?«

»Nicht, Jettel, nicht. Erinnerungen quälen nur. Setz dich hin.«

»In die Hand hat sie es mir versprochen. Und sie hat immer ihre Versprechen gehalten.«

»Du darfst nicht weinen, Jettel. Tränen sind nicht mehr für unsereinen. Das ist der Preis, den wir zahlen müssen, daß wir davongekommen sind. Das wird nie mehr anders. Du bist nicht nur Tochter, du bist auch Mutter.«

»Wer sagt so was?«

»Der liebe Gott. Er hat es mir im Camp durch Oha sagen lassen, als ich nicht mehr weitermachen wollte. Und mach dir keine Sorgen, Jettel. Kinder werden wir keine mehr haben, bis die Zeit es wieder gut mit uns meint. Owuor, du holst der Memsahib jetzt ein Glas Milch.«

Owuor nahm sich noch mehr Zeit als an den Tagen ohne Salz, um sich zu entscheiden, welches Stück Holz er ins

Feuer werfen sollte. Als er aufstand, sah er Jettel an, obwohl er zu Walter sprach.

»Ich werde«, sagte er mit einer Zunge, die lange brauchte, ehe sie ihm gehorchte, »die Milch warm machen, Bwana. Wenn die Memsahib zu viel weint, bekommst du wieder keinen Sohn.« Ohne sich umzudrehen, ging er zur Tür.

»Owuor«, rief Jettel, und ein großes Staunen machte endlich ihre Stimme wieder fest, »woher weißt du?«

»Alle auf der Farm wissen, daß Mama ein Baby kriegt«, sagte Regina und zog Rummlers Kopf auf ihren Schoß, »alle außer Papa.«

8

Dr. James Charters bemerkte das Zucken seiner linken Augenbraue und das ärgerliche Mißverständnis, als die beiden ihm unbekannten Frauen vor seinem Lieblingsbild mit den prächtigen Jagdhunden standen. Sie waren noch mindestens zwei Fuß von ihm entfernt und streckten ihm bereits die Hand entgegen. Das war Beweis genug, daß die Leute vom Kontinent stammten. Der geübt unauffällige Blick auf die kleine gelbe Karte neben dem Tintenfaß bekräftigte den Verdacht. Unter dem fremdartigen Namen fand Charters den Vermerk, daß das Stag's Head die Patientin zur Konsultation angemeldet hatte.

Seit Kriegsausbruch war kein Verlaß mehr auf Hotelrezeptionen. Offenbar hatten sie Schwierigkeiten, Gäste einzuschätzen, die das ganze Lebensgefüge der Kolonie verändert hatten. In dem einzigen Hotel von Nakuru hatten fast ausschließlich die Farmer der Umgebung gewohnt, die sich ein paar freie Tage und die Illusion von Großstadtleben genehmigten, wenn sie ihre Kinder in der Schule ablieferten, zum Arzt mußten oder bei den Distriktbehörden zu tun hatten. In jener Zeit, die Charters bereits die gute alte nannte, obgleich sie tatsächlich noch keine vollen drei Jahre zurücklag, stiegen gelegentlich auch Jäger im Stag's ab, meistens aus Amerika. Es waren sympathisch harte Burschen, die auf keinen Fall einen Gynäkologen brauchten und mit denen sich der Arzt, unbeschwert von beruflichen Dingen, gut unterhalten konnte.

Charters, der gerade neue Patientinnen nie länger warten ließ als nötig, nahm sich mit einem nur mühsam unterdrückten Seufzer Zeit zu weiteren unerfreulichen Grübeleien. Er lebte nicht mehr gern in Nakuru. Ohne den Krieg hätte er sich nach dem Tod seiner Tante und der unerwartet hohen Erbschaft eine Praxis in London gegönnt. Die Harley Street war schon früh sein Traum gewesen, doch hatte er das Ziel unvorsichtigerweise aus den Augen verloren, als er in zweiter Ehe eine Farmerstochter aus Naivasha heiratete. Seine junge Frau hatte ihn immer wieder umstimmen können und nun eine so panische Angst vor dem Blitzkrieg, daß sie auf keinen Fall mehr zu einem Umzug nach London zu bewegen war. Er tröstete sich mit einem Hochgefühl, das er sich jahrelang versagt hatte, und nahm keine Patientinnen mehr an, die nicht seinem gesellschaftlichen Niveau entsprachen.

Während Charters akribisch eine tote Fliege vom Fenster kratzte, betrachtete er in der Scheibe die beiden Frauen, die sich unaufgefordert auf die frischbezogenen Stühle vor seinem Schreibtisch gesetzt hatten. Zweifellos war die Jüngere die Patientin und eine Peinlichkeit, die ausschließlich auf die Unachtsamkeit von Miss Colins ging, die erst seit vier Wochen für Charters arbeitete und noch nicht die Intuition für Dinge hatte, die ihm wichtig waren.

Die Ältere der beiden, fand Charters mit einem Hauch von Interesse, das er im Angesicht der bestimmt auf ihn zukommenden Diskussionen recht unangebracht fand, hätte man, bis sie den Mund aufmachte, durchaus für eine Lady aus der englischen Provinz halten können. Sie war schlank, gepflegt, wirkte selbstsicher und hatte jenes schöne blonde Haar, das er bei Frauen schätzte. Sah irgendwie norwegisch aus, die grazile Person, und auf alle Fälle so, als sei sie es gewohnt, sich Arztbesuche etwas kosten zu lassen.

Die Patientin war mindestens im sechsten Monat, und, wie Charters erkannte, nicht in jenem gesundheitlichen Zustand, den er bei Schwangeren schätzte, wenn es keine leidigen Komplikationen geben sollte. Sie trug ein geblümtes Kleid, das ihm typisch für die Mode der dreißiger Jahre auf dem Kontinent erschien. Der lächerliche weiße Spitzenkragen erinnerte ihn auf geradezu groteske Weise an die Kleinbürgerfrauen der Viktorianischen Zeit und an den Umstand, daß er sich bisher nie mit ausgerechnet diesem Stand hatte beschäftigen müssen. Das Kleid betonte bereits die Brust und machte aus dem Bauch eine Kugel, wie Charters sie nur unmittelbar vor dem Geburtstermin gelten ließ. Bestimmt hatte die Frau schon im ersten Monat ihrer Schwangerschaft für zwei gegessen. Die fremden Völker waren durch nichts von ihren abwegigen Gewohnheiten abzubringen. Die Frau war blaß und sah angestrengt aus, verschüchtert wie ein Dienstmädchen, das ein uneheliches Kind erwartet, und geradezu so, als sei Schwangerschaft eine Strafe des Schicksals. Bestimmt war sie wehleidig. Charters räusperte sich. Er hatte nicht viele, aber doch sehr nachhaltige Erfahrungen mit den Leuten vom Kontinent. Sie waren übertrieben empfindlich und nicht kooperativ genug, wenn es darum ging, Schmerzen auszuhalten.

In den ersten Kriegsmonaten hatte Charters die Frau eines jüdischen Fabrikbesitzers aus Manchester von Zwillingen entbunden. Dem Paar war es durch die plötzliche Verknappung der Schiffspassagen nicht mehr gelungen, rechtzeitig nach England zurückzukehren. Die Leute waren sogar absolut korrekt gewesen und hatten, ohne zu murren, das stark überhöhte Honorar gezahlt, das Charters im Kollegenkreis als Schmerzensgeld für den Arzt bezeichnete. Trotzdem war ihm der Fall in schlechter Erinnerung geblieben. Er hatte ihn gelehrt, daß die jüdische Rasse im allgemeinen wohl nicht genug Disziplin aufbrachte, um in entscheidenden Momenten die Zähne zusammenzubeißen.

Damals hatte sich Dr. James Charters vorgenommen, nie mehr Patientinnen zu behandeln, die nicht seiner Denkart entsprachen, und er hatte auch jetzt nicht vor, eine Ausnahme zu machen, die nur beide Teile belastet hätte. Schon gar nicht im Fall einer Frau, die sich so augenscheinlich noch nicht einmal ein vernünftiges Umstandskleid leisten konnte.

Als Charters nicht mehr einfiel, was er sonst noch mit einem Fenster hätte machen können, als es ein paarmal aufzureißen und wieder zu schließen, wandte er sich seinen Besucherinnen zu. Irritiert merkte er, daß die blonde Frau bereits sprach. Es war genau, wie er befürchtet hatte. Der Akzent war ausgesprochen unangenehm und auf keinen Fall charmant norwegisch gefärbt wie in den hübschen Filmen, die man neuerdings sah.

Die Blondine hatte gerade gesagt: »Mein Name ist Hahn, und das hier ist Mrs. Redlich. Es geht ihr nicht gut. Schon seit dem vierten Monat.«

Charters räusperte sich zum zweitenmal. Es war kein zufälliges Hüsteln, sondern ein Ton mit genau dosierter Schärfe, der nicht zu weiteren Vertraulichkeiten animierte, ehe die Situation geklärt war.

»Machen Sie sich bitte keine Gedanken über das Honorar.«

»Das tue ich nicht.«

»Gewiß nicht«, erkannte Lilly und bemühte sich, Verlegenheit hinunterzuschlucken, ohne daß ihre Mimik sie verriet, »aber das ist alles geregelt. Mrs. Williamson hat uns geraten, Sie darauf aufmerksam zu machen.«

Angestrengt überlegte Charters, ob und wann er den Namen schon einmal gehört hatte. Er wollte gerade darauf hinweisen, daß Mrs. Williamson ganz gewiß nicht zu seinen Patientinnen gehörte, da fiel ihm ein, daß ein Zahnarzt, der so hieß, sich vor zwei Jahren in Nakuru niedergelassen hatte. Danach brauchte er noch einmal Zeit, bis er sich erinnerte, wo er den Namen außerhalb seines Wirkungskreises gehört hatte. Der unglückselige Mr. Williamson hatte in den Poloklub eintreten wollen, der jedoch nun mal keine Juden aufnahm. Eine recht peinliche Sache war das damals gewesen. Mindestens so provozierend wie die Erörterung von finanziellen Angelegenheiten, ehe der Arzt überhaupt Gelegenheit zu seiner ersten Untersuchung fand.

Charters fühlte sich brüskiert. Er zwang sich jedoch mit der Einsicht zur Gelassenheit, daß die Leute vom Kontinent vielleicht ohne Arg zu solchen Kruditäten neigten. Leider auch zu einem übertriebenen Mitteilungsbedürfnis, wie er betroffen feststellte, als ihm bewußt wurde, daß er den Redefluß der aufreizend blonden Frau doch nicht rechtzeitig gestoppt hatte. Er war bereits dabei, eine äußerst verwirrende Geschichte von unbekannten Leuten in Deutschland zu erfahren, die offenbar einen engen Bezug zu der Schwangeren hatten.

»Wie kommt es, daß sie im Stag's Head wohnt?« unterbrach der Arzt Lillys Bericht. Er ärgerte sich sofort über seinen brüsken Ton, der so gar nicht zu seiner von allen so geschätzten verbindlichen Art paßte.

»Die Schwangerschaft war von Anfang an schwierig. Wir glauben nicht, daß meine Freundin das Kind allein auf der Farm bekommen sollte.«

Es war klüger, fand Charters, keine weiteren Fragen zu stellen, wollte er nicht in die Lage gezwungen werden, daß er nur deshalb den Fall übernehmen mußte, weil er sich zu früh medizinisch involviert hatte. Mit der sorgsam bemessenen Andeutung eines Lächeln bekämpfte er sein Unbehagen.

»Sie kann wohl«, fragte er und nickte so abwesend in Jettels Richtung, daß er sie dabei nicht anzuschauen brauchte, »kein Englisch?«

»Nicht viel. Also fast gar nicht. Deshalb bin ich ja mitgekommen. Ich lebe in Gilgil.«

»Das ist sehr freundlich von Ihnen. Aber Sie werden wohl kaum bis zur Geburt hierbleiben und dann neben mir im Hospital stehen wollen, um zu dolmetschen.«

»Nein«, stotterte Lilly, »ich meine, so weit haben wir noch gar nicht gedacht. Mrs. Williamson hat Sie uns als den Arzt empfohlen, der uns helfen kann.«

»Mrs. Williamson«, entgegnete Charters nach einer Pause, die ihm genau richtig erschien, nicht zu lang und erst recht nicht zu kurz, »lebt noch nicht lange hier. Sonst hätte sie bestimmt Dr. Arnold erwähnt. Sie ist genau die Richtige für Sie. Eine ungewöhnliche Ärztin.«

So froh und erstaunt, wie er war, daß er genau in diesem Moment eine so elegante Lösung gefunden hatte, kostete es Charters Überwindung, sich seine Zufriedenheit nicht anmerken zu lassen. Die gute alte Janet Arnold war wahrhaftig seine Rettung. Manchmal vergaß er noch, daß sie jetzt in Nakuru lebte. Jahrelang war sie mit ihrem klapprigen Ford, der allein schon ein Witz war, in die entlegensten Gebiete kutschiert, um die Eingeborenen auf den Farmen und in den Reservaten zu behandeln.

Das alte Mädchen war eine Mischung aus Florence Nightingale und irischem Dickschädel und scherte sich keinen Deut um Geschmack, Konvention und Tradition. In Nakuru behandelte die ewige Rebellin Massen von Indern und Goanesen und natürlich auch viele Schwarze, von denen sie wohl kaum je einen Cent bekam, und bestimmt auch die Habenichtse vom Kontinent, für die schon ein gebrochener Arm eine finanzielle Katastrophe war. Jedenfalls hatte Janet Arnold ausschließlich Patienten, denen es nichts ausmachte, daß sie nicht mehr die Jüngste war und zudem noch eine verdammt unbritische Art hatte, ungefragt ihre Meinung zu sagen.

Charters legte den Kalender weg, in dem er zu blättern pflegte, wenn er bedauerlich deutlich werden mußte, und sagte: »Ich bin nicht der Mann für Sie, denn ich habe vor, in allernächster Zeit mal gründlich auszuspannen. Mrs. Arnold«, lächelte er, »wird Ihnen gefallen. Sie spricht mehrere Sprachen. Vielleicht auch die Ihres Volkes.«

Es störte ihn ein wenig, daß er zumindestens den letzten Satz nicht mit seinem gewohnten Takt formuliert hatte, und so fügte er mit einem Wohlwollen, das er als sehr gelungen empfand, hinzu: »Ich gebe Ihnen gern eine Empfehlung an Dr. Arnold mit.«

»Danke«, wehrte sich Lilly. Sie wartete, bis die Rage in ihr nur noch aus kleinen wütenden Stößen bestand, und sagte dann in der gleichen ruhigen Tonlage wie der Arzt, aber auf Deutsch: »Du arrogantes Schwein, du verdammtes Mistvieh von Arzt. Das haben wir alles schon gehabt, daß einer keine Juden behandelt.«

Charters ließ seine Augenbrauen nur leicht zucken, als er irritiert: »Pardon?« fragte, doch Lilly war aufgestanden und zog Jettel, die schwer atmete und gleichzeitig ihre Schultern zu straffen versuchte, vom Stuhl hoch. Schweigend verließen Lilly und Jettel den Raum. Sie kicherten in dem dunklen Flur und ließen es zu, daß die Albernheit, die sich nicht unterdrücken ließ, ihnen Hilflosigkeit und

Frösteln nahm. Erst als sie im selben Augenblick verstummten, merkten sie, daß sie weinten.

Lilly hatte vorgehabt, wenigstens die ersten zwei Wochen von Jettels Wartezeit in Nakuru zu bleiben, doch schon am nächsten Tag erhielt sie einen Brief von ihrem Mann und mußte zurück nach Gilgil.

»Ich komme zurück, sobald mich Oha entbehren kann«, tröstete sie, »und das nächstemal bringen wir Walter mit. Es ist jetzt wichtig, daß du nicht mehr als nötig allein bist und ins Grübeln kommst.«

»Mach dir keine Sorgen, mir geht's gut«, sagte Jettel, »Hauptsache, ich muß Charters nie wieder sehen.«

Am ersten Tag ohne Lillys Fürsorge und ansteckenden Optimismus bestand ihre Welt nur aus den schwarzen Löchern der Einsamkeit. »Ich muß sofort zurück«, schrieb sie an Walter, hatte jedoch keine Briefmarken und genierte sich, in ihrem schlechten Englisch am Empfang des Hotels danach zu fragen. Bereits Ende der Woche erschien ihr aber der nicht abgeschickte Brief als ein Wink des Schicksals.

Jettels Einstellung zu sich selbst hatte sich verändert. Ihr wurde bewußt, daß Charters und seine demütigende Behandlung sie gar nicht so sehr verletzt, sondern ihr paradoxerweise sogar Mut zu einem lange verdrängten Eingeständnis gegeben hatten.

Weder sie noch Walter hatten ein zweites Kind gewollt, aber keiner von beiden hatte gewagt, das auszusprechen. Jetzt, da Jettel allein mit ihren Gedanken war, brauchte sie keine Freude mehr zu heucheln. Sie machte sich klar, daß sie nicht stark genug war, allein auf der Farm mit einem Baby und der ständigen Angst zu leben, im entscheidenden Augenblick ohne ärztliche Hilfe zu sein, doch sie schämte sich nicht mehr ihrer Schwäche. Leichter zu ertragen erschien ihr auch die Scham, daß Hahns und die kleine Jüdische Gemeinde in Nakuru für sie das Hotelzimmer im Stag's Head bezahlen mußten.

Jettel lernte, den kleinen Raum mit seiner kargen Einrichtung, ein auffälliger Kontrast zum Luxus der Aufenthaltsräume, als Schutz vor einer Welt zu empfinden, die ihr verschlossen war. Sie konnte sich mit keinem der Gäste unterhalten, kein Buch aus der Bücherei lesen und gab es nach einem einzigen Versuch auf, an den Radiosendungen teilzunehmen, die nach dem Dinner für die Gäste in Abendkleid und Smoking im Salon ausgestrahlt wurden. Nur zwei von ihren Kleidern paßten noch; ihre Haut wurde trocken und grau; sie hatte Mühe, ihre Haare in der kleinen Schüssel zu waschen, und ständig das Gefühl, sie müßte den übrigen Gästen ihren Anblick ersparen. So verließ sie ihr Zimmer nur zu den Mahlzeiten und zum täglichen Rundgang im Garten, den die Ärztin ihr bei jedem Besuch mit beschwörender Stimme und vielen Gesten verordnete.

»Babys need walks«, pflegte Dr. Arnold zu kichern, wann immer sie Jettels Bauch abtastete.

Sie hatte sich ein Leben lang auf die Natur und das körperliche Vermögen verlassen, sich selbst zu helfen, und ließ sich nie anmerken, daß Jettel ihr Sorgen machte. Die Ärztin kam jeden Mittwoch ins Stag's Head, brachte vier Briefmarken mit und legte ein englisch-italienisches Wörterbuch und die letzte Ausgabe der Sunday Post auf den wackeligen Tisch, obwohl sie schon bei der ersten Konsultation erkannt hatte, daß beide nutzlos waren.

Janet Arnold war eine warmherzige Frau, die schwach nach Whisky und intensiv nach Pferden roch und noch mehr Zuversicht als gute Laune ausstrahlte. Sie umarmte Jettel zur Begrüßung, lachte schallend bei der Untersuchung und streichelte ihr beim Weggehen den Bauch.

Jettel drängte es, der kleinen, rundlichen Frau in der abgetragenen Männerkleidung ihre Sorgen anzuvertrauen und mit ihr über den Verlauf einer Schwangerschaft zu sprechen, die sie nicht als normal empfand. Die Sprachbarriere war nicht zu überwinden.

Am besten glückte noch die Verständigung auf Suaheli, aber beide Frauen wußten, daß sich da der Wortschatz nur für werdende Mütter eignete, die ihre Kinder auch ohne ärztliche Hilfe zur Welt bringen konnten. So beschränkte sich Dr. Arnold, sobald sie glaubte, alles Wesentliche gesagt zu haben, auf Worte aus allen fremden Sprachen, die sie in ihrem abenteuerlichen Leben aufgeschnappt hatte. Immer wieder versuchte sie es mit Afrikaans und Hindi. Ebenso vergebens suchte sie Hilfe bei den gälischen Lauten ihrer Kindheit.

Als junge Ärztin hatte Janet Arnold zu Beginn des Ersten Weltkriegs einen deutschen Soldaten in Tanganyka versorgt. An ihn selbst erinnerte sie sich nicht mehr, aber in seinen verlöschenden Lebenstagen hatte er oft »verdammter Kaiser« gesagt. Die beiden Worte hatte sie gut genug behalten, um sie an Patienten auszuprobieren, von denen sie mutmaßte, sie würden aus Deutschland stammen. In vielen Fällen war so das lachende Einverständnis entstanden, das Dr. Arnold als Heilerfolg wertete. Es tat ihr leid, daß ausgerechnet Jettel, die sie so gern wenigstens einmal fröhlich erlebt hätte, überhaupt nicht auf ihre Muttersprache reagierte.

Für Jettel war die Erfahrung neu, mit niemandem Trauer und Verzweiflung teilen zu können, und doch vermißte sie die Ansprache, nach der sie auf der Farm gedürstet hatte, nicht mehr. Oft wunderte sie sich, daß ihr auch Walter so wenig fehlte und daß sie sogar froh war, ihn so weit weg in Ol' Joro Orok zu wissen. Sie spürte, daß seine Hilflosigkeit die ihrige nur vergrößert hätte. Um so mehr freute sie sich an seinen Briefen. Sie waren voll von einer Zärtlichkeit, die sie in unbeschwerten Jahren als Liebe empfunden hatte. Trotzdem grübelte sie, ob ihre Ehe je wieder mehr würde werden können als eine Schicksalsgemeinschaft.

Jettel glaubte nicht an ein gutes Ende ihrer Schwangerschaft. Noch immer lähmte sie der Schock im ersten Monat, als der Brief aus Breslau ihr alle Hoffnung für ihre Mutter und Schwester genommen hatte. Sie nahm den Kampf gegen die Vorahnung gar nicht erst auf, der Brief wäre ein Hinweis auf das Unheil, das ihr selbst drohte. Allein der Gedanke, sie solle neues Leben gebären, erschien ihr Hohn und Sünde.

Die Vorstellung ließ Jettel nicht mehr los, das Schicksal

habe ihr bestimmt, der Mutter in den Tod zu folgen. Dann stellte sie sich quälend genau Walter und Regina auf der Farm vor und wie sich beide plagten, den mutterlosen Säugling durchzubringen. Manchmal sah sie auch Owuor lachend das Kind auf seinen großen Knien schaukeln, und schreckte sie nachts auf, merkte sie, daß sie nach Owuor und nicht nach Walter gerufen hatte.

Drohten Angst und Fantasie sie zu erdrücken, verlangte es Jettel nur nach Regina, die sie so nah und doch unerreichbar wußte. Die Nakuru School und das Stag's Head waren nur vier Meilen voneinander entfernt, aber die Schulordnung gestattete es nicht, daß Regina ihre Mutter besuchte. Ebensowenig hätte sie Jettel erlaubt, ihre Tochter zu sehen. Nachts sah Jettel die Lichter der Schule auf dem Hügel brennen und klammerte sich an den Gedanken, Regina würde ihr aus einem der vielen Fenster zuwinken. Sie brauchte immer länger, um nach solchen Träumereien in die Realität zurückzukehren.

Auch Regina, die sich nie über die lange Trennung von den Eltern beklagt hatte, quälte sich. Fast täglich trafen im Hotel kurze, in unbeholfenem Deutsch geschriebene Briefe ein. Die Fehler und die ihr unverständlichen englischen Ausdrücke bewegten Jettel noch mehr als die in Blockschrift gemalte Bitten um Briefmarken. »Du must take care von dir«, stand am Anfang von jedem Brief, »that du nicht grang wirst.« Fast immer schrieb Regina: »Ich will dir besooken, aber ich erlaube es nicht. Wir sind hier soldiers.« Der Satz: »Ich freue mir auf das baby«, war stets mit roter Tinte unterstrichen, und oft hieß es: »Ich make wie Alexander the Great. Du must nicht have anst.«

Jettel erwartete die Briefe mit soviel Ungeduld, weil sie ihr tatsächlich Mut machten. Auf der Farm hatte es sie belastet, daß sie nur schwer Kontakt zu Regina fand, und nun waren ihr die Anhänglichkeit und Fürsorge ihrer Tochter einzige Stütze in ihrer Not. Jettel war es, als erlebe sie aufs neue die enge Verbindung zu ihrer Mutter. Jeder Brief machte ihr mehr bewußt, daß Regina mit ihren fast zehn Jahren kein Kind mehr war.

Nie stellte sie Fragen und begriff doch alles, was ihre Eltern bewegte. Hatte Regina nicht vor Walter gewußt, daß ihre Mutter schwanger war? Sie kannte sich mit Geburt und Tod aus und lief zu den Hütten, wenn eine Frau in Wehen lag, aber Jettel hatte nie den Mut gehabt, mit ihrer Tochter über die Dinge zu sprechen, die sie dort erlebte. Überhaupt hatte sie nur selten mit ihr ohne Befangenheit reden können, aber jetzt hatte sie den Drang, Regina ihre Sorgen anzuvertrauen.

Die Briefe an die Tochter fielen Jettel leichter als die an ihren Mann. Es wurde ihr Bedürfnis, ihren körperlichen Zustand genau zu schildern, und sehr bald empfand sie es als Befreiung, von ihrer seelischen Not zu schreiben. Wenn sie die Hotelbriefbögen mit ihrer großen, deutlichen Schrift füllte und sich die Blätter vor ihr stapelten, konnte sie noch einmal die zufriedene kleine Jettel aus Breslau sein, die beim geringsten Kummer nur eine Treppe hochzustürmen brauchte, um bei der Mutter Trost zu finden.

Ende Juli setzte der große Regen in Gilgil ein und ertränkte Jettels letzten Funken Hoffnung, Hahns könnten mit Walter bei ihr im Hotel auftauchen. In Nakuru kochten die Tage und auch die Nächte. Der Rasen im Hotelgarten verglühte in der verdursteten roten Erde, und die Vögel verstummten schon morgens. Die Luft vom salzigen See hatte eine so beißende Schärfe, daß ein zu tiefer Atemzug unvermittelt in Brechreiz überging. Schon um die Mittagszeit erstarb alles Leben.

Jeden Sonntag, wenn noch nicht einmal Aussicht auf Post von Regina bestand, kämpfte Jettel gegen die Versuchung, nicht aufzustehen, nichts zu essen und die Zeit im Schlaf herunterzuwürgen. Kaum war die Sonne am Himmel, wurde die feuchte Hitze so drückend, daß sie sich doch anzog und auf den Bettrand setzte. Dort konzentrierte sie sich nur darauf, jede unnötige Bewegung zu vermeiden. Stundenlang starrte sie auf die glatte Fläche des Sees, der kaum noch Wasser hatte, und wünschte sich nichts mehr, als ein Flamingo zu werden, der nur Eier auszubrüten hatte.

In dem Schwebezustand zwischen verdrossener Wachheit und unruhigem Dämmern war Jettel besonders empfänglich für Geräusche. Sie hörte die Hausboys den Ofen in der Küche anmachen, die Kellner im Speisesaal mit dem Besteck klappern, den kleinen Hund im Nebenzimmer winseln und jedes Auto, ehe es vor dem Hoteleingang haltmachte. Obwohl sie selten die Gäste sah, die mit ihr auf dem Flur wohnten, konnte sie deren Schritte, Stimmen und Husten unterscheiden. Chai, der barfüßige Kikuyu, der um elf Uhr morgens und fünf Uhr nachmittags den Tee servierte, brauchte noch nicht einmal die Türklinke zu Jettels Zimmer zu berühren, und sie wußte schon, daß er da war. Nur als Regina kam, hörte sie nichts.

Es war der letzte Juli-Sonntag, als Regina dreimal klopfte und dann sehr langsam die Tür aufmachte, und Jettel ihre Tochter anstarrte, als hätte sie sie nie zuvor gesehen. In dem gespenstischen Augenblick ohne Sinne und Gedächtnis, ohne Freude und ohne Reaktion, betäubt von der Unfähigkeit zu begreifen, überlegte Jettel nur, in welcher Sprache sie reden sollte. Schließlich erkannte sie das weiße Kleid und erinnerte sich, daß die Nakuru School weiße Kleider für den wöchentlichen Kirchgang verlangte.

Der indische Schneider, der in regelmäßigen Abständen nach Ol' Joro Orok kam und seine Nähmaschine unter einem Baum vor Patels Duka aufstellte, hatte es aus einer alten Tischdecke genäht. Er hatte sich die weißen Rüschen am Hals und an den Ärmeln nicht ausreden lassen und dafür drei Shilling extra genommen. Mit einem Mal erinnerte sich Jettel an jedes Wort des Gesprächs und wie Walter das Kleid gesehen und gesagt hatte: »Als Tischdecke in Redlichs Hotel hat es mir besser gefallen.«

Walters Stimme kam Jettel zu laut und sehr barsch vor, und sie setzte, sehr verärgert, zum Widerspruch an, doch die Worte klebten in ihrem Mund wie die alte, blaue Kittelschürze an ihrem Körper. Die Anstrengung war so groß, daß sich der Druck in ihrer Kehle löste und sie in Tränen ausbrach.

»Mummy«, rief Regina mit hoher, fremder Stimme. »Mama«, flüsterte sie in vertrauter Tonlage.

Sie atmete wie ein hetzender Hund, der nur die Beute sieht und nicht spürt, daß er sie schon verloren hat. Ihr Gesicht hatte das drohende Rot von nächtlich brennenden Wäldern. Schweiß lief von der Stirn durch eine feine Schicht von rötlichem Staub. Dunkel tropfte die Nässe aus dem Haar auf das weiße Kleid.

»Regina, du mußt ja gerannt sein wie der Teufel. Wo kommst du bloß her? Wer hat dich hergebracht? Um Gottes willen, was ist passiert?«

»Ich hab' mich hergebracht«, sagte Regina und kaute am Genuß, daß ihre Stimme wieder fest genug war, um den Stolz zu halten. »Ich bin auf dem Weg zur Church weggelaufen. Und das mache ich jetzt jeden Sonntag.«

Zum erstenmal, seit sie im Stag's Head wohnte, spürte Jettel, daß Kopf und Körper noch zu gleicher Zeit leicht werden konnten, aber noch immer fiel ihr das Sprechen schwer. Reginas Schweiß roch süß und steigerte Jettels Verlangen, nichts als den dampfenden Körper ihrer Tochter zu fühlen und ihr Herz schlagen zu hören. Sie öffnete den Mund zu einem Kuß, doch ihre Lippen zitterten.

»Ich hab' mein Herz in Heidelberg verloren«, begann Regina und brach befangen ab. Sie konnte den einfachsten Ton nicht treffen und wußte es. »Owuors Lied«, sagte sie, »aber ich kann nicht so schön singen wie er. Ich bin nicht so klug wie Owuor. Weißt du noch, wie er in der Nacht zu uns kam? Mit Rummler. Und Papa hat geweint.«

»Du bist klug und gut«, sagte Jettel.

Regina gönnte sich nur die Zeit, die ihre Ohren brauchten, um die streichelnden Worte für immer zu behalten. Dann setzte sie sich zu ihrer Mutter aufs Bett, und beide schwiegen. Sie hielten sich aneinander fest und warteten geduldig darauf, daß aus dem Glück des Wiedersehens Freude wurde.

Jettel hatte noch immer nicht den Mut zu den Worten, die in ihr waren, aber sie konnte schon zuhören. Sie ließ sich erzählen, mit welcher Beharrlichkeit und Sehnsucht

Regina den Ausbruch geplant und wie sie sich von der Gruppe der übrigen Mädchen getrennt hatte und auf das Hotel zugelaufen war. Es war eine lange und verwirrend umständliche Geschichte, die Regina mit der von Owuor erlernten Kunst der Wiederholungen immer wieder im gleichen Wortlaut vortrug und der Jettel trotz aller Bemühungen nicht folgen konnte. Sie merkte, daß ihr Schweigen Regina zu enttäuschen begann und war um so erschrockener, als sie sich fragen hörte: »Warum freust du dich so auf das Baby?«

»Ich brauche es.«

»Warum brauchst du ein Baby?«

»Dann bin ich nicht allein, wenn du und Papa tot sind.«

»Aber, Regina, wie kommst du auf so was? So alt sind wir doch nicht. Warum sollten wir sterben? Wer hat dir bloß so einen Unsinn eingeredet?«

»Deine Mutter stirbt doch auch«, erwiderte Regina und zerbiß das Salz in ihrem Mund. »Und Papa hat mir gesagt, daß sein Vater auch stirbt. Und Tante Liesel. Aber er hat gesagt, ich darf dir das nicht sagen. I'm so sorry.«

»Deine Großeltern und deine Tanten«, schluckte Jettel, »sind nicht mehr aus Deutschland herausgekommen. Das haben wir dir doch erklärt. Aber uns kann nichts passieren. Wir sind doch hier. Alle drei.«

»Vier«, verbesserte Regina und schloß zufrieden die Augen, »bald sind wir vier.«

»Ach, Regina, du weißt ja gar nicht, wie schwer es ist, ein Kind zu bekommen. Als du kamst, war alles anders. Ich werde nie vergessen, wie dein Vater durch die Wohnung getanzt ist. Jetzt ist alles so schrecklich.«

»Ich weiß«, nickte Regina. »Ich war bei Warimu dabei. Warimu ist fast gestorben. Das Baby kam mit den Füßen aus ihrem Bauch. Ich durfte mitziehen.«

Jettel drückte mit hastigen Bewegungen den Ekel zurück in ihren Magen. »Und du hast keine Angst gehabt?« fragte sie.

»Aber nein«, erinnerte sich Regina und überlegte, ob ihre Mutter einen Scherz gemacht habe. »Warimu hat ganz laut geschrien, und das hat ihr geholfen. Sie hat auch keine Angst gehabt. Nobody hatte Angst.«

Das Bedürfnis, Regina wenigstens ein kleines Stück von jener Geborgenheit zurückzugeben, die sie ihr zu lange vorenthalten hatte, wurde für Jettel zu einer Qual, die schwerer auszuhalten war als die Erkenntnis ihrer Niederlage. Regina erschien ihr so wehrlos, wie sie selbst war.

»Ich werde keine Angst haben«, sagte sie.

»Versprich mir das.«

»Ganz fest.«

»Du mußt es noch einmal sagen. Alles mußt du noch einmal sagen«, drängte Regina.

»Ich verspreche dir, daß ich keine Angst haben werde, wenn das Baby kommt. Ich habe nie gewußt, daß dir ein Baby so wichtig ist. Ich glaube nicht, daß sich andere Kinder so auf Geschwister freuen wie du. Weißt du«, erklärte Jettel und flüchtete zum nie versagenden Trost ihrer Erinnerungen, »ich habe mich immer so mit meiner Mutter unterhalten wie jetzt mit dir.«

»Du warst auch nicht in der Boarding School.«

Jettel versuchte, sich ihre Trauer nicht anmerken zu lassen, als sie in die Wirklichkeit zurückgeholt wurde. Sie stand auf und umarmte Regina. »Was ist«, fragte sie verlegen, »wenn die merken, daß du weggelaufen bist? Bekommst du keine Strafe?«

»Doch, aber I don't care.«

»Heißt das, es macht dir nichts aus?«

»Ja. Es macht mir nichts aus.«

»Aber kein Kind will bestraft werden!«

»Ich will«, lachte Regina. »Weißt du, wenn wir eine Strafe haben, müssen wir Gedichte lernen. Ich liebe Gedichte.«

»Ich habe auch gern Gedichte aufgesagt. Wenn wir wieder alle zusammen auf der Farm sind, sage ich dir Schillers Glocke auf. Die kann ich noch.«

»Ich brauche Gedichte.«

»Wozu?«

»Vielleicht«, erklärte Regina, ohne zu merken, daß sie

ihre Stimme auf Safari geschickt hatte, »muß ich mal ins Gefängnis. Dann werden sie mir alles fortnehmen. Meine Kleider, mein Essen und meine Haare sind dann weg. Sie werden mir auch keine Bücher geben, aber die Gedichte werden sie nicht bekommen. Die sind in meinem Kopf. Wenn ich sehr traurig bin, werde ich mir meine Gedichte sagen. Ich habe mir das alles genau ausgedacht, aber das weiß niemand. Auch Inge weiß nichts von meinen Gedichten. Wenn ich das erzähle, geht der Zauber weg.«

Obwohl sie schneidende Schmerzen im Rücken und auch beim Atmen hatte, hielt Jettel ihre Tränen in sich, bis Regina gegangen war. Dann drückte sie ihre Trauer so heftig an sich wie zuvor ihre Tochter. Sie wartete fast mit Verlangen auf die Verzweiflung, deren Vertrautheit sie stützen würde. Staunend und auch mit einer Demut, die sie zuvor nie empfunden hatte, wurde ihr aber bewußt, daß der Wille zu ihr gekommen war, sich dem Leben zu stellen. Für Regina, die ihr den Weg gezeigt hatte, war Jettel entschlossen zu kämpfen. Es war nur noch der körperliche Schmerz, der sie in den Schlaf begleitete.

In der Nacht setzten, vier Wochen zu früh, die Wehen ein, und am nächsten Morgen sagte ihr Janet Arnold, daß das Kind tot war.

Der letzte Tag ohne die Memsahib war für Owuor süß wie der Saft von jungem Zuckerrohr und nicht länger als eine Nacht im vollen Mondlicht. Schon kurz nach Sonnenaufgang ließ er Kania die Bretter zwischen dem Ofen, Schrank und dem neu geschichteten Holzstapel mit kochendem Wasser schrubben. Kamau mußte alle Töpfe, Gläser und Teller und auch den von der Memsahib geliebten kleinen roten Wagen mit den winzigen Rädern in heiße Seifenlauge tauchen. Jogona badete den Hund so lange, bis er wie ein kleines weißes Schwein aussah. Kimani willigte auf Owuors Drängen noch zur rechten Zeit ein, mit seinen Schambaboys dafür zu sorgen, daß die Geier die Dornenbäume vor dem Haus freigaben. Owuor hatte mit dem Bwana nicht über die Geier gesprochen, aber sein Kopf sagte ihm, daß da weiße Frauen bestimmt nicht anders waren als schwarze. Wer den Tod gesehen hatte, wollte die Flügel der Geier nicht schlagen hören.

Owuor rieb mit einem Tuch, das so weich war wie der Stoff am Hals seines schwarzen Umhangs, den langen Kochlöffel ab und hörte erst auf, als ihn seine eigenen Augen im glänzenden Metall anblickten. Sie tranken bereits die Freude von den Tagen, die noch nicht gekommen waren. Es war gut, daß der Löffel bald wieder für die Memsahib in der dicken braunen Soße aus Mehl, Butter und Zwiebeln tanzen durfte. Während Owuor seine Nase mit dem Geruch von Freuden aufweckte, die sie zu lange hatte entbehren müssen, kehrte Zufriedenheit zu ihm zurück.

Es war nicht mehr so leicht wie in den gestorbenen Tagen von Rongai, für den Bwana allein zu arbeiten. Wenn er allein auf der Farm war, ließ er die Suppe kalt und den Pudding grau werden. Seine Zunge wußte nicht mehr, sich am Geschmack vom Brot festzuhalten, das aus dem Ofen kam. An dem bösen Tag, als die Memsahib mit dem

Kind im Bauch nach Nakuru gebracht wurde, hatten die Augen vom Bwana aufgehört, sein Herz wachzutrommeln. Von da ab hatte er sich wie ein alter Mann bewegt, der nur noch auf die Rufe seiner schreienden Knochen wartet und die Stimme von Mungo nicht mehr hört.

In den Tagen zwischen der großen Trockenheit und dem Tod des Kindes hatte Owuor gedacht, der Bwana hätte keinen Gott, der seinen Kopf führte wie ein guter Hirte sein Ochsengespann, aber seit kurzem wußte Owuor, daß er sich da getäuscht hatte. Als der Bwana ihm von seinem toten Kind erzählte, war er es und nicht Owuor, der »Schauri ja mungo« sagte. Owuor hätte ebenso gesprochen, wenn ihm der Tod die Zähne gezeigt hätte wie ein verhungernder Löwe einer fliehenden Gazelle. Nur, fand Owuor, mußte ein Mensch Mungo nicht für ein Kind aus dem Schlaf holen. Für Kinder sorgte nicht Gott, sondern der Mann, der sie brauchte.

Selbst in der Erwartung des Tages, der das alte Leben ins Haus und in die Küche zurückbringen sollte, seufzte Owuor bei dem Gedanken, daß der Bwana nicht klug genug war, im Schlaf das Salz in seiner Kehle auszutrocknen. Ohne die Memsahib und seine Tochter machte der Bwana seine Ohren nur für das Radio frei. In den Wochen, da er dem Bwana hatte helfen wollen zu leben und nicht gewußt hatte wie, war Owuor müde geworden. Sein Rücken hatte zu schwer an der fremden Last getragen. So genoß er nun den Tag, an dem er sich nur um die kleine Memsahib zu kümmern hatte, wie ein Mann, der zu lange und zu schnell gelaufen ist und am Ziel nichts anderes tun muß, als sich unter einen Baum zu legen und den Wolken bei ihrer schönen Jagd ohne Beute zuzuschauen.

»Es ist gut«, sagte er und bohrte mit dem linken Auge ein Loch in den Himmel.

»Es ist gut«, wiederholte Regina und verwöhnte Owuor mit den weichen Lauten seiner Muttersprache.

Auch sie empfand den Tag vor Jettels Rückkehr anders als alle, die gewesen waren und die noch kommen würden. Sie saß am Rande des Flachsfeldes, das seine dünne

Decke aus blauen Blüten im Wind ausschüttelte, und rührte mit den Füßen im zähen, roten Schlamm. Er machte den Körper warm und trieb jene angenehme Schläfrigkeit in den Kopf, die sie sich nur dann im gleißenden Tageslicht erlauben durfte, wenn sie allein mit Owuor war. Doch war Regina immer noch wach genug, um mit halb geschlossenen Augen zu verfolgen, wie aus ihren Gedanken kleine, bunte Kreise wurden, die der Sonne entgegenflogen.

Es war gut, daß ihr Vater schon am Tag zuvor mit Hahns nach Nakuru gefahren war. Während des großen Regens wurden die Straßen zu weichen Betten von Lehm und Wasser; aus einer Reise, die in den durstenden Monaten nur drei Stunden dauerte, wurde dann eine Safari, an der die Nacht kratzte. Mit trägen Bewegungen zog Regina ihre Bluse aus, holte eine Mango aus ihrer Hosentasche und biß hinein, doch ihr Herz schlug schnell, als ihr aufging, daß sie dabei war, das Schicksal herauszufordern. Sollte es ihr gelingen, die Mango zu essen, ohne einen Tropfen Saft zu verlieren, wollte sie dies als Zeichen sehen, daß Mungo noch an diesem Tag oder wenigstens am nächsten ein Wunder geschehen lassen würde.

Regina war erfahren genug, dem großen unbekannten und ihr doch so vertrauten Gott nicht die Form seiner Wohltat vorzuschreiben. Sie machte ihren Kopf fügsam und verschluckte das Verlangen in ihrem Körper, doch es kostete sie zuviel Kraft, ihren Wünschen das Gesicht zu nehmen. Sie vergaß die Mango. Als sie den warmen Saft auf ihrer Brust spürte und dann auch sah, daß ihre Haut gelb wurde, wußte sie, daß Mungo sich gegen sie entschieden hatte. Er war noch nicht bereit, ihr Herz aus seinem Gefängnis zu befreien.

Sie hörte einen kleinen jammernden Laut, der nur aus ihrem Mund stammen konnte, und schickte sofort ihre Augen zum Berg, damit Mungo ihr nicht zürnte. Regina hatte die Trauer um das verlorene Baby so wütend vertrieben wie ein Hund die Ratte, die sich an seinem vergrabenen Knochen festgebissen hat. Ratten ließen sich jedoch nie lange vertreiben. Sie kamen immer wieder. Reginas

Ratte ließ sie nur manchmal am Tag, aber nachts nie vergessen, daß es auch in Zukunft sie allein war, die die hungrigen Herzen ihrer Eltern mit Stolz füttern mußte.

Regina wußte, daß ihre Mutter anders war als die Frauen von den Hütten. Wenn bei denen ein Kind starb, war die Zeit nicht länger als zwischen der kleinen und der großen Regenzeit, ehe der Bauch wieder dick wurde. Bei dem Gedanken, wie lange es dauern würde, ehe sie sich wieder auf ein Baby freuen durfte, biß Regina fest in den Kern der Mango und lauerte auf das Knirschen im Mund. Wenn erst die Zähne schmerzten, konnte der Kopf das Böse nicht halten. Die Traurigkeit kam aber sofort zurück, als Regina an ihre Eltern dachte.

Deren Ohren hatten keine Freude am Regen, und ihre Füße wußten nichts vom neuen Leben im Tau des Morgens. Von Sohrau sprach der Vater, wenn er mit Worten schöne Bilder malte, von Breslau die Mutter, wenn ihre Träume auf Safari gingen. Von Ol' Joro Orok, das Regina in der Schule »home« und in den Ferien »Zuhause« nannte, sahen beide nur die schwarzen Farben der Nacht und nie die Menschen, die nur beim Lachen ihre Stimme laut werden ließen.

»Du wirst sehen«, sagte sie zu Rummler, »die machen kein neues Baby.«

Als Reginas Stimme ihn wach machte, schüttelte der Hund sein rechtes Ohr, als hätte ihn eine Fliege gestört. Er öffnete die Schnauze so lange, daß ihm der Wind die Zähne zu kalt machte, bellte einmal und zuckte am ganzen Körper, weil ihn das Echo erschreckte.

»Du bist ein dummes Luder, Rummler«, lachte Regina, »du kannst nichts im Kopf halten.« Verlangend rieb sie ihre Nase an seinem nassen Fell, das in der Sonne dampfte, und spürte, daß sie endlich ruhig wurde.

»Owuor«, erklärte sie, »du bist klug. Es ist gut, einen feuchten Hund zu riechen, wenn man nasse Augen hat.«

»Du hast sein Fell mit den Augen naß gemacht«, sagte Owuor. »Jetzt werden wir beide schlafen.«

Die Schatten waren so dünn und kurz wie eine junge

Eidechse, als Regina am nächsten Tag die Lockrufe eines schwer atmenden Motors hörte. Sie hatte viele Stunden am Waldrand gesessen und dem Trommeln gelauscht, die Dik-Diks beobachtet und eine Affenmutter mit einem Kind unter dem Bauch beneidet. Als sie aber den ersten, noch sehr fernen Ton einfing, schaffte sie die Strecke bis zum aufgeweichten Weg doch noch rechtzeitig genug, um für das letzte Stück der Fahrt auf das Trittbrett zu springen.

Oha saß am Steuer und roch nach seinem selbstangebauten Tabak, neben ihm Jettel mit dem Duft von scharfer Krankenhausseife. Hinten saßen Lilly, Walter und Manjala, von dem sich Hahns in der Regenzeit nie trennten, weil er besser als jeder andere mit Autos umgehen konnte, die im Schlamm steckten. Der kleine weiße Pudel heulte, obwohl es nicht Abend war und Lilly noch kein Lied in der Kehle hatte.

Regina brauchte die kurze Fahrt im aufkommenden Wind, um ihre Sinne zu schärfen und die Augen an ihre Mutter zu gewöhnen. Sie erschien ihr anders als vor den Tagen, ehe die große Traurigkeit auf die Farm gekommen war. Jettel wirkte wie die schlanken, englischen Mütter, die kaum redeten und ihr Lächeln zwischen den Lippen behielten, wenn sie zu Beginn der Ferien ihre Kinder in der Schule abholten. Ihr Gesicht war rundlicher, die Augen so ruhig geworden wie die von satten Kühen. Die Haut hatte wieder den schimmernden Hauch von einer Farbe, die Regina in keiner der Sprachen beschreiben konnte, die sie kannte, obwohl sie es immer wieder versuchte.

Als der Wagen anhielt, standen Owuor und Kimani vor dem Haus. Kimani sagte nichts und bewegte auch sein Gesicht nicht, aber er roch nach frischer Freude. Owuor zeigte erst seine Zähne und rief dann: »Du Arschloch«, sehr deutlich und genau, wie es ihm der Bwana zur Begrüßung von Besuchern beigebracht hatte. Es war ein guter Zauber. Obwohl der Bwana aus Gilgil ihn kannte, lachte er laut genug für ein Echo, das nicht nur Owuors Ohren, sondern seinen ganzen Körper heiß machte.

»Du bist schön«, wunderte sich Regina. Sie küßte ihre

Mutter und zeichnete mit den Fingern die Wellen in ihrem Haar nach. Jettel lächelte verlegen. Sie rieb ihre Stirn, sah scheu das Haus an, aus dem sie sich so oft fortgesehnt hatte, und fragte schließlich, immer noch befangen, jedoch ohne Zittern in der Stimme: »Bist du sehr traurig?«

»Aber nein. Weißt du, wir können ja mal ein neues Baby machen. Irgendwann«, sagte Regina und versuchte zu zwinkern, doch ihr rechtes Auge blieb zu lange offen, »wir sind ja alle noch so jung.«

»Regina so etwas darfst du Mama jetzt nicht sagen. Wir müssen beide dafür sorgen, daß sie sich erst mal erholt. Sie war sehr krank. Verdammt noch mal, ich hab's dir doch genau erklärt.«

»Laß sie nur«, widersprach Jettel, »ich weiß schon, wie sie's meint. Eines Tages machen wir ein neues Baby, Regina. Du brauchst ja ein Baby.«

»Und Gedichte«, flüsterte Regina.

»Und Gedichte«, bestätigte Jettel ernst, »du siehst, ich habe nichts vergessen.«

Das Feuer am Abend roch nach dem großen Regen, aber das Holz mußte schließlich seinen Kampf aufgeben und wurde zu einer Flamme voll Farbe und Wut. Oha hielt seine Hände vor die Glut, drehte sich plötzlich um, obwohl ihn niemand gerufen hatte, umarmte Regina und hob sie hoch.

»Wie kommt ihr beide bloß zu so einem hellsichtigen Kind?« fragte er.

Regina trank so lange die Aufmerksamkeit seiner Augen, bis sie ihre Haut warm und ihr Gesicht rot werden fühlte. »Aber«, sagte sie und zeigte zum Fenster, »es ist doch schon dunkel.«

»Bist eine kleine Kikuyu, Madamche«, erkannte Oha, »immer schön wortklauberisch. Du würdest eine schöne Juristin abgeben, aber das wird dir das Schicksal hoffentlich nicht antun.«

»Nein, nicht Kikuyu«, widersprach Regina, »ich bin Jaluo.« Sie schaute zu Owuor hin und fing den kleinen schnalzenden Ton auf, den nur sie beide hören konnten.

Owuor hielt ein Tablett in einer Hand und streichelte mit der anderen gleichzeitig Rummler und den kleinen Pudel. Später brachte er den Kaffee in der großen Kanne, die er nur an guten Tagen füllen durfte, und servierte die winzigen Brötchen, für die ihn sein erster Bwana schon gelobt hatte, als er noch nicht Koch gewesen war und nichts von weißen Menschen gewußt hatte, die schönere Scherze als die eigenen Stammesbrüder aus dem Kopf holten.

»So kleine Brote«, rief Walter und schlug mit der Gabel gegen seinen Teller. »Wie machen so große Hände so kleine Brote? Owuor, du bist der beste Koch in Ol' Joro Orok. Und heute abend«, fuhr er fort und wechselte zu Owuors Enttäuschung die Sprache, »trinken wir eine Flasche Wein.«

»Und du läufst zum Kaufmann an der Ecke und holst sie«, lachte Lilly.

»Mein Vater hat mir zum Abschied zwei Flaschen mitgegeben. Die sollten für einen besonderen Anlaß sein. Wer weiß, ob wir je dazu kommen, die zweite aufzumachen. Die erste trinken wir heute, weil der liebe Gott uns Jettel gelassen hat. Manchmal hat er halt auch Zeit für bloody Refugees.«

Regina schob Rummlers Kopf von ihren Knien, lief zu ihrem Vater und drückte seine Hand so fest, daß sie die Spitzen seiner Nägel fühlen konnte. Sie bewunderte ihn sehr, weil er zu gleicher Zeit Lachen aus seiner Kehle und Tränen aus seinen Augen lassen konnte, und sie wollte ihm das auch sagen, aber ihre Zunge war zu schnell, und sie fragte statt dessen: »Muß man bei Wein weinen?«

Sie tranken ihn aus farbigen Likörgläsern, die auf dem großen Tisch aus Zedernholz wie Blumen aussahen, die zum erstenmal nach dem Regen auf Bienen warten. Owuor bekam einen kleinen blauen Kelch, Regina einen roten. Zwischen den winzigen Schlucken, die sie in den Hals gleiten ließ, hielt sie das Glas gegen das zitternde Licht der Petromaxlampe und verwandelte es in den funkelnden Palast der Feenkönigin. Sie verschluckte ihre

Traurigkeit bei dem Gedanken, daß sie niemandem davon erzählen konnte, doch sie war fast sicher, daß es in Deutschland keine Feen gab. Bestimmt wohnten keine in Sohrau, Leobschütz oder Breslau. Ihre Eltern hätten das sonst wenigstens in den Tagen erwähnt, als sie noch wirklich an Feen glaubte.

»Woran denkst du, Regina?«

»An eine Blume.«

»Eine richtige Weinkennerin«, lobte Oha.

Owuor steckte immer nur seine Zunge ins Glas, damit er den Wein zwar schmecken, aber auch behalten konnte. Er hatte noch nie Süße und Säure zu gleicher Zeit im Mund gehabt. Die Ameisen auf seiner Zunge wollten eine längere Geschichte aus dem neuen Zauber machen, doch Owuor wußte nicht, wie er sie anfangen sollte.

»Das sind«, fiel ihm schließlich ein, »die Tränen von Mungo, wenn er lacht.«

»An Assmannshausen denk ich gern zurück«, erinnerte sich Oha und drehte das Etikett der Flasche zum Licht. »Wir sind oft am Sonntag nachmittag dort gewesen.«

»Einmal zu oft«, sagte Lilly. Ihre Hand war eine winzige Kugel. »Vielleicht erinnerst du dich, daß wir ausgerechnet von unserer gemütlichen Weinstube aus zum erstenmal die SA marschieren sahen. Ich höre sie heute noch grölen.«

»Hast recht«, erwiderte Oha versöhnlich, »man soll nicht zurückschauen. Manchmal überkommt es einen eben. Auch mich.«

Walter und Jettel stritten mit alter Lust und neuer Freude, ob die Gläser ein Verlobungsgeschenk von Tante Emmy oder Tante Cora waren. Sie konnten sich nicht einigen und danach auch wieder einmal nicht klären, ob es am letzten Abend in Leobschütz bei Guttfreunds Karpfen mit Meerrettich oder mit polnischer Soße gegeben hatte. Sie waren mit zuviel Eifer dabei und merkten zu spät, daß sie sich zu weit zurückgetraut und es dann schwer hatten, ihre Gedanken nicht auszusprechen. Die letzte Karte von Guttfreunds stammte vom Oktober 1938.

»Sie war doch so tüchtig und wußte immer einen Ausweg«, erinnerte sich Jettel.

»Auswege«, erwiderte Walter leise, »gibt es nicht mehr. Nur Wege ohne Umkehr.«

Die Sucht nach der Vergangenheit ließ sich aber nicht mehr stillen. »Wahrscheinlich weißt du auch nicht«, fragte Jettel triumphierend, »wo diese grüne Tischdecke herkommt? Da machst du mir nichts vor. Von Bilschofski.«

»Nein. Vom Wäschehaus Weyl.«

»Mutter hat immer nur bei Bilschofski gekauft. Und die Decke stammt aus meiner Aussteuer. Willst du das vielleicht auch bestreiten?«

»Quatsch. Die lag bei uns im Hotel. Auf dem Spieltisch, wenn er nicht benutzt wurde. Und Liesel hat immer bei Weyl gekauft, wenn sie in Breslau war. Komm, Jettel, laß gut sein«, schlug Walter mit einer plötzlichen Entschlossenheit vor, die allen auffiel, und griff nach seinem Glas. Seine Hand zitterte.

Er hatte Angst, Jettel anzuschauen. Er wußte nicht mehr, ob sie je vom Tod Siegfried Weyls erfahren hatte. Der alte Mann, der sich geweigert hatte, auch nur an Auswanderung zu denken, war drei Wochen nach seiner Verhaftung im Gefängnis gestorben. Walter ertappte sich bei dem Bemühen, sich das Gesicht zu der Tragödie vorzustellen, er sah jedoch nur die dunkle Holztäfelung vom Geschäft und die Monogramme, die Liesel dort immer in die Hotelwäsche hatte sticken lassen. Die weißen Buchstaben waren zunächst überdeutlich, doch dann verwandelten sie sich in rote Schlangen.

Walter hatte seit seiner Ankunft in Kenia keinen Alkohol mehr getrunken. Er merkte, daß selbst die winzige Menge Wein ihn benommen machte, und massierte seine pochenden Schläfen. Seine Augen hatten Mühe, die Bilder zu halten, die sich ihm aufdrängten. Wenn die Holzbalken im Kamin krachend auseinanderbrachen, hörte er die Lieder aus der Studentenzeit und schaute immer wieder Oha an, um mit ihm den berauschenden Klang zu teilen. Der stopfte seine Pfeife und beobachtete mit grotesker Aufmerksamkeit die Laufbewegungen, die der kleine weiße Pudel im Schlaf machte.

Jettel schwärmte immer noch von Bilschofskis feiner Tischwäsche. »Es gab überhaupt keine bessere Adresse in Breslau für Damast«, erzählte sie. »Die weiße Decke für zwölf Personen mit den passenden Servietten hat Mutter extra anfertigen lassen.«

Auch Lilly war bei ihrer Aussteuer. »Wir haben sie in Wiesbaden gekauft. Erinnerst du dich an das schöne Geschäft in der Luisenstraße«, fragte sie ihren Mann.

»Nein«, sagte Oha und sah in die Dunkelheit hinaus, »ich wäre noch nicht mal drauf gekommen, daß es in Wiesbaden eine Luisenstraße gegeben hat. Wenn ihr so weitermacht, können wir auch gleich ›Du schöner deutscher Rhein‹ singen. Oder möchten sich die Damen vielleicht lieber in den Salon zurückziehen und diskutieren, was sie zur nächsten Theaterpremiere anziehen.«

»Genau richtig! Oha und ich können dann in Ruhe unsere wichtigsten juristischen Fälle rekapitulieren.«

Oha nahm die Pfeife aus dem Mund. »Das ist ja«, sagte er mit einer Heftigkeit, die ihn selbst erschreckte, »noch schlimmer als Karpfen mit polnischer Soße. Ich kann mich an keinen einzigen meiner Prozesse erinnern. Dabei soll ich ein ganz guter Anwalt gewesen sein. Hat man gesagt. Aber das war in einem anderen Leben.«

»Mein erster Fall«, erzählte Walter, »war Grescheck gegen Krause. Es ging um fünfzig Mark, aber das war Greschek egal. Er war ein richtiger Prozeßhansel. Wenn der nicht gewesen wäre, hätte ich schon 1933 meine Praxis zumachen können. Kannst du dir vorstellen, daß Greschek mich bis Genua begleitet hat? Wir haben uns den Friedhof dort angeguckt. Es war genau das Richtige für mich.«

»Hör auf! Bist du denn total verrückt? Noch keine Vierzig und lebst nur in der Vergangenheit. Carpe diem. Hast du das nicht in der Schule gelernt? Und nicht fürs Leben?«

»Das war einmal. Hitler hat es nicht erlaubt.«

»Du«, sagte Oha, und Teilnahme machte seine Stimme

wieder sanft, »läßt es zu, daß er dich umbringt. Hier, mitten in Kenia, bringt er dich um. Bist du dafür davongekommen? Mensch, Walter, werd endlich heimisch in diesem Land! Du dankst ihm alles. Vergiß deine Tischwäsche, deine blöden Karpfen, die ganze verfluchte Juristerei und wer du warst. Vergiß endlich dein Deutschland. Nimm dir ein Beispiel an deiner Tochter.«

»Sie hat auch nicht vergessen«, widersprach Walter und genoß jene Erwartung, die allein sein Gemüt zu beleben wußte.

»Regina«, rief er gut gelaunt, »kannst du dich noch an Deutschland erinnern?«

»Ja«, sagte Regina schnell. Sie nahm sich nur die Zeit, die sie tatsächlich brauchte, um ihre Fee zurück in das rote Likörglas zu geleiten. Die Aufmerksamkeit, mit der sie alle anschauten, machte sie jedoch unsicher, und gleichzeitig spürte sie den Druck, ihren Vater nicht zu enttäuschen.

Regina stand auf und stellte ihr Glas auf den Tisch. Die Fee, die nur Englisch sprach, zupfte sie am Ohr. Das leise Klirren half ihr weiter. »Ich weiß noch, wie die Fenster kaputtgegangen sind«, sagte sie und freute sich am Staunen im Gesicht ihrer Eltern, »und wie sie alle Stoffe auf die Straße gewerft haben. Und wie die Leute gespuckt haben. Und ein Feuer gab es auch. Ein ganz großes.«

»Aber, Regina. Das hast du doch gar nicht erlebt. Das war doch Inge. Wir waren doch damals gar nicht mehr zu Hause.«

»Laß mal«, sagte Oha. Er zog Regina zu sich heran. »Hast ganz recht, mein Mädchen. Bist die einzig Kluge in diesem Verein. Außer Owuor und den Hunden. Von Deutschland brauchst du dir wirklich nicht mehr zu merken als einen Haufen Scherben und Flammen. Und Haß.«

Regina hatte sich gerade vorgenommen, das Lob durch eine Frage zu strecken, die sie zwischen kleinen, aber doch nicht zu kurzen Pausen aus ihrem Mund lassen wollte. Da sah sie die Augen ihres Vaters. Sie waren so feucht wie die eines Hundes, der zu lange bellt und den erst Erschöpfung dazu bringt, seine Schnauze wieder zuzumachen. Rummler schrie so, wenn er mit dem Mond kämpfte. Regina hatte sich angewöhnt, ihm zu helfen, ehe die Angst seinen Körper zum Stinken brachte.

Der Gedanke, daß ihr Vater sich nicht so leicht trösten ließ wie ein Hund, schob einen Stein in Reginas Kehle, aber sie rollte ihn mit all ihrer Kraft fort. Es war gut, daß sie gelernt hatte, aus Seufzern rechtzeitig Husten zu machen.

»Deutsche darfst du nicht hassen«, sagte sie und setzte sich auf Ohas Knie, »nur Nazis. Weißt du, wenn Hitler den Krieg verloren hat, fahren wir alle nach Leobschütz.«

Es war Oha, der zu laut atmete. Obwohl Regina es nicht wollte, lachte sie, weil er so gar nichts von dem Zauber wußte, Kummer in Laute zu verwandeln, die nichts von den Dingen verrieten, die nur der eigene Kopf wissen durfte.

10

Ehe der Bwana vor vier Regenzeiten auf die Farm gekommen war, hatte Kimani kaum etwas über die Dinge erfahren, die jenseits der Hütten geschahen, in denen seine zwei Frauen, sechs Kinder und sein alter Vater lebten. Es war ihm genug gewesen, über Flachs, Pyrethrum und die Bedürfnisse seiner Schambaboys Bescheid zu wissen, für die er verantwortlich war. Die Mesungu mit den hellen Haaren und der sehr weißen Haut, denen Kimani vor diesem schwarzhaarigen Bwana aus dem fremden Land begegnet war, lebten alle in Nairobi. Sie hatten mit ihm nur über neu anzulegende Felder und Holz für die Hütten, den Regen, die Ernten und das Geld für die Löhne gesprochen. Wenn sie auf ihre Farmen kamen, gingen sie jeden Tag auf die Jagd und verschwanden, ohne Kwaheri zu sagen.

Der Bwana, der aus Worten Bilder machte, war nicht wie sie, die nur ihre eigene Sprache kannten und jene Brocken Suaheli, die sie brauchten und die sie mit einer Zunge laut werden ließen, die zwischen den Zähnen stolperte. Mit dem Bwana, der ihm nun viele von den hellen Stunden des Tages schenkte, konnte Kimani besser reden als mit seinen Brüdern. Der war ein Mann, der sehr oft seine Augen schlafen ließ, auch wenn sie offen waren. Er nutzte lieber Ohren und Mund.

Mit den Ohren fing er die Spuren für den Weg auf, den Kimani zuvor noch nie gegangen war und nach dem es ihn jeden Tag aufs neue verlangte. Ließ der Bwana sein Kinanda reden, hatte er die Geschicklichkeit eines Hundes, der am stillen Tag jene geheimnisvollen Töne herbeiholt, die Menschen nicht hören können. Anders aber als ein Hund, der Laute ebenso für sich behält wie einen vergrabenen Knochen, teilte der Bwana mit Kimani die Freude an den Schauris, die er aufspürte.

Im Lauf der Zeit hatte sich eine Gewohnheit entwickelt,

auf die ebensoviel Verlaß war wie auf die Sonne eines Tages und den Topf mit dem warmen Poscho am Abend. Nach dem morgendlichen Rundgang um die Schambas setzten sich beide Männer, ohne daß sie deshalb nur den Mund aufzumachen brauchten, an den Rand des größten Flachsfeldes und ließen den blendend weißen, hohen Hut vom großen Berg mit ihren Augen spielen. Sobald das lange Schweigen Kimani schläfrig machte, wußte er, daß der Bwana dabei war, seinen Kopf auf die große Safari zu schicken.

Es war gut, still dazusitzen und die Sonne zu schlucken; noch besser war es, wenn der Bwana von den Dingen berichtete, die ein Zittern, leicht wie die Tropfen in der letzten Stunde des Tages, zwischen seine Finger schob. Dann hatten die Gespräche einen so großen Zauber wie die verdurstete Erde nach der ersten Nacht des großen Regens. In solchen Stunden, nach denen sich Kimani mehr sehnte als nach Essen für den Bauch und Wärme für seine schmerzenden Knochen, stellte er sich vor, daß Bäume, Pflanzen und selbst die Zeit, die sich nicht berühren ließ, Pfefferbeeren gekaut hätten, damit ein Mann sie besser auf der Zunge fühlen konnte.

Immer, wenn der Bwana zu reden anfing, sprach er vom Krieg. Durch diesen Krieg der mächtigen Mesungu im Land der Toten hatte Kimani mehr vom Leben erfahren als alle Männer seiner Familie vor ihm. Je mehr er aber vom gefräßigen Feuer lernte, das Leben schluckte, desto weniger wollten seine Ohren abwarten, bis der Bwana redete. Jedes Schweigen ließ sich aber so leicht zerschneiden wie frisch erlegte Beute mit einer gut geschärften Panga. Um den Hunger zu vertreiben, der ihn ständig quälte und nie im Bauch, brauchte Kimani nur eines der schönen Worte zu sagen, die er irgendwann einmal von Bwana gehört hatte.

»El Alamein«, sagte Kimani am Tag, als sicher wurde, daß gerade die zwei kräftigsten Ochsen auf der Farm nicht mehr die Sonne würden untergehen sehen. Er dachte daran, wie der Bwana dieses Wort zum erstenmal gesagt hatte. Seine Augen waren sehr viel größer gewesen als sonst. Sein Körper hatte sich so schnell bewegt wie ein Feld von jungen Pflanzen, über das der Sturm bläst, doch er hatte immer wieder gelacht und später auch Kimani seinen Rafiki genannt.

Rafiki war die Bezeichnung für einen Mann, der für einen anderen nur gute Worte hat und der ihm hilft, wenn das Leben ihn tritt wie ein verrückt gewordenes Pferd. Bis dahin hatte Kimani nie gewußt, daß der Bwana das Wort überhaupt kannte. Es wurde nicht oft gesagt auf der Farm und zu ihm noch nie von einem Bwana.

»El Alamein«, wiederholte Kimani. Es war gut, daß der Bwana endlich begriffen hatte, daß ein Mann wichtige Dinge zweimal sagen mußte.

»El Alamein ist schon ein Jahr her«, sagte Walter und hielt erst seine zehn Finger hoch und dann noch einmal zwei.

»Und Tobruk?« fragte Kimani mit der leicht singenden Stimme, die sich ihm immer dann aufdrängte, wenn er in großer Erwartung war. Er lachte ein wenig, als ihm einfiel, wie lange er sich hatte abmühen müssen, ehe er die Laute aussprechen konnte. Sie waren in seinem Mund immer noch wie Steine, die gegen Wellblech geworfen wurden.

»Auch Tobruk hat nicht viel geholfen. Kriege dauern lange, Kimani. Es wird immer weiter gestorben.«

»In Bengasi sind sie auch gestorben. Du hast es gesagt.«
»Sie sterben jeden Tag. Überall.«

»Wenn ein Mann sterben will, darf ihn keiner festhalten, Bwana. Weißt du das nicht?«

»Aber sie wollen nicht sterben. Keiner will sterben.«

»Mein Vater«, sagte Kimani, ohne daß er aufhörte, an dem Grashalm zu reißen, den er aus der Erde holen wollte, »will sterben.«

»Ist dein Vater krank? Warum hast du mir das nicht gesagt? Die Memsahib hat Medizin im Haus. Wir werden zu ihr gehen.«

»Alt ist mein Vater. Er kann die Kinder von seinen Kindern nicht mehr zählen. Da braucht er keine Medizin mehr. Bald werde ich ihn vor die Hütte tragen.«

»Mein Vater stirbt auch«, sagte Walter, »aber ich suche immer noch nach Medizin.«

»Weil du ihn nicht vor die Hütte tragen kannst«, erkannte Kimani. »Das macht die Schmerzen in deinem Kopf. Ein Sohn muß bei seinem Vater sein, wenn er sterben will. Warum ist dein Vater nicht hier?«

»Komm, das erzähle ich dir morgen. Es ist eine lange Schauri. Und keine gute. Heute wartet die Memsahib mit dem Essen.«

»El Alamein«, versuchte es Kimani wieder. Es war immer richtig, auf einer abgebrochenen Safari noch einmal zum Anfang eines Pfads zurückzukehren. Am Tag der sterbenden Ochsen hatte das Wort aber seinen Zauber verloren. Der Bwana schloß seine Ohren und machte auch den Mund auf dem langen Weg bis zum Haus nicht mehr auf.

Kimani merkte, daß seine Haut kalt wurde, obwohl die Sonne für die Erde und Pflanzen in der Mittagszeit mehr Hitze hatte, als sie brauchten. Es war nicht immer gut, vom Leben jenseits der Hütten zu viel zu wissen. Es machte einen Mann schwach und seine Augen müde, ehe seine Zeit gekommen war. Trotzdem wollte Kimani wissen, ob die hungrigen weißen Krieger auch so alten Männern wie dem Vater vom Bwana zum Sterben ein Gewehr in die Hand gaben. Er bekam jedoch die Worte, die an seine Stirn klopften, nicht in die Kehle, und spürte nur noch, daß seine Beine ihm Befehle gaben. Kurz vor dem Haus rannte er davon, als sei ihm eine Arbeit eingefallen, die er vergessen hatte und noch fertigmachen mußte.

Walter blieb so lange im hellen Schatten der Dornakazien stehen, bis er Kimani nicht mehr sehen konnte. Das Gespräch hatte sein Herz zum schnellen Schlag gedrängt. Nicht nur, weil von Krieg und Vätern die Rede gewesen war. Es war ihm wieder einmal bewußt geworden, daß er seine Gedanken und auch seine Angst so sehr viel lieber mit Kimani oder Owuor teilte als mit seiner Frau.

In der ersten Zeit nach dem totgeborenen Kind war das anders gewesen. Jettel und er hatten voller Trauer und im Zorn auf das Schicksal zueinander und Trost in ihrer gemeinsamen Hilflosigkeit gefunden. Ein Jahr danach aber erkannte er eher ratlos als verbittert, daß ihre Einsamkeit und Sprachlosigkeit die Verbundenheit aufgebraucht hatten. Jeder Tag auf der Farm bohrte die Stacheln ein kleines Stück weiter in Wunden, die nicht verheilten.

Wenn seine Gedanken um die Vergangenheit kreisten, wie es die sterbenden Ochsen im Fieberwahn um das letzte ihnen noch vertraute Stück Gras taten, kam sich Walter so töricht und gedemütigt vor, daß die Scham an seinen Nerven rüttelte. Genau wie Regina, dachte er sich sinnlose Spiele aus, um das Schicksal herauszufordern. Kamen morgens die kranken Arbeiter, Frauen und Kinder der Farm zum Haus, um nach Hilfe und Medikamenten zu fragen, so glaubte er fest, es würde ein guter Tag werden, wenn die fünfte in der Reihe eine Mutter mit einem Säugling auf dem Rücken war.

Er empfand es als günstiges Omen, wenn der Sprecher in den Abendnachrichten mehr als drei deutsche Städte erwähnte, auf die Bomben gefallen waren. Mit der Zeit entwickelte Walter eine nicht endende Serie von abergläubischen Riten, die ihm entweder Mut machten oder seine Ängste schürten. Seine Fantasien erschienen ihm unwürdig, aber sie trieben ihn immer weiter zur Flucht vor der Wirklichkeit; er verachtete seinen immer stärker werdenden Hang zu Wunschdenken und machte sich Sorgen um seinen Geisteszustand. Stets aber entkam er nur kurze Zeit seinen selbst gestellten Fallen.

Walter wußte, daß es Jettel ähnlich erging. Ihre Gedanken trieben sie noch genauso stark zu ihrer Mutter wie an dem Tag, als die letzte Post gekommen war. Er hatte sie einmal dabei erwischt, wie sie einer Pyrethrumpflanze die Blüten ausriß und dabei »Lebt, lebt nicht, lebt ...«, murmelte. In seinem Schock hatte er Jettel mit einer Grobheit, die ihn noch tagelang reute, die Pflanze aus der Hand gerissen, und sie hatte tatsächlich gesagt: »Nun werde ich es heute nicht mehr wissen.« Sie hatten auf dem Feld gestanden und gemeinsam geweint, und Walter war sich wie ein Kind vorgekommen, das nicht so sehr die Strafe, sondern die endgültige Gewißheit fürchtet, daß es von niemandem mehr geliebt wird.

Kimani war schon lange hinter den Bäumen vor den Hütten verschwunden, aber Walter stand noch immer an derselben Stelle. Er lauschte dem Knacken der Äste und den Affen im Wald und wünschte sich, als sei sie von Bedeutung, einen kleinen Teil jener Freude, die Regina dabei empfunden hätte. Um den Moment der Rückkehr ins Haus wenigstens so lange hinauszuzögern, bis sich seine überreizten Sinne beruhigten, begann er die Geier auf den Bäumen zu zählen. Sie hatten in der Mittagshitze ihren Kopf ins Gefieder vergraben und sahen aus wie ein schwarzer Ball aus großen Federn.

Eine gerade Zahl wollte Walter als Zeichen deuten, daß der Tag ihm nichts Schlimmeres mehr bringen würde außer der Unruhe, die ihn plagte. Eine ungerade Zahl unter dreißig bedeutete Besuch, der gemeinsame Abflug der ungeliebten Vögel eine Gehaltsaufbesserung.

»Und wir wollen nicht vergessen«, rief er in die Bäume, »daß es hier noch nie einen Tag ohne euch verdammtes Pack gegeben hat.« Die Wut in seiner Stimme beruhigte ihn ein wenig. Er verlor aber die Übersicht und konnte die einzelnen Vögel nicht mehr ausmachen. Mit einem Mal erschien es ihm nur noch wichtig, das lateinische Wort für Vogeldeuter zu wissen. So sehr er sich aber mühte, er konnte sich nicht erinnern.

»Das bißchen, was man mal gewußt hat«, sagte er zu Rummler, der ihm entgegenlief, »vergißt man hier auch noch. Sag selbst, du dummes Luder, wer soll uns schon besuchen?«

Es wurden immer mehr Tage, die kein Ende nahmen. Walter vermißte Süßkind, den optimistischen Herold seiner ersten Emigrationszeit. Sie selbst erschien ihm bereits als Idylle. Im Rückblick und Vergleich kam ihm Rongai wie ein Paradies vor. Dort hatte Süßkind ihn und Jettel vor

der Verlassenheit bewahrt, die sie in Ol' Joro Orok so nie-
derdrückte, daß sie beide noch nicht einmal von ihr zu reden wagten.

Die Behörden hatten das Benzin rationiert und verhielten
sich immer abweisender mit den Genehmigungen, die die
Enemy Aliens brauchten, um die Farm zu verlassen. Süßkinds belebende Besuche, die einzige Schonzeit für angespannte Nerven, waren selten geworden. Tauchte er einmal
doch aus seiner gesunden Welt auf und überbrachte Neues
aus Nakuru und den durch keine Logik zu erschütternden
Glauben, daß der Krieg nicht mehr länger als ein paar Monate dauern könnte, verschwand für eine kurze Gnadenfrist
das Gitter vor dem Gefängnis der schwarzen Löcher. Nur
noch Süßkind konnte Jettel in die Frau zurückverwandeln,
die Walter aus guten Zeiten in Erinnerung hatte.

Der Gedanke an Süßkind beschäftigte ihn so intensiv,
daß er sich mit größter Sorgsamkeit ausmalte, was er tun,
sagen und zu hören bekommen würde, wenn Süßkind
plötzlich vor ihm stünde. Er glaubte sogar, aus dem Küchengebäude Stimmen zu hören. Schon lange sträubte er
sich nicht mehr gegen solche Erscheinungen. Wenn er nur
ernsthaft genug auf sie einging, gaben sie ihm Kraft, für
beseligende Momente die Gegenwart für seine Bedürfnisse umzugestalten.

Zwischen dem Haus und dem Küchengebäude bemerkte Walter vier Räder und darüber einen offenen Kasten.
Irritiert kniff er die Augen zu, um sie vor dem Mittagslicht
zu schützen. Außer Hahns Wagen hatte er so lange kein
Auto mehr gesehen, daß er sich nicht entschließen konnte,
ob es sich um ein Militärfahrzeug handelte oder um eine
jener Täuschungen, die ihn in letzter Zeit immer wieder
narrten. Das verlockende Bild wurde zunehmend deutlicher und Walter schließlich mit jedem Blick sicherer, daß
tatsächlich ein Jeep zwischen der Zeder mit dem dicken
Stamm und dem Wassertank stand.

Es erschien ihm nicht einmal unwahrscheinlich, daß ein
Beamter von der Polizeistation in Thomson's Falls nach Ol'
Joro Orok gefahren war und ihn am Ende wieder internie-

ren wollte. Seltsamerweise hatte ausgerechnet die Landung der Alliierten in Sizilien einige Verhaftungen ausgelöst. Allerdings nur in der Umgebung von Nairobi und Mombasa. Die Vorstellung, auf die gleiche Art wie bei Kriegsausbruch von der Farm loszukommen, war Walter nicht unangenehm, aber in allen Konsequenzen konnte er sich dann doch nicht eine so abrupte Veränderung seines Lebens vorstellen.

Da hörte er Jettels aufgeregte Stimme. Sie war ihm fremd und doch auf eine beunruhigende Art vertraut. Jettel schrie abwechselnd: »Martin, Martin« und »Nein, nein, nein«. Rummler, der vorgelaufen war, bellte in jenen hohen, winselnden Tönen, die er nur für unbekannte Besucher hatte.

Noch während er rannte und dabei mehrere Male über die kleinen Wurzeln im hohen Gras stolperte, versuchte Walter dahinterzukommen, wann er den Namen zum letztenmal gehört hatte. Ihm fiel nur der Briefträger aus Leobschütz ein, der bis zuletzt, wenn er die Post gebracht hatte, freundlich geblieben war.

Der Mann war Juni 1936 trotz der ständig massiver werdenden Drohungen gegen Juden mit einer komplizierten Erbschaftssache zu Walter ins Büro gekommen. Bei der Begrüßung hatte er immer »Heil Hitler« gesagt und zum Abschied verschämt »Auf Wiedersehen«. Walter sah ihn mit einem Mal sehr deutlich. Karl Martin hieß er, hatte einen Schnurrbart und stammte aus Hochkretscham. Er hatte einige Morgen mehr als erwartet von dem Hof seines Onkels bekommen und war Weihnachten mit einer Gans im Asternweg erschienen. Natürlich erst, als er sicher war, daß ihn keiner sehen konnte. Anständigkeit brauchte die Dunkelheit zum Überleben.

Owuor lehnte sich aus dem winzigen Fenster des Küchengebäudes und badete seine Zähne in der Sonne. Er klatschte in die Hände. »Bwana«, rief er und schnalzte genauso mit der Zunge wie am Tag, als es den Wein gegeben hatte, »komm schnell. Die Memsahib weint, und der Askari weint noch viel mehr.«

Die Tür zum Küchengebäude stand offen, aber ohne die Lampe, die wegen des teuren Paraffins erst bei Sonnenuntergang angezündet wurde, war der Raum bei Tag fast so dunkel wie nachts. Es dauerte quälend lange, bis Walters Augen die ersten Umrisse ausmachten. Dann sah er, daß Jettel und der Mann, der tatsächlich die Mütze vom Briefträger aus Leobschütz trug, eng umschlungen durch den Raum tanzten. Sie ließen einander nur los, um in die Luft zu springen und sich sofort wieder in die Arme zu fallen und sich zu küssen. Sosehr er sich anstrengte, konnte Walter nicht herausfinden, ob die beiden lachten, wie er zu hören glaubte, oder ob sie weinten, wie Owuor behauptet hatte.

»Da ist Walter«, schrie Jettel. »Martin, schau, Walter ist da. Laß mich los! Du drückst mich ja tot. Er denkt bestimmt auch, daß du ein Gespenst bist.«

Walter fiel endlich auf, daß der Mann eine Khakiuniform und eine englische Militärmütze trug. Dann hörte er ihn rufen. Noch vor dem Gesicht erkannte er die Stimme. Erst brüllte sie: »Walter«, und dann flüsterte sie: »Ich glaub, ich werd verrückt. Daß ich das noch erlebe.«

Das Würgen rutschte so rasch aus der Kehle in den Magen, daß Walter keine Zeit mehr hatte, sich am Küchentisch aufzustützen, ehe ihm die Beine einknickten, doch er fiel nicht hin. Benommen von einem Glück, das ihn mehr aufwühlte, als es je die Angst getan hatte, legte er seinen Kopf auf Martin Batschinskys Schulter. Er konnte es nicht fassen, daß der Freund in den sechs langen Jahren, die seit ihrem letzten Beisammensein vergangen waren, so gewachsen war.

Owuor rieb seine Haut mit dem Gelächter und den Tränen von der Memsahib, seinem Bwana und dem schönen Bwana Askari ein. Er befahl Kamau, den Tisch und die Stühle unter den Baum mit dem dicken Stamm zu stellen, an dem sich der Bwana immer den Rücken rieb, wenn er die Schmerzen hatte, die seine Haut weiß wie das Licht vom jungen Mond machten. Obwohl das Geschirr nicht schmutzig war, mußte Kania alle Teller, Messer und Gabeln in der großen Wanne baden. Owuor selbst trug das Kanzu, das er nur anzog, wenn ihm Gäste gut gefielen. Um das lange weiße Hemd, das über seine Füße reichte, band er die rote Schärpe. Ihr Tuch war so weich wie der Körper eines frisch geschlüpften Kükens. Genau auf Owuors Bauch standen die Worte, die der Bwana geschrieben und denen die Memsahib aus Gilgil mit einer dicken Nadel und einem goldenen Faden die Farbe der Sonne gegeben hatte.

Als der Bwana Askari Owuor mit dem dunkelroten Fez, von dem die schwarze Bommel schaukelte, und der gestickten Schärpe sah, wurden seine Augen groß wie die einer Katze bei Nacht. Dann lachte er so laut, daß seine Stimme dreimal von den Bergen zurückprallte.

»Mein Gott, Walter, du bist noch ganz der alte. Was hätte sich dein Vater gefreut, diesen Kaffer mit dem Deckel auf dem Kopf in einer Schärpe mit der Aufschrift ›Redlichs Hotel‹ zu sehen. Ich weiß gar nicht mehr, wann ich das letztemal an Sohrau gedacht habe.«

»Ich schon. Vor einer Stunde.«

»Heute«, sagte Jettel, »denken wir überhaupt nicht mehr. Wir schauen immer nur Martin an.«

»Und zwicken uns, damit wir wissen, daß wir leben.«

Sie hatten einander in Breslau kennengelernt. Walter war im ersten und Martin im dritten Semester gewesen und beide Jettels wegen bald aufeinander so eifersüchtig, daß es ohne den Silvesterball von 1924 um ein Haar zu einer lebenslangen Feindschaft statt zu ihrer außergewöhnlichen Freundschaft gekommen wäre. Das Band wurde erst mit Martins überstürzter Flucht nach Prag im Juni 1937 zerschnitten. Bei dem Ball, den später alle drei als schicksalhaft empfanden, hatte Jettel sich für einen gewissen Doktor Silbermann entschieden und ihren beiden jungen Kavalieren ohne irgendwelche Erklärungen den Laufpaß gegeben.

Der Stachel saß bei den beiden gleich tief. Bis Silbermann sechs Monate später die Tochter eines vermögenden Juweliers aus Amsterdam heiratete, hatten Martin und

Walter den ersten Liebeskummer ihres Lebens einander so erträglich gemacht, daß von den Rivalitäten nur die auf Silbermann übriggeblieben war. Nach einem halben Jahr war es Walter, der Jettel tröstend in seine Arme schloß.

Martin war nicht der Mann, der eine Kränkung vergaß, aber die Freundschaft mit Walter war schon zu fest, um sie nicht auch auf Jettel zu übertragen. Er verlebte viele Semesterferien in Sohrau, denn eine Zeitlang sah es danach aus, als würde er vielleicht Walters Schwager werden, aber Liesel ließ sich zuviel Zeit mit ihrer Entscheidung, und Martin hatte zuwenig Talent für Schwebezustände und gab seine Bemühungen auf. Statt dessen wurde er Jettels Trauzeuge. Nachdem er 1933 seine Anwaltspraxis in Breslau aufgeben mußte und Vertreter für eine Möbelfirma wurde, kam er sehr oft nach Leobschütz, um die Illusion zu genießen, es hätte sich doch nicht alles in seinem Leben verändert. Die meiste Zeit verwöhnte er Jettel mit jenen fantasievollen Komplimenten, die Walters alte Eifersucht neu entflammten, und er war vernarrt in Regina.

»Ich glaub, sie hat Martin gesagt, ehe sie Papa sagte«, erinnerte er sich.

»Ich habe dich immer um dein schlechtes Gedächtnis beneidet. So etwas ist für uns heute Gold wert. Schade, daß du Regina nicht kennenlernst. Sie würde dir gefallen.«

»Warum in aller Welt soll ich sie nicht kennenlernen? Dazu bin ich doch hergekommen.«

»Sie ist doch in der Schule.«

»Wenn's sonst nichts ist. Da fällt mir bestimmt was ein.«

Martins Vater, ein Viehhändler in einem kleinen Dorf bei Neisse, war ein kaisertreuer Patriot gewesen und hatte darauf bestanden, daß alle seine fünf Söhne – »genau wie die von Wilhelm II.«, wie er nie zu erwähnen vergaß – vor dem Studium, für das er sich alle eigenen Bedürfnisse versagte, ein Handwerk erlernten. Martin machte vor dem ersten juristischen Staatsexamen seine Gesellenprüfung als Schlosser.

Als Jüngster der Brüder lernte er früh, sich zu behaupten, und war stolz auf seinen unbeugsamen Willen. Er galt auch unter guten Freunden als zänkisch. Sein Hang, Banalitäten hochzuspielen und sich nichts bieten zu lassen, hatte Walter und Jettel immer imponiert und wurde nun in Ol' Joro Orok für alle drei die Quelle fröhlichster Erinnerungen.

»Du kannst dir gar nicht vorstellen, wie oft wir von dir gesprochen haben.«

»Doch«, sagte Martin, »wenn ich mich hier umsehe, wird mir klar, daß ihr nur von der Vergangenheit sprecht.«

»Wir haben oft Angst gehabt, daß du nicht mehr aus Prag herausgekommen bist.«

»Ich war fort aus Prag, ehe es dort brenzlig wurde. Arbeitete damals bei einem Buchhändler, mit dem ich nicht auskam.«

»Und dann?«

»Erst ging ich nach London. Als der Krieg ausbrach, haben die mich interniert. Die meisten von uns kamen auf die Insel Man, doch konnte man auch für Südafrika optieren. Falls man ein Handwerk erlernt hatte. Mein seliger Vater hatte eben recht. Handwerk hat goldenen Boden. Mein Gott, wie lange habe ich den Satz nicht mehr gehört.«

»Und warum bist du zur Armee gegangen?«

Martin rieb sich die Stirn. Das hatte er immer getan, wenn er verlegen war. Er trommelte mit den Fingern auf den Tisch und sah sich mehrmals um, als wollte er etwas verbergen. »Ich wollte einfach was tun«, sagte er leise. »Das ging los, als ich durch einen Zufall erfuhr, daß sie meinen Vater noch kurz vor seinem Tod ins Gefängnis geschleppt und ihm ein Verhältnis mit einer unserer Mägde angehängt hatten. Da spürte ich zum erstenmal, daß ich nicht aus dem harten Holz war, das ich an mir so schätzte. Irgendwie war es mir, als hätte Vater mich gern als Soldat gesehen. Pro patria mori, falls du dich erinnerst, was das heißt. Das alte Vaterland hat solche Opfer ja nie von mir verlangt. Im Ersten Weltkrieg war ich zu jung, und den jetzigen hätte ich nicht erlebt, wenn mir das teure Vaterland nicht rechtzeitig einen

Tritt gegeben hätte. Das neue denkt Gott sei Dank anders über Juden.«

»Habe ich noch nicht bemerkt«, sagte Walter. »Jedenfalls«, schränkte er ein, »nicht hier in Kenia. Hier nehmen sie nur die Österreicher. Das sind inzwischen Friendly Aliens. Wo wirst du denn überhaupt eingesetzt?«

»Keine Ahnung. Auf alle Fälle habe ich ganz plötzlich drei Wochen Urlaub bekommen. Das deutet meistens auf Front hin. Mir ist es egal.«

»Wie sprechen sie denn deinen Namen beim Militär aus?«

»Ganz einfach, Barret. Ich heiße nicht mehr Batschinsky. Ich hatte unwahrscheinliches Glück mit meiner Naturalisation. Das dauert sonst Jahre. War ein bißchen Beamtenbestechung dabei. Ich habe mit einem Mädchen poussiert, das meinen Antrag aus dem Aktenberg geholt und nach oben gelegt hat.«

»Das könnte ich nie!«

»Was von all dem?«

»Meinen Namen aufgeben. Und mein Vaterland.«

»Und mit fremden Damen ein Verhältnis anfangen. Ach, Walter, du warst von uns beiden immer der bessere Mensch und ich der Klügere.«

»Wie hast du uns überhaupt gefunden?« fragte Jettel beim Abendessen.

»Ich wußte schon 1938, daß ihr in Kenia gelandet seid. Liesel hat mir das nach London geschrieben«, sagte Martin und rieb sich wieder mit zwei Fingern die Stirn. »Vielleicht hätte ich ihr helfen können. Die Engländer nahmen damals noch unverheiratete Frauen auf. Aber Liesel wollte den Vater nicht allein lassen. Habt ihr noch was von ihnen gehört?«

»Nein«, sagten Walter und Jettel zusammen.

»Tut mir leid. Aber mal mußte ich ja fragen.«

»Von meiner Mutter und Käte kam noch ein Brief. Sie sollten nach Osten gebracht werden.«

»Tut mir leid. Mein Gott, was man doch für einen Blödsinn redet!« Martin schloß seine Augen, um die Bilder zu verdrängen, aber er mußte es trotzdem zulassen, daß er die sechzehnjährige Jettel in ihrem ersten Ballkleid sah. Quadrate aus Taft, gelb, violett und grün wie das Moos im kleinen Stadtwald von Neiße, tanzten in seinem Kopf, während er gegen Zorn und Hilflosigkeit kämpfte und wütend die Wehmut umbrachte.

»Komm«, sagte er sanft und gab Jettel einen Kuß, »jetzt erzählst du mir erst einmal alles von meiner besten Freundin. Ich wette, daß Regina eine prima Schülerin geworden ist. Und morgen fahren wir im Jeep durchs Land.«

»Enemy Aliens brauchen ein Permit, um die Farm zu verlassen.«

»Nicht, wenn ein Sergeant Seiner Königlichen Majestät am Steuer ist«, lachte Martin.

Die erste Fahrt mit Walter und Jettel neben Martin, Owuor und Rummler hinten, ging nur bis zu Patels Duka. Sie wurde dank Martins ungebrochenem Talent, aus einem kleinen Kampf einen großen Krieg zu machen, die schöne Rache für all die kleinen Pfeile, die Patel im Laufe von vier Jahren aus seinem stets gefüllten Köcher auf Menschen abgeschossen hatte, die sich nicht gegen ihn zu wehren wußten.

Der Krieg und die damit verbundenen Schwierigkeiten, jedes Jahr einen anderen Sohn nach Kenia zu holen und an seiner Statt einen in die Heimat nach Indien zurückzuschicken, hatten Patel noch menschenverachtender gemacht, als er ohnehin war. Die Refugees von den Farmen, die alle so sehr viel besser Suaheli als Englisch und also schlecht mit ihm reden konnten, waren für Patel das immer willkommene Ventil, seinen Mißmut abzureagieren.

Er hielt sie so knapp mit allem, was sie brauchten, daß er einen eigenen Schwarzmarkt entwickelte. Walter und mehrere Farmangestellte aus Ol' Kalou mußten den doppelten Preis für Mehl, Büchsenfleisch, Reis, Puddingpulver, Rosinen, Gewürze, Kleiderstoffe, Kurzwaren und vor allem Paraffin bezahlen. Obwohl solche Preistreibereien offiziell verboten waren, konnte Patel im Falle der Refugees mit der Duldung der Behörden rechnen. Für sie waren solche Schikanen harmlos und entsprachen ganz ihren patriotischen Gefühlen und der Fremdenfeindlichkeit, die sich mit jedem Kriegsjahr verstärkte.

Martin erfuhr erst auf dem Weg zu Patel von den Entbehrungen und Demütigungen. Er hielt vor dem letzten, dichten Maulbeerstrauch an, schickte Walter und Jettel allein in den Laden und blieb mit Owuor zurück im Jeep. Später konnte Patel es sich nie verzeihen, daß er die Lage verkannt hatte und ihm nicht sofort aufgegangen war, daß die abgebrannten Schlucker von der Gibson-Farm nur dann in seinen Laden kommen konnten, wenn sie in Begleitung waren.

Patel las erst einen Brief zu Ende, ehe er Walter und Jettel anschaute. Er fragte nicht nach ihren Wünschen, sondern legte ihnen schweigend Mehl mit Spuren von Mäusedreck, verbeulte Dosen von Büchsenfleisch und feucht gewordenen Reis vor und machte, als er glaubte, das übliche betretene Zögern seiner Kunden zu merken, seine gewohnte Handbewegung.

»Take it or leave it«, höhnte er.

»You bloody fuckin' Indian«, schrie Martin an der Tür, »you damn'd son of a bitch.« Er machte einige Schritte durch den kleinen Raum und warf gleichzeitig das Dosenfleisch und den Sack mit dem Reis vom Tisch. Dann spuckte er alle Flüche aus, die er seit seiner Ankunft in England und vor allem beim Militär gelernt hatte. Walter und Jettel verstanden ebensowenig wie Owuor, der im Eingang des Ladens stand, doch Patels Gesicht reichte allen. Aus dem mürrischen, sadistischen Diktator wurde, wie Owuor noch am selben Abend und immer wieder in den Hütten berichtete, ein jaulender Hund.

Patel wußte zu wenig über das britische Militär Bescheid, um die Situation auch nur annähernd richtig einzuschätzen. Er hielt Martin mit den drei Streifen eines Sergeants für einen Offizier und war klug genug, keine Diskussion zu riskieren. Auf keinen Fall hatte er vor, es nur wegen ein paar Pfund Reis oder einigen Dosen Corned beef mit der gesamten alliierten Streitmacht zu verderben. Unaufgefordert holte er aus dem durch einen Vorhang abgetrennten Nebenraum einwandfreie Nahrungsmittel, drei große Eimer Paraffin und zwei Ballen Stoff, die erst am Vortag aus Nairobi eingetroffen waren. Stotternd legte er noch vier Ledergürtel auf den Stapel.

»Ins Auto damit«, befahl Martin im gleichen Tonfall, in dem er als Sechsjähriger die polnischen Dienstmädchen herumkommandiert und dafür von seinem Vater Ohrfeigen bekommen hatte. Patel war so verängstigt, daß er die Waren selbst zum Jeep trug. Owuor spazierte vor ihm her mit dem Stock in der Hand, als sei Patel, der verkommene Sohn einer Hündin, nur eine Frau.

»Der Stoff ist für Jettel und die Gürtel alle für dich. Ich bekomme meine von King George.«

»Aber was soll ich mit vier Gürteln? Ich habe nur drei Hosen, und davon ist eine schon hin.«

»Dann bekommt Owuor einen, damit er immer an mich denkt.«

Owuor lächelte, als er seinen Namen hörte, und wurde stumm von der Macht des Zaubers, als der Bwana Askari ihm den Gürtel überreichte. Er salutierte mit zwei Fingern am Kopf, wie es jene jungen Männer taten, die in Nakuru selbst Askaris sein durften, wenn sie mal für einige Tage zurück zu ihren Brüdern nach Ol' Joro Orok kamen.

So endete der erste Tag der insgesamt siebzehn mal vierundzwanzig Stunden von Glück und Fülle. Am nächsten Morgen ging es nach Naivasha.

»Naivasha«, hatte Walter gezweifelt, als Martin ihm die Karte zeigte, »ist nur für feine Leute. Sie haben zwar keine Schilder ›Juden verboten‹ aufgestellt, würden es aber gerne tun. Süßkind hat's mir erzählt. Er mußte mal seinen Chef begleiten und im Wagen sitzen bleiben, als der ins Hotel zum Mittagbrot ging.«

»Das wollen wir mal sehen«, erwiderte Martin.

Naivasha war nur eine Ansammlung kleiner, aber gut gebauter Häuser. Der See mit seinen Pflanzen und Vögeln war die Sehenswürdigkeit der Kolonie und umsäumt von einigen Hotels, die alle wie englische Privatklubs aussahen. Das Lake Naivasha Hotel war das älteste und vornehmste. Dort saßen sie zum Mittagessen auf einer mit Bougainvilleen bewachsenen Terrasse, aßen Roastbeef und tranken das erste Bier seit Breslau. Jettel und Walter wagten nur zu flüstern. Sie genierten sich, daß sie es in Deutsch taten, und empfanden Martins Uniform wie die Schürze einer Mutter, hinter der sich Kinder vor jeder Gefahr sicher fühlen.

Später fuhren sie im Boot zwischen Wasserlilien und mit blauleuchtenden Glanzstaren als Begleitung über den See. Obwohl die Hotelleitung erst zögerte, ließ sie sich von Martins drohendem Ton beeindrucken und stellte ein Extraboot für Owuor und Rummler zur Verfügung. Der indische Portier betonte vorher und nachher, daß er offizielle Anweisung habe, die Wünsche von Militärpersonen besonders zu berücksichtigen.

Bei der Fahrt nach Naro Moru eine Woche später, von wo aus es den schönsten Blick auf den Mount Kenya gab, bestand Walter darauf, nicht nur Owuor, sondern auch Kimani mitzunehmen.

»Weißt du, wir starren den Berg jeden Tag an, wir beide. Kimani ist mein bester Freund. Owuor gehört ja zur Familie. Frag mal Kimani nach El Alamein.«

»Du bist schon einer«, lachte Martin und schob Kimani zwischen Rummler und Owuor, »dein Vater hat sich immer bei mir beklagt, daß du ihm das Personal verdorben hast.«

»Kimani kann man nicht verderben. Er bewahrt mich davor, verrückt zu werden, wenn die Angst meine Seele auffrißt.«

»Wovor hast du denn Angst?«

»Daß ich erst meine Stelle und dann meinen Verstand verliere.«

»Ein Kämpfer warst du nie. Mich wundert es, daß du Jettel bekommen hast.«

»Ich war die dritte Wahl. Als sie Silbermann nicht bekommen hat, wollte sie dich.«

»Quatsch.«

»Du konntest nie gut lügen.«

Das Hotel in Naro Moru hatte bessere Tage gesehen. Vor dem Krieg waren die Bergsteiger dort zu ihren Touren aufgebrochen. Es war seit der Mobilmachung nicht mehr auf Gäste eingerichtet. Martin konnte aber immer noch so charmant wie querköpfig sein. Er sorgte dafür, daß der Koch geholt und Mittagessen im Garten serviert wurde. Owuor und Kimani wurden in den Quartieren vom Hotelpersonal versorgt, kamen jedoch nach der Mahlzeit sofort zurück, um den Berg zu sehen. Jettel schlief im Liegestuhl, und Rummler schnarchte zu ihren Füßen.

»Jettel sieht aus wie früher«, sagte Martin. »Du auch«, fügte er hastig hinzu.

»So ein Nebbich bin ich nicht, daß ich keinen Spiegel mehr habe. Weißt du, ich habe Jettel nicht sehr glücklich gemacht.«

»Jettel kann man gar nicht glücklich machen. Wußtest du das nicht?«

»Doch. Vielleicht nur nicht rechtzeitig genug. Aber ich mache ihr keine Vorwürfe. Sie war nicht vorsichtig genug in der Auswahl ihres Ehemanns. Wir haben schwere Zeiten gehabt. Wir haben ein Kind verloren.«

»Ihr habt euch verloren«, sagte Martin.

Owuor machte seine Ohren weit genug für den Wind auf, der vom Berg losgeschickt wurde. Noch nie hatte er den Bwana Askari mit einer Stimme sprechen hören, die wie Wasser war, das über kleine Steine sprang. Kimani sah nur die Augen seines Bwanas und hustete Salz.

»Jetzt fehlt mir nur noch Regina«, erklärte Martin am Abend nach der Rückkehr aus Naro Moru. »Eher ziehe ich nicht in den Krieg. Ich habe mich so auf sie gefreut.«

»Sie hat erst in einer Woche Ferien.«

»Genau dann muß ich weg. Wie holt ihr sie eigentlich von der Schule ab?«

»Das Problem haben wir alle drei Monate. In der Zwischenzeit drückt es uns die Kehle zu. Wenn wir artig sind, bringt sie der Bure von der Nachbarfarm mit.«

»Ein Bure«, wiederholte Martin angeekelt, »so weit

kommt's noch! So was kannst du doch nicht einfach einem Mann aus Südafrika ins Gesicht sagen. Ich hole sie. Ganz allein. Am besten am Donnerstag. Wir schicken ihr morgen ein Telegramm.«

»Eher können wir in Breslau vors Rathaus ziehen und den Nazis die Scheiben einwerfen. Die Schule gibt die Kinder keinen Tag vor den Ferien heraus. Die haben Regina noch nicht mal erlaubt, Jettel im Krankenhaus zu besuchen, obwohl Jettels Ärztin extra angerufen hat. Die Schule ist ein Gefängnis. Regina redet nicht darüber, aber·wir wissen es schon lange.«

»Da warten wir erst mal ab, ob die sich trauen, ihren eigenen tapferen Soldaten etwas abzuschlagen. Am Donnerstag stehe ich vor dieser verdammten Schule und singe so lange ›Rule Britannia‹, bis sie mir das Kind mitgeben.«

11

Mr. Brindley raschelte mit dem Papier in seiner Hand und fragte dann: »Wer ist Sergeant Martin Barret?«

Regina war schon dabei, den Mund aufzumachen, als ihr klar wurde, daß ihr die Antwort nicht einmal in den Kopf gekommen war. Sie kaute noch ratloser als sonst an der Verlegenheit, die sie noch immer anfiel wie ein schlafloser Hund den Dieb bei Nacht, wenn sie im Zimmer des Direktors stand. Mit einer Mühe, die sie sonst nicht nötig hatte, zwang sie ihr Gedächtnis, sämtliche Bücher durchzugehen, die ihr Mr. Brindley in den letzten Wochen zum Lesen gegeben hatte, aber der von ihm soeben genannte Name weckte keine Erinnerungen.

Das Gefühl, Worten ausgeliefert zu sein, war Regina schon lange nicht mehr vertraut. Sie kam sich vor, als hätte sie durch eine Unachtsamkeit, die sie sich nicht erklären konnte, den besten Zauber ihres Lebens zerstört, indem sie sich seiner nicht würdig genug erwiesen hatte. Erschrocken streckte sie die Hand aus, um die einzige Macht festzuhalten, die aus der Schule, die sie haßte, eine winzige Insel machen konnte, in der nur Charles Dickens, Mr. Brindley und sie selbst wohnen durften. Und das seit langer Zeit.

Regina wußte besser Bescheid als jede andere ihrer Mitschülerinnen. Selbst Inge ahnte nichts von dem größten Geheimnis der Welt. Eine Fee, die während der furchtbaren drei Monate Schule in den Pfefferbüschen von Nakuru und in den Ferien in einer Hibiskusblume am Rande des größten Flachsfeldes in Ol' Joro Orok wohnte, hatte Mr. Brindley in zwei Hälften geteilt. Der gefürchtete Teil von ihm, den alle kannten, mochte keine Kinder, war böse, ungerecht und bestand nur aus Schulordnung, Strenge, Strafe und Rohrstock.

Mr. Brindleys verzauberte Hälfte war sanft wie der Regen, der in einer einzigen Nacht den durstenden Rosen aus den Samen ihres Großvaters neues Leben gab. Dieser fremde Mann, der seltsamerweise auch Arthur Brindley hieß, liebte David Copperfield und Nicholas Nickleby, Oliver Twist, den armen Bob Cratchitt und seinen winzigen Tim. Besonders liebte Mr. Brindley natürlich Little Nell. Regina hatte ihn sogar im Verdacht, daß er auch die bloody Refugee aus Ol' Joro Orok ganz gern hatte, aber sie gönnte sich diese Vorstellung nur selten, weil sie wußte, daß Feen keine eitlen Menschen mochten.

Es war sehr lange her, seitdem Mr. Brindley Regina zum erstenmal Little Nell genannt hatte. Sie konnte sich aber noch so gut an den Tag erinnern, an dem der Zauber begonnen hatte, weil es schließlich etwas sehr Besonderes war, wenn einem jüdischen Mädchen ein englischer Name ausgeliehen wurde. Mit den Jahren war die immer wiederkehrende und leider stets zu kurze Zeit, in der Regina diesen süßen und leicht aussprechlichen Namen behalten durfte, zu einem Spiel mit jenen schönen festen Regeln geworden, wie sie zu Hause Owuor und Kimani verlangten.

Der Direktor ließ Regina oft in der einzigen freien Stunde des Tages, zwischen Hausaufgaben und Abendessen, zu sich kommen. Im ersten furchtbaren Moment war sein Mund sehr klein, und in den Augen brannten Funken wie beim geizigen Scrooge in der »Weihnachtsgeschichte«. Wenn Regina die wenigen Schritte von der Tür bis zum Schreibtisch lief und dabei den Atem anhielt, machte Mr. Brindley den Eindruck, als hätte er sie nur gerufen, um ihr eine Strafe zuzuteilen.

Nach einer Zeit aber, die Regina immer sehr lang vorkam, stand er auf, ließ Luft in seine Lippen, löschte das Feuer in den Augen, lächelte und holte ein Buch aus dem Schrank mit dem goldenen Schlüssel. An besonders guten Tagen verwandelte sich der kleine Schlüssel in die Flöte, auf der Pan, der Gott der blauen Flachsfelder und grünen Hügel, in der Stunde der langen Schatten spielte. Das Buch war immer von Dickens und hatte einen weichen

Einband von dunkelrotem Leder; stets sagte der zweigeteilte Direktor, während Regina es mit einer Beklommenheit entgegennahm, als sei sie bei einem Verstoß gegen die Schulregeln ertappt worden: »In drei Wochen bringst du es zurück und erzählst mir, was du gelesen hast.«

Es passierte nur sehr selten, daß Regina Mr. Brindleys Fragen nicht beantworten konnte, wenn sie ihm das Buch zurückgab. In den letzten vier Wochen vor den Ferien hatten die beiden oft so lange über die wunderschönen Geschichten gesprochen, die Dickens nur ihnen beiden erzählte, daß Regina zu spät zum Abendessen gekommen war, aber die Strafen von der Lehrerin, die Aufsicht im Speisesaal führte und immer so tat, als wisse sie nicht, wo Regina gewesen war, wogen leicht im Verhältnis zu der Freude an dem ewigen Zauber.

In den Ferien nach dem Tod des Babys hatte Regina zum erstenmal versucht, ihrem Vater davon zu berichten, aber der hielt Feen für »englischen Quatsch« und war außer Oliver Twist, der ihm nicht gefiel, keinem Menschen begegnet, den Dickens, Mr. Brindley und sie selbst kannten. Weil Regina ihren Vater nicht aufregen wollte, sprach sie nur dann noch von Dickens, wenn ihr Mund schneller war als ihr Kopf.

»Ich habe«, wiederholte der Direktor ungeduldig, »dich gefragt, wer Sergeant Martin Barret ist.«

»Ich weiß nicht, Sir.«

»Was heißt das, du weißt nicht?«

»Nein«, sagte Regina betreten, »in keinem Buch, das Sie mir gegeben haben, gibt es einen Sergeant. Das wäre mir aufgefallen, Sir. Ganz bestimmt hätte ich mir das gemerkt.«

»Verdammt, Little Nell. Ich rede nicht von Dickens.«

»Oh, Pardon, Sir. Das habe ich nicht gewußt. Ich meine, das konnte ich nicht ahnen.«

»Ich rede von Mr. Barret hier. Er schickt dir ein Telegramm?«

»Mir, Sir? Er schickt mir ein Telegramm? Ich habe noch nie ein Telegramm gesehen.«

»Hier«, sagte der Direktor und hielt das Papier hoch, »lies es laut vor.«

»Hole dich Donnerstag ab. Informiere Direktor«, las Regina und merkte zu spät, daß ihre Stimme viel zu laut für Mr. Brindleys empfindliche Ohren war. »Muß in einer Woche an die Front«, flüsterte sie.

»Hast du vielleicht einen Onkel, der so heißt?« fragte Mr. Brindley und verwandelte sich für einen schrecklichen Augenblick in Scrooge am Vorabend vom Weihnachtstag.

»Nein, Sir. Ich habe nur zwei Tanten. Und die mußten in Deutschland bleiben. Ich muß jeden Abend für sie beten, aber ich mache das nie laut, weil ich so was in Deutsch sagen muß.« Mr. Brindley spürte verärgert, daß er dabei war, ungerecht, ungeduldig und sehr unwirsch zu werden. Er genierte sich ein wenig, aber er mochte es nun einmal nicht, wenn aus Little Nell die verdammte kleine Fremde mit jenen nun wirklich unlösbaren Problemen wurde, von denen er gelegentlich in den Zeitungen aus London las, falls er die Energie aufbrachte, die Berichte auf den Innenseiten gründlich genug zu studieren. Im »East African Standard«, den er regelmäßiger und seit dem Krieg auch sehr viel lieber las, kamen zum Glück kaum Dinge jenseits seiner Vorstellungswelt vor.

»Du mußt doch Mr. Barret kennen, wenn er dir ein Telegramm schickt«, bohrte Mr. Brindley. Er gab sich keine Mühe mehr, seine Mißstimmung zu verbergen. »Auf alle Fälle soll er sich nicht einbilden, daß du fünf Tage vor den Ferien nach Hause kannst. Du weißt, daß das ganz gegen die Schulregeln ist.«

»Oh, Sir, das will ich gar nicht. Für mich ist es schon genug, daß ich ein Telegramm bekomme. Es ist genau wie bei Dickens, Sir. Da haben auch die armen Leute eines Tages plötzlich Glück. Wenigstens manchmal.«

»Du kannst gehen«, sagte Mr. Brindley und klang, als hätte er seine Stimme suchen müssen.

»Darf ich das Telegramm behalten, Sir?« fragte Regina schüchtern.

»Warum nicht?«

Arthur Brindley seufzte, als Regina die Tür zuzog. Als seine Augen zu tränen begannen, merkte er, daß er sich schon wieder erkältet hatte. Er kam sich wie ein sentimentaler und seniler Dummkopf vor, der sich absolut unpassende Probleme aufbürdete, weil er seinen Verstand nicht scharf genug und sein Herz ungeschützt hielt. Es war nicht gut, sich mit einem Kind mehr zu beschäftigen als nötig, und er hatte es ja auch nie zuvor getan, aber Reginas Talent, ihr gieriger Lesehunger und seine in den monotonen Berufsjahren zu kurz gekommene Liebe zur Literatur waren eine Verbindung eingegangen, die ihn zum süchtigen Gefangenen einer geradezu grotesken Leidenschaft gemacht hatten.

In grüblerischen Momenten fragte er sich, was in Regina vorging, wenn er sie mit Büchern vollstopfte, die sie noch gar nicht verstehen konnte; nach jedem Gespräch nahm er sich vor, das Kind überhaupt nicht mehr kommen zu lassen. Daß er nie bei seinem Entschluß blieb, empfand er als ebenso peinlich wie unwürdig für einen Mann, der Schwäche immer verachtet hatte, aber die Einsamkeit, die er in jungen und noch in mittleren Jahren überhaupt nicht zur Kenntnis genommen hatte, war im Alter dominierender als seine Willenskraft geworden, er selbst für Stimmungen so empfänglich wie seine Knochen empfindlich gegen die feuchte Luft vom Sodasee.

Regina faltete das Telegramm so klein, daß es ihrer Fee als Matratze dienen konnte, und steckte es in die Tasche ihrer Schuluniform. Sie gab sich große Mühe, wenigstens nicht bei Tag daran zu denken, aber das gelang ihr nicht. Das Papier knisterte bei jeder Bewegung und manchmal so laut, daß sie glaubte, jeder würde die verräterischen Töne hören und sie anstarren. Das Telegramm mit dem großen schwarzen Stempel erschien ihr wie eine Botschaft von einem unbekannten König, von dem sie sicher war, daß er sich ihr zu erkennen geben würde, wenn sie nur fest genug an ihn glaubte.

Sobald es Zeit wurde, ihr Fantasieschloß zu verriegeln, peitschte sie ihr Gedächtnis so unbarmherzig aus wie ein

Tyrann seine Sklaven, um herauszubekommen, ob sie den Namen je gehört hatte. Sehr bald begriff Regina jedoch, daß es sinnlos war, nach Sergeant Martin Barret in den Geschichten zu suchen, die ihre Eltern erzählten. Zweifellos hatte der König aus der Fremde einen englischen Namen, aber außer Mr. Gibson, Papas jetzigem Chef, und Mr. Morrison, dem aus Rongai, kannten ihre Eltern gar keine Engländer. Es gab natürlich auch Dr. Charters, der schuld an dem toten Baby war, weil er Juden nicht behandeln wollte, aber Regina fand, daß der ohnehin nicht in Frage kam, wenn ausgerechnet ihr etwas Gutes widerfahren war.

Sie hoffte und fürchtete zugleich, daß der Direktor sie noch einmal auf den Sergeant ansprechen würde, aber, obwohl sie den ganzen Mittwoch in jeder freien Minute auf dem Korridor herumstand, der zu Mr. Brindleys Zimmer führte, sah sie ihn nicht. Donnerstag war Reginas Lieblingstag, denn da gab es Post aus Ol' Joro Orok, und ihre Eltern gehörten zu den wenigen, die auch noch in der letzten Woche vor den Ferien schrieben. Die Briefe wurden nach dem Mittagessen verteilt. Regina wurde auch aufgerufen, aber statt ihr ein Kuvert auszuhändigen, befahl ihr die Lehrerin, die Mittagsaufsicht hatte: »Du sollst sofort zu Mr. Brindley kommen.«

Schon hinter dem Rosenbeet und erst recht, als sie genau in der Mitte von den zwei runden Säulen stand, sagte die Fee Regina Bescheid, daß ihre große Stunde gekommen war. Im Zimmer des Direktors stand der König, der Telegramme an unbekannte Prinzessinnen verschickte. Er war sehr groß, trug eine zerknitterte Khakiuniform, hatte Haare wie Weizen, der zuviel Sonne abbekommen hat, und Augen, die im kräftigen Blau leuchteten und plötzlich so hell wurden wie das Fell von Dik-Diks in der Mittagsglut.

Reginas Augen fanden Zeit, mit sehr viel Ruhe von den glänzenden schwarzen Stiefeln zu der Mütze zu wandern, die etwas schief auf dem Kopf saß. Als sie endlich fertig mit Schauen war, einigte sie sich mit dem Klopfen in ihrer

Brust, daß sie noch nie einen schöneren Mann gesehen hatte. Er sah Mr. Brindley so furchtlos an, als sei der Direktor ein Mann wie jeder andere, nicht zweigeteilt, und als seien seine beiden Hälften so leicht zum Lachen zu bringen wie Owuor, wenn er »Ich hab' mein Herz in Heidelberg verloren« sang.

Es gab keinen Zweifel, daß Mr. Brindley drei seiner Zähne zeigte; das bedeutete bei ihm Lachen. »Das ist Sergeant Barret«, sagte er, »und wie ich höre, ist er ein sehr alter Freund von deinem Vater.«

Regina wußte, daß sie nun etwas sagen sollte, aber ihr kam kein einziges Wort aus der Kehle. So nickte sie nur und war froh, daß Mr. Brindley bereits weitersprach.

»Sergeant Barret«, sagte er, »kommt aus Südafrika und wird in zwei Wochen an der Front sein. Er möchte noch einmal deine Eltern sehen und dich heute schon für die Ferien nach Hause nehmen. Das bringt mich in eine recht ungewohnte Lage. In dieser Schule sind noch nie Ausnahmen gemacht worden, und wir werden es auch künftig so halten, doch schließlich sind wir im Krieg und müssen alle lernen, unser ganz persönliches Opfer zu bringen.«

Es war leicht, bei diesem Satz Mr. Brindley tapfer anzuschauen und gleichzeitig das Kinn fest auf die Brust zu drücken. Wann immer von Opfern die Rede war, hatten sich die Kinder so zu verhalten, um patriotische Begeisterung zu zeigen. Trotzdem war Regina so verwirrt, als wäre sie ausgerechnet zum Anbruch der Nacht ohne Lampe in den Wald gelaufen. Erstens hatte sie Mr. Brindley noch nie so lange reden hören, und zweitens waren die Opfer, die der Krieg verlangte, meistens die Erklärung, weshalb es keine Hefte, Bleistifte, Marmelade zum Frühstück oder Pudding zum Abendessen gab, sobald die traurige Nachricht kam, daß ein englisches Schiff untergegangen war. Regina überlegte, weshalb ein Soldat aus Südafrika, der sie vier Tage vor Schulschluß schon für die Ferien abholen wollte, ein Opfer war, aber ihr fiel wieder nur ein, daß ihr Kinn auf die Brust gehörte.

»Ich werde«, beschloß Mr. Brindley, »einem unserer

Soldaten den Wunsch nicht abschlagen dürfen, dich heute schon nach Ol' Joro Orok mitzunehmen.«

»Regina, willst du dich denn nicht bei deinem Direktor bedanken?«

Regina begriff sofort, wie vorsichtig sie sein mußte, und machte ihr Gesicht steif, obwohl sie fast sicher war, daß in ihrem Hals die Feder eines Flamingokükens steckte. Ihr gelang es nur im allerletzten Moment, das verräterische Kichern hinunterzuschlucken, das den Zauber zerstört hätte. Der Soldatenkönig aus Südafrika würgte an den englischen Lauten genauso schwer herum wie Oha und hatte in dem ganzen Satz nur ein einziges Wort richtig ausgesprochen, und das war ausgerechnet ihr eigener Name.

»Ich danke. Sir, ich danke sehr, Sir.«

»Geh und sage Miß Chart, sie soll dir beim Packen helfen, Little Nell. Wir dürfen Sergeant Barret nicht zu lange warten lassen. Zeit ist kostbar im Krieg. Das wissen wir alle.«

Schon eine Stunde später ließ Regina die Luft aus ihren Lungen, holte sie zurück und befreite ihre Nase von dem verhaßten Geruch scharfer Seife, Lauch, Hammelfleisch und Schweiß, der für sie ebenso zu den Bedrohungen der Schule gehörte wie die Tränen, die ein Kind verschlucken mußte, ehe sie in den Augen zu harten Körnern von Salz wurden. Während sie den Knoten ihrer Schulkrawatte löste und den engen Rock der Uniform so hochzog, daß ihre Knie die Sonne fanden, fielen dem Wind immer neue Spiele mit ihrem Haar ein. Jedesmal, wenn sie durch das feine schwarze Netz blickte, wurde die weiße Schule auf dem Berg ein Stück dunkler. Als sich die vielen kleinen Gebäude endlich in ferne Schatten ohne Konturen auflösten, wurde der Körper so leicht wie der eines jungen Vogels, der zum erstenmal seine Flügel benutzt.

Noch wagte Regina nicht, ein Wort zu sagen, und aus Angst, der König aus Südafrika könne sich zurück in einen Wunsch verwandeln, mit dem sie nur Herz und Kopf betrogen hatte, zwang sie sich auch, Martin nicht anzusehen. Allein auf seine Hände, die das Lenkrad so fest umfaßten, daß die Knöchel zu weißen Edelsteinen wurden, durfte sie schauen.

»Warum nennt dich der alte Vogel Little Nell?« fragte Martin, als er den Jeep aus Nakuru heraus und die staubige Straße hinauf nach Gilgil lenkte.

Regina lachte, als sie den König Deutsch und im gleichen Tonfall wie ihren Vater sprechen hörte. »Das ist«, sagte sie, »eine lange Geschichte. Verstehst du etwas von Feen?«

»Klar. Bei deiner Geburt stand eine an deiner Wiege.«

»Was ist eine Wiege?«

»Paß auf, du erzählst mir alles, was du von Feen weißt. Und ich erkläre dir, was eine Wiege ist.«

»Und sagst du mir auch, warum du gelogen hast, daß du ein Freund von Papa bist?«

»Ich hab' nicht geschwindelt. Dein Papa und ich sind ganz alte Freunde. Wir waren zusammen jung. Und deine Mutter war nicht viel älter als du, als ich sie zum erstenmal sah.«

»Ich hab' gedacht, du willst mich kidnappen.«

»Wohin?«

»Wo es keine Schule gibt und keine Chefs. Und keine reichen Leute, die arme Leute nicht mögen. Und keine Briefe aus Deutschland«, zählte Regina auf.

»Tut mir leid, wenn ich dich enttäuscht habe. Aber geschwindelt habe ich doch. Bei deinem Direktor. Ich komme nämlich von der Farm. Wir haben wunderschöne Tage verbracht, deine Eltern, ich, Kimani und Owuor. Und natürlich Rummler. Und da wollte ich nicht weg, ohne dich zu sehen.«

»Warum?«

»Ich muß wirklich in drei Tagen fort. In den Krieg. Weißt du, ich habe dich gekannt, als du noch ganz klein warst.«

»Das war in meinem anderen Leben, und ich kann mich nicht daran erinnern.«

»In meinem auch. Leider kann ich mich erinnern.«

»Du redest wie Papa.«

Martin war erstaunt, wie leicht es war, sich mit Regina zu unterhalten. Er hatte sich die üblichen Fragen zurechtgelegt, die ein Erwachsener, der keine Erfahrung mit Kindern hat, an sie richtet. Sie erzählte aber von der Schule auf eine Art, die ihn faszinierte, weil er Walters Humor der Jugendzeit wiedererkannte und zugleich mit einem Sinn für Ironie konfrontiert wurde, der ihn bei einer Elfjährigen verblüffte. Bald fand er sich auch so gut zurecht in dem zunächst verwirrend schnellen Wechsel von Fantasie zur Wirklichkeit, daß er ihr mühelos von einer Welt in die andere folgen konnte. Zwischen jeder Geschichte machte Regina lange Pausen, und, als sie seine Irritation bemerkte, klärte sie Martin auf, als sei er ein Kind und sie die Lehrerin.

»Das hat mir Kimani beigebracht«, sagte sie, »es ist nicht gut für den Kopf, wenn der Mund zu lange offen ist.«

Zwischen Thomson's Falls und Ol' Joro Orok, als die Straße immer enger, steiler und steiniger wurde, bat Regina: »Warten wir doch hier, bis die Sonne rot wird. Das ist mein Baum. Wenn ich ihn sehe, weiß ich, daß ich bald zu Hause bin. Vielleicht kommen die Affen. Da dürfen wir uns was wünschen.«

»Ist ein Affe bei dir so etwas wie eine Fee?«

»Es gibt ja gar keine Feen. Ich tu nur so. Das hilft, obwohl Papa sagt, nur die Engländer dürfen träumen.«

»Also heute träumen wir beide. Dein Papa ist ein Narr.«

»Aber nein«, widersprach Regina und kreuzte ihre Finger, »er ist ein Refugee.« Ihre Stimme war leise geworden.

»Du liebst ihn sehr, nicht wahr?«

»Sehr«, nickte Regina. »Mama auch«, sagte sie schnell. Sie sah, daß Martin, der sich an den dicken Stamm ihres Baumes lehnte, die Augen schloß und machte auch ihre zu. Die Ohren fingen die ersten Schauris der Trommeln auf und die Haut den aufkommenden Wind, obgleich sich das Gras noch nicht regte. Das Glück der Heimkehr machte ihren Körper heiß. Sie öffnete die Bluse, um kleine Seufzer freizulassen und freute sich an den Tönen der Zufriedenheit, die sie so lange entbehrt hatte.

Die pfeifenden Töne weckten Martin. Er sah Regina zu lange an und merkte die Beunruhigung zu spät. Eine Weile machte er sich vor, die noch nie so stark erlebte Gewalt der Einsamkeit, die Geräusche, die er nicht deuten konnte, und der Wald mit den düsteren Riesen würden ihn verwirren, dann begriff er jedoch, daß es die längst vergessen geglaubten Erinnerungen waren, die ihn bedrängten.

Als die Ziffern seiner Uhr einen schwarzen Kreis formten, der seine Augen mit violetten Funken traktierte, gab er endlich der berauschenden Lust nach und schaute zurück. Erst löste sich sein neuer englischer Name in Silben auf, die er nicht zusammenfügen konnte, und sofort danach war er wieder in Breslau und sah Jettel zum erstenmal. Martin wunderte sich ein wenig, daß sie nackt war, aber er empfand es als wohltuend, daß ihre schwarzen Locken einen Reigen tanzten. Noch aber war seine Vernunft stärker als sein Gedächtnis. Ehe die Bilder ihm endgültig den großen Krieg erklärten, fielen ihm jene sonderbaren Geschichten ein, die sich Männer aus Europa von Afrika erzählten. Sie alle fürchteten den Moment, wenn sie die Vergangenheit lähmte und ihnen das Gefühl für Zeit raubte.

»Verdammte Tropen«, fluchte Martin. Er erschrak, als seine Stimme die Stille sprengte, doch als ihm nur ein Vogel Antwort gab, begriff er, daß er gar nicht laut gesprochen hatte; eine Zeitlang, die er nicht bemessen konnte, war es ihm genug, die sanfte Erleichterung als Rettung aus der Not zu genießen.

Regina sah ihrer Mutter nicht ähnlich und war längst nicht so schön wie Jettel als junges Mädchen, aber sie war kein Kind. Die Ahnung, daß einige Geschichten immer wieder von vorne anfingen, ließ Martin seinen Herzschlag spüren. Jettel hatte ihm einst bewußt gemacht, daß er ein Mann war. Regina erweckte ihn ihm den Wunsch nach Zukunft statt Vergangenheit.

»Komm«, sagte er, »wir fahren weiter. Du willst doch bald zu Hause sein.«

»Ich bin ja schon zu Hause.«

»Du liebst die Farm, nicht wahr?«

»Ja, aber das ist mein secret. Meine Eltern dürfen das nicht wissen. Die lieben Deutschland.«

»Versprichst du mir etwas? Wenn du mal fort von der Farm mußt, daß du nicht traurig bist.«

»Warum soll ich fort müssen?«

»Vielleicht wird dein Vater auch mal Soldat.«

»Das wird schön«, malte sich Regina aus, »wenn er auch so eine Uniform hat wie du. Und Mr. Brindley sagt: Soldaten darf man nicht warten lassen. Dann beneiden mich die anderen. So wie heute.«

»Du hast dein Versprechen vergessen«, lächelte Martin, »daß du nie traurig sein wirst.«

Wieder erkannte Regina, daß Martin mehr als nur ein Mensch war. Er wußte, wie gut es war, wichtige Worte mehr als einmal zu sagen. Sie ließ sich Zeit, ehe sie fragte: »Warum willst du denn, daß ich nicht traurig bin?«

»Weil ich nach dem Krieg zu dir zurückkomme. Dann bist du eine Frau. Aber vorher muß ich an die Front. Und da ist die Welt nicht so schön wie hier. Da möchte ich mir wenigstens vorstellen, daß du so glücklich bist wie jetzt. Wäre das sehr schwer?«

»Nein«, sagte Regina, »ich stelle mir dann einfach vor, daß du doch ein König bist. Meiner. Das macht dir doch nichts aus?«

»Überhaupt nicht«, lachte Martin, »an diesem gottverlassenen Flecken lernt man zu träumen.« Er beugte sich herunter, zog Regina an den Schultern hoch, und als er ihre Haut berührte, geriet ihm die Zeit wieder durcheinander. Er kam sich erst jung und unbekümmert vor, dann, als er hörte, wie schwer er atmete, alt und töricht. Er holte aus, um die Wehmut zu zertreten, doch Reginas Stimme kam seiner Beherrschung zuvor.

»Was machst du da?« kicherte sie. »Das kitzelt.«

12

Anfang Dezember 1943 erhielt Colonel Whidett einen Befehl, der ihm gründlich die Vorfreude auf seinen sorgsam geplanten Weihnachtsurlaub im exklusiven Haus des Mount Kenya Safari Club verdarb und der sich zudem als die bis dahin heikelste Herausforderung seiner gesamten militärischen Laufbahn erwies. Das Kriegsministerium in London übertrug ihm die Verantwortung für das Unternehmen »J«, das in seiner Folge die Umstrukturierung der in Kenia stationierten Streitkräfte bedeuten sollte.

Die Kolonie sollte, und dies umgehend, dem Beispiel des Mutterlands und der anderen Länder des Commonwealth folgen und auch solche Freiwillige in die Armee Seiner Majestät aufnehmen, die nicht im Besitz der britischen Staatsangehörigkeit waren, »sofern sie der alliierten Sache freundlich gesonnen waren und keine Gefahr für die innere Sicherheit« darstellten. Die Formulierung »bei dem Kreis der in Frage kommenden Refugees muß zuvor eine antideutsche Haltung einwandfrei attestiert werden« erhärtete bei Colonel Whidett die in zwei Weltkriegen gemachte Erfahrung, daß gesunder britischer Menschenverstand nicht Grundvoraussetzung für eine Anstellung im englischen Kriegsministerium war.

Zudem wurde in einem exorbitant weitschweifigen Nachsatz darauf hingewiesen, daß auch der Kreis der Emigranten aus Deutschland unbedingt berücksichtigt werden sollte. Der Colonel empfand gerade diesen Teil der Order als ebenso verwirrend und überflüssig wie schizophren. Zu genau waren ihm noch die bei Kriegsausbruch geltenden Richtlinien gegenwärtig. Nur die Flüchtlinge aus dem unfreiwillig von Deutschland annektierten Österreich, aus der brutal überfallenen Tschechoslowakei und aus dem bejammernswerten Polen hatten doch damals als friendly gegolten, die aus Deutschland unterschiedslos als

Enemy Aliens. Seitdem war, zumindest nach übereinstimmender Meinung der leitenden Militärs in Kenia, absolut nichts geschehen, das ein Rütteln an bewährten Prinzipien gebot.

Colonel Whidett schickte zunächst seine Familie in die Ferien nach Malindi, sagte enttäuscht seinen eigenen Urlaub ab und machte sich mit einiger Verbitterung, aber doch mit jener Disziplin, die er trotz aller naheliegenden Versuchungen nie dem lässigen Kolonialstil geopfert hatte, zu dem offenbar von ihm geforderten Prozeß des Umdenkens bereit. Mit einer Klarsichtigkeit, die ihm sonst bei Dingen außerhalb seines Begriffsbereichs nicht gegeben war, erkannte er ebenso rasch wie schon zu Beginn des Krieges, daß der ihm nach wie vor suspekte Kreis der Refugees für Probleme sorgte, denen nicht mit gewohnter militärischer Routine beizukommen war.

Whidett empfand den Befehl aus London als eine fast schon unzumutbare Veränderung einer bis dahin allgemein befriedigenden Situation. Ihr verdankte die Kolonie immerhin, daß die Leute vom Kontinent in ihrer Mehrzahl gut auf den Farmen des Hochlands aufgehoben waren. Dort stellten sie auf keinen Fall ein Sicherheitsrisiko dar und waren zudem auch eine wirkliche Hilfe für jene britischen Farmer, die bei der Armee dienten, ohne daß Offiziere wie Whidett sich zuvor mit ihren Anschauungen und ihrer Vergangenheit hatten beschäftigen müssen.

Den nun in Frage kommenden Personenkreis in einem so weitläufigen und verkehrsmäßig nicht für Kriegszeiten gut genug erschlossenen Land wie Kenia in den Dienst Seiner Majestät zu berufen, war gewiß für die Betroffenen weitaus umständlicher als vom grünen Tisch des Mutterlands gedacht. Im Offizierskasino von Nairobi, in dem Whidett, entgegen seiner sonstigen Gewohnheit, nicht über dienstliche Dinge zu diskutieren, von seinen Sorgen sprach, machte bald das Bonmot »Germans to the Front« die Runde. Der Colonel empfand den ärgerlichen Geistesblitz nicht nur als Herausforderung an seinen urbritischen Sinn für Humor, sondern als eine Perfidie, die schamlos seine Ratlosigkeit bloßlegte. Er wußte nicht, wie er die »fucking Jerries« erreichen konnte; er hatte nicht den Hauch einer Ahnung, wie er ihre Gesinnung erforschen sollte.

Sein in diesem Fall leider zu gut funktionierendes Gedächtnis machte ihm überdeutlich klar, daß es sich in den allermeisten Fällen um Leute mit reichlich verworrenen Lebensgeschichten handelte, die ihm ja auch schon den Kriegsausbruch vergällt hatten. Im intimsten Kreis gab er unumwunden zu, daß der Beginn des Kriegs, zumindest in dieser Beziehung, eine »feine Fingerübung« im Vergleich zu dem Dilemma gewesen sei, das er auch im Februar 1944, also volle zwei Monate nach der Londoner Anweisung, noch nicht gelöst hatte.

»1939«, so befand Whidett mit seinem bewunderten Sinn für Sarkasmus, »wurden einem die Burschen noch auf Lastwagen angeliefert, und wir konnten sie ins Camp stecken. Jetzt erwartet Mr. Churchill offenbar, daß wir zu ihnen auf die Farmen fahren und persönlich nachsehen, ob sie noch Sauerkraut fressen und Heil Hitler sagen.«

Merkwürdigerweise waren es dann ausgerechnet die nostalgischen Erinnerungen an den Kriegsanfang, die den Colonel auf den rettenden Ausweg brachten. Im genau passenden Moment erinnerte er sich an die Familie Rubens und somit an die bemerkenswerten Leute, die sich 1939 so wortgewaltig für die Freilassung der internierten Refugees eingesetzt hatten. Durch akribisches Studium der Unterlagen stieß der Colonel auch auf die leider wieder benötigten Namen.

In einem Brief, den er nicht ohne Unbehagen schrieb, weil er zu befehlen und nicht zu bitten gewohnt war, nahm Whidett Kontakt mit dem Haus Rubens auf; bereits zwei Wochen später fand eine sehr entscheidende Unterredung in seinem Dienstzimmer statt. Verblüfft erfuhr der Colonel, daß vier der Söhne der in seinen Augen noch immer zu expressiven, aber nun wiederum recht nützlichen Familie Rubens beim Militär waren. Einer davon war in Burma, was ja wahrlich nicht als das Paradies der Drückeberger galt, und einer bei der Airforce in England. Archie und Benjamin waren vorerst in Nairobi stationiert. David lebte zu Hause beim Vater, was für Whidett zwei zusätzliche Berater bedeutete.

»Ich glaube«, sagte Whidett zu den vier Männern, von denen er fand, genau wie bei der ersten Begegnung, daß sie seinem Konferenzraum einen etwas zu fremdartigen Anstrich gaben, »daß man die Dinge in London nicht bis ins letzte durchdacht hat. Ich meine«, fing er noch einmal und nicht ohne Verlegenheit an, weil er nicht recht wußte, wie er seine Vorbehalte in die richtigen Worte bringen sollte, »weshalb soll hier einer freiwillig in die verdammte Army gehen, wenn er nicht muß? Der Krieg ist doch weit.«

»Nicht für die Menschen, die unter den Deutschen gelitten haben.«

»Haben sie das?« fragte Whidett interessiert. »Soweit ich mich zu erinnern glaube, waren die meisten doch schon hier, als der Krieg ausbrach.«

»In Deutschland brauchte man nicht erst den Krieg abzuwarten, um unter den Deutschen zu leiden«, sagte der alte Rubens.

»Gewiß nicht«, versicherte Whidett hastig, während er überlegte, ob der Satz wohl mehr Sinn haben könnte, als ihm aufgegangen war.

»Warum glauben Sie, Sir, sind meine Söhne beim Militär?«

»Ich zerbreche mir selten meinen alten Kopf, weshalb einer beim Militär ist. Auch ich frage mich nicht, warum ich diese lausige Uniform anhabe.«

»Sollten Sie aber, Colonel. Wir tun es. Für Juden ist der Kampf gegen Hitler kein gewöhnlicher Krieg. Die wenigsten von uns haben die Wahl gehabt, ob sie kämpfen wollen oder nicht. Die meisten werden hingeschlachtet, ohne daß sie sich wehren können.«

Colonel Whidett gestattete sich einen kleinen mißbilligenden Seufzer. Er erinnerte sich, obwohl er es sich nicht anmerken ließ, daß der bullige Mann, der vor seinem

Schreibtisch saß, auch bei der ersten Begegnung zu unappetitlichen Ausdrücken geneigt hatte. Erfahrung und Logik sagten ihm aber dann doch, daß die Juden im allgemeinen wohl ihre Probleme besser selbst lösen konnten als die wohl doch nicht ganz unbefangenen Außenstehenden.

»Wie«, fragte er, »soll ich denn in diesem verfluchten Land Ihre Leute überhaupt erreichen und sie wissen lassen, daß die Army sich plötzlich für sie interessiert?«

»Lassen Sie das mal unsere Sorge sein«, sagten Archie und Benjamin. Sie lachten sehr laut, als sie merkten, daß sie gleichzeitig gesprochen hatten, und schlugen dann auch gemeinsam vor, als könnte einer von ihnen allein nicht sprechen: »Wenn es Ihnen recht ist, fahren wir zu den Farmen hin und informieren die Männer, die in Frage kommen.«

Colonel Whidett nickte mit einer Prise Wohlwollen. Er unternahm auch keine allzu große Anstrengung, seine Erleichterung zu verbergen. Zwar schätzte er unkonventionelle Lösungen nur in Maßen, aber er war nie ein Mann gewesen, der sich Spontaneität widersetzte, wenn sie ihm nützlich erschien. Binnen eines Monats erhielt er von London die offizielle Erlaubnis, Archie und Benjamin von ihren regulären Dienstverpflichtungen freizustellen und mit den nötigen Sonderaufträgen zu betrauen. Dem Vater schrieb er einen freundlichen Brief und bat um seine weitere Unterstützung. Der ersparte eine nochmalige Begegnung, die nach Whidetts Ansicht für beide Seiten doch zu persönlich gewesen wäre.

Der alte Rubens hielt am darauffolgenden Freitag abend nach dem Gottesdienst eine kleine Ansprache, in der er von der Pflicht der jungen jüdischen Männer sprach, ihren Dank an das Gastland abzustatten, und im übrigen sorgte er ohne Zeitverlust für die notwendige Organisation. David übernahm es, Kontakt mit den Refugees herzustellen, die zwischen Eldoret und Kisumu lebten, Benjamin sollte die Küste abfahren und Archie das Hochland bearbeiten.

»Ich fang bei dem Mann in Sabbatia an. Ohne Dolmetscher mache ich mich nicht auf die Reise«, entschied er.

»Willst du sagen, unsere Glaubensgenossen können immer noch kein Englisch?« fragte sein Bruder.

»Man erlebt da wirklich abenteuerliche Geschichten. Wir haben seit zwei Jahren so einen komischen Polen im Regiment, der kaum ein Wort herausbringt«, erzählte Archie.

»Meinen klugen Söhnen wäre so etwas natürlich nicht passiert, wenn sie in die Emigration gemußt hätten. Die hätten alle auf den Farmen von den Kikuyus bestes Oxfordenglisch gelernt«, sagte sein Vater.

Weil die kleine Regenzeit in Ol' Joro Orok noch nicht eingesetzt hatte, war die Gibson-Farm eine der ersten auf Archies Tour. So wurde Walter im März 1944, genau wie Colonel Whidett, an den Kriegsausbruch erinnert. Wieder war es Süßkind, der ihm die entscheidende Wende in seinem Leben verkündete.

Am späten Nachmittag traf er mit Archie – in der Uniform eines Sergeantmajors – auf der Farm ein, und rief, kaum daß er aus dem Jeep ausgestiegen war: »Es ist soweit. Wenn du willst, kannst du ab sofort deine Tage hier zählen. Die wollen uns endlich haben.« Dann rannte er Jettel entgegen, wirbelte sie herum und lachte: »Und du wirst die schönste Kriegsbraut von Nairobi. Da verwette ich meinen Kopf.«

»Was soll das nun wieder heißen?« fragte Jettel. »Dreimal darfst du raten«, sagte Walter.

Die Farm war gerade dabei, sich vom Tag zu verabschieden. Kimani schlug wegen des kräftigen Windes lauter als sonst mit seiner Eisenstange gegen den Wassertank. Das Echo hatte einen tiefen Ton, als es vom Berg abprallte. Die Geier flogen kreischend aus den Bäumen und kehrten sofort zurück in die bebenden Äste.

Rummler kletterte schwerfällig schnaufend in Archies Jeep und machte sich hechelnd daran, sein feuchtes Fell an den Sitzen zu wärmen. Kamau, in einem Hemd, das wie ein Stück vom jungen Gras aussah, trug das Holz für den

Ofen in die Küche. Deutlich erklang vom Wald das dumpfe Schlagen der Abendtrommeln. Die Luft war noch warm und weich von der eben untergegangenen Sonne, schon feucht von den ersten Perlen des Abendtaus. Vor den Hütten wurde Feuer angezündet, und laut bellend nahmen die Hunde der Schambaboys die Witterung der Hyänen auf, die zum Heulen ansetzten.

Walter merkte, daß seine Finger klamm und die Kehle trocken waren. Die Augen brannten. Ihm war es, als sehe er die Bilder das erstemal und als habe er die vertrauten Laute noch nie zuvor gehört. Das Rasen seines Herzens machte ihn unsicher. Obwohl er sich zu wehren versuchte, spürte er den verhaßten, schneidenden, nicht zu erklärenden Schmerz des Abschieds, der auf ihn zukommen könnte.

»Wie Faust«, sagte er zu laut und zu plötzlich, »zwei Seelen in der Brust.«

»Wie wer?« fragte Süßkind.

»Ach, nichts. Du kennst ihn nicht, der ist kein Refugee.«

»Willst du«, fragte Archie, »es ihnen nicht endlich erklären?« Seine Stimme hatte die Ungeduld der Menschen aus der Stadt. Er merkte es und lächelte dem Hund im Wagen zu, aber Rummler sprang heraus und trieb knurrende Abwehr durch seine Zähne.

»Nicht nötig«, beruhigte Süßkind, »sie wissen schon Bescheid. Wir hier draußen haben seit Monaten über nichts anderes nachgedacht.«

»Habt ihr es so eilig, von den Farmen wegzukommen? Oder habt ihr Angst, daß der Krieg zu Ende ist, ehe ihr den Helden spielen dürft?«

»Wir haben Familie in Deutschland.«

»Sorry«, stammelte Archie, als er Süßkind ins Haus folgte. Er hatte das gleiche unangenehme Gefühl in den Knien wie als Junge, wenn ihn sein Vater wegen einer frechen Bemerkung getadelt hatte, und er spürte das Bedürfnis, sich hinzusetzen. Noch ehe er jedoch einen der Stühle erreichte, hob er den Kopf und sah sich um. Er betrachtete, erst zufällig und dann mit einer Gründlichkeit, die ihn erheiterte, eine Zeichnung vom Breslauer Rathaus. Das gelbe Papier war schwarz gerahmt.

Archie war es nicht gewohnt, andere Bilder zu betrachten als das Porträt seines Großvaters im Eßzimmer und die Fotos seiner Kindertage und von den Jagdsafaris mit seinen Vettern aus London, doch der Bau mit den vielen Fenstern, dem imposanten Eingang, vor dem einige Männer in hohen Hüten standen, und dem Dach, das ihm sehr schön erschien, fesselte und irritierte ihn. Das Bild erschien ihm Teil einer Welt zu sein, von deren Existenz er nicht mehr wußte als die Hausboys seines Vaters von den jüdischen Feiertagen.

Er empfand den Vergleich grotesk. Während er am Ärmel seiner Uniform mit der Krone über den drei Streifen aus weißem Stoff zupfte, überlegte er, ob die Airforce wohl schon Bomben auf die Stadt mit dem eindrucksvollen Haus abgeworfen hatte und ob sein Bruder Dan dabeigewesen war. Er wunderte sich ein wenig, daß der Gedanke ihm mißfiel; das Mißfallen ärgerte ihn. Es war schon zu spät, um noch zur nächsten Farm weiterzufahren.

Jettel sagte Owuor, er solle Kaffee kochen; Archie war erstaunt, ihr fließendes Suaheli zu hören. Er fragte sich, weshalb er das nicht erwartet hatte, und er kam sich töricht vor, weil er keine Antwort fand. Als er sie anlächelte, ging ihm auf, daß sie schön war und ganz anders als die Frauen, die er aus Nairobi kannte. Genau wie das Bild in dem schwarzen Rahmen schien sie aus einer fremden Welt zu stammen.

Dorothy, seine eigene Frau, hätte bestimmt kein Kleid auf einer Farm getragen, sondern Hosen und wahrscheinlich seine. Die roten Karos auf dem schwarzen Stoff von Jettels tief ausgeschnittenem Kleid begannen, sich vor Archies Augen aufzulösen, und, als er sich abwandte und wieder das Rathaus anschaute, war es ihm, als seien die vielen kleinen Fenster größer geworden. Er merkte, daß er im Begriff war, einen seiner Anfälle von Kopfschmerzen zu bekommen, und fragte, ob er einen Whisky haben könnte.

»Für so etwas gibt es hier kein Geld«, sagte Süßkind.

»Was hat er gesagt?« wollte Walter wissen.

»Ihm gefällt euer Bild«, erklärte Süßkind.

»Das Breslauer Rathaus«, sagte Jettel. Ihr fiel auf, daß Archie wieder »sorry« sagte, und diesmal war sie es, die ihm zulächelte, doch die Lampen waren noch nicht angezündet, und sie konnte nicht sehen, ob er ihren Blick erwiderte. Ihr wurde bewußt, daß ein solcher Austausch von kleinen Harmlosigkeiten in ihrer Jugend vielleicht der Beginn eines Flirts gewesen wäre, aber sie merkte vor der Zeit der Belebung, daß sie verlernt hatte, kokett zu sein.

Zum Abendessen gab es Reis mit scharf gebratenen Zwiebeln und getrockneten Bananen. »Bitte erkläre doch unserem Gast«, entschuldigte sich Jettel, »daß wir nicht auf Besuch vorbereitet waren.«

»Außerdem leben wir immer fleischlos, seitdem Regina so rücksichtslos war, aus ihren Schuhen herauszuwachsen«, sagte Walter. Er versuchte, mit einem Lächeln seine Ironie heiter zu machen.

»Das ist ein altes deutsches Nationalgericht«, übersetzte Süßkind und nahm sich vor, bei nächster Gelegenheit das englische Wort für Schlesien im Lexikon nachzuschlagen.

Archie empfand es fast als körperliche Anstrengung, nicht in seinem Essen herumzustochern. Ihm fiel ein, daß er im dritten Jahr auf der Boarding School mal zu spät zum Essen gekommen war und wie er zur Strafe ein albernes Gedicht von einem dämlichen Mädchen, das keinen Reispudding mochte, hatte auswendig lernen müssen, aber er konnte sich nur an die erste Zeile erinnern. Die vergebliche Suche nach der zweiten beschäftigte ihn nicht lange genug.

Er nahm sich vor, den Reis und vor allem die salzigen Bananen unzerkaut hinunterzuschlucken, um weniger von ihnen schmecken zu müssen. Das wurde ihm leichter, als mit der Scham fertig zu werden, die sich ihm aufdrängte. Zunächst dachte er, nur sein Widerwillen gegen das ungewohnte Essen und die befremdende Atmosphäre hätten ihn empfindlich gemacht, aber unangenehm rasch wurde die Erkenntnis zur Last, daß seine Familie und die übrigen alteingesessenen Juden von Nairobi den Emigranten immer sehr bereitwillig mit Geld und guten Ratschlägen geholfen, sich jedoch nie Gedanken über deren Vergangenheit, Leben, Sorgen und Empfindungen gemacht hatten.

Hinzu kam, daß es Archie immer peinlicher wurde, jedes Wort an seine Gastgeber erst an Süßkind zur Übersetzung richten zu müssen. Er hatte ein geradezu unsinniges Verlangen nach Whisky und kam sich gleichzeitig vor, als habe er drei Doppelte in einen nüchternen Magen gekippt. Ihm war es, als sei er wieder Kind und beim Lauschen an der Tür ertappt worden. Es hatte lange gedauert, ehe man ihm das abgewöhnt hatte. Endlich gab er den Kampf um seine Selbstbeherrschung verloren und sagte, er sei müde. Erleichtert nahm er den Vorschlag an, sich in Reginas Zimmer zurückzuziehen.

Süßkind starrte ins Feuer, Jettel kratzte die letzte Spur vom Reis aus der Schüssel und schob Rummler einen Bissen in die Schnauze, Walter ließ ein Messer um die eigene Achse kreisen. Es war, als warteten alle drei nur auf ein Zeichen, um sich in die heitere Unbefangenheit von Süßkinds üblichen Besuchen zu stürzen, aber das Schweigen war zu groß; die Erlösung kam nicht. Sie spürten es alle, auch Süßkind, und er wunderte sich sehr, daß sie verlernt hatten, Veränderungen hinzunehmen. Schon die Möglichkeit, daß das Leben in neuen Bahnen verlaufen könnte, machte ihnen angst. Es war leichter geworden, Fesseln zu ertragen, als sie zu zerschneiden. Tränen, von denen sie noch nicht einmal wußte, daß sie schon in ihren Augen waren, brachen aus Jettel heraus.

»Wie kannst du uns das antun?« schrie sie. »Einfach im Krieg zu fallen, nach allem, was wir durchgemacht haben? Was soll aus mir und Regina werden?«

»Jettel, mach bloß keine deiner Szenen. Die Army hat mich noch nicht einmal genommen.«

»Aber sie wird. Warum soll ausgerechnet ich mal Glück haben?«

»Ich bin vierzig«, sagte Walter. »Warum soll ausgerechnet ich einmal Glück haben? Ich kann mir nicht vorstellen, daß die Engländer nur auf mich gewartet haben, um endlich den Krieg zu gewinnen.«

Er stand auf und wollte Jettel streicheln, doch er spürte keine Wärme in seinen Händen, ließ seine Arme fallen und ging zum Fenster. Der vertraute Geruch, der den feuchten Holzwänden entströmte, erschien ihm mit einem Mal sanft und süß. Sein Blick sah nur Dunkelheit, und dennoch ahnte er die Schönheit, die sonst nur Reginas Augen froh machte. Wie sollte er es ihr sagen? Zu spät merkte er, daß er laut gesprochen hatte.

»Um Regina brauchst du dir keine Sorgen zu machen«, weinte Jettel, »sie betet jeden Abend, daß du zur Armee kannst.«

»Seit wann?«

»Seitdem Martin hier war.«

»Das habe ich nicht gewußt.«

»Und daß sie in ihn verliebt ist, weißt du wohl auch nicht.«

»Quatsch.«

»Sie hat nichts vergessen, was Martin je zu ihr gesagt hat. Sie klammert sich an jedes Wort. Du mußt ihn gebeten haben, sie auf den Abschied von unserer Farm vorzubereiten. Ihr habt doch immer unter einer Decke gesteckt.«

»Soweit ich mich erinnere, warst du es, der mit Martin unter die Decke gekrochen ist. Sie war blau. Martin übrigens auch. Glaubst du wirklich, daß ich nicht mehr weiß, was damals in Breslau passiert ist?«

»Nichts ist damals passiert. Du warst nur wieder mal grundlos eifersüchtig. Wie immer.«

»Kinder, streitet euch nicht. Hier ist jedenfalls etwas Gutes geschehen«, sagte Süßkind, »Archie hat mir erzählt, wie die Dinge laufen werden. Du wirst vor eine Kommission gerufen und mußt sagen, warum du zur Army willst. Und sei bloß kein Narr. Daß ihr beide auf der Farm verreckt, wollen die Engländer bestimmt nicht hören.«

»Ich will ja gar nicht von der Farm weg«, schluchzte Jettel, »die Farm ist mein Zuhause.« Sie war sehr zufrieden, daß sie ohne zu große Anstrengung Lüge, Kindlichkeit und Trotz in ihre Stimme und ihr Gesicht geholt hatte, doch dann wurde ihr klar, daß Walter das schöne alte Spiel durchschaut hatte.

»Jettel hat unsere ganze Emigration damit verbracht, nach den Fleischtöpfen Ägyptens zu jammern«, sagte Walter. Er sah nur Süßkind an. »Natürlich will ich von der Farm weg, aber das ist es nicht allein. Zum erstenmal seit Jahren habe ich das Gefühl, daß ich gefragt werde, ob ich etwas tun will oder nicht, und daß ich etwas für meine Überzeugung tun kann. Mein Vater hätte gewollt, daß ich zur Army gehe. Er hat ja auch seine Pflicht als Soldat getan.«

»Ich denke, du magst die Engländer nicht«, hielt ihm Jettel vor. »Warum willst du dann für sie fallen?«

»Herrgott, Jettel, ich bin noch nicht tot. Außerdem sind es die Engländer, die mich nicht mögen. Aber wenn sie mich haben wollen, will ich dabei sein. Vielleicht kann ich dann eines Tages wieder in den Spiegel sehen, ohne mir wie der letzte Nebbich vorzukommen. Wenn du es genau wissen willst, habe ich mir immer gewünscht, Soldat zu sein. Vom ersten Kriegstag an. Owuor, was machst du da, warum schmeißt du so ein großes Stück Holz ins Feuer? Wir gehen doch bald ins Bett.«

Owuor hatte seine Anwaltsrobe angezogen. Er legte leise pfeifend noch einige Äste in den Kamin, holte warme Luft aus seinen Lungen in den Mund und fütterte zärtlich die Flammen. Dann stand er so langsam auf, als müßte er jedes einzelne Glied erst zum Leben erwecken. Geduldig wartete er, bis auch für ihn die Zeit zum Reden gekommen war.

»Bwana«, sagte er und genoß schon im vorhinein das große Staunen, auf das er seit der Ankunft vom Bwana Askari gelauert hatte. »Bwana«, wiederholte er und lachte wie eine Hyäne, die Beute gefunden hat, »wenn du von der Farm gehst, komme ich mit. Ich will dich nicht wieder suchen wie an dem Tag, als du in Rongai auf Safari gegangen bist. Die Memsahib braucht ihren Koch, wenn du zu den Askaris gehst.«

»Was sagst du da? Woher weißt du?«

»Bwana, ich kann Worte riechen. Und die Tage, die noch nicht gekommen sind. Hast du das vergessen?«

13

Am Morgen des 6. Juni 1944 saß Walter zwei Stunden vor dem Weckruf in der leeren Mannschaftsmesse. Durch die schmalen, offenen Fenster kroch die belebende Kühle der mondgelben Nacht und verdampfte in den Holzwänden, die für kurze, unerwartet erfreuliche Augenblicke so frisch rochen wie die Zedern von Ol' Joro Orok. Für Walter war die Zeit zwischen Dunkelheit und Dämmerung ein willkommenes Geschenk seiner Schlaflosigkeit und ideal, um Gedanken und Bilder zu entwirren, Briefe zu schreiben und ungestört von den argwöhnischen Blicken jener Soldaten, die das Glück des richtigen Geburtslandes hatten und zu wenig Fantasie, um es auch zu schätzen, Nachrichten in deutscher Sprache zu suchen. Er stopfte das grobe Khakihemd, das weit besser für den Krieg im europäischen Winter als für die heißen Tage am Südrand des Sodasees von Nakuru geeignet war, in die Hose und genoß seine Zufriedenheit als das erregendste Erlebnis der neuen Sicherheit.

Nach seinen ersten vier Wochen beim Militär hatte er sich noch immer nicht genug an das fließende Wasser, das elektrische Licht und die Erfülltheit der Tage gewöhnt, um sie nicht bewußt als lang entbehrte Wohltaten zu genießen. Es war ihm eine kindische Freude, in seiner Freizeit zur Schreibstube zu gehen und dort den Telefonapparat anzuschauen. Manchmal nahm er sogar den Hörer in die Hand, um sich am Ton des Freizeichens zu freuen.

Er genoß es jeden Tag aufs neue, Radio zu hören und sich keine Gedanken um die Batterie machen zu müssen. Als der Zahnarzt der Kompanie ihm grob und ungeschickt die zwei Zähne zog, die ihn seit den ersten Tagen in Ol' Joro Orok geplagt hatten, empfand er selbst den Schmerz noch als Beweis, daß er es weit gebracht hatte – er brauchte sich nicht um die Rechnung zu sorgen. Wann immer seine körperliche Erschöpfung es zuließ und seit ein paar Tagen die heftigen Schweißausbrüche, gönnte er sich den Genuß, pedantisch die Bilanz seines abermals abrupt veränderten Lebens zu ziehen.

Walter hatte in einem Monat mehr gehört, geredet und selbst gelacht als in den fünf Jahren auf den Farmen in Rongai und Ol' Joro Orok. Er aß vier Mahlzeiten am Tag, zwei davon mit Fleisch, die ihn nichts kosteten, hatte Wäsche, Schuhe und mehr Hosen, als er brauchte, konnte seine Zigaretten zum Billigtarif für Soldaten kaufen und hatte Anspruch auf eine Wochenration Alkohol, die ihm ein Schotte mit Schnurrbart schon zweimal gegen drei freundliche Schläge auf den Rücken abgehandelt hatte. Von seinem Sold als Private der British Army konnte er Reginas Schule bezahlen und Jettel noch ein Pfund nach Nairobi schicken. Außerdem bekam sie einen monatlichen Zuschuß von der Army. Vor allem lebte Walter ohne Furcht, daß jeder Brief die Kündigung seiner ungeliebten Stellung bedeuten und ihn vernichten könnte.

In einem Spind lagen Papier und Briefumschläge; zwischen leeren Flaschen und vollen Aschenbechern stand ein Tintenfaß, daneben lag ein Federhalter. Bei dem Gedanken, daß er sich nur zu bedienen brauchte und die Army auch seine Post frankieren und befördern würde, fühlte er sich so satt wie der hungrige Bettler vor dem Berg aus süßem Brei im Schlaraffenland. An der Wand hing ein vergilbtes Foto von George VI. Walter lächelte dem ernst blickenden König zu. Ehe er die eingetrocknete Tinte mit Wasser anrührte, zählte er die Tropfen, die aus dem Hahn in das rostige Becken fielen, und pfiff die Melodie von »God Save the King«.

»Meine geliebte Jettel«, schrieb er und legte, ein wenig erschrocken, als hätte er das Schicksal provoziert und müßte sich nun dem Neid der Götter stellen, den Federhalter auf den Tisch. Ihm ging auf, daß er seit Jahren nichts Ähnliches zu seiner Frau gesagt und auch nicht so für sie empfunden hatte. Einen Moment überlegte er, ob die Zärtlichkeit, die ihm so selbstverständlich gekommen war, ihn freuen durfte oder beschämen mußte, doch er fand keine Antwort.

Trotzdem war er nicht unzufrieden mit sich selbst, als er weiterschrieb. »Du hast ganz recht«, kratzte er auf das gelbe Papier, »wir schreiben einander wieder Briefe wie damals, als Du in Breslau auf die Auswanderung gewartet hast. Nur daß wir jetzt alle drei in Sicherheit sind und in Ruhe abwarten können, was das Leben mit uns vorhat. Und ich finde, im Gegensatz zu Dir, wir müssen besonders dankbar sein und dürfen nicht klagen, nur weil wir uns umgewöhnen müssen. Da haben wir ja mittlerweile doch etwas Übung.

Nun zu mir. Ich bin den ganzen Tag auf Trab und kann mir gar nicht vorstellen, wie die Engländer es so weit ohne mich bringen konnten. Die bilden uns so gründlich aus, als hätten sie nur auf die bloody Refugees gewartet, um endlich losschlagen zu können. Aus mir wollen sie, glaube ich, eine Mischung von Nahkämpfer und Maulwurf machen. Abends komme ich mir vor, als hätte ich wieder Malaria, aber das wird hoffentlich bald besser werden. Jedenfalls robbe ich den ganzen Tag durch Matsch und Schlamm und weiß am Abend manchmal nicht, ob ich überhaupt noch am Leben bin. Aber mach dir keine Sorgen. Dein Alter hält gut durch, und gestern kam es mir vor, als habe mir der Sergeant sogar zugeblinzelt. Allerdings schielt er wie der alte Wanja in Sohrau. Vielleicht wollte er mir sogar einen Orden verleihen, weil ich das alles mit Blasen an den Füßen durchstehen muß. Aber natürlich kann er meinen Namen nicht aussprechen und hat sich also nicht weiter geäußert.

Falls Du Dich über die Blasen wunderst, sie haben mir viel zu enge Stiefel verpaßt, und ich kann nicht genug Englisch, um ihnen das zu sagen. Ich habe mir jedoch vorgenommen, keinen der anderen Refugees in meiner Unit (heißt Einheit) um Dolmetscherdienste zu bitten. Vielleicht lerne ich so doch noch Englisch. Außerdem mögen es die Ausbilder nicht, wenn man Deutsch spricht. Wenigstens haben sie von selbst gemerkt, daß die Mütze zu groß war und mir dauernd vom Kopf rutschte. Seit zwei Tagen kann ich also auch in Uniform wieder sehen. Du siehst, als Soldat hat man so seine Sorgen. Sie sind nur anders als bisher.

Dabei fällt mir ein, daß wir Regina unbedingt auf die wichtigste Veränderung in ihrem Leben aufmerksam machen müssen. Sie braucht jetzt nicht mehr jeden Abend zu beten, daß ich meine Stellung nicht verliere und kann sich ganz darauf konzentrieren, den lieben Gott um den Sieg der alliierten Sache zu bitten. Sie hat natürlich keine Ahnung, daß ich in Nakuru stationiert bin. Du wirst ja schon gemerkt haben, daß Militärpost ohne Absender verschickt wird. Ich würde sie aber auch nicht gern in die gleiche Lage bringen wie damals bei Deiner Schwangerschaft.

Jedenfalls bin ich sicher, daß wir richtig entschieden haben. Eines Tages wirst Du mir recht geben. So wie Du ja inzwischen eingesehen hast, wie gut es war, daß wir nach Kenia und nicht nach Holland emigriert sind. Übrigens habe ich hier einen recht netten Kerl kennengelernt, der in Görlitz ein Radiogeschäft hatte. Natürlich kann der so einen Radioapparat ganz anders handhaben als ich und ist sehr gut informiert. Er hat mir erzählt, daß auch für die holländischen Juden keine Hoffnung mehr besteht. Aber erwähne das nicht bei Deinen Gastgebern. Soweit ich mich erinnere, hatte Bruno Gordon einen Bruder, der 1933 nach Amsterdam gegangen ist.

Ich hoffe, daß Du bald eine Unterkunft in Nairobi findest und vielleicht sogar eine Arbeit, die Dir zusagt und uns allen helfen würde. Wer weiß, ob wir nicht eines Tages etwas Geld für die Zeit nach dem Krieg zurücklegen können. (Da wird man nämlich keine Soldaten mehr brauchen und wir dagegen wieder eine neue Zukunft.) Wenn Du erst nicht mehr bei Gordons wohnen mußt und wieder so leben kannst, wie Du willst, wirst Du Dich bestimmt mit Nairobi anfreunden. Du hast Dir doch immer so sehr gewünscht, wieder unter Menschen zu sein. Ich genieße gerade dies trotz aller Schinderei sehr.

Die Engländer in unserer Unit sind alle ganz junge Kerle und eigentlich ganz nett. Sie begreifen zwar nicht, weshalb ein Mann mit der gleichen Hautfarbe wie sie nicht auch ihre Sprache kann, aber einige klopfen mir freundlich auf den Rücken. Wahrscheinlich weil ich in ihren Augen steinalt bin. Für mich ist es jedenfalls das erstemal seit dem Abschied von Leobschütz, daß ich mir nicht vollkommen als Mensch zweiter Klasse vorkomme, obwohl ich den Sergeant im Verdacht habe, daß er nicht gerade ein Philosemit ist. Manchmal ist es eben auch ganz gut, wenn man die Landessprache nicht kann.

Kimani fehlt mir sehr. Ich weiß, es klingt albern, aber ich komme einfach nicht darüber hinweg, daß ich ihn bei unserem Abschied von der Farm nicht mehr gefunden habe und ihm nicht mehr sagen konnte, welch guter Freund er mir war. Sei froh, daß Du Owuor und Rummler bei Dir hast, auch wenn sich Owuor mit den Boys von Gordons zankt. In Ol' Joro Orok kam er ja auch mit niemandem aus außer mit uns. Für uns ist er ein Stück Heimat. Vor allen Dingen wird es Regina so sehen, wenn sie zum erstenmal ihre Ferien in Nairobi verlebt. Du siehst, ich werde auf meine alten Tage sentimental. Aber das englische Militär hat in letzter Zeit solche Erfolge gehabt, daß es sich auch einen sentimentalen Soldaten leisten kann. Der hat sogar schon einige englische Flüche gelernt und wartet übrigens sehnsüchtig auf Deine Post. Schreib bald an Deinen alten Walter.«

Nur wenn Walter an Regina dachte, bekam sein neues Selbstbewußtsein die alten Risse. Dann quälte ihn die Angst, versagt zu haben, so unbarmherzig wie in den Tagen der größten Hoffnungslosigkeit. Er konnte sich seine Tochter, für die Ol' Joro Orok Heimat war, nicht in Nairobi vorstellen. Unerträglich war ihm das Wissen, daß er ihr die Wurzeln entrissen hatte und von ihr ein Opfer verlangte, für das sie nicht die Einsicht hatte.

Die Ausweglosigkeit und Hoffnungslosigkeit hatten ihm nicht so verletzend den Stolz gebrochen wie der Umstand, daß seine Einberufung zum Militär ihn vor seiner Tochter zum Feigling degradiert hatte. Er mußte ihr den Abschied von der Farm schriftlich mitteilen. Es war der erste Schmerz, den er Regina bewußt zufügte. In dem Brief, den er ihr in die Schule schrieb, hatte er versucht, ihr das Leben in Nairobi als eine Kette von heiteren, sorglosen Tagen voller Abwechslung und neuer Freunde auszumalen, doch er hatte dabei an nichts anderes denken können als an seinen Abschied aus Sohrau, Leobschütz und Breslau und nicht die richtigen Worte gefunden. Regina hatte sofort geantwortet, aber die Farm, die sie nie wieder sehen würde, überhaupt nicht erwähnt. »England«, schrieb sie in rot unterstrichenen Blockbuchstaben, »expects every man to do his duty. Admiral Nelson.«

Als Walter den Satz mit Hilfe des kleinen Lexikons, das seit dem ersten Tag bei der Army seine einzige Lektüre war, endlich übersetzt und festgestellt hatte, daß er ihm schon in der Unterprima begegnet war, konnte er sich nicht entscheiden, ob er vom Schicksal oder von seiner Tochter verspottet wurde. Beide Möglichkeiten mißfielen ihm.

Es quälte ihn, daß er nicht wußte, ob Regina tatsächlich so erwachsen, patriotisch und vor allem schon so englisch war, daß sie ihre Gefühle nicht zeigte, oder doch nur ein verwundetes Kind, das dem Vater zürnte. Bei solchen Grübeleien wurde ihm stets nur eines klar: Er wußte zu wenig von seiner Tochter, um ihre Reaktion zu deuten. Zweifelte er auch nicht an ihrer Liebe, so machte er sich doch keine Illusionen. Er und sein Kind hatten keine gemeinsame Muttersprache mehr.

Einen Augenblick lang, während er sich noch gegen die Geräusche des anbrechenden Tages taub machte, stellte sich Walter vor, er würde, wenn er erst Englisch gelernt hätte, nie mehr mit Regina Deutsch sprechen. Er hatte gehört, daß viele Emigranten es so hielten, um ihren Kindern die Sicherheit zu geben, daß sie in ihrem neuen Lebenskreis fest verwurzelt waren. Das Bild, wie er beschämt und verlegen Worte herausstotterte, die er nicht aussprechen konnte, und mit den Händen reden mußte, um sich verständlich zu machen, hatte in der beginnenden Morgendämmerung grotesk scharfe Umrisse.

Walter hörte Regina lachen, erst leise, dann herausfordernd laut. Ihr Gelächter klang wie das verhaßte Heulen der Hyänen. Der Gedanke, daß sie sich über ihn lustig machte und er sich nicht wehren konnte, versetzte ihn in Panik. Wie sollte er je in einer fremden Sprache seiner Tochter erklären, was geschehen war, um sie alle und für immer zu Außenseitern zu machen, wie in Englisch von einer Heimat reden, die sein Herz marterte?

Nur mit großer Anstrengung gelang es ihm, sich zu der Ruhe zu zwingen, die er für den Tag brauchen würde. Hungrig drehte er an den Knöpfen des Radios, um die von ihm selbst beschworenen Gespenster loszuwerden. Als er merkte, daß kalter Schweiß von seinem Nacken den Rücken heruntertropfte, begriff er schaudernd, daß die Vergangenheit ihn eingeholt hatte. Es war das erstemal, seitdem er bei der Army war, daß ihn die verdrängte Erkenntnis befiel. Er trug das Brandmal der Heimatlosigkeit auf der Stirn und würde zeit seines Lebens ein Fremder unter Fremden bleiben.

Wortfetzen erreichten Walters Ohr. Sie waren, obwohl das Radio nicht voll aufgedreht war, laut, aufgeregt und manchmal fast hysterisch, und doch beruhigten sie zunächst seine verwirrten Sinne. Bald merkte er, daß die Stimme des Nachrichtensprechers anders klang als sonst. Walter versuchte, die einzelnen Silben zu Worten zusammenzuziehen, aber das gelang ihm nicht. Er holte ein neues Blatt Papier aus dem Schrank und zwang sich, jeden aufgefangenen Laut in Buchstaben umzusetzen. Sie ergaben keinen Sinn, und doch begriff er, daß zwei Worte mehrmals in einem kurzen Zeitabstand wiederholt wurden und sehr wahrscheinlich »Ajax« und »Argonaut« hießen. Walter staunte, daß er die beiden vertrauten Namen trotz der nasalen englischen Aussprache erkannt hatte. Das Bild vom Lehrer Gladisch an der Fürstenschule zu Pless und wie er mit unbewegtem Gesicht die Hefte nach einer Griechischarbeit verteilte, schob sich vor Walters Augen, doch er hatte keine Zeit mehr, nach der Erinnerung zu greifen. Der weiche Holzboden stieß neue Töne in den Raum.

Sergeant Pierce war zeitgleich mit der aufgehenden Sonne erschienen. Seine Schritte hatten schon die Kraft, die ihn in Stolz hüllte, aber der Rest von seinem Körper kämpfte noch gegen die Nacht, die so gleichgültig mit seinem Talent umging, Untergebene in die überschaubare, gesicherte Welt seiner Flüche und Kompromißlosigkeiten zu zwingen. Der Sergeant fuhr sich ohne Energie und Konzentration durch sein dichtes Haar, gähnte ein paarmal wie ein Hund, der zu lange in der Sonne gelegen hat, machte sehr langsam seinen Gürtel zu und schaute sich suchend um. Es war, als warte er auf ein bestimmtes Zeichen, um den Tag zu beginnen.

Wie er Walter stumm und aus noch zu kleinen Augen anstarrte, sah er aus wie eine vom Lauf der Geschichte längst überholte Statue, doch dann fuhr das Leben mit unvermuteter Plötzlichkeit in seine Glieder. Er machte einige groteske Sprünge und rannte danach zum Radio, kaum daß seine schweren Stiefel den Boden berührten. Sein Atem rasselte in zu kurzen und sehr heftigen Stößen, während er den Apparat zur vollen Lautstärke trieb. Eine für seinen blassen Teint sehr ungewöhnliche Röte machte eine für ihn ebenso ungewöhnliche Verblüffung sichtbar. Sergeant Pierce richtete sich umständlich zu seiner vollen Größe auf, legte beide Hände an die Hosennaht, leerte seine Lungen und schrie gellend: »They've landet.«

Walter spürte sofort, daß Außergewöhnliches geschehen sein mußte und daß der Sergeant von ihm eine Reaktion erwartete, aber er traute sich noch nicht einmal, ihn anzusehen, sondern fixierte verlegen das Papier mit seiner Schrift.

»Ajax«, sagte er schließlich, obwohl ihm klar war, daß Pierce ihn für einen Trottel halten mußte.

»They've landed«, schrie der Sergeant noch einmal, »you bloody fool, they've landed.« Er versetzte Walter einen scharfen Hieb auf die Schultern, der bei aller Ungeduld nicht ohne Freundlichkeit war, zog ihn vom Stuhl hoch und stieß ihn vor die schlecht gedruckte Landkarte, die zwischen dem Bild des Königs und einer Aufforderung hing, nicht leichtfertig militärische Geheimnisse zu verraten. »Here«, brüllte er.

»Hier«, wiederholte Walter, froh, daß er wenigstens einmal die gleichen Laute erwischt hatte wie Pierce. Ratlos sah er den fleischigen Zeigefinger des Sergeants an, der über die Karte fuhr und schließlich in Norwegen haltmachte.

»Norway«, las Walter laut und beflissen vor und überlegte angestrengt, ob sich Norwegen in Englisch wirklich auf Ei reimte und was wohl ausgerechnet dort geschehen sein mochte.

»Normandy, you damn'd fool«, verbesserte Pierce gereizt. Er schob den Zeigefinger erst nach Osten bis Finnland und dann nach Süden auf Sizilien zu und trommelte, weil Walter stumm blieb, danach mit der ganzen tätowierten Hand auf der Karte von Europa herum. Schließlich kam er auf die für einen Mann mit seiner Stimmkraft sehr fern liegende Idee, den Federhalter zu holen. Mit ungelenken Bewegungen malte er das Wort »Normandy«. Er beobachtete Walter voller Anspannung und hielt ihm, wie ein ängstliches Kind, die Hand hin.

Walter ergriff sie schweigend und legte sanft den stark zitternden Zeigefinger von Sergeant Pierce auf die Küste der Normandie. Er selbst erfuhr jedoch erst beim Frühstück und durch den Radiohändler aus Görlitz, daß die Alliierten dort gelandet waren. Statt dem für die Rekruten anstehenden Geländemarsch in voller Ausrüstung befahl Sergeant Pierce Walter zum Tagesdienst in der Schreibstube, und, obgleich sein Gesicht nicht anders aussah als sonst auch, bildete sich Walter ein, er habe ihm damit etwas Gutes tun wollen.

Zum Abendessen wurden Hammelbraten mit Minzsoße, nicht gar gekochte grüne Bohnen und ein dem Mirakel im fernen Frankreich angemessener, also ein sehr fetter und fester Yorkshire Pudding serviert – ein Festmahl, das es seit der Landung der Alliierten in Sizilien nicht mehr gegeben hatte. In der mit kleinen Union Jacks üppig geschmückten Messe wurde vor dem Essen erst »God Save the King« und »Rule Britannia« gesungen, beim Obstsalat mit warmer Vanillesauce »Keep the Homefires Burning«. Mit »It's a Long Way to Tipperary« erreichte die Begeisterung ihren ersten Höhepunkt.

Bereits in den ersten Brandy, der aus Wassergläsern getrunken wurde, flossen wehmütige Tränen. Sergeant Pierce war in Hochstimmung und genoß in den Gesangspausen die Bewunderung seiner fröhlichen Männer und das Lob, daß er als erster vom Kriegsglück erfahren hatte, doch sein anerkannter Sinn für Fair play funktionierte ebensogut wie sein Gedächtnis. Der Sergeant erstickte jede Vermutung im Keim, er könnte sich so weit vergessen, um sich mit fremden Federn zu schmücken.

Er bestand noch während des Essens und vor der aufs neue beglückenden Zusammenfassung der Tagesnachrichten auf einem kleinen Applaus für Walter, weil der sofort gewußt hatte, wo »bloody Normandy« war. Pierce übernahm es persönlich, dafür zu sorgen, daß Walters Glas nicht leer wurde.

Immer wieder schenkte er ihm abwechselnd Brandy und Whisky ein und wurde noch aufgekratzter, als er ohnehin schon war, als der seltsame, stumme Kerl aus Europa endlich gelernt hatte, »Cheers« zu sagen und dazu noch in dem schönen Cockney-Akzent, der als eines der Markenzeichen des Sergeants galt.

Walter empfand den Brandy als Wohltat für seinen schon seit Tagen rebellierenden Magen und den Whisky als ideales Getränk, um das kalte, übel schmeckende Hammelfett gleichmäßig im Mund zu verteilen, wenn es ihm auch nach jedem Schluck schwerer wurde, sich auf die Unterhaltung zu konzentrieren, die er ohnehin nicht verstand. Er spürte zwar die Benommenheit im Kopf, aber auch ein angenehmes Rauschen in den Ohren, das ihn auf eine sehr beglückende Weise an seine Studentenzeit erinnerte und das er so lange als Zufriedenheit deutete, bis er merkte, daß er zu frieren begann. Zunächst war ihm das Gefühl nicht unangenehm, weil es seinen Kopf in dem dichten Dunst aus Alkohol, Tabak und Schweiß kühlte und die pochenden Schmerzen in den Schläfen erträglich machte.

Dann aber schwankten zuerst die Möbel vor seinen Augen und bald auch die Menschen. Sergeant Pierce wurde mit geradezu frappierender Schnelligkeit immer größer. Sein Gesicht sah aus wie einer jener unverschämt roten Luftballons, denen Walter das letztemal beim Bordfest auf der »Ussukuma« begegnet war. Er fand es recht kindisch und vor allem enorm leichtsinnig, daß die Alliierten so billige Ballons bei der Landung in der Normandie eingesetzt hatten, um so mehr, weil die in zu kurzen Abständen platzten und sich in kleine Hakenkreuze auflösten, die dreist und laut »Gaudeamus igitur« sangen.

Sobald der Gesang verstummte und der Ansturm der Bilder eine Weile nachließ, ging es Walter auf, daß er als einziger den Alkohol nicht vertrug. Das war ihm peinlich, und er versuchte, sich trotz seiner Schweißausbrüche so aufrecht wie möglich zu halten, indem er seinen Rücken gegen die Stuhllehne drückte und die Zähne aufeinanderbiß. Als er entdeckte, daß aus dem kalten Hammelfett heißes Blut in seinem Mund geworden war, wäre er gern aufgestanden, doch er sagte sich, gerade er als Refugee dürfe nicht unnötige Aufmerksamkeit auf sich lenken. So blieb er sitzen und grub seine Nägel in die Tischkante.

Noch quälender als zuvor bedrängten ihn die neuen Geräusche; sie waren von solcher Heftigkeit, daß sie ihn lähmten. Walter hörte Owuor lachen und kurz darauf seinen Vater rufen, aber er konnte ihre Stimmen nicht lange genug unterscheiden, ehe sie in angstvolles Wimmern übergingen. Trotzdem war Walter unendlich erleichtert, seinen Vater sicher in der Normandie zu wissen, nur ein wenig bekümmert, daß ihm der Name seiner Schwester nicht mehr einfiel. Er durfte sie auf keinen Fall kränken, wenn auch sie nach ihm rief, aber die Anstrengung, sich rechtzeitig zu erinnern und sich nach so langer Zeit vor dem Vater zu rechtfertigen, weil er ihn und seine Tochter allein in Sohrau zurückgelassen hatte, ließ seinen Körper in der Hitze schmelzen. Walter wußte, daß dies nun die allerletzte Gelegenheit war, dem alten Rubens zu danken, weil er für Regina und Jettel gebürgt und sie aus der Hölle geholt hatte. Es war gut, daß er keine Kälte mehr in sich spürte. Mit einem Mal wurde es ihm leicht, aufzustehen und seinem Retter entgegenzugehen.

Walter erwachte drei Tage später und dann nur für sehr kurze Zeit und nicht in der Militärbaracke, sondern im General Army Hospital in Nakuru. Als dies geschah, war Corporal Prudence Dickinson, von der Mehrzahl der Patienten wegen der beneidenswerten Beweglichkeit ihrer Hüften sehr bewundert und kurz Prue genannt, zufällig zur Stelle. Sie war indes nicht zu Gesprächen mit einem Mann aufgelegt, der in seinen störenden Anfällen des Fieberdeliriums ohne Zweifel Deutsch gesprochen und so ihr patriotisches Ohr mehr gekränkt hatte, als es der Feind selbst je hätte tun können.

Prue wischte dennoch dem Kranken den Schweiß von der Stirn, strich mit den gleichen abwesenden Bewegungen sein Kissen und das olivgrüne Hospitalhemd glatt, schob ihm das Thermometer zwischen die Zähne und sagte, ganz gegen ihre Gewohnheit bei Patienten, die ihr mißbehagten, einen vollständigen Satz. Mit jener Selbstironie, die zwar nicht ihrem Intellekt und Sinn für Humor entsprach, die sie aber als einzige Waffe empfand, den sie ekelnden Dienst in der lausigen Kolonie erträglich zu machen, sagte sich Prue, daß sie sich die Mühe hätte sparen können. Walter war schon wieder eingeschlafen und hatte fürs erste die einzige Gelegenheit verpaßt, um zu erfahren, daß weder Whisky, Brandy noch Hammelbraten für seinen Zustand verantwortlich waren. Er hatte Schwarzwasserfieber.

Sein Leben verdankte er der Reaktionsschnelligkeit von Sergeant Pierce, der als Soldat zu viel Erfahrung mit Alkohol und als ein Kind der Londoner Slums zu viele Menschen im Fieberwahn erlebt hatte, um bei der großen Siegesfeier Walters Zustand zu mißdeuten. Als Pierce in der Messe den komischen Vogel vom Kontinent zusammenbrechen sah, ließ er sich keinen Moment von den Vorschlägen seiner jubelnden Kameraden beirren, die Walter in einen Bottich mit kaltem Wasser tauchen wollten. Pierce sorgte für Walters umgehenden Abtransport ins Hospital. Seine Tat sprach sich bis nach Nairobi herum, zeugte sie doch für das außergewöhnliche Organisationstalent eines befähigten Soldaten, der an einem Tag wie dem der Landung in der Normandie einen nüchternen Fahrer aufgetrieben hatte.

Obwohl er ausreichenden Grund hatte, sich ausschließlich mit seiner eigenen Person zu beschäftigen, denn erste Gerüchte von seiner Beförderung zum Sergeantmajor waren zu ihm gedrungen, ließ er sich täglich über den Verlauf von Walters Krankheit unterrichten. Von diesem ihm absonderlich anmutenden Verhalten sprach er so wenig wie möglich; Pierce empfand sein Interesse an einem einzelnen seiner Leute als nicht ganz passend und vor allem als Bevorzugung, die seiner nicht würdig war. Sie beunruhigte ihn. Erklären konnte er sich diesen seltsamen Ausflug ins Private nur mit dem Umstand, daß es der funny Refugee gewesen war, mit dem er zusammen von dem »Ding in der Normandie« erfahren hatte. Gelegentlich wurde er geneckt, weil er wiederholt »funny« und nur noch ausnahmsweise »bloody« sagte, aber Pierce neigte nicht dazu, sich mit der Untersuchung von sprachlichen Finessen aufzuhalten, und so sah er auch keinen Anlaß zur Korrektur.

Nach einer Woche besuchte er Walter im Hospital und erschrak, als er ihn apathisch mit blauen Lippen und gelber Hautfarbe im Bett liegen sah. Walters Freude, ihn zu sehen, und daß er tatsächlich »Cheers« sagte und dazu noch mit dem schönen Cockney-Akzent, rührten Pierce. Die beiden Männer konnten sich nach dieser vielversprechenden Begrüßung indes nur noch schweigend ansehen, aber wenn die Pausen zu lang wurden, dann sagte der Sergeant »Normandy«, und Walter lachte, worauf Pierce fast immer in die Hände klatschte und sich dabei nie lächerlich vorkam. Bei seinem Besuch am Anfang der zweiten Woche brachte er Kurt Katschinsky mit, den Radiohändler aus Görlitz, und begriff, zum erstenmal in seinem Leben, wie wichtig es doch war, daß sich Menschen verständigen konnten.

Der gut genährte, wortkarge Abgesandte des Himmels in kniekurzen Khakihosen, der Katschinsky hieß und eigentlich dabei war, seine Muttersprache zu verlernen, erklärte Walter die Sache mit dem Schwarzwasserfieber und erlöste ihn endlich von den selbstquälerischen Vorwürfen, die ihn hatten glauben lassen, er hätte sich wie ein Trottel benommen und mit Alkohol vergiftet. Seinem Sergeant, der bei schweren Krankheiten verpflichtet war, für den Besuch der Ehefrau im Krankenhaus zu sorgen, von Jettel jedoch keine Anschrift hatte, erzählte Katschinsky, daß Walter eine zwölfjährige Tochter in der nur einige Meilen entfernten Schule habe. Bereits am nächsten Tag erschien Pierce mit Regina.

Als Walter seine Tochter auf Zehenspitzen in den Krankensaal hereinkommen sah, war er sicher, daß er einen Rückfall und wieder hohes Fieber hatte. Er schloß rasch die Augen, um das schöne Bild festzuhalten, ehe es sich als Trug dekuvrierte. In den ersten Tagen seiner Krankheit hatte er immer wieder erlebt, wie sein Vater und Liesel an seinem Bett saßen und zu körperlosen Wesen wurden, sobald er sie ansprach; auf keinen Fall durfte er den irreparablen Fehler bei Regina wiederholen.

Walter machte sich klar, daß seine Tochter noch zu jung war, um zu begreifen, was mit Refugees geschah, die nicht vergessen wollten. Es war für beide gnädiger, keinen Kontakt aufzunehmen und sich dann auch nicht wieder trennen zu müssen. Regina würde ihm eines Tages dankbar sein. Als ihm bewußt wurde, daß sie nicht aus seinen Erfahrungen lernen wollte, hielt er abwehrend die Hände vor sein Gesicht.

»Papa, Papa, erkennst du mich nicht?« hörte er sie sagen.

Ihre Stimme kam aus so großer Ferne, daß Walter sich nicht entscheiden konnte, ob seine Tochter ihn aus Leobschütz oder aus Sohrau gerufen hatte, aber er spürte, daß keine Zeit zu verlieren war, wenn er sie noch rechtzeitig in

Sicherheit bringen wollte. Es war eine tödliche Gefahr, einfach in der Heimat herumzustehen, als sei sie ein Kind wie andere Kinder auch. Regina war zu alt für Träume, die sich vogelfreie Menschen nicht leisten durften. Ihre Unbelehrbarkeit machte Walter wütend, doch der Zorn gab ihm auch Kraft, und er erkannte, daß er sich zwingen mußte, ihr ins Gesicht zu schlagen, um sie zu retten. Es gelang ihm, sich im Bett aufzurichten und beide Arme nach hinten zu schieben. Dann schlug ihm die Wärme ihres Körpers entgegen, und Reginas Stimme war so dicht an seinem Ohr, daß er das Zittern der einzelnen Töne spürte.

»Endlich, Papa. Ich dachte, du wachst nicht mehr auf.«

Walter war so betäubt von der Wirklichkeit, die sich ihm nur sehr langsam enthüllte, daß er kein Wort zu sagen wagte. Er merkte auch nicht, daß Sergeant Pierce am Kopf des Bettes stand.

»Bist du gewundet worden?« fragte Regina.

»Mein Gott, ich hab' ja vergessen, daß du nicht mehr richtig Deutsch kannst.«

»Bist du?« bohrte Regina.

»Nein, dein Papa ist nur ein ganz blöder Soldat, der sich Schwarzwasserfieber geholt hat.«

»Aber er ist Soldat«, beharrte Regina stolz.

»Cheers«, sagte Pierce.

»Three cheers for my daddy«, rief Regina laut. Sie hielt ihre Arme über den Kopf, und dann erlebte sie, wie dieser ulkige Soldat, der ein so seltsames Englisch sprach, daß sie sich sehr viel Mühe geben mußte, nicht zu lachen, seinen rechten Arm hochhob und mit ihr im Chor wunderbar laut »Hipp, Hipp, Hooray« jubelte.

Sehr viel später schlug Walter seiner Tochter vor: »Sag ihm, er soll doch mal herauskriegen, weshalb der Drachen von Krankenschwester mich nicht riechen kann.«

Sergeant Pierce hörte aufmerksam zu, während Regina aufgeregt berichtete, was sie erfahren hatte, und ließ danach Corporal Prudence Dickinson kommen. Erst stellte er einige höfliche Fragen, aber sehr plötzlich stellte er sich hin, stemmte seine Arme in die Hüften und nannte zu Reginas Verblüffung Schwester Prue »a nasty bitch«, worauf sie wortlos, ohne Hüftschwung und röter im Gesicht als ein Buschfeuer, das keinen Regen zu fürchten hat, den Saal verließ.

»Sag deinem Vater, die Frau ist ein dummer Esel«, erklärte Pierce, »es hat sie geärgert, daß er im Fieber Deutsch gesprochen hat. Aber ich denke, das solltest du ihm erst erzählen, wenn er wieder gesund ist.«

»Er möchte noch etwas wissen«, sagte Regina leise.

»Frag nur.«

»Er will wissen, ob er jetzt nicht mehr Soldat sein darf.«

»Warum denn?«

»Weil er gleich so krank geworden ist.«

Pierce spürte eine Bewegung in Kehle und Mund und mußte sich räuspern. Er lächelte, obwohl er die Gelegenheit dazu nicht als ganz passend empfand. Irgendwie gefiel ihm die Kleine. Obwohl sie weder Zöpfe, rotes Haar noch Sommersprossen hatte, erinnerte sie ihn an eine seiner Schwestern, aber er wußte nicht mehr an welche. Wahrscheinlich an alle fünf. Irgendwann. Es war wohl zu lange her, seitdem er die Mädels gesehen hatte. Jedenfalls hatte das Kind mit dem verdammt hochmütigen Oxford-Akzent der reichen Leute Mut. Das spürte er, und das gefiel ihm.

»Erklär deinem Vater«, sagte Pierce, »daß die Army ihn noch braucht.«

»Du kannst deine Stellung behalten, hat er gesagt«, flüsterte Regina. Sie küßte ihrem Vater schnell beide Augen, damit der Sergeant nicht merkte, daß er weinte.

14

Das Hove Court Hotel mit verkrusteten Palmen zu beiden Seiten des sorgsam geschmiedeten Eingangstors aus schwarzem Eisen, Zitronenbäumen mit harten grünen und leuchtend gelben Früchten, wuchernden Maulbeersträuchern, Riesenkakteen, hoch wachsenden Rosen im großen Garten und den im tiefen Violett blühenden Bougainvilleen vor flachen, weißen Häuschen, die um einen kurzgeschorenen Rasen angelegt waren, hatte fast das gleiche Alter wie die Stadt Nairobi selbst. Als die weitläufige Anlage 1905 von einem zukunftsgläubigen Architekten aus Sussex gebaut wurde, diente sie neu eingewanderten Regierungsbeamten so lange als erstes Quartier, bis sie ihre Familien in die Kolonie nachkommen ließen und in eigene Häuser zogen.

Das großzügig vornehme Flair, das in der wilden Gründerzeit der jungen Stadt für eine sehr englische Enklave gesorgt hatte, gab es nicht mehr, seitdem Mr. Malan der Hotelbesitzer war. Er sorgte, als er neue Schilder bestellte und dabei scharf kalkulierend auf das Wort Hotel verzichtete, ebenso rasch wie gründlich dafür, daß das Hove Court nicht mehr die richtige Adresse für Leute war, die standesgemäß zu leben verstanden. Der erfahrene Kaufmann aus Bombay erkannte mit geübtem Blick die Erfordernisse einer neuen Zeit. Es waren nicht mehr Regierungsbeamte mit nostalgischen Träumen von der alten Heimat und auch nicht Safarigäste mit einem ausgeprägten Bedürfnis nach Eleganz und Komfort vor dem Aufbruch ins große Abenteuer, die untergebracht werden wollten, sondern Flüchtlinge aus Europa. Mit denen, fand Malan, der sein Vermögen einem ausgeprägten Instinkt für die Tiefpunkte des Lebens verdankte, war gut umgehen. Sie mußten neue Existenzen gründen und waren in ihrem Fleiß und Eifer so sparsam und anspruchslos wie seine eigenen Landsleute, die in Kenia einen neuen Anfang wagten.

Flüchtlingen, die sich Wehmut nicht leisten konnten, war mit niedrigen Preisen weit mehr gedient als mit der Tradition alter englischer Landhäuser. Schon Mitte der dreißiger Jahre, als die ersten Einwanderer vom Kontinent ins Land gekommen waren, ließ Malan die großen Zimmer in kleine Flats verwandeln. Er baute die Gesellschaftsräume sowie die kleinen Küchen und Bäder zu Einzelzimmern mit Waschtischen hinter einem Vorhang um, installierte Gemeinschaftstoiletten und ließ in der freien Fläche hinter dem großen Garten nur die kleinen, schmuddeligen Hütten mit Wellblechdächern für das schwarze Personal im ursprünglichen Zustand. Diese einzige Rücksicht auf die Landessitten erwies sich bald als ein besonders kluger Schachzug.

Waren Malans Mieter auch von einer für Weiße unüblichen Armut und Bescheidenheit, und wohnten sie fast so primitiv und ebenso beengt wie seine Verwandten in Bombay, so konnten sie sich dank seines psychologisch gut durchdachten Coups doch das für die weiße Oberschicht laut ungeschriebenem Gesetz vorgeschriebene Personal leisten und damit die Illusion, sie wären auf dem Weg zur Integration und hätten den gleichen Lebensstandard wie die reichen Engländer in den Häusern am Rande der Stadt. Wer nach einer Zeit bangen Wartens und oft auch nach Zuzahlung einer hohen Summe zur ersten fälligen Miete im Hove Court unterkam, richtete sich auf Dauer ein. Manche Familien wohnten schon jahrelang dort.

Mr. Malan hatte wenig Ahnung von der Geographie Europas und auch nicht die Vorurteile, die einem Mann mit seinem Vermögen zustanden; es war nur so, daß er bei der Wahl seiner Mieter die Refugees aus Deutschland bevorzugte. Sie waren viel kleinlauter als beispielsweise die selbstbewußten Österreicher, sauberer als die Polen, vor allem pünktliche Zahler, zogen kein gequältes Gesicht, wie die arroganten einheimischen Weißen, wenn sie seinen Akzent hörten; selbstverständlich neigten sie wegen ihrer

Sprachschwierigkeiten nicht zu Widerworten, die Malan verabscheute.

Er war dahintergekommen, daß die Deutschen, gegen die er im übrigen auch nach Ausbruch des Kriegs schon deshalb nichts hatte, weil er ja selbst die Engländer haßte, Angst vor Veränderungen hatten und noch lieber als die meisten Menschen unter Ihresgleichen leben wollten. Das kam ihm entgegen. Ein schneller Wechsel im Hove Court und die dann nicht zu umgehenden Renovierungen hätten ihn nur finanziell strapaziert. So aber nahmen jedes Jahr sein Bankkonto und sein Ansehen zu – dies auch außerhalb der kleinen Gruppe indischer Geschäftsleute, und es beunruhigte ihn nicht im mindesten, daß sein prosperierender Besitz mit völlig anderen Maßstäben gemessen werden mußte als die feinen Hotels der Stadt.

Malan ließ sich dreimal in der Woche im Hove Court sehen – hauptsächlich, um Menschen mit Klagen klarzumachen, daß sie nun in einem freien Land lebten und das Recht hätten, jederzeit bei ihm aus- und woanders hinzuziehen. Um die Hierarchie im Hove Court kümmerte er sich nicht. Im schönsten Flat mit einem verästelten Eukalyptusbaum vor dem Fenster und einem winzigen Garten mit blutroten, vanillegelben und rosa Nelken wohnten die alte Mrs. Clavy und ihr betagter Hund Tiger, ein brauner Boxer mit einer Abneigung gegen zu harte deutsche Laute. Mrs. Clavy selbst, deren Bräutigam sechs Wochen nach seiner Ankunft in Nairobi und lange vor dem Ersten Weltkrieg an Malaria gestorben war, galt hingegen als freundlich. Sie maß Kinder nicht an ihrer Muttersprache und lächelte sie ohne irgendwelche Einschränkungen an.

Lydia Taylor, einst Kellnerin im Londoner Savoy, war die zweite Engländerin, die das Leben in der Gemeinschaft von fremdsprachigen Menschen mit einer Gelassenheit ertrug, die von den Refugees als keineswegs selbstverständlich empfunden wurde. Ihr dritter Mann war Captain und nicht gewillt, für sie und die drei Kinder, von denen nur eins das seine war, mehr als die monatliche Miete für zwei Zimmer im Hove Court aufzubringen.

Ihre kostbaren und tief ausgeschnittenen Seidenkleider aus der kurzen Zeit ihrer zweiten Ehe mit einem Textilkaufmann aus Manchester, ihre drei Hausboys und eine betagte Aja, die unmittelbar nach Sonnenaufgang den Kinderwagen laut singend durch den Garten schob, sorgten für Gesprächsstoff. Beneidet wurde Mrs. Taylor um ihre Terrasse. Dort stillte sie bei Tag ihr Baby und empfing nach Einbruch der Dunkelheit ihre vielen, stimmkräftigen jungen Freunde in Uniform. Die sicherten ihr gesellschaftliches Prestige, seitdem ihr Mann zu ihrer Erleichterung nach Burma versetzt worden war.

Ebenfalls nicht schlecht untergebracht, fast immer auf der begehrten Schattenseite des Gartens und oft mit winzigen Vorbauten vor den Fenstern, gerade groß genug für Blumentöpfe mit gut gedeihendem Schnittlauch, waren die Emigranten der ersten Stunde. Sie erregten im hohen Maß den Neid der nach ihnen eingetroffenen Flüchtlinge und behandelten sie ihrerseits mit jener gutmütigen Herablassung, die man in der alten Heimat als den rechten Umgangston für arme Verwandte empfunden hatte.

Zu der vom Schicksal begnadeten Einwandererelite gehörten die alten Schlachters aus Stuttgart, die nicht zu überreden waren, ihr Rezept für Maultaschen und Spätzle zu verraten und wovon sie lebten, der unfreundliche Schreiner Keller mit Frau und vorlautem, halbwüchsigen Sohn aus Erfurt, der es zum Manager einer Holzfabrik gebracht hatte, und Leo Slapak mit Frau, Schwiegermutter und drei Kindern aus Krakau. Slapak verdiente zwar gutes Geld mit seinem Secondhandshop, war aber nicht bereit, es ausgerechnet für besseres Wohnen auszugeben.

Als langjährige Bewohnerin im Hove Court galt, zwar nicht zu Recht, aber durch ihren souveränen Umgang mit Mr. Malan rasch zu Ansehen gekommen, Elsa Conrad. Obwohl sie erst nach Kriegsausbruch zugezogen war, hatte sie zwei große Räume und eine fast so geräumige Terrasse wie Mrs. Taylor. Der achtzig Jahre alte Professor Siegfried Gottschalk gehörte tatsächlich zu Mr. Malans frühen Mietern. Trotzdem fanden ihn auch die Glücklosen in den kleinen Wohnverschlägen sympathisch; er pochte als einziger nicht auf den Status des weitsichtigen Früheinwanderers, der rechtzeitig die Zeichen drohenden Unheils erkannt hatte.

Er hatte im Ersten Weltkrieg dem Kaiser die Beweglichkeit seines rechten Armes geopfert und danach, ebenso freudig, der Vaterstadt als Professor der Philosophie gedient. An einem Frühlingstag des Jahres 1933, der sich zuerst wegen seiner linden Lüfte und später durch den Sturm in seinem Herzen für immer in sein Gedächtnis grub, war er von johlenden Studenten der Frankfurter Universität auf die Straße getrieben worden. Sie hatten ihn bis zu seiner Schicksalsstunde als einen außergewöhnlichen Mentor mit überdeutlich ausgedrückter Liebe auf dem weichen Kissen der Illusionen gebettet.

Im Gegensatz zum allgemeinen Brauch im Hove Court sprach Gottschalk selten vom Glanz seiner guten Tage. Jeden Morgen stand er um sieben Uhr auf und ging bis zum kleinen Hügel hinter den Hütten von den Hausboys, die er beharrlich Adlati nannte, trug zum Tropenhelm, den er sich zur Auswanderung gekauft hatte, den dunklen Anzug und die graue Krawatte, die ebenfalls noch aus seiner Heimatstadt stammten, und gestattete sich auch in der Mittagsglut keine leichte Kleidung und nicht die landesübliche Ruhezeit.

»Unser Professor«, wie ihn auch diejenigen im Hove Court nannten, die zu Hause keine Gelegenheit zum Einblick ins akademische Leben gehabt hatten und ihn also nur für skurril und zerstreut hielten, war der Vater von Lilly Hahn. Ihr wiederholtes Flehen, zu ihr und Oha auf die Farm in Gilgil zu ziehen, lehnte er stets mit der Begründung ab: »Ich brauche Menschen um mich und nicht Rindviecher.«

Seit fast zehn Jahren fragte er sich und seine Bücher, weshalb ausgerechnet er Zeuge beim Wettlauf der Apokalyptischen Reiter sein und noch weiter leben mußte, doch er klagte nie. Dann kam ein Brief von seiner Tochter, der ihn, wenigstens einige Tage, zugleich belebte und aufregte. Lilly bat ihren Vater, Jettel bei der Familie Gordon aufzusuchen und ein gutes Wort bei Malan einzulegen, damit sie und ihre Tochter im Hove Court unterkamen.

Obwohl ihn die Aufgabe vor das diffizilste Problem seit seiner Ankunft im Hafen von Kilindini stellte, war der alte Mann glücklich über die Aussicht, einen Bruchteil seiner Zeit in der Gesellschaft von anderen Menschen als Seneca, Descartes, Kant und Leibniz zu verbringen. Am Sonntag um acht Uhr morgens trat er beschwingt und mit einer kleinen Flasche Trinkwasser in der Jackentasche durch das eiserne Tor des Hove Court. Er traute sich nicht, den Bus zu benutzen, weil er dem Fahrer sein Ziel weder auf Englisch noch Suaheli nennen konnte, und ging die drei Kilometer zu Gordons zu Fuß.

Zu seiner großen Freude stammte das gastfreundliche Ehepaar aus Königsberg, wo er als Junge oft die Ferien bei einem Onkel verbracht hatte. Von Jettels blassem Teint, dunklen Augen, dem kindlichen Ausdruck und ihren schwarzen Locken, die ihn an das liebenswürdige Bild erinnerten, das in seinem Arbeitszimmer gehangen hatte, war er gerührt und genierte sich um so mehr seines Unvermögens, ihr zu helfen.

»Ich kann«, sagte er nach der dritten Tasse Kaffee, »Ihnen nur mit Geleit, doch nicht mit Fürsprache dienen. Englisch habe ich nicht mehr erlernt.«

»Ach, Herr Gottschalk. Lilly hat mir so viel Gutes von Ihnen erzählt. Wenn Sie nur mitkommen zu Malan, ist mir schon wohler. Ich kenne ihn ja gar nicht.«

»Ich höre, er ist kein Philanthrop.«

»Sie werden mir Glück bringen«, sagte Jettel.

»Das hat eine Frau schon lange nicht mehr zu mir gesagt«, lächelte Gottschalk, »und eine so schöne noch nie. Morgen zeige ich Ihnen erst einmal unser Hove Court, und vielleicht fällt uns dort ein, was wir tun können.«

»Das war«, schrieb er zwei Tage später an seine Tochter, »die beste Idee, die ich je in diesem verwunschenen Land hatte.« Allerdings brachten nicht er, sondern der Zufall und Elsa Conrad die Dinge in Bewegung. Gottschalk war gerade dabei, Jettel auf die zarten Hibiskusblüten aufmerksam zu machen, die, von gelben Schmetterlingen umschwirrt, an einer Mauer emporwuchsen, als Elsa Conrad den Rest vom Wasser in ihrer Gießkanne auf den Boxer von Mrs. Clavy schüttete und ihn einen »Mistköter« schimpfte. Jettel erkannte die temperamentvolle Weggenossin aus den ersten Kriegstagen sofort an dem langen, geblümten Morgenrock und dem roten Turban um den Kopf.

»Mein Gott, die Elsa aus dem Norfolk«, rief sie aufgeregt, »erinnerst du dich noch? Wir waren 1939 zusammen dort interniert!«

»Glaubst du«, fragte Elsa entrüstet, »daß man sein Leben in einer Bar zubringen kann, ohne sich Gesichter zu merken? Los, komm rein. Sie auch, Herr Gottschalk. Ich kann mich noch genau erinnern. Dein Mann war Rechtsanwalt. Und du hast ein niedliches, verschüchtertes Kind. Ihr wart doch auf einer Farm. Was machst du in Nairobi? Bist du etwa deinem Mann weggelaufen?«

»Nein. Mein Mann ist bei der Army«, sagte Jettel stolz. »Und ich«, fuhr sie fort, »weiß gar nicht, was ich machen soll. Ich habe keine Unterkunft, und Regina hat bald Ferien.«

»Den hilflosen Ton kenne ich doch noch. Bist du immer noch die feine Anwaltsgattin? Erwachsener bist du jedenfalls nicht geworden. Macht nichts. Elsa hat immer geholfen, wenn sie konnte. Besonders Kriegshelden. Du brauchst jemanden, der mit dir zu Malan geht. Nichts für ungut, Professorchen. Sie sind da nicht der richtige Mann. Gleich morgen gehen wir hin. Und fang bloß nicht an zu heulen. Das indische Ekel läßt sich nicht durch Tränen beeindrucken.«

Malan unterdrückte Grimm und Seufzer, als Elsa Conrad sein Büro erstürmte und Jettel als tapfere Soldatenfrau vorstellte, die umgehend und natürlich zu einem Mietpreis, den ihm noch nicht einmal sein Lieblingsbruder zugemutet hätte, eine Unterkunft brauche. Er wußte aus zu vielen leidvollen Erfahrungen, daß es sinnlos war, sich ihr zu widersetzen. So begnügte er sich mit Blicken, die bei jedem anderen sofort regulierend gewirkt hätten, und der wenigstens für ihn wohltuenden Vorstellung, daß diese laute Person mit der Kraft eines wild gewordenen Stiers immer mehr den Schlachtschiffen ähnelte, die seit der Landung in der Normandie selbst in den unverdrossen antienglisch eingestellten indischen Zeitungen abgebildet wurden.

Mrs. Conrad ließ sich nicht durch seine üblichen Tricks zum Schweigen bringen. Ihre Stimme war sehr viel durchdringender als seine, und die Weibsperson selbst neigte zu Argumenten, auf die er schon deshalb keine Antwort fand, weil die Tiraden mit Heftigkeiten angeheizt waren, die in einer ihm unbekannten Sprache herausgeschleudert wurden. Hinzu kam, daß Malan bedauerlicherweise Rücksicht auf seine umfangreiche Familie nehmen mußte und es sich mit dem satanischen Vulkan nicht verderben durfte.

Dieser weibliche Riese mit dem aufreizenden Turban und der lächerlichen Nelke obendrauf, die pikanterweise aus seinem Garten stammte, wußte nicht nur, daß er im Hove Court die meiste Zeit ein Zimmer für besondere Fälle frei hielt. Die Frau war auch noch ausgerechnet Manageress im Horse Shoe. In der kleinen Bar, die wegen ihrer Intimität, dem Vanilleeis und den Currygerichten bei den Soldaten aus England beliebtester Treffpunkt Nairobis war, wurde ausschließlich indisches Personal in der Küche beschäftigt und fast immer solches aus Mr. Malans emsiger Verwandtschaft.

So war auch der Handel im Fall der Soldatenfrau, die Malan ungewohnt weich stimmte, weil ihre Augen ihn an die wunderschönen Kühe seiner Jugend erinnerten und die sich zu seiner Befriedigung wenigstens als eine Refugee aus Deutschland entpuppte, von gewohnter Kürze. Jettel bekam das freie Zimmer und die Erlaubnis, ihren Hund und Hausboy mitzubringen. Der jüngste Bruder seiner Frau, dem zwei Finger an der rechten Hand fehlten und der deshalb besonders schwierig unterzubringen war, durfte vorerst im Horse Shoe die Wartung der Herrentoilette übernehmen.

Im Hove Court wußten alle, auf die es ankam, daß die neue Mieterin unter dem Schutz von Elsa Conrad stand, und so blieben Jettel die vielen kleinen Schikanen erspart, mit denen sich Neulinge sonst widerspruchslos abfinden mußten, wollten sie nicht für alle Zeiten als Querulanten abgestempelt werden, um die anständige Leute einen großen Bogen machten. Jettels Klagen galten nur noch der ihr ungewohnten Schwüle in Nairobi, den beengten Verhältnissen nach einem »Leben in herrlicher Freiheit auf unserer Farm« und daß Owuor das Essen auf einer winzigen elektrischen Kochplatte zubereiten mußte. Sie wurden indes immer rechtzeitig von Elsa Conrad mit der Bemerkung erstickt: »Jeder Dackel war vor der Emigration ein Bernhardiner. Such dir lieber eine Arbeit.«

Als Regina zu ihren ersten Ferien ins Hove Court kam, hatte sich Jettel immerhin so an das neue Leben und vor allem an die vielen Menschen gewöhnt, mit denen sie reden und jammern konnte, daß sie ihrer Tochter täglich versprach: »Hier wirst du die Farm schnell vergessen.«

»Ich will die Farm nicht vergessen«, erwiderte Regina.

»Auch nicht deinem geliebten Vater zuliebe?«

»Papa versteht mich. Er will ja sein Deutschland auch nicht vergessen.«

»Du wirst dich hier nie langweilen und kannst jeden Tag mit dem Bus in die Bibliothek fahren und dir so viele Bücher ausleihen, wie du nur willst. Für Army-Angehörige ist das umsonst. Frau Conrad freut sich schon, daß du ihr Bücher mitbringen kannst.«

»Wem soll ich erzählen, was ich gelesen habe, wenn Papa nicht da ist?«

»Hier gibt es doch so viele Kinder.«

»Soll ich Kindern von Büchern erzählen?«

»Dann deiner blöden Fee«, antwortete Jettel ungeduldig.

Regina kreuzte ihre Finger hinter dem Rücken, um die Ahnungslosigkeit ihrer Mutter nicht aus dem Schlaf zu reißen. Sie hatte schon am ersten Ferientag ihre Fee in einem Guavenbaum von betäubendem Duft und mit kräftigen Ästen einquartiert. Auch sie selbst konnte mühelos auf den Baum mit den grünen Früchten klettern. Das Blattwerk gab ihr Schutz und die Möglichkeit, den Tag wie zu Hause in Ol' Joro Orok wegzuträumen. Es wurde ihr nicht leicht, sich an die neue Umgebung zu gewöhnen. Vor allem die Frauen ängstigten sie, wenn sie am späten Nachmittag mit grellgeschminkten Lippen und in langen Gewändern, die sie Housecoats nannten, im Garten herumwandelten und Regina ansprachen, sobald sie ihren Baum verließ.

Gegenüber dem kleinen dunklen Zimmer, in dem zwei Betten, eine Waschschüssel, zwei Stühle und der Tisch mit der elektrischen Kochplatte standen und das sich Jettel, Regina und Rummler teilten, wohnte Mrs. Clavy. Sie gefiel Regina, weil sie ihr zulächelte, ohne ein Wort zu sagen, Rummler streichelte und ihn mit den Resten fütterte, die ihr Hund Tiger übrigließ. Aus der Regelmäßigkeit, mit der Lächeln und fein gemahlenes weißes Fleisch ausgetauscht wurden, entwickelte sich sehr bald eine Gewohnheit, die Regina in ihren Träumen zum großen Abenteuer ihrer Ferien ausbaute.

An jenen Tagen, die kein Ende nehmen wollten, stellte sie sich vor, aus Rummler und Tiger wären Pferde geworden und sie wäre auf ihnen zurück nach Ol' Joro Orok geritten. Diana Wilkins aber, die in einem Flat, der aus zwei großen Zimmern bestand, neben Jettel wohnte, riß in einem einzigen Angriff die Mauern von Reginas einsamer Festung nieder.

Als Regina an einem Tag, der so heiß und trocken wie ein überfüttertes Buschfeuer war, nach dem Mittagessen zurück auf ihren Baum kam, hockte Diana auf einem Ast. Die grazile Frau mit den blauen Augen, langen blonden Haaren und einer Haut, die im dichten Blattwerk wie Mondlicht schimmerte, trug ein durchsichtiges weißes Spitzenkleid, das bis zu ihren nackten Füßen reichte. Ihre Lippen waren zart rosa geschminkt, und auf dem Kopf leuchtete eine goldene Krone mit kleinen bunten Steinen auf jeder Zacke.

Einen herzklopfenden Moment lang staunte Regina, daß es ihr gelungen war, eine Fee zum Leben zu erwecken, an die sie schon lange nicht mehr glaubte. Sie wagte keinen Atemzug, doch als Diana sagte: »Wenn du nicht zu mir kommst, komme ich zu dir«, schüttelte ein so gewaltiges Lachen ihren Körper, daß Scham ihre Haut verbrühte. Das Englisch, das die Refugees sprachen und das in Reginas Ohren wie ein Wind tobte, der gegen einen Wald voll Riesen kämpft, war ein sanftes Säuseln im Vergleich zu Dianas harter Aussprache.

»Ich habe dich noch nie lachen gesehen«, stellte Diana zufrieden fest.

»Ich habe in Nairobi noch nicht gelacht.«

»Traurigkeit macht häßlich. Jetzt lachst du schon wieder.«

»Bist du eine Prinzessin?«

»Ja. Aber die Leute hier glauben das nicht.«

»Ich schon«, sagte Regina.

»Die Bolschewiks haben mir meine Heimat gestohlen.«

»Meinem Vater haben sie auch die Heimat gestohlen.«

»Aber nicht die Bolschewiks!«

»Nein, die Nazis.«

Diana Wilkins stammte aus Lettland, war als junges Mädchen über Deutschland, Griechenland und Marokko geflüchtet und Anfang der dreißiger Jahre nur deshalb in Kenia hängengeblieben, weil ihr jemand erzählt hatte, in Nairobi sollte ein Theater eröffnet werden. Sie war Tänzerin gewesen und überzeugt, daß ihre guten Tage noch kämen. Ihren englischen Nachnamen und eine Witwenpension, die ihr beide noch mehr von den Bewohnern des Hove Court geneidet wurden als ihre Schönheit, verdankte sie einer sehr kurzen Ehe mit einem jungen Offizier. Ein eifersüchtiger Rivale hatte ihn erschossen.

Als sie Regina das erstemal ihre Wohnung zeigte, wies sie stolz auf die eingetrockneten Blutstropfen an der Wand hin. Die stammten zwar von erschlagenen Moskitos, aber Diana durstete noch mehr nach Romantik als nach Whisky und fand die Vorstellung zu traurig, der verstorbene Lieutenant Wilkins hätte außer seinem Namen keine Spuren in ihrem Leben hinterlassen.

»Warst du denn dabei, als er erschossen wurde?« fragte Regina.

»Aber ja. Er hat noch zu mir gesagt ›deine Tränen sind wie Tau‹, ehe er starb.«

»So was Schönes habe ich noch nie gehört.«

»Wart nur ab. Eines Tages wirst du so etwas auch erleben. Hast du denn schon einen Freund?«

»Ja. Er heißt Martin und ist Soldat.«

»Hier in Nairobi?«

»Nein, in Südafrika.«

»Und es ist dein größter Wunsch, ihn zu heiraten?«

»Ich weiß nicht«, zweifelte Regina. »Das habe ich mir noch nicht überlegt. Noch mehr wünsche ich mir einen Bruder.«

Sie erschrak, als sie sich reden hörte. Seit dem Abschied von Martin auf der Farm hatte Regina seinen Namen nur in ihrem Tagebuch erwähnt. Daß sie nun auf einem Schlag nicht nur von ihm, sondern auch von dem toten Baby erzählte, verwirrte sie. Der wilde Tanz in ihrem Kopf erschien ihr wie ein besonderer Zauber, der Trauer verdursten ließ wie Flüsse in der Trockenzeit.

Seitdem Regina mit Diana ihre beiden Geheimnisse geteilt hatte, rasten die Tage so schnell über sie hinweg wie Ochsen, die sich im Fieberwahn im Kreise drehen. Ihre Ohren wurden taub gegen die weinerlichen Bitten der Mutter und erst recht gegen die Befehle von Elsa Conrad, sich nach einer gleichaltrigen Freundin umzusehen.

»Magst du Diana nicht?«

»Doch«, sagte Jettel zögernd, »aber du weißt, daß Papa komisch ist.«

»Warum?«

»Er ist ein Mann.«

»Alle Männer lieben Diana.«

»Das ist es ja. Er hat was gegen Frauen, die mit jedem Mann schlafen.«

»Diana«, erklärte Regina am Tag darauf, »hat gesagt, sie

schläft nicht mit allen Männern. Sie geht nur mit ihnen aufs Sofa.«

»Mach das mal deinem Vater klar.«

Die einzigen männlichen Wesen, die Diana wirklich liebte, waren ihr winziger Hund Reppi, den sie bei ihren Spaziergängen im Garten auf dem Arm trug und der, wie nur Regina wußte, in Wirklichkeit ein verzauberter Fürst aus Riga war, und ihr Hausboy. Chepoi war ein großgewachsener, grauhaariger Nandi mit Pockennarben im Gesicht und zierlichen Händen, in denen sehr viel Kraft und noch mehr Sanftheit steckten. Er sorgte mit der Miene eines bekümmerten Vaters für Diana, die er als verpflichtendes Erbe seines toten Bwanas empfand, der ihn vor einem verrückt gewordenen Wasserbüffel gerettet hatte.

Nachts, wenn die Zeit für den letzten Freier abgelaufen war, kam Chepoi noch einmal zurück aus seiner winzigen Hütte hinter den Personalquartieren, schlich sich in Dianas rauchige, nach Alkohol stinkende Höhle, nahm seiner Memsahib die Flasche aus der Hand und brachte sie ins Bett. Im Hove Court erzählte man sich, daß er sie oft sogar ausziehen mußte und ihre gereizten Nerven mit Liedern beruhigte, aber Chepoi war kein Mann der Worte. Ihm reichte es, daß er seiner schönen Memsahib ein Beschützer war, und das konnte er nur sein, wenn er nicht mit Menschen redete, die ebenso böse Zungen wie Ohren hatten.

Regina wurde die Ausnahme. Trotz Jettels anfänglichen Bedenken und Owuors eifersüchtigem Gezeter nahm Chepoi sie sehr oft auf den Markt mit, auf dem er Fleisch kaufte und sich nach erregten Streitereien und erbittertem Handel für riesige Krautköpfe entschied, um das einzige Essen kochen zu können, das der Memsahib nach den Anstrengungen der Nacht neue Kraft gab.

Für Regina tat sich auf dem Markt im Zentrum von Nairobi eine neue Welt auf. Orange leuchtende Mangos neben grünen Papayas, die Bananenstauden in Rot, Gelb und Grün, pralle Ananasfrüchte mit Kronen aus glänzenden, tiefgrünen Stacheln und die aufgeschnittenen Passionsfrüchte mit Kernen wie grauschimmernde Glasperlen betäubten ihre Augen, der Duft von Blumen, scharf gebranntem Kaffee und frisch gemischten Gewürzen und der Gestank von faulendem Fisch und bluttropfendem Fleisch ihre Nase; die Fülle von Schönheit, Ursprünglichkeit und Ekel ließ endlich die qualvolle Sehnsucht nach den Tagen verlöschen, die nicht mehr waren.

Es gab hohe Türme von Körben aus geflochtenem Sisal, die Kikapus genannt wurden und mehr Farben als ein Regenbogen hatten, zierliche Schnitzereien aus Elfenbein und glatt polierte Krieger mit langen Speeren aus schwarzem Holz und mit bunten Perlen bestickte Gürtel und Stoffe, deren Muster Geschichten von verzauberten Menschen und jenen wilden Tieren erzählten, die nur Fantasie hatte zähmen können. Schuppige Schlangenhäute, Felle von Leoparden und Zebras, ausgestopfte Vögel mit gelbem Schnabel, Büffelhorn, Riesenmuscheln aus Mombasa, zierliche Armbänder aus Elefantenhaar und goldfarbige Ketten mit bunten Steinen wurden von Indern mit schwarzen Augen und schnell zupackenden Händen angeboten.

Die Luft war schwer und das Konzert der Stimmen so gewaltig wie die schreienden Wasserfälle von Thomson's Falls. Hühner gackerten und Hunde bellten. Zwischen den Ständen drängten sich ältere englische Frauen mit papierdünner, blasser Haut, vergilbten Strohhüten und weißen Handschuhen. Hinter ihnen liefen ihre Hausboys mit den schweren Kikapus wie gut abgerichtete Hunde. Aufgeregte Goanesen redeten so schnell wie schnatternde Affen, und die Inder in farbfrohen Turbans schritten langsam und sehr aufmerksam an den Waren vorbei.

Man sah viele Kikuyus in grauen Hosen und farbigen Hemden, die ihr großstädtisches Aussehen mit schweren Schuhen betonten, und schweigsame Somalis, von denen viele wirkten, als wollten sie in einen Krieg der alten Art ziehen. Kraftlose, nach Eiter stinkende Bettler mit erloschenen Augen, viele von ihnen von Lepra zerfressen, baten um Almosen, und mit unbewegtem Gesicht hockten Mütter auf dem Boden und stillten ihre Kinder.

Auf dem Markt verliebte sich Regina in Nairobi und in

Chepoi. Zunächst wurde sie seine Geschäftspartnerin und später seine Vertraute. Weil sie Kikuyu sprach, konnte sie noch besser mit den Männern an den Marktständen handeln als er, der Nandi, der auf Suaheli angewiesen war. Von dem ersparten Geld kaufte ihr Chepoi oft eine Mango oder einen gerösteten Maiskolben, der wunderbar nach verbranntem Holz schmeckte, und am schönsten Tag ihrer Ferien, nach vorheriger Rücksprache mit seiner Memsahib, überreichte er ihr einen mit winzigen bunten Perlen bestickten Gürtel.

»In jedem kleinen Stein ist ein Zauber«, versprach er und machte seine Augen groß.

»Woher weißt du?«

»Ich weiß es. Das ist genug.«

»Ich wünsch mir einen Bruder«, sagte Regina.

»Hast du denn einen Vater?«

»Ja. Er ist Askari in Nakuru.«

»Dann wünsch dir zuerst, daß er mal nach Nairobi kommt«, empfahl Chepoi. Wenn er lachte, wurden seine gelben Zähne hell und die Heiserkeit in seiner Kehle warm.

»Ich riech dich gern«, stellte Regina fest und rieb sich die Nase.

»Wie rieche ich?«

»Gut. Du riechst wie ein kluger Mann.«

»Du bist auch nicht dumm«, sagte Chepoi, »du bist jung. Aber das bleibt nicht so.«

»Der erste Stein«, freute sich Regina, »hat schon geholfen. So etwas hast du mir noch nie gesagt.«

»Ich habe das schon oft gesagt. Nur du hast es nicht gehört. Ich rede nicht immer mit meinem Mund.«

»Ich weiß. Du redest mit den Augen.«

Als sie an den von feiner roter Erde bedeckten Riesenkakteen vorbei ins Hove Court zurückkamen, war die durstigste Stunde des Tages von sengender Kraft, aber sie hatte noch nicht, wie sonst, die Menschen in ihre schwarzen Löcher zurückgetrieben. Der alte Herr Schlachter schaute zum Fenster heraus und lutschte Eiswürfel. Er hatte ein schwaches Herz und durfte nicht viel trinken. Das wußten alle, und doch beneidete jeder die Schlachters um ihren Eisschrank.

Regina schaute eine Weile zu, wie der müde Mann mit den trüben Augen und dem runden Bauch einen Würfel nach dem anderen aus einem kleinen silberfarbigen Topf nahm und ihn langsam in den Mund steckte. Sie überlegte angestrengt, ob sie sich für eine kleine Perle wohl auch ein krankes Herz und viele Eiswürfel wünschen dürfte, doch die Art, wie der alte Schlachter sie ansah und sagte: »So möchte ich auch noch mal springen können«, verwirrte sie.

Das rosa Baby im hellblauen Strampelanzug saugte an Mrs. Taylors weißer Brust und jagte den Neid, der Ruhe schneller fressen konnte als große Safariameisen ein kleines Stück Holz, in Reginas Sinne. Um ihren zu voll gelaufenen Kopf leer zu bekommen, beobachtete sie, wie Frau Friedländer den schwarzlockigen Pelzmantel ausklopfte, den sie sich zur Auswanderung gekauft und nie getragen hatte.

Mrs. Clavy stand in ihrem Garten und erzählte ihren roten Nelken, daß sie ihnen erst nach Sonnenuntergang Wasser bringen dürfte. Regina leckte ihre Lippen, um ihr zulächeln zu können, doch ehe sie Feuchtigkeit in ihrem Mund geholt hatte, sah sie Owuor mit Rummler unter einem durstenden Zitronenbaum. Sie rief den Hund, der träge nur eins seiner Ohren bewegte, und erkannte mit Reue, daß sie sich den ganzen Tag nicht um ihn gekümmert hatte. Sie überlegte, wie sie Owuor den Gürtel zeigen konnte, ohne seine Eifersucht auf Chepoi zu entzünden. Da sah sie, daß sich seine Lippen bewegten und daß Feuer in seinen Augen war. Als sie auf Owuor zurannte, raste ihr seine Stimme entgegen.

»Ich hab' mein Herz in Heidelberg verloren«, sang er so laut, als hätte er vergessen, daß es in Nairobi kein Echo gab.

Regina fühlte den lange vergeblich ersehnten, den stechenden Schmerz der Erwartung.

»Owuor, Owuor, ist er gekommen?«

»Ja, der Bwana ist gekommen«, lachte Owuor. »Der Bwana Askari ist gekommen«, berichtete er stolz. Er nahm Regina hoch wie am Tag, als der Zauber begonnen hatte, und preßte sie an sich. Eine kurze Seligkeit lang war sie seinem Gesicht so nah, daß sie das Salz sehen konnte, das an seinen Augenlidern klebte.

»Owuor, du bist so klug«, sagte sie leise, »weißt du noch, wie die Heuschrecken kamen?«

Satt von Freude und Erinnerung wartete sie ab, bis das Schnalzen seiner Zunge aus ihren Ohren wich; dann schleuderte sie ihre Schuhe von den Füßen, um schneller über den Rasen fliegen zu können, rannte ungeduldig zum Flat und riß die Tür mit einer Gewalt auf, als müßte sie ein Loch durch die Wand schlagen.

Ihre Eltern saßen dicht beieinander auf dem schmalen Bett und trennten sich mit einer so plötzlichen Bewegung, daß der kleine Tisch vor ihnen einen Moment schwankte. Ihre Gesichter hatten die Farbe von Mrs. Clavys gesündesten Nelken. Regina hörte, daß Jettel laut und schnell atmete, und sie sah auch, daß ihre Mutter weder Bluse noch Rock anhatte. Sie hatte also ihr Versprechen nicht vergessen, in guten Tagen noch ein Baby zu bekommen. Waren die guten Tage schon auf Safari gegangen?

Es machte Regina unsicher, daß ihre Eltern nichts sagten und so steif, stumm und ernst wie Holzfiguren auf dem Markt wirkten. Sie fühlte, daß auch ihre Haut rot wurde. Es war schwer, die Zähne auseinanderzubekommen.

»Papa«, sagte sie endlich, und dann stürzten die Worte, die sie hatte einsperren wollen, doch wie schwere Steine aus ihrem Mund: »Haben sie dich rausgeschmissen?«

»Nein«, sagte Walter, zog Regina auf sein nacktes Knie und löschte das Feuer in seinen Augen mit einem Lächeln. »Nein«, wiederholte er, »King George ist sehr zufrieden mit mir. Er hat mich extra gebeten, dir das zu sagen.« Ganz leicht klopfte er auf den Ärmel seines steif gestärkten Khakihemdes. Dort leuchteten zwei Streifen aus weißem Leinen.

220

»Du bist Corporal geworden«, staunte Regina. Sie berührte einen der kleinen Steine ihres neuen Gürtels und leckte mit der frischen Kraft überwundener Angst das Gesicht ihres Vaters ab, wie Rummler es bei jedem Wiedersehen tat, wenn Freude seinen Körper schüttelte.

»Corporal is bloody good for a fucking refugee«, sagte Walter. »You are speaking English, Daddy«, kicherte Regina.

Der Satz machte in ihrem Kopf eine Beute, die sie ekelte und mit Schuld bedrängte. Ob ihr Vater wohl ahnte, daß sie sich so lange einen Daddy gewünscht hatte, der wie andere Väter aussah, Englisch sprach und keine Heimat verloren hatte? Sie schämte sich sehr, daß sie Kind gewesen war.

»Du erinnerst dich noch an Sergeantmajor Pierce?«

»Sergeant«, verbesserte Regina und war froh, daß sie ihre Trauer hinuntergeschluckt hatte, ohne sich von ihr würgen zu lassen.

»Sergeantmajor. Auch Engländer werden befördert. Und rat mal, was ich ihm beigebracht habe! Er kann jetzt ›Lilli Marleen‹ auf Deutsch singen.«

»Das will ich auch können«, sagte Regina. Sie brauchte nur den Bruchteil einer Sekunde, um die Lüge in ihrem Mund in jene Süße zu verwandeln, von der Diana behauptete, nur sie sei der wahre Geschmack der großen Liebe.

15

Daß der Rundfunk am 8. Mai 1945 alle Nachrichtensendungen des Tages mit dem Satz »Keine besonderen Vorkommnisse zu erwarten« begann, lag am Wetter, das von Mombasa bis zum Rudolfsee für die Jahreszeit ungewöhnlich stabil und trocken war. Aus Rücksicht auf die Farmer, denen man gerade in der ersten Erntezeit nach dem großen Regen nicht jede Stunde vorab das ferne Weltgeschehen und dann erst die Details von wesentlichem Interesse zumuten wollte, hatten beim Sender Nairobi seit jeher die meteorologischen Nachrichten Priorität gehabt.

Weder der Tod von George V., die Abdankung von Edward VIII., die Krönung von George VI. noch der Ausbruch des Zweiten Weltkriegs waren als ausreichender Grund gewertet worden, mit dieser Tradition zu brechen. So fand der zuständige Redakteur auch die bedingungslose Kapitulation der Deutschen keinen Fall für eine Ausnahme. Trotzdem verfiel die Kolonie in einen Siegestaumel, der in keiner Beziehung dem Jubel im notleidenden Mutterland nachstand.

In Nakuru befahl Mr. Brindley die Beflaggung der gesamten Schule, was das Improvisationstalent sowohl von Lehrern als auch von Schülern auf eine noch nie dagewesene Art herausforderte. In der Schule gab es nur einen einzigen, recht verblichenen Union Jack, der ohnehin täglich vom Hauptgebäude flatterte. Man half sich durch eilig zusammengeklebte und schnell genähte Flaggen aus aussortierten Bettlaken und den Kostümen der roten Affen von der letzten Schüleraufführung.

Für das noch fehlende Blau der Fähnchen wurden Schuluniformen und Pfadfinderkleider zerschnitten, und zwar von jenen begüterten Kindern, die ausreichend Garderobe und danach sehr viel Mühe hatten, ihren Stolz ob der freudig gebrachten Opfer nicht allzu auffällig zur Schau zu stellen.

Es verdroß Regina nicht, daß sie nur einen einzigen Schulrock und ein zu verblichenes Pfadfinderkleid hatte und also bei dieser patriotischen Scherenschlacht lediglich stumm zuschauen konnte. Das Schicksal hatte Größeres mit ihr vor. Mr. Brindley befreite alle Kinder von Army-Angehörigen nicht nur von den Aufgaben für den nächsten Tag, sondern regte in ungewohnt freundlichem Befehlston an, sie sollten ihren Vätern in Uniform einen dem Ereignis würdigen Brief schreiben, um ihnen auf den fernen Kriegsschauplätzen in der mit einem Schlag so wundersam befriedeten Welt zum Sieg zu gratulieren.

Regina hatte zunächst gewisse Schwierigkeiten mit der Aufgabe. Sie grübelte, ob Ngong, das nur wenige Kilometer von Nairobi entfernt lag und wo ihr Vater seit drei Monaten stationiert war, in Mr. Brindleys Sinn als ferner Kriegsschauplatz gelten konnte. Hinzu kam, daß sie sich schämte, weil sie ihren Vater nicht für das British Empire hatte opfern wollen. Im Angesicht des Siegs erschien es ihr nicht mehr recht, daß sie so erleichtert gewesen war und sogar Gott gedankt hatte, als sein Gesuch zum Einsatz in Burma abgelehnt worden war.

Trotzdem begann sie ihren Brief mit den Worten »Mein Held, mein Vater« und schloß mit der Zeile »Theirs but to do and die« aus ihrem Lieblingsgedicht. Zwar vermutete sie, ihr Vater würde die sprachliche Schönheit nicht würdigen können und auch zu wenig von der schicksalhaften Schlacht von Balaclava und dem Krimkrieg wissen, aber sie brachte es in einem so entscheidenden Moment der Weltgeschichte nicht über sich, auf das Lob der englischen Tapferkeit zu verzichten.

Um ihrem Vater in Englands großer Stunde dennoch eine besondere Freude zu machen, beschenkte sie ihn mit seiner Sprache und fügte, sehr kleingeschrieben, hinzu: »Balt faren wir nach Leobschutz«, was Mr. Brindley trotz seines Mißtrauens gegen die Dinge, die er nicht verstand, großzügig übersah. Das berühmte Zitat indes las er mit

Wohlwollen, nickte gleich zweimal hintereinander und bat Regina, den weniger ausdrucksstarken Mädchen mit deren Briefen zu helfen.

Leider beschämte er damit die schlechten Schülerinnen auf sehr unenglische Art, doch Regina kam sich trotzdem vor, als hätte man ihr einen alten Traum erfüllt und sie mit dem Victoria Cross ausgezeichnet. Als der Direktor anschließend die Kinder der Kriegsteilnehmer einlud, den Tee in seinem Zimmer einzunehmen, ließ sie sich ihren Brief noch einmal zurückgeben, um von der Ehrung zu berichten, die ihr widerfahren war. Zum Glück fiel es Mr. Brindley nicht auf, daß nun ihr von ihm öffentlich gelobter und verlesener Heldendank mit der Bemerkung »Bloody good for a fucking refugee« schloß. Gerade Regina wußte genau, wie sehr er Vulgarität verabscheute.

Auch in Nairobi wurde das Ende des Kriegs in Europa mit einem Engagement gefeiert, als hätte ausschließlich die Kolonie zum Sieg beigetragen. Die Delamare Avenue verwandelte sich in ein Meer von Blumen und Fahnen, und selbst in billigen Läden mit winzigen Schaufenstern, in denen Weiße so gut wie nie kauften, wurden eilig beschaffte Fotos von Montgomery, Eisenhower und Churchill neben das Bild von King George VI. gestellt. Genau wie es die Kinobesucher in den Wochenschauen bei der Befreiung von Paris gesehen hatten, fielen sich fremde Menschen jubelnd in die Arme und küßten Männer in Uniform, wobei es in der Euphorie vereinzelt vorkam, daß sogar besonders hellhäutige Inder abgeköst wurden.

Rasch gebildete Männerchöre stimmten »Rule Britannia« und »Hang out your Washing on the Siegfried Line« an; ältere Damen banden rot-weiß-blaue Bänder um ihre Hüte und Hündchen; kreischende Kikuyukinder stülpten sich Papiermützen über die Locken, die sie sich aus dem Extrablatt des »East African Standard« gefaltet hatten. Die Rezeptionen im New Stanley Hotel, bei Thor's und im Norfolk konnten schon mittags keine Buchungen mehr für ihre festlichen Siegesdinners annehmen. Für den Abend wurde ein großes Feuerwerk und für die nächsten Tage die Siegesparade geplant.

Im Hove Court ließ Mr. Malan in einem Aufwallen von Patriotismus, der ihn selbst noch mehr verwirrte als seine Mieter, die erdverkrusteten Kakteen am Tor abspritzen, die Wege um das Rosenrondell harken und den Union Jack an dem alten Fahnenmast hochziehen, der dazu eigens repariert werden mußte. Er war nicht mehr benutzt worden, seitdem Malan das Hotel übernommen hatte. Am Nachmittag ließ Mrs. Malan, in einem Festtags-Sari aus Rot und Gold, einen Mahagonitisch und seidenbespannte Stühle unter den Eukalyptusbaum mit schwer herunterhängenden Ästen stellen und trank ihren Tee mit vier halbwüchsigen Töchtern, die alle wie tropische Blumen aussahen und beim häufigen Kichern ihre Köpfe wie volltrunkene Rosen im Wind wiegten.

Diana ließ sich trotz Chepois wütendem Protest nicht davon abhalten, barfuß, im durchsichtigen Nachthemd und mit einer halbvollen Whiskyflasche durch den Garten zu hetzen, wobei sie abwechselnd »To Hell with Stalin« und »Dammed Bolschewiks« rief. Sie wurde in scharfem Ton von einem Major, der Gast bei Mrs. Taylor war, darauf hingewiesen, daß die Russen erheblich und unter bewundernswerten Opfern zum Sieg beigetragen hatten. Als Diana aufging, daß noch nicht einmal ihr Hund glauben mochte, sie sei die jüngste Zarentochter, obwohl sie es ihm bei seinem Leben schwor, überkam sie ein solches Elend, daß sie sich weinend unter einen Zitronenbaum warf. Chepoi stürmte herbei, um sie zu beruhigen, und konnte sie endlich zurück in ihr Flat bringen. Er trug sie in seinen Armen wie ein Kind und summte das traurige Lied vom Löwen, der seine Kraft verloren hat.

Professor Gottschalk war in den letzten Monaten schmal und sehr schweigsam geworden. Er lief, als würde ihn jeder Schritt schmerzen, scherzte nicht mehr mit den Babys im Kinderwagen, streichelte nur noch selten einen Hund, und es kam auch kaum noch vor, daß er jungen Frauen Komplimente machte. Eingeweihte wollten wissen, sein Verfall hätte ausgerechnet zu der Zeit begonnen, als die Alliierten täglich ihre Bomben auf deutsche Städte abwarfen, aber der beliebte Professor war zu keinem Gespräch über dieses Thema bereit gewesen. Nun saß er am Tag des glanzvollen Triumphs mit bleichem Gesicht auf einem alten Küchenstuhl vor seinem Flat und, statt wie gewohnt zu lesen, starrte er grübelnd in die Bäume und murmelte wiederholt »Mein schönes Frankfurt« vor sich hin.

So wie ihm wurde es vielen Refugees unerwartet schwer, ihre Erleichterung über das seit Tagen erwartete Kriegsende in passender Form zu zeigen. Es gab einige, die schon lange nicht mehr Deutsch sprechen mochten und die wirklich glaubten, sie hätten ihre Muttersprache vergessen. Ausgerechnet sie mußten in einem so glücklichen Moment feststellen, daß ihr Englisch keineswegs ausreichte, ihren befreiten Gefühlen Ausdruck zu geben. Mit einer Bitterkeit, die sie sich nicht erklären konnten, beneideten sie die Menschen, die ungeniert weinten. Solche Tränen der Erlösung ließen indes bei ihren britischen Nachbarn die Vermutung aufkommen, die Refugees hätten insgeheim doch zu Deutschland gehalten und betrauerten nun den verdienten englischen Sieg.

Jettel empfand nur flüchtiges Bedauern, daß sie, wie es sich für die Frau eines Kriegsteilnehmers gehörte, den außergewöhnlichen Abend nicht mit Walter verbringen konnte. Sie war jedoch zu sehr an den zweiwöchentlichen Rhythmus seiner Besuche gewöhnt und fand die Gemeinsamkeit so angenehm dosiert, daß sie selbst an einem Tag, der wahrlich vielversprechend war, keine Veränderung wünschte. Zudem war sie in zu guter Stimmung, um sich mehr als nötig mit ihrem Gewissen zu plagen. Auf den Tag genau waren es drei Monate, seitdem sie im Horse Shoe arbeitete und seitdem allabendlich die lang vermißte Bestätigung bekam, daß sie noch eine junge und begehrenswerte Frau war.

Der Horse Shoe mit seiner Theke in Hufeisenform war das einzige Lokal in Nairobi, in dem weiße Frauen hinter einem Tresen standen. Obwohl kein Alkohol serviert wurde, galt das freundliche Etablissement mit den roten Wänden und weißen Möbeln als Bar. Sie war bei den vorwiegend männlichen Gästen gerade deshalb so beliebt, weil Frauen und nicht einheimische Kellner bedienten. Die jungen Offiziere aus England, die regelmäßig im Horse Shoe verkehrten, hatten ständig Heimweh und einen unstillbaren Hunger nach Kontakt und Flirt. Sie störten sich weder am harten, mit Berliner Zunge zu laut gesprochenen Englisch von Elsa Conrad noch an Jettels kümmerlichem Wortschatz. Die Gäste empfanden gerade ihn als angenehm; sie konnten ihren Charme entfalten, ohne zu viele Worte zu bemühen. Es war ein gegenseitiges Beschenken. Jettel gab ihnen das Gefühl einer Wichtigkeit, die sie nicht hatten, und ihr kamen die Freundlichkeit und die frohe Stimmung, die sie entfachte, wie eine Medizin vor, die einem Menschen nach schwerster Krankheit die nicht mehr erwartete Genesung bringt.

Wenn sich Jettel am späten Nachmittag schminkte, neue Frisuren ausprobierte oder nur versuchte, sich an ein besonders aufregendes Kompliment der jungen Soldaten zu erinnern, die merkwürdigerweise alle John, Jim, Jack oder Peter hießen, verliebte sie sich immer wieder aufs neue in ihr Spiegelbild. An manchen Tagen neigte sie gar dazu, an Reginas Feen zu glauben. Ihre helle Haut, die auf der Farm immer gelb oder grau gewesen war, bildete nun den alten, schönen Kontrast zum dunklen Haar, die Augen glänzten wie bei einem mit Lob verwöhnten Kind, und die sich abzeichnende Molligkeit gab der scheinbaren Unbekümmertheit ihres Wesens anziehende Weiblichkeit.

Im Horse Shoe konnte Jettel für einige Stunden vergessen, daß sie und Walter noch immer Refugees mit knappem Einkommen und doch nur Ausgestoßene mit Angst vor der Zukunft waren, und sie verdrängte die Wirklichkeit mit beseligender Freude. Sie kam sich vor wie der umschwärmte Backfisch, der bei keinem der Breslauer Studentenbälle auch nur einen Tanz auslassen durfte. Selbst wenn es nur Owuor war, der mit der Zunge schnalzte und sie seine »schöne Memsahib« nannte, war Jettel glücklich.

Wäre nicht Elsa Conrad gewesen, die jeden Abend sagte: »Wenn du nur einmal deinen Mann betrügst, breche ich dir alle Knochen im Leib«, hätte sich Jettel ihrer berauschenden Eitelkeit so ungehemmt hingegeben wie ihren gelegentlichen Zukunftsträumen, in denen Walter Captain wurde, ein Haus in der besten Gegend Nairobis baute und Jettel dort die Elite der Gesellschaft empfing, die natürlich bezaubert von ihrem ganz leichten Akzent war und sie für eine Schweizerin hielt.

Es war Jettel klar, daß der Sieg auch im Horse Shoe stimmungsvoll gefeiert werden würde und daß es absolut ihre patriotische Pflicht war, sich für die Kämpfer fern der Heimat zu rüsten. Als sich die erste Nachricht von der deutschen Kapitulation herumsprach, hatte sie sich sofort in die Badeliste eingetragen und nach einem sehr heftigen Streit mit Frau Keller, die ausgerechnet an einem für Jettel so wichtigen Tag ein Bad außerhalb der Reihe für ihren Mann durchsetzen wollte, sich schon mittags den Waschraum erkämpft. Nach langer Überlegung entschied sie sich, nicht ohne einen kleinen Dämpfer für ihre gute Laune, für das immer noch ungetragene lange Abendkleid, das seit ihrer Ankunft in Rongai für den anhaltenden Streit mit Walter sorgte, weil er nicht bereit war, seinen Eisschrank zu vergessen.

Sie brauchte mehr Zeit als erwartet, um das Kleid aus schwerem blauem Taft mit einem gelb-weiß gestreiften Oberteil, Puffärmeln und winzigen Knöpfen im Rücken über Brust und Hüften zu schieben. Noch länger dauerte es, ehe sie in dem kleinen Spiegel an der Wand die Frau fand, nach der sie suchte, aber sie lächelte sich so lange energisch Mut und Illusionen zu, daß sie schließlich doch zufrieden war.

»Ich habe immer gewußt, daß ich das Kleid brauche«, sagte sie und schob ihr Kinn zum Spiegel hin, aber der Trotz, den sie nur kurz als heiteres Spiel hatte genießen wollen wie das Vanilleeis, das die Spezialität im Horse

Shoe war, verwandelte sich in ein Messer und zerstörte mit scharfem Schnitt das herrliche Porträt der schönen jungen Frau im Siegestaumel.

Mit einer Plötzlichkeit, die ihren Atem heftig machte, sah sie das Farmhaus in Rongai mit dem Dach, das weder vor Regen noch Hitze schützte, sah Walter enttäuscht über den Kisten aus Breslau stehen und hörte ihn schimpfen: »Das Ding da wirst du nie tragen. Du weißt gar nicht, was du uns angetan hast.« Sie versuchte sofort und kichernd, die beiden Sätze zu ersticken, aber ihr Gedächtnis versperrte ihr den Fluchtweg, und die Worte erschienen ihr symbolisch für die Jahre, die ihnen gefolgt waren.

Aus den breiten weißen und gelben Streifen, die um ihre Brust liefen, wurden schmale und zu feste Ringe aus Eisen. Als hätte jeder von ihnen eine Peitsche, trieben sie Jettel zu den mühsam verdrängten Erinnerungen hin. Mit ungewohnter, peinigender Genauigkeit durchlebte sie noch einmal den Tag, als Walters Brief in Breslau mit der Nachricht angekommen war, daß für sie und Regina Bürgschaften zur Auswanderung bereitlagen. Im Rausch der Erlösung hatte sie mit ihrer Mutter das Abendkleid gekauft. Wie hatten beide bei der Vorstellung an Walters verblüfftes Gesicht gelacht, wenn er das Kleid anstelle des Eisschranks sehen würde.

Der Gedanke, daß die Mutter mit niemanden so viel und so herzlich lachte wie mit ihr, erwärmte Jettel nur kurz. Gnadenlos drängte sich ihr das letzte Bild auf. Eben noch hatte die Mutter gesagt: »Sei gut zu Walter, er liebt dich so«, und schon stand sie weinend und winkend im Hamburger Hafen und wurde immer winziger. Jettel spürte, daß sie kaum noch Zeit hatte, in die Gegenwart zurückzukehren. Sie wußte, daß sie nicht an die Mutter, ihre Zärtlichkeit, Tapferkeit und Selbstlosigkeit und schon gar nicht an den furchtbaren letzten Brief denken durfte, wollte sie ihren Traum vom Glück retten. Es war zu spät.

Erst wurde ihre Kehle trocken, und dann riß ein Schmerz so gewaltig an ihrem Körper, daß sie nicht mehr dazu kam, das Kleid abzustreifen, ehe sie sich mit kleinen, schluchzenden Tönen auf ihr Bett warf. Sie versuchte, nach der Mutter zu rufen, dann nach Walter und schließlich in höchster Not nach Regina, aber sie bekam ihre Zähne nicht mehr auseinander. Als Owuor mit Rummler von dem Trubel auf der Delamare Avenue zurückkam, lag der Körper seiner Memsahib wie eine Haut, die in der Sonne trocknen soll, auf dem Bett.

»Nicht weinen«, sagte er leise und streichelte den Hund.

Owuor schluckte Zufriedenheit. Er hatte sich schon seit einiger Zeit eine Memsahib gewünscht, die wie ein Kind war, so wie er es bei Chepoi sah, wenn der Diana aus den Krallen der Angst holte und dann Stolz sein Gesicht glatt und groß machte. Für Owuor war es aufregend, in Nairobi zu leben, doch er hatte oft volle Augen, aber einen leeren Kopf. Zu selten kitzelten die Scherze vom Bwana seine Kehle, und in ihren Ferien redete und lachte die kleine Memsahib zu viel mit Chepoi. Owuor kam sich wie ein Krieger vor, den man in die Schlacht geschickt, ihm aber die Waffen gestohlen hat.

Wenn er sah, wie Chepoi seine Memsahib durch den Garten trug, verbrannte ihn gelbes Feuer mit grellzuckendem Blitz. Der Neid verwirrte ihn. Es war nicht so, daß er Jettel betrunken oder halb angezogen und mit Augen, die nichts mehr halten konnten, unter einem Baum liegen sehen wollte, und bestimmt hätte der Bwana das auch wie einen Schlag empfunden, der einen Baum fällt. Ein Mann wie Owuor aber mußte seine Stärke immer wieder fühlen, wenn er nicht einer sein wollte wie andere auch.

Jettel lag auf dem Bett in dem Kleid, das die Farbe vom Himmel und der Sonne heruntergeholt hatte, und sie sah auch aus wie das Kind, das sich Owuor wünschte, und doch kratzte die Unruhe mit scharfen Krallen an seinem Kopf. Der rotgemalte Mund der Memsahib war wie der blutige Schaum vor dem Maul einer jungen Gazelle, die sich nach einem tödlichen Biß im Nacken noch einmal aufrichtet. Die Angst, die dem leblosen Körper auf dem Bett entströmte, roch wie die letzte Milch einer vergifteten Kuh. Als Owuor das Fenster öffnete, stöhnte Jettel.

»Owuor. Ich wollte nie mehr weinen.«

»Nur Tiere weinen nicht.«

»Warum bin ich kein Tier?«

»Mungo fragt uns nicht, was wir sein wollen, Memsahib.«

Owuors Stimme war ruhig und so voller Anteilnahme und Sicherheit, daß Jettel sich aufrichtete, und, ohne daß er etwas sagte, das Glas Wasser austrank, das er ihr hinhielt. Er schob ein Kissen hinter ihren Rücken und berührte dabei ihre Haut. In dem kurzen Augenblick der Gnade war es Jettel, als hätten seine kühlen Finger mit einem einzigen Griff in ihr alle Scham und Verzweiflung ausgelöscht, aber die Erlösung hielt nicht an. Die Bilder, die sie nicht sehen, die Worte, die sie nicht hören wollte, bedrängten sie eindringlicher als zuvor.

»Owuor«, stieß sie hervor, »es ist das Kleid. Der Bwana hat recht gehabt. Es ist nicht gut. Weißt du, was er sagte, als er es zum erstenmal sah?«

»Er sah aus wie ein Löwe, der die Spur seiner Beute verloren hat«, lachte Owuor.

»Das weißt du noch?«

»Es war lange vor dem Tag, als die Heuschrecken nach Rongai kamen. Es waren«, erinnerte sich Owuor, »die Tage, als der Bwana noch nicht wußte, daß ich klug bin.«

»Du bist ein kluger Mann, Owuor.«

Owuor nahm sich nur die Zeit, die ein Mann brauchte, um die schönen Worte in seinem Kopf zu verschließen. Dann machte er das Fenster zu, zog den Vorhang davor, streichelte nochmals den schlafenden Hund und sagte: »Zieh das Kleid aus, Memsahib.«

»Warum?«

»Du hast es doch gesagt. Es ist kein gutes Kleid.«

Jettel ließ es zu, daß Owuor die vielen kleinen Knöpfe im Rücken aufmachte, und sie ließ es auch zu, daß sie wieder seine Berührung als angenehm und ihn selbst als die Kraft empfand, die ihr Rettung brachte. Sie spürte seinen Blick und wußte, daß die Intimität der noch nie dagewesenen Situation sie hätte unsicher machen müssen, aber sie fühlte nichts als die angenehme Wärme, die von ihren zur Ruhe gekommenen Nerven ausging. In Owuors Augen war die gleiche Sanftheit wie an dem Tag vor vielen Jahren, als er in Rongai Regina aus dem Auto geholt, sie an seinen Körper gedrückt und für immer verzaubert hatte.

»Hast du gehört, Owuor?« fragte Jettel und wunderte sich, daß sie flüsterte, »der Krieg ist aus.«

»In der Stadt sagen es alle. Aber es ist nicht unser Krieg, Memsahib.«

»Nein, Owuor, es war mein Krieg. Wo willst du hin?«

»Zur Memsahib monenu mingi«, kicherte Owuor, denn er wußte, daß Jettel immer lachte, wenn er Elsa Conrad so nannte, weil sie mehr redete, als das größte Ohr fassen konnte. »Ich gehe ihr sagen, du kommst heute nicht zur Arbeit.«

»Aber das geht nicht. Ich muß arbeiten.«

»Erst muß der Krieg in deinem Kopf zu Ende sein«, erkannte Owuor, »der Bwana sagt auch immer: Erst muß der Krieg zu Ende sein. Kommt er heute noch zu uns?«

»Nein. Erst nächste Woche.«

»War es nicht sein Krieg?« fragte Owuor und gab der Tür einen kleinen Tritt. Für ihn waren Tage ohne den Bwana wie Nächte ohne Frauen.

»Es war sein Krieg, Owuor. Komm schnell zurück. Ich will nicht allein sein.«

»Ich paß auf dich auf, Memsahib, bis er kommt.«

Walters Krieg im Kopf brach in der friedvollen Landschaft vom Ngong aus, als er am wenigsten mit einem Aufruhr rechnete. Um vier Uhr nachmittags stand er am Fenster seines Schlafraums und sah ohne Wehmut zu, wie der größte Teil der Tenth Unit des Royal East Africa Corps die Jeeps bestieg, um den Sieg im nahen Nairobi zu begießen. Er hatte sich freiwillig zum Nachtdienst gemeldet und war von den hochgestimmten Soldaten seiner Einheit und selbst von Lieutenant McCall, einem wortkargen Schotten, kurz und heftig als »a jolly good chap« gefeiert worden.

Walter war nicht nach Feiern zumute. Die Nachricht von der Kapitulation hatte in ihm weder Jubel noch ein Gefühl der Befreiung erweckt. Ihn quälte die Widersprüchlichkeit seiner Gefühle, die er als besonders boshafte Ironie der Geschichte empfand, und er wurde im Laufe des Tages so niedergeschlagen, als sei sein Schicksal mit dem Kriegsende besiegelt. Er empfand es als typisch für seine Situation, daß der Verzicht auf eine Nacht außerhalb der Baracken für ihn kein Opfer war. Das Bedürfnis, an dem Tag allein zu sein, der anderen so viel bedeutete und ihm nicht genug, war zu groß, um es gegen die Unannehmlichkeiten eines unangemeldeten Besuchs bei Jettel einzutauschen.

Kurz nachdem er in den Ngong versetzt worden war und sie begonnen hatte, im Horse Shoe zu arbeiten, war Walter klargeworden, daß sich in seiner Ehe Veränderungen abzeichneten. Jettel, die ihm noch liebevolle und manchmal auch sehnsüchtige Briefe nach Nakuru geschrieben hatte, lag in Nairobi nichts mehr an seinem unerwarteten Erscheinen. Er verstand sie. Ein Ehemann mit Corporalsstreifen am Ärmel, der mißmutig und stumm an der Theke saß, während seine Frau arbeitete, paßte nicht in das Leben einer Frau mit einem Schwarm von gut aufgelegten Kavalieren in Offiziersuniform.

Paradoxerweise hatte ihn die Eifersucht zunächst eher belebt als gequält. Auf eine sanfte, romantische Art hatte sie ihn an seine Studentenzeit erinnert. In der allzu kurzen Schonfrist war Jettel wieder die Fünfzehnjährige im lilagrün karierten Ballkleid, ein schöner Schmetterling auf der Suche nach Bewunderung; er war noch einmal neunzehn, im ersten Semester und optimistisch genug zu glauben, daß das Leben irgendwann auch die Geduldigen bedenken würde. In der Eintönigkeit militärischer Routine und erst recht durch die Erfahrungen in der Freizeit verwandelte sich indes die nostalgische Eifersucht mit den verklärten und gefälligen Bildern aus Breslau in die Dumpfheit Afrikas. Seine Überempfindlichkeit, von der er geglaubt hatte, die Jahre in der Emigration hätten sie ebenso zerfressen wie die Träume von besseren Tagen, regte sich wieder.

Wenn Walter im Horse Shoe warten mußte, bis Jettel mit der Arbeit fertig war, spürte er ihre Nervosität und witterte Ablehnung. Noch mehr verletzten ihn die hochmütigen und argwöhnischen Blicke von Mrs. Lyons, die private Besuche bei ihren Angestellten mißbilligte und mit zuckenden Augenbrauen jedes Eis mitzuzählen schien, das Jettel ihrem Mann hinstellte, um ihn bei Laune und still zu halten, bis sie beide nach Hause konnten.

Schon der Gedanke an Mrs. Lyons und ihren Horse Shoe und die Stimmung dort am Abend des Kriegsendes erweckten bei Walter jenes Bedürfnis nach Streit und Flucht, das seinem Stolz scharfe Hiebe versetzte. Wütend schlug er das kleine Fenster im Schlafraum zu. Eine Weile starrte er noch durch die Scheibe mit den toten Fliegen und überlegte angewidert, wie er gleichzeitig die Zeit, sein Mißtrauen und die ersten Anflüge von Pessimismus totschlagen könnte. Er war zufrieden, als ihm einfiel, daß er seit Tagen keine deutschsprachigen Nachrichten gehört hatte und daß die Gelegenheit günstig für einen neuen Versuch war. Die Mannschaftsmesse mit dem ausgezeichneten Radio würde leer sein. Es würde also keinen Sturm geben, wenn das Gerät feindliche Laute ausstieß und dazu noch am Abend des großen Siegs.

Es waren die wenigen Refugees in Walters Einheit, die bei deutschsprachigen Sendungen am lautesten protestierten, während die Engländer sich nur selten aus der Ruhe bringen ließen. Meistens erkannten sie ohnehin nicht, welche Sprache sie überhaupt hörten, wenn es nicht die eigene war. Walter hatte das immer wieder und in den meisten Fällen auch ohne Bewegung festgestellt, aber mit einem Mal erschien ihm die Sucht der Refugees, nicht aufzufallen, nicht mehr lächerlich, sondern ein beneidenswerter Beweis für ihr Talent, sich von der Vergangenheit zu lösen. Er aber war Außenseiter geblieben.

Auf dem Weg von seiner Baracke zur Messe im Haupthaus versuchte er noch, jener Melancholie zu entrinnen, die unweigerlich in einer Depression zu enden pflegte. Wie ein Kind, das seine Aufgaben auswendig lernt, ohne überhaupt nach dem Sinn zu suchen, sagte er sich immer wieder und zuweilen sogar laut, daß es ein glücklicher Tag für die Menschheit war. Trotzdem spürte er nur Leere und Erschöpfung. Mit einer Wehmut, die er sich als besonders törichte Sentimentalität verübelte, dachte Walter an den Kriegsanfang und wie Süßkind ihm vom Lastwagen aus die Internierung und den Abschied von Rongai gemeldet hatte.

Die Erinnerung steigerte in einem für sein Selbstbewußtsein kränkenden Tempo den Wunsch, endlich mal wieder mit Süßkind zu reden. Er hatte den Beschützer seiner ersten afrikanischen Tage lange nicht mehr gesehen, aber der Kontakt war nie abgerissen. Anders als Walter, der von der Army als zu alt für einen Fronteinsatz abgelehnt wurde, war Süßkind in den Fernen Osten geschickt und dort leicht verwundet worden. Nun war er in Eldoret stationiert. Sein letzter Brief war noch keine fünf Tage alt.

»Wahrscheinlich werden wir jetzt bald die herrliche Stellung bei King George verlieren«, hatte Süßkind geschrieben, »aber vielleicht verschafft er uns aus Dankbarkeit eine Arbeit, bei der wir wieder Nachbarn sind. Das ist ein großer König alten Kämpfern schuldig.« Was Süßkind als Scherz gemeint und Walter zunächst auch so verstanden hatte, erschien ihm an diesem einsamen Nachmittag des 8. Mai der unbarmherzige und bedeutungsschwere Hinweis auf eine Zukunft, die er seit seinem ersten Tag in Uniform nicht mehr hatte wahrhaben wollen. Er straffte noch seine Schultern und schüttelte den Kopf, doch er merkte auch, daß seine Schritte schleppend wurden.

Es waren kaum zwei Stunden bis Sonnenuntergang. Walter spürte den Druck seiner Hilflosigkeit als körperlichen Schmerz. Er wußte, daß seine Grübeleien dabei waren, sich in jene Gespenster zu verwandeln, denen er nicht mehr entkommen konnte und deren Attacken ohne Gnade waren. Erschöpft setzte er sich auf einen großen Stein mit windpolierter Platte unter einer alten Dornakazie mit kräftiger Krone. Sein Herz raste. Er zuckte zusammen, als er sich laut »Walther von der Vogelweide« sagen hörte. Verwirrt überlegte er, wer das wohl gewesen sein mochte, aber der Name blieb ihm fremd. Die Situation erschien Walter so grotesk, daß er laut lachte. Er wollte aufstehen, und doch blieb er sitzen. Noch wußte er nicht, daß es der Moment war, da sich seine Augen für die Idylle einer Landschaft öffneten, gegen die sie sich so lange trotzig gewehrt hatten.

Die blau leuchtenden, sanften Hügel vom Ngong erhoben sich aus dem dunklen Gras und streckten sich einem Band aus feinen Wolken entgegen, das im aufkommenden Wind zu fliegen begann. Kühe mit großen Köpfen und dem Buckel, der ihnen das Aussehen urzeitlicher Tiere gab, bahnten sich durch rote Staubwolken den Weg zum schmalen Fluß. Deutlich waren die schrillen Rufe der Hirten zu hören. In der Ferne gab ein Gitter aus schwarzweißem Licht den Blick auf eine große Zebraherde mit vielen Jungtieren frei.

In ihrer Nähe fraßen Giraffen, die kaum ihre langen Körper bewegten, die Bäume kahl. Walter erwischte sich bei dem Gedanken, daß er die Giraffen, die er vor seiner Zeit im Ngong nie gesehen hatte, beneidete, weil sie gar nicht anders existieren konnten als mit hocherhobenem Kopf. Es machte ihn unsicher, daß er mit einem Mal die Landschaft als Paradies sah, aus dem er vertrieben werden sollte. Die Erkenntnis, daß er so nicht mehr seit dem Abschied von Sohrau empfunden hatte, beutelte seine Sinne.

Scharf schlug die Kühle der Nacht gegen seine Arme und peitschte seine Nerven. Die Dunkelheit, die wie ein Stein vom eben noch hellen Himmel fiel, verwehrte ihm einen neuen Blick auf die Hügelkette und nahm ihm die Orientierung. Walter wollte sich abermals Sohrau vorstellen und diesmal genauer, aber er sah weder Marktplatz und Haus noch die Bäume davor, sondern nur seinen Vater und seine Schwester auf einer großen leeren Fläche. Walter war wieder sechzehn und Liesel vierzehn Jahre alt;

der Vater sah aus wie ein mittelalterlicher Ritter. Er kam zurück aus dem Krieg, zeigte seine Orden und wollte wissen, weshalb sein Sohn die Heimat im Stich gelassen hatte.

»I am a jolly good chap«, sagte Walter; er genierte sich, als er merkte, daß er mit seinem Vater Englisch sprach.

Er kehrte nur langsam in die Gegenwart zurück und sah sich auf einer Farm die Stunden von Tagesanbruch bis Sonnenuntergang zählen. Zorn verbrannte seine Haut.

»Ich hab' nicht überlebt, um Flachs zu pflanzen oder Kühen in den Arsch zu kriechen«, sagte er. Seine Stimme war ruhig und leise, doch der weiße Hund mit dem schwarzen Fleck über dem rechten Auge, der täglich zu den Baracken kam und dabei war, einen rostigen Eimer mit stinkendem Abfall zu durchwühlen, hörte ihn doch und schüttelte seine Ohren. Erst bellte er, um den unerwarteten Laut zu vertreiben, lauschte ihm einen Moment mit hocherhobener Schnauze nach, lief auf Walter zu und drückte sich gegen sein Knie.

»Du hast mich verstanden«, sagte Walter, »ich seh's dir an. Ein Hund vergißt ja auch nicht und findet immer nach Hause.«

Das Tier, überrascht von der ungewohnten Zärtlichkeit, leckte Walters Hand. Die dünnen Haare um die Schnauze wurden feucht, die Augen groß. Der Kopf machte eine kleine Bewegung nach oben und schob sich zwischen Walters Beine.

»Hast du was gemerkt? Mensch, ich hab' soeben Zuhause gesagt. Ich werd's dir erklären, mein Freund. Ganz genau. Heute ist nicht nur der Krieg zu Ende. Meine Heimat ist befreit worden. Ich kann wieder Heimat sagen. Brauchst nicht so dämlich zu gucken. Ich bin auch nicht gleich draufgekommen. Es ist aus mit den Mördern, aber Deutschland gibt es noch.«

Walters Stimme war nur noch Zittern, aber die Erkenntnis von kräftigender Belebung. Pedantisch versuchte er sich den Stimmungswandel zu erklären, aber er konnte seine Gedanken nicht ordnen. Zu groß war das Gefühl der Befreiung in ihm. Er spürte, daß es wichtig war, sich selbst noch einmal mit einer Wahrheit herauszufordern, die er so lange verdrängt hatte.

»Ich verrat's noch keinem außer dir«, sagte er dem schlafenden Hund, »aber ich gehe zurück. Ich kann nicht anders. Ich will nicht mehr ein Fremder unter Fremden sein. In meinem Alter muß ein Mann irgendwo hingehören. Und rat mal, wo ich hingehöre?«

Der Hund war aufgewacht und winselte wie ein junges Tier, das sich zum erstenmal ohne die Mutter in zu hohes Gras gewagt hat. Das helle Braun der Augen leuchtete in der Dämmerung.

»Komm mit, du son of a bitch. In der Küche kocht der Pole eine Krautsuppe. Weißt du, er hat auch Heimweh. Vielleicht hat er einen Knochen für dich. Du hast ihn verdient.«

In der Messe drehte Walter an allen Knöpfen des Radios, aber er fand nur Musik. Später trank er mit dem Polen, der noch schlechter Englisch konnte als er, eine halb gefüllte Whiskyflasche leer. Der Magen brannte wie der Kopf. Der Pole schöpfte die dampfende Krautsuppe in zwei Teller und brach in Tränen aus, als Walter »Dziekuje« sagte. Walter beschloß, dem Hund, der seit dem frühen Abend nicht von seiner Seite gewichen war, Text und Melodie von »Ich weiß nicht, was soll es bedeuten« beizubringen.

Sie schliefen alle drei, der Pole und Walter auf einer Bank, der Hund darunter. Um zehn Uhr abends wachte Walter auf. Das Radio war noch an. Es war der deutschsprachige Sender der BBC. Auf die Zusammenfassung der Nachrichten von der bedingungslosen Kapitulation des Dritten Deutschen Reichs folgte ein Sonderbericht von der Befreiung des Konzentrationslagers Bergen-Belsen.

16

Regina bettete den Hut, der in den frühsten Tagen von
Angst und Heimweh dunkelblau gewesen war, sorgsam
auf die Kofferablage über den Sitzen aus hellbraunem
Samt und strich mit lange eingeübter Bewegung den rauhen Filz glatt. Als sie sich in die Polster fallen ließ, mußte
sie Mund und Nase fest gegen die kleine Fensterscheibe
drücken, um nicht laut zu kichern. Die Gewohnheit, zunächst für ihren Hut zu sorgen und erst danach für sich
selbst, erschien ihr komisch im Angesicht der Veränderungen, die auf sie lauerten. Am Ende der Reise würde der
seit Jahren zu enge, von der Sonne und der salzigen Luft
des Sodasees ausgebleichte Hut nur noch eine Kopfbedek-
kung wie jede andere sein.

Das schmale blau-weiß gestreifte Hutband mit dem
Wappen »Quisque pro omnibus« war fast neu. Die mit
kräftigem Goldfaden gestickte Schrift leuchtete aufreizend
in dem kleinen Sonnenfleck, der in das Zugabteil gedrungen war. Regina schien es, als würde sie das Wappen aus-
lachen. Sie versuchte, sich an ihrer Vorfreude auf die Feri-
en zu wärmen, doch sie merkte schnell, daß die Gedanken
ihr davonliefen, und wurde unsicher.

Jahrelang hatte sie sich vergeblich das Hutband der Nakuru School gewünscht, um endlich nicht mehr Außenseiterin in einer Gemeinschaft zu sein, die Menschen an Uni-
formen und Kinder am Einkommen ihrer Eltern maß, und
dann hatte sie das Band zu ihrem dreizehnten Geburtstag
und fast zu spät bekommen. Sobald die Lokomotive in
Nairobi einlief, würde Regina weder Hut noch Band mehr
brauchen. Die Nakuru School, die das Gehalt ihres Vaters
verschlungen hatte wie die gefräßigen Ungeheuer der
griechischen Sagen ihre wehrlosen Opfer, war nur noch
für wenige Stunden ihre Schule.

Nach den Ferien mußte Regina in die Kenya Girls' High

School in Nairobi, und sie wußte genau, daß sie die neue Schule ebenso hassen würde wie die alte. Die kleinen Quälereien, die sich am Abend jedes Tages zur großen Qual anhäuften, würden alle wieder von vorne anfangen – Lehrerinnen und Mitschülerinnen, die ihren Namen nicht aussprechen konnten und dabei das Gesicht verzogen, als bereite ihnen jede kleine Silbe größten Schmerz; die vergeblichen Mühen, gut Hockey zu spielen oder sich zumindest die Regeln zu merken und so zu tun, als sei es entscheidend für eine Versagerin im Sport, in welchem Tor der Ball landete; die Peinlichkeit, im Unterricht zu den Besten zu gehören oder, noch schlimmer, wieder Klassenerste zu sein; am bedrückendsten aber Eltern zu haben und zu lieben mit einem Akzent, der einem Kind keine Chance gab, ein unauffälliger, anerkannter Teil der Schulgemeinschaft zu werden.

Es war gut, grübelte Regina, während sie das zerkratzte Leder ihres Koffers fixierte, daß auch Inge in die Schule nach Nairobi gehen würde, die einzige Freundin, die sie in den fünf Jahren in Nakuru gefunden und gewollt hatte. Inge trug keine Dirndl mehr; sie behauptete, ohne rot zu werden, sie könnte nur eine Sprache und zwar Englisch sprechen, und es genierte sie sehr, daß sie einen deutschen Namen hatte. Den selbstgemachten Kochkäse aber, den die Mutter ihr für die Teestunde schickte, aß Inge noch immer lieber als die scharfen Ingwerkekse, für die die englischen Kinder schwärmten, und sie küßte immer noch ihre Eltern, wenn sie sie lange nicht gesehen hatte, statt mit einem leichten Winken anzudeuten, daß sie ihre Gefühle zu beherrschen gelernt hatte. Vor allem stellte Inge nie dumme Fragen, weshalb Regina außer Vater und Mutter keine Familie hatte und weshalb sie beim Abendgebet in der Aula die Augen nie zu und den Mund nicht aufmachte.

Beim Gedanken an Inge seufzte Regina befreit in den braunen Vorhang des Zugfensters. Erschrocken schaute sie sich um, ob es jemand bemerkt hatte. Die übrigen Mädchen, die mit ihr in die Ferien nach Nairobi fuhren, waren jedoch mit ihrer Zukunft beschäftigt, ihre dünnen Stimmen erregt und ihre Erzählungen getränkt von jenem Selbstbewußtsein, das sie Elternhaus und Muttersprache verdankten. Regina beneidete ihre Mitschülerinnen nicht mehr. Sie würde sie ohnehin nicht mehr wiedersehen. Pam und Jennifer waren auf einer Privatschule in Johannesburg angemeldet, Helen und Daphne sollten nach London, und auf Janet, die das Abschlußexamen der Nakuru School nicht bestanden hatte, wartete eine vermögende Tante mit einer Pferdezucht in Sussex. Regina gönnte sich, und diesmal mit Behagen, noch einen erleichterten Seufzer.

Erst durch die blendende Helligkeit im Abteil merkte sie, daß der Zug bereits den Schatten des flachen Stationsgebäudes verlassen hatte. Sie war froh, daß sie am Fenster saß und ungestört noch einmal ihre alte Schule sehen konnte. Zwar kam sie sich vor wie ein erschöpfter Ochse, dem zu spät das Joch abgenommen wird, aber sie hatte trotzdem das Bedürfnis, einen langen Abschied zu nehmen. Nicht so wie in Ol' Joro Orok, als sie nichtsahnend die Farm verlassen hatte und ihre Augen die Zeit für alle Tage, die danach kamen, nicht mehr hatten nutzen können.

Der Zug fuhr laut und langsam. Die einzelnen weißen Bauten der Schule, die Regina als Siebenjährige so geängstigt hatten, daß sie noch lange danach nur den einen Wunsch hatte, wie Alice im Wunderland in einem großen Loch zu versinken, wirkten in dem Dunst der beginnenden Tageshitze sehr hell auf dem rotsandigen Hügel. Die Häuschen mit den grauen Dächern aus Wellblech und selbst das Hauptgebäude mit seinen dicken Säulen erschienen Regina kleiner und in ihrer Vertrautheit bereits freundlicher als noch am Vortag.

Obwohl sie wußte, daß sie ihren Kopf nur mit Fantasie fütterte, stellte sich Regina vor, sie könnte das Fenster von Mr. Brindleys Zimmer und ihn selbst eine Fahne aus weißen Taschentüchern schwenken sehen. Sie hatte schon seit vielen beunruhigenden Monaten gewußt, daß sie ihn vermissen würde, aber sie hatte nicht geahnt, daß ihre Sehnsucht sich ebensowenig Zeit zum Wachsen nehmen würde wie der Flachs nach der ersten Nacht des großen Regens. Der Direktor hatte sie am letzten Tag vor den Ferien noch einmal holen lassen. Er hatte nicht viel gesagt und Regina angeschaut, als suche er nach einem bestimmten Wort, das ihm abhanden gekommen war. Es war ihr Mund gewesen, der nichts halten konnte. Regina wurde es wieder heiß, wenn sie nur daran dachte, wie sie die schöne Stille erschlagen und gestottert hatte: »Ich danke Ihnen, Sir, ich danke Ihnen für alles.«

»Vergiß nichts«, hatte Mr. Brindley gesagt und dabei ausgesehen, als müßte er und nicht sie auf die Safari ohne Wiederkehr gehen. Dann hatte er noch »Little Nell« gemurmelt. Und sie hatte schnell, weil ihr das Schlucken schon schwerfiel: »Ich werde nichts vergessen, Sir«, geantwortet. Ohne daß sie es eigentlich wollte, hatte sie »No, Mr. Dickens«, hinzugefügt. Sie hatten beide gelacht und sich auch zu gleicher Zeit räuspern müssen. Mr. Brindley, der immer noch keine weinenden Kinder mochte, hatte zum Glück nicht gemerkt, daß Regina Tränen in den Augen hatte.

Die Gewißheit, daß es fortan weder Mr. Brindley noch überhaupt einen Menschen geben würde, der Nicholas Nickleby, die kleine Dorrit oder Bob Cratchitt und ganz bestimmt nicht Little Nell kannte, kratzte in der Kehle wie ein versehentlich verschluckter Hühnerknochen. Es war das gleiche Gefühl, das im Kopf trommelte, wenn Regina an Martin dachte. Sein Name fiel ihr zu plötzlich ein. Er hatte kaum ihre Ohren erreicht, als der Nebel vor ihren Augen Löcher bekam, aus denen kleine, gut geschärfte Pfeile abgeschossen wurden.

Zu deutlich erinnerte sich Regina, wie Martin in Uniform sie von der Schule abgeholt hatte und wie sie beide im Jeep zur Farm gefahren waren und kurz vor dem Ziel unter dem Baum gelegen hatten. Hatte sie damals oder später beschlossen, den verzauberten blonden Prinzen zu heiraten? Ob Martin noch an sein Versprechen dachte, auf sie zu warten? Ihres hatte sie gehalten und weinte nie, wenn sie an Ol' Joro Orok dachte. Jedenfalls keine Tränen.

Die Erfahrung, daß eine große Trauer die Traurigkeit vor ihr fressen konnte, war Regina neu, aber nicht unangenehm. Der Zug schaukelte ihre Sinne in einen Zustand, in dem sie einzelne Worte zwar noch hörte, aber nicht mehr zu einem Satz zusammenfügte. Als sie gerade dabei war, Martin klarzumachen, daß sie nicht Regina hieß, sondern Little Nell, was Martin zu diesem wunderbaren Lachen brachte, das nach all der Zeit noch immer ihre Ohren wie Feuer brennen ließ, schnaufte der erste Waggon in Naivasha ein. Der Dampf von der Lokomotive hüllte das kleine hellgelbe Haus vom Stationmaster in einen feuchten, weißen Schleier. Selbst der Hibiskus an den Mauern verlor seine Farbe.

Alte, abgemagerte Kikuyufrauen mit geblähtem Bauch unter weißen Tüchern, glanzlosen Augen und schweren Bananenstauden auf dem gekrümmten Rücken klopften an die Fenster. Ihre Nägel droschen den gleichen Klang wie Hagelstücke auf einem leeren Wassertank. Wollten die Frauen Geschäfte machen, mußten sie ihre Bananen verkaufen, ehe der Zug weiterfuhr. Sie flüsterten so beschwörend, als müßten sie eine Schlange von ihrer Beute ablenken. Regina machte eine weit ausholende Bewegung mit der rechten Hand, um anzudeuten, daß sie kein Geld hatte, aber die Frauen verstanden sie nicht. Da zog sie das Fenster herunter und rief ihnen laut auf Kikuyu zu: »Ich bin so arm wie ein Affe.«

Die Frauen schlugen lachend die Arme vor die Brust und johlten wie die Männer, wenn sie nachts allein vor den Hütten saßen. Die Älteste, eine kleine, vom Klima und Leben gebeutelte Gestalt mit einem leuchtenden blauen Kopftuch und ohne einen einzigen Zahn, löste die Lederriemen an ihren Schultern, stellte die schwere Staude auf die Erde, riß eine große grüne Banane heraus und hielt sie Regina hin.

»Für den Affen«, sagte sie, und alle, die es hörten, lachten wie wiehernde Pferde. Die fünf Mädchen im Abteil sahen Regina neugierig an und lächelten einander zu, denn sie verstanden einander ohne Worte und fühlten sich zu erwachsen, um Mißbilligung anders als mit Blicken zu zeigen.

Als die Frau die Banane durch das Fenster schob, berührten ihre steifen Finger einen kurzen Moment Reginas Hand. Die Haut der Alten roch nach Sonne, Schweiß und Salz. Regina versuchte, den vertrauten, lange vermißten Geruch so lange wie möglich in ihrer Nase zu halten, doch als der Zug in Nyeri hielt, war von der satten Erinnerung an gute Tage nichts übriggeblieben als jenes Salz mit den scharfen Körnern, die im Auge drückten wie die winzigen blutsaugenden Dudus unter den Zehennägeln.

Auf der Station von Nyeri standen viele Menschen mit schweren Lasten, die in bunte Decken gehüllt waren, und mit breiten Sisalkörben, aus denen braune Papiertüten voll mit Maismehl, blutenden Fleischstücken und ungegerbten Tierhäuten quollen. Es war nur noch eine Stunde Fahrt bis Nairobi.

Die Stimmen hatten bereits nichts mehr von der melodischen Sanftheit des Hochlands. Sie waren laut und trotzdem schwer zu verstehen. Auch Männer, die, wie vor ihnen ihre Väter und Großväter, ein Huhn in der Hand hielten und ihre Lasten schleppenden Frauen noch wie die Kühe zu Hause vor sich hertrieben, hatten Schuhe an den Füßen und so bunte Hemden an, als hätten sie unmittelbar nach einem Gewitter den Regenbogen zerschnitten. Einige junge Männer hatten silberfarbene Uhren am Handgelenk, viele statt dem gewohnten Stock einen Regenschirm in der Hand. Ihre Augen glichen denen gehetzter Tiere, aber ihr Schritt war gleichmäßig und kräftig.

Inderinnen mit rotem Fleck auf der Stirn und Armreifen, die selbst noch im Schatten wie tanzende Sterne leuchteten, ließen sich ihr Gepäck von schweigsamen Schwarzen in den Wagen heben, obwohl sie nur in der zweiten Klasse reisen durften. Hellhäutigen Soldaten in Khaki, die trotz ihrer Jahre in Afrika noch immer an pünktliche Abfahrtszeiten glaubten, hetzten auf die Wagen der ersten Klasse zu. Beim Marschieren sangen sie den Nachkriegsschlager »Don't fence me in«. Der junge indische Schaffner hielt ihnen die Tür auf, ohne sie anzuschauen. Schrill pfiff die Lokomotive zur Abfahrt.

Die hohen Berge um Nyeri wirkten in der gelben Nachmittagssonne, die lange Schatten warf, wie Riesen auf der Rast. Gazellenherden sprangen zu den hellgrau schimmernden Wasserlöchern. Paviane kletterten um die erdbraunen Felsen herum. Rot leuchtete das Hinterteil der laut schreienden männlichen Anführer. Junge Affen klammerten sich an das Bauchfell der Mütter. Regina beobachtete sie mit Neid und wollte sich vorstellen, daß auch sie ein Affenkind mit großer Familie war, aber das schöne Spiel der Kindertage hatte seinen Zauber verloren.

Sie begann, wie immer beim Anblick der ersten Berge von Ngong, sich die üblichen Gedanken zu machen, ob ihre Mutter wohl Zeit haben würde, sie von der Station abzuholen, oder ob sie zur Arbeit in den Horse Shoe und Owuor schicken mußte. Es war ein besonderes Geschenk, wenn die Mutter Zeit hatte, aber Regina liebte es auch, nach der dreimonatigen Trennung mit Owuor jene Blicke, Scherze und Wortspiele auszutauschen, auf die nur er und sie sich verstanden. Trotzdem hatte sie sich am Beginn der letzten Ferien ein wenig geniert, als nur der Hausboy da war, um sie in Empfang zu nehmen. Sie schluckte einen Mundvoll Zufriedenheit, als ihr aufging, daß diesmal alles anders sein und sie nach der Ankunft des Zuges in Nairobi ihre bisherigen Mitschülerinnen nie mehr sehen mußte.

Regina wußte genau, daß ihre Mutter sie mit Königsberger Klopsen verwöhnen und dabei sagen würde: »In diesem Affenland gibt es keine Kapern.« Das Lieblingsessen kam nie ohne den klagenden Satz auf den Tisch, und Regina vergaß auch nie zu fragen: »Was sind Kapern?« Sie empfand solche Gewohnheiten als festen Bestandteil ihres Zuhauses, und bei jeder Heimkehr tranken ihre hungrigen Augen und Ohren den Beweis, daß sich in ihrem Leben nichts geändert hatte. Der Gedanke an ihre Eltern, die immer bemüht waren, die Heimkehr zu einem besonderen Tag zu machen, erregte sie noch mehr als sonst. Es war, als würde sie die Zärtlichkeit schon streicheln, die sie erwartete. Ihr fiel ein, daß die Mutter im letzten Brief vor den Ferien geschrieben hatte: »Du wirst staunen, wir haben eine große Überraschung für dich.«

Um die Vorfreude zu strecken, hatte sich Regina selbst verboten, an die Überraschung zu denken, ehe sie die erste Palme gesehen hatte, aber der Zug fuhr auf dem letzten Teil der Strecke schneller als in der ganzen Zeit zuvor und lief unerwartet plötzlich in Nairobi ein. Regina hatte keine Zeit mehr, sich, wie sonst, ans Fenster zu stellen. Sie kam als letzte an ihren Koffer und mußte warten, bis die Mädchen in ihrem Abteil ausgestiegen waren, ehe sie überhaupt Ausschau halten konnte, wer sie nun abholte. Einen kurzen Moment, der ihr unendlich erschien, stand sie unentschlossen vor dem Zug und sah nur eine Mauer aus weißer Haut. Sie hörte aufgeregte Rufe, aber nicht die Stimme, auf die ihre Ohren lauerten. Ohne die Frist zwischen Spannung und Angst einzuhalten, beutelte Regina die alte Unsicherheit, ihre Mutter könnte den Tag ihrer Ferien vergessen haben, oder Owuor wäre zu spät losgegangen, um rechtzeitig zur Station zu kommen.

In einer Panik, die sie beschämte, weil sie ihr übertrieben und unwürdig erschien, die aber ihr Herz aus dem Körper zu schleudern drohte, fiel Regina ein, daß sie kein Geld für den Bus zum Hove Court hatte. Sie setzte sich enttäuscht auf ihren Koffer und strich mit hastigen Bewegungen den Rock ihrer Schuluniform glatt. Ohne Hoffnung zwang sie ihre Augen noch einmal in die Ferne. Da entdeckte sie Owuor. Er stand ruhig am anderen Ende des Bahnsteigs und fast vor der Lokomotive – groß, vertraut, lachend und in der schwarzen Anwaltsrobe. Obwohl Regina wußte, daß Owuor ihr entgegenkommen würde, hetzte sie auf ihn zu.

Sie hatte ihn fast erreicht und auch schon den Scherz, auf den er wartete, zwischen Zunge und Zähne gelegt, als sie merkte, daß er nicht allein war. Walter und Jettel, die sich hinter einem Stapel Brettern versteckt hatten, richteten sich langsam auf und winkten mit immer hastiger werdenden Gesten. Regina stolperte und stürzte fast über den Koffer, stellte ihn hin, rannte weiter, breitete die Arme aus, überlegte beim Laufen, wen sie nun zuerst umarmen sollte, und beschloß, Jettel und Walter so heftig aneinanderzuschieben, bis sie alle drei eine Einheit bildeten. Nur wenige Yards trennten sie noch von diesem alten, schon vor langem verlorengegebenen Traum. Da merkte sie, daß aus ihren Füßen kräftige Wurzeln wuchsen. Staunend blieb sie stehen. Ihr Vater war Sergeant und die Mutter schwanger.

Die Größe des Glücks lähmte Reginas Beine nur kurz, doch ihre Sinne so sehr, daß jeder Atemzug seine eigene Melodie hatte. Ihr war es, als könne sie keinen Moment länger die Augen offenhalten, ohne das beseligende Bild zu zerstören. Es wurde dunkel, als sie auf Owuor zulief. Sie drückte ihren Kopf an den rauh gewordenen Stoff der zerschlissenen Robe, sah seine Haut durch die vielen winzigen Löcher und roch die Erinnerung, die sie wieder Kind machte, hörte sein Herz und brach in Tränen aus.

»Das werde ich dir nie vergessen«, sagte sie, als sich ihre Lippen wieder bewegen ließen.

»Ich hab's dir doch versprochen«, lachte Jettel. Sie trug dasselbe Kleid, in dem sie in Nakuru das Baby erwartet hatte, das nicht leben durfte. Das Kleid spannte, wie damals, über der Brust.

»Aber ich habe gedacht, du hast es vergessen«, gestand Regina und schüttelte den Kopf.

»Wie konnte ich? Du hast mich ja nicht gelassen.«

»Einen Teil habe ich auch beigetragen.«

»Das weiß ich, Sergeant Redlich«, kicherte Regina. Sie setzte umständlich den Hut auf, der am Boden lag, streckte drei Finger ihrer rechten Hand in die Luft und salutierte mit dem Pfadfindergruß.

»Wann war es?«

»Vor drei Wochen.«

»Du willst mich doch nur veräppeln. Mama ist doch schon dick.«

»Vor drei Wochen ist dein Vater Sergeant geworden. Deine Mutter ist im vierten Monat.«

»Und ihr habt mir nichts geschrieben! Ich hätte doch schon beten können.«

»Es sollte eine Überraschung sein«, sagte Jettel.

»Wir wollten erst sicher sein, und mit dem Beten haben wir schon angefangen«, fügte Walter hinzu.

Während Owuor in die Hände klatschte und seine Augen zum Bauch der Memsahib schickte, als hätte er die schöne Schauri soeben erst erfahren, sahen sich alle vier stumm an, und ein jeder wußte, woran die anderen dachten. Dann machten sechs Arme aus Walter, Jettel und Regina doch noch die Einheit von Dankbarkeit und Liebe. Es war also doch kein Kindertraum.

Die Palmen am eisernen Tor vom Hove Court waren noch gefüllt mit dem Saft vom letzten großen Regen. Owuor zog ein rotes Tuch aus der Hose und verband Regina die Augen. Sie mußte sich auf seinen Rücken setzen und ihre Arme um seinen Hals legen. Der war noch so kräftig wie in den so lange von der Zeit verschluckten Tagen von Rongai, obwohl das Haar viel weicher geworden war. Owuor schnalzte lockend mit der Zunge, sagte leise »Memsahib kidogo« und trug sie wie einen sehr schweren Sack durch den Garten und an dem Rosenbeet vorbei, das die Hitze des Tages an die erste Kühle des späten Nachmittags abgab.

Regina konnte hinter dem Tuch, das sie zugleich mit Erwartung vollstopfte und blind machte, den Baum mit den duftenden Guaven riechen; sie hörte ihre Fee leise das Kinderlied von dem Stern spielen, der in der Nacht wie ein Diamant strahlte. Obwohl sie nichts sehen konnte außer den Funken am Himmel der Fantasie, wußte sie, daß die Fee ein Kleid aus roten Hibiskusblüten trug und eine silberne Flöte an die Lippen hielt. »Ich danke dir«, rief ihr Regina im Vorbeireiten zu, aber sie sprach Jaluo, und nur Owuor lachte.

Als er mit dem Stöhnen eines Esels, der seit Tagen kein Wasser mehr gefunden hat, Regina endlich von seinem Rücken schüttelte und ihr das Tuch von der Stirn riß, stand sie vor einem kleinen Ofen in einer fremden Küche, die nach frischer Farbe und feuchtem Holz roch. Regina erkannte nur den Topf aus blauem Email, in dem Königsberger Klopse, runder und größer als je zuvor, in einer dicken Soße schwammen, die so weiß war wie der süße Brei im deutschen Kindermärchen. Rummler kam jaulend aus einem Nebenraum und sprang hechelnd an ihr hoch.

»Das ist jetzt unser Flat. Zwei Zimmer mit Küche und eigenem Waschbecken«, sagten Walter und Jettel und machten aus ihren beiden Stimmen eine einzige.

Regina kreuzte ihre Finger, um dem Glück zu zeigen, daß sie wußte, was sich gehörte. »Wie ist das passiert?« fragte sie und machte einen zaghaften Schritt in die Richtung, aus der Rummler eben gekommen war.

»Frei werdende Flats müssen zuerst an Soldaten vergeben werden«, erklärte Walter. Er sprach den Satz, der in der Zeitung gestanden und den er auswendig gelernt hatte, in seinem harten Englisch so schnell, daß sich seine Zunge in den Zähnen verfing, aber Regina fiel rechtzeitig ein, daß sie nicht lachen durfte.

»Hurra«, rief sie, nachdem der Kloß in ihrer Kehle zurück in ihre Knie gerutscht war, »jetzt wir sind keine Refugees mehr.«

»Doch«, schränkte Walter ein, aber er lachte trotzdem, »Refugees bleiben wir. Aber nicht so bloody wie bisher.«

»Unser Baby wird doch kein Refugee sein, Papa.«

»Wir alle werden eines Tages keine Refugees mehr sein. Das verspreche ich dir.«

»Jetzt nicht«, sagte Jettel unwillig. »Heute wirklich nicht.« – »Mußt du heute nicht in den Horse Shoe?«

»Ich arbeite nicht mehr. Der Arzt hat's verboten.«

Der Satz durchbohrte Reginas Kopf und rührte die Erinnerungen, die sie vergraben hatte, zum zähen Lehm aus Angst und Hilflosigkeit. Kleine Punkte tanzten vor ihren heiß gewordenen Augen, als sie fragte: »Ist es diesmal ein guter Doktor? Behandelt er auch Juden?«

»Aber ja«, beruhigte Jettel. »Er ist jüdisch«, erklärte Walter und betonte jedes Wort.

»Und so ein schöner Mann«, schwärmte Diana. Sie

stand an der Tür in einem hellgelben Kleid, das ihre Haut so blaß machte, als wäre der Mond bereits am Himmel. Regina sah zunächst nur die Hibiskusblumen in ihrem blonden Haar leuchten und dachte einen berauschenden Wimpernschlag lang tatsächlich, ihre Fee wäre aus dem Baum gestiegen. Dann ging ihr auf, daß Dianas Kuß nach Whisky und nicht nach Guaven schmeckte.

»Ich bin jetzt immer so durcheinander«, kicherte Diana, als sie Reginas Haar streicheln wollte und dabei vergaß, ihren Hund vom Arm zu tun, »wir bekommen doch ein Baby. Hast du gehört? Wir bekommen ein Baby. Ich kann nachts nicht mehr schlafen.«

Owuor servierte das Abendessen im langen weißen Kanzu mit der roten Schärpe und der goldenen Stickerei. Er sagte kein Wort, wie er es bei seinem ersten Bwana in Kisumu gelernt hatte, doch seine Augen ließen sich nicht mehr auf die schwere Ruhe eines englischen Farmhauses zurückstellen. Die Pupillen waren so groß wie an dem Abend, als er die Heuschrecken vertrieben hatte.

»Es gibt keine Kapern in diesem Affenland«, klagte Jettel und durchbohrte den Klops mit der Gabel.

»Was sind Kapern?« kaute Regina zufrieden und genoß den guten Zauber gestillter Sehnsucht, doch zum erstenmal gönnte sie sich nicht genug Zeit, um die Antwort an ihr Herz weiterzuleiten.

»Wie wird unser Baby heißen?« fragte sie.

»Wir haben an das Rote Kreuz geschrieben.«

»Das verstehe ich nicht.«

»Wir versuchen«, erklärte Walter und steckte den Kopf unter den Tisch, obwohl Rummler hinter ihm stand und er auch nichts in der Hand hatte, ihm zu geben, »etwas von deinen Großeltern zu erfahren, Regina. Solange wir nicht wissen, was aus ihnen geworden ist, können wir das Baby nicht in Andenken an sie Max oder Ina nennen. Du weißt ja, daß bei uns die Kinder nicht den Namen von lebenden Verwandten bekommen.«

Nur kurz ließ Regina den Wunsch zu, daß sie die Worte mit den vergifteten Pfeilen ebensowenig verstanden hatte wie Diana, die ihrem Hund Zärtlichkeiten ins Ohr und kleine Reiskugeln ins Maul stopfte. Sie aber sah, wie der Ernst im Gesicht ihres Vaters zu einem Ausdruck dunkel brennender Qual wurde. Die Augen ihrer Mutter waren feucht. Angst und Zorn kämpften um den Sieg in Reginas Kopf, und sie beneidete Inge, die zu Hause »Ich hasse die Deutschen« sagen durfte.

Mit der Langsamkeit eines alten Maultiers wuchs in ihr die Kraft, sich nur auf die Frage zu konzentrieren, weshalb die Königsberger Klopse sich in der Kehle zu einem kleinen Berg aus Salz und Schärfe verwandelten. Schließlich gelang es Regina doch noch, wenigstens ihren Vater so anzuschauen, als sei sie und nicht er das Kind, das Hilfe brauchte.

17

Nach dem Krieg galten auch in den konservativen Kreisen der Kolonie Toleranz und Weltoffenheit als wohl unvermeidlich gewordene Bekenntnisse zu der neuen Zeit, für die das Empire so viele Opfer hatte bringen müssen. Allerdings waren sich Menschen mit Traditionsbewußtsein absolut einig, daß da allein der gesunde britische Sinn für Proportionen vor voreiligen und dann leider auch recht geschmacklosen Übertreibungen schützte. So wies Janet Scott, die Direktorin der Kenya Girls' High School in Nairobi, in den Gesprächen mit besorgten Eltern nicht eigens auf die Tatsache hin, daß das Internat ihrer Schule, im Gegensatz zu dem ihm angeschlossenen Institut von weit geringerem gesellschaftlichem Prestige für die Tagesschüler, einen auffallend kleinen Anteil von Refugee-Kindern aufnehme. Der hohe und bedingungslos den alten Idealen verpflichtete Standard des Internats sprach sich gerade in Zeiten des sozialen Aufbruchs, die dazu neigten, eher auf Gefühl als auf Verstand zu setzen, schnell von selbst herum.

Nur im zuverlässigen Kreis der Gleichgesinnten ließ Mrs. Scott mit jener leichten Errötung, die bei ihr Stolz verriet, anklingen, daß sie das diffizile Problem auf sehr elegante Art gelöst hatte. Schülerinnen, die weniger als dreißig Meilen von der Schule entfernt wohnten, konnten nur auf Antrag und unter Berücksichtigung besonderer Umstände das renommierte Internat besuchen. Die übrigen Mädchen wurden nur als Day-Scholars aufgenommen und weder vom Lehrerkollegium noch den Mitschülerinnen wie die vollwertigen Mitglieder der Schulgemeinschaft behandelt.

Ausnahmen für die Aufnahme ins Internat außerhalb der Norm wurden nur gemacht, wenn die Mütter bereits dort Schülerinnen gewesen oder die Väter als großzügige

Sponsoren in Erscheinung getreten waren. Das bot ausreichende Gewähr, um die Dinge in der von selbstbewußten Traditionalisten geschätzten Balance zu halten. Die Lösung, sich mit neuen Gegebenheiten zu arrangieren und dabei die Essenz des konservativen Elements nicht aus den Augen zu verlieren, galt bei Eingeweihten als ebenso diplomatisch wie praktisch.

»Merkwürdig«, pflegte Mrs. Scott in ob ihrer Furchtlosigkeit bewunderter Lautstärke zu grübeln, »daß ausgerechnet die Refugees den Hang haben, sich in der Stadt zu ballen und deshalb in ihrer Mehrzahl für das Internat dann auch nicht in Frage kommen. Wahrscheinlich werden sich die armen Teufel nun in ihrer großen Empfindlichkeit doch irgendwie diskriminiert vorkommen, aber wie soll man ihnen da helfen?« Nur wenn sich die Direktorin wirklich geborgen bei den Ihrigen fühlte und sicher war vor lästigen modischen Mißverständnissen, entzückte sie mit ihrer sachlich und wohltuend ohne billigen Sarkasmus vorgebrachten Meinung, daß manche Menschen zum Glück eben doch sehr viel geübter im Umgang mit sogenannten Diskriminierungen seien als andere.

Regina hatte in den zwei Monaten als Day-Scholar ohne jenes Sozialprestige, das im Schulleben der Kolonie noch schwerer wog als anderswo, Janet Scott nur einmal und da aus der Ferne gesehen. Das war bei der Feier in der Aula, als für die Kapitulation Japans gedankt wurde. Bei entsprechend unauffälliger Führung, die im besonderen Maße von Tagesschülern erwartet wurde, bestand auch kaum eine Notwendigkeit, die Direktorin näher kennenzulernen.

Die erzwungene Distanz minderte indes keineswegs Reginas Wertschätzung für Mrs. Scott. Im Gegenteil. Sie war der Schulleiterin, die nichts anderes von ihr forderte als das eingeschränkte Selbstbewußtsein, an das sie ohnehin gewöhnt war, unendlich dankbar für ein Reglement, das sie vor einer weiteren Verurteilung zum verhaßten Internatsleben bewahrte.

Auch Owuor verdankte der unbekannten Mrs. Scott

eine permanente Hochstimmung. Er genoß es jeden Tag aufs neue, mit zwei Kikapus statt mit einer winzigen Tasche zum Markt zu ziehen und sich nicht mehr vor den Boys reicher Memsahibs schämen zu müssen, wieder in großen Töpfen zu kochen und vor allem seine Ohren wie in den besten Zeiten auf der Farm für die Erlebnisse von drei Menschen aufzuhalten. Abends, ehe er das Essen aus der winzigen Küche in den Raum mit dem runden Tisch und der Hängematte trug, in der die kleine Memsahib schlief, sagte er mit dem satten Behagen eines erfolgreichen Jägers: »Wir sind nicht mehr müde Menschen auf Safari.«

Sobald Regina den ersten Bissen Essen im Mund fühlte, machte sie Owuors Kopf und ihrem Herzen die immer wieder berauschende Freude, den schönen Satz in den genau richtigen Schwingungen einer zufriedenen Stimme zu wiederholen. Nachts in ihrer engen Bettschaukel baute sie an sechs Tagen in der Woche den Zauber zu einem wortreichen Dank an den großzügigen Gott Mungo aus, der nach all den Jahren von Sehnsucht und Verzweiflung endlich ihre Gebete erhört hatte. Die zweistündige Busfahrt vor und nach dem Unterricht erschien ihr ein federleichter Preis für die Gewißheit, daß sie sich nie mehr drei lange Monate von ihren Eltern trennen mußte.

Noch vor Sonnenaufgang und ehe die ersten Lampen in den flachen Häuschen des Personals angezündet wurden, stieg sie zusammen mit ihrem Vater in den überfüllten Bus zur Delamare Avenue und dort in den noch volleren, der aus der Stadt fuhr und nur von Eingeborenen benutzt wurde. Walter hatte nach vielen schriftlichen Eingaben an Captain McDowell, der in Brighton vier Kinder, sehr wehmütige Erinnerungen an ein Familienleben und in den Baracken im Ngong nie genug Platz für seine Leute hatte, im sechsten Monat von Jettels Schwangerschaft die Erlaubnis erhalten, zu Hause zu wohnen.

Er fuhr täglich zum Dienst in die Post- und Informationsabteilung seiner Unit und kam erst spät abends ins Hove Court zurück, nur freitags meistens rechtzeitig genug, um mit Regina in die Synagoge zu gehen. Als er die Tradition seiner Kindheit mit einer Selbstverständlichkeit wiederaufnahm, als hätte er ihr nie in der Verzweiflung der Emigration auf immer abgeschworen, dachte Regina zunächst, es wäre ihrem Vater nur wichtig, an der richtigen Stelle für das Wohlergehen des Babys zu beten.

»Es geht um dich«, hatte er ihr jedoch gesagt, »du sollst wissen, wohin du gehörst. Es ist höchste Zeit.« Sie hatte sich nicht getraut, um die Erklärung zu bitten, nach der ihr verlangte, aber auf alle Fälle freitags ihre nächtlichen Gespräche mit Mungo eingestellt.

An einem Freitag im Dezember hörte Regina ihren Vater schon aufgeregt reden, ehe sie noch die Zitronenbäume hinter den Palmen erreicht hatte. Sie kam noch nicht einmal dazu, die Hühnersuppe und den süßen Fisch in jenen Flats zu riechen, deren Bewohner noch nicht ausschließlich Englisch miteinander sprachen und dazu übergegangen waren, den Sabbat ihren anstrengenden Assimilationsmühen zu opfern. Eine so frühe Heimkehr ihres Vaters war zwar ungewöhnlich, widersprach aber nicht grundsätzlich allen früheren Erfahrungen. Sie hatte also zunächst keinen Grund, beunruhigt zu sein.

Trotzdem rannte sie viel schneller als sonst durch den Garten und entschied sich sehr plötzlich für die Abkürzung zwischen den Ameisenhaufen zum Flat. Die Angst war schneller als ihre Beine. Sie fiel zu rasch vom Kopf in den Magen und ließ die Bilder, die sie nicht sehen wollte, in ihre Augen. Als Regina aus dem schmalen Loch in der wuchernden Dornenhecke kroch, war die Tür zur Küche offen. Sie traf ihre Eltern in einem Zustand an, den sie zwar nicht selbst erlebt hatte, aber von dem sie alles wußte. Obwohl der Nachmittag noch von der Hitze des Tagesbrandes kochte und ihrer Mutter in der feuchten Luft jede Bewegung noch schwerer fiel als sonst, kam es Regina vor, als hätten die Eltern gerade getanzt.

Einen Moment voller Verlangen glaubte Regina, das große Wunder von Ol' Joro Orok hätte sich wiederholt und Martin wäre so überraschend zu Besuch gekommen wie in den Tagen, als er noch ein Prinz war. Ihr Herz keuchte bereits im Körper, und ihre Fantasie galoppierte in eine Zukunft, die aus einer Decke von goldenen Sternen mit Spitzen aus rubinrot leuchtenden Steinen gewebt war. Da sah sie auf dem runden Tisch ein schmales, gelbes Kuvert mit vielen Stempeln liegen. Regina versuchte, die Schrift zwischen den Wellenlinien der Stempel zu lesen, aber obwohl jedes Wort in Englisch war, ergab keins davon einen Sinn. Gleichzeitig ging ihr auf, daß die Stimme ihres Vaters so hoch wie der Ruf eines Vogels war, der die ersten Regentropfen auf den Flügeln fühlt.

»Der erste Brief aus Deutschland ist da«, rief Walter. Sein Gesicht war rot, doch ohne Angst, die Augen klar und von winzigen Funken erhellt.

Der Brief war als Militärpost der Besatzungsbehörden der britischen Zone befördert worden, adressiert an »Walter Redlich, Farmer in the Surrounding of Nairobi« und kam von Greschek. Owuor, der ihn aus dem Verwaltungsbüro vom Hove Court geholt und ahnungslos den Jubel ausgelöst hatte, der noch Stunden später wie ein Buschfeuer loderte, konnte den Namen bereits so gut aussprechen, daß seine Zunge kaum noch zwischen den Zähnen festklebte.

»Greschek«, lachte er, legte das Kuvert in die Hängematte und beobachtete aufmerksam, wie der dünne Umschlag schaukelte, als sei er eines jener kleinen Schiffe, die er mal als junger Mann in Kisumu gesehen hatte. »Greschek«, wiederholte er und ließ auch seine Stimme torkeln.

»Der Josef, er hat's geschafft«, jubelte Walter, und Regina merkte erst da, daß seine Tränen schon bis zum Kinn getropft waren, »er ist davongekommen. Er hat mich nicht vergessen. Weißt du überhaupt, wer Greschek ist?«

»Greschek gegen Krause«, freute sich Regina. Als Kind hatte sie den Satz für den größten Zauber der Welt gehalten. Sie hatte ihn nur sagen müssen, und schon lachte ihr Vater. Es war ein wunderbares Spiel gewesen, aber dann war ihr eines Tages doch klargeworden, daß ihr Vater beim Lachen wie ein getretener Hund ausgesehen hatte. Danach hatte sie die drei Worte, deren Sinn sie ohnehin nie begriffen hatte, in ihrem Kopf vergraben.

»Ich hab' vergessen«, fuhr sie verlegen fort, »was das heißt. Aber das hast du immer in Rongai gesagt. Greschek gegen Krause.«

»Vielleicht sind deine Lehrer gar nicht so dumm. Du scheinst tatsächlich ein kluges Kind zu sein.«

Das Lob kitzelte Reginas Ohr sanft und beruhigend. Sie grübelte mit Behagen, wie sie den frisch gesäten Beifall zur großen Ernte treiben könnte, ohne eitel zu erscheinen. »Er ist«, fiel ihr schließlich ein, »mit dir bis Rom gefahren, als du aus der Heimat gemußt hast.«

»Bis Genua, Rom hat gar keinen Hafen. Lernt ihr denn gar nichts in der Schule?«

Walter hielt Regina den Brief hin. Sie sah, daß seine Hand zitterte, und sie begriff, daß er von ihr die gleiche Erregung erwartete, die seinen Körper verbrannte. Als sie aber die dünnen Buchstaben mit den Bögen und Spitzen sah, die ihr vorkamen wie die Schrift der Majas, die sie vor kurzem in einem Buch gesehen hatte, gelang es ihr nicht mehr, ihr Lachen rechtzeitig zu verschlucken.

»Hast du auch so geschrieben, als du Deutscher warst?« kicherte sie.

»Ich bin Deutscher.«

»Wie soll sie denn Sütterlin lesen?« schimpfte Jettel und streichelte Regina die Verlegenheit von der Stirn. Ihre Hand war heiß, das Gesicht glühte, und die Kugel im Bauch rutschte von einer Seite zur anderen.

»Auch das Baby ist ganz aufgeregt, Regina«, lachte sie, »es strampelt wie verrückt, seitdem der Brief gekommen ist. Mein Gott, wer hätte gedacht, daß mich mal ein Brief von Greschek so aufregen würde. Du kannst dir gar nicht vorstellen, was für ein komischer Kerl er war. Aber einer der ganz wenigen Anständigen in Leobschütz. Auf Greschek laß ich nichts kommen. Seine Grete hat er uns geschickt, um mir beim Packen zu helfen, als ich nicht mehr wußte, wo mir der Kopf stand. Das habe ich ihm nie vergessen.«

Eingetaucht in die Vergangenheit, die mit einem einzigen Brief wieder Gegenwart war, zogen sich Walter und Jettel in eine Welt zurück, in der nur Platz für sie beide war. Sie saßen eng beisammen auf dem Sofa und hielten sich an der Hand, während sie Namen nannten, seufzten und Wehmut tranken. Sie hatten zusammen auch dann nur acht Finger und zwei Daumen, als sie zu streiten anfingen, ob Greschek seinen Laden in der Jägerndorfer Straße gehabt und in der Tropauer Straße gewohnt hatte oder umgekehrt. Walter konnte Jettel nicht überzeugen und sie nicht ihn, doch ihre Stimmen blieben sanft und fröhlich.

Schließlich einigten sie sich, daß auf jeden Fall Doktor Müller seine Praxis in der Tropauer Straße gehabt hatte. Die freundlichen Flammen der guten Laune drohten einige gefährliche Sekunden lang gerade wegen Doktor Müller zum üblichen Feuer nicht vergessener Kränkungen zu werden. Jettel behauptete, er sei schuld an ihrer Brustentzündung nach Reginas Geburt gewesen, und Walter entgegnete aufgebracht: »Du hast ihm ja keine Chance gelassen und sofort den Arzt aus Ratibor kommen lassen. Mir ist das heute noch peinlich. Müller war schließlich ein Bundesbruder von mir.«

Regina wagte kaum zu atmen. Sie wußte, daß Doktor Müller bei ihren Eltern so schnell einen Krieg auslösen konnte wie eine gestohlene Kuh bei den Massai. Erleichtert merkte sie aber, daß diesmal der Kampf mit ungiftigen Pfeilen ausgetragen wurde. Sie fand ihn längst nicht so unangenehm wie erwartet, und er wurde sogar spannend, als Walter und Jettel diskutierten, ob der Tag gut genug war, um die letzte Flasche Wein aus Sohrau zu holen, für die immer noch eine besondere Gelegenheit gesucht wurde. Jettel war dafür und Walter dagegen, aber dann wechselte Jettel ihre Meinung und Walter auch. Ehe sie dazu kamen, Ärger ins Zimmer zu jagen, sagten beide gleichzeitig: »Warten wir lieber noch ein bißchen, vielleicht kommt doch noch ein besserer Tag.«

Owuor wurde in die Küche geschickt, um Kaffee zu kochen. Er brachte ihn in der schlanken weißen Kanne mit den rosa Rosen auf dem Deckel und kniff dabei das linke Auge zu, was bei ihm immer bedeutete, daß er auch über jene Dinge Bescheid wußte, von denen er nicht reden konnte. Schon als der Bwana und die Memsahib sich beim Anblick des Briefs wie Kinder gefreut hatten, hatte Owuor die Hefe für die kleinen Brötchen angesetzt, die nur seine Hände so rund wie die Söhne eines fetten Mondes zaubern konnten.

Die Memsahib vergaß nicht zu staunen, als er den Teller mit den heißen winzigen Broten hereintrug, und der Bwana statt »sente sana« mit drei schnellen Schlägen seiner Augenwimpern sagte: »Komm Owuor, wir lesen jetzt der Memsahib kidogo den Brief vor.« Satt von der Ehre, die seinen Bauch erwärmte, ohne daß er zu essen brauchte, und noch mehr seinen Kopf setzte sich Owuor in die Hängematte. Er umarmte seine Knie, sagte singend »Greschek«, und im letzten Strahl der Sonne fütterte er seine Ohren mit dem Lachen vom Bwana, der ein Gesicht so weich wie das Fell einer jungen Gazelle hatte.

»Lieber Herr Doktor«, las Walter vor, »ich weiß gar nicht, ob Sie noch leben. In Leobschütz haben sie erzählt, daß ein Löwe Sie gefressen hat. Das habe ich nie richtig geglaubt. Gott rettet doch nicht einen Mann wie Sie, damit ein Löwe zu fressen hat. Ich habe den Krieg überlebt. Grete auch. Aber aus Leobschütz mußten wir fortmachen. Die Polen haben uns nur einen Tag Zeit gelassen. Sie waren noch schlimmer wie die Russen. Jetzt wohnen wir in Marke. Das ist ein häßliches Dorf im Harz. Noch kleiner als Hennerwitz. Sie nennen uns hier Polacken und Ostpack und denken, nur wir haben den Krieg verloren. Wir haben nicht satt zu essen, aber doch mehr als andere, weil wir auch mehr arbeiten. Wir haben doch alles verloren und wollen es wieder zu was bringen. Das ärgert die hier besonders. Sie kennen doch Ihren Greschek. Grete sammelt Schrott, und ich verkaufe ihn. Wissen Sie noch, wie Sie immer gesagt haben: Greschek, es ist nicht anständig, was Sie mit Grete machen. Da habe ich sie auf der Flucht geheiratet, und jetzt bin ich doch ganz froh darüber.

Bis zu dem verfluchten Krieg bin ich oft nach Sohrau rübergemacht und habe in der Nacht Ihrem Herrn Vater und dem Fräulein Schwester Lebensmittel gebracht. Es ging ihnen sehr schlecht. Grete hat jeden Sonntag in der Kirche für sie gebetet. Ich konnte nicht. Wenn Gott das alles gesehen hat und hat nichts getan, dann hat er ja auch keine Gebete mehr gehört. Den Herrn Bacharach hat die SA auf der Straße zusammengeschlagen und weggebracht. Kurz nachdem Sie aus Breslau fortgemacht sind. Wir haben dann nichts mehr von ihm gehört.

Hoffentlich kommt dieser Brief in Afrika an. Ich habe einem englischen Soldaten einen Stahlhelm verschafft. Die sind alle ganz wild auf die Dinger. Der Mann konnte ein bißchen Deutsch und hat mir versprochen, diesen Brief an Sie abzuschicken. Wer weiß, ob so einer Wort hält. Wir dürfen ja noch keine Post abschicken.

Kommen Sie jetzt nach Deutschland zurück? Damals in Genua haben Sie gesagt: Greschek, ich komme wieder, wenn die Schweine weg sind. Was sollen Sie jetzt noch bei den Negern? Wo Sie doch Rechtsanwalt sind. Leute, die keine Nazis waren, bekommen jetzt gute Stellungen und schneller Wohnungen als andere. Wenn Sie kommen, wird Grete der Frau Doktor wieder helfen beim Umzug. Die hier im Westen können gar nicht so gut arbeiten wie wir. Das sind alles faule Luder. Und dumm sind sie auch. Wenn Sie Zeit haben, schreiben Sie mir bitte. Und grüßen Sie die Frau Doktor und das Kind. Hat sie noch Angst vor Hunden? Hochachtungsvoll Ihr alter Freund Josef Greschek.«

Nachdem Walter den Brief fertig gelesen hatte, kratzten nur Rummlers gleichmäßige, schnarchende Laute an einer Stille, die dick wie Nebel in regenschweren Wäldern war. Owuor hielt immer noch den Briefumschlag in der Hand und wollte den Bwana gerade fragen, weshalb ein Mann Worte auf eine so große Safari schickte, statt dem Freund die Dinge zu sagen, auf die sein Ohr so lange gewartet hatte. Er sah aber, daß der Bwana nur noch mit seinem Körper und nicht mit dem Kopf im Raum war. Owuors Seufzer, als er langsam aufstand, um das Abendessen vorzubereiten, weckte den schlafenden Hund.

Viel später sagte Walter: »Jetzt ist der Bann gebrochen. Vielleicht hören wir bald mehr von zu Hause«, doch seine Stimme war müde, als er hinzufügte: »Unser Leobschütz werden wir nicht mehr wiedersehen.«

Sie gingen alle, als sei es jeden Freitag so Brauch und nicht umgekehrt, ins Bett, ehe die Stimmen der Frauen im Garten verstummten. Eine Zeitlang hörte Regina ihre Eltern auf der anderen Seite der Wand reden, aber sie verstand zu wenig, um ihnen in die Welt der fremden Namen und Straßen zu folgen. Das Bild von Grescheks seltsamer Schrift holte sie aus dem ersten Schlaf zurück, und danach erschien es ihr, als hätten die Wortfetzen aus dem Nebenraum auch Spitzen und Bögen, und die flogen immer schnell auf sie zu. Sie ärgerte sich, daß sie sich nicht wehren konnte, und redete, obwohl es Freitag war und ihr Gewissen dabei Steine schluckte, noch lange mit Mungo.

Schon am darauffolgenden Tag wurde die außergewöhnliche Schwüle von Nairobi in den Nachrichten an erster Stelle erwähnt. Die Hitze wütete wie ein verletzter Löwe. Sie versengte Gras, Blumen und auch die Kakteen, machte Bäume kraftlos, Vögel stumm, Hunde bissig und Menschen mutlos. Sie hielten es selbst in den geräumigen Flats mit teuren Vorhängen nicht aus, drängten sich zusammen in den kleinen Schatten unter den großen Bäumen und holten schamhaft, aber mit einer Wehmut, die sie sowohl ratlos als auch süchtig machte, vor langer Zeit vergrabene Bilder von deutschen Winterlandschaften aus ihren Fotoalben und Erinnerungen.

Der letzte Tag im Jahr 1945 war so heiß, daß viele Hotels zunächst auf die Anzahl der Ventilatoren im Speisesaal und erst danach auf die Gänge des Festmenüs hinwiesen. Im Ngong loderten die größten Buschfeuer seit Jahren, im

Hove Court wurde das Wasser rationiert und die Blumen nicht mehr gegossen, und sogar Owuor, der Kind in der Hitze von Kisumu gewesen war, mußte sich beim Kochen oft den Schweiß von der Stirn wischen. Es gab keinen Zweifel mehr, daß die kleine Regenzeit ausgeblieben und vor Juli keine Linderung zu erwarten war.

Jettel war zu erschöpft, um zu klagen. Ab dem achten Monat ihrer Schwangerschaft verurteilte sie sich zum vollkommenen Rückzug aus dem Leben und wurde taub für jeden Trost und alle guten Ratschläge. Sie ließ sich nicht davon abbringen, daß die Luft im Freien erträglicher sei als in geschlossenen Räumen und flüchtete schon morgens um acht unter Reginas Guavenbaum. Obwohl Doktor Gregory ihr nach jeder Untersuchung sagte, sie hätte zu viel zugenommen und brauchte Bewegung, rührte sie sich stundenlang nicht von dem Stuhl, den Owuor ihr in den Garten trug und so sorgsam mit weißen Tüchern abdeckte, als wollte er einen Thron herrichten.

Die Frauen im Hove Court bewunderten Owuors Einfall so sehr, daß sie Jettel unter dem Baum mit einer Regelmäßigkeit aufsuchten, als wäre sie tatsächlich eine Königin, die ihrem Volk nur zu bestimmten Stunden Audienz gewährt. Die wenigsten hatten allerdings die Geduld, sich Schwärmereien vom gesunden Breslauer Winter anzuhören, dafür die für Jettel in ihrer Reizbarkeit unerträgliche Gewohnheit, möglichst schnell in die eigene Vergangenheit zu flüchten. Sie empfand den Ballast vom fremden Leben noch schwerer zu ertragen als die ständige Furcht, die Hitze könnte dem ungeborenen Kind schaden und es würde abermals tot zur Welt kommen.

»Ich kann mich nicht mehr konzentrieren, wenn mir jemand was erzählt«, beschwerte sie sich bei Elsa Conrad.

»Quatsch, du bist zu faul zum Zuhören. Wach endlich auf. Auch andere Leute bekommen Kinder.«

»Selbst streiten kann ich mich nicht mehr richtig«, beklagte sich Jettel am Abend.

»Mach dir keine Sorgen«, tröstete Walter, »das kommt wieder. Das hast du in keiner Lebenslage verlernt.«

Erst wenn Regina von der Schule kam und sich zu ihr unter den Baum setzte, tauchte Jettel aus dem Zustand zwischen halbwacher Verzweifelung und tiefem Schlaf auf. Nur Reginas Welt der Feen und der erfüllten Wünsche, von der sie nicht lassen wollte, obwohl ihr Vater sie sofort verspottete, sobald er nur ein Wort davon mitbekam, aber auch ihre Begeisterung, wenn sie das Leben mit dem neuen Baby ausmalte, erlöste Jettel vom Unbehagen an ihrem schwerfälligen Körper und sorgte erneut, wie bei der glücklosen Schwangerschaft in Nakuru, für eine starke Verbundenheit mit der Tochter.

Es war der letzte Sonntag im Februar, der Jettel mit einer Gewalt in die Wirklichkeit zurücktrieb, die sie ihr Leben lang nicht mehr vergessen sollte. Morgens unterschied sich der Tag in nichts von den vorhergehenden. Nach dem Frühstück ließ sich Jettel ächzend unter dem Baum nieder, und Walter blieb im Flat, um Radio zu hören. Mittags reagierte Owuor, der sich sonst nie weit von der Memsahib entfernte, auf keinen ihrer Rufe. Jettel schickte verärgert Regina in die Küche, damit sie ihr ein Glas Wasser holte, aber Regina kam nicht zurück. Der Durst ging sehr plötzlich in ein so heftiges Brennen über, daß Jettel schließlich doch aufstand. Sie merkte, wie Widerwillen ihre Glieder steif machte, aber sie kämpfte vergeblich gegen das Phlegma, obwohl es ihr ebenso unwürdig wie lächerlich erschien.

Nur sehr langsam setzte sie einen Fuß vor den anderen und hoffte bei jedem Schritt, Owuor oder Regina würden doch noch auftauchen, um ihr den Rest des Wegs zu ersparen. Sie sah aber keinen von beiden und vermutete, erschöpft von einem Zorn, der ihr noch mehr zusetzte als der kurze, schattenlose Weg entlang der verdorrten Dornenhecke, sie würde Owuor und Regina bei einem ihrer vielen Gespräche über die Farm ertappen, die ihr stets als Verrat an ihrem hilflosen Zustand vorkamen.

Als sie die Tür aufdrückte, sah sie Owuor. Er stand mit dem Kopf tief nach unten gebeugt in der Küche, schien Jettel überhaupt nicht zu bemerken und sagte nur einige Male so leise »Bwana«, als hätte er lange mit sich selbst geredet. Im Zimmer waren die Vorhänge zugezogen. In der schweren Luft und dem fahlen Licht wirkten die wenigen Möbel im Raum wie Baumstümpfe in einer öden Landschaft. Walter und Regina, beide auffallend blaß und mit roten Augen, saßen auf dem Sofa und hielten sich umschlungen wie zwei verwirrte Kinder.

Jettel war so erschrocken, daß sie keinen von beiden anzusprechen wagte. Ihr Blick wurde starr. Sie merkte, daß ihr kalt wurde, und zu gleicher Zeit wurde ihr bewußt, daß die Kälte, nach der sie sich so gesehnt hatte, wie Nadelstiche auf der Haut schmerzte.

»Papa hat's die ganze Zeit gewußt«, schluchzte Regina, doch ihr lautes Weinen ging sofort in leises Klagen über.

»Halt den Mund. Du hast versprochen, nichts zu sagen. Wir dürfen Mama nicht aufregen. Das hat alles Zeit, bis das Baby da ist.«

»Was ist los?« fragte Jettel. Ihre Stimme war fest, und obwohl sie eine Scham überfiel, die sie sich nicht erklären konnte, fühlte sie sich kräftiger als seit Wochen. Sie beugte sich sogar zum Hund, ohne ihren Rücken zu spüren, und sie legte die Hand auf ihr Herz, fühlte es aber nicht schlagen. Sie wollte gerade die Frage wiederholen, als sie sah, daß Walter hastig und sehr ungeschickt einen Bogen Papier in seine Hosentasche zu stecken versuchte.

»Grescheks Brief?« fragte sie ohne Hoffnung.

»Ja«, log Walter.

»Nein«, schrie Regina, »nein.«

Es war Owuor, der seine Zunge zur Wahrheit zwang. Er lehnte an der Wand und sagte: »Der Vater vom Bwana ist tot. Seine Schwester auch.«

»Was ist los? Was soll das alles bedeuten?«

»Owuor hat schon alles gesagt. Ich hab's nur ihm erzählt.«

»Seit wann weißt du es?«

»Der Brief kam ein paar Tage nach dem von Greschek. Man hat ihn mir im Camp ausgehändigt. Ich war so froh, daß er durch die Militärzensur mußte, weil er aus Rußland

264

kommt, und ich euch nichts davon zu erzählen brauchte. Ich habe nicht geweint. Bis heute nicht. Und ausgerechnet da muß mich Regina erwischen. Ich habe ihn ihr vorgelesen. Ich wollte nicht, aber sie hat mir keine Ruhe gelassen. Mein Gott, ich schäme mich so vor dem Kind.«

»Gib her«, sagte Jettel leise, »ich muß es doch wissen.«

Sie ging zum Fenster, faltete das vergilbte Papier auseinander, sah die Blockbuchstaben und versuchte, zunächst nur den Namen und die Adresse des Schreibers zu lesen.

»Wo ist Tarnopol?« fragte sie, doch sie wartete die Antwort nicht ab. Ihr war es, als könne sie dem Entsetzlichen, das auf sie zukam, noch ausweichen, wenn sie sich nur nicht die Zeit zum Erfassen des Geschehens ließe.

Die Worte »Sehr geehrter Herr Doktor Redlich«, sagte Jettel noch laut, doch dann flüchtete ihre Stimme in die Verlassenheit des Schweigens, und sie begriff mit einer Ohnmacht, die sie schaudern machte, daß sie von ihren Augen keine Gnade mehr erwarten durfte.

»Ich war vor dem Krieg in Tarnopol Lehrer für die deutsche Sprache«, las Jettel, »und habe heute die traurige Pflicht, Sie vom Tod Ihres Vaters und Ihrer Schwester in Kenntnis zu setzen. Ich habe Herrn Max Redlich gut gekannt. Er hatte Vertrauen zu mir, weil er mit mir Deutsch sprechen konnte. Ich habe versucht, ihm zu helfen, soweit es in meiner Macht stand. Eine Woche vor seinem Tod gab er mir Ihre Adresse. Da wußte ich, daß er wollte, daß ich Ihnen schreibe, falls ihm etwas passieren sollte.

Ihr Vater und Ihre Schwester haben sich nach vielen Gefahren und furchtbaren Entbehrungen nach Tarnopol durchgeschlagen. In der ersten Zeit der deutschen Besetzung gab es für ihn und Frau Liesel noch Hoffnung. Sie konnten sich hier in einem Kellerraum des Schulhauses versteckt halten und wollten bei der ersten Gelegenheit weiter in die Sowjetunion. Dann haben zwei SS-Leute am 17. November 1942 Ihren Vater auf der Straße erschlagen. Er war sofort tot und hat nicht mehr zu leiden brauchen.

Frau Liesel wurde einen Monat später aus dem Schulhaus verschleppt und nach Belsec gebracht. Wir konnten nichts mehr für sie tun und haben nichts mehr von ihr gehört. Es war der dritte Transport nach Belsec. Von dem ist keiner zurückgekommen. Ich weiß nicht, ob Sie wissen, daß Frau Liesel auf der Flucht einen Tschechen geheiratet hat. Herr Erwin Schweiger war Lastwagenfahrer und wurde von der russischen Armee zum Militär gezwungen. So mußte er Ihren Vater und Frau Liesel im Stich lassen.

Ihr Vater war sehr stolz auf Sie und hat viel von Ihnen gesprochen. Den letzten Brief, den Sie ihm geschrieben haben, hatte er immer in seiner Brusttasche. Wie oft haben wir ihn gelesen und uns vorgestellt, wie gut und sicher Sie und Ihre Familie es auf der Farm haben. Herr Redlich war ein tapferer Mann und hat bis zum Schluß Gott vertraut, daß er Sie wiedersehen wird. Gott sei seiner Seele gnädig. Ich schäme mich für alle Menschen, daß ich so einen Brief schreiben muß, aber ich weiß, daß in Ihrer Religion der Sohn für den Vater am Todestag ein Gebet spricht. Die meisten Ihrer Brüder werden das nicht können. Wenn ich nur wüßte, ob es ein Trost für Sie sein wird, daß Sie es können, wäre mir meine Pflicht leichter.

Ihr Vater sagte mir immer, Sie hätten ein gütiges Herz. Möge Gott es Ihnen erhalten. Schreiben Sie mir nicht zurück nach Tarnopol. Briefe aus dem Ausland führen hier zu Schwierigkeiten. Ich schließe Sie und Ihre Familie in meine Gebete ein.«

Während sie auf die Tränen wartete, die sie erlösen würden, faltete Jettel den Brief behutsam zusammen, aber ihre Augen blieben trocken. Es verwirrte sie, daß sie nicht schreien und noch nicht einmal sprechen konnte, und sie kam sich wie ein Tier vor, das nur körperlichen Schmerz fühlen kann. Verlegen setzte sie sich zwischen Walter und Regina und zog ihren verschwitzten Kittel glatt. Sie machte eine kleine Bewegung, als wollte sie beide streicheln, konnte ihre Hand jedoch nicht hoch genug heben und strich sich immer wieder über den Bauch.

Jettel fragte sich, ob es nicht Sünde wäre, einem Kind,

das in ein paar Jahren nach seinen Großeltern fragen würde, Leben zu schenken. Als sie Walter ansah, wußte sie, daß er ihr Aufbegehren spürte, denn er schüttelte den Kopf. Sein hilfloser Trotz war ihr dennoch Trost, denn sie sagte, ohne daß ihre Stimme sich von der Verzweifelung schwach machen ließ: »Es muß ein Junge werden, jetzt haben wir doch einen Namen für ihn.«

18

In der langen Nacht zum 6. März 1946 fanden sehr viele erschöpfte Menschen im Hove Court nicht die Ruhe, die sie in der Zeit außergewöhnlicher Hitzeplagen mit noch größerer Leidenschaft verteidigten als ihre persönliche Habe. In der Mehrzahl der Zimmer und Flats brannten die Lampen dem Sonnenaufgang entgegen; Babys schrien noch vor Mitternacht nach ihren Ajas und Flaschen; Hausboys verloren ihren Sinn für Recht, Pflicht und Ordnung und setzten vor dem ersten Zwitschern der Vögel das Wasser für den Morgentee auf; Hunde bellten Mond, Schatten, verdorrte Bäume und erzürnte Menschen an. Sie gerieten im heiseren Groll in jene Fehden, die unweigerlich zu einem gnadenlosen Kampf ihrer Besitzer führten; Radios schmetterten ihre Schlager so laut wie zuletzt bei Kriegsende in Europa; selbst die fast taube Miss Jones erschien im Nachthemd vor dem geschlossenen Verwaltungsbüro, um das Vernehmen von ruhestörenden Geräuschen zu melden.

Owuor, der allein mit der Memsahib kidogo war, ging weder zum Essen noch zu der jungen Frau, die er vor einer Woche aus Kisumu hatte kommen lassen, in sein Quartier. In der dritten Stunden nach Sonnenuntergang klopfte er alle Decken und Matratzen aus, bürstete danach die Holzfußböden und den Hund ab und pflegte schließlich seine Fingernägel mit der Feile von der Memsahib, was diese ihm niemals erlaubt hätte, wäre sie zu Hause gewesen.

Mit schwerer Last in Brust und Bauch schaukelte er seine Erschöpfung in Reginas Hängematte zur Ruhe, ohne daß genug Schlaf zu ihm kam, um die Bilder in seinem Kopf auszubrennen. Von Zeit zu Zeit versuchte er, das wehmütige Lied von der Frau zu singen, die ihr Kind im Wald suchte und immer nur die eigene Stimme hörte, aber die Melodie blieb zu oft in seiner Kehle stecken, und er mußte schließlich doch seine Ungeduld heraushusten.

Regina lag in ihrer weißen Schulbluse und dem empfindlichen grauen Rock, der nach noch mehr Schonung verlangte als ein frisch geschlüpftes Küken, auf dem Bett ihrer Eltern. Sie hatte sich vorgenommen, »David Copperfield« von der ersten bis zur letzten Seite zu lesen, ohne auch nur für ein einziges Glas Wasser aufzustehen, aber schon in den ersten beiden Absätzen des Buches verkeilten sich die Buchstaben ineinander und rasten als feuerrote Kreise an ihren Augen vorbei. Die Hände waren feucht von der Anstrengung, über die bunten Perlen des Zaubergürtels zu streichen; die Zunge scheute bereits die Mühe, den einzigen Wunsch, den Regina je wieder vom Schicksal erbitten wollte, genau richtig zu formulieren, um den schweigsamen Gott Mungo zu überzeugen, daß er diesmal auf ihrer Seite und nicht wie in den Tagen der verschluckten Tränen auf der des Todes zu stehen hatte.

Seitdem Walter und Jettel mitten im Abendessen mit einem kleinen Koffer und, den Geruch von Amok laufenden Hunden ausströmend, in Mr. Slapaks Auto weggefahren waren, kämpfte Regina gegen die Angst, die mehr böse Kraft hatte als eine ausgehungerte Schlange. Die Ungewißheit wütete in ihren Eingeweiden wie ein zorniger Wasserfall nach dem Sturm. Nur wenn der steinige Berg in ihrer Kehle zwischen ihre Zähne zu rutschen drohte, rannte sie zu Owuor, tastete mit den Spitzen ihrer Finger die vertrauten Rundungen seiner Schultern ab und fragte: »Glaubst du, dieser Tag wird gut?«

Dann riß Owuor sofort die Augen auf und sagte, als hätte er sein ganzes Leben nur den einen Satz sprechen gelernt: »Ich weiß, der Tag wird gut.« Sobald die Worte aus seinem Mund waren, schauten er und die Memsahib kidogo jedesmal zu Boden, hatten sie doch beide einen Kopf, der nicht vergessen konnte. Und beide wußten sie, daß ein gutes Gedächtnis an Tagen, auf die es ankam, schlimmer war als der rächende Knüppel eines Bestohlenen auf der nackten Haut eines ertappten Diebs.

Um drei Uhr morgens goß Elsa Conrad die Kamelien vor ihrem Fenster und schalt sich so laut eine vergreiste Närrin, daß Mrs. Taylor wütend auf ihren Balkon stürmte und um Ruhe schrie. Trotzdem kam es nicht zum Streit, denn genau in dem Moment, da Elsa endlich die passenden englischen Schimpfworte einfielen und sie sich auch über deren korrekte Aussprache im klaren wurde, sah sie Professor Gottschalk. Er spazierte im Hut und mit der winzigen Porzellanschüssel, aus der er morgens seinen Haferbrei aß, durch den dunklen Garten. Beide riefen sich zu: »Es ist soweit«, und klopften zu gleicher Zeit mit dem Zeigefinger an die Stirn, um einander anzudeuten, daß sie beide an ihrem Verstand zweifelten.

Sehr viel früher hatte Chepoi zwei enttäuschte Offiziere wegschicken müssen, ohne daß die ausgehungerten jungen Männer die Reize der berühmten Mrs. Wilkins mit auch nur einem Blick hatten beurteilen dürfen. Diana selbst stand noch im Morgengrauen am Fenster. Sie trug die goldfarbene Krone mit den bunten Steinen, die ihr bei ihrem einzigen Moskauer Auftritt die Verheißung einer Zukunft vorgegaukelt hatte, die nie Wirklichkeit geworden war. In den kurzen Pausen, die sie sich im Sessel gönnte, bespritzte sie ihren Hund so oft mit ihrem Lieblingsparfüm, daß er sie mit ungewohnter Beherztheit in den Finger biß, um seine Nase zu schützen.

Ihrerseits kränkte Diana das übermüdete Tier, indem sie es »dreckiger Stalin« nannte. Heulend vor Schmerz und Wut und gepeinigt von einer vagen Abneigung gegen alles, was sie im nüchternen Zustand sehr klar mit »Bolschewiks« hätte ausdrücken können, gab sie endlich den Bemühungen von Chepoi nach, sie zu beruhigen. Sie ließ sich nach einem ungewöhnlich kurzen Kampf die Whiskyflasche entwinden und mit seinem Versprechen ins Bett bringen, sie sofort bei eventuellen Neuigkeiten zu wecken.

Ohne aber daß im Hove Court auch nur ein kleines Zeichen auf die Bedeutsamkeit des Augenblicks hinwies, wurde eine Minute nach fünf Max Ronald Paul Redlich im fünf Meilen entfernten Eskotene Nursing Home geboren.

Sein erster Schrei und ein plötzliches, dumpfes Grollen vom Himmel, das wie der Aufbruch einer Herde von bedrohten Gnus klang, setzten zu gleicher Zeit ein. Als Schwester Amy Patrick das Kind auf die Waage legte und dessen Gewicht von fünf Pfund und vier Unzen sowie den langen, schwer zu buchstabierenden Namen auf einem Zettel notierte, belebten sich ihre trüben Augen um eine sehr feine Schattierung ins Helle, und sie sprach von einem Wunder.

Sowohl das für den Anlaß übertriebene Lächeln der von ihrer dritten schlaflosen Nacht zermürbten Hebamme als auch die euphorische Beschwörung einer außerirdischen Macht galten nicht dem Kind und schon gar nicht der erleichterten Mutter, deren für empfindliche Ohren so quälender Akzent Schwester Amy bei der schwierigen Geburt als äußerst hinderlich empfunden hatte. Amy Patricks spontane Begeisterung war lediglich Ausdruck eines verständlichen Erstaunens, daß der kleine Regen doch noch und ohne entsprechende Hinweise in den Wetternachrichten vom Vortag Nairobi vom Trauma einer noch nie dagewesenen Hitze erlöst hatte. Die Hebamme fühlte sich derart befreit, daß sie trotz des bedauerlichen Umstands, daß es an kundigen Zuhörern fehlte, ihren britischen Humor laut werden ließ. Als sie dem Neugeborenen die Nabelbinde umlegte, sagte sie mit einem Hauch von Zufriedenheit: »Meine Güte, der Kerl schreit ja wie ein kleiner Engländer.«

Der Himmelssegen war für eine verspätete Regenzeit ungewöhnlich dürftig. Er würde höchstens zum Gesprächsstoff für eine Woche taugen und allenfalls ausreichen, um das Gefieder der kleinsten Vögel, die Wellblechdächer und die oberen Äste der Dornakazien vom Staub zu befreien. Daß aber überhaupt Regen eingesetzt hatte, bestärkte alle wohlwollenden Menschen, die freiwillig ihre Nachtruhe geopfert hatten, in der Zuversicht, die Geburt von Max Redlich wäre ein außergewöhnliches Ereignis und das Kind könne gar ein Hoffnungsträger für die zweite Generation der Refugees sein.

Regina und Owuor merkten zunächst nichts von Walters Heimkehr. Sie hörten weder den kräftigen Stoß, den er der klemmenden Eingangstür versetzte, noch den Fluch, als er über den schnarchenden Hund stolperte. Sie schreckten erst, dann allerdings wie zwei Soldaten beim plötzlichen Einsatzbefehl, aus ihrem Dämmerzustand hoch, als dröhnende Würgelaute aus der Küche kamen. Owuor gab der offenen Tür einen Tritt, mit dem er selbst als junger Mann noch nicht einmal einen widerborstigen Esel zur Arbeit angetrieben hätte. Sein Bwana kniete stöhnend vor einem verrosteten Eimer, den er mit beiden Händen umklammerte.

Regina rannte auf ihren Vater zu und versuchte, ihn wenigstens von hinten zu umarmen, ehe Enttäuschung und Entsetzen sie lahmlegen würden. Als Walter ihre Arme an seiner Brust spürte, richtete er sich wie ein Baum auf, der den Durst in seinen Wurzeln gefühlt hat und gerade noch rechtzeitig die rettenden Tropfen auf seinen Blättern spürt.

»Max ist da«, keuchte er. »Diesmal hat es der liebe Gott gut mit uns gemeint.«

Die Stille hielt an, bis Walters graue Haut sich zurück in jenes leichte Braun gefärbt hatte, das zu seiner Uniform paßte. Regina hatte die Worte ihres Vaters zu lange im Ohr gelassen, um mehr tun zu können, als ihren Kopf zu kleinen, gleichmäßigen Bewegungen zu zwingen. Es dauerte eine schwere halbe Minute, ehe sie den belebenden Strom ihrer Tränen spürte.

Als sie die Augen endlich öffnen konnte, sah sie, daß auch ihr Vater weinte; sie drückte lange ihr Gesicht an das seine, um den heißen salzigen Brei der Freude mit ihm zu teilen.

»Max«, sagte Owuor. Seine Zähne leuchteten wie neue Kerzen im dunklen Raum. »Jetzt«, lachte er, »jetzt haben wir einen Bwana kidogo.«

Wieder sagte niemand ein Wort. Doch dann wiederholte Owuor noch einmal den Namen, den er so deutlich aussprach, als hätte er ihn immer schon gekannt, und da schlug ihm der Bwana auf die Schulter. Er lachte dabei wie am Tag, als die Heuschrecken davongeflogen waren, und nannte ihn seinen Rafiki.

Das glatte, sanfte Wort für Freund, das Owuor nur dann mit Stolz genießen konnte, wenn es der Bwana leise und ein bißchen heiser sagte, flog wie ein Schmetterling am heißen Tag auf seine Ohren zu. Die Laute trieben Wärme in die Brust und löschten die mit einem zu scharfen Messer geschnitzte Angst der langen Nacht.

»Hast du das Kind schon gesehen?« fragte er. »Hat es zwei gesunde Augen und zehn Finger? Ein Kind muß aussehen wie ein kleiner Affe.«

»Mein Sohn ist schöner als ein Affe. Ich hab' ihn schon in meinen Händen gehalten. Heute nachmittag sieht ihn die Memsahib kidogo. Owuor, ich hab' gefragt, ob ich dich mitbringen kann, aber im Krankenhaus haben die Schwestern und der Arzt nein gesagt. Ich wollte, daß du dabei bist.«

»Ich kann warten, Bwana. Hast du das vergessen? Ich habe vier Regenzeiten gewartet.«

»Du weißt so genau, wann das andere Kind gestorben ist?«

»Du weißt es doch auch, Bwana.«

»Manchmal habe ich das Gefühl, daß Owuor mein einziger Freund in dieser verfluchten Stadt ist«, sagte Walter auf dem Weg zum Krankenhaus.

»Ein Freund reicht für ein ganzes Leben.«

»Wo hast du das schon wieder aufgeschnappt? Bei deiner dämlichen englischen Fee?«

»Bei meinem dämlichen englischen Dickens, aber ein bißchen Freund ist Mr. Slapak auch. Er hat dir doch sein Auto geborgt. Sonst müßten wir jetzt mit dem Bus fahren.«

Regina zupfte ein kleines Stück von der Füllung aus den zerschlissenen Autopolstern und kitzelte Walters Arm mit den harten Spitzen vom Pferdehaar. Ihr wurde bewußt, daß sie ihren Vater nie zuvor am Steuer eines Wagens gesehen und, daß sie überhaupt nicht gewußt hatte, daß er Auto fahren konnte. Sie wollte ihm das gerade sagen, doch sie ahnte, ohne daß sie sich den Grund schnell genug erklären konnte, daß ihn die Bemerkung kränken würde, und sagte statt dessen: »Du fährst gut.«

»Ich bin schon Auto gefahren, als noch niemand an dich gedacht hat.«

»In Sohrau?« fragte sie gehorsam.

»In Leobschütz. Den Adler vom Greschek. Mein Gott, wenn Greschek wüßte, was heute für ein Tag ist.«

Der klappernde Ford stöhnte die Hügel hinauf und ließ dichte Wolken von feinem rotem Sand hinter sich. Der Wagen hatte auf der linken Seite und vorne kein Glas und große Löcher im verrosteten Dach, durch die die Sonne brannte. Die Hitze mit den schnellen Flügeln und der schwüle Fahrtwind kratzten die Haut rot. Regina fühlte sich wie in dem Jeep, mit dem sie Martin für die Ferien abgeholt hatte. Sie sah die dunklen Wälder von Ol' Joro Orok mit lange nicht mehr erlebter Deutlichkeit und dann einen Kopf mit blondem Haar und hellen Augen, aus denen kleine Sterne ins Weite flogen.

Eine Zeitlang genoß sie die Vergangenheit mit gleicher Freude wie die Gegenwart, aber ein plötzliches Brennen im Nacken brachte jene schmerzende Sehnsucht zurück, von der sie glaubte, sie sei für immer von den Tagen des Wartens verschluckt worden. Sie kaute Luft, um ihre Augen von den Bildern zu befreien, die sie nicht mehr sehen durfte, und ihr Herz von einer Trauer, die nicht zu ihrem berauschenden Glück paßte.

»Ich liebe dich sehr«, flüsterte sie.

Das Eskotene Nursing Home, ein solide gebautes weißes Gebäude mit Fenstern aus hellblauem Glas und schlanken Portalsäulen, um die sich Rosen in der Farbe des Himmels bei Sonnenuntergang rankten, lag in einem Park mit einem Teich, in dem Goldfische unter Wasserlilien hervorschossen, und einem kurzgeschorenen Teppich aus dichtem grünem Gras. Die hohen Zedern, auf deren Äste Glanzstare ihr blauleuchtendes Gefieder zu kleinen Fächern formten, dampften noch nach dem Regen vom Morgen. Vor dem Tor am eisernen Zaun stand ein Askari mit breiten Schultern in marineblauer Uniform und einem dicken Holzknüppel, den er mit beiden Händen hielt. Ein kaffeefarbener irischer Wolfshund mit grauen Barthaaren schlief zu seinen Füßen.

Die teure Privatklinik verhalf nur widerwillig Babys von Refugees zum Start ins Leben, aber der sonst durchaus kompromißbereite Doktor Gregory hatte in dieser Beziehung nicht mit sich reden lassen. Er behandelte grundsätzlich keine Patientinnen im Government Hospital, in dem die Ärzte durch die Korridore mit den Krankenabteilungen für Schwarze mußten, ehe sie zu der Station für Europäer gelangten. Sein Honorar hatte bereits während der Schwangerschaft sämtliche Rücklagen aus Jettels Arbeit im Horse Shoe verschlungen, und die Rechnung für die Geburt und den Aufenthalt im Eskotene würde bestimmt auch den zusätzlichen Sold aufbrauchen, der einem Sergeant bei der Geburt eines Kindes zustand.

Trotzdem war Doktor Gregory auch bei Patientinnen, die sich ihn nicht leisten konnten und die seinem hart erarbeiteten Niveau nicht entsprachen, ein Arzt voller Anteilnahme und Gewissenhaftigkeit. Er hatte, wie er im eigenen Kreis mit mildem Erstaunen über seine bis dahin unvermutete tolerante Art lächelnd berichtete, sich sogar an Jettels Aussprache gewöhnt. Jedesmal, wenn er sie untersucht hatte, erwischte er sich dabei, daß er noch einige Zeit danach das R auf eine geradezu absurde Art rollte.

Vor allem aber ließ er den doch sehr fremden Vogel in seiner distinguierten Praxis nicht fühlen, daß er für den gewaltigen Restteil des Geldes, das ihm zustand, sehr diskret und mit Hinweis auf Jettels Alter und die zu erwartenden Komplikationen während der Schwangerschaft und bei der Geburt die Jüdische Gemeinde Nairobi eingeschaltet hatte. Immerhin saß er seit Jahren zusammen mit dem alten Rubens im Vorstand und hatte nie gezögert, sich weiter öffentlich zum Judentum zu bekennen, auch nicht, als er seinen ursprünglich polnischen Namen gegen die angenehm aussprechbare englische Version eintauschte.

Doktor Gregory, der schon deshalb seine Patientinnen zweimal täglich besuchte, weil das Eskotene auf dem Weg zum Golfplatz lag und er von Jugend an ein besonderes Talent zur Kombination von Pflicht und Neigung hatte, war gerade bei Jettel, als Walter mit Regina erschien. Die beiden blieben unschlüssig an der Tür stehen, als sie ihn sahen. Ihre Unbeholfenheit, die Verlegenheit des Vaters, die sofort in eine bedrückte Servilität überging, und die Tochter mit dem Körper eines Kindes und einem Gesicht, das durch zu frühe Erfahrungen mit dem Leben geprägt schien, rührten den Arzt.

Er fragte sich ein wenig betroffen von einer Scham, die ihn mehr irritierte als ihm angenehm war, ob er sich nicht eingehender mit dem Schicksal der kleinen Familie hätte beschäftigen müssen, die ihn in ihrer spürbaren Verbundenheit, die ihm skurril altmodisch erschien, an die Erzählungen seines Großvaters erinnerte. Er hatte seit Jahren nicht mehr an den alten Mann gedacht, der in einer kleinen, feuchten Wohnung im Londoner East End auf lästige Weise gerade an jene Wurzeln zu appellieren pflegte, von denen sich der ehrgeizige Medizinstudent energisch zu befreien versucht hatte. Die Regung war indes zu flüchtig, um ihr nachzugeben.

»Come on«, rief er deshalb in einer etwas übertriebenen Lautstärke, die er sich eigens für die nach Herzlichkeit dürstenden Leute vom Kontinent angewöhnt hatte, und dann in einem Gefühl der Verbundenheit, das er sich nur mit Sentimentalität erklären konnte, fügte er, viel leiser und gar ein wenig scheu »Massel tow« hinzu. Er klopfte Walter auf den Rücken, streichelte etwas abwesend Reginas Kopf, wobei seine Hand auf ihre Wange rutschte, und verließ eilig den Raum.

Erst als der Arzt die Tür hinter sich zuzog, sah Regina in Jettels Armbeuge den winzigen Kopf mit einer Krone aus schwarzem Flaum. Sie hörte, wie aus einem Nebel, der Laute schluckt, den Atem ihres Vaters und sofort danach ein leises Wimmern des Neugeborenen und wie Jettel mit lockenden Lauten das Kind beruhigte. Regina wollte laut lachen oder zumindestens so kreischend jubeln wie ihre Mitschülerinnen bei einem gewonnen Hockeyspiel, aber ihr gelang nur ein Gurgeln in der Kehle, das ihr sehr kümmerlich vorkam.

»Komm«, sagte Jettel, »wir beide haben schon auf dich gewartet.«

»Halt ihn fest, einen neuen können wir uns nicht mehr leisten«, mahnte Walter und legte Regina das Kind in die Arme. »Das ist dein Bruder Max«, sagte er mit fremder, feierlicher Stimme, »ich habe ihn schon heute früh schreien hören. Der weiß ganz genau, was er will. Wenn er groß ist, wird er gut für dich sorgen. Anders als ich für meine Schwester.«

Max hatte die Augen geöffnet. Sie leuchteten blau aus einem Gesicht, das die Farbe der jungen Maiskolben von Rongai hatte, und die Haut roch nach der Süße von frisch gekochtem Poscho. Regina berührte die Stirn ihres Bruders mit ihrer Nase, um den Duft in Besitz zu nehmen. Sie war ganz sicher, daß sie sich nie wieder im Leben so am Glück würde betäuben können. In diesem Augenblick sagte sie ihrer Fee, die sie nun nie mehr würde bemühen müssen, ein letztes Lebewohl. Es war ein kurzer Abschied ohne Schmerzen und Zaudern.

»Willst du ihm nichts sagen?«

»Ich weiß nicht, in welcher Sprache ich mit ihm reden soll.«

»Er ist noch kein richtiger Refugee und geniert sich nicht, wenn er seine Muttersprache hört.«

»Jambo«, flüsterte Regina, »jambo, bwana kidogo.« Sie erschrak, als sie merkte, daß das Glück ihre Wachsamkeit für Worte, die ihren Vater ängstigten, eingeschläfert hatte. Reue ließ ihr Herz zu schnell schlagen. »Gehört er«, fragte sie befangen, »wirklich mir?«

»Uns allen.«

»Und Owuor auch«, sagte Regina und dachte an die Gespräche der Nacht.

»Natürlich, solange Owuor bei uns bleiben kann.«

»Heute nicht«, sagte Jettel unwillig, »heute einmal nicht.«

Regina schluckte die Frage, die Neugierde ihr in den

Mund zu schieben versuchte, entschlossen herunter. »Heute einmal nicht«, erklärte sie ihrem neuen Bruder, doch sie sprach die Zauberworte nur in Gedanken aus und machte aus dem Lachen, das ihr die Kehle aufrieb, nur einige hohe Töne der Freude, damit weder Vater noch Mutter erfuhren, daß ihr Sohn bereits dabei war, Owuors Sprache zu lernen.

Owuor saß bis nach Sonnenuntergang mit dem Kopf zwischen den Knien und Schlaf unter den Augenlidern vor der Küche, ehe er den Wagen kommen hörte, der mehr schrie als ein von Lehm und Steinen mißhandelter Traktor. Weil der Bwana erst dem Gauner Slapak das Auto zurückgeben mußte, würde es noch eine Zeit dauern, bis Owuors Warten ein Ende hatte, aber Owuor hatte nie die Stunden gezählt, nur die guten Tage. Er bewegte langsam einen Arm und dann ein wenig seinen Kopf in Richtung der Gestalt, die hinter ihm an der Wand lehnte, und döste befriedigt weiter.

Auch Slapak liebte den Geschmack von Freude. Gerade weil er nach dem vierten Kind, das gerade zu krabbeln begann, in seiner eigenen Familie selbst die Geburt eines Sohnes mit gleicher Nüchternheit betrachtete wie das Warenlager in seinem seit Kriegsende außergewöhnlich gut florierenden Secondhandshop, verlangte es ihn nach fremdem Glück. Er zog Walter und Regina in seine beengte, nach feuchten Windeln und Krautsuppe riechende Wohnstube, als die beiden ihm die Autoschlüssel zurückbrachten.

Sahen die meisten Menschen im Hove Court in Leon Slapak nur den gerissenen Geschäftsmann, der seine eigene Mutter zu Geld machen würde, wenn es für ihn nur von kleinstem Vorteil wäre, so war er doch im Herzen ein frommer Mann, dem die Gnade, die anderen widerfuhr, als Bestätigung galt, daß Gott es gut mit guten Menschen meinte. Und dieser Soldat in der fremden Uniform, dessen Augen zeigten, daß er sich seine Verwundungen nicht auf dem Schlachtfeld geholt hatte, sondern im Kampf mit dem Leben, hatte ihm in seiner Bescheidenheit und Freundlichkeit immer gefallen. Slapak grüßte Walter, wenn er ihn sah, und er freute sich stets an der Dankbarkeit, mit der sein Gruß erwidert wurde und die ihn an die Männer seiner Heimat erinnerte.

So schüttete der von seinen Nachbarn verachtete Slapak ein Glas, das er sorgsam mit seinem Taschentuch abrieb, voller Wodka, drückte es Walter in die Hand, nahm selbst einen Schluck aus der Flasche und sagte eine ganze Reihe von Worten, von denen Walter so gut wie kein einziges verstand. Es war die übliche Mischung der Refugees aus dem Osten; sie bestand aus polnischen, jiddischen und englischen Ausdrücken, die Walter, je mehr er von Slapak mit heißem Herzen und kühlem Alkohol bedacht wurde, schon deshalb an Sohrau erinnerten, weil Slapak bald die Mühe mit dem Englischen und danach auch das Jiddische aufgab und nur noch Polnisch sprach. Seinerseits freute sich Slapak an den wenigen Brocken Polnisch, die Walter aus seiner Kindheit kannte, als hätte er ein unerwartet gutes Geschäft gemacht.

Es wurde ein Abend des Einverständnisses zwischen zwei Männern, die Erinnerungen nachgingen, die aus zwei sehr verschiedenen Welten stammten und die doch die gemeinsame Wurzel des Schmerzes hatten. Zwei Väter dachten nicht an ihre Kinder, sondern an die Pflicht der Söhne, die sie nicht hatten erfüllen dürfen. Obwohl sein Gast im gleichen Alter war, verabschiedete ihn Slapak kurz vor Mitternacht mit dem alten Segen der Väter. Danach schenkte er Walter einen Kinderwagen, den er selbst frühestens in einem Jahr wieder brauchen würde, ein Paket zerfetzter Windeln und ein Kleid aus rotem Samt für Regina, für das ihr mindestens fünfzehn Pfund und ebenso viele Zentimeter fehlten.

»Ich habe die Geburt meines Sohnes mit einem Mann gefeiert, mit dem ich nicht reden kann«, seufzte Walter auf dem kurzen Weg zum Flat. Er gab dem Kinderwagen einen Stoß. Die Räder mit ihrem brüchig gewordenen Gummi knirschten auf den Steinen. »Vielleicht kann ich eines Tages darüber lachen.« Er hatte das Bedürfnis, Regina zu erklären, weshalb er trotz der wohltuenden Wärme den

Besuch bei Slapak als Symbol für sein ausgegrenztes Leben empfand, doch er wußte nicht wie.

Auch Regina war dabei, ihrem Kopf zu befehlen, jene verwirrenden Gedanken zu halten, die nicht laut werden sollten, aber dann sagte sie doch: »Ich bin gar nicht traurig, wenn du jetzt Max lieber hast als mich. Ich bin ja kein Kind mehr.«

»Wie kommst du auf so einen Quatsch? Ohne dich hätte ich die ganzen Jahre nicht durchgehalten. Glaubst du, ich kann das vergessen? Schöner Vater bin ich. Mehr als Liebe konnte ich dir nie geben.«

»Es war enough.« Zu spät merkte Regina, daß sie das deutsche Wort nicht rechtzeitig gefunden hatte. Sie rannte dem Kinderwagen nach, als sei es wichtig, ihn einzufangen, ehe er an die Eukalyptusbäume kam, hielt ihn an, rannte zurück und umarmte ihren Vater. Der Geruch von Alkohol und Tabak, der aus seinem Körper kam, und das Gefühl der Geborgenheit, das in ihrem kochte, verbanden sich zu einem Taumel, der sie benommen machte.

»Ich liebe dich mehr als alle anderen Menschen auf der Welt«, sagte sie.

»Ich dich auch. Aber das erzählen wir keinem. Nie.«
»Nie«, versprach Regina.

Owuor stand so aufrecht vor der Tür wie der Askari mit dem Knüppel im Krankenhaus. »Bwana«, sagte er und tränkte seine Stimme mit Stolz, »ich habe schon eine Aja gefunden.«

»Eine Aja? Du bist ein Esel, Owuor. Was sollen wir mit einer Aja? In Nairobi ist das nicht wie in Rongai. In Rongai hat der Bwana Morrison die Aja bezahlt. Sie hat auf seiner Farm gewohnt. In Nairobi muß ich eine Aja bezahlen. Das kann ich nicht. Ich hab nur genug Geld für dich. Ich bin kein reicher Mann. Das weißt du.«

»Unser Kind«, erwiderte Owuor zornig, »ist so gut wie andere Kinder. Kein Kind kann ohne Aja sein. Die Memsahib kann mit so einem alten Wagen nicht im Garten fahren. Und ich kann nicht bei einem Mann arbeiten, der keine Aja für sein Kind hat.«

»Du bist der große Owuor«, höhnte Walter.

»Das ist Chebeti, Bwana«, erklärte Owuor und fütterte jedes der vier Worte mit Geduld. »Du mußt ihr nicht viel Geld geben. Ich habe ihr alles gesagt.«

»Was hast du ihr gesagt?«

»Alles, Bwana.«

»Aber ich kenne sie doch nicht.«

»Ich kenne sie, Bwana. Das ist gut.«

Chebeti, die vor der Küchentür gesessen hatte, stand auf. Sie war groß und schlank, trug ein weites, blaues Kleid, das ihre nackten Füße bedeckte und als lose gebundener Umhang um ihre Schultern hing. Um den Kopf war ein weißes Tuch zum Turban geschlungen. Sie hatte die langsamen, graziösen Bewegungen der jungen Frauen aus dem Stamm der Jaluo und deren selbstsichere Haltung. Als sie Walter die Hand hinhielt, öffnete sie den Mund, doch sie sprach nicht.

Regina stand noch nicht einmal nahe genug, um in der Dunkelheit das Weiß in den fremden Augen zu sehen, aber sie merkte sofort, daß Chebetis Haut und die von Owuor den gleichen Geruch hatten. Wie Dik-Diks zur Mittagszeit im hohen Gras.

»Chebeti wird eine gute Aja, Papa«, sagte Regina, »Owuor schläft nur mit guten Frauen.«

19

Captain Bruce Carruthers stand energisch auf, trat einen
Käfer auf dem Fußboden tot, zerquetschte danach an der
Fensterscheibe eine Grasmücke, die er für einen Moskito
hielt, und setzte sich lustlos wieder hin. Es steigerte seinen
Verdruß, daß er vor dem Gespräch mit dem ihm trotz einiger, schwer erklärbarer Vorbehalte eigentlich nicht un-
sympathischen Sergeant, der stets salutierte, als würde er
gerade vor dem König stehen, und der Englisch wie ein
lausiger Inder sprach, einen bestimmten Brief aus dem Pa-
pierhaufen auf seinem Schreibtisch herauswühlen mußte.
Carruthers hatte eine Abneigung gegen jede Form von
Disziplinlosigkeit und schon krankhaften Ekel vor einer
Unordnung, die er selbst verschuldet hatte. Er grübelte –
zu ausgiebig, wie er mißgestimmt befand – über den Umstand nach, daß ausgerechnet ihm, der Diskussionen noch
mehr verabscheute als den Irrwitz beim Militär, immer die
Aufgabe zufiel, seinen Leuten Dinge zu sagen, die sie nicht
hören wollten.

Nur ihm, der nichts anderes wollte, als endlich an einem nebligen Herbstmorgen die Princess Street entlangzu-
spazieren und die erste Verheißung des Winters auf der
Haut zu spüren, hatte niemand mitgeteilt, daß sein Gesuch
zur Entlassung aus der Army »bis auf weiteres zurückge-
stellt« worden war. Diese Enttäuschung hatte er sich zwei
Tage zuvor selbst aus der Post herausfischen müssen. Seitdem war sich der Captain noch mehr im klaren als zuvor,
daß Afrika nicht gut für einen Mann war, der vor fünf viel
zu langen Jahren außer seinem Herzen eine sehr junge
Frau in Edinburgh zurückgelassen hatte, die immer länger
brauchte, um seine Briefe zu beantworten und schon lange
nicht mehr befriedigend erklären konnte, weshalb das so
war.

Captain Carruthers empfand es als doppelte Ironie des

Schicksals, daß er nun diesem komischen Sergeant mit den Augen eines ergebenen Collie beibringen mußte, die Army Seiner Majestät habe kein Interesse an der Verlängerung seiner Dienstzeit.

»Weshalb in aller Welt will der Kerl überhaupt nach Deutschland«, brummte er.

»Ich bin dort zu Hause, Sir.«

Der Captain schaute Walter erstaunt an. Er hatte weder sein Klopfen an der Tür gehört noch gemerkt, daß er Selbstgespräche führte, was in letzter Zeit beklagenswert oft vorkam.

»Sie wollten zur britischen Besatzungsarmy?«

»Ja, Sir.«

»Gar keine schlechte Idee. Ich vermute, Sie können Deutsch sprechen. Irgendwie scheinen Sie ja von dort zu kommen.«

»Ja, Sir.«

»Da wären Sie doch genau der Mann, um bei den fucking Jerries aufzuräumen.«

»Ich denke ja, Sir.«

»Die in London denken anders«, sagte Carruthers. »Falls die überhaupt denken«, lachte er mit jenem Hauch von Hohn, dem er den Ruf verdankte, er sei ein Offizier, mit dem sich allzeit gut reden ließ. Als ihm aufging, daß er seinen Witz vergeudet hatte, hielt er Walter schweigend den Brief hin. Er beobachtete einige Zeit und mit einer Ungeduld, die in keinem Verhältnis zum Anlaß stand, wie Walter sich mit den umständlichen Formulierungen der arroganten Londoner Bürokraten abquälte.

»Die zu Hause wollen«, sagte er mit einer Schroffheit, die ihm, als er sie bemerkte, ein wenig leid tat, »keine Soldaten bei der Besatzungstruppe, die keinen englischen Paß haben. Was wollten Sie eigentlich in Deutschland?«

»Ich wollte in Deutschland bleiben, wenn ich aus der Army entlassen werde.«

»Warum?«

»Deutschland ist meine Heimat, Sir«, stotterte Walter, »sorry, Sir, daß ich das sage.«

»Macht nichts«, erwiderte der Captain zerstreut.

Ihm war klar, daß er sich auf kein weiteres Gespräch einzulassen brauchte. Er war nur verpflichtet, seine Leute von Vorgängen in Kenntnis zu setzen, die sie betrafen, und sich zu vergewissern, daß sie auch die Entscheidungen begriffen hatten: Das war ja mit den vielen Ausländern und den verdammten Farbigen beim Militär wahrhaftig nicht mehr so selbstverständlich wie in der guten alten Zeit. Der Captain schüttelte eine Fliege von der Stirn. Er erkannte, daß er sich nur unnötig in einen Fall involvieren würde, der ihn nichts anging, wenn er die Unterredung nicht umgehend beendete.

Ein Zwang, den er sich später nur mit der Duplizität des Schicksals und seiner Melancholie erklären konnte, ließ ihn jedoch zu lange das kurze Kopfnicken hinauszögern, um den Sergeant auf die übliche Art loszuwerden und sich selbst für die nächste Schlacht mit den idiotischen Moskitos freizumachen. Der Mann vor ihm hatte von Heimat gesprochen, und genau dieses törichte, mißbrauchte, sentimentale Wort durchbohrte seit Monaten die Ruhe von Bruce Carruthers.

»Meine Heimat ist Schottland«, sagte er, und einen Moment dachte er tatsächlich, er rede wieder mit sich selbst, »aber irgendein Narr in London hat sich in seinen Querschädel gesetzt, daß ich hier im dämlichen Ngong verrotten soll.«

»Ja, Sir.«

»Kennen Sie Schottland?«

»Nein, Sir.«

»Ein wunderschönes Land. Mit anständigem Wetter, anständigem Whisky und anständigen Menschen, auf die man sich noch verlassen kann. Die Engländer haben nicht die leiseste Ahnung von Schottland und was sie uns angetan haben, als sie sich unseren König geholt und unsere Selbständigkeit gestohlen haben«, sagte der Captain. Ihm wurde bewußt, daß es recht lächerlich war, mit einem Mann, der offenbar nicht viel mehr als ja und nein sagen konnte, über Schottland und das Jahr 1603 zu diskutieren.

»Was machen Sie im Zivilleben?« fragte er deshalb.

»In Deutschland war ich Rechtsanwalt, Sir.«

»Wirklich?«

»Ja, Sir.«

»Ich bin auch Anwalt«, sagte der Captain. Er erinnerte sich, daß er den Satz das letztemal bei seinem Eintritt in die verfluchte Army gesagt hatte. »Wie um Himmels willen«, fragte er trotz des Unbehagens an seiner unvermuteten Neugierde, »sind Sie bloß in dieses Affenland gelangt? Ein Anwalt braucht doch seine Muttersprache. Warum sind Sie nicht in Deutschland geblieben?«

»Hitler wollte mich nicht.«

»Warum denn nicht?«

»Ich bin Jude, Sir.«

»Stimmt. Steht ja hier. Und da wollen Sie nach Deutschland zurück? Haben Sie denn nicht diese scheußlichen Berichte über die Konzentrationslager gelesen? Hitler scheint verdammt schlecht mit Ihren Leuten umgegangen zu sein.«

»Hitlers kommen und gehen, aber das deutsche Volk bleibt bestehen.«

»Mann, Sie können ja plötzlich Englisch. Wie Sie das gesagt haben!«

»Das hat Stalin gesagt, Sir.«

Die Jahre beim Militär hatten Captain Carruthers gelehrt, nie mehr zu tun, als man von ihm verlangte, und sich vor allem nicht fremde Sorgen aufzuladen, doch die Situation, so grotesk sie auch war, faszinierte ihn. Er hatte soeben das erste vernünftige Gespräch seit Monaten geführt und das ausgerechnet mit einem Mann, mit dem er sich nicht besser verständigen konnte als mit dem indischen Mechaniker der Kompanie, der jedes Stück beschriebenes Papier als persönliche Kränkung empfand.

»Sie wollten bestimmt, daß die Army Ihre Überfahrt bezahlt. Freie Fahrt nach Hause. Das wollen wir alle.«

»Ja, Sir. Das ist meine einzige Chance.«

»Die Army ist verpflichtet, jeden Soldaten mit seiner Familie in sein Heimatland zu entlassen«, erklärte der Captain. »Das wissen Sie doch?«

»Pardon, Sir, ich habe Sie nicht verstanden.«

»Die Army muß Sie nach Deutschland bringen, wenn Sie dort zu Hause sind.«

»Wer sagt das?«

»Die Bestimmungen.«

Der Captain grub in den Papieren auf seinem Schreibtisch, fand aber nicht, was er suchte. Schließlich zog er ein vergilbtes, eng beschriebenes Blatt aus der Schublade. Er erwartete nicht, daß Walter den Text würde lesen können, hielt ihm jedoch trotzdem die Verordnung hin und merkte verblüfft und auch ein wenig gerührt, daß Walter offenbar den kompliziert dargestellten Sachverhalt wenigstens so weit auf Anhieb zu verstehen schien, wie er ihn selbst betraf. »Ein Mann des Wortes«, lachte Carruthers.

»Pardon, Sir, ich habe Sie schon wieder nicht verstanden.«

»Macht nichts. Morgen werden wir den Antrag für Sie auf Entlassung nach Deutschland stellen. Haben Sie mich zufällig einmal verstanden?«

»O ja, Sir.«

»Haben Sie Familie?«

»Eine Frau und zwei Kinder. Meine Tochter wird vierzehn, und mein Sohn ist heute acht Wochen alt. Ich danke Ihnen so sehr, Sir. Sie wissen nicht, was Sie für mich tun.«

»Ich glaube doch«, sagte Carruthers nachdenklich. »Aber machen Sie sich keine allzu großen Hoffnungen«, fuhr er mit einer Ironie fort, die ihm nicht so leicht kam wie sonst, »in der Army geht alles sehr langsam. Wie sagen die verdammten Nigger hier?«

»Pole pole«, freute sich Walter und kam sich wie Owuor vor, als er die beiden Worte ganz langsam wiederholte. Als er sah, daß Carruthers nickte, beeilte er sich, den Raum zu verlassen.

Zunächst konnte er sich seine schwankenden Empfindungen nicht erklären. Was er zuvor als die Weitsichtigkeit eines Mannes gedeutet hatte, der Mut genug hatte, sich sein Scheitern einzugestehen, erschien ihm mit einem Mal als verantwortungsloser Leichtsinn. Und doch ahnte er, daß ein Funken Hoffnung gekeimt war, den weder Zweifel noch die Angst vor der Zukunft zum Erlöschen bringen konnten.

Als Walter ins Hove Court zurückkehrte, war er aber noch immer benommen von der beunruhigenden Mischung aus Euphorie und Unsicherheit. Er blieb am Tor stehen und stellte sich dort eine Zeitlang, die ihm Ewigkeit wurde, zwischen die Kakteen, zählte die Blüten und versuchte, erfolglos, für jede Zahl die Quersumme zu errechnen. Noch mehr Zeit brauchte er, um der Versuchung zu widerstehen, erst bei Diana vorbeizuschauen und sich an ihrer guten Laune und vor allem mit ihrem Whisky zu stärken. Seine Schritte waren langsam und zu leise, als er weiterging, doch dann sah er Chebeti mit dem Baby unter demselben Baum sitzen, der Jettel in der Schwangerschaft Trost, Schutz und Schatten gegeben hatte. Er gönnte seinen Nerven Befreiung.

Sein Sohn lag geborgen in dem Faltenberg von Chebetis hellblauem Kleid. Nur die winzige weiße Leinenmütze des Kindes war zu sehen. Sie berührte das Kinn der Frau und wirkte im sanften Wind wie ein Schiff auf ruhigem Ozean. Regina, einen Kranz aus Blättern vom Zitronenbaum im Haar, hockte auf dem Gras mit gekreuzten Beinen. Weil sie nicht singen konnte, las sie mit feierlich-dunkler Stimme der Aja und ihrem Bruder ein Kinderlied mit vielen, sich wiederholenden Lauten vor.

Eine Weile ärgerte sich Walter, daß es ihm noch nicht einmal gelang, einzelne Worte zu verstehen; dann begriff er, rasch versöhnt mit sich selbst und dem Schicksal, daß seine Tochter beim Rezitieren den englischen Text sofort in die Jaluo-Sprache übersetzte. Sobald Chebeti den ersten vertrauten Laut auffing, klatschte sie und feuchtete ihre Kehle mit einem leisen, sehr melodischen Gelächter an. Wenn das Temperament in ihr zu Feuer wurde, wachte Max durch die Bewegungen ihres Körpers auf, und es war, als versuchte er, die sanft lockenden Geräusche nachzuahmen, ehe er zurück in den Schlaf geschaukelt wurde.

Owuor saß aufrecht unter einer Zeder mit dunklen Blättern und beobachtete auch die kleinste Bewegung des Babys mit angespannter Aufmerksamkeit. Neben ihm lag der Stock mit einem geschnitzten Löwenkopf auf dem Knauf, den er sich an Chebetis erstem Arbeitstag zugelegt hatte. Er bearbeitete seine Zähne mit einem kleinen Stück jungen Zuckerrohrs, das er mit kräftigen Bissen annagte, und in regelmäßigen Abständen spuckte er die hohen Grashalme so lange an, bis sie in der späten Sonne in den gleichen bunten Farben schillerten wie der Tau am frühen Morgen. Mit seiner linken Hand kraulte er Rummler, der selbst beim Dösen laut genug atmete, um die Fliegen zu vertreiben, ehe sie ihm lästig werden konnten.

In ihrer Harmonie und Fülle erinnerte Walter die Szene an Bilder in den Büchern seiner Kindheit. Er lächelte ein wenig, als er sich klarmachte, daß die Menschen im europäischen Hochsommer nicht schwarz waren und nicht unter Zedern und Zitronenbäumen saßen. Weil das Gespräch mit dem Captain noch in ihm rumorte, wollte er seinen Augen verbieten, von der Idylle zu trinken, die zu ihm herüberwehte, doch seine Sinne ließen es nur kurz zu, daß er ihnen solche Gewalt antat.

Obwohl die Luft schwer von dampfender Feuchtigkeit war, genoß er jeden Atemzug. Er empfand dabei ein unbestimmtes Verlangen, das ihn in seiner Unschuld fesselnde Bild festzuhalten, und war froh, als Regina ihn bemerkte und ihn von seinen Träumen erlöste. Sie winkte ihm zu, und er winkte zurück.

»Papa, der Max hat schon einen richtigen Namen. Owuor nennt ihn askari ja ossjeku.«

»Bißchen übertrieben für ein so kleines Kind.«

»Du weißt doch, was askari ja ossjeku heißt? Nachtsoldat.«

»Du meinst Nachtwächter.«

»Aber ja«, sagte Regina ungeduldig, »weil er den ganzen Tag schläft und nachts immer wach ist.«

»Nicht nur er. Wo ist eigentlich deine Mutter?«

»Drin.«

»Was macht sie denn um diese Zeit im heißen Flat?«

»Sie regt sich auf«, kicherte Regina. Zu spät fiel ihr ein, daß ihr Vater weder Stimmen noch Augen deuten konnte, und daß sie dabei war, ihm seine Ruhe zu stehlen. »Max«, sagte sie schnell und voller Reue, »steht in der Zeitung. Ich hab's schon gelesen.«

»Warum hast du das nicht gleich gesagt?«

»Du hast mich doch gar nicht gefragt, wo Mama ist. Chebeti sagt, eine Frau muß den Mund zumachen, wenn ein Mann seine Augen auf Safari schickt.«

»Du bist schlimmer als alle Neger zusammen«, schimpfte Walter, doch es war eine belebende Ungeduld, die seine Stimme laut machte.

Er rannte so schnell zum Flat, daß Owuor beunruhigt aufstand. Eilig warf er Zuckerrohr und Stock auf die Erde und nahm sich kaum die nötige Zeit, um seine Glieder auszuschütteln. Auch Rummler wurde wach und lief, so schnell, wie es seine schwerfälligen Beine noch zuließen, mit heraushängender Zunge hinter Walter her.

»Zeig mal, Jettel«, rief Walter noch im Laufen. »Ich hab' nicht gedacht, daß das so schnell geht.«

»Hier. Warum hast du mir nichts davon gesagt?«

»Es sollte eine Überraschung sein. Als Regina geboren wurde, habe ich dir noch den Ring schenken können. Bei Max langt's nur zu einer Anzeige.«

»Aber was für eine. Ich hab' mich schrecklich gefreut, als der alte Gottschalk vorhin mit der Zeitung ankam. Er war ganz beeindruckt. Stell dir vor, wer das alles lesen wird.«

»Hoffentlich, das war ja der Sinn der Sache. Hast du schon einen Bekannten gefunden?«

»Noch nicht. Die Freude wollte ich dir lassen. Du bist doch immer zuerst dran gewesen.«

»Aber du hast immer die guten Nachrichten gefunden.«

Die Zeitung lag aufgeschlagen auf einem kleinen Hokker neben dem Fenster. Ihr dünnes Papier knisterte bei jedem Windstoß und ließ die vertraute und doch ewig neue Melodie von Hoffnung und Enttäuschung ahnen.

»Unsere Trommeln«, sagte Walter.

»Mir geht es wie Regina«, erkannte Jettel und neigte ihren Kopf mit einer Spur ihrer alten Koketterie zur Seite, »ich höre Geschichten, ehe sie erzählt werden.«

»Jettel, du wirst ja zum Dichter auf deine alten Tage.«

Sie standen am offenen Fenster und starrten beseligt auf die üppigen, violetten Bougainvilleen an der kalkweißen Mauer, ohne zu merken, wie nahe Körper und Kopf einander waren; es war einer der seltenen Augenblicke ihrer Ehe, da jeder die Gedanken des anderen billigte.

»Der Aufbau« war keine Zeitung wie jede andere. Schon vor dem Krieg und erst recht danach war das deutschsprachige Blatt aus Amerika mehr als nur das Sprachrohr für Emigranten in aller Welt. Jede Ausgabe, ob die Betroffenen es wollten oder nicht, nährte die Wurzeln zur Vergangenheit und trieb das Karussell der Erinnerungen in den Sturm der Trauer.

Schon ein paar Zeilen vermochten, Schicksal zu werden. Nicht die Berichte und Leitartikel wurden zuerst gelesen. Es waren immer und bei allen die Such- und Familienanzeigen.

Durch sie fanden sich Menschen wieder, die seit der Auswanderung nichts mehr voneinander gehört hatten. Die Hinweise auf die alte Heimat konnten Totgesagte zum Leben erwecken und gaben, lange vor den offiziellen humanitären Organisationen Auskunft, wer der Hölle entkommen und wer in ihr umgekommen war. Noch elf Monate nach Kriegsende in Europa war der »Aufbau« sehr oft die einzige Möglichkeit für die Überlebenden, die Wahrheit zu erfahren.

»Mensch, die Anzeige ist ja riesengroß«, staunte Walter. »Die steht sogar ganz oben. Weißt du, was ich glaube? Mein Brief muß jemand in die Hände geraten sein, der uns von früher kennt und uns einen Gefallen tun wollte. Stell dir vor, da sitzt einer in New York, und auf einmal liest er unseren Namen und daß wir aus Leobschütz sind. Und kriegt mit, daß ich doch nicht von einem Löwen gefressen worden bin.«

Walter räusperte sich. Ihm fiel ein, daß er das immer vor einem Plädoyer getan hatte, aber er verdrängte den Gedanken mit einer Verlegenheit, die ihm wie das Eingeständnis einer Schuld vorkam. Obwohl ihm klar war, daß Jettel den Text bereits auswendig kannte, las er die wenigen Zeilen laut vor: »Dr. Walter Redlich und Frau Henriette geb. Perls (früher Leobschütz) zeigen die Geburt ihres Sohnes Max Ronald Paul an. P.O.B. 1312, Nairobi, Kenya Colony. 6. März 1946. Was sagst du dazu, Jettel? Dein Alter ist wieder der Herr Doktor. Das erstemal seit acht Jahren.«

Noch während er sprach, ging Walter auf, daß der Zufall ihm das Stichwort gegeben hatte, Jettel von dem Gespräch mit dem Captain und der großen Chance zu erzählen, auf Kosten der Army nach Deutschland zu gelangen. Er mußte nur nach den richtigen Worten suchen und vor allem den Mut finden, ihr so schonend wie möglich beizubringen, daß er sich endgültig für den Weg ohne Umkehr entschieden hatte. Einen Moment voller Verlangen und wider besseres Wissen gab er sich der Illusion hin, Jettel würde ihn verstehen und vielleicht sogar seine Weitsicht bewundern, aber seine Erfahrungen ließen es nur kurz zu, daß er sich betrog.

Walter wußte seit dem Tag, an dem er zum erstenmal die Rückkehr nach Deutschland erwähnt hatte, daß er nicht mit Jettels Verständnis rechnen durfte. Seitdem wurden immer häufiger aus belanglosen Diskussionen Kämpfe ohne Vernunft und Logik und voller Bitterkeit. Er empfand es als Hohn, daß er dabei seine Frau um ihre Kompromißlosigkeit beneidete. Wie oft hatte er selbst an seiner Kraft gezweifelt, das Leid zu überwinden, das für immer unvernarbte Wunden hinterlassen würde, aber bei jeder Prüfung seiner Beweggründe hatte er nie einen anderen Weg gefunden als den, zu dem ihn das Verlangen nach seiner Sprache, seinen Wurzeln und seinem Beruf verurteilten. Er brauchte sich nur das Leben auf einer Farm vorzustellen, und schon wußte er, daß er nach Deutschland zurückwollte und mußte, wie qualvoll auch der Weg sein mochte.

Jettel dachte anders. Sie war zufrieden unter Menschen, denen der Haß auf Deutschland reichte, um die Gegenwart als das einzige Glück zu empfinden, das den Davongekommenen zustand. Sie begehrte nichts mehr als die Gewißheit, daß andere so dachten wie sie; sie hatte sich immer gegen Veränderungen gesträubt. Wie hatte sie sich in einer Zeit, da ein jeder Tag des Zögerns tödliche Bedrohung war, gegen die Auswanderung nach Afrika gewehrt.

Die Erinnerung an die Zeit vor der Auswanderung in Breslau gab Walter letzte Gewißheit. Er hörte Jettel »Lieber tot als weg von meiner Mutter« schreien; er sah ihr kindlich-trotziges Gesicht hinter dem dichten Vorhang der Tränen so deutlich, als würde er immer noch auf dem Plüschsofa seiner Schwiegermutter sitzen. Ernüchtert und enttäuscht, begriff Walter, daß sich seitdem in seiner Ehe nichts geändert hatte.

Jettel war keine Frau, die sich ihrer Fehler schämte. Sie bestand in jeder Lebenslage darauf, sie zu wiederholen. Nur diesmal hatte Walter nicht mehr die Argumente eines Mannes, der seine Familie retten wollte, um seine Frau zu überzeugen. Er war noch immer ein Verlassener und Gejagter, und jeder konnte ihn als Mann ohne Gesinnung und Stolz brandmarken. Er wartete auf den Zorn, den er sich nicht anmerken lassen durfte, aber er spürte nur ein Mitleid mit sich selbst, das ihn müde machte.

Walters Herz raste, als er sich abermals räusperte, um seiner Stimme eine Festigkeit zu geben, die er nicht mehr in sich fühlte. Er merkte, wie seine Kraft nachließ. Zu machtlos war er gegen seine zaudernde Scheu, von Heimkehr und Heimat zu sprechen. Die Worte, die ihm in fremder Sprache und bei dem Captain so leicht gekommen waren, verhöhnten ihn, aber noch wollte er sich nicht geschlagen geben. Nur kam es ihm sinnvoller und auf alle Fälle diplomatisch vor, den englischen Begriff zu gebrauchen, den er selbst vor ein paar Stunden zum erstenmal gehört hatte.

»Repatriation«, sagte er.

»Was heißt das?« fragte Jettel widerstrebend. Sie überlegte gleichzeitig, ob sie das Wort kennen müßte und ob sie die Aja mit dem Kind schon ins Haus holen oder lieber dafür sorgen sollte, daß Owuor erst das Wasser aufsetzte, um die Windeln auszukochen. Sie seufzte, weil Entscheidungen am späten Nachmittag sie mehr ermüdeten als in der Zeit vor der Geburt.

»Ach, nichts. Mir ging nur etwas durch den Kopf, was der Captain heute gesagt hat. Ich mußte ihm stundenlang eine Verordnung suchen, die der alte Esel die ganze Zeit auf seinem Schreibtisch liegen hatte.«

»Ach, du warst bei ihm? Hoffentlich hast du wenigstens die Gelegenheit genutzt, ihm klarzumachen, daß er dich mal befördern könnte. Elsa sagt auch, daß du in solchen Sachen nicht energisch genug bist.«

»Jettel, finde dich endlich damit ab, daß es Refugees bei der Army nicht weiter als bis zum Sergeant bringen. Glaub mir, ich bin ein Meister im Nutzen von Gelegenheiten.«

Die Chance, mit Jettel in Ruhe über Deutschland zu sprechen, kam nicht mehr wieder. Der »Aufbau« ließ es nicht zu. Sechs Wochen nach dem Erscheinen der Anzeige traf der erste von vielen Briefen ein, die so viel Vergangenheit beschworen, daß Walter nicht den Mut fand, Jettel eine Zukunft auszumalen, die er sich, selbst in optimistischer Stimmung, nur sehr vage vorstellen konnte.

Der erste Brief kam von einer alten Frau aus Shanghai. »Mich hat es aus dem schönen Mainz hierher verschlagen«, schrieb sie, »und ich habe eine ganz kleine Hoffnung, daß es mir gelingen könnte, durch Sie, sehr geehrter Herr Doktor, etwas über das Schicksal meines einzigen Bruders zu erfahren. Ich habe das letztemal im Januar 1939 von ihm ein Lebenszeichen erhalten. Damals schrieb er mir aus Paris, daß er versuchen wollte, zu seinem Sohn nach Südafrika auszuwandern. Leider habe ich keine Adresse von meinem Neffen in Südafrika, und der weiß ja auch nicht, daß ich noch mit dem letzten Transport nach Shanghai gelangt bin. Nun sind Sie der einzige Mensch, den ich in Afrika kenne. Natürlich wäre es ein Zufall, wenn Sie meinem Bruder begegnet wären, aber wir, die wir leben, verdanken dies ja alle nur dem Zufall. Ich wünsche Ihnen alles Glück für Ihren Sohn. Möge er in einer besseren Welt aufwachsen, als sie uns vergönnt ist.«

Es folgten viele Briefe von unbekannten Absendern, die sich nur deshalb an den Funken Hoffnung klammerten, Nachricht von vermißten Familienangehörigen zu bekommen, weil die entweder aus Oberschlesien stammten oder zuletzt von dort geschrieben hatten. »Mein Schwager ist 1934 in Buchenwald ermordet worden«, schrieb ein Mann aus Australien, »und meine Schwester danach mit ihren zwei kleinen Kindern nach Ratibor gezogen, wo sie Arbeit in einer Weberei fand. Trotz aller Nachforschungen bei dem Roten Kreuz hat man ihren Namen und den der Kinder auf keiner Deportationsliste finden können. Ich schreibe an Sie, weil meine Schwester einmal Leobschütz erwähnt hat. Vielleicht sind Sie dem Namen mal begegnet oder stehen mit Juden aus Ratibor in Verbindung, die überlebt haben. Ich weiß, daß meine Bitte töricht ist, aber ich bin noch nicht weit genug, um Hoffnungen zu begraben.«

»Und ich habe immer gedacht, kein Mensch kennt Leobschütz«, wunderte sich Jettel, als schon am nächsten Tag ein ähnlicher Brief eintraf. »Wenn wir nur einmal eine gute Nachricht bekommen würden.«

»Und mir«, erwiderte Walter bedrückt, »geht jetzt erst auf, wie kurz der Weg von Oberschlesien nach Auschwitz war. Das macht mir zu schaffen.«

Die Fülle von fremdem Leid und sinnloser Hoffnung, die in Nairobi angeschwemmt wurde, ließ nicht nur die eigenen Wunden bluten; sie machte in ihrer Gewalt apathisch.

»Du hast was Schönes angerichtet«, sagte Walter zu seinem Sohn.

An einem Freitag im Mai nahm Regina die Post aus Owuors Korb. »Ein Brief aus Amerika«, meldete sie, »jemand, der Ilse heißt.«

Sie sprach den Namen englisch aus, und Jettel mußte lachen. »So heißt kein Mensch in Deutschland. Gib mal her.«

Regina konnte gerade noch sagen: »Mach bloß das Kuvert nicht kaputt, gerade die aus Amerika sind so schön«, und dann sah sie, wie ihre Mutter blaß wurde und daß ihre Hände zitterten.

»Ich weine ja gar nicht«, schluchzte Jettel, »ich freue mich doch so. Regina, der Brief ist von meiner Jugendfreundin Ilse Schottländer. Mein Gott, daß die noch lebt.«

Sie setzten sich nebeneinander ans Fenster, und Jettel begann, den Brief sehr langsam vorzulesen. Es war, als wollte ihre Stimme jede Silbe festhalten, ehe sie die nächste aussprechen mußte. Regina verstand manche Worte nicht, und die fremden Namen wirbelten um ihre Ohren herum wie Heuschrecken auf einem Feld mit jungem Mais. Sie mußte sich viel Mühe geben, immer dann zu lachen und zu weinen, wenn es ihre Mutter auch tat, aber sie trieb ihre Sinne energisch an, in dem Sturm von Trauer und Freude mitzuhalten. Owuor kochte Tee, obwohl die Zeit dafür noch nicht gekommen war, holte die Taschentücher aus dem Schrank, die er für die Tage mit fremden Briefmarken bereithielt, und setzte sich in die Hängematte.

Als Jettel den Brief das viertemal vorgelesen hatte, waren sie und Regina so erschöpft, daß sie beide nichts mehr sagten. Erst nach dem Mittagessen, das zu Owuors Kummer so zurückging, wie er es hereingetragen hatte, waren sie imstande, wieder zu sprechen, ohne vorher den Atem aus der Brust zu holen.

Sie überlegten, wie sie Walter von dem Brief erzählen sollten, und beschlossen schließlich, ihn gar nicht zu erwähnen und ihn wie die gewöhnliche Post auf den runden Tisch zu legen. Am frühen Nachmittag aber trieben Erregung und Ungeduld Jettel aus dem Haus. Sie lief trotz der Hitze und des schattenlosen Weges mit Regina, Max im Kinderwagen, der Aja und dem Hund zur Bushaltestelle.

Der Bus rollte noch, als Walter vom Trittbrett sprang. »Ist was mit Owuor?« fragte er erschrocken.

»Der bäckt die kleinsten Brötchen seines Lebens«, flüsterte Jettel.

Walter begriff sofort. Er kam sich wie ein Kind vor, das

die Vorfreude bis zur Neige genießen will und ein unerwartetes Geschenk gar nicht erst aufpackt. Erst küßte er Jettel und dann Regina, streichelte seinen Sohn und pfiff die Melodie von »Don't fence me in«, die Chebeti so liebte. Dann erst fragte er: Wer hat geschrieben?«

»Das rätst du nie.«

»Jemand aus Leobschütz?«

»Nein.«

»Aus Sohrau?«

»Nein.«

»Mach schon, ich platze.«

»Ilse Schottländer. Aus New York. Ich meine aus Breslau.«

»Die reichen Schottländers? Die vom Tauentzienplatz?«

»Ja, Ilse war doch in meiner Klasse.«

»Mein Gott, an die habe ich seit Jahren nicht mehr gedacht.«

»Ich auch nicht«, sagte Jettel, »aber sie hat mich nicht vergessen.«

Sie bestand darauf, daß Walter den Brief noch an der Bushaltestelle las. Am Rande der Straße standen zwei kümmerliche Dornakazien. Chebeti zeigte auf sie, holte nach dem letzten Wort der Memsahib eine Decke aus dem Kinderwagen und breitete sie, immer noch die schöne Melodie vom Bwana summend, unter dem größeren der beiden Bäume aus. Lachend hob sie Max aus dem Wagen, ließ einen Moment den Schatten auf seinem Gesicht tanzen und legte ihn zwischen ihre Beine. In ihren dunklen Augen brannten grüne Funken.

»Ein Brief«, sagte sie, »ein Brief, der durch das große Wasser geschwommen ist. Owuor hat ihn gebracht.«

»Laut, Papa, lies laut«, sagte Regina mit der bettelnden Stimme eines kleinen Mädchens.

»Hat Mama dir denn den Brief nicht schon zigmal vorgelesen?«

»Ja, aber sie hat so viel dabei geweint, daß ich ihn immer noch nicht verstanden habe.«

»Meine liebe, liebe Jettel«, las Walter, »als Muttchen gestern mit dem ›Aufbau‹ nach Hause kam, bin ich fast verrückt geworden. Ich bin jetzt noch ganz aufgeregt und kann kaum glauben, daß ich an Dich schreibe. Ich gratuliere Euch beiden aus vollem Herzen zu Euerm Sohn. Möge er nie erleben, was wir erlebt haben. Ich weiß noch genau, wie Du uns in Breslau mit Deiner Tochter besuchst hast. Sie war damals drei und ein sehr scheues Kind. Wahrscheinlich ist sie jetzt eine junge Dame und spricht nicht mehr Deutsch. Die Refugeekinder hier schämen sich alle ihrer sogenannten Muttersprache. Mit Recht.

Ich wußte zwar, daß Ihr nach Afrika ausgewandert seid, aber von da ab verlor sich Eure Spur. So weiß ich auch gar nicht, wo ich anfangen soll. Unsere Geschichte jedenfalls ist schnell erzählt. Am 9. November 1938 haben die Bestien unsere Wohnung zertrümmert und meinen guten Vater, der mit einer Lungenentzündung im Bett lag, auf die Straße geschleift und fortgeschleppt. Es war das letztemal, daß wir ihn sahen. Er starb vier Wochen später im Gefängnis. Ich kann immer noch nicht an diese Zeit denken, ohne die Ohnmacht und Verzweiflung zu spüren, die mich nie mehr verlassen werden. Damals wollte ich nicht mehr weiterleben, aber Mutter hat es nicht zugelassen.

Diese kleine, zarte Frau, der Vater ein Leben lang jeden Wunsch von den Augen abgelesen hat und die nie auch die kleinste Entscheidung zu treffen brauchte, hat alles, was uns geblieben war, zu Geld gemacht. In Amerika hat sie einen entfernten Vetter aufgetan, der so anständig war, für Affidavits zu sorgen. Ich weiß bis heute nicht, wer in Breslau seine schützende Hand über uns hielt und wie wir an Schiffspassagen gekommen sind. Wir haben uns nicht getraut, mit irgend jemandem darüber zu sprechen. Vor allem wagten wir auch nicht, uns von irgendwem zu verabschieden (einmal sah ich Deine Schwester Käte vor Wertheim, aber es kam zu keiner persönlichen Begegnung), denn wenn bekannt wurde, daß einer auswandern wollte, wurden die Schwierigkeiten noch größer. Wir sind mit dem letzten Schiff in Amerika angekommen und hatten buchstäblich nichts außer ein paar wertlosen Erinnerungen. Die eine, das Kochbuch unserer alten Perle Anna, die sich auch nach der Kristallnacht nicht von ihren heimlichen Besuchen abhalten ließ, erwies sich als ungeahnter Schatz.

In einem Zimmer mit zwei Kochplatten begannen Mutter und ich, die wir unser ganzes Leben von Köchinnen und Dienstmädchen umsorgt worden waren, mit einem Mittagstisch für Refugees. Als wir anfingen, wußten wir nicht, wie lange ein weiches Ei im Wasser zu liegen hatte, und doch kochten wir irgendwie all die Gerichte nach, die in besseren Tagen bei den Schottländers auf den fein gedeckten Tisch gekommen waren. Welch ein Segen, daß Vater für Hausmannskost schwärmte. Doch es waren nicht unsere Kochkünste, die uns über Wasser hielten, sondern Muttchens unverwüstlicher Optimismus und ihre Fantasie.

Zum Nachtisch servierte sie immer den Klatsch aus der guten jüdischen Gesellschaft von Breslau. Du glaubst gar nicht, wie die Menschen, die alles verloren hatten, nach Geschichten verlangten, die so töricht und sinnlos waren in einer Zeit, in der jeder um seine Existenz kämpfen mußte wie zu Hause bei uns noch nicht einmal die Knechte und Dienstmädchen. Noch heute verkaufen wir selbstgemachte Marmeladen, Kuchen, Senfgurken und eingelegte Heringe, obwohl ich es inzwischen sehr weit gebracht habe. Ich bin Verkäuferin in einer Buchhandlung und kann zwar immer noch nicht besonders gut Englisch, so doch wenigstens lesen und schreiben, was hier sehr geschätzt wird. Daß ich einmal Schriftstellerin werden wollte und schon die ersten bescheidenen Erfolge hatte, habe ich längst vergessen. Mir fällt mein Jugendtraum nur heute ein, weil ich Dir schreibe und Dir immer mit Deinen Aufsätzen helfen mußte.

Zu einigen Breslauern haben wir Verbindung. Wir treffen uns regelmäßig mit beiden Brüdern Grünfeld. Die Familie hatte einen Textilgroßhandel am Bahnhof und belieferte das halbe Schlesien. Wilhelm und Siegfried kamen mit ihren Frauen schon 1936 nach New York. Die Eltern wollten nicht auswandern und wurden deportiert. Silbermanns (er war Hautarzt, hat aber hier nie das verlangte Sprachexamen nachmachen können und ist Portier in einem kleinen Hotel) und Olschewskis (er war Apotheker und hat außer einem Kind seiner Schwester nichts gerettet) wohnen in unserer Gegend, die hier allgemein das Vierte Reich heißt. Mutter braucht die Vergangenheit, ich nicht.

Jettel, ich kann mir Dich in Afrika gar nicht vorstellen. Du hattest doch immer so Angst vor allem. Sogar Spinnen und Bienen. Und wenn ich mich recht erinnere, war Dir jede Beschäftigung verhaßt, zu der man nicht die feinsten Kleider tragen konnte. An Deinen gutaussehenden Mann kann ich mich genau erinnern. Ich muß gestehen, ich habe Dich immer um ihn beneidet. Wie ich Dich auch immer um Deine Schönheit beneidet habe. Und Deinen Erfolg bei Männern. Ich bin, wie Du es mir in einem Streit schon als Zwölfjährige prophezeit hast, wirklich eine alte Jungfer geworden, und selbst wenn einer blind genug gewesen wäre, mir einen Heiratsantrag zu machen, hätte ich abgelehnt.

Nach allem, was Muttchen für mich getan hat, hätte ich sie niemals allein lassen können.

Etwas muß ich Dir doch noch erzählen. Erinnerst Du Dich an unseren alten Schulpedell Barnowksy? Er ging im Frühjahr gelegentlich unserem Gärtner und an den Waschtagen unserer Gretel zur Hand. Vater hat für seinen ältesten Sohn, der sehr begabt war, das Schulgeld bezahlt und gedacht, wir wüßten es nicht. Ich weiß nicht, wie der gute Barnowsky von unserer Auswanderung erfahren hat, aber am letzten Abend in unserer Wohnung stand er plötzlich vor der Tür und brachte uns Wellwürste als Reiseproviant. Er hatte Tränen in den Augen und hat immerzu den Kopf geschüttelt und für alle Zeiten dafür gesorgt, daß ich nun nicht mehr alle Deutschen hassen kann.

Jetzt muß ich aber wirklich Schluß machen. Ich weiß, daß Du nie gern geschrieben hast, und doch hoffe ich sehr, daß Du diesen Brief beantworten wirst. Es gibt so vieles, das ich wissen möchte. Und Mutter kann es gar nicht abwarten, zu erfahren, ob noch jemand aus Breslau in Kenya ist. Mich machen die alten Geschichten nur traurig. Als Vater starb, ist ein Teil von mir mitgestorben, aber klagen wäre ja Sünde. Keiner von uns, die wir überlebt haben, hat seine Seele retten können. Schreib bald an Deine alte Freundin Ilse.«

Die Schatten waren lang und schwarz, als Walter den Brief in seine Hemdtasche steckte. Er stand auf, zog Jettel hoch vom Boden, und einen Moment schien es, als wollten beide gleichzeitig etwas sagen, doch sie schüttelten nur gemeinsam ganz leicht den Kopf. Auf dem kurzen Weg zwischen der Bushaltestelle und dem Hove Court war nur Chebeti zu hören. Sie beruhigte mit den Fetzen einer sanften Melodie das Baby, das ansetzte, aus Hunger Verdruß zu machen, und lachte sehr fröhlich, als sie merkte, daß ihr Gesang auch gut genug war, um die Augen von der Memsahib und dem Bwana zu trocknen. »Morgen«, sagte sie zufrieden, »kommt wieder ein Brief. Morgen ist ein guter Tag.«

20

Als Max auf den Tag genau sechs Monate alt war, machte er mit einem unerwarteten Entschluß dem Gerücht ein Ende, Chebetis Sanftheit hätte ihn verweichlicht und auch so träge gemacht wie die Kinder ihres eigenen Stammes, die noch an der Brust der Mutter tranken, wenn sie bereits laufen konnten. Chebetis kleiner Askari setzte sich über den Pessimismus erfahrener deutscher Mütter hinweg und aus eigenen Kräften in seinem Kinderwagen auf. Es war Sonntagvormittag, als dies geschah. Da bot der Garten vom Hove Court dem schwergewichtigen Baby nicht den passenden Rahmen, um mit körperlichen Leistungen Aufmerksamkeit zu erregen.

Die meisten Frauen hielten, wenn auch verschämt, weil es seit dem immer populärer werdenden Wort Brunch den Landessitten nicht mehr entsprach, noch am europäischen Ritual eines üppigen Sonntagsessens fest. Sie waren damit beschäftigt, ihr Personal beim Kochen zu beaufsichtigen und über die Qualität des nicht abgehangenen Fleisches zu jammern. Die Männer quälten sich mit der »Sunday Post«, die mit ihren sprachlichen Finessen, den literarischen Ambitionen und den komplizierten Berichten vom Leben der guten Gesellschaft in London die meisten Refugees so überforderte, daß sie sich den Strapazen der Lektüre nur durch lange Pausen gewachsen fühlten und die am besten im Keim erstickte Erkenntnis, daß der Wille stärker war als das Können.

Hätte Owuor, wie sonst immer, in regelmäßigen Abständen zum Fenster herausgeschaut, hätte er seinen Stolz, den er trotz der ruhiger werdenden Nächte hartnäckig »Askari« nannte, in seinem Kinderwagen aufrecht sitzen sehen. So aber tobte Owuor im entscheidenden Augenblick in der Küche wie ein junger Massai auf seiner ersten Jagd, hatten doch die Kartoffeln vor der Ernte zuviel Regen abbekommen und zerfielen im Wasser. Kartoffeln, die nach dem Kochen wie die Wolken über dem großen Berg zu Hause in Ol' Joro Orok aussahen, pflegten bei Owuor ein Gefühl des Versagens und auf dem Gesicht vom Bwana einen Graben von Zorn zwischen Nase und Mund zu verursachen.

Chebeti bügelte die Windeln, was Owuor als mißgünstige Attacke auf seine Männlichkeit empfand: nur das Waschen der Wäsche und nicht der Umgang mit dem schweren Holzkohleneisen, das nur ihm gehorchte, gehörte zu den Aufgaben einer Aja. Jettel und Walter hatten ihren Streit vom Abend zuvor mit jener Erschöpfung vertagt, die alle Gespräche seit jenem Tag vorzeitig beendete, als Jettel die konsequenzenreiche Bedeutung des Wortes Repatriation begriffen hatte.

Sie und Walter besuchten Professor Gottschalk. Er hatte sich den Fuß verstaucht und war seit drei Wochen darauf angewiesen, daß seine Freunde ihn mit Nahrung und den Neuigkeiten aus der Welt versorgten, zu der er weder durch Radio noch Zeitungen und nur im persönlichen Gespräch Kontakt halten konnte.

So war nur Regina zu Stelle, als ihr Bruder mit einem kräftigen Schwung und lautem Krähen, das indes nur Dianas Hund anlockte, sich eine neue Position im Leben verschaffte. In weniger Zeit, als ein Vogel brauchte, um bei Gefahr die Flügel auszubreiten, verwandelte sich Max von einem Baby, das immer nur den Himmel sah und das hochgehoben werden mußte, sollte es seinen Horizont erweitern, in ein neugieriges Wesen, das jederzeit in die Augen anderer Menschen blicken und nach eigenem Belieben das Leben aus höherer Warte betrachten konnte.

Der Kinderwagen stand im Schatten des Guavenbaums, in dem früher die englische Fee logiert hatte. Seitdem die klassenbewußte Dame nicht mehr für die Wünsche und den Kummer eines einsamen Refugeekindes zuständig war, suchte Regina nur dann noch die Schutzzone ihrer Fantasie auf, wenn die Sonne sie mit gnadenloser Kraft in den Schatten jagte und so in die Vergangenheit zurücktrieb.

Als Max mit einem Staunen, das seine Augen rund wie den Mond machte, der in den Nächten seines vollkommenen Glanzes für Tageshelle sorgt, die Geborgenheit seiner Kissen verließ, hatte seine Schwester gerade eine irritierende Entdeckung gemacht. Sie erlebte zum erstenmal in solcher Deutlichkeit, daß allein schon ein vertrauter Geruch jene gut begrabenen Erinnerungen wachzurütteln vermochte, die im Kopf verwirrende Pein entfachten. Der süße Duft von Tagen, die nun nicht mehr waren, kitzelte ihre Nase mit Wehmut. Vor allem konnte Regina nicht befriedigend klären, ob sie sich ihre Fee zurückwünschte oder nicht. Die Wahl der Möglichkeiten machte sie unsicher.

»Nein«, entschied sie schließlich, »ich brauche sie nicht mehr. Ich habe ja dich. Du lächelst wenigstens, wenn man dir was erzählt. Und mit dir kann ich ja genausogut Englisch sprechen wie früher mit der Fee. Wenigstens, wenn wir allein sind. Oder hörst du doch lieber Suaheli?«

Regina machte den Mund so weit auf wie ein Vogel beim Füttern der Brut, schob Kühle in ihre Kehle und lachte, ohne die Stille zu stören. Immer noch genoß sie mit der gleichen Freude wie am herrlichen Tag, als ihr erstmals das Wunder vergönnt worden war, daß sie mit ihrem Lächeln Freude auf das Gesicht ihres Bruders zaubern konnte. Max gurgelte zufrieden und reihte die Laute, die in ihm waren, zu einer Fontäne von Jubel zusammen, die Regina als »Aja« deutete.

»Laß das bloß Papa nicht hören«, kicherte sie, »der wird verrückt, wenn das erste Wort von seinem Sohn in Suaheli ist.
Der will mit dir in seiner Sprache und von seiner Heimat reden. Sag doch mal Leobschütz. Oder wenigstens Sohrau.«

Regina erkannte zu spät, daß sie sich so unerfahren verhalten hatte wie ein sehr junger Geier, der durch voreiliges Lautgeben seine Artgenossen anlockt und mit ihnen die Beute teilen muß. Sie hatte sich von ihrer Fantasie in die Schlucht treiben lassen, aus der sie nicht ohne Wunden herausklettern konnte. Aus dem schönen alten Spiel mit dem Zuhörer, der nie eine Antwort und also immer die gewünschte gab, war Gegenwart mit grinsender Fratze geworden, und die erinnerte sie an den Streit ihrer Eltern, der nun so regelmäßig wiederkehrte wie das Heulen der Hyänen in den Nächten von Ol' Joro Orok.

Schon damals hatte Regina gewußt, wie sehr das Wort Deutschland, sobald ihr Vater nur die erste der beiden Silben formte, für Kummer und Verdruß stand. Seit einiger Zeit aber war Deutschland für alle eine Bedrohung, die stärker war als die geballte Macht aller unverständlichen Worte, die Regina in ihrer Kindheit fürchten gelernt hatte. Wenn es ihren Ohren nicht gelang, sich rechtzeitig dem unbarmherzigen Krieg ihrer Eltern zu verschließen, dann hörten sie immer wieder von jenem Abschied, den Regina sich noch viel schmerzhafter vorstellte als die Trennung von der Farm, die sie trotz aller Bemühungen und dem Versprechen an Martin nicht vergessen konnte.

Es waren nicht nur die Bosheiten, mit denen ihre Eltern einander quälten, die Regina angst machten, sondern noch mehr das Gefühl, daß von ihr die furchtbare Entscheidung verlangt wurde, ob sie ihrem Kopf oder ihrem Herzen recht geben sollte. Ihr Kopf stand auf seiten ihrer Mutter, ihr Herz schlug für den Vater.

»Weißt du, Askari«, sagte Regina und sprach mit ihrem Bruder das schöne weiche Jaluo, so wie es Owuor und Chebeti taten, sobald sie mit dem Kind allein waren, »das wird dir genauso gehen. Wir sind nicht wie andere Kinder. Anderen Kindern erzählt man nichts, uns sagen sie alles. Wir beide haben Eltern bekommen, die ihren Mund nicht halten können.«

Sie stand auf, genoß eine Weile das Stechen der harten Grasbüschel unter den nackten Füßen wie ein belebendes Bad, lief dann schnell zu dem blühenden Hibiskus und pflückte eine lila Blume aus der wuchernden Pflanze. Behutsam trug sie die empfindliche Blüte zum Wagen und streichelte mit ihr so lange das Baby, bis es kreischend krähte und aus seiner Kehle wieder die einsilbigen Laute holte, die wie eine Mischung aus Jaluo und Suaheli klangen.

»Wenn du es keinem sagst«, flüsterte sie, setzte Max auf ihren Schoß und fuhr, etwas lauter, englisch fort, »erklär ich's dir. Gestern schrie Mama ›Ins Land der Mörder bringt mich keiner‹, und ich mußte einfach mit ihr weinen. Ich wußte, daß sie an ihre Mutter und an ihre Schwester dachte. Weißt du, das waren unsere Großmutter und unsere Tante. Aber dann hat Papa zurückgeschrien: ›Nicht jeder war ein Mörder‹, und er war so blaß und hat so gezittert, daß er mir schrecklich leid tat. Und dann habe ich für ihn geweint. So geht das immer. Ich weiß nicht, für wen ich bin. Verstehst du, daß ich am liebsten mit dir rede. Du weißt ja noch nicht einmal, daß es Deutschland gibt.«

»Na, Regina, stopfst du deinen Bruder voll mit deinen englischen Gedichten, oder kriegt er mal einen anderen Unsinn eingetrichtert?« rief Walter von weitem und kam hinter dem Maulbeergebüsch hervor.

Regina hob ihren Bruder hoch und verbarg ihr Gesicht hinter seinem Körper. Sie wartete, bis ihre Verlegenheit nicht mehr die Haut einfärbte, und kam sich wie ein Jäger vor, der in die eigene Falle gestolpert war. Dieses Mal hatte Owuor nicht recht gehabt. Er behauptete, sie hätte Augen wie ein Gepard, aber sie hatte ihren Vater nicht kommen sehen.

»Ich dachte, du bist beim alten Gottschalk«, stotterte sie.

»Da waren wir. Er läßt dich grüßen und sagt, du sollst dich mal wieder sehen lassen. Das mußt du tun, Regina. Der alte Mann wird immer einsamer. Da muß man das bißchen Hilfe, das man geben kann, auch freiwillig geben. Wir können ja nichts außer uns selbst verschenken. Mama ist schon vorgegangen zum Flat. Und ich habe gedacht, meine Kinder würden sich mit mir freuen. Doch meine Tochter sieht aus wie ein Eierdieb, der auf frischer Tat ertappt worden ist.«

Die Gewalt der Reue, als sie Walters Enttäuschung spürte, beutelte Regina. Schwerfällig wie eine alte Frau ohne Zähne und ohne Kraft in den Gliedern, stand sie auf, legte Max zurück in seine Kissen, ging langsam und sehr zögernd auf ihren Vater zu und umarmte ihn so heftig, als könnte sie allein mit ihren Armen die Gedanken zurücknehmen, von denen er nichts wissen durfte. Das Beben in seinem Körper verriet ihr noch mehr als sein Gesicht die Erregung der vergangenen Nacht. Regina drückte, obwohl sie sich wehrte, eine Trauer, die ihr Gewissen schwer machte; sie suchte nach Worten, um ihm ihr Mitleid zu verbergen, doch er kam ihr zuvor.

»Du warst nicht sehr vorsichtig in der Auswahl deiner Eltern«, sagte Walter und setzte sich unter den Baum. »Jetzt wollen sie schon das zweitemal mit dir in ein fremdes Land ziehen.«

»Du willst, Mama nicht.«

»Ja, Regina, ich will und muß. Und du mußt mir helfen.« »Ich bin doch noch ein Kind.«

»Das bist du nicht, und du weißt es. Mach wenigstens du's mir leicht. Ich könnte mir nie verzeihen, wenn ich dich unglücklich mache.«

»Warum müssen wir nach Deutschland? Andere müssen doch auch nicht. Inge sagt, ihr Vater wird nächstes Jahr Engländer. Das kannst du doch auch werden. Du bist doch bei der Army und er nicht.«

»Hast du denn Inge erzählt, daß wir zurück nach Deutschland wollen?«

»Ja.«

»Und was sagt sie?«

»Das weiß ich nicht. Sie spricht nicht mehr mit mir.«

»Ich wußte nicht, daß Kinder schon so unbarmherzig sein können. Das wollte ich dir nicht antun«, murmelte Walter, »versuch doch, mich zu verstehen. Inges Vater bekommt vielleicht einen englischen Paß, aber Engländer wird er deshalb nicht. Sag mal selbst, kannst du dir vorstellen, daß er in englische Familien eingeladen wird? Sagen wir mal bei deiner werten Frau Direktorin?«

»Bei der nie!«

»Und auch sonst bei keinem. Siehst du. Ich will nicht ein Mann mit einem Namen sein, der nicht zu mir gehört, aber ich muß endlich wieder wissen, wohin ich gehöre. Ich kann nicht länger ein bloody Refugee sein, der von niemand für voll genommen und von den meisten verachtet wird. Hier werde ich immer nur geduldet werden und immer nur der Außenseiter sein. Kannst du dir überhaupt vorstellen, was das bedeutet?«

Regina biß sich auf die Unterlippe, aber sie antwortete trotzdem sofort. »Ja«, sagte sie, »das kann ich.« Sie fragte sich, ob ihr Vater ahnte, was sie in den Jahren auf der Schule erlebt und gelernt hatte, erst in Nakuru und nun auch in Nairobi. »Hier«, erklärte sie ihm, »ist es noch schlimmer. In Nakuru war ich nur deutsch und jüdisch, jetzt bin ich deutsch, jüdisch und ein bloody Day-Scholar. Das ist schlimmer als nur bloody Refugee. Glaub mir, Papa.«

»Du hast uns nie etwas davon gesagt.«

»Ich konnte nicht. Erst hatte ich nicht genug Worte im Kopf, und später wollte ich dich nicht traurig machen. Und außerdem«, fügte sie nach einer langen Pause hinzu, in der sie die Bilder der Einsamkeit bedrängten, »macht's mir nichts aus. Nicht mehr.«

»Max wird es genauso gehen, wenn er in die Schule kommt. Hoffentlich hat er ein so großes Herz wie du und nimmt seinem Vater nicht übel, daß er ein Versager ist.«

Als aus der Liebe eines Kindes die Bewunderung der Frau wurde, schwieg Regina, doch sie wußte, daß ihre Augen sie verrieten. Ihr Vater war nicht dumm, verträumt und schwach, wie ihre Mutter dachte. Er war kein Feigling und rannte nicht vor Schwierigkeiten davon, wie sie in jedem Streit behauptete. Der Bwana war ein Kämpfer voller Kraft und so klug, wie nur ein Mann sein konnte, der seinen Mund nicht aufmachte, wenn die Zeit dafür noch nicht gekommen war. Nur ein Sieger wußte auch, wann er seinen besten Pfeil herausholen mußte, und er nahm sehr sorgsam Maß, um die empfindlichste Stelle der Menschen zu suchen, die er treffen wollte. Ihr hatte der furchtlose Bwana ins Herz geschossen, so tief wie Amor und so listig wie Odysseus. Regina fragte sich, ob sie lachen oder weinen sollte.

»Du kämpfst mit Worten«, erkannte sie.

»Das ist das einzige, was ich je gelernt habe. Das will ich wieder tun. Für euch alle. Du mußt mir helfen. Ich habe nur dich.«

Das Wissen um die Last, die ihr der Vater aufbürdete, wog schwer. Regina versuchte noch einmal, sich aufzulehnen, aber gleichzeitig kam sie sich vor, als hätte sie sich im Wald verirrt und soeben eine rettende Lichtung entdeckt. Das Tauziehen um ihr Herz war zu Ende. Ihr Vater hielt ein für allemal den längeren Teil des Seils in der Hand.

»Versprich mir«, sagte Walter, »daß du nicht traurig bist, wenn wir nach Hause fahren. Versprich mir, daß du mir vertrauen wirst.«

Noch während ihr Vater sprach, schlugen die Erinnerungen so scharf auf Regina ein wie die geschliffene Axt auf einen kranken Baum. Sie roch den Wald von Ol' Joro Orok, sah sich im Gras liegen, spürte das Feuer einer unerwarteten Berührung und danach sofort den stechenden Schmerz.

»Das hat Martin auch gesagt. Damals, als er noch ein Prinz war und mich von der Schule abholte. Du darfst nicht traurig sein, wenn du mal von der Farm wegmußt, hat er gesagt. Ich mußte es ihm versprechen. Wußtest du das?«

»Ja. Eines Tages wirst du die Farm vergessen. Das verspreche ich dir. Und noch etwas, Regina, vergiß Martin. Du bist zu jung für ihn und er nicht gut genug für dich. Martin hat immer nur sich selbst geliebt. Er hat schon deiner Mutter den Kopf verdreht. Da war sie kaum älter als du heute. Hat er dir je geschrieben?«

»Er wird«, sagte Regina eifrig.

»Du bist wie dein Vater. Ein dummes Luder, das alles glaubt. Wer weiß, ob wir je wieder was von Martin hören. Er wird in Südafrika bleiben. Du mußt ihn vergessen. Die erste Liebe wird nie was im Leben, und das ist gut so.«

»Mama war doch auch deine erste Liebe. Das hat sie mir selbst gesagt.«

»Und was ist draus geworden?«

»Max und ich«, erwiderte Regina. Sie sah ihren Vater so lange an, bis es ihr schließlich doch gelang, ein Lächeln aus seinem Mund zu locken.

»Wenn wir nach Deutschland müssen«, fragte sie auf dem Weg zurück zum Flat, »was wird aus Owuor? Kann er wieder mit uns gehen?«

»Diesmal nicht. Es wird uns ein Stück aus dem Herz brechen, und die Wunde wird nie mehr heilen. Es tut mir leid, Regina, daß du kein Kind mehr bist. Kinder kann man belügen.«

Es war leicht, beim Mittagessen die Tränen als einen Schmerz des Körpers zu tarnen. Owuor hatte aus den zerfallenen Kartoffeln einen festen Brei mit viel Pfeffer und noch mehr Salz gemacht.

Am Donnerstag ging Regina mit Chepoi auf den Markt, um für Dianas Geburtstag einzukaufen. Sie mußte danach sehr lange und mit vielen Worten, die sie aus einem Gedicht von Shakespeare holte und sehr frei übersetzte, Owuors Eifersucht zum Erlöschen bringen und konnte dann endlich Professor Gottschalk besuchen. Er saß, zum erstenmal seit seinem Sturz, wieder in der dicken schwarzen Samtjacke auf dem wackeligen Klappstuhl vor seiner Tür. Auf der Decke über seinen Knien lag auch das vertraute Buch, doch der rote Ledereinband mit der goldenen Schrift, die Regina jedesmal so faszinierte, daß sie sich nicht auf die Buchstaben konzentrieren konnte, war verstaubt.

Sie erkannte mit einer Beklommenheit, die ihr den säuerlichen Geschmack von Angst zwischen die Zähne drückte und die sie erst am Tag darauf als Schmerz deuten lernte, daß der alte Mann gar nicht mehr lesen wollte. Er hatte seine Augen auf Safari in eine Welt geschickt, in der die Zitronenbäume, unter denen er in gesunden Tagen so oft spaziert war, keine Früchte mehr trugen. Seit ihrem letzten Besuch war der schwarze Hut größer und das Gesicht darunter kleiner geworden, doch die Stimme war kräftig, als der Professor sagte: »Es ist nett, daß du noch kommst, die Zeit wird knapp.«

»Aber nein«, widersprach Regina schnell und mit jener

verbindlichen Höflichkeit, die sie oft als Tugend der Pfad-
finder hatte einüben müssen, »ich hab' Ferien.«

»Die hatte ich früher auch.«

»Sie haben doch immer Ferien.«

»Nein, zu Hause hatte ich Ferien. Hier ist ein Tag wie
der andere. Jahrein, jahraus. Entschuldige, Lilly, daß ich so
undankbar bin und so dumm daherrede. Du kannst dir ja
gar nicht vorstellen, was ich meine. Du bist noch jung genug zu trinken, was die Wimper hält.«

Als Regina klar wurde, daß der Professor sie mit seiner
Tochter verwechselt hatte, wollte sie es ihm sofort sagen,
denn es brachte nichts Gutes, wenn sich ein Mensch den
Namen eines anderen borgte, doch wußte sie nicht, wie sie
eine so komplizierte Geschichte erklären sollte, wenn nicht
mit Owuors Worten und in seiner Sprache.

»Mein Vater sagt auch solche Sachen«, flüsterte sie.

»Bald nicht mehr, sein Herz ist bereit zum Abschied
und zum Neubeginn«, sagte der Professor und blinzelte
ein wenig, ohne daß seine Augen Freude fanden. Einen
kurzen Augenblick wurde sein Gesicht wieder so groß wie
sein Hut. »Dein Vater ist ein kluger Mann. Er hat wieder
Hoffnung. Und was die innere Stimme spricht, das täuscht
die hoffende Seele nicht.«

Regina grübelte irritiert, weshalb ihre Haut kalt geworden war, obwohl sie der Schatten von der Mauer nicht erreichen konnte. Dann wußte sie Bescheid. Das Heulen von
Hyänen, die zu alt waren, Beute zu machen, klang in
dunklen Nächten wie das Lachen vom Professor in der
größten Helligkeit des Tages. Sie überlegte gleichzeitig,
wie alt er sein mochte und weshalb alte Menschen so oft
Dinge sagten, die noch schwieriger zu entschlüsseln waren
als die geheimnisvollen Rätsel in antiken Sagen.

»Freust du dich auf Deutschland?« fragte der Professor.

»Ja«, sagte Regina und kreuzte rasch ihre Finger, wie sie
es als Kind von Owuor gelernt hatte, um den Körper vor
dem Gift einer Lüge zu schützen, die der Mund nicht mehr
hatte halten können. Sie war nun ganz sicher, daß der Professor nicht mit ihr sprach, aber es verwirrte sie nicht. Hat-

te sie nicht bei ihrem Vater immer wieder erlebt, daß ein Mann jemanden brauchte, der ihm zuhörte, auch wenn dieser Freund die falschen Ohren hatte?

»Wie gern möchte ich mit dir tauschen. Stell dir vor, du bist daheim, gehst auf die Straße, und alle Menschen sprechen Deutsch. Selbst die Kinder. Du brauchst sie nur etwas zu fragen, und sie verstehen dich sofort und geben dir Antwort.«

Regina machte den Mund langsam auf und noch langsamer wieder zu. Sie brauchte Zeit, um herauszubekommen, ob der Professor überhaupt noch wußte, daß sie auf dem Boden neben seinem Stuhl saß. Er lächelte ein wenig, als hätte er sein Leben lang mit gähnenden Affen geredet, die nicht erst Laute herausbrüllen müssen, um auf sich aufmerksam zu machen.

»Frankfurt«, sagte er und kratzte mit sanfter Stimme an dem guten Schweigen, »war so schön. Erinnerst du dich? Wie kann nur ein Mensch net von Frankfurt sei! Das hast du schon als ganz kleines Mädchen aufsagen können. Sie haben alle gelacht. Mein Gott, was waren wir damals glücklich. Und töricht. Grüß die Heimat von mir, wenn du sie siehst. Sag ihr, ich konnte sie nicht vergessen. Ich hab's ja immer wieder versucht.«

»Das werde ich tun«, sagte Regina. Sie schluckte ihre Verwirrung zu hastig hinunter und begann zu husten.

»Und danke, daß du es noch rechtzeitig geschafft hast. Sag Mutter, sie soll nicht schimpfen, wenn du zu spät zum Gesangsunterricht kommst.«

Regina schloß die Augen, während sie darauf wartete, daß das Salz unter den Lidern zu kleinen trockenen Körnern wurde. Es dauerte länger, als sie dachte, bis sie wieder klar sehen konnte, und dann merkte sie, daß der Professor eingeschlafen war. Er atmete so laut, daß das leise Pfeifen des Windes verstummte; der Rand seines schwarzen Hutes berührte seine Nase.

Obwohl Regina ohne Schuhe lief und ihre Schritte auf der verkrusteten Erde kaum mehr Geräusch machten als ein Schmetterling, der auf einem verdurstenden Rosenblatt zur Ruhe kommt, achtete sie darauf, daß nur ihre Zehen den Boden berührten. Nach der Hälfte des Wegs drehte sie sich noch einmal um, denn es erschien ihr mit einem Mal richtig und wichtig, daß der Professor nicht aufwachte, ehe er wieder die Kraft fand, die Formen und Farben in seinem Kopf zu ordnen.

Es machte sie zufrieden und auch auf eine Art, die sie sich noch nicht erklären konnte, fröhlich, ihn ruhig schlafen zu sehen. Weil sie wußte, daß er sie nicht hören würde, gab sie dem plötzlichen, übermütigen Drängen nach, statt auf Wiedersehen »Kwaheri« zu rufen.

Es wurde Abend, ehe sich die Bewohner vom Hove Court zu wundern begannen, daß Professor Gottschalk, der eine Abneigung gegen die unvermittelt aufkommende Kühle der afrikanischen Nächte hatte, noch immer ruhig auf seinem Stuhl saß. Dann aber sprach es sich so schnell herum, als hätten es Trommeln aus den Wäldern mit verzauberten Echos gemeldet, daß er tot war.

Das Begräbnis fand bereits am nächsten Tag statt. Weil es ein Freitag war und der Tote vor Beginn des Sabbats beigesetzt werden mußte, weigerte sich der Rabbiner trotz aller Hinweise auf die außergewöhnliche Wut der Regenzeit in Gilgil, die Beerdigung länger als bis zum Mittag hinauszuzögern. Er bemühte sich, mit der Andeutung eines Lächelns und vielen versöhnlichen Gesten Verständnis für die Erregung zu zeigen, die seine Pflicht zur Gesetzestreue bei der Trauergemeinde auslöste, doch er verschloß sich jedem Einwand, selbst den in durchaus verständlichem Englisch vorgetragenen Argumenten, daß der Professor Anspruch hatte, auf seinem letzten Weg von Tochter und Schwiegersohn begleitet zu werden.

»Wenn der Radio hören statt beten würde, wüßte er, daß die Straße von Gilgil nach Nairobi nur noch Matsch ist«, sagte Elsa Conrad erbittert. »Einen Mann wie den Professor verscharrt man nicht ohne seine Angehörigen.«

»Ohne solche frommen Männer wie den Rabbiner hier, gäbe es überhaupt keine Juden mehr«, versuchte Walter zu vermitteln, »der Professor hätte das verstanden.«

»Verdammt noch mal, mußt du denn immer Verständnis für andere Leute haben?«

»Das Kreuz trage ich schon mein ganzes Leben.«

Lilly und Oscar Hahn erreichten den Friedhof, als die Sonne kaum noch einen Schatten warf und der kleine Kreis der Ratlosen bekümmert am Grab stand. Nach den Gebeten hatte der Rabbiner eine kurze englische Ansprache voll Wissen und Weisheit gehalten, doch die Empörung und vor allem die mangelnden Sprachkenntnisse der meisten Anwesenden hatten die Unruhe nur noch gesteigert.

Oscar, in einer Khakihose und einer zu engen, dunklen Jacke, war ohne Krawatte, hatte Spuren von eingetrocknetem Lehm auf Hose und Stirn und atmete schwer. Er brachte kein Wort heraus und lächelte befangen, als er ans Grab trat. Lilly hatte die Hose an, in der sie abends die Hühner fütterte, und einen roten Turban um den Kopf. Sie war so nervös, daß sie vergaß, am Friedhofstor die Wagentür zuzuschlagen. Ihr Pudel, der genau wie Oscar in den letzten beiden Jahren sehr viel älter, grauer und dicker geworden war, hetzte hechelnd hinter ihr her. Jenseits der hohen Bäume rief Manjala, den Regina sofort an seiner heiseren Stimme erkannte, nach dem Hund. Er beschimpfte ihn als Sohn der gefräßigen Schlange von Rumuruti und drohte ihm abwechselnd mit ihrer Wut und der Rache des nie verzeihenden Gottes Mungo.

Regina mußte das Lachen, das mit der Wucht eines wütenden Wasserfalls in ihre Kehle drängte, wie zu reife und gedankenlos zerkaute Pfefferbeeren hinunterwürgen; in Gedanken an den Professor gab sie sich auch Mühe, ihr Gesicht beim Anblick von Lilly und Oha von Freude freizuhalten. Sie stand zwischen Walter und Jettel unter einer Zeder, auf der ein balzender Glanzstar trotz der Mittagshitze in hellen, hohen Tönen um Aufmerksamkeit buhlte. Als Regina sah, wie Lilly rannte und daß die Anstrengung Falten in ihr Gesicht bohrte, fiel ihr ein, daß sich der Professor gesorgt hatte, seine Tochter könnte zu spät zum Gesangsunterricht kommen. Zuerst dachte Regina, sie müßte doch noch lachen, und sie biß sich erschrocken auf die Lippen, dann spürte sie Tränen, obwohl ihre Augen noch trocken waren.

In dem Moment, als Lilly das Grab erreichte und erleichtert aufseufzte, nahm der Pudel die Witterung von Reginas Haut auf und sprang mit schrillem Freudengeheul an ihr hoch, ehe er sich zwischen ihre Beine verkroch. Sie streichelte ihn, um sich und ihn zu beruhigen, und erregte so die Aufmerksamkeit des Rabbiners, der sie und den winselnden Hund anstarrte und dabei die Lippen zusammenkniff.

Oha sagte sehr leise, und immer noch nicht bei Atem, Kaddisch für den Toten, doch seine Eltern waren vor so langer Zeit gestorben, daß er sich nicht schnell genug an den Text des Gebets erinnern konnte und für jedes Wort eine Vergangenheit beschwören mußte, die ihm im Moment seiner erschöpfenden Erregung mit falschen Lauten abspeiste. Alle merkten, wie peinlich es ihm war, daß er die Hilfe eines eifrigen, kleinwüchsigen Mannes annehmen mußte, den niemand kannte und der genau im richtigen Augenblick hinter einem Grabstein aufgetaucht war.

Der Fremde mit Bart und hohem schwarzem Hut erschien schon deshalb zu jeder Beerdigung in Kreisen der Refugees, weil er stets auf die Erfahrung bauen konnte, daß die wenigsten von ihnen orthodox genug waren, um das Totengebet fließend zu sprechen, und daß sie sich fast immer mit der Großzügigkeit von Menschen, die sich das Geben nicht leisten konnten, erkenntlich für seine Hilfe zeigten.

Nachdem Oha endlich das letzte Wort vom Totengebet gestottert hatte, wurde das Grab rasch zugeschaufelt. Auch der Rabbiner schien in Eile. Er hatte sich schon einige Schritte entfernt, als Lilly sich aus den Armen der Tröstenden löste und mit einer kindlichen Schüchternheit, die sie zu einer Fremden machte, leise sagte: »Ich weiß, das Lied paßt nicht zu einer Beerdigung, aber mein Vater hat es geliebt. Ich möchte es hier ein letztesmal für ihn singen.«

Lillys Gesicht war bleich, ihre Stimme aber klar und kräftig genug für mehrere Echos von den blau leuchtenden Ngong-Bergen, als sie »Ich weiß nicht, was soll es bedeuten« sang. Manche summten die Melodie mit, und die Stille nach dem letzten Ton war von einer Feierlichkeit, die selbst den Pudel zu ergreifen schien, denn er brach – zum erstenmal seit Jahren – mit der Gewohnheit, Lillys Gesang jaulend zu begleiten. Regina versuchte, erst mit den Erwachsenen zu summen und dann mit ihnen zu weinen, aber ihr gelang weder das eine noch das andere. Es bekümmerte sie, daß sie vergessen hatte, was sie Lilly und Oha sagen sollte, obwohl ihr Vater die drei deutschen Worte, die sie als sehr schön und passend empfunden hatte, erst am Morgen mit ihr geübt hatte.

Jettel lud Lilly und Oha zum Abendessen ein. Owuor zeigte ihnen voller Stolz den kleinen Max und erklärte ihnen ausführlich, weshalb er ihn Askari nannte. Er war noch stolzer auf den Umstand, daß er sich erinnerte, wie die schöne Memsahib aus Gilgil ihre Spiegeleier haben wollte. Hart mit brauner Kruste, nicht weich mit einer Haut aus Glas wie der Bwana. Owuor war es auch, der Lilly erzählte, daß ihr Vater kurz vor seinem Tod mit Regina gesprochen hatte.

»Sie ging«, sagte er, »mit ihm auf die große Safari.«

Regina erschrak, weil sie gedacht hatte, ihre letzte Begegnung mit dem Professor müßte geheim bleiben, aber dann erkannte sie wieder einmal, wie klug Owuor war, denn Lilly sagte erst: »Ich freue mich, daß du bei ihm warst«, und später schlug sie vor: »Vielleicht möchtest du mir erzählen, was ihr gesprochen habt.«

Als Jettel Max zu Bett brachte und die beiden Männer einen Spaziergang durch den Garten machten, holte Regina die Worte zurück, die sie seit dem Tod des Professors in ihrem Kopf verschlossen hatte. Sogar den Satz »Wie kann nur ein Mensch nicht aus Frankfurt sein«.

Zuerst hatte Regina Hemmungen, von der Verwechslung zu berichten, doch gerade die drängte sich mit einer Gewalt in ihren Mund, als hätte sie nur darauf gewartet, aus der Gefangenschaft freizukommen. Lilly schien die Geschichte zu trösten; sie lachte zum erstenmal, seitdem sie auf dem Friedhof aus dem Auto gestürzt war, und dann noch mal und viel lauter, als sie von der Gesangsstunde erfuhr.

»Typisch«, erinnerte sie sich, »mein Vater hatte immer Angst, daß ich zu spät komme.«

»Du bist jetzt so etwas wie die kleine Schwester, die ich nicht hatte«, sagte sie, als sie sich mit Oha verabschiedete, um die Nacht im Zimmer des Professors zu verbringen.

Am nächsten Morgen, beim Frühstück, fragte sie und machte Regina noch sprachloser als am Abend zuvor: »Wie wär's, wenn du mit uns nach Arkadia fährst? Ich habe deine Eltern schon gefragt. Sie sind einverstanden.«

»Das geht nicht«, wehrte Regina ab. Sie spürte schon beim Sprechen am Brennen ihrer Haut, daß sie nur ihren Mund, aber nicht ihren Körper beherrscht hatte, und sie schämte sich, weil sie wußte, wieviel Verlangen ihr Blick hielt.

»Warum nicht? Du hast doch Ferien.«

»Ich möchte so furchtbar gern noch einmal auf eine Farm, aber ich will auch bei Max bleiben. Ich habe ihn ja eben erst bekommen.«

»Max hat schon gestern abend ganz deutlich gesagt, daß er Gilgil kennenlernen möchte«, lächelte Oha.

21

In Gilgil konnten die Tage noch schneller fliegen als die
wilden Enten auf ihrer langen Safari zum Naivasha-See.
Nur in den ersten Tagen wehrte sich Regina gegen den
Flug der Zeit. Als sie erkannte, wie unruhig sie der Versuch machte, das Glück festzuhalten, begann sie, die Reisenden mit den grün und blau leuchtenden Federn genau
zu beobachten. Für sie wurden die unter den wirbelnden
Wolken gleitenden Vögel Teil jenes einmaligen Zaubers
von »Arkadia«, der Farm mit den drei Rätseln, von denen
kein einziges zu lösen war.

Zwischen den Bergen mit ihren von Sturm und Hitze
zerfressenen Kuppeln und den riesigen Schambas mit
Mais, Pyrethrum und Flachs stießen die Augen niemals an
Zaun oder Graben. In dieser endlosen Ebene regierte Gott
Mungo über die Menschen von Gilgil mit noch festerem
Griff als in Ol' Joro Orok. Ihnen reichte es, wenn sie und
ihr Vieh genug zu essen hatten. Sie hatten sich weder
durch die Befehle noch vom Geld der Weißen zähmen lassen; sie wußten alles vom Leben auf der Farm, doch die
Farm wußte von ihnen nur, daß es sie gab. Allein Mungo
durfte über Tod und Leben der Stolzen bestimmen, die für
sich selbst sorgen und nur den Geruch des Vertrauten in
die Nase lassen wollten.

Ab den ersten Herden grasender Schafe, den geschickt
zwischen kleinen, bewachsenen Felsen springenden Ziegen, den liegenden Kühen, die in ihrer zufriedenen Sattheit selten auch nur den Kopf bewegten, und den dicht
nebeneinander gebauten Hütten mit winzigen weißen
Steinen in ihren Lehmwänden ließ Mungo seine Stimme
nur im Donner des Regens am frühen Morgen laut werden, doch auch da war seine Macht noch überall spürbar.
In diesem Reich der vertrauten Bilder und Töne lagen kleine Schambas, die den Boys von den Hütten gehörten.

Auf ihnen wuchsen hohe Tabakpflanzen, süß duftende Büsche von heilenden Kräutern, deren Wirkung nur die weisen Alten kannten, und niedrige Maispflanzen mit kräftigen Blättern, die leise in jedem Windhauch redeten. Morgens und in den Nachmittagsstunden arbeiteten dort junge Frauen mit kahlen Köpfen, nackten Brüsten und Säuglingen in bunten Tüchern auf dem Rücken. Legten sie ihre Hacken ins Gras und ihre Kinder an die Brust, pickten die Hühner aus ihren erdverkrusteten Füßen kleine glänzende Käfer heraus. Bei der Arbeit sangen die Frauen nur selten wie die Männer; wenn sie Löcher in langes Schweigen bohrten und dabei das Lachen von Kindern hatten, redeten sie oft kichernd von der Memsahib und ihrem Bwana, die beide so sehr Worte liebten, die im Hals und auf der Zunge kratzten.

Lilly mit der Stimme, die über Bäume flog und mühelos die Berge erreichte, wurde für Regina die schöne Herrin eines weißen Schlosses und empfing Botschaften aus fremden Welten. Dieses Schloß hatte große Fenster, die die Glut des Tages bis in die Nacht hinein speicherten und aus kleinsten Regentropfen große Kugeln machten. In dem Glas, das unter Manjalas Aufsicht täglich von zwei Kikuyujungen so lange blank gerieben wurde, bis sie in ihr eigenes Gesicht hineinspucken konnten, malte die Sonne mit mehr Farben als irgendwo anders in afrikanischen Paradiesen.

In dem Wohnraum mit dem breiten Kamin aus einem Stein, der sich blaßrosa einfärbte, sobald das brennende Holz zu knistern begann, entstieg aus Ohas Pfeife ein sanfter König. Er hatte einen runden Bauch und Knochen, die schon schwer waren von einer Last, die Regina nicht deuten konnte, aber er kletterte leicht und listig auf winzigen grauen Tabakshügeln in die Höhe und segnete von dort lächelnd das Haus mit dem lautem Gelächter, der leisen Musik und der Freundlichkeit schöner, fremder, seltsamer Laute.

Es gab Abende, in denen nur die hohen Flammen das Zimmer erhellten und es in glutroten Dunst tauchten. Da zögerte der Duft, eine fein abgestimmte Mischung von Zedern, in denen noch der Wald wohnte, und dem frisch gebrannten Tembo aus Zuckerrohr, das Oha nach dem Essen in kleinen Kelchen aus farbigem Glas trank, seinen Abschied immer wieder hinaus. In solchen Nächten waren auch die schweigsamen Zaubergeister unterwegs. Sie waren taub für die Stimme von Menschen, doch es war ihnen lustvolles Bedürfnis, deren Augen auf eine Safari zu schikken, die weder Anfang noch Ende hatte.

Dann schlüpften gut genährte Männer mit breiten orangefarbigen Schärpen, hohen schwarzen Hüten und weißen Kragen, die aus kleinen, steifen Falten zusammengesetzt waren, aus den dunklen Holzrahmen der Bilder. Ihnen folgten sehr ernst aussehende Frauen mit Häubchen aus weißer Spitze, Perlen um den Hals, die so weiß wie das junge Mondlicht waren, und Kleider aus schwerem, blauem Samt. Die Kinder trugen helle Seide, die den Körper wie die eigene Haut umschloß, und enganliegende Mützen mit winzigen Perlen an den Nähten. Sie lachten mit dem Mund, doch nie mit den Augen.

Diese Menschen aus den Stätten der geheimnisvollen Farben ließen sich für einen kurzen Moment in der Tiefe der weichen, dunkelgrünen Sessel nieder. Ehe sie mit einem Lachen, das nicht lauter war als das erste Krähen eines Kindes, wieder zurück auf ihren Platz an den steinernen Wänden fanden, flüsterten sie heiser in einer Sprache, die die gleichen kehligen Laute hatte wie die der Buren.

Wenn Regina abends die feine Gesellschaft bei ihrer Flucht aus den engen Bilderrahmen beobachtete, kam sie sich wie das Meermädchen im Märchen vor, das im Sturm an Land gespült wurde und nicht mehr laufen konnte, aber nicht umzukehren wagte. Saß sie aber bei Tag in dem großen Stuhl mit den geschnitzten Löwenköpfen auf den Armlehnen im Schatten der von rosa und weißen Wicken bewachsenen Hauswand und beobachtete unmittelbar nach dem Nachlassen des Regens den schäumenden Tanz der Wolken, fühlte sie sich stark wie Atlas mit der schweren Weltkugel auf dem Rücken.

Die Vorstellung erregte sie, sich genau am Schnittpunkt von drei Welten zu befinden. Die hätten nicht verschiedener voneinander sein können, hätte sich Mungo selbst bemüht, jeder eine unverwechselbare Gestalt zu geben. Die drei Welten vertrugen sich alle so gut miteinander wie Menschen, die nicht dieselbe Sprache sprechen und sich also auch nicht auf das Wort Streit einigen können.

Das Gras, das von den rötlich schimmernden Bergen in das Tal hineinwuchs, hatte zu viel Sonne gespeichert, um in der Regenzeit so grün zu werden wie im übrigen Hochland. Die großen gelben Büsche färbten das Licht ein, als müßten sich die verdorrten Pflanzen vor Blicken schützen. Das gab der Landschaft eine Sanftheit, die sie nicht hatte, und machte sie überschaubar. Die breiten Streifen der Zebras leuchteten auf ihren prallen Körpern, bis die Sonne vom Himmel stürzte, und das Fell der Paviane wirkte wie dichte Decken, die aus brauner Erde gewebt waren.

Es gab sehr helle Tage, die aus den Affen unbewegliche Kugeln machten, und im weißen Licht, das kaum einen Schatten duldete, konnte sie das Auge nur nach vielen mühsamen Versuchen von den Buckeln der Kühe unterscheiden, die in ihrer Nähe kauten. Es gab aber auch die kurzen Stunden, die weder zum Tag noch zur Nacht gehörten. Da kamen die halberwachsenen Paviane, denen Erfahrung und Vorsicht noch nicht die Neugierde aus dem Gesicht gekratzt hatten, so nahe ans Haus, daß jeder ihrer Laute einen eigenen Klang bekam.

Der Wald mit den Zedern, deren Kronen die Wurzeln nicht mehr sehen konnten, und den niedrigen Dornakazien mit dürren Ästen lag hinter dem letzten Maisfeld. Wurden die Trommeln geschlagen, hatten sie ein Echo, das auch einem wütenden Wind ein kurzes, gespanntes Schweigen befahl. Es waren diese in Nairobi so lange vermißten Geräusche, die Reginas Ohren am meisten streichelten. Sie ließen die Erinnerungen, die sie nie verschlukken gelernt hatte, zu einer Gegenwart werden, die sie betäubte wie an fröhlichen Tagen das Tembo die Männer von den Hütten. Jede einzelne Trommel nahm ihr die

Furcht, daß sie nur eine Reisende ohne Ziel sein könnte, die sich kurz vom geborgten Glück nähren durfte, und bestätigte ihr, daß sie in Wirklichkeit der für immer heimgekehrte Odysseus war.

Wenn ihre Haut Wind, Sonne und Regen spüren durfte und ihre Augen den Horizont festhielten wie ein Schakal die erste Beute der Nacht, war Regina betäubt von dem noch nie erlebten Rausch des großen Vergessens. Er vereinte Vertrautes und Unbekanntes, Fantasie und Wirklichkeit und nahm ihr die Kraft, an die Zukunft zu denken, die ihr Vater schon eingefangen hatte. In ihrem Kopf entstand ein dichtes Netz von verwirrenden Geschichten aus einem fernen Ort, in dem Lilly sich in Scheherazade verwandelte.

Jedesmal, wenn Chebeti die gewärmte Milchflasche auf einem kleinen silbernen Tablett hereintrug und Regina sie ihrem Bruder in den Mund steckte, wurde ein Tor zu einem Paradies aufgestoßen, für das allein die Schloßherrin den Schlüssel besaß. Chebeti setzte sich auf den Boden und bettete ihre schlanken Hände in die großen gelben Stoffblumen ihres Kleides. Regina wartete die ersten schmatzenden Laute des saugenden Kindes ab, und dann erzählte sie Max und Chebeti mit der gleichen feierlichen Stimme, mit der sie in der Schule Kiplings vaterlandstreue Gedichte aufsagte, von den Dingen, mit denen Lilly ihre Ohren getränkt hatte.

In Gilgil war selbst die Milch verzaubert. Morgens war die braune Antonia, die nicht singen durfte und die sich von einer Geige in den Tod locken ließ, die Spenderin. Das Mittagsmahl für den kleinen Askari kam von der weißen Cho-Cho-San, die sich mit dem Dolch des Vaters in der Hand und dem Lied »Ehrenvoll sterbe« auf den Lippen aus dem Leben sang; abends schlief Max mit der Geschichte von Konstanze ein, während Lilly »Traurigkeit ward mir zum Lose« sang, der Pudel aufheulte und Oha sich mit dem rauhen Stoff seiner Jacke Tränen aus den Augen wischte.

Schon nach den ersten paar Tagen in Gilgil hatte Regina begriffen, daß Lillys Lieblinge sich nur als gewöhnliches

Milchvieh tarnten. Nichts an ihnen war wie bei anderen Kühen. Jede Silbe ihrer Namen, die außer Lilly und Oha niemand aussprechen konnte, hatte Bedeutung. Diese wohlklingenden Namen, die auch dann Gesang in Lillys Kehle zauberten, wenn sie nur sprach, waren allen anderen Menschen auf der Farm Last für Kopf und Zunge. Nicht eine Kuh verstand Suaheli, Kikuyu oder Jaluo. Oft versuchte Regina, wenn nur Chebeti mit Max im Wagen sie begleitete, mit Ariadne, Aida, Donna Anna, Gilda und Melisande über das Rätsel ihrer Herkunft zu reden. Die verhexten Kühe aber ließen sich die Sonne auf den Hinterkopf brennen, als hätten sie keine Ohren. Nur durch Lillys Mund konnten sie ihre Geheimnisse preisgeben. Arabella war die letzte. Sie war aber auch die erste, die Regina wittern ließ, daß in Lillys Paradies das Glück so empfindlich war wie die Blüten der zarten Hibiskus.

»Warum«, fragte Regina, »sprichst du zu Arabella wie zu einem Baby?«

»Ach, Kind, wie soll ich dir das erklären? Arabella war die letzte Oper, die ich sehen durfte. Oha und ich sind damals extra nach Dresden gefahren. Das kommt in diesem Leben nicht wieder. Dresdens Oper ist so kaputt wie meine Träume.«

Schon weil Lilly erst beim Frühstück vor einer Stunde gesagt hatte »Ich träume nie«, fiel es Regina schwer, hinter den Sinn ihrer Klage zu kommen, doch seit dem Tag von Arabellas Geschichte wußte sie, daß nicht nur Lillys Kühe ihre Geheimnisse hatten. Die Schloßherrin mit der Zauberstimme konnte zwar mit dem Mund so laut lachen, daß ihr Gelächter selbst in der kleinen Speisekammer ein Echo hatte, aber ihre Augen hatten oft Mühe, die Tränen zu halten. Dann zogen sich kleine Falten durch Lillys Gesicht. Sie sahen aus wie Wasserrinnen in ausgetrockneter Erde und ließen den Mund zu rot und die Haut dünn wie ein auf Steinen gespanntes Fell erscheinen.

Oha schien von einem ähnlichen Leiden geplagt. Zwar lachte er aus dem Hals, und seine Brust bebte, wenn er nach seinen Tieren rief, aber, nachdem erst Arabella Lilly verraten hatte, stellte Regina schnell fest, daß auch Oha nicht immer der freundliche, sanfte, von ihr seit ihren Kindertagen geliebte Riese war. In Wirklichkeit war er der wiedergeborene Archimedes, der seine Kreise nicht gestört sehen wollte.

Er hatte den Hühnern und Ochsen ihre Namen gegeben. Es gab die Hähne Cicero, Catalina und Caesar; auch Hennen waren bei Oha männlich und stammten aus Rom. Die schönsten hießen Antonius, Brutus und Pompejus. Wenn Lilly die Hühner zum Futter rief, setzte sich Oha oft in seinen Sessel, holte immer dasselbe Buch vom Kaminsims, und las, ohne ein Geräusch beim Umblättern der Seiten zu machen. Eine Weile lachte er stets so laut in seine Brust zurück, als hätte er sich an seiner Heiterkeit verschluckt. Beobachtete ihn Regina jedoch genau, dachte sie immer öfter an Owuor, der ihr als erster verraten hatte, daß Schlaf mit offenen Augen den Kopf krank machte.

Die Ochsen waren nach Komponisten benannt. Chopin und Bach waren die besten Zugtiere; der Bulle hieß Beethoven, sein jüngster Sohn seit vier Stunden Mozart. Am glückhaften Ende der langen Nacht, als er geboren wurde und Manjala wegen Desdemonas zu schwachen Wehen und ihrer plötzlich einsetzenden Atemnot seinen Bruder zu Hilfe holen mußte, schlug Lilly mit feierlicher Stimme vor, Regina sollte dem aus der Not geretteten Kalb seinen Namen geben.

»Warum Regina«, widersprach Oha, »sie kennt sich doch bei uns nicht aus. So ein Name ist doch eine Bindung für das ganze Leben.«

»Sei nicht albern«, sagte Lilly, »laß doch dem Kind die Freude.«

Regina war zu erfüllt von Desdemonas Glück, um zu merken, daß Lilly ihr soeben einen Teil von Ohas Beute zugeworfen hatte. Sie legte ihre Hand auf den Kopf der Kuh, ließ den Geruch von Zufriedenheit in ihre Nase und Erinnerungen in ihren Kopf, die sich zu schnell zum Kampf bereitmachten. Weil sie gleichzeitig an das tote Baby ihrer Mutter und an die Geburt ihres Bruders denken mußte, vergaß sie im Moment der verantwortungsvollen Entscheidung, daß das Vieh von Gilgil mit Musik verzaubert werden mußte. Die fast zu spät gelungene Rettung des kräftigen Kalbes kam ihr in den Sinn. »David Copperfield«, freute sie sich.

Oha schüttelte den Kopf, stieß mit einer für ihn ungewohnt heftigen Bewegung die Paraffinlampe in Manjalas Hand um und sagte, ein wenig böse: »Quatsch.« Das flakkernde Licht machte seine Augen klein; die Lippen wirkten wie zwei weiße Riegel vor den Zähnen, und zum erstenmal erlebte Regina, daß auch Oha und Lilly sich stritten – wenn auch sehr viel leiser und nicht so lange wie ihre Eltern.

»Wir nennen den Kleinen Jago«, schlug Lilly vor.

»Seit wann«, fragte Oha und zerschnitt seine eigene Stimme mit einem Messer, »gibst du den Bullen ihre Namen? Ich habe mich schon so auf Mozart gefreut. Und das laß ich mir von dir nicht nehmen.«

Am nächsten Morgen war Oha wieder der dickbäuchige Riese, der weder nach Erregung noch nach der Unruhe plötzlichen Unmuts roch, sondern nur nach süßem Tabak und dem milden Duft von verständnisvoller Gelassenheit. Er strengte sich an, seine Augen an Lilly vorbei zu schicken, sah Regina an und sagte: »Ich habe das gestern nicht böse gemeint.« Sorgsam zählte er die schwarzen Körnchen seiner Papaya und fuhr dann fort, als habe er nicht eine sehr lange Zeit gebraucht, um Atem zu holen, »aber weißt du, es wäre komisch, wenn wir hier einen englischen Namen geben würden. Weißt du«, lächelte er, »den kennen wir nicht so genau.«

»Das macht doch nichts«, lächelte Regina zurück. Ihre rasche Höflichkeit verwirrte sie, und sie glaubte, sie hätte aus Gewohnheit, bei einer Entschuldigung ohne Reue, Englisch gesprochen. »David Copperfield«, erklärte sie befangen und merkte zu spät, daß sie gar nicht den Mund hatte aufmachen wollen, »ist ein alter Freund von mir. Little Nell auch«, fügte sie hinzu.

Sie überlegte erschrocken, ob sie nun weiterreden und

Oha die Geschichte von Little Nell würde erklären müssen, doch sie merkte, daß er mit seinen Gedanken weit weg war. Als er nicht antwortete, verschluckte Regina ihre Erleichterung, ohne seine Aufmerksamkeit zu erregen. Es war nicht gut, von Dingen zu sprechen, die das Herz zum Rasen brachten, wenn ihm kein fremder Mund helfen konnte.

Manjala, der die ganze Zeit neben der Vitrine mit den funkelnden Gläsern, goldumrandeten weißen Schalen und den zierlichen Tänzerinnen aus weißem Porzellan gestanden hatte, brachte Bewegung in seinen Körper und holte seine Hände aus den langen Ärmeln seines weißen Kanzus heraus. Er sammelte erst langsam und dann immer schneller die Teller ein und ließ das Besteck tanzen. Max setzte sich in seinem Wagen auf und begleitete jeden Ton mit einem Klatschen, das Reginas Ohren warm machte.

Chebeti schob den Pudel von ihren nackten Füßen, stand auf, schaute Manjala aus nur halb geschlossenen Augen an, denn er hatte ihre Ruhe gestohlen, sagte: »Der kleine Askari will trinken«, und ging die Flasche holen. Ihre Schritte ließen den Holzfußboden so leicht beben wie ein plötzlich gefangener Wind zwischen Bäumen.

Lilly holte den mit winzigen Steinen besetzten goldenen Spiegel aus ihrer Hosentasche, malte die Konturen ihrer Lippen so lange nach, bis sie aussahen, als wären sie aus ihrer roten Bluse herausgeschnitten worden, und hauchte einen Kuß in die Luft. »Ich muß zu Desdemona«, sagte sie.

»Und zu Mozart«, lachte Regina. Sie lachte noch einmal, als ihr aufging, daß es ihr endlich gelungen war, den Namen ohne englischen Akzent auszusprechen. Sie hauchte, wie sie es Lilly soeben abgeschaut hatte, einen Kuß auf den Kopf ihres Bruders und merkte, wie die Schwere aus ihren Gliedern und die jagenden Gedanken der Nacht aus ihrem Kopf flüchteten.

Es war ein gutes Gefühl, das satt machte wie abends das Poscho in den Hütten. Im Wald hörte sie die ersten Trommeln des Tages. Hinter den großen Fenstern färbte die

Sonne den Staub bunt. Regina zog ihre Augen so eng zusammen, bis sie Schlitze waren, die Bilder verwandeln konnten. Die Umrisse der Zebras bestanden nur noch aus Streifen. Das Blau des Himmels war ein kleiner Fleck von Farbe, die Dornakazien verloren ihr Grün, und die Zedern wurden schwarz.

Regina nahm Max aus seinem Wagen, legte seinen Kopf auf ihre Schulter und fütterte seine Ohren. Gespannt wartete sie auf die hellen Töne, die ihr anzeigten, daß ihr Bruder schon klug genug war, Vertrautheit zu genießen. Als Chebeti mit der Flasche hereinkam und dem Kind den Schnuller in den Mund schob, machte Stille den großen Raum klein.

Die Flasche war fast leer, als Oha mit seinem Kopf Kreise machte und sagte: »Ich beneide dich sehr um deinen David Copperfield.«

Er hatte bei den beiden letzten Worten zuviel Luft geschluckt, und Regina würgte zu lange an ihrem Kichern, um es rechtzeitig in den Husten zu verwandeln, der sich gehörte. »I'm sorry«, sagte sie. Diesmal wußte sie sofort, daß sie Englisch gesprochen hatte.

»Laß nur«, beruhigte sie Oha, »ich würde auch lachen, wenn ich du wäre und mich Englisch radebrechen hörte. Deshalb hätte ich ja gern David Copperfield zum Freund.«

»Warum?«

»Um mich hier ein kleines Stück zu Hause zu fühlen.«

Regina teilte erst die einzelnen Worte in Silben auf und fügte sie dann wieder zusammen. Sie übersetzte sie sogar in ihre Sprache, aber es gelang ihr nicht, dahinterzukommen, weshalb Oha sie aus seiner Kehle gelassen hatte.

»Du bist doch hier zu Hause«, sagte sie.

»So kann man es nennen.«

»Es ist doch deine Farm«, bohrte Regina. Sie spürte, daß Oha ihr etwas sagen wollte, doch er steckte nur seine Zunge zwischen die Lippen, ohne daß ihm ein Ton gelang, und so wiederholte sie: »Du bist hier zu Hause. Es ist deine Farm. Alles hier ist so schön.«

»Pro transeuntibus, Regina. Verstehst du das?«

»Nein, Papa sagt, das Latein, das ich in der Schule lerne, ist für den Hund.«

»Für die Katz. Frag deinen Vater, was ›pro transeuntibus‹ heißt, wenn du wieder in Nairobi bist. Der kann dir's genau erklären. Er ist ein kluger Mann. Der Klügste von uns allen, aber keiner traut sich, das zuzugeben.«

Es waren Ohas Stimme und auch seine Augen, die Regina die Gewißheit gaben, daß Oha, genau wie ihr Vater, von Wurzeln, Deutschland und Heimat reden wollte. Sie machte ihre Ohren bereit für die vertrauten, ungeliebten Töne.

Da kam Lilly herein. »Das Kalb«, lachte sie und preßte ihren Mund zu einer kleinen, roten Kugel, »hat seinem Namen schon alle Ehre gemacht.«

Oha lachte zurück, als er fragte: »Kann es schon die Kleine Nachtmusik muhen?«

Lilly kicherte mit Musik und machte ihre Augen groß, doch sie merkte trotzdem nicht, daß bei ihrem Mann die Fröhlichkeit nur aus dem Mund gekommen war. Sie rieb ihre Hände aneinander, als wollte sie klatschen, und sagte: »Ich muß mich zur Feier des Tages fein machen.«

»Unbedingt«, stimmte Oha zu.

Ohne daß sie es wollte, schaute Regina ihn an und wußte, daß er von der Safari, von der Lilly nichts ahnte, noch nicht zurückgekommen war. Ihre Haut wurde zu kalt, und sie kam sich vor, als hätte sie ihr Ohr an das Loch einer fremden Wand gedrückt und dabei Dinge erfahren, die sie nicht wissen durfte. Regina brauchte Kraft, um sich gegen das Bedürfnis zu wehren, aufzustehen und Oha zu trösten, wie sie es bei ihrem Vater tat, wenn ihn Wunden aus seinem früheren Leben quälten. Eine Zeitlang gelang es ihr gut, jede Bewegung in ihrem Körper zu unterdrücken, aber ihre Beine gaben keine Ruhe und besiegten schließlich doch noch ihren Willen.

»Ich gehe mit Max raus«, sagte sie. Obwohl sie sonst immer beide Hände brauchte, um ihren Bruder zu halten, machte sich die eine frei und glitt über Ohas Kopf.

Die geschnitzten Löwen auf dem Stuhl wurden von der

Sonne gewärmt, die nur noch einen kurzen Schatten hatte. Die Zedern hatten den Regen der Nacht in Stamm und Wurzel geholt. Wann immer sich ein Ast bewegte, hielt Regina Ausschau nach den Affen, aber sie hörte nur die Geräusche, die ihr anzeigten, daß die Affenmütter nach ihren Jungen riefen.

Eine Zeitlang dachte sie an Owuor und den schönen Streit ihrer Kindertage, ob Affen klüger seien als Zebras oder nicht, doch als ihr Herz zu rasen anfing, merkte sie, daß ihr Vater dabei war, Owuor zu verdrängen. Zum erstenmal seit ihrer Ankunft in Gilgil bedrängte sie Sehnsucht nach zu Hause. Sie sagte das Wort ein paarmal vor sich hin, erst noch fröhlich in Englisch, dann widerstrebend in Deutsch. In beiden Sprachen brummten die Silben wie eine mit Ärger getränkte Biene.

Mozart wurde von den beiden Hirtenjungen, die nur die Sprache der Kühe, nicht jedoch die der Menschen hörten, auf das Gras gelockt. Desdemona schob ihren Sohn sanft mit ihrem großen Kopf vor sich hin, blieb in einem Fleck von Sonne stehen und leckte sein weiches Fell zu kleinen, hellbraunen Locken. Ein Glanzstar ließ sich auf Desdemonas Rücken nieder. Das strahlende Blau seiner Federn machte die Augen blind für jede andere Farbe.

In einem langen weißen Kleid, das den Hals mit einem Berg von Rüschen umschloß, trat Lilly hinter einem Busch von gelben Rosen hervor. Sie sah aus, als hätte sie bereits Mungos Befehl empfangen, zum Himmel zu fliegen, doch sie rührte sich nicht, bis das Kalb zu saugen anfing. Dann ließ sie die Luft aus ihrer Kehle, hob ihren Kopf, faltete ihre Hände und sang »Dies Bildnis ist bezaubernd schön«.

Die Vögel wurden stumm, und auch der Wind konnte Lillys Gesang nicht widerstehen und reiste mit einzelnen, hohen Tönen mit. Sie flogen schneller als sonst zu den Bergen hin. Ehe das letzte Echo bei Regina ankam, erkannte sie, daß sie sich geirrt hatte. Sie war nicht der glücklich heimgekehrte Odysseus. Sie hatte in Gilgil nur die Sirenen gehört.

22

Hessisches Staatsministerium
Der Minister der Justiz
Wiesbaden
Bahnhofstr. 18

Herrn
Dr. Walter Redlich
Hove Court
POB 1312
Nairobi
Kenia

Wiesbaden, den 23. Oktober 1946

Betr. Ihr Gesuch auf Verwendung im Justizdienst des Landes Hessen vom 9. Mai 1946

Sehr geehrter Herr Dr. Redlich!
Es ist uns eine große Freude, Ihnen mitzuteilen, daß Ihr Gesuch vom 9. 5. d. J. auf Verwendung im hessischen Justizdienst mit Beschluß vom 14. d. M. zustimmend beantwortet worden ist. Sie werden zunächst als Richter am Amtsgericht der Stadt Frankfurt Verwendung finden und wollen sich bitte dort nach Ihrer Rückkehr sobald als möglich bei Herrn Amtsgerichtspräsident Dr. Karl Maaß melden, der bereits von uns diesbezüglich unterrichtet worden ist. Bitte setzen Sie ihn in Kenntnis, wann ein Termin für Ihre Übersiedlung nach Frankfurt feststeht. Bei der Bemessung Ihrer Bezüge haben die Jahre ab Ihrer 1937 erfolgten Löschung als Rechtsanwalt in Leobschütz (Oberschlesien) als Dienstjahre Berücksichtigung gefunden.

Der Unterzeichnete ist beauftragt worden, Ihnen mitzuteilen, daß Sie im Hessischen Justizministerium persönlich bekannt sind. Ihr Wunsch, am Wiederaufbau einer freien Justiz mitzuwirken, wurde hier als ein besonderes Hoffnungszeichen für die junge Demokratie in unserem Land empfunden.

Indem wir Ihnen und Ihrer Familie schon heute unsere besten Wünsche für die Zukunft aussprechen, verbleiben wir

mit dem Ausdruck vorzüglicher Hochachtung!
gez. Dr. Erwin Pollitzer
im Auftrag des Ministers der Justiz im Hessischen
Staatsministerium

Owuor hatte die Bedeutung der Stunde mit Augen, Nase, Ohr und dem Kopf eines Mannes eingefangen, den Erfahrung klug gemacht und Instinkt geschmeidig wie einen jungen Krieger gehalten haben. Er war der Jäger, der die ganze Nacht wacht und nur durch die ständige Schärfung seiner Sinne die lang erwartete Beute macht. An diesem Tag, der begonnen hatte wie alle anderen Tage auch, hatte er den Brief überbracht, der wichtiger war als jeder Brief zuvor.

Schon die zitternden Hände vom Bwana und die Plötzlichkeit, mit der seine Haut die Farbe wechselte, als er das dicke, gelbe Kuvert aufriß, hätten Owuor gereicht. Noch verräterischer waren der saure Geruch von Furcht, der zwei Körpern entströmte, und die Ungeduld, die vier Augen wie ein zu rasch entflammtes Feuer flackern ließ. In demselben Raum, in dem Owuor noch ohne Erregung und Hast die Blasen im heißen Kaffee gezählt hatte, ehe er ins Büro vom Hove Court gegangen war, um die Post abzuholen, ließ nun die Stille jeden Atemzug so laut werden, als hätten der Bwana und die Memsahib sich Trommeln in die Brust einnähen lassen.

Während er das Klopfen in seinem eigenen Körper beruhigte, indem er immer wieder Gegenstände berührte, die er auch mit geschlossenen Augen erkannt hätte, beobachtete Owuor den Bwana und die Memsahib beim Lesen. Wenn er nur die Augen aufmachte und nicht auch die übervolle Kiste mit den Erfahrungen aus Tagen, die schon lange nicht mehr waren, sahen die Menschen mit der blassen Haut der großen Angst nicht anders aus als in den anderen Stunden, da die weitgereisten Briefe so scharf gebrannt hatten wie zuviel Fett in einem zu kleinen Topf. Und doch waren für Owuor sein Bwana und die Memsahib fremd geworden.

Zunächst saßen die beiden nur auf dem Sofa und rissen wie verdurstende Kranke immer wieder die Lippen auseinander, ohne daß sich ihre Zähne zeigten. Dann wurde aus zwei Köpfen ein einziger und schließlich aus den beiden Körpern ein erstarrter Berg, der alles Leben schluckte. Es war wie bei den Dik-Diks, die in der Glut der hochstehenden Sonne Schutz aneinander suchen, aber auch dann nicht voneinander lassen wollen, wenn der Schatten zu klein für beide ist. Das Bild von den nicht trennbaren Dik-Diks machte Owuor unruhig. Es verbrannte die Augen und ließ auch den Mund verdorren.

Ihm fiel die kluge Geschichte ein, die Regina vor vielen Regenzeiten in Rongai erzählt hatte. Es war lange vor dem schönen Tag mit den Heuschrecken gewesen. Ein Junge war in ein Reh verwandelt worden, und seine Schwester war machtlos gegen den Zauber. Sie konnte mit dem Bruder nicht mehr in der Sprache der Menschen reden und fürchtete um seinetwillen die Jäger, aber das Reh roch nichts von ihrer Angst und sprang aus dem Schutz des hohen Grases heraus.

Seitdem wußte Owuor, daß ein zu langes Schweigen für Menschen noch viel bedrohlicher sein konnte als der große Lärm, der Ohren dick wie zu fest gestopfte Säcke machte. Owuor hustete seine Kehle frei, obwohl das Innere seines Halses so glatt war wie der frisch eingeölte Körper eines Diebs.

In diesem Augenblick merkte er, daß der Bwana seine Stimme doch nicht für alle Zeiten verloren hatte. Es war nur so, daß sich jeder einzelne Laut mühsam den Weg zwischen Zunge und Zähnen suchen mußte.

»Mein Gott, Jettel, daß ich das noch erlebe. Das kann

doch nicht wahr sein. Ich weiß gar nicht, was ich sagen soll. Sag mir, daß ich nicht träume und gleich wieder aufwachen muß. Egal, was du sagst, mach wenigstens den Mund auf.«

»Meine Eltern haben ihre Hochzeitsreise nach Wiesbaden gemacht«, flüsterte Jettel zurück. »Mutter hat oft vom Schwarzen Bock erzählt, und daß mein Vater so schrecklich besoffen war. Er hat den Wein nicht vertragen, und sie hat sich furchtbar geärgert.«

»Jettel, reiß dich zusammen. Hast du überhaupt kapiert, was passiert ist? Weißt du, was dieser Brief für uns alle bedeutet?«

»Nicht so ganz. Wir kennen doch keinen in Wiesbaden.«

»Begreif doch endlich! Sie wollen uns haben. Wir können zurück. Wir können zurück ohne Sorgen. Es ist aus mit dem Mr. Nebbich.«

»Walter, ich hab' Angst, so schreckliche Angst.«

»Aber lies doch, Frau Doktor. Sie haben mich zum Richter gemacht. Mich, den gelöschten Rechtsanwalt und Notar aus Leobschütz. Ich sitze hier und bin das letzte Arschloch von Kenia, und zu Hause machen sie mich zum Richter.«

»Arschloch«, lachte Owuor, »ich habe das Wort nicht vergessen, Bwana. Du hast es schon in Rongai gesagt.«

Als der Bwana zu brüllen anfing, ohne daß Zorn in seiner Stimme war, und dabei auch noch stampfte wie ein Tänzer, der vor den anderen seinen Bauch mit Tembo gefüllt hat, lachte Owuor wieder; seine Kehle hatte mehr Stacheln als die Zunge einer wild gewordenen Katze. Aus dem Bwana mit den Augen ohne Spiegel und den zu kleinen Schultern, die sich vor jeder Last duckten, war ein Stier geworden, der zum erstenmal in seinem Leben die Kraft seiner Lenden spürt.

»Jettel, erinnere dich doch. Ein Beamter in Deutschland hat ausgesorgt. Und ein Richter erst recht. Der trägt seinen Kopf hoch. Dem kündigt keiner. Und wenn er krank ist, bleibt er im Bett und bekommt weiter sein Gehalt. Einen

Richter grüßt man auf der Straße. Auch wenn man ihn nicht persönlich kennt. Guten Tag, Herr Rat. Auf Wiedersehen, Herr Rat, eine Empfehlung an die Frau Gattin. Das kannst du doch nicht alles vergessen haben. Herr Gott, sag doch was!«

»Du hast doch nie etwas von einem Richter gesagt. Ich habe immer gedacht, du willst wieder Anwalt werden.«

»Das kann ich später doch immer noch. Wenn ich erst Richter bin, haben wir einen ganz anderen Start. Deutschland hat immer für seine Beamten gesorgt. Die bekommen vom Staat auch Wohnungen. Das wird uns vieles erleichtern.«

»Ich dachte, die deutschen Städte sind alle kaputt gebombt. Wo nehmen die dann die Wohnungen für ihre Richter her?«

Der Satz gefiel Jettel so gut, daß sie ansetzte, ihn zu wiederholen, doch als ihr aufging, daß sie ihren Triumph zu lange herausgezögert hatte, zupfte sie verlegen an einer Haarsträhne. Trotzdem ließ ihre Erregung einen Moment nach, und das belebende Selbstbewußtsein ihrer Jugend erwärmte angenehm ihre Stirn. Wie recht doch ihre Mutter mit den Worten gehabt hatte: »Meine Jettel hat nicht die besten Zeugnisse, aber im praktischen Leben macht ihr keiner was vor.«

Bei dem Gedanken, daß sie selbst den Tonfall ihrer Mutter noch im Ohr hatte, lächelte Jettel ein wenig. Sie gönnte sich erst die sanfte Wehmut der Erinnerung und dann die Gewißheit, daß sie mit einem einzigen Satz ihrem Mann klargemacht hatte, daß er ein Träumer war, der keinen Blick für die Dinge hatte, die im Leben zählten. Als Jettel Walter jedoch anschaute, sah sie auf seinem Gesicht nichts als eine Entschlossenheit, die sie erst unsicher und dann wütend machte.

»Wenn wir schon zurück müssen«, hielt sie ihm vor und betonte jedes Wort, »warum denn jetzt?«

»Weil ich nur was werden kann, wenn ich von Anfang an dabei bin. Chancen hat man nur, wenn ein Land untergeht, oder wenn es aus dem Untergang aufersteht.«

»Wer sagt das? Du redest wie ein Buch.«

»Das habe ich in ›Vom Winde verweht‹ gelesen. Erinnerst du dich nicht an die Stelle? Wir haben damals darüber gesprochen. Sie hat großen Eindruck auf mich gemacht.«

»Ach, Walter. Du mit deinen Träumen von zu Hause. Wir waren doch so glücklich hier. Wir haben doch alles, was wir brauchen.«

»Nur, wenn wir mehr brauchen als das nackte Leben, sind wir auf die Gnade fremder Menschen angewiesen. Ohne die Jüdische Gemeinde hätten wir weder den Arzt noch das Krankenhaus bezahlen können, als Max geboren wurde. Hoffentlich ist Mr. Rubens genauso spendabel, wenn einer von uns mal krank wird.«

»Hier haben wir wenigstens Leute, die uns helfen. In Frankfurt kennen wir keinen Menschen.«

»Wen hast du denn gekannt, als wir nach Afrika mußten? Und wann waren wir hier glücklich? Genau zweimal. Mit meinem ersten Geld von der Army. Und als Max geboren wurde. Du wirst dich nie ändern. Meine Jettel hat immer nur nach den Fleischtöpfen Ägyptens verlangt. Aber zum Schluß habe ich immer recht behalten.«

»Ich kann nicht weg von hier. Ich bin nicht mehr jung genug, neu anzufangen.«

»Genau das hast du gesagt, als wir auswandern mußten. Da warst du dreißig, und wenn ich damals auf dich gehört hätte, wären wir heute alle tot. Wenn ich dir jetzt nachgebe, bleiben wir immer ungeliebte Habenichtse im fremden Land. Und ewig behält mich King George nicht als Trottel der Kompanie.«

»Du sagst das alles nur, weil du zurück in dein verfluchtes Deutschland willst. Hast du vergessen, was mit deinem Vater passiert ist? Ich nicht. Ich bin es meiner Mutter schuldig, daß ich den Boden nicht betrete, der mit ihrem Blut getränkt ist.«

»Laß das, Jettel. Das ist Sünde. Der liebe Gott verzeiht es nicht, wenn wir die Toten mißbrauchen. Du mußt mir vertrauen. Wir werden es schon schaffen. Das versprech ich dir. Hör auf zu weinen. Eines Tages gibst du mir recht, und es wird längst nicht so lange dauern, wie du jetzt denkst.«

»Wie können wir unter Mördern leben?« schluchzte Jettel. »Alle hier sagen, daß du ein Narr bist und daß man nicht vergessen darf. Glaubst du, eine Frau hört gern, daß ihr Mann ein Verräter ist? Du kannst doch hier eine Stellung finden wie alle anderen auch. Sie helfen den Leuten von der Army. Das sagen alle.«

»Mir hat man Arbeit angeboten. Auf einer Farm in Dschibuti. Möchtest du dorthin?«

»Ich weiß doch gar nicht, wo Dschibuti ist.«

»Siehst du. Ich auch nicht. Jedenfalls nicht in Kenia und auf alle Fälle in Afrika.«

Das lange nicht mehr empfundene Bedürfnis, seine Frau in die Arme zu nehmen und ihr die Angst zu nehmen wie einem Kind, verwirrte Walter. Noch mehr quälte ihn das Wissen, daß Jettel und ihn die gleichen Wunden schmerzten. Auch er war wehrlos gegen die Vergangenheit. Sie würde allzeit stärker als die Hoffnung auf eine Zukunft sein.

»Vergessen werden wir nie«, sagte er und blickte zu Boden. »Wenn du es genau wissen willst, Jettel, es ist unser Schicksal geworden, überall ein bißchen unglücklich zu sein. Hitler hat für alle Zeiten dafür gesorgt. Wir, die wir überlebt haben, werden nie mehr normal leben können. Aber ich bin lieber unglücklich, wo man mich achtet. Deutschland war nicht Hitler. Auch du wirst das eines Tages begreifen. Die Anständigen werden wieder das Sagen haben.«

Obwohl sie sich sträubte, ließ sich Jettel von Walters leiser Stimme und seiner Hilflosigkeit rühren. Sie sah, wie er seine Hände in den Hosentaschen vergrub, und sie suchte nach Worten, aber sie konnte sich nicht entscheiden, ob sie ihn wieder treffen oder dieses eine Mal trösten wollte, und schwieg.

Eine Zeitlang beobachtete sie Owuor beim Bügeln. Er spuckte aus geblähten Backen auf die Wäsche und ließ mit weit ausholenden Bewegungen das schwere Eisen aus großer Höhe auf zwei ausgebreitete Windeln herunterstürzen.

»Ich habe so lange hier gelebt«, seufzte Jettel und starrte in die kleinen Wolken vom aufsteigenden Dampf, und sie erschienen ihr Symbol aller Zufriedenheit, die sie je wieder begehren würde. »Wie soll ich mit einem kleinen Kind ohne Personal auskommen? Regina hat in ihrem ganzen Leben keinen Besen in der Hand gehabt.«

»Gott sei Dank, du bist wieder in Form. Das ist meine Jettel, wie sie leibt und lebt. Wann immer wir uns in unserem Leben entscheiden mußten, hast du Angst gehabt, daß du kein Dienstmädchen findest. Diesmal brauchst du dir keine Sorgen zu machen, Frau Doktor. Ganz Deutschland ist voll von Leuten, die froh sind, wenn sie Arbeit finden. Ich kann dir heute nicht sagen, wie unser Leben wird, aber bei allem, was mir heilig ist, ein Dienstmädchen verspreche ich dir.«

»Bwana«, fragte Owuor und häufte die gebügelte Wäsche zu dem schön riechenden Berg, den nur er so hoch und glatt zu bauen verstand, »soll ich die Koffer mit heißem Wasser auswaschen?«

»Warum fragst du?«

»Du brauchst deine Koffer für die Safari. Die Memsahib auch.«

»Was weißt du, Owuor?«

»Alles, Bwana.«

»Seit wann?«

»Schon lange.«

»Aber du verstehst uns doch gar nicht, wenn wir reden.«

»Als du nach Rongai gekommen bist, Bwana, habe ich nur mit den Ohren gehört. Die Tage sind nicht mehr.«

»Danke, mein Freund.«

»Bwana, ich habe dir nichts gegeben, und du sagst danke.«

»Doch, Owuor, nur du hast mir gegeben«, sagte Walter.

Er erlitt den Schmerz, der ihn beschämte, nur kurz und doch lange genug, um zu begreifen, daß zu den alten

Wunden soeben eine neue hinzugekommen war. Sein Deutschland war nicht mehr. Er würde die wiedergefundene Heimat nicht als berauschter Heimkehrer betreten, sondern mit Wehmut und Trauer.

Die Trennung von Owuor würde nicht weniger qualvoll sein, als die Abschiede, die hinter ihm lagen. Der Drang, auf Owuor zuzugehen und ihn zu umarmen, war groß, doch als er sagte: »Es wird schon alles gut werden«, war es Jettel, die er streichelte.

»Ach, Walter, wer sagt es Regina, daß es jetzt ernst wird? Sie ist doch noch ein Kind und hängt so an allem hier.«

»Ich weiß es schon lange«, sagte Regina.

»Wo kommst du denn her? Wie lange stehst du schon da?«

»Ich war die ganze Zeit mit Max im Garten, aber ich höre mit den Augen«, erklärte Regina. Ihr ging auf, daß ihr Vater nie wissen würde, was es bedeutete, wenn ein Mensch die Stimme eines anderen nachahmte.

»Und deine Eltern«, erwiderte Walter, »können noch nicht einmal ihren Augen trauen. Oder kannst du dir vorstellen, Jettel, wer im Hessischen Justizministerium deinen alten Trottel persönlich kennen soll? Das geht mir nicht aus dem Kopf.«

Er grübelte besessen über den unbegreiflichen Zufall nach, der dabei war, seinem Leben die Wende zu geben, aber so sehr er auch Vergangenheit durchforschte und die unbekannte Zukunft auf eine Möglichkeit durchleuchtete, die ihm entgangen sein konnte, der entscheidende Punkt ließ sich nicht erhellen.

Acht Tage später sprach Walter bei Captain Carruthers vor. Den Brief vom Hessischen Justizministerium hatte er mühsam und mit Reginas Hilfe übersetzt. So kam er sich wenigstens wie ein gut präparierter Student beim ersten Staatsexamen vor; der Vergleich, der ihm vor zwei Wochen nie in den Sinn gekommen wäre, erheiterte ihn.

Ehe der Captain mit dem lustlosen Durchblättern der Post, dem sorgsamen Stopfen seiner Pfeife und den vielen verärgerten Bewegungen beim Kampf mit dem klemmenden Fenster fertig war, ertappte sich Walter sogar bei der zufriedenen Feststellung, daß es ihm selbst besser zu gehen schien als dem Captain.

Captain Bruce Carruthers hatte ähnliche Gedanken. Er sagte mit einer Spur von Irritation, die bei ihm einst eher das gelungene Vorspiel zu einer wohl bedachten ironischen Bemerkung als Ausdruck einer plötzlichen Laune gewesen war: »Sie sehen irgendwie anders aus als beim letztenmal. Sind Sie überhaupt der richtige Mann? Der, der nichts kapiert?«

Obwohl Walter ihn verstanden hatte, wurde er unsicher.

»Sergeant Redlich, Sir«, bestätigte er verkrampft.

»Warum habt Ihr Burschen vom Kontinent alle keinen Sinn für Humor? Kein Wunder, daß Hitler den Krieg verloren hat.«

»Sorry, Sir.«

»Das hatten wir schon mal. Ich kann mich noch genau erinnern. Sie sagen sorry, und ich fange mit dem ganzen Blödsinn von vorn an«, monierte der Captain und schloß einen Moment die Augen. »Wann habe ich Sie überhaupt das letztemal gesehen?«

»Vor fast sechs Monaten, Sir.«

Der Captain sah älter und noch vergrämter aus als bei der ersten Unterredung; er wußte es. Es waren nicht nur die Magenschmerzen beim Aufwachen und der Verdruß nach dem letzten Whisky am Abend. Er spürte vor allem mit einer Melancholie, die ihm unangenehm erschien, daß er nicht mehr jenen gesunden Sinn für Proportionen hatte, den ein Mann seines Alters brauchte, um das empfindliche Gleichgewicht des Lebens zu sichern. Selbst unbedeutende Kleinigkeiten störten Bruce Carruthers über Gebühr. Beispielsweise, daß er sich nur mit geradezu entwürdigender Anstrengung den Namen des Sergeant merken konnte, der vor ihm stand. Dabei hatte er doch wahrlich oft genug diese Karikatur eines Namens von einem idiotischen Formular ins nächste übertragen müssen. Die überflüssigen Probleme mit seinem Gedächtnis kratzten mehr, als für einen Mann seines Formats ziemlich war, an der Kraft.

Hinzu kam, daß Carruthers sich von Tag zu Tag aufs neue der Erkenntnis stellen mußte, daß das Schicksal ihm nicht mehr gnädig war. Bei der Jagd konnte er sich nur schwer konzentrieren und dachte zu viel an Schottland, und Golf erschien ihm nun zu häufig als ein geradezu absurder Zeitvertreib für einen Mann, der in seiner Jugend von einer Laufbahn als Wissenschaftler geträumt hatte. Von seiner Frau war der lang erwartete Brief eingetroffen, daß sie die Trennung nicht mehr ertragen konnte und sich scheiden lassen wollte; unmittelbar darauf war von der verdammten Army der Befehl gekommen, der ihn weiter im Ngong festhielt.

Der Captain zuckte zusammen, als er merkte, daß er sich im Labyrinth seiner Auflehnung verirrt hatte. Auch das widerfuhr ihm öfter als in guten Tagen. »Ich nehme an«, sagte er entmutigt, »Sie wollen immer noch nach Deutschland entlassen werden?«

»O ja, Sir«, erwiderte Walter rasch und schob die Spitzen seiner Stiefel zusammen, »deshalb bin ich hier.«

Carruthers spürte eine Neugierde, die seinem Naturell zuwider war; er fand sie unpassend, aber doch merkwürdig faszinierend. Dann wußte er Bescheid. Die Art, wie der skurrile Kerl vor ihm Fragen beantwortete, war anders als beim erstenmal. Vor allem sein Akzent hatte sich verändert. Der war zwar immer noch quälend für ein empfindsames Ohr, aber irgendwie sprach der Mann doch besser Englisch. Zumindest war er zu verstehen. Auf diese ehrgeizigen Burschen vom Kontinent war wirklich kein Verlaß. Vergruben sich noch in einem Alter, in dem andere nur noch ans Privatleben dachten, hinter Büchern und lernten eine fremde Sprache.

»Wissen Sie überhaupt schon, was Sie in Deutschland machen wollen?«

»Ich werde Richter, Sir«, sagte Walter und hielt ihm die Übersetzung des Briefs entgegen.

Der Captain war verblüfft. Er hatte die Abneigung seiner Landsleute gegen Eitelkeit und Stolz, und doch war seine Stimme ruhig und freundlich, nachdem er den Brief gelesen hatte. »Nicht so schlecht«, sagte er.

»Ja, Sir.«

»Und jetzt erwarten Sie, daß sich die British Army mit dem Problem beschäftigt und dafür sorgt, daß die fucking Jerrys billig zu einem Richter kommen.«

»Pardon, Sir, ich habe Sie nicht verstanden.«

»Die Army soll doch Ihre Überfahrt bezahlen, oder nicht? So haben Sie es sich doch gedacht.«

»Sie haben das so gesagt, Sir.«

»Habe ich? Interessant. Nun schauen Sie nicht gleich so ängstlich. Haben Sie in Seiner Majestät Army denn nicht gelernt, daß ein Captain immer weiß, was er gesagt hat. Auch dann, wenn er in diesem gottverlassenen Land festsitzt und sich nichts mehr merken kann. Können Sie sich überhaupt vorstellen, wie man hier verblödet?«

»O ja, Sir, das weiß ich sehr gut.«

»Mögen Sie die Engländer?«

»Ja, Sir. Sie haben mir das Leben gerettet. Ich werde ihnen das nie vergessen.«

»Warum wollen Sie dann weg?«

»Die Engländer mögen mich nicht.«

»Mich auch nicht. Ich bin Schotte.«

Sie schwiegen beide. Bruce Carruthers grübelte, weshalb es einem verdammten, nichtbritischen Sergeant gelingen sollte, wieder in seinem alten Beruf zu arbeiten, und einem Captain aus Edinburgh mit einer Großmutter aus Glasgow nicht.

Walter fürchtete bereits, der Captain würde das Gespräch beenden, ohne überhaupt das Wort Repatriation zu erwähnen. Beängstigend ausführlich stellte er sich Jettel vor, wenn sie erfuhr, daß er nichts erreicht hatte. Der Captain blätterte mit der rechten Hand in einem Stapel Papier und schlug mit der linken nach einer Fliege, doch dann stand er auf, als hätte er nichts anderes im Sinn gehabt, kratzte penibel die tote Fliege von der Wand, nahm zum erstenmal die Pfeife aus dem Mund und sagte: »Was halten Sie von der ›Almanzora‹?«

»Sir, ich verstehe nicht.«

»Mann Gottes, die ›Almanzora‹ ist ein Schiff. Fährt dauernd zwischen Mombasa und Southampton hin und her und holt die Truppen heim. Ihr Burschen interessiert euch wohl nur für Saufen und Weiber?«

»Nein, Sir.«

»Vor dem 9. März nächsten Jahres bekomme ich kein Kontingent auf der alten Dame. Aber wenn Sie wollen, versuche ich's für den März. Wie war das noch? Wie viele Frauen und Kinder haben Sie?«

»Eine Frau und zwei Kinder, Sir. Ich danke Ihnen so sehr, Sir. Sie wissen nicht, was Sie für mich tun.«

»Ich glaube, das habe ich schon mal gehört«, lächelte Carruthers. »Da ist noch was, was ich wissen muß. Weshalb können Sie auf einmal Englisch?«

»Ich weiß nicht. Sorry, Sir. Das habe ich auch gar nicht bemerkt.«

23

Im Bewußtsein, daß der Zeitpunkt für einen kulturellen Neubeginn geboten war, entschlossen sich die Refugees im Hove Court zwei Tage vor Silvester in noch nie erlebter Einigkeit, das Jahr 1947 gemeinsam zu empfangen. Viele Emigranten hofften, sehr bald britische Staatsbürger zu werden; sie übten unverdrossen, wenn auch beklagenswert häufig ohne befriedigendes Ergebnis, die für sie schicksalsschweren Worte United Kingdom, Empire und Commonwealth wenigstens annähernd richtig auszusprechen. In den vergangenen beiden Monaten hatten es vier Ehepaare und zwei unverheiratete Männer geschafft, dank der Naturalisation zumindest offiziell den Status der bloody Refugees ab- und sich Namen mit englischem Klang zuzulegen, die so sehr viel wichtiger für das Selbstbewußtsein waren als materielle Güter.

Wohlgemuths nannten sich jetzt Welles, und aus Leubuschers waren Laughtons geworden. Siegfried und Henny Schlachter hatten die Gelegenheit ergriffen, sich radikal von ihren Namenswurzeln zu trennen. Ironische Vorschläge ihrer Nachbarn, sich Butcher zu nennen, lehnten sie resolut ab und wählten den Namen Baker. Es überraschte sehr, daß ausgerechnet Schlachters unter den ersten der neuen British Subjects waren. Sie hatten besondere Mühe mit ihrer neuen Muttersprache und gewiß auch nicht mehr für das adoptierte Vaterland getan als die vielen anderen, deren Gesuch von den Behörden ohne Begründung abschlägig beschieden worden war. Neider trösteten sich mit der Behauptung, Schlachters hätten nur deshalb den britischen Paß bekommen, weil ein aus Irland stammender Beamter bei der vorgeschriebenen kleinen Sprachprüfung den schwäbischen Zungenschlag des betagten Ehepaars mit einem selten noch gehörten keltischen Akzent verwechselt hätte.

Zur New Year's Party wurden selbstverständlich Mrs. Taylor und Miss Jones eingeladen, ebenso ein frisch aus der Army entlassener und sehr schweigsamer Major aus Rhodesien, der sich bei der Wahl seines Ruhesitzes durch den englischen Namen der Wohnanlage hatte täuschen lassen, doch alle drei erkrankten genau am selben Tag und am gleichen Leiden. Das Festkomitee bemühte sich um Haltung, aber die Enttäuschung, daß ausgerechnet die erste Party dieser Art von unvermittelt aufkommenden Unpäßlichkeiten überschattet wurde, ließ sich in einem so kurzen Zeitraum und ohne jahrhundertelange Übung nicht auf die bewunderte, kühle britische Art unterdrükken.

Im Festkomitee hatten die »jungen Engländer«, wie sie spöttisch genannt wurden, das Sagen. Besonders sie empfanden es nicht als ausreichende Genugtuung für die dreifache Absage, daß Diana Wilkins gesund geblieben war. Zwar war unstreitig, daß Diana durch ihre Heirat mit dem armen, erschossenen Mr. Wilkins schon seit Jahren die britische Staatsbürgerschaft hatte, aber sie wußte die Ehre absolut nicht zu schätzen. Schon nach einer Viertel Flasche Whisky verwechselte sie die Engländer mit den ihr immer noch hartnäckig verhaßten Russen.

Noch indignierter wurde vermerkt, daß ausgerechnet Walter, der durch seine geplante Umsiedlung nach Deutschland ohnehin täglich für Injurien und Zündstoff sorgte, die Schamlosigkeit hatte, von der »englischen Krankheit« zu sprechen. Nur der Umstand, daß er noch den Rock des verehrten englischen Königs trug, und dazu das Mitleid mit seiner bedauernswerten Frau, deren Einstellung zu Deutschland allgemein bekannt war, schützten Walter vor offenen Feindseligkeiten.

Auch wenn die Feier nun ohne jene Gäste stattfinden mußte, die durch ihre bloße Anwesenheit für das gebührende gesellschaftliche Prestige gesorgt hätten, fühlten sich die Verantwortlichen englischer Tradition verpflichtet. Gerade weil die Refugees nicht recht wußten, wie sie diese Ambition mit ihren fehlenden Vorstellungen vom

Leben in guten britischen Kreisen auf einen glaubhaften Nenner bringen konnten, achteten sie penibel auf jene Details, die sie sich durch regelmäßige Kinobesuche erarbeitet hatten. Die Berichte von den Feiern im englischen Königshaus, gerade um diese Jahreszeit ausführlich in den Wochenschauen zu sehen, waren eine immense Stütze.

Die Damen erschienen bei Sonnenuntergang in bodenlangen, tief ausgeschnittenen und auffallend altmodischen Abendkleidern; die meisten waren während der Emigration noch nicht getragen worden. Zu ihrem Bedauern mußten die Herren durch ihren mangelnden Weitblick bei der Auswanderung auf den Smoking verzichten, der bei den alteingesessenen Farmern im Hochland auch ohne bestimmten Anlaß als passender »Dinner Dress« galt. Die deutschen Gentlemen glichen den Mangel durch würdige Haltung in zu engen dunklen Anzügen aus. Ein böses Wort von Elsa Conrad machte allzu schnell die Runde.

»Daß Sie es wagen, nach deutschen Mottenkugeln zu riechen«, sagte sie, dreist schnüffelnd, ausgerechnet zu Hermann Friedländer, der von sich behauptete, er würde schon englisch träumen, »will mir nicht in den Kopf.«

Knallbonbons, die in der alten Heimat allenfalls Requisit für Kindergeburtstage gewesen waren und denen trotz aller Mühe der geistigen Neuorientierung noch immer das Odium der Lächerlichkeit anhaftete, wurden mit geradezu preußischer Akuratesse zwischen die widerspenstigen Stacheln der ausgetrockneten Kakteen gehängt. Mit Eifer, aber auch mit der Ratlosigkeit von Menschen, die noch kein rechtes Verhältnis zum Objekt ihrer neuen Schwärmereien entwickelt hatten, wurden Schallplatten mit den gerade gängigen Schlagern besorgt; auf keiner Neujahrsfeier in der ganzen Kolonie dürfte so oft »Don't fence me in« gespielt worden sein wie zwischen Sonnenuntergang und Mitternacht auf der gelblichen Rasenfläche des Hove Court. Mit dem echten schottischen Whisky, den der Festausschuß trotz des exorbitanten Preises kompromißlos als einziges passendes Getränk bestimmt hatte, gab es eine kleine Panne.

Er wurde kaum getrunken und rief ungeachtet der euphorischen Stimmung und der lähmenden Hitze auf später nicht mehr rekonstruierbare und doch sehr peinliche Art wehmütige Erinnerungen an Punsch und Berliner Pfannkuchen hervor. Es kam zu einer geradezu abstrusen Diskussion, ob das Silvestergebäck in den Zeiten, die man ja nun wahrlich vergessen wollte, mit Pflaumenmus oder mit Johannisbeergelee gefüllt gewesen war.

Das kleine Feuerwerk indes galt als Erfolg und noch mehr der Einfall, »Auld Lang Syne« unter dem Jacarandabaum zu singen. Das Lied, das eigens im Hinblick auf die nun leider erkrankten englischen Nachbarn einstudiert worden war, klang seltsam hart aus deutschen Kehlen. Obwohl man genau den vorgeschriebenen Kreis bildete und sich mit dem entrückten Blick viktorianischer Ladies die Hände reichte, kam nur wenig von der geschmeidigen schottischen Melancholie auf die afrikanische Nacht nieder.

Walter war der alten Weise oft in der Messe seiner Kompanie begegnet; er bemerkte den Graben zwischen Wollen und Können mit erheiterter Schadenfreude, aber er hielt sich um Jettels willen mit Spott zurück. Sein Lächeln wurde indes so mißbilligend registriert, als hätte er seine Kritik herausgeschrien. Noch unangenehmer fiel auf, daß er nach dem letzten Ton seiner Frau schamlos laut: »Nächstes Jahr in Frankfurt«, zuraunte. Jettel verstand die Anspielung auf das alte, sehnsüchtige Pessach-Gebet nicht und entgegnete aufgebracht »Heute nicht.« Die Blamage, daß sie so offensichtlich keine Ahnung von religiösem Brauch und jüdischer Tradition hatte, wurde als gerechte Strafe für Gotteslästerung empfunden und vor allem als verdient passender Dämpfer für Walters provokative Taktlosigkeit.

Durch den Lärm vom Feuerwerk und auf dem Höhepunkt eines von der Mehrheit als unglaublich unwürdig geschmähten Streits, der wegen des genauen Textes zu »Kein schöner Land in dieser Zeit« ausgebrochen war, wachte Max auf. Er hieß das neue Jahr auf die traditionelle

Art der in der Kolonie geborenen Babys willkommen. Obwohl noch keine zehn Monate alt, sprach er sein erstes verständliches Wort. Allerdings sagte er weder Mama noch Papa, sondern »Aja«. Chebeti, die in der Küche gesessen hatte und beim ersten Wimmern an sein Bett gestürzt war, sprach ihm das Wort, das ihre Haut angenehmer wärmte als eine Wolldecke in den kalten Stürmen ihrer Bergheimat, immer wieder vor. Vollkommen wach geworden von ihrem kehligen Lachen und fasziniert von den kurzen melodischen Lauten, die seine Ohren kitzelten, sagte Max tatsächlich zum zweitenmal »Aja« und dann immer wieder.

In der Hoffnung, das Wunder würde sich genau an der richtigen Stelle wiederholen, trug Chebeti ihre gurgelnde Trophäe zu den Feiernden unter dem Baum. Sie wurde überreich belohnt. Die Memsahib und der Bwana staunten mit offenem Mund und Feuer in den Augen, nahmen Chebeti das strampelnde Toto aus den Armen und sprachen ihm abwechselnd »Mama« und »Papa« vor, erst leise und lachend, aber bald laut und mit einer Entschlossenheit, die sie wie Krieger vor dem entscheidenden Kampf wirken ließ. Die meisten Männer ergriffen mit lautem »Papa«-Gebrüll Partei; wem rechtzeitig sein neuer britischer Paß einfiel, versuchte es mit »Daddy«. Die Frauen unterstützten Jettel mit lockenden »Mama«-Rufen und sahen dabei wie die Puppen ihrer Kindheit aus, die durch Druck auf den Bauch zum Sprechen gebracht wurden. Max ließ sich jedoch, bis er in einen erschöpften Schlaf fiel, keinen anderen Laut als »Aja« entlocken.

Von dem Tag an war die sprachliche Entwicklung des jungen Max Redlich nicht mehr aufzuhalten. Er sagte »kula«, wenn er essen wollte, »lala«, wenn er ins Bett gelegt wurde, ganz korrekt »Chai« zur Teekanne, »Menu« zu seinem ersten Zahn, »Toto« zu seinem Spiegelbild und »Bua« bei Regen. Sogar »Kessu«, das Wort für Morgen, Zukunft und für jene unbestimmbare Zeiteinheit, die nur für Owuor ein überblickbarer und rationaler Begriff war, schnappte er auf.

Walter lachte, wenn er seinen Sohn reden hörte, und

doch verdarb ihm eine Empfindlichkeit, die er vor sich selbst mit seinen überreizten Nerven zu entschuldigen versuchte, die Freude an dem kindlichen Geplapper. Obwohl es ihm kindisch und gar krankhaft erschien, den Dingen ein solches Gewicht zu geben, bedrängte ihn die Vorstellung, Afrika hätte ihm bereits seinen Sohn entfremdet. Noch mehr quälte ihn der Verdacht, daß Regina ihrem Bruder die Wörter eigens beibrachte und daß sie die Aufregung genoß, für die jedes neue Wort sorgte. Er grübelte vergrämt und noch mehr verletzt, ob seine Tochter ihm auf diese Weise ihre Liebe zu Afrika und die Mißbilligung seines Entschlusses zur Heimkehr zu verstehen geben wollte.

Regina stritt indes mit einer Empörung, die sonst nur Owuor im genau richtigen Moment seinem Gesicht befehlen konnte, ihre Beteiligung an einer Entwicklung ab, die Walter in seinen depressivsten Stimmungen, ohne je das Wort laut zu sagen, als Kulturkampf zu bezeichnen pflegte. Hinzu kam, daß im Hove Court ständig über den Suaheli-Sprachschatz des kleinen Max gespottet wurde. Er galt, selbst bei den wenigen verständnisvollen und toleranten Nachbarn, doch als recht deutlicher Beweis, daß das Kind klüger als sein verantwortungsloser Vater sei und daß es in seiner Unschuld zu erkennen gebe, daß es nicht nach Deutschland verschleppt werden dürfe.

Als Max schließlich einen dreisilbigen Laut formte, der mit viel Fantasie als Owuors Name gedeutet werden konnte, versagten Walters Nerven. Er schrie, mit scharlachrotem Gesicht und geballten Fäusten, seine Tochter an: »Warum willst du mir weh tun? Merkst du nicht, wie alle hier über mich lachen, weil sich mein Sohn weigert, meine Sprache zu sprechen. Und dann wundert sich deine Mutter noch, daß ich von hier fort will. Ich habe immer gedacht, wenigstens du hältst zu mir.«

Regina begriff schaudernd, wie tückisch sie ihre Fantasie verführt und zum Verrat an ihrer Loyalität und Liebe hingerissen hatte. Reue und Scham verbrühten ihre Haut und stießen Messer in ihr Herz. Sie war so in ihrer Rolle als

Fee aufgegangen, die den Zauber der Sprache beherrschte, daß sie weder Augen noch Ohren für ihren Vater gehabt hatte. Erschrocken suchte sie nach einer Entschuldigung, aber wie immer, wenn sie erregt war, ließ schon der Gedanke an die Sprache ihres Vaters die Zunge erlahmen.

Als sie merkte, daß ihre Lippen ansetzten, das Wort »Missuri« zu formen, was sowohl gut bedeutete als auch ein Zeichen war, daß einer endlich verstanden hatte, schüttelte sie den Kopf. Langsam, aber sehr entschlossen ging sie auf ihren Vater zu und schluckte ihre Trauer herunter. Dann leckte sie ihm das Salz aus den Augen. Am nächsten Tag sagte Max »Papa«.

Als er am Ende der Woche »Mama« sagte, waren indes die Ohren seiner Mutter nicht empfänglich für das ersehnte Glück, obwohl ihre Tränen gerade in diesem Moment bis zum Kinn tropften. Max krähte bereits zum zweitenmal »Mama«, und Chebeti klatschte in die Hände, als Walter in die Küche stürzte. »Wir haben«, rief er und warf seine Mütze übermütig auf das Sofa, »Plätze auf der ›Almanzora‹ bekommen. Am 9. März fährt das Schiff von Mombasa ab.«

»Puttfarken ist durchgekommen«, weinte Jettel.

»Wie in drei Teufels Namen kommst du auf Puttfarken? Wer soll das sein?«

»Puttfarken, Schützenstraße«, sagte Jettel. Sie stand auf, trocknete ihre Augen mit einer hastigen Bewegung ihres Kopfes am Ärmel ihrer Bluse und ging zum Fenster, als hätte sie lange auf den Augenblick gewartet. Dann legte sie ihre Finger auf die Lippen und zog, obwohl es erst fünf Uhr nachmittags war, die Vorhänge zu.

Walter begriff sofort. Trotzdem fragte er ungläubig: »Du meinst doch nicht unseren Puttfarken aus Leobschütz?«

»Wen denn sonst, wenn ich mitten am Tag die Vorhänge zuziehe? Anna«, ahmte Jettel die so lange vergessene, mit einem Mal wiedergefundene Stimme nach, »machen Sie erst den Vorhang zu. Es ist besser, wenn mich hier keiner sieht. Ich bin doch Beamter und muß vorsichtig sein.

Mensch, Walter, weißt du noch, wie sich unsere Anna immer geärgert hat? Sie hat ihn immer nur Feigling genannt.«

»Er war keiner. Aber wie kommst du auf ihn?«

»Bwana, der Brief«, sagte Owuor und deutete auf den Tisch.

»Aus Wiesbaden«, sagte Jettel. »Er ist ein ganzes hohes Tier geworden. Ministerialrat«, las sie vor und verschluckte sich kichernd an jeder einzelnen Silbe. »Laß mich vorlesen. Ich habe mich den ganzen Tag schon drauf gefreut.«

»Lieber Freund Redlich«, las Jettel, »durch eine schwere Grippe (falls Sie in Ihrem Sonnenparadies noch wissen, was das ist) komme ich erst heute dazu, Ihnen zu schreiben. Der Brief vom Ministerium wird Sie also schon erreicht haben. Es hätte andersherum sein sollen. Ich kann mir vorstellen, wie Sie ins Grübeln gekommen sind über den Zufall, daß Sie einer hier in Wiesbaden kennt. Wir hier wissen ja längst, daß der Zufall die einzige feste Größe ist, mit der man noch rechnen kann, aber ich hoffe doch sehr, daß Ihre Erlebnisse in dieser Hinsicht ein bißchen besser waren.

Wie soll ich Ihnen meine Fassungslosigkeit schildern, als das Gesuch von Herrn Dr. Walter Redlich zur Übernahme im Dienst des Hessischen Justizministeriums ausgerechnet auf meinem Schreibtisch landete. Wahrscheinlich bin ich seit Bismarcks Rücktritt der erste deutsche Beamte, der je im Dienst geweint hat. Ich las Ihr Gesuch immer und immer wieder und konnte doch nicht glauben, daß Sie noch am Leben sind. In Leobschütz hat man sich kurz nach Ihrer Auswanderung erzählt, daß Sie von einem Löwen angefallen worden seien und dabei den Tod gefunden hätten. Erst der Hinweis auf Ihre Studienzeit in Breslau und Ihre Anwaltstätigkeit in Leobschütz hat mir die Gewißheit gegeben, daß Sie tatsächlich der Freund guter, auf immer dahingegangener Tage sind.

Und dann konnte ich mir ja auch nicht vorstellen, daß irgendein Mensch, dem es gelungen ist, diesem Deutschland zu entrinnen, wieder zurückkommen will in diese

Ruinen und zu den Menschen, die ihm das angetan haben, was Ihnen und Ihrem Volk zugefügt worden ist. Was müssen Sie erlebt haben, wie schlimm mag Ihr Leben sein, wenn Sie den Mut zu einem so schicksalhaften Entschluß fanden! Natürlich begrüße ich ihn sehr. Wir haben hier in Deutschland die politisch belasteten Richter entlassen, und es sind viel zuwenig unbelastete übriggeblieben, um die Justiz wieder aufzubauen. Machen Sie sich also darauf gefaßt, daß Sie nicht lange Amtsgerichtsrat sein werden, ehe man Sie befördert. Amtsgerichtspräsident Maaß wird Ihnen gefallen. Er ist ein hochanständiger Mann, der von den Nazis aus dem Justizdienst gejagt wurde und seine Familie in all den Jahren kümmerlich über Wasser halten mußte.

Da wären wir auch bei meinem Schicksal. Es hat mir nichts genützt, daß Ihre Anna (ob sie mir inzwischen verziehen hat, die treue Seele?) immer die Vorhänge zuziehen mußte, wenn ich Sie im Asternweg besuchte, damit niemand mitbekam, daß ich noch bei Juden verkehrte. Kurz nachdem Sie Leobschütz verlassen hatten, wurde ich meiner jüdischen Frau wegen als Richter vom Dienst suspendiert, bekam dann aber durch die Fürsprache vom guten alten Tenscher wenigstens noch als Angestellter eine Art von Tätigkeit auf dem Grundbuchamt zugewiesen.

Nach ein paar Monaten dort wurde ich auf Betreiben von Kreisleiter Rummler, an den Sie sich hoffentlich nicht so gut erinnern werden wie ich, auch von dort entfernt. Vorher hat man mich dreimal nach Breslau einbestellt und mir die sofortige Wiederverwendung im Staatsdienst für den Fall in Aussicht gestellt, daß ich mich von meiner jüdischen Frau scheiden ließe. Bis Kriegsausbruch habe ich dann meine Familie mehr schlecht als recht durch Gelegenheitsarbeiten bei Rechtsanwalt Pawlik ernähren können, von denen natürlich niemand etwas wissen durfte. Meine Dankesschuld an Pawlik habe ich nicht mehr abtragen können.

Er fiel im ersten Kriegsmonat in Polen. Ich selbst galt ja als ›wehrunwürdig‹ und wurde 1939 zur Zwangsarbeit verpflichtet. Über diese Zeit werde ich Ihnen erzählen, wenn wir uns wiedersehen. Die Feder sträubt sich, das Erlebte niederzuschreiben, obwohl ich mir sehr bewußt bin, daß es noch schlimmer hätte kommen können.

Mit dem ersten Treck nach Kriegsende sind Käthe, mein Sohn Klaus, der ja im selben Jahr geboren wurde wie Ihre Tochter, und ich noch aus Oberschlesien herausgekommen. Käthe war es durch die ständige Angst, sie würde deportiert werden, die ganzen Jahre nicht gutgegangen, und auf der Flucht kam noch eine Wunde am Bein hinzu, die uns das Schlimmste befürchten ließ. Obwohl ich verlernt habe, an Gott zu glauben, müssen wir ihm doch dankbar sein, daß wir alle drei schließlich hier in Wiesbaden gelandet sind, wo uns ein entfernter Verwandter aufnahm. Nun verdanke ich ausgerechnet Hitler eine Karriere, von der ich in unserem Leobschütz nie zu träumen gewagt hätte.

Käthe war in größter Aufregung, als ich ihr von Ihrem Gesuch erzählte. Mein Sohn kann es gar nicht abwarten, einen Mann kennenzulernen, der bis nach Afrika gekommen ist. Er ist ein verschlossener Junge, den die Erlebnisse der bösen Jahre geprägt haben und der die Angst seiner Eltern und die Zurücksetzungen und Quälereien, die er von Freunden und vor allem von seinen Lehrern erfuhr, nicht vergessen kann. Er durfte nicht aufs Gymnasium und tut sich heute schwer mit der Schule. Er träumt auf eine besessene, unkindliche Art von Auswanderung, und ich glaube, wir werden ihn früh verlieren.

Ich fürchte, ich bin zu ausführlich geworden, aber Ihnen zu schreiben, hat mir gutgetan. Allein das Bewußtsein, daß dieser Brief nach Nairobi geht, in eine freie Welt ohne Trümmer, überwältigt mich. Und dabei habe ich die ganze Zeit das Gefühl, als würde ich in Ihrem Wohnzimmer in Leobschütz sitzen. Bei offenen Vorhängen! Nach dem Schicksal Ihres Vaters und Ihrer Schwester, die ich einmal bei Ihnen kennenlernte, wage ich nicht zu fragen. Ebensowenig wage ich es, Ihnen Mut für Ihren Neuanfang zu machen. Die Deutschen haben nicht nur einen großen Teil ihres Landes und ihre Städte eingebüßt. Sie haben auch ihre Seele und ihr Gewissen verloren. Das Land ist voll von Leuten, die nichts gesehen und nichts gewußt haben oder ›immer dagegen‹ waren. Und schon werden die paar Juden, die es noch gibt und die der Hölle entronnen sind, wieder diffamiert. Sie bekommen zur kargen Lebensmittelration des Normalverbrauchers die Schwerarbeiterzulage. Das reicht den Tätern, um die Opfer aufs neue auszugrenzen.

Lassen Sie mich so früh wie möglich wissen, wann das Datum Ihrer Rückkunft feststeht. Mein Pessimismus und meine Erfahrungen verbieten mir, von Heimkehr zu sprechen. Was in meiner Macht steht, um Ihnen zu helfen, werde ich tun, doch versprechen Sie sich nicht zu viel von einem Ministerialrat, der den Makel hat, aus Leobschütz zu stammen. Wir gelten hier im Westen als ›Ostpack‹, und keiner glaubt den Leuten, was sie zusammen mit der Heimat an materiellen und ideellen Werten verloren haben. Ich kann Sie eher zum Landgerichtspräsidenten befördern lassen als Ihnen eine Wohnung oder ein Pfund Butter verschaffen.

Lassen Sie sich von meinen Klagen, die ich an dieser Stelle als ganz unpassend empfinde, trotzdem nicht Ihren bewundernswerten Optimismus nehmen und auch nicht Ihren Humor, an den ich mich so gut und gern erinnere. Wenn es Ihnen möglich ist, bringen Sie Kaffee mit. Kaffee ist die neue deutsche Währung. Mit Kaffee kann man sich alles kaufen. Sogar eine weiße Weste. Man nennt sie inzwischen Persilschein.

Meine Frau und ich erwarten Sie und Ihre Familie mit Ungeduld und offenem Herzen. Bis dahin grüßt Sie in alter Verbundenheit

Ihr
Hans Puttfarken

PS. Fast hätte ich vergessen: Ihr alter Freund Greschek ist in einem Dorf im Harz gelandet. Ich bekam durch Zufall seine Adresse und habe ihm von Ihrer geplanten Rückkehr geschrieben.«

Während Jettel den Brief zurück in das Kuvert legte, versuchte sie, sich Puttfarkens Gesicht vorzustellen, aber ihr fiel nur ein, daß er groß und blond gewesen war und sehr blaue Augen gehabt hatte. Wenigstens das wollte sie Walter sagen, aber die Stille hatte bereits zu lange angehalten, um noch Worte zur Erlösung aus dem Aufruhr zu finden. Mit zaghaften Gesten fächelte sich Jettel mit dem Umschlag Kühlung zu. Owuor nahm ihr den Brief aus der Hand und legte ihn auf einen Glasteller.

Er ahmte die kleinen zischenden Laute nach, die er als Junge den Vögeln abgelauscht hatte, lächelte in Erinnerung an das eine Wort, das die Memsahib aus dem Papier geholt hatte, und zog pfeifend den Vorhang wieder auf. Ein Strahl der tiefliegenden Nachmittagssonne spiegelte sich im Glas und warf einen Schleier von dünnem blauem Nebel auf das graue Papier. Der Hund wurde wach, hob träge den Kopf und stieß beim Gähnen die Zähne so laut aufeinander wie in den Tagen seiner Jugend, als er im Gras noch die Hasen riechen konnte.

»Rummler«, lachte Owuor, »in dem Brief wurde Rummler gerufen. Ich habe Rummlers Namen gehört.«

»Nebbich«, sagte Walter, »wenn der Puttfarken wüßte, was aus meinem Humor geworden ist. Ach Jettel, tut es dir nicht wenigstens ein bißchen gut, so einen Brief zu bekommen? Nach all den Jahren, in denen wir der letzte Dreck waren.«

»Ich weiß nicht. Ich weiß nicht, was ich sagen soll. Ich habe nicht alles verstanden.«

»Glaubst du, ich? Ich weiß nur, daß da ein Mensch ist, der sich an mich erinnert, wie ich einmal war. Und der will uns helfen. Laß uns Zeit, Frau Doktor, uns daran zu gewöhnen, daß sich die Dinge geändert haben. Hör nicht auf das, was die Leute hier sagen. Wir sind tiefer gefallen als sie, aber wir haben auch mehr Übung als andere, im Leben neu anzufangen. Wir werden es schaffen. Unser Sohn wird nicht mehr wissen, was es heißt, ein Ausgestoßener zu sein.«

Einen Moment war es Jettel, als hätten ihr die Sanftheit

und das Verlangen in Walters Stimme die Träume, Hoffnungen und Sicherheit, die Liebe und die Lebenslust ihrer Jugend wiedergegeben, doch das Einverständnis mit ihrem Mann war ihr zu fremd, um von Dauer zu sein.

»Was hast du eigentlich gesagt, als du nach Hause gekommen bist? Ich weiß es schon nicht mehr.«

»Doch, Jettel, du weißt es genau. Ich habe gesagt, daß wir am 9. März auf der ›Almanzora‹ abfahren. Und diesmal fährt nicht jeder für sich. Wir sind zusammen. Ich bin froh, daß die Ungewißheit ein Ende hat. Ich glaube, ich hätte die Warterei nicht mehr lange ertragen können.«

24

Morgens um vier wurde Walter durch ein Geräusch wach, das er nicht deuten konnte. Er bemühte sich immer wieder, die leisen Schwingungen einzufangen, die ihm aus der Nähe zu kommen schienen und die ihm willkommener waren als die Angst vor Schlaflosigkeit, aber nur die Lautlosigkeit der quälenden Stunde vor Sonnenaufgang erreichte seine Ohren und machte sofort Jagd auf seine Ruhe. Er lauerte gierig auf das Zwitschern der Vögel in den Eukalyptusbäumen vor dem Fenster, die ihm sonst das Signal zum Aufstehen gaben; die Spannung schärfte seine Sinne vor der Zeit. Obwohl der Tag noch nicht den Hauch vom ersten grauen Licht eingefangen hatte, glaubte Walter bereits, die Umrisse der vier großen, hellen Überseekisten zu erkennen.

Sie waren seit der Ankunft in Afrika als Schränke verwandt worden und standen nun, bemalt mit Jettels steiler, kindlicher Handschrift, an je einer Wand des Schlafraums. Owuor hatte sie am Abend zuvor fertig gepackt und mit so heftigen Schlägen zugenagelt, daß Kellers aus der Nachbarwohnung wütend zurückgeklopft hatten. Walter fühlte sich befreit bei dem Gedanken, daß endlich der größte Teil vom Leben der letzten neun Jahre verstaut war. Die zwei Wochen, die bis zur Abfahrt der »Almanzora« blieben, würden nun ohne die erschöpfenden Streitereien vergehen, die jede neue Entscheidung über Mitnehmenkönnen oder Zurücklassenmüssen auslöste.

Walter war es, als würde ihm das Schicksal ein letztes Stück Normalität gönnen. Die Gnadenfrist erschien ihm zu kurz. Er lauschte so konzentriert auf das Knirschen seiner Zähne, als wäre das unangenehme Geräusch von besonderer Bedeutung. Nach einer Zeit fühlte er sich zu seiner Verwunderung tatsächlich befreit von der Last, die ihn bei Tag unablässig quälte. Er hatte, wehrlos gemacht von einem Schuldgefühl, über das er nicht sprechen konnte, wollte er seine Kraft nicht einbüßen, entweder Jettel oder Regina für jede Äußerung, für seine Seufzer, für jede Verärgerung und Unsicherheit Rechenschaft geben müssen.

Nur in den Nächten durfte er sich eingestehen, daß Enttäuschung ihn peinigte, ehe die Saat der Hoffnung zum Keimen gebracht werden konnte. Seit den Tagen, da mit dem Packen begonnen worden war, hatte sich Walter gegrämt, daß ihn die Kisten so heftig und ausschließlich an den Aufbruch in die Emigration erinnerten. Sie symbolisierten nicht, wie er sich monatelang mit sättigender Euphorie ausgemalt hatte, den so lange herbeigesehnten Aufbruch in das wiedergefundene Glück.

Um sich zur Ruhe zu zwingen, preßte Walter die Lippen so heftig aufeinander, bis der körperliche Schmerz groß genug war, den Kampf gegen die bösartigen Gespenster aufzunehmen, die der Vergangenheit entstiegen und die Zukunft bedrohten. Da hörte er den Laut, der ihn aus dem Schlaf geholt hatte, zum zweitenmal. Aus der Küche kam das leise Geräusch, das die langsamen Bewegungen nackter Füße auf dem rauhen Holzboden anzeigte, und von Zeit zu Zeit war es, als würde Rummler seinen Schwanz an der verschlossenen Tür reiben.

Bei der Vorstellung, der Hund würde auch nur ein Auge aufmachen, ehe Wasser in den Teekessel lief, lächelte Walter, aber die Neugierde drängte ihn doch nachzusehen. Er stand leise auf, um Jettel nicht zu wecken, und schlich auf Zehenspitzen in die Küche. Der Rest einer kleinen Kerze klebte auf einem Blechdeckel und tauchte mit einer langen Flamme den Raum in fahles, gelbes Licht. In der Ecke, zwischen einigen Töpfen und der verrosteten Bratpfanne aus Leobschütz, saß Owuor mit geschlossenen Augen auf dem Boden und rieb seine Füße warm. Neben ihm lag Rummler. Der Hund war tatsächlich wach und hatte einen dicken Strick um den Hals.

Unter dem Küchentisch lag ein prall gefülltes, blauweiß kariertes Handtuch, das um einen dicken Holzstab zu einem kleinen Bündel geknotet war. Aus einem der vielen Löcher baumelte ein Ärmel von dem weißem Kanzu, in dem Owuor seit den Tagen von Rongai das Essen aufgetragen hatte. Auf dem Fensterbrett lag, frisch gebügelt und sorgfältig zu einem schwarzen Rechteck gefaltet, Walters Anwaltsrobe. Er erkannte sie nur an der brüchigen Seide um Kragen und Revers. »Owuor, was machst du hier?«

»Ich sitze und warte, Bwana.«

»Warum?«

»Ich warte auf die Sonne«, erklärte Owuor. Er nahm sich nur die Zeit, die er brauchte, um das gleiche Staunen in seine Augen zu zaubern, das der Bwana in seinen hatte.

»Und warum hat Rummler den Strick um den Hals? Willst du ihn auf dem Markt verkaufen?«

»Bwana, wer kauft einen alten Hund?«

»Ich wollte dich lachen sehen. Jetzt sag endlich, warum bist du hier?«

»Das weißt du.«

»Nein.«

»Du hast immer nur mit dem Mund gelogen, Bwana. Ich und Rummler gehen auf eine lange Safari. Wer zuerst auf Safari geht, hat trockene Augen.«

Walter wiederholte, ohne daß er den Mund aufmachen konnte, jedes einzelne Wort. Als er merkte, daß seine Kehle schmerzte, setzte er sich auf den Boden und strich Rummler über das kurze, harte Nackenfell. Der warme Körper des Hundes erinnerte ihn an die vergraben gewähnten Nächte vor dem Kamin in Ol' Joro Orok und machte ihn schläfrig. Er widersetzte sich der Beruhigung, die ihn zu lähmen begann, indem er seinen Kopf gegen die Knie preßte. Zunächst empfand er den Druck auf seine Augenhöhlen als angenehm, doch dann störten ihn die Farben, die im Licht ebenso zerfielen wie seine Gedanken.

Ihm war es, als hätte er die Szene, die ihm nun so unwirklich vorkam, schon einmal erlebt, wußte jedoch zunächst nicht, wann. Sein Gedächtnis ließ sich rasch und zu bereitwillig auf die wirren Bilder ein. Er sah seinen Vater vor dem Hotel in Sohrau stehen, aber als die Kerze ihren letzten Kampf um Leben begann, wandte sich der Vater vom Sohn ab und verwandelte sich in Greschek, der in Genua an der Reling von der »Ussukuma« stand.

Die Hakenkreuzfahne wehte im Sturm. Erschöpft wartete Walter auf den Klang von Grescheks Stimme, die harte Aussprache und die hartnäckige Wut in den Silben, die den Abschied noch schwerer machen würde, als er ohnehin war. Doch Greschek sagte nichts und schüttelte nur so heftig den Kopf, daß die Fahne sich löste und auf Walter zustürzte. Er spürte nichts mehr als die eigene Ohnmacht und die Bedrückung des Schweigens.

»Kimani«, sagte Owuor, »kennt dein Kopf noch Kimani?«

»Ja«, erwiderte Walter rasch. Er war froh, daß er wieder hören und denken konnte. »Kimani war ein Freund wie du, Owuor. Ich habe oft an ihn gedacht. Er ist von der Farm gelaufen, ehe ich aus Ol' Joro Orok fort war. Ich habe ihm nicht Kwaheri gesagt.«

»Er hat dich wegfahren sehen, Bwana. Er blieb zu lange vor dem Haus stehen. Das Auto wurde immer kleiner. Am nächsten Morgen war Kimani tot. Im Wald war nur noch ein Stück von Kimanis Hemd.«

»Das hast du mir nie gesagt, Owuor. Warum? Was ist mit Kimani passiert?«

»Kimani wollte sterben.«

»Aber warum? Er war nicht krank. Er war nicht alt.«

»Kimani hat immer nur mit dir geredet, Bwana. Weißt du noch? Der Bwana und Kimani waren immer unter dem Baum. Es war das schönste Schamba mit dem höchsten Flachs. Du hast seinen Kopf voll mit den Bildern aus deinem Kopf gemacht. Kimani hat die Bilder mehr geliebt als seine Söhne und die Sonne. Er war klug, aber er war nicht klug genug. Kimani hat das Salz in seinen Körper hereingelassen und ist trocken geworden wie ein Baum ohne Wurzeln. Ein Mann muß auf Safari gehen, wenn seine Zeit da ist.«

»Owuor, ich verstehe dich nicht.«

»Owuor, ich verstehe dich nicht. Das hast du immer gesagt, wenn deine Ohren nicht hören wollten. Auch am Tag, als die Heuschrecken gekommen sind. Ich habe gesagt: die Heuschrecken sind da, Bwana, aber der Bwana hat gesagt: Owuor, ich verstehe dich nicht.«

»Hör auf, meine Stimme zu stehlen«, sagte Walter. Er merkte, wie seine Hand von Rummlers Fell zu Owuors Knie drängte; er wollte sie zurückziehen, aber sie reagierte nicht mehr auf seinen Willen. Eine Zeitlang, die ihm sehr lange vorkam und in der er immer stärker die Wärme und Glätte von Owuors Haut fühlte, wehrte er sich gegen das Begreifen. Dann kam die Pein und mit ihr die Gewißheit, daß dieser Abschied schonungsloser war als alle, die ihm vorangegangen waren.

»Owuor«, sagte er und trieb Beherrschung in seine frische Wunde, »was soll ich der Memsahib sagen, wenn du heute nicht zur Arbeit kommst? Soll ich sagen: Owuor will dir nicht mehr helfen? Soll ich sagen: Owuor will uns vergessen?«

»Chebeti wird meine Arbeit machen, Bwana.«

»Chebeti ist nur eine Aja. Sie arbeitet nicht im Haus. Das weißt du doch.«

»Chebeti ist deine Aja, aber sie ist meine Frau. Sie macht, was ich sage. Sie wird mit dir und der Memsahib bis Mombasa fahren und den kleinen Askari halten.«

»Du hast nie gesagt, daß Chebeti deine Frau ist«, sagte Walter. Seine vorwurfsvolle Stimme erschien ihm kindisch, und er wischte sich verlegen den Schweiß von der Stirn. »Warum«, fragte er leise, »habe ich das nicht gewußt?«

»Die Memsahib kidogo hat gewußt. Sie weiß immer alles. Sie hat Augen wie wir. Du hast immer auf deinen Augen geschlafen, Bwana«, lachte Owuor. »Der Hund«, fuhr er fort und sprach so schnell, als hätte er schon lange jedes Wort im Mund gehabt, »kann nicht auf ein Schiff. Er ist zu alt für ein neues Leben. Ich werde mit Rummler gehen. So wie ich aus Rongai fortgegangen bin und dann aus Ol' Joro Orok nach Nairobi.«

»Owuor«, bat Walter müde, »du mußt der Memsahib

kidogo Kwaheri sagen. Soll ich meiner Tochter sagen: Owuor ist fort und will dich nicht mehr sehen? Soll ich ihr sagen: Rummler ist fort für immer. Der Hund ist ein Teil von meinem Kind. Das weißt du doch. Du warst doch da, als sie und Rummler Freunde wurden.«

Der Seufzer war wie das erste Pfeifen des Windes nach dem Regen. Der Hund bewegte ein Ohr. Sein Jaulen war noch in seiner Schnauze, als die Tür aufging.

»Owuor muß fort, Papa. Oder willst du, daß sein Herz eintrocknet?«

»Regina, seit wann schläfst du nicht mehr? Du hast gelauscht. Hast du gewußt, daß Owuor von uns fortgeht? Wie ein Dieb in der Nacht.«

»Ja«, sagte Regina. Als sie das Wort wiederholte, schüttelte sie den Kopf mit der gleichen leichten Bewegung, mit der sie ihren Bruder davon abhielt, im Hundenapf zu wühlen. »Aber nicht«, erklärte sie, während Trauer ihre Stimme schwer machte, »wie ein Dieb. Owuor muß fort. Er will nicht sterben.«

»Herr Gott, Regina, hör auf mit dem Quatsch! An einem Abschied stirbt man nicht. Sonst wäre ich schon längst tot.«

»Manche Leute sind tot und atmen weiter.«

Erschrocken klemmte Regina ihre Unterlippe zwischen die Zähne, aber es war zu spät. Sie schluckte bereits Salz, und ihre Zunge hatte nicht mehr die Kraft, den Satz zurückzunehmen. Sie war so verwirrt, daß sie sogar glaubte, ihren Vater lachen zu hören, und traute sich nicht, ihn anzuschauen.

»Wer hat dir so was gesagt, Regina?«

»Owuor. Vor langer Zeit. Ich weiß nicht mehr, wann«, log sie.

»Owuor, du bist klug.«

Owuor mußte seine Ohren so anstrengen wie ein Hund, der nach tiefem Schlaf den ersten Laut hört, denn der Bwana hatte wie ein alter Mann gesprochen, der zuviel Luft in der Brust hat. Trotzdem gelang es ihm, das Lob wie in den guten Tagen der frischen Freude zu genießen. Er versuchte, nach der gestorbenen Zeit zu greifen, aber sie rieselte ihm wie zu fein gemahlener Mais durch die Hände. So schob er seinen Körper schwerfällig zur Seite, und Regina setzte sich zwischen ihn und ihren Vater.

Die Stille war gut und machte den Schmerz, der nicht aus dem Körper kam, leicht wie die Feder eines Huhns, ehe es zum erstenmal ein Ei legt. Sie schwiegen alle drei, bis das Tageslicht weiß und klar wurde und die Sonne die Blätter in das dunkle Grün einfärbte, das einen Tag mit Feuer in der Luft ankündigte.

»Owuor«, sagte Walter, als er das Fenster aufmachte, »hier liegt mein alter, schwarzer Mantel. Du hast ihn vergessen.«

»Ich habe nichts vergessen, Bwana. Der Mantel gehört nicht mehr mir.«

»Ich habe ihn dir geschenkt. Weiß das der kluge Owuor nicht mehr? Ich habe ihn dir in Rongai geschenkt.«

»Du ziehst den Mantel wieder an.«

»Woher weißt du?«

»In Rongai hast du gesagt: Ich brauche den Mantel nicht mehr. Der ist aus einem Leben, das ich verloren habe. Jetzt«, sagte Owuor und zeigte beim Lachen seine Zähne wie in den Tagen, die nur noch Maismehl waren, »hast du dein Leben wiedergefunden. Das Leben mit dem Mantel.«

»Du mußt ihn mitnehmen, Owuor. Ohne Mantel wirst du mich vergessen.«

»Bwana, mein Kopf kann dich nicht vergessen. Ich habe so viele Worte von dir gelernt.«

»Sag sie, sag sie noch einmal, mein Freund.«

»Ich hab' mein Herz in Heidelberg verloren«, summte Owuor. Er merkte, daß seine Stimme mit jedem Ton kräftiger wurde und daß die Musik in seiner Kehle immer noch so süß schmeckte wie beim erstenmal. »Siehst du«, sagte er triumphierend, »auch meine Zunge kann dich nicht vergessen.«

Entschlossen und doch mit zitternden Händen griff Walter nach der Anwaltsrobe, schüttelte sie aus und legte sie um Owuors Schultern, als wäre er ein Kind, das der

Vater vor Kälte schützen muß. »Geh jetzt, mein Freund«, sagte er, »auch ich will kein Salz in den Augen.«

»Es ist gut, Bwana.«

»Nein«, schrie Regina, und sie wehrte sich nicht länger gegen den Druck der verschluckten Tränen. »Nein, Owuor, du mußt mich noch einmal hochheben. Ich darf das nicht sagen, aber ich sag's doch.«

Als Owuor sie in seine Arme nahm, hielt Regina die Luft an, bis der Schmerz ihre Brust in zwei Teile spaltete. Sie rieb ihre Stirn an den Muskeln von Owuors Nacken und ließ die Nase den Duft seiner Haut einfangen. Da merkte sie, daß sie wieder zu atmen begonnen hatte. Ihre Lippen wurden feucht. Die Hände griffen nach dem Haar, in das nun jeden Tag ein neuer kleiner Strahl vom grauen Blitz fuhr, aber Owuor hatte sich verwandelt.

Er war nicht mehr alt und voller Trauer. Sein Rücken war wieder gerade wie der Pfeil vom gespannten Bogen der Massai. Oder war es Amors Pfeil, der durch die Bilder sauste?

Einen Moment fürchtete Regina, sie hätte Amors Gesicht erblickt und ihn für immer in das Land getrieben, in das sie ihm nicht folgen konnte, doch, als sie ihre Augenlider endlich heben konnte, sah sie Owuors Nase und das Leuchten seiner großen Zähne. Noch einmal war er der Riese, der sie in Rongai aus dem Auto gehoben und in die Luft geworfen und so unendlich sanft auf die rote Erde der Farm gesetzt hatte.

»Owuor, du kannst nicht weg«, flüsterte sie, »der Zauber ist noch da. Du kannst den Zauber nicht zerschneiden. Du willst nicht auf Safari. Nur deine Füße wollen fort.«

Der Riese mit den starken Armen gab ihrem Ohr zu trinken. Es waren wunderbar leise Laute, die fliegen konnten, sich aber nicht fangen ließen, und doch machten sie auch schwache Menschen mit Tränen stark. Regina hatte die Augen wieder in die Dunkelheit zurückgestoßen, als Owuor sie auf den Boden stellte. Sie hatte seine Lippen auf ihrer Haut gespürt, aber sie wußte, daß sie Owuor nicht ansehen durfte.

Wie die Bettler auf dem Markt ließ sie ihren Körper auf den Boden gleiten, als wäre er zu kraftlos, um sich gegen die Lähmung zu wehren. Aufmerksam lauschte sie der Melodie des Abschieds; sie hörte Rummler schnaufen, Owuors Schritte, die das Holz zum Tanzen brachten, dann das Quietschen der Tür, als sie energisch aufgestoßen wurde, und in der Ferne einen Vogel, der anzeigte, daß es noch eine andere Welt als die mit den frischen Wunden gab. Eine kurze Zeit roch die Küche noch nach Rummlers feuchtem Fell, später nur nach dem kalten Wachs der abgebrannten Kerze.

»Owuor bleibt bei uns. Wir haben ihn nicht gehen sehen«, sagte Regina. Erst merkte sie, daß sie laut gesprochen hatte, und dann, daß sie weinte.

»Verzeih mir, Regina. Das wollte ich nicht. Du bist zu jung. In deinem Alter wußte ich nur, was Schmerz war, wenn ich vom Pferd fiel.«

»Wir haben ja kein Pferd.«

Walter sah seine Tochter erstaunt an. Hatte er ihr so viel Kindheit geraubt, daß sie sich mit einem Scherz trösten mußte, während ihr die Tränen, wie einem Kind, das nichts begreift außer seinem Trotz, über das Gesicht liefen? Oder genoß sie nur die Sprache Afrikas und heilte ihre Seele mit einem Balsam, den er nie ausprobiert hatte? Er wollte Regina an sich ziehen, aber er ließ seine Arme sinken, kaum, daß er sie erhoben hatte.

»Du wirst nicht mehr vergessen können, Regina.«

»Ich will nicht vergessen.«

»Das habe ich auch gesagt. Und was hat es mir gebracht? Ich tu dem Menschen weh, der mir am meisten auf der Welt bedeutet.«

»Nein«, wehrte Regina ab, »du kannst nicht anders, du mußt auf Safari.«

»Wer hat das gesagt?«

»Owuor. Er hat noch was gesagt.«

»Was denn?«

»Soll ich dir's wirklich sagen? Du wirst beleidigt sein.«

 »Nein, ich versprech dir, daß ich's nicht bin.«

»Owuor«, erinnerte sich Regina und schaute zum Fenster hinaus, um nicht das Gesicht ihres Vaters sehen zu müssen, »hat gesagt, ich muß dich beschützen. Du bist ein Kind. Das hat Owuor gesagt, Papa, nicht ich.«

»Er hat recht, aber sag es keinem, Memsahib kidogo.«

»Hapana, Bwana.«

Sie hielten sich aneinander fest und glaubten, sie hätten denselben Weg vor sich. Walter hatte zum erstenmal das Land betreten, das ihm zu spät ein Stück Heimat geworden war. Regina aber genoß die Kostbarkeit des Augenblicks. Endlich hatte ihr Vater begriffen, daß nur der schwarze Gott Mungo die Menschen glücklich machte.

IRGENDWO
IN DEUTSCHLAND

Meinem Bruder Max

1

Am 15. April 1947 war der Eilzug mit einer Fahrzeit von nur knapp neunzehn Stunden trotz seines zweistündigen Aufenthalts am Kontrollpunkt zwischen der britischen und der amerikanischen Besatzungszone ungewöhnlich schnell von Osnabrück nach Frankfurt am Main gelangt. Die Reisenden in den Abteilen und Gängen rechneten nicht mit der eher als abrupt denn erlösend empfundenen Ankunft. Noch betäubt von der Kälte der Nacht und der ungewöhnlichen Wärme der Morgenstunden beraubten die Pappverkleidungen an den glaslosen Fenstern des Zuges sie ihrer Orientierungsfähigkeit, und die Sinne verweigerten ihnen einige Minuten lang die so lange ersehnte Gewißheit des Ziels.

Sie zögerten, Rucksäcke, Taschen und Koffer auf den Boden zu stellen und sie so den Gefahren auszusetzen, die bedauerlich typisch für die neue Zeit waren, die auf so empörende Art ohne die intakten Moralbegriffe der trotz allen Leids immerhin überschaubaren Kriegsjahre auskam. Schon gar nicht wollten die Glücklichen, die ihre Bequemlichkeit robust, aber durchaus auf eine Art erkämpft hatten, die sie als gerecht und zeitgemäß demokratisch empfanden, durch einen zu frühen Aufbruch ihre Sitz- oder Stehplätze in den Gängen des Abteils aufgeben.

Nur die wegen ihrer körperlichen Konstitution beneideten Reisenden auf den Trittbrettern und Dächern des Zugs erkannten sofort, daß die verkohlten Balken in der offenen Halle, die lose herabhängenden Drähte, die in der Sonne funkelnden Scherbenhaufen zwischen den Gleisen und die aus den Trümmern aufgeschichteten Steine tatsächlich das Herz des Frankfurter Hauptbahnhofs bildeten. Zunächst wagten es also nur wenige, den Zug zu verlassen. Fast so rasch kletterten die Männer mit Rucksäcken von den Dächern; die Frauen mit Kopftüchern und entschlossenen, rußschwarzen Gesichtern sprangen von den Trittbrettern.

Sie alle hatten einen weitaus günstigeren Ausgangspunkt, um Frankfurt in Besitz zu nehmen, als die aus dem afrikanischen Exil heimkehrende Familie Redlich im letzten Waggon. Der war von außen verriegelt und mußte erst von einem auffallend wohlgenährten, zu langsamen Bewegungen in den Beinen und zu schnellen in den Kiefern neigenden amerikanischen Corporal geöffnet werden.

Walter in einem schweren grauen Mantel, den er drei Tage zuvor in London bei der Entlassung vom Militär als letzte Zuwendung der britischen Army erhalten hatte, stieg zögernd aus dem Zug. Er trug die beiden Koffer, die noch aus Breslau stammten und zehn Jahre zuvor den deutschen Boden verlassen hatten und ihn nun vor ihm berührten. Ihm folgte Jettel in einem Kleid, das sie sich eigens für die Rückreise in die fremde Heimat von einem indischen Schneider in Nairobi hatte nähen lassen. Sie hielt in einer Hand das in der langen Nacht durchnäßte Taschentuch und in der anderen die Hutschachtel, von der sie sich bei keiner Reise in den zehn Jahren ihrer Emigration in Kenia hatte trennen können.

Regina, deren vierzehnjähriger Körper Mühe hatte, ein für sie umgeändertes Kleid ihrer molligen Mutter auszufüllen, konzentrierte sich beim Aussteigen auf die Aufgabe, nicht wie ihre Mutter zu weinen, und sie schon gar nicht zu verärgern, indem sie den Anflug jenes hoffnungsvollen Lächelns in ihr Gesicht ließ, das ihr Vater von ihr erwartete. Sie trug ihren einjährigen Bruder Max, der den entscheidenden Moment der Ankunft in seiner neuen Heimat verpaßte. Er hatte sich von den Strapazen der Reise und den durch die ungewohnte Kost von Salatblättern zwischen Weißbrotschnitten hervorgerufenen Blähungen durch anhaltendes Schreien befreit, das die ganze Nacht nichts von seiner Vehemenz verloren hatte. Nun schlief er, auf Reginas Bauch schaukelnd, mit dem Kopf an ihrer Schulter. Als der erste Hauch Frankfurter Luft sein Gesicht streifte, ballte er nur leicht die Faust, wachte jedoch nicht auf.

Die British Army war der Verpflichtung, einen Soldaten in die Heimat zu entlassen, umsichtig und verantwortungsvoll nachgekommen. Bei der Ankunft in Hoek van Holland waren die Redlichs mit einem Jeep bis Osnabrück gebracht und dort eine Nacht in einem Flüchtlingslager untergebracht worden – mit der Ermahnung, Kontaktaufnahme zu den feindlichen Deutschen nach Möglichkeit zu vermeiden.

In Osnabrück waren Walter, Jettel, Regina und das Baby, versehen mit den Rationen, die einem Soldaten als Proviant für einen Tag ohne besondere körperliche Anstrengung zustanden, in den geschlossenen Wagen gesetzt worden. Mitreisende waren ein englischer Major und ein kanadischer Captain, die beide den Zug mit je zwei Whiskyflaschen bestiegen und sehr bald die eine davon ausgetrunken hatten. Abgesehen von dem in regelmäßigen Abständen wiederholten Befehl »Shut up« an das »bloody baby« und der gelegentlich geäußerten Feststellung »Fucking Germans«, wenn Jettel zu laut schluchzte oder Max zu selbstbewußt für ein Kind auf der Verliererseite brüllte, kam es zu keinen weiteren Kontakten. Der Major und der Captain hatten den Zug bereits verlassen, als Walter sich zum erstenmal in Frankfurt umsah.

»Wir sollten hier abgeholt werden«, sagte er, »das haben sie mir doch noch nach London geschrieben.« Es war, zehn Minuten nach Ankunft, sein erster Satz in der Stadt, die er als Heimat begehrte.

»Ich dachte, die Deutschen sind pünktlich«, erwiderte Jettel, »das war doch immer das Beste an ihnen.«

»In Afrika hat auch keiner den roten Teppich ausgerollt, als wir ankamen. Und hier können wir uns wenigstens verständigen. Laß uns Zeit, Jettel.«

»Die lassen sich Zeit«, schniefte Jettel. »Ich kann nicht mehr. Das arme Kind. Wie lange soll so ein unschuldiges kleines Kind solche Strapazen aushalten? Ich kann ihm gar nicht in die Augen gucken.«

»Mußt du ja nicht. Das arme Kind schläft nämlich«, sagte Walter.

Regina starrte auf ihre Schuhe. Sie versuchte, sich darauf zu konzentrieren, weder Hunger, Durst noch die Angst zu spüren, die ihren Körper steif gemacht hatten, seitdem sie bei der Überschreitung der deutschen Grenze die ersten zerstörten Häuser und auf dem Bahnhof in Osnabrück die einbeinigen Männer auf Krücken gesehen hatte. Sie rieb ihr Gesicht an der warmen Haut ihres Bruders und widerstand der Versuchung, ihm jene paar Worte in der Sprache der Jaluo ins Ohr zu flüstern, die ihr Kraft gegeben hätten, den Kampf gegen die Angst aufzunehmen. Es war nicht gut, das Kind einer Mutter zu wecken, die ihre eigenen Augen nicht trocken halten konnte. Erst als Regina merkte, daß ihre Eltern aufgehört hatten, sich zu streiten, und beide in eine Richtung blickten, gestattete sie ihren eigenen Augen die Erlösung und schaute sich um.

Ihr Vater stand nicht mehr neben ihr; ihre Mutter hatte die Hutschachtel abgestellt, den rechten Arm vorgestreckt und rief laut: »Mein Gott, der Koschella. Was macht der denn hier? Der war doch auf unserer Hochzeit.«

Regina sah, daß ihr Vater rannte, vor einem Mann in einem grauen Anzug stehenblieb, einen Moment seinen Kopf schüttelte, beide Arme ausstreckte und plötzlich wieder fallen ließ. Es war der Fremde, der Walters Hand ergriff. Er hatte eine tiefe Stimme, und Regina hörte noch aus der Ferne, daß diese Stimme zu reisen gewohnt war.

»Walter Redlich«, sagte der Mann, »ich hab's nicht geglaubt, als man mir gestern sagte, ich soll Sie abholen. Ich kann immer noch nicht glauben, daß einer verrückt genug ist, in dieses Land zurückzukehren. Wo in aller Welt kommen Sie her? Ach was, ich weiß es ja. Die ganze Justiz redet seit Tagen nur noch von dem Verrückten, der die Fleischtöpfe Afrikas im Stich läßt, um hier als Richter zu hungern. Du lieber Himmel, sagen Sie nur, das Baby gehört auch Ihnen.«

Regina beobachtete genau, wie der Mann ihrer Mutter die Hand reichte und diese mit einemmal das Lächeln der gestorbenen Tage im Gesicht hatte, als sie in Nairobi noch nichts von der Rückkehr nach Deutschland gewußt hatte. Danach versuchte Regina, dem Mann die Hand entgegenzustrecken, die Bewegung gelang ihr jedoch nicht, weil ihr Bruder, der immer schwerer wurde, von ihren Hüften zu rutschen begann. Sie bemühte sich sehr, gleichzeitig den Namen Koschella in ihrem Mund zu formen und den aufgeregten Reden ihrer Eltern und den hastig gesprochenen, immer ein wenig scharf klingenden Sätzen des Mannes zu folgen; und sie ließ sich zu lange Zeit mit der Grübelei, was das Wort Oberstaatsanwalt wohl bedeutete und ob es wichtig für sie alle wäre.

So beschränkte Regina schließlich die Freude, die ihre Eltern von ihr erwarteten, auf die regelmäßige Bewegung ihrer Beine und die Herausforderung, mit den Männern und ihrer Mutter Schritt zu halten. Ihr ging auf, daß ihr Vater so ganz anders lief als in Afrika. Sie hörte seine Schuhe und sah den Staub, den sie vor sich herstießen, aber er war dunkel und dicht, nicht mehr hell und durchsichtig wie in den guten Tagen der Wärme.

Die Gruppe verließ das Grau des Bahnhofs und trat in die Helligkeit des Frühlings, überquerte eine Straße, die von beiden Seiten von zerstörten Häusern gesäumt war und auf der alte Frauen hoch beladene Schubkarren schoben. Auf Pappkoffern und grauen Decken saßen kleine Kinder. Sie hatten die glanzlosen Augen, die Regina von den leprakranken Bettlern in den Markthallen von Nairobi kannte. Eine hellgelbe Straßenbahn klingelte in hohen Tönen. Ihre Türen standen offen; die Menschen, dicht aneinandergepreßt auf den Trittbrettern, wirkten wie die alten Bäume auf der Farm in Ol' Joro Orok, die der Wind hatte zusammenwachsen lassen. Auf den Schuttbergen der toten Häuser wuchsen kräftige Büsche gelber Pflanzen. Die Vögel zwitscherten. Walter sagte: »Selbst die Vögel singen hier anders als in Afrika.« Koschella lachte und schüttelte den Kopf.

»Immer noch der alte Witzbold«, sagte er.

Regina wurde von ihrem Vater in einen großen, sauberen Raum geschoben, der sehr dunkel war und nach der scharfen Seife roch, die sie an ihre Schule am Nakurusee erinnerte. Einen Moment lang vergaß sie, daß sie die Schule gehaßt hatte, und lächelte bei dem Gedanken, daß sie schon war wie ihre Mutter und die guten mit den bösen Erinnerungen verwechselte. Sie sah aber dennoch die Flamingos hochfliegen und mußte ihren Augen verbieten, in die rosa Wolke einzutauchen.

Hinter einem langen Tisch saß eine junge, sehr blonde Frau mit sehr roten Lippen. Ihr blaues Kleid hatte einen weißen Kragen. Ihr Kopf mit dem in gleichmäßigen Wellen gelegten Haar erreichte die höchste der gelben Rosen in einer blauen Vase.

Koschellas kräftige Stimme wurde noch eine Spur lauter, als er: »Oberstaatsanwalt Doktor Hans Koschella« sagte und nach einer kleinen Pause, die die Frau zu einem unwilligen Blick nutzte, hinzufügte: »Dies ist Amtsgerichtsrat Doktor Walter Redlich aus Nairobi. Ich habe gestern für ihn und seine Familie zwei Zimmer reserviert.«

Die Frau fuhr sich mit einem Finger durch die unterste Haarwelle. Obwohl sie kaum ihre roten Lippen bewegte, vernahm man sehr deutlich: »Bedauere. Das Hotel Monopol ist für Deutsche off limits.«

»Was soll das heißen? Das hätten Sie mir gestern sagen sollen, als ich die Zimmer bestellte.«

»Dazu«, sagte die Frau und lächelte so lange, bis die obere Reihe ihrer Zähne zu sehen war, »bin ich ja gar nicht gekommen, Herr Doktor Koschella. Sie haben die Zimmer bestellt und gleich aufgehängt.«

»Dann verweisen Sie mich an ein anderes Hotel. Glauben Sie, die Justiz kann es sich leisten, einen Richter aus Afrika kommen zu lassen und ihm kein Quartier zu verschaffen? Wie stellen Sie sich das denn vor?«

»Es gibt keine Hotels in Frankfurt für Deutsche. Das müßten Sie doch wissen, Herr Oberstaatsanwalt. Sie sind alle von der amerikanischen Militärregierung beschlagnahmt.«

»Dann verlange ich sofort, Ihren Direktor zu sprechen.«

»Das Monopol gehört zu den Hotels, die direkt von der Militärregierung verwaltet werden. Wir haben keinen Direktor. Ich muß Sie auch darauf hinweisen, daß ich mich strafbar mache, wenn ich Deutsche in der Hotelhalle sitzen lasse.«

Doktor Hans Koschella sah eine Zeitlang die Frau und noch länger seine Uhr an. Er machte eine winzige Bewegung in Richtung des Babys auf Reginas Bauch; sie hielt ihm das Kind hin, das mit ihren Haaren spielte, damit er es streicheln konnte, aber er nahm die Hand zurück, schaute Walter an und sagte, nicht mehr so bestimmt wie zuvor, aber noch immer mit einer Stimme, die gewöhnt ist, gehört zu werden: »Tut mir entsetzlich leid, Redlich. Das ist irgendwie dumm gelaufen. Leider hab ich einen dringenden Termin und kann mich nicht weiter um Sie kümmern. Na, das werden Sie ja bald selbst erleben, daß man die paar Juristen, die heute noch arbeiten dürfen, ganz schön herumhetzt.«

»Aber was sollen wir denn machen?« fragte Jettel leise.

»Auf alle Fälle machen Sie sich keine Sorgen, Frau Jettel. Ihr Mann fährt am besten gleich zum Wohnungsamt und läßt sich eine Wohnung zuweisen. Er hat ja wohl die entsprechende

Dringlichkeitsbescheinigung von der Justiz. Kommen Sie, Redlich, schauen Sie nicht so unglücklich drein. Ich begleite Sie zur Straßenbahn. Die Zeit nehm ich mir einfach. Und lassen Sie sich bloß von den Beamten dort nicht ins Bockshorn jagen. Die sind verpflichtet, Rückwanderer bevorzugt zu behandeln. Man darf heute nicht mehr zu zurückhaltend sein.«

Regina begleitete Walter zur Tür. Ihre Füße waren schwer und der Mund trocken. Sie wußte, daß ihre Mutter sie beobachtete, und so traute sie sich nicht, ihren Vater zu fragen, wo Jettel, sie und Max auf ihn warten sollten. Sie sah ihm und Koschella so lange nach, bis die Silhouetten sich in dem hellen Sonnenlicht auflösten, und kehrte so langsam, wie es ihre Füße zuließen, zu ihrer Mutter zurück. Sie kam gerade an dem Tisch mit den Rosen an, als die blonde Frau auf eine Lederbank in der dunkelsten Ecke des Zimmers wies und zu Jettel sagte: »Setzen Sie sich dahin, bis Ihr Mann zurückkommt. Aber halten Sie um Himmels willen das Kind ruhig. Wenn einer Sie hier entdeckt, bin ich dran und muß Sie auf die Straße schicken.«

Die Straßenbahn war so voll, daß Walter erst nach der zweiten Haltestelle vom Trittbrett in den Wagen gelangte. Obwohl er seit der Abfahrt von Osnabrück kaum etwas gegessen hatte, um die Militärrationen für Regina und Max zu sparen, und ihm schwindlig und übel war, empfand er die Anstrengung als durchaus willkommene Gelegenheit, ihn von seinem Zustand, einer verwirrenden Mischung aus Empörung, Beklommenheit und Schock, abzulenken.

Er hatte, als er gegen Jettels Widerstand und Reginas nie ausgesprochene Verzweiflung den Entschluß zur Rückkehr nach Deutschland durchgesetzt hatte, sich keine Illusionen gemacht und gewußt, daß die Heimkehr ihn vor Probleme stellen würde, die er sich in Afrika selbst in Stunden von größtem Pessimismus nicht ausmalen konnte. Nie aber war ihm in den Sinn gekommen, die Ironie des Schicksals könnte ihn sofort mit der gleichen Scham belasten wie im Januar 1938, als er mittellos und verzweifelt in Kenia angekommen war. Die Scham hatte sein Selbstbewußtsein in dem Moment zerlöchert, da er Jettel, Regina und Max nun allein im Hotel hatte zurücklassen müssen. Die Erfahrung der Vergangenheit gab ihm die Gewißheit, daß diese neue Demütigung ihn sehr lange begleiten würde.

Walter rechnete damit, daß er viel Zeit brauchen würde, um das von Koschella beschriebene Haus zu finden, und stieg bedrückt an der Haltestelle aus. Schon der erste Mann jedoch, den er nach dem Weg fragte, zeigte auf ein graues Gebäude mit notdürftig verkleideten Fenstern und einer hölzernen Eingangstür. Auf einem mit Reißnägeln befestigten Pappschild stand »Städtisches Wohnungsamt«.

Von einem alten Mann mit einer schwarzen Augenklappe wurde Walter in einen Raum mit dem Schild »Zuzug« geschickt; von vier jüngeren Männern, deren Bewegungen denen des ersten Manns ähnelten, verblüfft angestarrt, abgewiesen und mit sehr knappen Sätzen umdirigiert. Bei keinem gelang es ihm, mehr als seinen Namen zu nennen und zu erzählen, daß seine Frau und seine Kinder in einer Hotelhalle saßen, in der sie nicht sitzen durften.

An der fünften Tür stand »Flüchtlingsbetreuung«. Der Beamte saß an einem kleinen Holztisch, auf dem Akten, drei kurze Bleistifte und eine angerostete Schere lagen. Daneben stand ein Blechbecher mit einer dampfenden Flüssigkeit. Walter glaubte sich erinnern zu können, daß so Kamillentee roch. Schon an das Wort hatte er mehr als zehn Jahre nicht gedacht. Das beschäftigte ihn auf eine Weise, die er als unwürdig für diesen Moment äußerster Anspannung empfand.

Der Mann blätterte in einem Stapel aus grauem Papier, als Walter auf ihn zuging, und kaute an einer dünnen, auffallend gelben Brotscheibe. Er wirkte nicht anders als seine Kollegen, und Walter stellte sich auf die Müdigkeit der abweisenden Bewegung ein, doch der Mann sagte überraschenderweise erst: »Guten Morgen«, und dann: »Nehmen Sie erst einmal Platz.«

Seine Stimme hatte den singenden Klang, der Walter sofort an seinen Freund Oha in Gilgil erinnerte. Er sträubte sich abermals gegen die Willkür seines Gedächtnisses, bis ihm aufging, daß die Menschen in Frankfurt wohl alle wie Oha sprechen würden, der ja schließlich aus Frankfurt stammte. Sein Magen, der sich verkrampft hatte, als er den Beamten sein Brot kauen sah, beruhigte sich etwas. Walter lächelte und genierte sich seiner Verlegenheit.

Der Beamte hieß Fichtel, war heiser, trug ein graues Hemd, das ihm am Hals sehr viel zu weit war, und hatte trotz seines großen Adamsapfels und der eingefallenen Wangen die Andeutung einer Gutmütigkeit im Gesicht, die Walter Mut machte.

»Nun erzählen Se mal«, sagte Fichtel.

Als er hörte, daß Walter soeben aus Afrika angekommen war, pfiff er mit einem langen, geradezu absurd jugendlichen Ton, und sagte: »Kerle, Kerle«, was Walter nicht verstand. Ermuntert durch den wachen Ausdruck, der Fichtels Gesicht mit einem Mal belebt hatte, begann er, ausführlich von den letzten zehn Jahren seines Lebens zu berichten.

»Und ich soll Ihnen glauben, daß Sie freiwillig in dieses Drecksland gekommen sind? Mann, ich würde lieber heute als morgen auswandern. Das wollen alle hier. Was hat Sie zurückgetrieben?«

»Die wollten mich nicht in Afrika.«

»Und wollen die Sie hier?«

»Ich glaube schon.«

»Na, Sie müssen es ja wissen. Heutzutage ist alles möglich. Haben Sie wenigstens Kaffee von den Negern mitgebracht?«

»Nein«, sagte Walter.

»Oder Zigaretten?«

»Ein paar. Aber die hab ich schon aufgeraucht.«

»Kerle, Kerle«, sagte Fichtel. »Und ich dachte immer, die Juden sind schlau und kommen überall durch.«

»Besonders durch die Schornsteine von Auschwitz.«

»So hab ich das nicht gemeint, ganz bestimmt nicht. Das können Sie mir glauben«, versicherte Fichtel. Seine Hand zitterte ein wenig, als er die Stempel von einer Seite des Tisches zur anderen schob. Seine Stimme war unruhig, als er sagte: »Auch wenn ich Sie sofort auf die Dringlichkeitsstufe eins setze, bekommen Sie bei mir in Jahren noch keine Wohnung. Wir haben gar keine. Die meisten Wohnungen sind entweder zerbombt oder von den Amis beschlagnahmt. Für Sie ist die Judengemeinde im Baumweg viel besser. Es heißt, daß die Wunder tun kann und ganz andere Möglichkeiten hat als unsereins.«

Der Satz verwirrte Walter so, daß er sich keine Zeit für die Empfindungen nahm, die ihn bedrängten.

»Sie wollen doch nicht sagen, daß es hier in Frankfurt eine Jüdische Gemeinde gibt?« fragte er.

»Klar«, sagte Fichtel, »da sind doch aus den Lagern, von den' heut draußen alle Welt redet, genug zurückgekommen. Und wie man hört, geht es denen nicht schlecht. Bekommen ja die Schwerarbeiterzulage. Steht Ihnen ja auch zu. Kommen Sie, ich schreib Ihnen die Adresse auf, Herr Rat. Sie werden sehen, morgen können Sie schon in der eigenen Wohnung sitzen. Ich sag's ja immer. Die eigenen Leute lassen einen nicht im Stich.«

Es war nach vier, als Walter ins Monopol zurückkehrte. Er hatte bei der Jüdischen Gemeinde nur eine Frau angetroffen, die ihn für den nächsten Tag bestellt hatte, und er erwartete, Jettel, wenn überhaupt, in Tränen vorzufinden. Er sah sie von weitem und glaubte, die Halluzinationen, die ihn seit dem Abschied von Koschella bedroht hatten, hätten ihn endgültig erbeutet.

Jettel saß in einem Jeep neben einem Soldaten in amerikanischer Uniform, Regina mit Max auf dem Schoß hinten. Walter war ganz sicher, daß man dabei war, seine Familie wegen verbotenen Aufenthalts in dem Hotel zu verhaften, und hetzte in Panik, mit krampfendem Magen und Gesten, die ihm so absurd wie der Verlauf des ganzen Tages erschienen, auf den Wagen zu.

»Komm«, rief Jettel aufgeregt, »ich dachte schon, die bringen uns hier weg, ehe du wiederkommst. Wo um Himmels willen hast du gesteckt? Das Kind hat keine einzige trockene Windel mehr und Regina andauernd Nasenbluten.«

»Sir«, schrie Walter, »this is my wife. And my children.«

»Dann laß das nächste Mal deine schöne wife nicht in einem beschlagnahmten Hotel herumsitzen, du Trottel«, grinste der Sergeant.

Seine Sprache war unüberhörbar badischen Ursprungs; er hieß Steve Green, war ursprünglich ein Stefan Grünthal gewesen und seit der Besetzung Frankfurts bei der amerikanischen Militärregierung, seiner Sprachkenntnisse wegen, für alle Problemfälle zuständig, die Deutsche betrafen. Steve Green war von der Sekretärin des Hotels Monopol alarmiert worden, als der aufging, daß sie die jammernde Jettel, ihre schluchzende Tochter und das schreiende Baby nicht auf dem üblichen Weg der einschüchternden Arroganz würde loswerden können.

Steves Eltern besaßen bis 1935 ein kleines Hotel in der Nähe von Baden-Baden. Die Mutter kochte die beste Hühnersuppe der Welt und haßte die Deutschen. Der Vater hatte sich in New York vom Nachtportier in Brooklyn zum Verkäufer in einem Schmuckgeschäft in der 47th Street hochgearbeitet, ging jeden Schabbes in die Synagoge und haßte die Deutschen auch. Steve haßte vor allem Frankfurt, die bloody Army und die deutschen Angestellten im PX-Laden, die die Waren auf dem Schwarzen Markt verschoben, ehe die GIs sie kaufen konnten.

Das alles erzählte er in einer Mischung aus fließendem Deutsch und unverständlichem Amerikanisch, während er den Jeep in rasender Fahrt und mit Flüchen, die weit gröber waren als alles, was Walter je beim britischen Militär gehört hatte, durch die von ausgebrannten Häusern gesäumten Straßen der Frankfurter Innenstadt trieb. Zwang ihn eine Straßenbahn oder Männer mit Schubkarren zum Anhalten, warf er, je nach Gegebenheit, eine Zigarette aus dem Jeep und freute sich an den Leuten, die sich um sie balgten. Oder er vergaß, daß er die Deutschen haßte, und überraschte verdutzte junge Frauen, die er entweder »Fräulein« oder »Veronika« nannte, mit einem Riegel »Hershey's«-Schokolade.

Steve schenkte Regina ein Paket Kaugummi, verwechselte bei hoher Geschwindigkeit immer öfter Jettels Knie mit dem Schaltknüppel und beantwortete Walters Fragen nach dem Ziel der Reise augenzwinkernd mit dem Hinweis »off limits«. Eine Viertelstunde nach Beginn der Fahrt bog er von einer großen Allee mit blühenden Kastanienbäumen ab und in die schmale, auffallend guterhaltene Eppsteiner Straße ein, sprang aus dem Jeep, half Jettel galant aus dem Wagen, drängte in eiliger Grobheit Walter und Regina mit dem Baby auf dem Arm zum Aussteigen, nahm eine Pistole aus der Hosentasche, stürmte in den Hausflur, rannte in den zweiten Stock und drückte auf eine Klingel.

Eine grauhaarige Frau machte zögernd die Tür auf und rief erschrocken: »Ach!«

»Beschlagnahmt«, brüllte Steve in Richtung der erschrockenen Frau und »okay« hinunter ins Treppenhaus. Die Frau wurde blaß, wischte sich immer wieder die Hände in einer geblümten Schürze ab und jammerte mit geschlossenen Augen: »Ich hab ja nur noch zwei Zimmer.«

»Eins zuviel«, schrie Steve, »die Leute bleiben hier. Einquartierung für eine Woche.«

Die Frau machte ihren Mund auf, aber gleich wieder zu, als Steve »Shut up« sagte und sie fragte: »Hab ich den Krieg verloren oder du? Und was zu essen rückst du auch raus. Sonst komme ich wieder. In Begleitung.«

Danach streichelte er Jettel über das Haar, klopfte Walter auf die Schulter, schob Regina beiseite und steckte Max einen Kaugummi in den Mund, den Jettel ihm in Panik entriß und selbst zu kauen begann. Max fing an zu brüllen. Die Frau stöhnte und sagte, sie heiße Reichard, hätte selbst nichts zu essen und bis zur Besetzung von Frankfurt in einer Fünf-Zimmer-Wohnung gewohnt.

Ihr Haar war im Nacken zu einem Knoten geflochten, der ihr ein strenges, einschüchterndes Aussehen gab, und ihre Arme hielt sie vor dem Bauch verschränkt; einen Moment schien es so, als wolle sie eine Bewegung machen, um Jettel aus der Tür zu drängen, aber da sagte Walter: »Es tut mir sehr leid, wenn wir Ihnen Ungelegenheiten machen.«

»Ich zeig Ihnen Ihr Zimmer«, seufzte Frau Reichard, »aber, daß Sie es gleich wissen. Ich hab nur eine Gemüsesuppe aus Schalen. Zu mehr bin ich nicht verpflichtet.«

Von den Rätseln des Tages, die später nie mehr gelöst werden konnten, blieb sie das größte. Aus der Gemüsesuppe wurde ein Eintopf, aus einem Pappkarton ein Kinderbett; es gab für jeden eine Scheibe dünnes Brot und danach aus Meißener Porzellantassen ein heißes Getränk, das Frau Reichard als Kaffee bezeichnete. Sie nannte Max »Bobbelche«, schaukelte ihn auf ihrem Schoß und weinte. Vom Dachboden holte sie ein Feldbett für Regina. Nach dem Abendessen erzählte Frau Reichard von ihrem Mann, den »die Amis geschnappt« hatten, und ihrem einzigen Sohn. Er war in Rußland gefallen. Jettel sagte, das täte ihr leid, und Frau Reichard sah sie überrascht an.

Zu viert schliefen sie in Frau Reichards Zimmer. Über dem Ehebett hing ein Bild von zwei pausbäckigen Engeln, die Regina faszinierten. An der gegenüberliegenden Wand war ein großer, heller Fleck, der ihren Vater interessierte. Er behauptete, dort habe ein Hitler-Bild gehangen.

Jettel sagte: »Schade, daß du immer so schlau bist bei den Sachen, auf die es nicht ankommt«, doch ihre Stimme klang nicht bösartig, denn Walter lachte und sagte: »Das hat schon deine Mutter gesagt.«

Regina war froh, daß sie keine vergifteten Pfeile auffangen mußte, ehe sie Beute machen konnten. Sie dachte kurz an die Schokolade, die Steve den jungen Frauen zugeworfen hatte, und lange an den Duft des Guavenbaums in Nairobi, ihr Magen war jedoch nicht voll genug und ihr Kopf zu leer, um die Safari zu genießen.

Kurz vor dem Einschlafen hörte sie ihre Eltern doch noch streiten, aber es waren fast wie in den besten Stunden der verwehten Tage ein harmloser Kampf und ein schnell geschlossener Friede. Erst konnten sie sich nicht einigen, wer Koschella zur Hochzeit eingeladen hatte, und dann waren beide im gleichen Moment sicher, daß sie ihn wohl verwechselt hätten und er wahrscheinlich sein Lebtag nie in Breslau gewesen sei.

2

Sonntag, 20. April Hurra. Heute bin ich zum ersten Mal in Frankfurt glücklich (fast). Endlich sind wir von Frau Reichard weg. Zum Schluß hat sie uns sehr schikaniert. Bis wir eine Wohnung zugewiesen bekommen (wird sehr lange dauern), dürfen wir in der Gagernstraße 36 wohnen. Vor drei Tagen hat Papa endlich jemanden bei der Jüdischen Gemeinde erreicht – den nettesten Mann der Welt. Er heißt Doktor Alschoff und hat dafür gesorgt, daß wir im ehemaligen jüdischen Krankenhaus unterschlüpfen dürfen. Es ist sehr kaputt und kein Krankenhaus mehr, sondern ein Altersheim. Wir haben ein Zimmer mit drei Betten, einem Tisch, drei Stühlen und einer Kochplatte. Wir waschen uns in einer Schüssel, die auf einem dreibeinigen Ständer steht, der mir sehr gut gefällt. Das Klo ist auf dem Flur. Eine Mahlzeit bekommen wir vom Koch des Altersheims, aber nur für drei Personen, weil Max eine Lebensmittelkarte für Kleinkinder hat, und da sind zu viele Marken für Milch und zu wenig für Fett. Sagt der Koch. Unsere Kleider bleiben in den Koffern. Zum erstenmal in meinem Leben bin ich froh, daß ich so wenig zum Anziehen habe. Wir wurden auf einem Lastwagen in die Gagernstraße gebracht. Eigentlich hätten wir schon am Samstag kommen können, aber das durften wir nicht, weil Juden am Schabbes nicht fahren, und das Heim ist koscher.

Ich bin froh, daß ich Tagebuch führen kann. Das habe ich Doktor Alschoff zu verdanken. Er hat mir heute zum Empfang drei Hefte und zwei Bleistifte geschenkt, und nun habe ich endlich jemanden zum Reden. In diesem Tagebuch werde ich nämlich nur Englisch schreiben. Da komme ich mir vor wie zu Hause. Ich muß sehr klein schreiben und nicht jeden Tag, weil Papier in Deutschland sehr knapp ist. Wer weiß, ob ich je neues bekomme.

Von Doktor Alschoff muß ich aber doch noch was schreiben. Er war im Konzentrationslager. In Auschwitz. Als Mama das hörte, hat sie schrecklich geweint. Ihre Mutter und ihre Schwester sind ja dort gestorben. Aber er hat sie nicht gekannt.

Er hat sehr traurige Augen und wollte immer wieder Max streicheln. Er sagt, außer uns gibt es nur eine rein jüdische Familie mit Kindern in der Gemeinde. Papa hat mir später erklärt, daß Juden nicht ins KZ kamen, wenn sie einen christlichen Ehepartner hatten. Wie Koschella. Mama sagte, der liebe Gott hätte ihn nicht zu retten brauchen. Papa war wütend und sagte, sie habe sich versündigt. Da haben sich beide furchtbar gestritten. Max lacht immer, wenn die Eltern laut werden. Er redet nicht mehr, seitdem wir in Frankfurt sind. Dabei konnte er zu Hause schon kula, aja, lala, toto, jambo und fast schon Owuor sagen. Heute nacht schläft Max zum ersten Mal nicht im Karton, sondern bei mir im Bett. Ich freue mich sehr.

Donnerstag, 24. April   Hier gibt es einen großen Rasen mit vielen Bänken. Heute habe ich zum ersten Mal auf einer Bank gesessen. Eine sehr alte Frau setzte sich zu mir. Sie heißt Frau Feibelmann und hat gleich mit mir geredet. Mir war das schrecklich peinlich, aber sie hat kein bißchen gelacht, weil ich einen englischen Akzent habe. Sagte, sie habe sich das Lachen in Theresienstadt abgewöhnt. Das war auch ein Konzentrationslager. Fast alle Leute, die hier wohnen, waren in Theresienstadt. Frau Feibelmann hat Max auf den Schoß genommen und ihm was vorgesungen. Dann ist sie weggehumpelt und kam mit zwei Keksen wieder, die sie ihm in den Mund steckte. Sie hatte drei Kinder, aber nur ein Sohn lebt noch. In Amerika (deswegen hat sie ja Kekse – er schickt ihr Pakete).

Ihre beiden Töchter und fünf Enkelkinder sind umgekommen. Ich weiß gar nicht, wie ein Mensch so etwas erzählen kann, ohne zu weinen. So viel Trauriges wie in den ersten zehn Tagen in Frankfurt habe ich mein ganzes Leben noch nicht gehört. Viele Menschen hier haben eine Nummer auf dem Arm. Das bedeutet, daß sie in Auschwitz waren.

Im Garten gibt es drei Schafe. Ich beneide sie sehr, sie haben genug zu essen. Der Koch mag uns nicht. Die Portionen, die ich bei ihm abhole (wir dürfen nicht im Speisesaal essen, weil Max die alten Leute stört) sind sehr viel kleiner als die für die alten Leute. Wir sind alle schon dünner geworden. Nur Max nicht. Wir geben ihm sehr viel von unserem Essen ab.

Freitag, 2. Mai Heute ist Papa zum ersten Mal aufs Gericht gegangen. Jetzt ist er Amtsgerichtsrat. Er war schrecklich aufgeregt und noch blasser als sonst. Mama hat ihm zum Frühstück ihre zweite Scheibe Brot geschenkt. Er hat sie umarmt und geküßt und gesagt: »Jettel, das ist der glücklichste Tag in unserem Leben, seitdem wir aus Leobschütz fortmußten.« Schade, daß Mama dann gesagt hat: »Wie glücklich wären wir erst mit vollem Magen.« Ich dachte, Papa würde sich ärgern, aber er hat ihr noch einen Kuß gegeben. Als er nach Hause kam, hatte er ganz rote Backen und sah viel größer aus als am Morgen. Er hat erzählt, daß alle so nett zu ihm waren und ihm helfen wollen, daß er sich wieder an seinen alten Beruf gewöhnt. Wenn die wüßten, daß er seinen alten Beruf nie vergessen hat. Sonst wären wir nämlich nicht in Frankfurt, sondern in Nairobi. Oder noch besser: auf der Farm in Ol' Joro Orok. Heute abend gehen wir alle zum Gottesdienst. Mama wollte, daß ich mit Max im Zimmer bleibe, aber Papa hat gelacht und gesagt: »Zu Hause in Sohrau haben die Frauen immer ihre Babys in den Tempel mitgenommen.« Komisch, daß wir alle was anderes meinen, wenn wir zu Hause sagen.

Samstag, 3. Mai Trotz Papierknappheit muß ich heute schreiben. Max redet wieder. Er hat Herta gesagt. So heißt der schwarze Schäferhund, der dem Koch gehört. Ich bin sehr glücklich und werde versuchen, mit Max nicht mehr Englisch oder Suaheli zu reden. Mama sagt, das mache ihn nur verrückt.

Montag, 12. Mai Seit gestern wird es erst abends um elf dunkel. Doppelte Sommerzeit. Das heißt: Wir gehen später ins Bett und müssen unseren Hunger länger aushalten. Papa nennt das die Rache der Sieger, aber ich habe gehört, das soll Strom sparen. Wer zuviel verbraucht, kommt ins Gefängnis.

Mittwoch, 21. Mai Papa singt seit einer Stunde »Gaudeamus igitur«, hat seinen Hunger ganz vergessen und einen Bundesbruder gefunden. Das kam so: Im Garten unterhielt er sich mit einer jungen Frau (bildschön). Sie erzählte, daß ihr Vater früher in einer Studentenverbindung war, aber austreten mußte, weil er eine nichtjüdische Frau geheiratet und seine Kinder nicht jüdisch erzogen hat. Papa wußte sofort, daß der Mann ein KCer sein muß. Er heißt Doktor Goldschmidt und ist Arzt. Jeden Mittwoch kommt er in die Gagernstraße. Als er seine Tochter im Garten suchte, begrüßte ihn Papa mit dem KC-Pfiff. Er will uns einladen. Zu einer richtigen Tasse Kaffee (bekommt er von einem Patienten).

Montag, 2. Juni Es ist heißer als in Nairobi. Mama stöhnt sehr, hat mich aber trotzdem nach einer Stunde Schlangestehen im Milchgeschäft abgelöst. Es gab nur einen Viertel Liter. Trotzdem kein ganz schlechter Tag. Seit heute haben wir eine Zeitung. Die »Frankfurter Rundschau«. Sie beliefert rassisch Verfolgte (das sind wir), ohne daß sie auf die Warteliste müssen. Endlich hört die Sorge um Klosettpapier auf. Schade, daß wir nicht »Die Neue Zeitung« bekommen können. Die soll viel weicher sein.

Donnerstag, 5. Juni   Wieder eine gute Nachricht. Aus London kam der Sportwagen, den wir dort für Max gekauft haben. Er wurde ans Gericht geschickt. Jetzt muß ich Max nicht mehr schleppen, wenn wir spazierengehen.

Samstag, 7. Juni   Die Deutschen sind sehr neugierig. Alle wollen sie wissen, woher ich den schönen Wagen habe, und wenn ich dann London sage, muß ich immer weiterreden. Von Afrika und der Rückwanderung etc. Fast jeder sagt dann: »Wie kann man nur in dieses Land kommen?« und fragt mich weiter aus. Viele erzählen, daß sie früher jüdische Freunde hatten und immer gegen Hitler waren. Mir ist das unangenehm.

Sonntag, 8. Juni   Papa hat nicht auf Max aufgepaßt und nicht gesehen, daß er aus dem Garten gelaufen ist. Zwei Stunden gesucht. Max saß, nur in seiner Unterhose und ohne Schuhe, in der Wittelsbacher Allee auf den Straßenbahnschienen. Zum Glück dürfen sonntags keine Straßenbahnen fahren, und es ist nichts passiert.

Montag, 9. Juni   Mußten aufs Polizeirevier und unseren Fingerabdruck für die Kennkarten abgeben. Mama tobte: »Genau wie bei Hitler«, aber Papa sagte, die Amis sind schuld. Mama hat mir später erzählt, daß sie seit der Nazizeit Angst vor deutschen Beamten in Uniform hat. Ich fand die Männer ganz nett. Einer hat Max eine Schnitte aus echtem Weißbrot geschenkt. Komisch, wenn die Leute hier in Frankfurt Deutsch sprechen, reden sie so ganz anders als wir. Ich verstehe sie sehr schlecht.

Freitag, 13. Juni   Riesenfreude. Haben eine Wohnung. Nuß-Zeil in Eschersheim. Drei Zimmer, Küche und Bad. Papa kam mit der Zuteilung vom Wohnungsamt an und konnte vor Freude noch nicht mal das bißchen essen, das der Koch uns gibt (wird immer weniger). Mama sagt, jetzt braucht sie ein Dienstmädchen.

Montag, 16. Juni Tag der Tränen. Als Papa und Mama heute früh zu der neuen Wohnung gingen, war sie besetzt. Von Herrn Hitzerot. Er ist schon Donnerstag eingezogen. Der Hauswirt hat Papa zugeflüstert, daß H. Papierhändler ist und die Leute vom Wohnungsamt bestochen hat. Papa glaubt das nicht und sagt, das Ganze muß ein Mißverständnis gewesen sein. Deutsche Beamte lassen sich nicht bestechen. Jedenfalls hat Herr H. genug Papier zum Verschenken. Ich habe fünf neue Hefte (falls ich mal in die Schule darf), aber sie machen mir keine Freude. Als wir uns alle etwas beruhigt hatten, kam der Koch und sagte, er kann uns nicht mehr lange hier behalten.

Freitag, 20. Juni Mamas 39. Geburtstag. Papa hat ihr ein Zigarrenkästchen (von Doktor Goldschmidt) bemalt und einen Gutschein für ein Dienstmädchen geschenkt (einzulösen, wenn wir eine Wohnung haben). Von mir bekam sie ein Schälchen Himbeeren, die ich im Ostpark gepflückt habe. Frau L. (stammt aus Breslau und ist von dort nach Frankfurt gelaufen) ist gestern extra mit mir hingegangen. Ich finde das sehr anständig, denn sie hat selbst ein Kind. Max hat zum ersten Mal seit dem Schiff wieder Mama gesagt. Hab ich ihm beigebracht.

Donnerstag, 3. Juli In der Schlange vor Spanheimers Laden sagte plötzlich eine Frau: »Wir müssen uns die Beine in den Leib stehen, und den Juden werfen sie alles in Rachen.« Mama schrie: »Glauben Sie, ich stehe freiwillig neben so einem verdammten Naziweib? Ich bin jüdisch. Und wenn Sie wissen wollen, wie es uns ergangen ist – unsere ganze Familie ist umgekommen.« Alle haben uns angeguckt, aber keiner hat ein Wort gesagt. Die Frau rannte weg, obwohl sie ganz vorn in der Schlange stand. Ich bewundere Mama sehr.

Mittwoch, 9. Juli Jetzt haben wir wirklich eine Wohnung. In der David-Stempel-Straße auf der anderen Seite des Mains in Sachsenhausen. Wieder drei Zimmer, Küche und Bad. Zur Zeit wohnt noch ein ehemaliger Nazi mit seiner Frau dort, aber bis zum 1. August muß er ausziehen.

Freitag, 11. Juli Heute hat Spanheimer alle, die nach mir kamen, vor mir bedient. Ich fing schon an, mich zu ärgern, aber dann hat er plötzlich meine Tasche genommen und Haferflokken, Zucker und ein Stück Käse reingelegt. Ich war so erschrocken, daß ich mich kaum bedanken konnte. Herr Spanheimer hat gesagt, daß er Mama verehrt und sie sehr mutig findet. Er hat nur noch ein Bein und haßt die Nazis. Er hat gesehen, wie man die Menschen aus dem jüdischen Krankenhaus abgeholt hat. Papa hat sich sehr über die Geschichte gefreut.

Sonntag, 13. Juli Habe endlich wieder ein Geheimnis mit Papa. Als ich heute ins Zimmer kam (Mama unterhielt sich im Garten), saß er auf dem Balkon mit Max auf dem Schoß und sang »Kwenda Safari«. Ich sagte »Jambo Bwana«, und dann haben wir erst lange ohne Worte miteinander geredet und danach über Kimani und Owuor und die Farm. Später hat Papa noch mal »Kwenda Safari« gesungen und gesagt: »Das braucht deine Mutter nicht zu wissen.« Ich kam mir vor wie als Kind. Nur damals wußte ich nicht, daß Liebe auch satt macht.

Mittwoch, 16. Juli Papa hat vom Gericht die Adresse einer Frau aus Oberschlesien mitgebracht, die in der Ostzone wohnt, in den Westen will und eine Stelle als Dienstmädchen sucht. Mama hat ihr sofort geschrieben.

Donnerstag, 17. Juli Bin in der Schiller-Schule angemeldet worden. Sie ist, genau wie unsere neue Wohnung, in Sachsenhausen. Habe Angst. Schließlich bin ich fast fünfzehn und kann kaum lesen. Jedenfalls nicht Deutsch.

Freitag, 18. Juli Vor ein paar Tagen hat Papa einem Wachtmeister erzählt, daß er mir in Afrika immer von Kirschen vorgeschwärmt hat und daß ich immer noch nicht weiß, wie sie schmecken. Es gibt ja nirgends Obst zu kaufen. Gestern brachte der Wachtmeister ihm eine Tüte Kirschen aus seinem Garten mit. Als uns Papa die Geschichte erzählte, hatte er Tränen in den Augen und sagte, in zehn Jahren Afrika sei niemand so freundlich zu ihm gewesen. Hab natürlich nicht gesagt, daß ich Kirschen sauer finde und lieber Mangos esse.

Montag, 28. Juli Wir bekommen die neue Wohnung nicht. Der Nazi hat eine Bescheinigung vorgelegt, daß er doch kein Nazi war, und darf bleiben. Er ist Metzger. Jetzt glaubt sogar Papa an Bestechung.

Montag, 4. August War die ganze Woche krank. Bauchkrämpfe und Brechen. Schwere Blinddarmreizung. Damit kann man aber nicht ins Krankenhaus, weil es zu wenig Betten gibt. Ich war froh. Mama hat mir Umschläge gemacht, und Doktor Goldschmidt kam jeden Tag. Einmal konnte er auch gleich Papa behandeln. Der war im Gericht zusammengebrochen. Unterernährung. Er hat fünfzehn Pfund abgenommen. Mama und ich nur zehn. Wir gehen sonntags immer zum Bahnhof. Da ist eine Waage.

Dienstag, 12. August Riesenaufregung. Das Dienstmädchen ist da. Sie heißt Else Schrell und stand plötzlich mit ihrem Koffer vor der Tür. Sie hat eine günstige Gelegenheit genutzt, um über die Zonengrenze zu gehen. Mama war glücklich.

Papa nicht. Else wird nämlich in seinem Bett schlafen und er auf dem Balkon. Zum Glück ist es so heiß. Jetzt müssen wir das Essen für drei durch fünf teilen. Aber Else hat Zwiebeln mitgebracht. Sie stammt aus Hochkretscham. Das ist ganz in der Nähe von Leobschütz. Die drei haben bis in die Nacht geredet.

Samstag, 16. August Gestern war mein erster Schultag. Ich weiß gar nicht, wo ich anfangen soll. Ich hatte schreckliche Angst. Ein Wunder, daß ich überhaupt die Schule gefunden habe. Die Schiller-Schule gibt es nämlich gar nicht. Sie ist ein Trümmerhaufen. Die Schülerinnen von der Schiller-Schule müssen in die Holbein-Schule. Der Unterricht fängt erst um zwei Uhr an. Ich war eine halbe Stunde vorher da und fragte das erste Mädchen, das ich sah, nach der Obertertia. Zum Glück war das auch ihre Klasse. Sie heißt Gisela und wollte sofort wissen, ob ich katholisch oder evangelisch bin. Ich erschrak sehr und sagte: »Ich bin jüdisch.« Da wurde sie noch viel verlegener als ich und murmelte: »Oh, Verzeihung. Ich habe ja nur gefragt, weil wir jetzt Reli haben.« Ich habe sie nicht verstanden, und da sagte sie: »Religionsunterricht.« Sie war evangelisch, und ich bin mit ihr gegangen.
Die Lehrerin war sehr nett zu mir. Ganz anders als die englischen, die ja neue Schülerinnen nicht ausstehen konnten – besonders, wenn sie nicht wie die anderen waren. Sie fragte nach meiner letzten Schule. Ich sagte: »Kenya Girls' High School Nairobi.« Es hat ewig gedauert, ehe sie kapierte, daß ich aus Kenia bin. Dann hat sie mich gefragt, ob ich dort im Internat war, und ich sagte: »Nur mein Vater war eingesperrt.« Alle haben schrecklich gelacht. Ich habe mich sehr geniert und weiß immer noch nicht, was so komisch gewesen sein soll.
In der zweiten Stunde kam eine ziemlich alte Lehrerin auf mich zu. Sie heißt Fräulein Doktor Jauer und sagte: »Ich freue mich sehr, dich zu sehen.« Ich habe das gleiche gesagt, weil ich

dachte, das ist in Deutschland die Übersetzung von: »How do you do.« Stimmt offenbar nicht, denn die Mädchen haben wieder gelacht, Fräulein Doktor Jauer nicht. Sie gibt Englisch und hat etwas vorgelesen, und da hätte ich fast gekichert. So ein schlechtes Englisch haben zu Hause noch nicht einmal die Refugees gesprochen.

In den anderen Stunden habe ich kein Wort verstanden. Der Deutschlehrer heißt Doktor Dilscher und war besonders freundlich. Er fragte mich nach meinen Lieblingsdichtern. Mir schien, daß er noch nie von Dickens, Wordsworth und Robert Browning gehört hat.

Die Mädchen sind unglaublich neugierig. In der Pause standen sie um mich herum und haben eine Frage nach der anderen gestellt. Sie sind alle sehr freundlich. Und sehr elegant. Viele tragen Röcke aus zwei verschiedenen Stoffen und herrliche weiße Kniestrümpfe. Die meisten haben lange Zöpfe und sehen aus wie Heidi.

Dienstag, 19. August Else ist wie Aja. Sie braucht Max nur auf den Schoß zu nehmen, und schon hört er auf zu weinen. Sie hat einen großen Busen und bleibt abends allein mit ihm im Zimmer, wenn wir spazierengehen wollen. Gestern waren wir sogar im Kino. Für Karten muß man länger anstehen als beim Bäcker, aber es hat sich gelohnt. Der Film hieß »In jenen Tagen« und war sehr traurig. Mama und ich haben um die Wette geweint. Ich habe wieder mal gemerkt, wie gut wir es in Afrika hatten.

Donnerstag, 21. August In der Schule gefällt mir am besten ein Mädchen, das Hannelore heißt. Sie wird von allen Puck genannt, weil sie die Rolle mal im »Sommernachtstraum« spielte. Sie hat wunderschöne Kleider an, weil sie eine Großmutter, eine Mutter und zwei Tanten hat, die alle nähen können. Die machen Blusen und Röcke aus alten Gardinen und sogar Schuhe aus Uniformjacken. Puck erzählt mir immer, was die Lehrerinnen früher gesagt haben.

Gestern rief mich beispielsweise die Direktorin zu sich und sagte: »Du mußt mich wissen lassen, wenn ein Mädchen unfreundlich zu dir ist. Das dulde ich nicht. Die Juden haben genug gelitten.« Ich habe sie nur stumm angestarrt. In einer englischen Schule wäre keiner Lehrerin so etwas eingefallen. Ich war sehr beeindruckt und erzählte Puck sofort die ganze Geschichte. Sie bekam einen Lachkrampf und berichtete, daß die Direktorin früher jeden streng bestrafte, der »Guten Morgen« statt »Heil Hitler« gesagt hat. Ich glaube, ich werde mich nie richtig auskennen mit dem Leben hier. Es ist so schrecklich kompliziert. Hab zu Hause nichts erzählt. Papa will so etwas nicht hören, und Mama hätte ihn nur wieder einen Trottel genannt.

Freitag, 22. August   Else kam weinend nach Hause. In der Schlange beim Metzger hat ein Mann zu ihr gesagt: »Auf euch Ostzigeuner haben wir grade gewartet. Zu Hause nichts zu beißen und uns hier das bißchen wegfressen, was uns geblieben ist.« Mama, die Else sehr gern hat, weil sie sie immer »Frau Doktor« nennt, war wütend und hat Else sehr lieb getröstet. Elses Vater war einer der reichsten Bauern in Hochkretscham. Deswegen weiß Else so gut über Pflanzen Bescheid. Sie läuft oft ganz zeitig in den Ostpark und pflückt Brennesseln, aus denen sie Salat macht. Schmeckt gar nicht so schlecht und macht sogar satt. Nur Papa sagt immer: »Gut, daß Owuor nicht sieht, daß aus seinem Bwana ein Ochse geworden ist, der Gras frißt.«

Samstag, den 23. August   Schon wieder Ärger. Else hat die Windeln auf den Balkon zum Trocknen gehängt. Sie wußte nicht, daß man das hier am Schabbes nicht darf, und wir haben natürlich auch nicht daran gedacht. Die Frau vom Verwalter hat getobt. Papa hat zurückgetobt und geschrien: »Mein Sohn scheißt auch am Schabbes.« Das ganze Altersheim spricht darüber.

Montag, 1. September In der Pause bekommen wir von den Amis Schulspeisung. Meistens Nudeln in Schokoladensauce oder Tomatentunke. Ich esse nicht viel davon und bringe den Rest immer für Max mit. Papa sieht das nicht gern. Ich wiege nämlich immer weniger und Max immer mehr. Das kommt auch von dem langen Schulweg – eineinhalb Stunden hin und eineinhalb Stunden zurück. Es gibt nach Sachsenhausen nur eine Brücke, und über die muß man zu Fuß gehen. Meine Mitschülerinnen haben es gut, weil sie alle in Sachsenhausen wohnen. Das hätte ich ja auch, wenn der Nazi aus der Wohnung gegangen wäre.

Freitag, 5. September Papas 43. Geburtstag. Nur Else hat ihm was geschenkt (Brombeeren aus dem Ostpark). Ich war traurig, daß ich nichts hatte, aber er hat gesagt: »Du weißt gar nicht, wieviel du mir jeden Tag schenkst.« Ich glaube, er meint, daß ich nie über unser Leben hier jammere. Das macht mich glücklich. Wir haben immer noch unser Geheimnis und singen Max Lieder in Suaheli vor, wenn wir mit ihm allein sind. Hätte nie gedacht, daß Papa so viele kennt.

Freitag, 19. September Mein 15. Geburtstag. Von Mama ein Armband aus Elefantenhaar, das Glück bringt. Sie hat es in Nairobi extra für mich gekauft und die ganze Zeit versteckt. Von Papa »Der Antiquitätenladen«. In Englisch! Ich wußte gar nicht, daß er weiß, was mir Dickens bedeutet und erst recht dieses Buch. Er wollte nicht sagen, wie er an den Schatz gekommen ist, aber als er am Gericht war, hat es mir Mama doch verraten. Er hat das Buch von einem Richter erhalten und dafür seine Tabakration für den nächsten Monat hergegeben.

Ich werde diesen Geburtstag und die Liebe meiner Eltern nie vergessen. Schade, daß wir nicht alle zusammen (nur wir vier) ganz allein auf einer Insel wohnen können. Im Naivashasee! In der Schule haben mir alle gratuliert. So richtig konnte ich mich aber nicht freuen. Leider hat Puck nämlich dafür gesorgt, daß ich nun genau weiß, welche Mädchen früher für die Nazis schwärmten. Das macht mich befangen. Letztes Jahr um diese Zeit wäre ich nie auf die Idee gekommen, daß ich mir eines Tages solche Gedanken machen würde. Da waren wir alle noch in Nairobi. Owuor hat die kleinen Brötchen gebacken, auf die er so stolz war, und ich habe nicht gewußt, was Hunger ist. Mir scheint das Jahre her.

Samstag, 20. September Die Leute im Altersheim holen Papa dauernd zum Beten. Sie brauchen zehn Männer, ehe sie mit dem Gottesdienst anfangen können, und es sind nie genug Männer da. Papa sieht das als eine Ehrenpflicht an und geht immer hin, obwohl er jammert.

Mittwoch, 24. September Diese Woche gibt es nur 900 Kalorien auf die Lebensmittelkarten, aber zum Glück eine Sonderzuteilung von der Jüdischen Gemeinde. Ein Viertel Fett, ein Pfund Nährmittel, 200 Gramm Trockenmilch oder eine Büchse Milch und 200 Gramm Eipulver. Plötzlich behaupten auch Leute, die nie jüdisch waren, daß sie von den Nazis verfolgt wurden. Man nennt sie die Milchbüchsenjuden. Der KC in Amerika (Papas alte Studentenverbindung) hat geschrieben, daß er uns ein CARE-Paket schicken wird, obwohl das gegen die Bestimmungen ist, weil Papa freiwillig nach Deutschland zurückgekommen ist. Wegen mir und Max will man eine Ausnahme machen. Papa war lange nicht mehr so wütend. Er schrieb sofort, daß er keine Almosen annimmt, aber Mama hat den Brief zerrissen. Riesenkrach. Ich finde Mama hat recht. Stolz macht nicht satt.

Donnerstag, 2. Oktober   Obwohl es noch warm ist, reden alle vom Winter. Papa hat Angst, daß er nicht mehr lange auf dem Balkon schlafen kann.

Montag, 6. Oktober   In Zeilsheim gibt es ein jüdisches Lager. Puck hat mir davon erzählt. Da kann man Lebensmittel auf dem Schwarzen Markt kaufen. Ich glaube, sie geht mit ihrer Mutter dorthin. Als ich Papa fragte, weshalb wir das nicht auch mal versuchen, ist er richtig böse geworden. Ein deutscher Richter darf das nicht. Leider darf ein deutscher Richter überhaupt nichts außer stolz darauf zu sein, daß man ihn »Herr Rat« nennt. Vorige Woche wollte ein Mann Papa ein Pfund Speck schenken, aber ein deutscher Richter muß unbestechlich sein. Die Feuersteine, die wir aus London mitgebracht haben und die man gegen Lebensmittel eintauschen könnte, liegen noch im Koffer. Ein deutscher Richter macht keine Geschäfte. Ich bin die einzige in der Klasse, deren Vater ein deutscher Richter ist und die keine Verwandten hat, die auf dem Land wohnen. Das ist schlimmer, als ein jüdisches Mädchen auf einer englischen Schule zu sein.

Donnerstag, 16. Oktober   Seit drei Tagen wohnen jüdische Rückwanderer aus Shanghai hier. Die waren schon bei der Ankunft so dünn und blaß wie wir jetzt, sind aber viel mutiger als wir und beschweren sich dauernd über alles. Mama bewundert sie sehr und sagt: »Die haben wenigstens Ellenbogen und lassen sich nichts gefallen.« Von der Gemeinde haben sie gleich Kleidung bekommen und erzählen jedem, daß sie nicht lange im Altersheim wohnen werden. Uns hat der Koch wieder mal gedroht. Er will uns nicht länger behalten. Doktor Alschoff sagt aber, wir können so lange bleiben, bis wir eine Wohnung haben. Else hat vorgeschlagen, eines der Schafe vom Koch zu schlachten. Kann sie ja, weil sie vom Bauernhof kommt, aber Papa war natürlich dagegen (deutscher Richter).

Donnerstag, 23. Oktober   Der Deutschlehrer schrieb unter meinen Aufsatz trotz 33 Schreibfehler »Du machst bemerkenswerte Fortschritte«. Ich habe mich sehr gefreut, denn Deutsch ist das einzige Fach, das mir Spaß macht. Doktor Dilscher versteht auch als einziger, daß englische Schulen so ganz anders sind als deutsche. Er wundert sich nicht, daß ich noch nie von Schiller und Goethe gehört hatte, ehe ich hierher kam. Die Französischlehrerin tut so, als habe sie Ohrenschmerzen, wenn ich was vorlese. In Nairobi haben wir Französisch eben ganz anders ausgesprochen als hier. Latein auch. Und Physik, Chemie und Biologie hatten wir gar nicht. Außer Deutsch macht mir nur Geschichte Spaß. Die Lehrerin war sogar sehr interessiert, als ich sagte, der Siebenjährige Krieg hätte in Indien und Kanada stattgefunden. Mein ganzes Leben habe ich mir immer Sorgen gemacht, weil ich die Beste in der Klasse war und bei den englischen Schülerinnen unangenehm als Streberin auffiel. Hier wird das nie vorkommen, aber ich bin nicht glücklich, sondern oft sogar sehr niedergeschlagen. Auch weil die Mädchen meinen blauen Pappkoffer, in dem ich meine Schulsachen und das Glas für die Schulspeisung transportiere, so komisch finden und nicht aufhören, darüber zu reden. Wir hatten in Kenia keine Aktentaschen. Das kann ich doch nicht jeden Tag aufs neue erklären.

Mittwoch, 29. Oktober   Uns ist wieder eine Wohnung zugewiesen worden. Für den 15. November in der Höhenstraße. Drei Zimmer, Küche, Badenische und Möbel. Sie gehört dem Hauswirt. Der war Nazi und soll raus. Keiner von uns glaubt das. Jedenfalls wird es diesmal keine Enttäuschung geben. Mama hat gesagt: »Die Botschaft hör ich wohl, allein mir fehlt der Glaube.« Soll von Goethe sein.

Montag, 3. November   Schönster Tag seit der Ankunft in Frankfurt. Als ich von der Schule kam, hatte Mama vom

Zollamt ein Paket aus Amerika abgeholt. Ihre Freundin aus Breslau, Ilse Schottländer, hat es geschickt. Ein Pfund Kaffee, zehn Beutel Puddingpulver, zwei Tafeln Schokolade, zwei Pfund Mehl, eine Büchse Kakao, vier Dosen Corned Beef, ein Pfund Zucker, ein Paket Haferflocken, drei Dosen Ölsardinen, eine Dose mit Käse, eine Dose Ananas, drei Hosen für Max und zwei Blusen für mich. Wir haben alles auf den Tisch gestellt, uns davorgesetzt und geweint (auch Papa).

Samstag, 8. November Besuch beim Ehepaar Wedel in der Höhenstraße. Waren ziemlich freundlich und sehen gar nicht aus wie Nazis. Sie sollen in zwei Mansarden einziehen und uns in die Wohnung lassen. Ihre Möbel passen dort nicht hin, und wir dürfen sie benutzen. Mama und ich sind sicher, daß das nur ein Trick ist, aber Papa sagt, Herr Wedel ist beim Gaswerk, und hätte wahrscheinlich auch nichts, um die Leute beim Wohnungsamt zu bestechen. Wer weiß ...

Freitag, 14. November Papa war wieder bei Frau Wedel, und wir haben alle Hoffnung und Bauchschmerzen. Morgen sollen wir einziehen. Als der Koch das erfuhr, wurde er plötzlich ganz freundlich und hat uns am Abend vier Portionen vom Schabbes-Essen geschickt, obwohl wir ja bisher immer nur Mittagessen bekommen haben. Wenn ich morgen um diese Zeit nicht mehr hier bin, glaub ich wieder an Wunder. Und fange wieder an zu beten.

3

Karl Wedel war mittlerer Beamter beim städtischen Gaswerk, fleißig, genügsam und ein Tüftler, der in seiner Freizeit, solange es die Lage zugelassen hatte, mit Streichhölzern und einer Pedanterie, die auch seine Vorgesetzten zu schätzen wußten, deutsche Schlösser und Burgen als Miniaturen nachbaute. Er hatte ein Leben lang der realitätsbewußten Intuition seiner beherzten Frau mehr vertraut als den Versprechungen und auch den Drohungen der Zeit. Bis zu den tödlichen Angriffen auf Frankfurt hatte er sich nie mehr als zwingend notwendig für Geschehnisse interessiert, von denen er fand, daß er sie ohnehin nicht beeinflussen konnte. Nach dem Krieg fiel es ihm um so leichter, sich wieder nur auf die eigenen Bedürfnisse zu konzentrieren, weil diese Haltung die einzig mögliche bei Menschen war, die nicht abermals Beschuldigte eines zu intensiven Involvierens in die Politik werden wollten.

Der Räumungsbescheid traf ihn zu einem Zeitpunkt, als er nicht mehr mit ihm gerechnet hatte. Die Nachkriegszeit hatte von den Wedels, abgesehen von den allgemeinen Einschränkungen durch Hunger, Strom- und Kohlenknappheit, weniger Opfer gefordert als von sehr vielen anderen Menschen in ähnlicher Lage und auch keine der üblichen lästigen Schuldbekenntnisse.

Das Spruchkammerverfahren war für Karl Wedel, dem es schwer fiel, eigene Interessen wahrzunehmen und, noch schwerer, über sich selbst zu sprechen, zwar unangenehm gewesen und im Vorfeld ein permanenter Zustand alarmierender Unsicherheit, im Ergebnis jedoch nicht ganz unbefriedigend verlaufen. Zwar war er wegen seines frühen Eintritts in die Partei, dem er wohl eher auf das Drängen seiner Frau als auf die durchaus hartnäckigen und unmißverständlich drohenden Empfehlungen seiner Vorgesetzten zugestimmt hatte, als schwerbelastet eingestuft worden. Trotzdem hatte seine Behörde schon Anfang 1947 wegen des Mangels an erfahrenen und arbeitswilligen Kräften, eine Ausnahmegenehmigung erwirken können und ihn auf der gleichen Basis weiterbeschäftigt wie die Beamten, die sich durch geschickte Korrekturen ihrer Lebensläufe den begehrten Status der Mitläufer erstritten.

Der Befehl, zu einem so späten Zeitpunkt noch seine Wohnung herzugeben, erschien Wedel als zu große Sühne für einen Mann, der sich, auch im Angesicht der neuen demokratischen Vorstellungen, nie exponiert hatte. Glückstreffer und Halt in einer Kette von Umständen, die er als ebenso unselig wie ungerecht empfand, war wieder einmal seine Frau.

Sie hatte sich nicht, wie er, durch die vermeintliche Ruhe blenden lassen, und war vorbereitet. Durch Verbindungen, die Karl Wedel nicht durchschaute und als Beamter kaum hätte billigen dürfen, hatte Frieda die zwei Mansardenzimmer so herrichten lassen, daß sie jederzeit bezugsfertig waren. Trotzdem, schon wegen seiner Mieter, von denen er wußte, daß sie nicht das gleiche Schicksal zu erwarten hatten, empfand er den geplanten Einzug der Rückwandererfamilie Redlich in seine Wohnung als eine persönliche Niederlage.

Die Einweisung von Untermietern in eines der drei Zimmer, wie sie damals üblich war, hätte ihn weniger belastet. Vor allem hätte er über diese alltägliche Einschränkung sprechen und ohne Furcht vor den zeittypischen Mißverständnissen klagen können und sich nicht, wie er wähnte, zum heimlichen Gespött von Menschen gemacht, die sich nie anders verhalten hatten als er, die aber nun, in den sogenannten demokratischen Zeiten, mehr Glück hatten.

Frieda Wedel hielt sich, als endgültig klarwurde, daß alle Proteste beim Wohnungsamt aussichtslos waren und eventuell die Zukunft in einem noch nicht überschaubaren Maße belasten könnten, an ihre Gewohnheit, Unabänderliches hinzunehmen und das Beste aus dem Schlechten zu machen. Ihre Erfahrungen als Älteste von fünf Kindern einer früh verwitweten Mutter, die Entbehrungen der Jugend im Ersten Weltkrieg, das Verhältnis zu ihrem stets zaudernden Mann, der Umgang mit zwei Stieftöchtern, die ihr trotz aller Bemühungen fremd geblieben waren, und vor allem der lange Erbstreit um das Haus in der Höhenstraße hatten auf jeder Lebensstation ihr angeborenes Talent geschmeidig erhalten, sich mit dem Schicksal zu arrangieren, ohne die Blessuren noch selbst zu vergrößern.

Als das Unausweichliche feststand, traf Frieda Wedel die letzten Vorbereitungen für die beiden Mansardenräume mit der gleichen Energie, die sie als junge Frau bei der Einrichtung ihrer ersten Wohnung aufgebracht hatte; sie mobilisierte, durchaus erfolgreich, die Hoffnung, daß sich die ungebetene Einquartierung vielleicht ebenso schnell erledigen würde, wie sie gekommen war. Es gab entsprechende, in dem konkreten Fall recht ermutigende Gerüchte, daß die Juden in Deutschland ohnehin auf gepackten Koffern saßen und nur warteten, in Länder weiterzuwandern, in denen sie nicht Ursache solcher Probleme waren.

Wenn Frieda Wedel es auch als eine noch nicht im vollem Umfang erkennbare Ironie des Schicksals empfand, daß ausgerechnet sie ihre Wohnung für eine jüdische Rückwandererfamilie freimachen sollte, so sah sie es doch als Gnade, daß sie sich in dieser Hinsicht persönlich nichts vorzuwerfen brauchte. Selbst in den Jahren, als es verständlich und opportun gewesen wäre, hatte sie sich nicht an Vorgängen beteiligt, die heute durchaus zu Recht als grausam bezeichnet wurden.

Abgesehen von dem plötzlich verschwundenen Ehepaar Isenberg, Besitzer eines Hauses in der Rothschildallee, das sie von ihrem Fenster aus sehen konnte, und der bedauernswerten Frau des Briefträgers Öttcher, der sie ein paarmal in der Dunkelheit Brot und Fleischwurst zugesteckt hatte und sogar dann noch, als die Frau den gelben Stern tragen mußte, kannte Frieda Wedel keine Juden. Trotzdem sah sie der Begegnung mit den Redlichs mit Bangen entgegen. Wer wie Frieda Wedel am Zeitgeschehen interessiert war, konnte bei der Aussicht auf jüdische Mieter nicht so unbefangen sein wie bei Menschen, deren Gepflogenheiten und Reaktionen berechenbar waren.

Um so angenehmer empfand Frieda Wedel die erste Zusammenkunft mit Walter Redlich. Er war ihr nicht, wie sie erwartet und auch befürchtet hatte, als ein Mann entgegengetreten, der sich seines Rechts bewußt war, sondern eher scheu und fast so, als habe er Schwierigkeiten mit dem Umstand, daß er sie aus der Wohnung vertreibe. Bereits zwei Wochen später konnte Frieda Wedel befriedigt feststellen, daß der günstige Eindruck dieser ersten Konfrontation der beiden so verschiedenen Anspruchswelten nicht getrogen hatte. Im Gegenteil.

Frieda Wedel gefielen die Redlichs, ob sie es wollte oder nicht, ob sie von ihren Bekannten verstanden wurde oder nicht, ob sie sich selbst ihre Empfindungen erklären konnte oder nicht. Es war nicht nur so, daß sie fand, ein Akademiker, der in normalen Zeiten keine Wohnung in der Höhenstraße gemietet hätte, wäre durchaus eine Bereicherung der bürgerlichen Hausgemeinschaft. Die Redlichs hatten augenscheinlich weniger als die meisten Normalverbraucher, obwohl es doch immer hieß, den Juden gehe es wieder gut. Sie rührten Frieda Wedel, ohne daß diese ihre Emotionen und eine Weichherzigkeit deuten konnte, die ihr mit dem Beginn des Herbstes und den drohenden Problemen von Kälte und Hunger lächerlich und absolut nicht den Gegebenheiten der Zeit entsprechend erschienen.

Der Mann war zurückhaltend, freundlich, sichtbar für jedes Gespräch im Treppenhaus dankbar, auch für Anregungen empfänglich und für die Lage der Wedels überraschend aufgeschlossen. Seine Bescheidenheit und das doch sehr unerwartete Glück, daß er auch nach seinem Einzug »Ihre Wohnung« sagte, als sei er sich im klaren über den temporären Zustand ihrer Beziehungen, machten dies auf eine fast beglückende Art klar.

Jettel Redlich erschien Frau Wedel als Verkörperung der Dame, die sie gern geworden wäre, und sie bewunderte diese mit einer Rückhaltlosigkeit, die sie verblüffend fand. Jettels Hilfslosigkeit in praktischen Dingen, ihr durchaus sympathisch wirkendes Phlegma und eine geradezu frappierende Naivität, wenn es darum ging, sich der Not durch Erfahrung und Einfallsreichtum zu stellen, hatten für Frau Wedel das Flair jener Kultur, die der Zeit so gründlich ausgetrieben worden war und nach der sich die Menschen sehnten. Schon die Merkwürdigkeit, daß Jettel in einer Dreizimmerwohnung ein Dienstmädchen hatte und auch Frau Wedel im ersten Gespräch erzählte, daß sie zeitlebens nicht ohne Hilfe im Haushalt gewesen sei und es auch gar nicht sein könne, imponierten dieser. Ebenso gefiel ihr, daß Jettel weder verschlossen noch gar arrogant, sondern jederzeit zu einem Gespräch bereit war und dann mit der gleichen Selbstverständlichkeit von ihrem Leben in Afrika erzählte wie Frau Wedel von ihrem Schrebergarten im benachbarten Seckbach. Daß sie diesem Paradiesvogel mit ihren Ratschlägen helfen konnte, tat ihrem eigenen, durch die Zwangseinweisung sonst bestimmt sehr eingeschränkten Selbstbewußtsein gut.

Es war nicht nur das. Frieda Wedel beneidete die Redlichs um das Familienleben, das sie selbst in dieser Form nicht hatte kennenlernen dürfen. Obwohl Walter und Jettel bei ihren Streitigkeiten manchmal so laut wurden, daß Jettels Vorwürfe und Walters nicht minder heftige Antworten bis zu den beiden Mansardenräumen drangen, spürte Frau Wedel doch einen Zusammenhalt, von dem sie früher schon oft als typisch für jüdische Familien gehört hatte. Frau Wedel war geradezu fasziniert, daß Regina sofort von der Schule heimkam, sich nie mit Freundinnen traf, jeden Nachmittag den Kinderwagen in den Günthersburgpark schob und sich geradezu drängte, sich um ihren Bruder zu kümmern, der nicht nur seine Mutter, sondern oft auch Regina »Mama« nannte.

Walter, Jettel und Regina fanden es, trotz des Glücks, dem Altersheim und somit den Schikanen von Koch, Verwalter und zuletzt den Mitbewohnern aus Shanghai entkommen zu sein, schwerer als so lange erträumt, sich abermals in einer neuen Umgebung zurechtfinden zu müssen. Vordringlich waren, Ende November mit einer sehr plötzlich einsetzenden Kühle nach dem dampfenden Sommer, die Sorgen um Kohle, die Einschränkungen bei Strom und Gas und vor allem der Mangel an Winterkleidung.

Nur Jettel war versorgt – mit ihrem schwarzen Wollmantel aus Breslau, von dem sie sich nur deshalb in den Notzeiten der Emigration nicht hatte trennen können, weil bei Ausbruch des Krieges, als die reichen britischen Farmersfrauen nicht mehr nach England reisen konnten, Wintermäntel in Kenia unverkäuflich waren.

Walter hatte, nachdem ihm sein grauer Wintermantel vom britischen Militär am ersten kalten Tag am Gericht gestohlen wurde, nur noch einen Staubmantel, der ihm zu groß war und in dem er so fror, daß sich sein altes rheumatisches Leiden wieder bemerkbar machte. Er grübelte oft, ob die Schmerzen ihm mehr zu schaffen machten als der Hunger, und er tat alles, um seinen Zustand vor Jettel und Regina zu verbergen.

Regina bekam einen alten Skianzug ihrer Mutter, der fast neu war, weil er nur einmal auf der Hochzeitsreise ins Riesengebirge getragen worden war, der aber so altmodisch aussah, daß er selbst im notleidenden Nachkriegs-Frankfurt als Besonderheit auffiel. Schon am ersten kalten Tag kam sie mit erfrorenen Händen nach Hause, mußte sich für den Rest des Winters, vom

Ellbogen an, mit Wollappen schützen und fühlte sich wie die zerlumpten Männer auf Krücken, denen sie auf der Brücke begegnete. Bei Regen und Sturm fiel ihr stets ein, wie Jettel in ihrer Schwangerschaft in der Glut der ausgebliebenen Regenzeit von Nairobi unter einem Baum gesessen und gesagt hatte: »Vor Kälte kann man sich schützen, vor Hitze nicht.« Die Qual der Erinnerungen machte sie noch mutloser als die Erkenntnis, daß sie nicht die Kraft hatte, sich gegen ihre Verzweiflung zu wehren.

Else hatte noch einen vor dem Krieg in Leobschütz gekauften Wintermantel, aber keine Schuhe außer den Sandalen, die sie den ganzen Sommer in der Gagernstraße getragen hatte. Das wurde erst klar, als sie sich immer wieder sträubte, aus dem Haus zu gehen. Es kam zum ersten ernsten Zerwürfnis mit Jettel, die, wenn Regina in der Schule war, nicht vor den Geschäften Schlange stehen wollte.

Rettung wurden Walters alte Militärstiefel, die er bei der Demobilisierung nicht abgegeben hatte. Else behielt sie selbst in der Wohnung an, in der nur der Kohleofen in der Küche, der wegen Strommangels auch als Herd diente, geheizt wurde. Sie lernte von Walter »Ein Geschenk von King George« zu sagen und erheiterte in trübsten Stunden die ganze Familie mit den Mühen der Aussprache.

Ohne Frau Wedel wäre die Stimmung noch rascher gesunken als das Thermometer. Sie legte beim Kohlenhändler das für Menschen ohne Beziehungen gute Wort ein, so daß er wenigstens das auf den Karten zustehende Brennmaterial lieferte. Sie verriet Jettel die Adressen der leidlich mitleidigen Geschäftsleute, die bei raren Gelegenheiten Ware auf Kleiderkarten hergaben, und sprach mit der benachbarten Gemüsehändlerin. Ohne das Zureden einer Frau, die über ihre Vergangenheit doch sehr gut im Bild war, hätten die Geschäftsinhaberin für die Redlichs noch nicht einmal Rüben, geschweige denn je eine Kartoffel herausgerückt.

Regina lernte von Frau Wedel nicht nur Stricken, sondern auch alte Pullover aus deren Bestand aufzutrennen, die Wolle neu zu verwenden und ihren Bruder mit Pullover, Mützen und Fausthandschuhen zu versehen, und Else so brauchbare Rezepte für Rüben, daß sie nur noch gelegentlich fluchte: »Zu Hause haben das nur unsere Schweine gefressen.«

Die Axt, Kochgeschirr, Decken, Nadeln und Stopfgarn, Tinte und das Säckchen für die Seifenreste, Einweckgläser zum Einkaufen, die kleine Zinkbadewanne für Max, Wäscheklammern, Kohlenschaufel, Eimer, Besen und all die anderen Dinge des täglichen Bedarfs, für die es zwar für politisch und rassisch Verfolgte Sonderzuteilungen gab, die aber in keinem Geschäft zu kaufen waren, stammten aus Wedels intaktem Haushalt.

Am Anfang verwirrte Frau Wedel ihr Mitleid, danach nur noch ihr Unvermögen, sich ausgerechnet in einer Zeit, in der es einzig auf das eigene Überleben ankam, sich mit ihrem gestählten Sinn für das Praktische gegen die immer wieder aufkeimende Hilfsbereitschaft zu wehren.

Es war nicht so, wie die meisten Nachbarn und Bekannten vermuteten und es durchaus und auch sehr ironisch aussprachen, daß Frieda Wedel nur die Zeichen der Zeit erkannt hatte und persönlichen Vorteil witterte, wenn sie die in der Öffentlichkeit immer wieder beschworene, als überflüssig und lästig empfundene Verpflichtung wörtlich nahm, Unrecht wiedergutzumachen. Sie hatte nur nicht damit gerechnet, daß es Menschen, von denen es hieß, es gehe ihnen besser als allen anderen, noch mehr Not litten als die vielen Neider, die ihre eigenen Gerüchte glaubten.

Für den Besuch von Puttfarkens steuerte Frau Wedel, beeindruckt, daß ein Ministerialrat aus Wiesbaden auf ihrem Sofa sitzen sollte, nicht nur das Rezept für den Kuchen aus Haferflocken, Kakaoersatz und Kunsthonig bei, sondern auch die Backform und einen Apfel aus ihrem Schrebergarten. Jettel empfand das Ergebnis als einen persönlichen Triumph. Die Frage, ob ein Stück von dem grauen Kuchenhügel, der zum Glück das Aroma gerösteter Apfelschalen aufgenommen hatte, Puttfarkens schmecken würde oder ob ein Mann wie Puttfarken durch sein hohes Amt eine andere, nahrhaftere Lebensbasis hätte als ein Richter und sich eventuell nur höflich jeden Bissen hineinquälen könnte, beschäftigte sie noch mehr als das mit größter Spannung erwartete Wiedersehen selbst.

Seit dem Brief von Puttfarken nach Nairobi, der Walters Berufung zum Richter nach Frankfurt angekündigt hatte, war es nur noch zu einem einzigen Kontakt gekommen. Walter und Jettel hatten zur Begrüßung in Frankfurt eine Postkarte von dem Freund aus Leobschützer Tagen erhalten, die sie mehr verletzt als erfreut hatte. Die paar Sätze waren eher förmlich als freundlich, auch steif, genau so, wie die beiden Puttfarken aus seiner Zeit als Richter in Leobschütz in Erinnerung hatten, und so ganz anders als sein herzerwärmender, offener Brief nach Kenia, den Walter lange als den »Beginn meines dritten Lebens« bezeichnete.

»Jettel«, hatte Walter gesagt, als er die Karte vom Gericht mitbrachte, »wir werden uns damit abfinden müssen, daß ein einfacher Richter doch nur ein Nebbich für einen Ministerialrat ist.« Es war eine der seltenen Gelegenheiten seit der Ankunft in Frankfurt, in denen Jettel ihrem Mann zustimmte.

Nun stand Hans Puttfarken, groß, blond, auf den ersten Blick kaum verändert, nur dünn geworden und mit dem grauen Teint, der der Schäbigkeit der Zeit entsprach, und mit seinem zu großen Jackett und zu weitem Hemd im Wohnzimmer: Er war ebenso verlegen wie bei seinem Abschiedsbesuch in Leobschütz, als er Angst hatte, es könne sich herumsprechen, daß er noch jüdische Freunde besuchte.

Er machte eine Bewegung, als müsse er nur sein Haar glattstreichen, das ihm den ersten klaren Blick verwehrte, um sich selbst zu prüfen und finden. Doch dann lieferte er sich ohne Widerstand dem Staunen aus, daß Jettel immer noch die schöne Frau war, die er im Gedächtnis hatte, mit dem dichten nachtschwarzen Haar, der makellosen Haut und jener Andeutung von Unzufriedenheit in den sanften braunen Augen, die sie für ihn immer kapriziös und auf eine sehr beunruhigende Art begehrenswert gemacht hatte. Er suchte nach Worten, um ihr das zu sagen, was von seinen Empfindungen auszusprechen war, aber seine Kehle war trocken und die Zunge zu schwer.

Er wollte seine Frau, deren Verlegenheit er spürte, obwohl sie hinter ihm stand, in den Kreis der Erwartung hineinziehen, doch auch das gelang ihm nicht. Da sah er Regina, hohlwangig, dünn und doch nicht ohne die Harmonie, die er zu deuten verlernt hatte, und ein vergnügt krähendes Kind auf ihrem Bauch, das in die Hände klatschte und kleine Blasen von Spucke aus seinem Mund blies. Erleichtert, weil er zu scheu war, den Vater zu umarmen, drückte Hans Puttfarken das lachende Paket im grauen Frotteehandtuch an sich.

»Es ist zu viel geschehen«, murmelte er.

»Zu viel«, stimmte Walter zu, erleichtert, daß die Bewegtheit des Augenblicks stumm machte.

Sie setzten sich zu Tisch. Else brachte den Malzkaffee in der weitgereisten Kanne mit dem Blumenmuster, die einst Owuor geliebt und in der Sonne von Ol' Joro Orok gebadet hatte. Regina sah einen schwarzen Arm glänzen, hörte das Schlurfen nackter Füße auf dicken Holzbohlen und roch die Süße von Owuors Haut. Erschrocken und hastig schluckte sie das Salz der Erinnerung hinunter, ehe es ihr in die Augen dringen konnte.

Frau Puttfarken mit müdem Blick in vom Leiden gezeichneten Augen und einem Zittern in den Händen, das sie vergebens zu unterdrücken versuchte, lobte den Kuchen und streichelte Max zaghaft. Jettel lächelte, doch die Beklemmung, festgefroren in den erstarrten Gesichtern wie die Eisblumen am Fenster, blieb die ungebetene Begleiterin von Menschen, die die Jahre zurückholen wollten und nicht wußten wie.

Max griff mit einer Hand nach seinem Becher und mit der anderen nach einer kleinen Nadel, die Frau Puttfarkens düsterem braunen Kleid einen Schimmer von Helligkeit gab, und Regina sagte: »Halt das Tippel fest.«

»Mein Gott, Regina spricht ja Schlesisch«, rief Puttfarken. »Das muß man sich mal klarmachen. Wächst im Busch auf und spricht Schlesisch.«

Sein Lachen erinnerte Regina an das so lange begrabene Echo, das in den Bergen um Ol' Joro Orok von der Sonne gewärmt wurde. Sie machte sich abermals bereit, den Krieg mit ihren Tränen aufzunehmen. Als sie die Augen öffnete, sah sie, daß Puttfarken immer noch lachte. Ihr Vater auch.

Nachdem sich die Herzen erst einmal und so unerwartet geöffnet hatten, gaben die Worte keine Ruhe mehr. Sie stürzten mit fordernder Kraft aus dem Schweigen; selbst die in feuchtes Zeitungspapier eingewickelten Briketts im Ofen, für diesen Tag schon aufgegeben, schienen sich nach neuem Leben zu drängen. Der Wind rüttelte an den Fenstern, doch seine Stimme hatte an Bösartigkeit und Härte verloren.

Puttfarken erzählte von der Not und der Angst um seine jüdische Frau in den Jahren, da jeder Tag ein neues Geschenk und zugleich Verlängerung der Qual bedeutete, von seiner Verpflichtung zur Zwangsarbeit, vom Elend der Flucht aus Oberschlesien, den Schwierigkeiten und Hoffnungen des Neuanfangs. Auch seine Stimme war ruhig geworden, seine Augen nicht.

Jettel und Walter stritten über Afrika. Sie sprach von der Farm und Nairobi, von Freunden und Freuden, die sie hatte zurücklassen müssen, er von der Verzweiflung der Jahre im fremden Land.

Jettel sagte: »Walter war immer ein Träumer.«

»Und du hast dich immer nur gerade dort wohl gefühlt, wo wir nicht waren«, hielt ihr Walter vor.

Hans Puttfarken lächelte ein wenig und sagte: »Sie beide haben sich immer so erfrischend gestritten. Schön, daß das geblieben ist.«

Regina suchte nach der englischen Übersetzung für das Wort Demütigung, das ihr Vater ausspuckte wie sie einst die scharfen Beeren vom Pfefferbaum, aber erst gingen ihre Gedanken auf die Safari, die sie nicht antreten wollte, und danach reisten auch ihre Ohren in ein Land, in der sie die Worte, die sie nicht verstand, nicht mehr beunruhigen konnten.

Später saß sie, mit ihrem schlafenden Bruder auf dem Schoß, der ihre Glieder wärmte wie einst der Hund Rummler, mit Frau Puttfarken in der dunkelsten Ecke des nur mit einer Glühbirne beleuchteten Zimmers. Es wurde ein guter Tag, denn Frau Puttfarken wollte alles von Afrika wissen, versuchte Owuors Namen auszusprechen, und lachte dabei so, daß ihre Augen die Farbe wechselten. Sie interessierte sich selbst für die Fee im Guavenbaum, die Regina begleitet hatte, als sie noch Kind war und an Feen glauben durfte.

»Kannst du Suaheli?« fragte Frau Puttfarken, »mein Sohn hat mir extra aufgetragen, dich das zu fragen. Er ist auch fünfzehn. Genau wie du.«

»Alles kann ich auf Suaheli sagen«, versicherte Regina.

»Dann sag mal«, flüsterte Frau Puttfarken und lachte zum zweiten Mal, »ich hasse die Deutschen.«

»Ich kenne das Wort für Haß nicht«, erkannte Regina verblüfft.

»Ich glaube, wir haben zu Hause nicht gehaßt. Nur die Nazis durfte ich hassen«, erinnerte sie sich, »die Deutschen nie.«

»Glückliches Kind«, seufzte Frau Puttfarken, »ich habe hassen gelernt und kann nicht verzeihen.« Ihre Augen waren sehr klein in großen Höhlen. Ihre Hände zitterten wieder.

»Ich hasse die Deutschen auch«, sagte Jettel.

Else trug das Geschirr in die Küche und kam nicht wieder,

obwohl Puttfarkens beim Abschied nach ihr fragten und »Auf Wiedersehen in Hochkretscham« riefen.

Regina brachte Max allein ins Bett. Sie sang leise das Lied vom Schakal, der seinen Schuh verloren hat, wartete, bis Max schlief, schlich aus dem kleinen Raum hinaus und ging Else suchen. Sie saß, ohne Farbe im Gesicht, die langen blonden Haare verklebt und naß, die Augen klein und rotgeweint, am Küchentisch. Ihre Schultern bebten.

Regina versuchte, sie zu streicheln, aber Elses Körper war so schlaff wie die Krone einer im Sturm geknickten Dornakazie und reagierte ebensowenig auf die Zärtlichkeit der Berührungen wie die Ohren auf die ängstlich zugeflüsterten Fragen. Regina riß die Tür zum Wohnzimmer auf und rief ihre Eltern.

»Else, was ist bloß los«, schrie Jettel alarmiert, »was ist passiert?«

»Wer hat Ihnen was getan?« fragte Walter.

Else verkrampfte ihre Hände und fing wieder an zu weinen. Als sie endlich, zwischen zwei Tränenausbrüchen, sprechen konnte, schluchzte sie: »Mein Vater.« Später schrie sie: »Sie haben ihn totgeschlagen. Wie ein Stück Vieh.«

Walter war sehr blaß, als er fragte: »Wer?«

»Warum?« sagte Jettel. »Warum ausgerechnet Ihren Vater, Else?«

Es war fast Mitternacht, als Else, eingepackt in Frau Wedels Decke und den dampfenden Malzkaffee schlürfend, den Jettel immer wieder wärmte und ihr hinhielt, Körper und Stimme wieder beherrschte.

»Mein Vater ist von den Polen erschlagen worden«, sagte sie und starrte den Ofen an. »Sie sind auf unseren Hof gekommen, haben ihn rausgezerrt und totgeschlagen.«

»Warum?« fragte Regina.

»Weil er Deutscher war«, sagte Walter.

Sie gingen schweigend zu Bett. Regina versuchte, den alten Zauberspruch gegen böse Bilder zu neuem Leben zu erwekken, aber er hatte die lange Reise nicht überstanden und seine Kraft verloren. Die Worte und vor allem die Teufel, die sie mit dem tröstenden, immer wirksamen Balsam ihrer Kindheit hatte ermorden wollen, verhöhnten sie wie ein Krieger, der auf einen unbewaffneten Gegner trifft und sich nicht mit dem Pfeil aus straff gespanntem Bogen zufriedengibt.

Sie hörte aus dem Schlafzimmer ihrer Eltern die ersten, noch verhaltenen Laute, die dem Krieg vorauseilten, dann sehr deutlich ihren Vater sagen: »Wenn du alle Deutschen haßt, vergiß Else nicht.«

Jettels Stimme, voll von jenem Staunen, das Regina an ihrer Mutter liebte und nie begreifen würde, sagte: »Aber doch nicht unsere Else. Die hasse ich doch nicht.«

»Aber Frau Wedel darfst du hassen«, erwiderte Walter, »die war sogar Nazi.«

»Auf Frau Wedel lasse ich nichts kommen. Auf die nicht! Wo wären wir ohne sie?« fragte Jettel empört.

Walters Gelächter, kräftig genug, um gegen die Wand zu schlagen und dabei nichts von der Schärfe einzubüßen, erreichte Reginas Ohren den Bruchteil einer Sekunde vor der Gewißheit, daß sie sich getäuscht hatte. Der alte Zauber des Gottes Mungo, den sie hatte verlassen müssen, war nicht tot. Nur Mungo trocknete die Tränen, ehe sie zu Salz erstarrten, und machte aus ihnen Lachen.

4

Amtsgerichtsdirektor Karl Maas war eine Ausnahmeerscheinung, freundlich zu jedem und argwöhnisch, ohne daß dieses Mißtrauen kränkte, vor Menschen, die es für opportun hielten, seine Freundschaft zu rasch zu begehren. Er ließ sich weder auf die Weinerlichkeit der Zeit ein noch auf die Sucht, allzeit Unschuldsbeweise für die Vergangenheit zu erbringen. Er hatte jene bildhafte Sprache, die als typisch für die Gemütlichkeit und ungekünstelte Lebensart des alten Frankfurt galt. Noch im Februar 1948, als die Versorgungslage so schlecht wurde wie nie zuvor, erschien Maas so gut genährt wie in Friedenszeiten.

Da es einem Menschen gelingen konnte, gesund, satt und vor allem so auszusehen, als könne er sich auf andere Dinge im Leben als Butter und Fleischmarken konzentrieren und empfinde dabei auch noch Befriedigung, machte Hoffnung. Es ließ sich nicht übersehen, daß Maas sehr nahrhafte Beziehungen und vor allem die Beherztheit hatte, sie trotz seines Amtes zu nutzen; im Gegensatz zu den Gepflogenheiten, die den gewissen Freiraum in diesen Dingen nur für die eigene Person gelten ließen, wurde dem behäbigen Amtsgerichtsdirektor dieser sättigende Sinn für das Praktische nicht geneidet. Neben seinem Humor, der immer volksnah, nie jedoch grob war, und der Schlagfertigkeit, die Schärfe mit Witz zu kompensieren verstand, trug gerade die in Notzeiten atypische Beleibtheit zu seiner Beliebtheit bei.

Gerade sie aber ließ viele Menschen vergessen, wie stark Maas durch die Erlebnisse der Nazizeit geprägt war. Am Gericht herrschte allgemein die Auffassung, daß er wegen seiner Furchtlosigkeit und Kompromißlosigkeit gegenüber einem Regime, das er sehr früh durchschaut hatte, aus dem Justizdienst entlassen worden war. Tatsächlich aber hatte er eine jüdische Frau, die er erst beim Einmarsch der Amerikaner in Frankfurt gerettet wußte.

Die erlittenen Demütigungen und die Angst der langen Jahre ohne Hoffnung machten Karl Maas sensibel für das Schicksal von Menschen, die die gleiche Scham der Wehrlosigkeit hatten erdulden müssen; seit der ersten Begegnung fühlte er sich Walter verbunden. Zunächst hatte ihn nur die Bedrücktheit des Jüngeren gerührt, seine so spürbare Furcht, er würde nach den Jahren des Exils nicht mehr den Anschluß an seinen alten Beruf finden können, und der in seiner Heftigkeit schon beängstigende Drang des Ausgestoßenen, wieder Gleicher unter Gleichen zu sein.

Als Karl Maas jedoch merkte, daß Walter eine Zivilcourage hatte, die der seinen glich und mit der er temperamentvoll und sehr scharf auf bewußt verletzende oder auch nur unbewußt ausgesprochene Kränkungen von Kollegen reagierte, wurde aus der spontan empfundenen Sympathie ein Verhältnis, das jüngere Männer durchaus als Freundschaft gedeutet hätten.

Erst nutzten sie jede Begegnung auf den Fluren des Gerichts zum Gespräch, überließen aber bald ihr Zusammentreffen nicht mehr dem Zufall. Maas fühlte sich – jenseits der Verpflichtung seines Amtes und der Sorge um einen Mann, dem zehn Jahre beruflicher Erfahrung fehlten – für Walter verantwortlich; Walter sprach mit Karl Maas ohne seine sonstige Scheu vor der Preisgabe seiner Gefühle über seine Pläne und Hoffnungen, manchmal auch über die Verzweiflung, daß er sich in pessimistischer Stimmung in Frankfurt ebenso fremd fühlte wie in Afrika.

Außerhalb des Gerichts kamen die beiden Männer nur zweimal zusammen; einmal bei Maas in der Wohnung, einmal in der Höhenstraße bei Redlichs. Beide Einladungen waren ein eher belastender Austausch von Höflichkeiten. Es war Frau Maas anzumerken, daß sie Jettels Klagen und Hilflosigkeit irritierten und erst recht der Trotz einer Frau, die bei ehelichem Zwist Fremde in die Rolle von Schiedsrichtern drängte. Auch die Töchter, obwohl fast gleichaltrig, verstanden sich nicht. Die Tochter von Maas, robust, sportbegeistert und gesellig, konnte mit Reginas zurückhaltender Art, ihrem Ernst und der Fürsorglichkeit für den kleinen Bruder, die ihr als Einzelkind fremd war, nichts anfangen. Sie ließ keinen Zweifel aufkommen, daß sie der väterlichen Empfehlung nicht nachkommen würde, Regina in ihren Kreis aufzunehmen oder gar Freundschaft mit ihr zu schließen.

Die Verbundenheit der Männer wurde ohne den Zwang zu gesellschaftlicher Etikette, die Maas als lästig empfunden hätte, eher stärker. Walter gab die Gewohnheit auf, den warmen Ofen im Dienstzimmer von Maas als Grund für seine häufigen Besuche vorzutäuschen. Maas tarnte seine Gespräche mit Walter nicht mehr als dienstliche Besprechungen. So war es Walter selbstverständlich, daß es Karl Maas war, dem er als erster erzählte, er wolle nicht länger als nötig Richter bleiben. Er hatte Widerspruch erwartet, auch gefürchtet, Maas würde ihn als undankbar empfinden, hatte aber das Gespräch nicht herausgezögert, als sein Entschluß feststand.

Karl Maas sagte aber nur: »Das überrascht mich nicht.«

»Warum?«

»Sie sind nicht zum Angestellten geboren.«

»Ich hatte genug Zeit, es zu lernen, aber es gelingt mir nicht. Ich will frei sein. Ich habe in all den gestohlenen Jahren immer davon geträumt, wieder Rechtsanwalt zu werden. Richter kam mir nie in den Sinn.«

»Haben Sie es Ihrer Frau schon gesagt?«

»Noch nicht. Sie haßt Veränderungen.«

»Dann warten Sie, bis es soweit ist«, riet Maas, »es ist nicht leicht, sich heute als Anwalt niederzulassen. Es gibt noch weniger Büroräume als Brot.«

Walter war erleichtert. Wenn auch seine Pläne nicht konkret, fast noch Illusionen waren, hatte es ihn bedrückt, Maas nichts von ihnen zu erzählen. Das Gespräch erschien ihm als erster, sehr wesentlicher Schritt in die Freiheit, die er trotz allen Bemühens als Richter nicht fand. Zum ersten Mal seit der Ankunft in Frankfurt gestattete er sich die Freude seiner wahren Träume. Er sah sich im eigenen Büro sitzen, Akten lesen, Schriftsätze konzipieren, Briefe diktieren, Mandanten beraten, ein unabhängiger Mann, der nur sich selbst Rechenschaft schuldig war – endlich am Ziel angekommen.

Walter war so mit seinen Phantasien und der Flucht in die Zukunft beschäftigt, die ihm mit einem Mal gar nicht mehr unerreichbar schien, daß er zunächst nur die Umrisse der Gestalt im Flur vor seinem Zimmer wahrnahm. Deutlich sah er nur die beiden rostigen Eimer neben einem großen, mit Schnur umwickelten Koffer. Der größere Eimer war mit Kartoffeln, der andere mit Zwiebeln gefüllt. Der Gedanke an einen Teller randvoll mit fetten Bratkartoffeln, in einer braunen Zwiebelsauce schwimmend, kam rasch und ungebeten. Er peinigte Walters Nase und quälte den Magen, der sofort mit Krämpfen reagierte; benommen versuchte er, die Sucht nach dampfenden Schüsseln in einer warmen Küche abzuwehren.

Walter malte sich zu genau, mit zuviel Behagen und zu lange aus, wie er sich fühlen würde, wenn er je wieder satt genug wäre, um einen Rest auf dem Teller zu lassen. Ihm fiel erst auf, daß der Mann mit den Eimern aufgestanden war, als er sah, daß die gedrungene Gestalt im grauen Mantel nicht mehr auf dem Stuhl vor seinem Zimmer saß. Nach einiger Zeit, in der er wieder nur an Bratkartoffeln denken konnte, merkte Walter, daß der Mann seinen Körper streckte, den Kopf hob und schwerfällig das eine Bein vor das andere schob. Er kam drei Schritte auf Walter zu und blieb stehen.

Nur die grauen Haare, eigenartig hell in dem düsteren Korridor, schienen sich zu bewegen; sie standen aufrecht und dicht wie junge Pflanzen, die starrsinnig vor ihrer Zeit aus der Erde drängten, auf einem Kopf, den Walter als besonders groß, kantig und auf eine geradezu absurde Art als vertraut empfand. Der Schleier vor seinen Augen wurde dicht; die Bilder, die er durchließ, überfielen ihn mit einer Plötzlichkeit, die sein Gedächtnis durch die Jahre hetzte. Walter konnte nun sehr deutlich erkennen, daß der Mann ein rotes Gesicht und Arme mit mächtigen Händen hatte, die auf ihn zukamen. Es war die Stimme, so hart und doch so unendlich weich, so entschwunden und doch nie vergessen, die Walter rennen ließ.

»Herr Doktor«, sagte diese Stimme, »kennen Sie mich noch?«

Walter schwankte, als er nach dem grauen Mantel griff, doch er stürzte nicht, als die Flamme des Begreifens seinen Körper zu verbrennen begann. Das grobe Tuch scheuerte an seinem Gesicht und fing die Tränen auf, die herunterstürzten, und er machte keinen Versuch, sich zu wehren. Das Glück, das ihn durchströmte, machte ihn blind und stumm, doch er hörte ganz klar sein ohrenbetäubendes Brüllen aus aufgewühlten Sinnen.

»Mein Gott«, schrie Walter, »der Greschek. Josef Greschek aus Leobschütz.«

Er merkte, obwohl Kopf und Herz schon auf rasender Rückfahrt in die Vergangenheit waren, wie sich die Türen um ihn herum öffneten und daß die Kollegen verstört und verständnislos auf den Flur eilten; er spürte ihr Staunen, ohne daß er auch nur einen anderen Menschen außer dem einzigen sah, dessen Bild ihn so lange begleitet hatte.

Walter konnte seine Arme nicht von Grescheks Körper lösen; er schob ihn durch den Korridor, schüttelte ihn, klopfte ihm auf die Schultern, faßte in den grauen Haarschopf, streichelte jede Falte des Gesichts, das er immer wieder an das eigene zog. Als er nach einer Zeit, in der er nur das Klopfen seines Herzens und seinen keuchenden Atem hörte, endlich imstande war, wenigstens seine Hände zu beherrschen, gab er den grauen Mantel frei, rannte zur Tür seines Zimmers, nahm in jede Hand einen Eimer, schlug die beiden aneinander und hetzte zu Greschek zurück.

»Der Greschek aus Leobschütz«, brüllte Walter in die Front aus Neugierde und mißbilligender Verblüfftheit vor jedem Zimmer, »in Leobschütz waren wir beide mal zu Hause. Seht euch den Mann gut an, der bis zum letzten Tag keine Angst hatte, zu einem jüdischen Anwalt zu gehen. Bis nach Genua hat er mich begleitet, als ich auswandern mußte und kein Hund mehr ein Stück Brot von mir nahm.«

»Die Zwiebel und Kartoffeln sind für Sie, Herr Doktor«, sagte Greschek. »Die hab ich aus Marke mitgebracht. Sie wissen doch noch, daß ich nach dem Harz gemacht bin. Das hab ich Ihnen nach Afrika geschrieben. Haben Sie den Brief überhaupt gekriegt?«

»Und ob, Greschek. Sie wissen gar nicht, was los war an dem Tag. Wie die Kinder haben wir geweint. Wir wußten ja bis dahin nicht einmal, ob Sie noch lebten.«

»Die Frau Doktor auch? Die hat auch geweint?«

»Ja. Die auch.«

»Das ist schön, wie Sie das gesagt haben«, lächelte Greschek. »Davon hab ich manchmal geträumt.«

Das Wiedersehen machte es beiden Männern unmöglich, ihre Gedanken auszusprechen. Sie gingen zu Fuß vom Gericht in die Höhenstraße, vorbei an Ruinen und schwarzen Mauern, an Schubkarren, Straßenbahnen und blattlosen Bäumen mit Konturen, die im leichten Regen des düsteren Nachmittags Sanftheit vortäuschten. Sobald die beiden Freunde stehenblieben, sahen sie einander an und schüttelten zu gleicher Zeit den

Kopf. Greschek trug beide Eimer und wehrte Walters Versuche, ihm zu helfen, brummend und mit den stets gleichen Worten ab: »Ein Mann wie Sie schleppt keine Kartoffeln.«

»Daß ich das noch erlebe«, sagte Walter immer wieder.

Er blieb auf der Treppe und ließ Greschek allein vor der Wohnung warten, bis die Tür aufgerissen wurde. Jettel fiel ein Teller aus der Hand. Sie hörte zu gleicher Zeit den hohlen Klang der Scherben und die hohen Laute ihrer Stimme, die »Greschek« schrie; sie schluchzte und lachte, als sie ihre Arme ausbreitete, und sie zog Greschek an sich und tanzte mit ihm durch die Küche — wie sie einst in Ol' Joro Orok mit Martin getanzt hatte, als der Jugendfreund aus Südafrika gekommen und sie und Walter für zwei unvergessene Wochen vom Trauma der Verlassenheit erlöst hatte.

Später, noch immer im taumelnden Schock der Begegnung, bestand sie darauf, die Bratkartoffeln, die Else beim Schälen mit Tränen gesalzen hatte, selbst zuzubereiten.

»Mein Mann ißt sie nur gern, wie sie meine Mutter gemacht hat«, sagte sie und beugte sich über die geschnittenen Zwiebel, als sie den Druck in ihren Augen zu spüren begann.

Regina, die bei der stürmischen Begrüßung von Greschek gleichfalls an Martin und ihre erste, so lange begrabene, nie gestorbene Liebe hatte denken müssen, saß in der Küche und konnte schon deshalb den Aufbruch in die guten Tage nicht mehr stoppen, weil ihre Nase bereits den Kopf beherrschte. Mit jedem Zwiebelstück, das in das Schmalz geworfen wurde, wurden die Bilder deutlicher. Sie sah Owuor in der Küche stehen, sah seinen Arm mit der glänzenden Haut die Pfanne schwenken, hörte den Klang seiner Stimme, als er sang, spürte seinen Atem, der kleine Kreise durch den Rauch schob.

»Ich hab mir gar nicht klargemacht«, schniefte sie, »daß es Greschek wirklich gibt.«

»Greschek«, sagte Walter und biß in ein Stück rohe Zwiebel, »ist für mich die Verkörperung des anständigen Deutschen.«

»Da haben Sie noch nicht viele anständige Menschen in Frankfurt getroffen, Herr Doktor«, sagte Greschek, »ich war nicht anständig, nur nicht so unanständig wie andere.«

Ehe es dunkel wurde, saßen sie am Tisch, Greschek zwischen Jettel und Walter, ein wenig verlegen und noch umständlicher als sonst in seinen Bewegungen; er war drei Tage mit der Bahn unterwegs gewesen, hatte sehr lange an der Zonengrenze seine Eimer verteidigen müssen, und nun grämte es ihn, daß er nicht auf seine Grete gehört und ein frisches Hemd mitgenommen hatte.

»Das Schmalz war ja wichtiger«, sagte er und schob das Messer in den Mund.

»Mensch, Greschek, können Sie sich vorstellen, daß ich zum erstenmal satt bin, seitdem wir in Frankfurt sind?«

»Ja«, sagte Greschek, »da muß ich Sie alle nur angucken, um mir das vorzustellen. Lange macht es das Fräulein Regina nicht mehr.«

Sobald Regina ihrem Bruder die fettglänzenden Hände abwischte, schob er sie zurück in die Schüssel. Er mußte sich auf seinen Stuhl stellen, um den Berg von Bratkartoffeln zu erreichen, und suchte, prustend vor Fröhlichkeit, neue Beute, während er noch am Kauen war.

»Regina, laß ihn nicht soviel essen. Dem muß ja schlecht werden. Ein zweijähriges Kind verträgt das nicht.«

»Laß ihn, Jettel«, sagte Walter, »mein Sohn hat sich so lange nicht den Magen verderben dürfen. Wer weiß, wann er das nächstemal Gelegenheit dazu hat?«

»Lassen Sie mich nur machen, Herr Doktor. Ich bleib eine Zeitlang hier. Wenn Ihre Else mein Hemd wäscht und wenn es Ihrer Frau recht ist. Ein' Mann wie Sie kann man in diesen Zeiten nicht allein lassen.« Weil er nichts von der Trägheit eines vollen Magens wußte, vergaß Walter auch, beizeiten Kopf und Kehle zu verschließen. Während er auf die Töne in seinem Bauch lauschte, der sich ihm angenehm entgegenwölbte, versuchte er, die Bilderflut des Tages einzufangen. Es wurde eine lange Reise, die zu einer jener verwirrenden Safaris anschwoll, von denen Walter schon lange nicht mehr glaubte, daß nur seine Tochter deren Verlockungen erlag. Abwechselnd machte er Station in Leobschütz, Genua und Ol' Joro Orok und stand dann, zu unerwartet, um noch vorsichtig zu sein, mit Karl Maas am Ofen und sprach von Plänen, in denen der Hunger nicht mehr das Leben bestimmte.

»Wissen Sie, Greschek«, sagte er in die Richtung des dösenden Kopfes im geblümten Sessel, »ich werde mich irgendwann doch als Anwalt niederlassen. Und dann verklagen wir jeden in Marke, der Sie ärgert.«

Jettel hörte die Worte ihres Mannes, als sie gerade dabei war, sich dem verwirrenden Gefühl auszuliefern, daß ihr Körper keine Ansprüche mehr stellte, aber sie gab sich keine Mühe, die Sätze zu verstehen. Sie bewegte nur den Kopf. Auch sie war zu satt, zu ungewohnt zufrieden, zu müde vor allem, um die Furcht vor Veränderungen auch nur zu wittern.

Später, als Greschek auf der Couch schnarchte und Else in der Küche Wasser in die Schüssel laufen ließ und leise singend ihr Feldbett aufstellte, hörte Regina das Bett im Schlafzimmer quietschen. Zunächst lächelte sie wissend wie zu den Zeiten, als sie noch keinen Bruder gehabt hatte und nichts auf der Welt mehr begehrte; als sie aber merkte, daß sie auf jeden Ton lauschte und ihn, wie in Kindertagen zu deuten versuchte, schämte sie sich, daß sie je hatte denken können, ihre Eltern hätten den einzigen Teil des Lebens ohne Streit vergessen.

Greschek, körperlich phlegmatisch, aber geistig um so reger, wenn es um die richtige Witterung für die Zeit ging, die nach Männern seiner Art rief, ließ keine Stunde ungenutzt, um das Leben der Freunde neu und nahrhaft zu gestalten; selbst in den Tagen, als sein Laden für elektrische Geräte in Leobschütz florierte, hatte er mehr Freude an Geschäften außerhalb der Norm gehabt als an den in einer Kleinstadt gebotenen und üblichen, die er als monoton und zu wenig gewinnbringend empfand. Die lange, beschwerliche Flucht zu Fuß aus Oberschlesien und erst recht sein Leben danach als unwillkommenes »Ostpack« in dem kleinen Harzer Dorf, das ihn aufnehmen mußte, hatten Grescheks Improvisationstalent und Geschäftstüchtigkeit zur vollen Blüte getrieben. Weil er Witz und vor allem einen Blick für Menschen hatte, machte er Jettel zur Eingeweihten auf jenen verschwiegenen Wegen, von denen er wußte, daß der »Herr Doktor« sie mißbilligte.

Jettel, die sich selbst für geschäftstüchtig hielt, war begeistert. Es schmeichelte ihr, daß Greschek ihre Lebensklugheit lobte, und sie stimmte aus vollem, lange unterdrückten Herzen mit seiner Meinung überein, daß Anständigkeit nur mangelnder Mut zur Selbstbehauptung war. Vor allem erkannte sie in Greschek ein Juwel, grob geschliffen zwar und brummig, aber vor allem ihr so zugetan, wie sie es von allen Männern gewohnt war. Am ersten Tag schon zeigte sie Greschek das Säckchen mit den grünen Kaffeebohnen aus Kenia, das Walter für eine besondere Gelegenheit reserviert hatte. Er nahm es wortlos und kopfschüttelnd mit und kam, ebenso schweigsam, mit einem Pfund Butter und einer Stange Zigaretten zurück. Am zweiten Tag nahm er die halbe Stange Zigaretten wieder mit und kam mit einem Radio nach Hause.

»Sie sind doch nicht mehr bei den Negern, Herr Doktor. Abgeschnitten von aller Welt. Ich weiß noch, wie glücklich Sie waren, als ich Ihnen in Leobschütz Ihr erstes Radio verkaufte.«

Bis zum Ende der Woche hatte Greschek eine Seite Speck, einen kleinen Eimer flüssiger Seife, ein halbes Pfund Bohnenkaffee, vier Dosen Corned beef aus amerikanischen Armeebeständen und vor allem zwei Paar Nylons besorgt, mit denen Jettel so glücklich durch die Wohnung wirbelte, als wären sie Diamanten.

Das ungeliebte, bittere Maismehl, das es seit Wochen auf Zuteilung gegeben hatte, tauschte Greschek zur allgemeinen

Verblüffung gegen das begehrte weiße ein, die auf Fleischmarken gelieferten Datteln gegen zwei Bananen für Max. Für
Regina holte er stolz zwei Riegel »Hershey's« aus dem Rucksack und erlitt seine erste Niederlage. Sie leckte nur an der
Schokolade und stopfte sie dann beglückt in ihren Bruder
hinein.

»Fräulein Regina ist wie ihr Vater«, beklagte sich Greschek
bei Else, deren Ohrringe er gegen Schuhe eingetauscht hatte,
»zu gut für diese Welt.«

Jettel schleppte, wenn auch ohne Hoffnung, das Säckchen
Tee aus Kenia an; auf der Überfahrt war eine Tüte Seifenpul-
ver gerissen und hatte den Tee für alle Zeiten ungenießbar
gemacht. Es war das einzige Mal, daß Greschek laut lachte.

»Wissen Sie denn nicht, daß guter Tee immer ein wenig nach
Seife geschmeckt hat?« fragte er. Am späten Abend, als Walter, der das Unheil täglich kommen sah, ihn schon verhaftet
wähnte, kehrte er ohne Tee und mit zwei Meter blau-weiß
geblümtem Kleiderstoff für Jettel heim.

Sie war selig und gab, auch dies noch nie geschehen, Greschek einen Kuß. Niemand wußte, wie er zu den Dingen kam,
die dem Leben eine so abrupte Wende gegeben hatten. Er
ließ sich weder entlocken, wo er seinen nahrhaften Geschäften nachging, noch wie er, der Stadtunkundige aus dem Dorf,
so schnell die richtigen Anlaufplätze des Schwarzmarkts gefunden hatte.

Vor allem verriet Greschek noch nicht einmal Jettel, daß er
auf dem Weg dorthin mit dem geschulten Auge des Elektri-
kers, der er in der Jugend gewesen war, und dem Blick des
Schrotthändlers, der er geworden war, von Trümmerhäusern
und auch von den wenigen Gebäuden, die neu hergerichtet
wurden, elektrische Kabel und Leitungsrohre entwendete. Er
hielt es für eine unzeitgemäße Verschwendung, die große
Schar der Hehler zu enttäuschen, die bereits fest mit seinen
Lieferungen rechneten.

Die Abende reservierte Greschek für jenes Glück, das ihn nach Frankfurt getrieben hatte. Sobald die Frauen zu Bett gegangen waren, unterhielten sich die beiden Männer wie in den alten Zeiten, da Greschek Walters einziger Vertrauter gewesen war. Er sprach aber nie so viel von Leobschütz, wie Walter es gern getan hätte; Arbeit, Aufgaben und vor allem die Moralbegriffe eines deutschen Richters interessierten ihn mehr als die Erinnerungen an Oberschlesien. Was Walter von Karl Maas erzählte, den Greschek ja selbst gesehen und vor dessen hohem Amt er eine ihm sonst fremde Ehrfurcht hatte, begeisterte ihn. Er besorgte für Maas eine Salami auf dem Schwarzmarkt. Walter genierte sich sehr, als er das Geschenk überbrachte, Maas überhaupt nicht.

Mit jedem nächtlichen Gespräch empfand Walter immer stärker, daß Greschek der einzige war, der Verständnis für seine Rückkehr nach Deutschland hatte. Eines Abends erzählte Greschek, daß er Walters Vater nach dem Einmarsch der Deutschen in Polen noch zweimal in Sohrau besucht, ihn mit Lebensmitteln versorgt und ihn bei seiner Flucht auf dem Bahnhof in Kattowitz noch gesehen hatte, aber er hatte nicht mehr gewagt, ihn anzusprechen.

»Ich glaub nicht an Gott, Herr Doktor«, sagte Greschek, »aber dafür wird er mich eines Tages bestrafen.«

»Wenn nur jeder Zehnte ihr Gewissen hätte, Greschek, wäre ich hier glücklicher«, antwortete Walter. Er merkte zu gleicher Zeit, daß er sich mit einem einzigen Satz soeben die Hoffnung von Jahren genommen hatte und selbst mit Greschek nicht über den Tod seines Vaters sprechen konnte, und ging bedrückt zu Bett.

Am Ende der dritten Woche von Grescheks Besuch und gerade, als die gefüllten Schüsseln am Abendbrottisch zur Gewohnheit zu werden begannen, wurde Regina krank. Was zunächst nur wie eine starke Erkältung aussah, entwickelte sich zu einem Zustand, den Walter als Grippe, Jettel als Lungenentzündung und Doktor Goldschmidt als Folge der Unterernährung bezeichneten.

Greschek beschaffte für sie Milch und Butter auf dem Schwarzmarkt, ein Huhn für eine ordentliche Suppe, wie sie seine »Muttel« ihren sechs Kindern bei Krankheit gekocht hatte, und zur Hebung ihrer Stimmung einen Lippenstift, der Regina aber weit weniger erfreute als ihre Mutter. Als das hohe Fieber anhielt, kam Greschek mit Penizillin und dem Bescheid nach Hause, es handle sich um ein Wundermittel und könne jede Krankheit über Nacht heilen.

Doktor Goldschmidt weigerte sich, Regina das Penizillin zu spritzen, hatte von da an in Greschek einen Feind fürs Leben, sagte noch einmal: »Regina ist unterernährt«, und sprach vage von der Möglichkeit einer dreimonatigen Kinderverschickung in die Schweiz. Regina wehrte entsetzt ab. Sie hatte in der Schule längst von der Schweizer Hilfe gehört und schon lange gefürchtet, ihre Eltern könnten davon erfahren.

Regina hatte nicht so an der Krankheit gelitten, wie es den Anschein hatte, sondern sie als Gelegenheit willkommen geheißen, befreit von häuslichen Pflichten und dem Zwang ihres Ehrgeizes, in der Schule ein Ziel zu erreichen, das ihr so unerreichbar war wie am ersten Tag, ungestört auf Safari zu gehen. Sobald sie allein in der Wohnung war, rief sie, trotz Fieber und Schwäche, vergnügt die Bilder der gestorbenen Tage zurück.

Sie legte sich in der Mittagshitze neben Owuor an den Rand der Flachsfelder und roch die Süße seiner dampfenden Haut, genoß sein Schweigen, hörte die Trommeln schlagen, die Affen rufen, grub ihre nackten Füße in die rote Erde und ließ die Zeit durch ihre Hände rieseln, bis Owuors Lachen als gewaltiges Echo von den Bäumen donnerte und ihre Ohren streichelte. An anderen Tagen kletterte sie in Nairobi auf den Guavenbaum, betäubte ihre Nase und erweckte ihre Fee aus dem ewigen Schlaf, zu dem sie an jenem Tag verdammt worden war, als Regina sie nicht mehr brauchte, weil sie einen Bruder bekommen hatte.

In diesen sanften Tagen zwischen Wachheit und Schlaf, Krankheit und Gesundung erkannte Regina, daß sie noch immer die Fähigkeit zur Flucht in ihren eigenen Zauber hatte. Ihr früh entwickelter Sinn für Realität blieb aber so scharf wie ein frisch geschliffenes Buschmesser. Sie spürte intensiver denn je, daß sie beides brauchte, die Flucht und die Rückkehr in eine Welt, die sie zwar nicht liebte, die sie aber akzeptierte, weil Eltern und Bruder in ihr lebten.

Auf keinen Fall hatte Regina vor, nur wegen ein paar Kilo Untergewicht freiwillig die Vertrautheit der bekannten Mißlichkeiten in Frankfurt gegen eine erneute Entwurzelung in einem Land einzutauschen, von dem sie nicht mehr wußte, als daß es dort ebenso viele Berge wie Kühe und folglich Milch und Schokolade gab.

Zufall und Zeitpunkt der Diskussion um ihre Gesundheit waren gegen sie. Kaum hatte Doktor Goldschmidt den Keim gesetzt, erfuhr Walter, daß jüdische Familien in Zürich Kinder aus der Jüdischen Gemeinde Frankfurt aufnehmen wollten, diese aber gar nicht wußte, wie sie dem hilfsbereiten Ansinnen begegnen sollte. Die Gemeinde hatte nicht genug Kinder für die Aktion: Die meisten waren erst nach 1945 geboren worden und somit zu jung für die philanthropischen Absichten der Schweizer Pflegefamilien.

Regina ahnte, obwohl ihr Vater nichts sagte, daß er sie bei der Gemeinde für die Schweizer Reise anmelden würde, und gab sich große Mühe, gesund, zufrieden und vollbeschäftigt mit der Pflicht auszusehen, in der Schule endlich den Anschluß an ihre Klasse zu finden. Ihre Lage verschlimmerte sich jedoch rapide, als Greschek sehr plötzlich nach Marke zurückkreisen mußte und somit feststand, daß neue Hungerzeiten nur eine Frage von Tagen waren. Tatsächlich sprach Walter schon mit ihr am Abend von Grescheks Abreise.

»Doktor Allschoff hat mir versprochen, persönlich dafür zu sorgen, daß du zu einer ordentlichen Familie kommst«, sagte er.

»Meine ist ordentlich genug«, erwiderte Regina wütend.

»Aber du bist es nicht mehr.«

»Mir geht es jeden Tag besser. Ohne die Angst, daß ich von hier fort muß, wäre ich längst gesund.«

»Mein Gott, Regina, wovor hast du Angst? Daß du dich an Schokolade überfrißt? Du hast dich als siebenjähriges Kind, ohne zu klagen, von uns getrennt, und jetzt machst du einen Aufstand wegen drei Monaten.«

»In die Schule mußte ich, in die Schweiz nicht.«

»Fängst du etwa an, wie deine Mutter zu werden? Nur keine Veränderungen.«

»Das ist nicht fair. Ich hab noch nie gejammert.«

»Das ist es ja, du jammerst nie. In der Beziehung bist du genauso ein tummes Luder wie dein Vater. Herrgott, Regina, mach es mir nicht so schwer. Ich hab einfach Angst um dich. Und ich bin nicht gewohnt, auch gegen dich zu kämpfen. Ich zwinge dich nicht zu fahren. Ich bitte dich nur, mir diesen Druck zu nehmen.«

Diesmal kamen die nie vergilbten Bilder ungebeten zu Regina. Sie erlebte noch einmal den Tag, als ihr Vater zum listigen Krieger im Kampf um ihr Herz geworden war, und sie sich ein für allemal entschieden hatte, es ihm zu geben. Er wußte noch immer, den Bogen zu spannen, um seinen Pfeil abzuschießen.

»Ist schon gut, Bwana«, murmelte sie, »du hast gewonnen, aber du sollst wissen, daß ich nicht gern fahre.«

»Mußt du auch nicht, Memsahib kidogo«, lächelte Walter, »Hauptsache, du nimmst zu.«

5

Auf der Fahrt von Basel nach Zürich in einem Zug mit kleinen, sauberen Gardinen an den blankgeputzten Fenstern waren es die zierlichen Blüten der im fordernden Gelb leuchtenden Forsythienbüsche auf den Hügeln und die schwarz-weißen Kühe, so wohlgenährt wie in alten Bilderbüchern, auf den sanften grünen Wiesen, die kleinen Häuser in ihrer strahlenden Sauberkeit, die Narzissen und Primeln in winzigen Gärten und die Frühlingsfreude junger Hunde, die Regina korrumpierten; im Trotz der Trennung war sie entschlossen gewesen, sich einer Welt zu verweigern, in die sie keinen Einlaß begehrt hatte, weil sie wußte, daß sie das versprochene Paradies wieder zu einem Kind machen würde, das der Verlassenheit der Fremde schutzlos ausgeliefert war.

Die Augen hatten jedoch zu hartnäckig auf ihrem alten Recht zu trinken bestanden, und seit den Tagen, die das gefräßige Ungeheuer Europa so rasch verschluckt hatte wie eine Hyäne ihre unerwartete Beute, wußte Regina, daß ein Mensch, der es sich nicht für immer mit dem schwarzen Gott Mungo verderben wollte, nie gegen seine Augen kämpfen durfte.

Noch in der kurzen Zeitspanne, da sie am Bahnhof in Zürich nicht wußte, wer sie abholen würde und was sie überhaupt tun sollte, außer neben ihrem Koffer zu stehen und Ausschau nach einer von ihrem Vater angekündigten, ihr unbekannten Erlöserin zu halten, fühlte sie sich geborgen in dem gewaltigen Staunen. Die Bahnsteige waren so sauber wie die Züge, die ein- und abfuhren; am Fenster standen Menschen mit glatten

Gesichtern, oder sie saßen im Speisewagen auf samtbezogenen Stühlen an weißgedeckten Tischen vor gefüllten Tellern. Diese Menschen redeten miteinander, als sei es ihnen nicht wichtig, Hunger zu ersticken, und manche machten den Mund nur auf, um zu lachen. Diese Unbekümmertheit, die sie durch spiegelnde Fenster sah, die von den Spiegeln selbst zu einem feurigen Ball von Farben reflektiert wurde und von der sie vergessen hatte, daß es sie gab, faszinierte Regina am meisten.

Sie war gerade dabei zu erkennen, daß auch die Menschen auf dem Bahnsteig um sie herum, die Männer in blankgeputzten Schuhen aus echtem Leder und die Frauen mit schimmernden Nylonstrümpfen unter hellen, wippenden Kleidern aus leichtem Stoff, die ihnen bis an die Waden reichten, durch diese erregende Sorglosigkeit auffielen. Da faßte eine Frau in einem Kleid aus blauer Seide, mit einer Jacke in der gleichen Farbe und weißen Handschuhen aus Engelshaut an den gelben Puffärmel von Reginas Kleid und machte sie, obwohl sie in einem halben Jahr ihren sechzehnten Geburtstag feiern würde, tatsächlich wieder zu einem Kind, das im Taumel der Erlösung aus der Ungewißheit wieder an Märchen glaubt und für alle Ewigkeit weiß, daß eine einzige Berührung den Menschen aus dem Todesschlaf zurück ins Leben holt.

In der stacheligen Melodik einer Sprache, die Reginas Ohren kitzelte und die sie grübeln ließ, ob sie eine ähnliche schon mal gehört hatte oder nicht, sagte die strahlende blaue Monarchin: »Ich bin Margret Guggenheim, und du bist sicher unser kleines Pflegekind aus Deutschland.«

Regina, die das Wort nicht kannte und die sehr angestrengt überlegte, ob Pflegekinder im allgemeinen Riesen zu sein hatten und sie deshalb der Frau als klein erschien, versuchte, ihren Mund aufzumachen, ohne so töricht auszusehen, wie sie sich fühlte. Sie war froh, daß sie wenigstens ihren Kopf bewegen und nicken konnte. Sehr langsam, als müsse sie die Entfernung erst abtasten, schob sie ihre rechte Hand nach vorn.

Nach einer Zeit, die ihr sehr lang erschien und in der sie stumm dem Duft von Rosen in voller Blüte folgte, der von dem blauen Kleid ausströmte, ließ sie ihren erstarrten Körper in ein Taxi schieben, aber auch in den weichen Polstern des Autos blieb sie so starr wie ein verdorrter Baum, und die betäubende Verwirrung hielt sie so fest umklammert, daß ihr jeder Atemzug peinlich war. Es wurde Regina unmöglich, auch nur ein Bild klar einzufangen, obwohl sie wußte, daß sie gerade dies tun mußte, um ihren Eltern von einer Welt zu berichten, in der die Autos die Farben von Blumen, die Menschen das Aussehen von Rittern und Prinzessinnen hatten und selbst die Hunde an dünnen Leinen aus schmiegsamem Leder frisch gewaschen wirkten und so, als hätten sie nie erfahren, was Hunger ist. So sehr Regina sich mühte zu verstehen, Fragen zu beantworten und die Pracht der Sattheit in ihrem Kopf zu ordnen und zu speichern, sie konnte sich nichts merken außer dem Namen ihrer Retterin.

Das Taxi fuhr einen steilen Berg hinauf, hielt vor einem Haus mit einem kleinen Garten, in dem hohe, blühende Bäume und dichte grüne Hecken die Sicht auf die Fenster verwehrten; die blaue Regentin mit der singenden Stimme lachte, sagte: »Du hast es geschafft, Kind«, gab dem Taxifahrer herrliche silberne Münzen, berührte abermals Reginas Schulter, griff mit ihrer weißen Handschuhhand nach dem kleinen braunen, mit grobem Seil verschnürten Koffer und schob Regina in einen Hausflur, der sehr hell war und nach der Schwere von Hyazinthen duftete, die ihrem Vergehen entgegenblühten.

Auch nach den ersten zwei Stunden in einer Wohnung, von der Regina nicht wußte, ob sie ein Schloß oder nur eine Fatamorgana ihrer gereizten Sinne sei, konnte sie noch nicht mehr als nur ja und nein sagen und mußte sich, geängstigt von der Möglichkeit unangenehmer Verwechslungen, auch noch konzentrieren, daß sie nicht zu schnell und erst recht nicht zu langsam antwortete.

Als Frau Guggenheim sie durch das Haus führte, fühlte sie sich so verloren wie ein Kikuyukind, das zum erstenmal mit nackten Füßen einen Holzfußboden betritt und Angst hat, sich zu verletzen. Die großen Räume mit Gardinen, auf denen Blumen flüsterten, hellen Tapeten und dunklen Möbeln machten Regina stumm. Die vielen Bilder an den Wänden, fordernd wie die Dämonen in Afrikas dunklen Nächten, die Jagd auf die Sonne machten und ihre Beute nie mehr hergaben, und die langen Reihen von Büchern mit dunklen, ledernen Rücken und goldener Schrift in großen Glasschränken setzten zu einem Sturm auf ihre Augen an, ohne daß sie Form und Farbe unterscheiden konnte.

In einer weißgekachelten Küche saß eine Frau, schwarzhaarig, mit zwei dicken Zöpfen um den Kopf, im schwarzen Kleid und mit geblümter Schürze. Sie hatte sehr weiße Zähne, doch als Regina ansetzte, für ihr Lächeln zu danken, fingen die Möbel an, sich zu drehen, und aus einem großen weißen Kühlschrank wurden zwei mächtige Riesen.

Regina saß nun auf einem kleinen Sofa mit einem Bezug, der aussah wie Moos in einem Wald nach der ersten Nacht des großen Regens. Die Fenster um sie herum waren so groß wie Türen; die Sonne stürzte herein und trieb die weißen Bilder inmitten der grellen Feuer zum Lichtertanz. Sobald nur ein winziger Strahl von Sonne die Bilder noch heller machte, wurde das Weiß durchsichtig wie Glas und fing dabei die Farben eines sterbenden Regenbogens ein.

»Utrillo«, sagte Frau Guggenheim, »hast du schon von ihm gehört?«

Regina schüttelte den Kopf. Sie hörte Frau Guggenheim lachen und sagen: »Das lernst du bei uns, wenn du Augen hast«; sie gab sich große Mühe, auch zu lachen, aber wieder konnte sie ihre Lippen nicht auseinanderbekommen. Auch ihre Finger waren ineinander verkeilt. Zögernd nahm sie das Glas entgegen, das Frau Guggenheim ihr hinhielt, merkte erst da,

wie durstig sie war, und staunte, daß das Wasser, so weiß wie
die Bilder, süß und sauer zugleich schmeckte. Beglückt leerte
sie das Glas mit einem Zug, hörte sich selbst schlucken, wollte
sich entschuldigen und das Glas auf den Tisch stellen, aber sie
hielt es, weil sie erst über die gebotene Reihenfolge ihrer
Handlungen nachdenken mußte, unentschlossen in der Luft.
»Nicht auf den Tisch«, rief Frau Guggenheim warnend und
machte einen Moment die Augen zu, als erwarte sie einen
großen Schmerz.
Sie hielt Regina so hastig eine Zeitung hin wie sie selbst zu
Hause ihrem Bruder, wenn er zu schnell gegessen hatte und
würgte. Zu spät merkte Regina, daß auch sie zu würgen begann
und biß sich auf die Unterlippe.
»Willst du dich frisch machen, Kind?«
»Ja«, flüsterte Regina.
»Ich zeig dir das Bad«, sagte Frau Guggenheim.
Sie führte Regina in einen hellgekachelten Raum mit großem
Waschbassin, silberfunkelnden Hähnen und grünen Handtü-
chern mit weißer Borte, blieb einen Moment unschlüssig ste-
hen, zog aus der Tasche ihres blauen Rocks eine Tafel Schokolade, reichte sie Regina, nickte ihr zu und schloß leise die Tür.
Regina wagte es nicht, an den Hähnen zu drehen; sie konnte
sich auch nicht vorstellen, daß sie die Handtücher oder das
weiche, weiße Papier, das von einer silbernen Rolle neben der
Toilette herabhing, benutzen durfte. Eine Zeitlang stand sie
nur da und starrte das kleine Fenster mit den winzigen Gardinen an. Sie hatte Scheu, auch nur den Spiegel zu benutzen.
Ihre Hilflosigkeit machte sie wütend und verbrannte ihre Vorsicht.
Mit einer Plötzlichkeit, die sie noch zorniger machte, riß sie das
Silberpapier auf und roch an der Schokolade. Sie hatte nur im
Sinn gehabt, an einer Ecke zu lecken, wie sie es mit Grescheks
Schokolade getan hatte, um den Geschmack zu spüren, aber
den Schatz selbst für Max zu bewahren, doch Zunge und

Zähne verweigerten ihr den Gehorsam. Zu spät wurde ihr bewußt, daß nichts mehr da war von der Schokolade. Getroffen, daß sie ausgerechnet in dem Moment ihrer Gier erlegen war, als sie an die Not der Ihren gedacht hatte, fing sie an zu weinen.

Nach einigen Minuten hörte Frau Guggenheim das Schluchzen, öffnete behutsam die Tür und führte Regina hinaus.

»Komm«, sagte sie, »leg dich erst einmal hin. Das ist alles zuviel für dich.«

Auf dem Bett mit einer gelben Steppdecke aus Seide und Kissen, die wie die Hyazinthen im Flur dufteten, lagen ein langes weißes Nachthemd mit Rüschen und Spitzen und daneben ein kleiner schwarzbrauner Stoffhund mit rundem Bauch und einem winzigen Holzfaß an einem roten Halsband. Regina war so erstaunt, daß sie ihn nur vorsichtig berührte, als müsse sie erst herausbekommen, ob er lebendig sei oder nicht, aber noch hatte sie nicht verlernt, ihre Ohren mit Phantasie zu füttern.

Während sie das Gelächter in ihrer Kehle verschluckte wie zuvor ihre Tränen, hörte sie den Hund schon bellen. Als sie merkte, daß er gar mit dem linken Glasauge zwinkerte, wurde ihr bewußt, daß sie die ganze Zeit mit offenen Augen geschlafen hatte. Ihre Gastgeber hatten ein Kind erwartet und sie bekommen; wahrscheinlich waren die Guggenheims genauso verwirrt wie sie.

Erleichtert und erheitert zog sie ihr Kleid aus und das zu enge Kinderhemd an; sie wollte sich nur für einen Moment der Besinnung hinlegen, schlief jedoch sofort ein und lernte also George Guggenheim erst am nächsten Morgen kennen.

Der kleine rundliche Mann mit den ersten Spuren einer Glatze und Augen, die Gelassenheit und in besten Momenten den Witz des Skeptikers ahnen ließen, war eine bekannte Persönlichkeit in seiner Vaterstadt, im Vorstand der Jüdischen Gemeinde Zürich, von Beruf Anwalt und in allem ein Mann der

Untertreibung. Menschen, die den Namen Guggenheim nicht kannten, was in der Schweiz selten und in Zürich so gut wie nie vorkam, hätten aus seinem Auftreten und der sparsamen Lebensweise die falschen Schlüsse gezogen und wären nie auf die Idee gekommen, daß er immens vermögend war. Bei Freunden, Kollegen, Mandanten und bei den Mitarbeitern der vielen wohltätigen Organisationen, in deren Vorstand er seit Jahren saß, machten ihn seine Bescheidenheit und der bürgerliche Lebensstil beliebt; er fand sofort Kontakt zu Menschen, wenn er mit ihnen auf der gleichen gebildeten, toleranten und humorvollen Ebene reden konnte, die dem eigenen Naturell entsprach.

Weil er weder Umgang noch Erfahrung mit Kindern hatte, ängstigten sie ihn, es sei denn, sie blickten ihm aus Rahmen entgegen und waren von Cézanne, Renoir oder Picasso gemalt worden. So hatte er sehr zögernd dem Wunsch seiner Frau nachgegeben, nur deshalb ein Kind aus Deutschland zu holen, weil dies bei den reichen Familien in der Jüdischen Gemeinde Zürich plötzlich Mode geworden war. George Guggenheim hielt nichts von Modeerscheinungen – nicht in der Kunst und schon gar nicht als Wohltäter.

Als Regina an diesem ersten Morgen am Frühstückstisch saß, blaß, dürr und mit dunklen Augenhöhlen, die ihn rührten und auf beunruhigende Weise an die Bilder von Otto Dix erinnerten, mußte George Guggenheim gegen eine ihm sonst fremde Befangenheit kämpfen. Er wollte höflich und herzlich sein, aber ihm fiel nur ein, daß es wohl Brauch war, mit Kindern über die Schule zu reden; in Erinnerung an seine eigene Kindheit erschien ihm dies ebenso töricht wie banal. Er überlegte, ob er seinen verschüchterten Gast nach seinem Elternhaus und Deutschland fragen sollte, doch ersteres empfand er als unpassend neugierig, und er hatte die typisch Schweizer Scheu jener Jahre, von Deutschland zu sprechen.

Obwohl er genau sah, daß Regina ein bereits beschmiertes

Brötchen auf dem Teller hatte, reichte er ihr den Marmeladentopf. Sie schaute ihn so konsterniert an, als hätte er bereits das Falsche gesagt. Als es dann noch an der Haustür klingelte und seine Frau vom Tisch aufstand, empfand er die Stille als Provokation, die seiner nicht würdig war. George Guggenheim rückte seinen Stuhl näher an den Tisch heran, hüstelte bedrückt und fragte mit einer Entschlossenheit, von der er fand, daß sie ebenso übertrieben wie lächerlich war: »Wer sind deine Lieblingsdichter?«

Regina hatte nicht mehr erwartet, daß der schweigsame Mann sie überhaupt noch ansprechen würde. Sie erschrak, ließ ihr Brötchen auf den Teller fallen und zögerte schon deshalb mit der Antwort, weil sie nach den Erfahrungen im Deutschunterricht zweifelte, ob er je von Dickens und Wordsworth gehört hatte.

Während sie eilig den Bissen hinunterwürgte, nestelte sie an ihrem Kleid und grübelte unglücklich, welchen deutschen Dichter sie nennen könnte, ohne sich zu blamieren, weil sie nichts mehr von ihm als seinen Namen wußte. Es erschien ihr wie Rettung aus der Not, als sie sich erinnerte, daß sie in der Schule gerade »Kleider machen Leute« gelesen und, mit sehr viel mehr Freude, die Ballade »Die Füße im Feuer« auswendig gelernt hatte.

»Gottfried Keller und Conrad Ferdinand Meyer«, sagte sie erleichtert.

»Sieh mal einer an. Das sind ja unsere Schweizer Dichter. Die Antwort hätte ich nicht von einem Kind erwartet.«

»Ich bin kein Kind«, hörte sich Regina sagen. Ihre Haut entzündete sich sofort, die Muskeln im Gesicht wurden steif. Sie genierte sich sehr, weil sie es nicht gewohnt war, vorlaut oder unvorsichtig zu sein. Vor allem konnte sie sich nicht erklären, was sie dazu gebracht hatte, in einem so unsicheren, alarmierenden Augenblick ihrer Zunge Freiheit zu gewähren. Befangen starrte sie den Klecks roter Marmelade auf ihrem Teller an und hielt ihren Kopf gesenkt. Plötzlich aber erreichte ein tiefer Ton ihr Ohr.

»Wie schön«, prustete George Guggenheim, »wie herrlich! Du glaubst gar nicht, was für eine Angst ich vor dir hatte. In meinen Alpträumen hab ich immer nur Schokoladenhände gesehen, die meine Bilder beschmieren.«

»Ihre schönen Bilder«, staunte Regina, »die wage ich ja noch nicht einmal richtig anzugucken.«

Der Satz war der Beginn einer Freundschaft, die nur drei berauschende Monate währte, aber Reginas Fühlen und Denken so entscheidend veränderten wie zuvor nur die Ankunft in Afrika und das furchtbare Sterben der Vertrautheit beim Abschied. Noch an diesem Morgen nach dem Frühstück des Schweigens stieß George Guggenheim für Regina das Tor zu einer Welt auf, die sie ohne ihn in solcher Intensität nie entdeckt hätte und für die sie ihm ein Leben lang dankbar sein sollte.

Es war eine spontane Verbundenheit mit einem Lehrmeister, dessen Geduld nur von seiner Leidenschaft übertroffen wurde, das mit ihr zu teilen, was ihm am kostbarsten war. Zum Auftakt beschenkte der Geber die Gabenempfängerin auf afrikanische Art. Er vertraute ihr ein Geheimnis an, das sie in ihrem Herzen bewahrte wie die sanfte, allzeit tröstende Erinnerung an die kleinen verschwiegenen, bösartigen Scherze, die sie über zwei Kontinente hinweg mit ihrem Freund Owuor vereinten.

»Komm«, sagte George Guggenheim, »jetzt lernst du erst mal Zürich kennen. Und weißt du, womit wir anfangen? Ich zeig dir, wo unser Gottfried Keller geboren ist.«

Sie liefen, vorbei an den sauberen Häusern im Schmuck der Redlichkeit ihrer Besitzer, berstenden Forsythienzweigen, ungeduldigen Narzissen mit wippenden Köpfen und frisch gewaschenen Kindern auf Rollschuhen, den frühlingstrunkenen Restelberg hinunter. George Guggenheim hatte trotz seiner gedrungenen Statur einen kräftigen Schritt und Regina Mühe, an seiner Seite zu bleiben. Einmal vergaß sie, daß sie kein Kind war, und hüpfte zum Himmel und zurück. Er hob, eine Seligkeit lang, beide Beine von der Erde.

»Ißt du manchmal Schinken?« fragte er.

»Nie«, sagte sie.

»Lebt ihr zu Hause denn koscher?«

»Aber nein«, lachte Regina, »wir haben nur keinen Schinken.«

»Wir auch nicht. Meine Frau stammt aus frommem Haus und führt einen koscheren Haushalt. Hast du nicht die zwei Kühlschränke in der Küche gesehen?«

»Doch«, erwiderte Regina, »als mir gestern schlecht wurde und die Möbel sich um mich drehten.«

»Du weißt, was koscher bedeutet?«

»Kein Schweinefleisch und Milch nie zusammen mit Fleisch.«

»Richtig. Deshalb die zwei Kühlschränke, kluges Fräulein. Einer für Milch und Butter und einer für Fleisch. Und koscher bedeutet noch viel mehr. Nämlich keine Käsetorte zum Nachtisch, wenn du vorher Fleisch gegessen hast, keine Sahnesauce, wie sie meine Mutter macht, kein Wild, keine Krabben, keine Butter unter die Wurst und nie Schinken. Merk dir das und schüttel den Kopf, falls mal ein frommer Mann um deine Hand anhält.«

Sie standen vor einer Metzgerei. Regina hörte ihren Magen reden, als sie die Würste, Schnitzel, belegten Brote, gebratenen Hühner mit brauner Haut und den Speck in der Auslage sah; endlich begriff sie, was es mit dem Schlaraffenland deutscher Märchen auf sich hatte, in denen Würste an den Bäumen hingen und gebratene Tauben umherflogen.

Sie spürte den scharfen Stoß eines beunruhigten Gewissens, als sie an ihren Vater dachte, wie dünn er war und wie gern er in den guten Tagen gegessen hatte, doch George Guggenheim ließ ihr keine Zeit zur Reue. Er drängte sie an die Theke und grüßte eine dralle Verkäuferin in einer weißen Schürze. Die fragte lachend: »Die Kleine auch?« George Guggenheim nickte ungeduldig, und schon hatten beide ein Brötchen mit herausquellendem Schinkenfett in der Hand und kauten.

»Meine Frau darf das nie erfahren«, flüsterte er und sah aus wie der Stoffhund mit dem Fäßchen um den Hals.

»Nie«, versprach Regina.

»Hast du auch sonst Geheimnisse?«

»Ja«, kicherte Regina, das zweite Brötchen in der Hand, und erzählte von Owuor in Afrika und von ihrem Vater, mit dem sie Suaheli sprach, wenn es keiner hörte.

»Warum ist er denn nach Deutschland zurückgegangen, wenn er sein Herz Suaheli sprechen läßt?«

»Weil er wieder in seinem Beruf arbeiten wollte«, sagte Regina. Sie sprach nicht schnell genug, um den letzten Seufzer zu unterdrücken und spürte, daß sie ihren Vater verraten hatte. »Er mußte zurück«, wiederholte sie.

»Das kann ich verstehen«, sagte George Guggenheim, »doch, das muß man verstehen«, aber Regina merkte, daß er nichts verstanden hatte; sie sprach fortan mit ihm so wenig wie möglich über ihren Vater.

Als ihr klarwurde, daß sie sehr viel ausführlicher die Mahlzeiten bei Guggenheims schilderte und wieviel und wie schnell sie zunahm, als das, was sie so sehr bewegte, nämlich die immer wieder neue Faszination der Bilder, fielen ihr die Briefe nach Hause nicht leicht. Zu genau wußte sie, wie sehr ihr Vater Phantasie und jedem Wissen jenseits von Logik und beruflicher Zukunftsperspektive mißtraute. Zum ersten Mal seit Jahren erinnerte sie sich an eine Begebenheit auf der Farm.

Sie hatte versucht, ein Bild zu malen. Obwohl sie wußte, daß es ihr nicht gelungen war, hatte es ihr Freude gemacht, die Farben auszusuchen, sie zu mischen, das Papier zu verzaubern, doch ihr Vater hatte das Bild kaum angesehen und nur gebrummt: »Du kannst doch lesen, warum mußt du malen?«

Als Frau Guggenheim dann noch sagte: »Die Bilder sind echt«, und Regina über deren materiellen Wert aufklärte, traute sie sich schon gar nicht mehr, Renoir, Cézanne und Utrillo zu erwähnen. Sie war sicher, daß ihr Vater einen Mann nicht schätzen würde, der sein Geld für Bilder ausgab. Von den häufigen Theaterbesuchen berichtete sie erst nach einer Vorstellung von »Des Teufels General« und schrieb so ausführlich vom »anständigen Deutschen«, daß sie sich wiederum illoyal und verlogen vorkam, weil sie vorgab, nur dies sei ihr wichtig, und mit keinem Wort hatte sie erwähnt, wie sie die Genialität, Sprache und Atmosphäre des Stücks mitgerissen hatten.

Regina war im Hause Guggenheim ebenso theaterbesessen wie bilderhungrig geworden. Sie fieberte den Vorstellungen entgegen wie als Kind den Büchern von Dickens. Durch Ibsens Nora erfuhr sie von der Lebenslüge, durch Goethes Egmont von der Lebenslust und dem Vertrauen in die eigene Persönlichkeit. Den »Sommernachtstraum« ertrug sie kaum, so gewaltig für Auge und Ohr erschienen ihr Phantasie und Schönheit der Sprache.

Guggenheims nahmen sie zu Vernissagen mit und lehrten sie, Geduld zu haben mit Bildern, die ihr nicht gefielen. Sie fuhren sonntags mit ihr in die Museen nach Bern und Basel, wo sie zum erstenmal die glühenden Farben von Franz Marc und Chagall sah. Utrillo blieb ihre Leidenschaft. Sie ließ sich immer wieder die Motive erklären, aus seinem Leben erzählen, wurde süchtig nach Sehen und Begreifen.

Als Regina eines Abends ins Bett ging, hatte George Guggenheim die Bilder in ihrem Zimmer austauschen lassen. Anstelle der beiden Picassoradierungen an der langen Wand gegenüber dem Fenster hingen zwei Landschaften von Utrillo. Sie saß davor, den kleinen Bernhardiner aus Stoff auf dem Schoß, und wußte, daß dies ihre erste Liebeserklärung war, und sie ahnte, nicht ohne Trauer, daß künftig ihre Flucht aus der Welt der Not nicht mehr nur zurück zu Afrikas Wäldern gehen würde.

Als George Guggenheim merkte, wie sehr sich Regina für Geschichte interessierte, ließ er es nicht mehr zu, daß sie die

Schweiz nur als das Paradies der Bilder und Menschenfreunde, der gefüllten Teller und geheimen Schinkenbrötchen verkannte. Er erzählte ihr von den jüdischen Flüchtlingen in Todesnot, die an der Schweizer Grenze von den Behörden nach Deutschland zurückgeschickt worden und umgekommen waren. Zornig berichtete er auch von reichen jüdischen Familien in der Schweiz, die fürchteten, zu viele Flüchtlinge könnten ins Land kommen; wie er versucht hatte, sich der engstirnigen Barbarei der Wohlhabenden zu widersetzen, und wie wenig er hatte erreichen können.

»Sei froh, daß du in deiner afrikanischen Idylle noch zu jung warst, um von Mord und Vernichtung zu erfahren«, sagte er.

Regina erzählte von ihren Großeltern und den beiden Tanten, die in Deutschland ermordet worden waren.

»Wie lebt es sich in diesem Deutschland?« fragte George Guggenheim.

Sein Auge nahm Maß, doch sie erwiderte den Blick und sagte: »Gut, alle waren ja gegen Hitler oder wußten von nichts.«

»Du bist sehr früh erwachsen geworden.«

»Ich bin als Erwachsene geboren worden.«

Mitte Juni besuchte George Guggenheim seine Mutter in Lugano und nahm Regina mit. Sonne, blauer Himmel, der See mit dem weißen, schaukelnden Leben, die lauen Abende, die Blütenpracht und eine Leichtigkeit, die alle Sinne betäubte, wetteiferten um die Lüge vom haltbaren Glück. Zu dritt fuhren sie in die Berge, lagen auf Wiesen, sprachen mit Blumen und Kühen und machten Picknicks am See. Regina lieh sich Renoirs Augen, damit die Schönheit sich in Licht und Schatten auflöste. Erst abends unter einem gewaltigen Federbett im rotweiß karierten Bezug merkte sie, daß sie ihre Familie vergessen hatte und dies sühnen mußte, weil ihre Scham nichts von der Tugend der Gnade wußte.

Mit der alten Frau Guggenheim, von der der Sohn den Humor und die Gabe des Gebens geerbt hatte, ging Regina in die kühle, verwinkelte Stadt. Sie aß Eis in allen Farben und schlürfte mit den bunten Limonaden eine nie erlebte Heiterkeit, verwöhnte die Zunge mit Kuchen, den Gaumen mit Gewürzen, die Nase mit den Düften aus dem Sommer der Fülle und durfte sich in einem holzgetäfelten Laden zwei Stoffe aussuchen, einer blau-weiß kariert, der andere dunkelrot mit weißen Blumen. Binnen zwei Tagen nähte eine italienische Schneiderin, die beim Sprechen sang, zwei Kleider mit engem Oberteil und langen wippenden Röcken. Sie berührten die Fesseln und machten aus dem Bambino, das in die Werkstatt gekommen war, eine Signorina. Regina kostete das Wort und schmeckte Eitelkeit.

»New Look«, sagte sie, die sich zuvor nie für Kleider interessiert hatte, zu ihrem Spiegelbild, und merkte, daß auch ihr Körper deutlich zu machen begann, daß sie kein Kind mehr war.

Bei der Rückkehr nach Zürich fand sie einen Brief ihrer Mutter. »Sonntag hat es hier eine Währungsreform gegeben«, schrieb Jettel, »ausgerechnet an meinem Geburtstag. Die Stimmung war hin. Du kannst Dir aber nicht vorstellen, wie sich das Leben verändert hat. Wir haben unseren Augen nicht getraut, als wir am Montag auf die Straße gingen. Plötzlich gibt es Wurst beim Fleischer und Obst und Gemüse nebenan bei Frau Heckel, die auf einmal ganz freundlich ist und mich fragt, was ich kaufen will.

In der Stadt sind die Geschäfte voll. Es gibt Kleider, Hüte, Babysachen, Teller, Töpfe, Glühbirnen, Nähgarn, Möbel, Lampen, alles, was Du Dir überhaupt nur vorstellen kannst. Selbst Zigaretten und Kaffee kann man jetzt kaufen. Aber nun haben wir ja kein Geld mehr. Das alte wurde ungültig, und jeder bekam nur vierzig Mark Kopfgeld. Wir wissen nicht, wie alles weitergehen soll.

Für Dich haben wir leider kein Kopfgeld bekommen, obwohl wir sagten, daß Du bald wieder hier bist. Dein geliebter Vater aber will das sichere Richtergehalt aufgeben und Anwalt werden. Ich versuche ihm jeden Tag diesen verantwortungslosen Blödsinn auszureden, aber Du weißt ja selbst, wie eigensinnig er ist. Ich freue mich, wenn Du wieder da bist. Vielleicht kannst Du mit ihm reden.«

Die Wirklichkeit war Regina nachgereist. Sie wehrte sich nicht, hieß sogar ihre Sehnsucht nach Frankfurt willkommen, grübelte immer wieder, ob Max sie erkennen würde, wie groß er geworden sei und was er wohl alles schon sprechen konnte, sah seine großen schwarzen Augen und roch auch schon wieder seine Haut, wenn er frisch gebadet war.

Utrillo und Renoir waren schon dabei, ihre Farben zu verlieren. Guggenheims sprachen von einem Abschiedsgeschenk und wollten wissen, womit sie Regina eine Freude machen könnten. Sie bat darum, den kleinen Bernhardinerhund behalten zu dürfen, und wünschte sich für Max eine Tafel Schokolade und einen Ball.

Er flaggte blau wie der See und rot wie die Mohnblumen in Lugano, als er im Gepäcknetz des Zuges lag. Regina hatte ihr neues kariertes Kleid mit dem langen wippenden Rock an. Frau Guggenheim hatte ihr einen großen Korb mit Obst, Broten, Kuchen und Schokolade gepackt. Regina wußte, daß sie nichts anrühren und alles nach Hause mitbringen würde. Sie war so verlegen und unbeholfen wie bei der Ankunft.

»Danke«, stammelte sie, »nicht nur für das Essen.«

Der Zug pfiff schon zur Abfahrt, als George Guggenheim ein Paket zum Fenster hineinreichte. Er lachte und sagte: »Damit du uns nicht vergißt.« Regina sah, daß er zwinkerte, aber sie war zu erregt, um seinen letzten Gruß zu erwidern.

Um die Vorfreude zu verlängern, begann sie erst mit dem Auspacken, als der Zug in Basel einfuhr. In einem Karton lagen ein Buch über Utrillo, Fotos von all seinen Bildern, die bei Guggenheims hingen, und, fest verschnürt in einer hellblauen Serviette, ein Schinkenbrötchen. Regina brach in Tränen aus.

6

Der Ofen für die Badewanne hinter dem Vorhang im Schlafzimmer war alt, sehr umständlich zu bedienen, wegen seiner miserablen Zugkraft und des immens hohen Kohleverbrauchs zu teuer und nur ein einziges Mal, als Regina die schwere Grippe hatte, überhaupt gebraucht worden. Die Küche – mit einer großen geblümten Waschschüssel auf einem eisernen Ständer – war auch Badezimmer. Die Seife lag auf dem Fensterbrett, die Handtücher hingen über dem Herd. Nur Max, der zwischen Bett und Tisch in einer kleinen Zinkwanne gewaschen wurde, in die er seit einiger Zeit beklagenswert schlecht hineinpaßte, mußte zum Baden nicht aus dem Haus. Der Rest der Familie war auf die städtischen Badehäuser angewiesen.

An ihrem freien Mittwochnachmittag zog Else mit ihrem Handtuch zu einem Bad in der Innenstadt und war bis abends unterwegs. Den großen Zeitaufwand empfand sie nicht als Opfer, konnte sie doch in einem Körper und Seele reinigen. Die Badefrau war im Krieg als Landhelferin nach Hochkretscham verpflichtet worden und hatte nicht nur allzeit ein offenes Ohr für Elses sehnsüchtige Erinnerungen an das heimatliche Dorf, sondern meistens auch Seifenreste für die praktischen kleinen Säckchen, in denen sie gesammelt wurden und die man neuerdings wieder kaufen konnte, ohne dafür ausgerechnet die Seife hergeben zu müssen, die man selbst so dringend brauchte.

Walter, Jettel und Regina gingen am Samstag abwechselnd ins Duschbad am Merianplatz oder in die Hallgartenstraße. Dort bot ein altes Backsteinhaus die Möglichkeit zu Vollbädern in Wannen, die durchaus einen Vorkriegsstandard hatten. Bis zu ihrem Besuch bei Guggenheims war Regina überhaupt nicht auf die Idee gekommen, daß gesunde Menschen zu Hause badeten.

Seit der Währungsreform waren die Duschbäder bei den Redlichs gefragter als die zuvor beliebten Wannenbäder. Anders als bei Else lockte der Weg, nicht das Ziel. Der Spaziergang zum Merianplatz führte durch die erstaunlich schnell von ihren Wunden genesene Berger Straße. Sie war das Herz des Stadtteils Bornheim, wurde, wie vor dem Krieg, von den beneideten Einheimischen mit den vielen Beziehungen wieder als »Bernemer Zeil« bezeichnet und hatte viele kleine Läden, die verheißungsvoll von der beginnenden Prosperität kündeten.

In der Auslage des Weißwarengeschäfts an der großen Kreuzung lagen seit zwei Wochen zwischen Stoffen, Nähgarn und Nadeln sogar einige Päckchen Nylonstrümpfe in herrlich durchsichtigen Tüten; das benachbarte Feinkostgeschäft hatte sein Schaufenster, bis vor einigen Monaten nur mit einer vergilbten Fotografie geschmückt, die das Personal im Gründerjahr zeigte, mit Kaffee, Schokolade und einer Bonbonniere dekoriert, die allein schon jeden Umweg lohnte.

Der Laden für Haushaltswaren bot keine Holzlöffel mehr an und erst recht keine aus Stahlhelmen umgearbeiteten Töpfe, sondern blinkende, sehr teure Küchenträume aus neuem Blech. Selbst das Beerdigungsinstitut auf der gegenüberliegenden Straßenseite machte Wandel und Wunder der Zeit deutlich – statt dem leeren Bilderrahmen mit Trauerflor stand ein Sarg aus sehr guter Eiche im Fenster.

Allein solche Pracht zu sehen und erst recht die Vorstellung, daß sie vielleicht doch eines Tages auch für die große Schicht der »Normalverbraucher« erreichbar sein könnte, drängte die neu belebte Phantasie zu euphorischen Höhen hin. Seit dem Wandel im Frankfurter Geschäftsleben war Jettel bei den

Samstagsausflügen zum Duschbad, die das Flair von unbeschwerten Familienausflügen früherer Zeiten hatten, ungewöhnlich friedfertig, klagte nur selten über die Dinge, die sie nicht hatte, und sprach sie von der Zukunft, dann ohne den sonst bei ihr unverzichtbaren Hinweis auf entgangenes Glück und zurückgelassenen Reichtum in Afrika.

Der erste Samstag im August 1948 wich indes schmerzlich von diesem schönen optimistischen Schema ab. Zwischen dem Bettengeschäft mit den aufsehenerregenden Daunendecken im Fenster und einer Wäscherei, die seit kurzem nicht mehr flüssige Seife, sondern echtes Persil verwandte, blieb Walter stehen und sagte, er habe nun alles in die Wege geleitet, um sich als Anwalt niederzulassen.

Er fand Ort und Zeitpunkt für seine Mitteilung klug kalkuliert und, als sei er gerade dabei, Jettel eine lang ersehnte Freude zu machen, legte er seine Hand auf ihre Schulter und lachte. Regina aber wagte da schon nicht mehr, ihre Mutter anzusehen, und schloß die Augen.

Seit ihrer Züricher Reise fürchtete sie jene Schwelbrände, die abrupt zu Feuersbrünsten wurden, sehr viel mehr als vor der Begegnung mit der Leichtigkeit der Fülle. Als sie aber schließlich doch zu Jettel hinüberblickte, die noch nicht einmal Walters Arm abgeschüttelt hatte, wurde ihr die bevorstehende Wende im Familienleben sofort klar. Verblüfft begriff Regina, daß ihre Mutter sich wie ein Massai-Krieger im entscheidenden Bewährungskampf mit neuen Pfeilen versorgt hatte.

»Von mir aus«, sagte Jettel ruhig, »mir ist das egal. Aber wo willst du dich niederlassen? Es gibt ja keine Büroräume?«

»Ich weiß. Fürs erste muß es wohl in der Wohnung sein. Frau Wedel hat nichts dagegen. Ich hab schon mit ihr gesprochen. Sie hat mir sogar zugeraten.«

»Ohne mich. Und wenn ich jeden Mandanten persönlich rauswerfe. In drei Zimmern macht man keine Anwaltspraxis auf.«

»Viele fangen heute mit weniger an.«

»Die haben auch kein kleines Kind. Max braucht ein eigenes Zimmer.«

»Jettel, nach zehn Jahren Emigration kannst du doch nicht so vermessen sein, auf einem Kinderzimmer zu bestehen, wenn es um eine Existenzgründung geht.«

»Du hast eine Existenz, und wir haben alles, was wir zum Leben brauchen.«

»Schade, daß du mir nie gesagt hast, wie glücklich du bist, Jettel.«

»Dann sag ich dir's eben jetzt. Ich hab keine Rosinen im Kopf. Ich brauch nur ein bißchen Sicherheit. Und es hat gar keinen Zweck, wenn wir weiterreden. Wir werden uns bloß zanken.«

In keiner anderen Situation ihres Lebens war Jettel auf den Gedanken gekommen, einem Streit aus dem Weg zu gehen. Schon weil sie ihr Temperament und ihren Mut hoch einschätzte, empfand sie den Sturm, den sie meistens noch vor Walter entfachte, als die einzige Konstante ihrer Ehe. Es war einer der seltenen Fälle, in denen sich Jettel und Walter einig waren.

Um überhaupt ans Ziel zu gelangen, brauchte auch er den offenen Krieg mit den lauten Worten und unlogischen Beschuldigungen, Jettels Starrsinn und Reginas versöhnlichen Vermittlungsversuchen. Jettel reagierte aber weder auf Bitten noch Drohungen, und selbst von seiner Tochter fühlte sich Walter im Stich gelassen, als Regina sagte: »Komisch, mein ganzes Leben hab ich beten müssen, daß du deine Stellung behältst, und jetzt hast du eine und willst sie nicht.«

Der lautlose Krieg war lang und für alle bedrückend; der eiserne Vorhang, von dem alle in jener Zeit sprachen, verlief in der Höhenstraße zwischen Küche und Wohnzimmer. Erst als Jettel aber bewußt wurde, daß sie sich mit einer Taktik, die ihrem heftigen Naturell widersprach und die ihr sehr zuwider war, zu einer sehr unglücklichen Gefangenen gemacht hatte, gab sie das von allen ersehnte Signal zu Friedensverhandlungen.

So plötzlich, wie sie geschwiegen hatte, sprach sie wieder mit Walter, schrie, weinte, flehte, nannte ihn einen Rabenvater, drohte erst mit Selbstmord, dann mit Scheidung und schließlich triumphierend, daß sie zurück nach Nairobi reisen, Max mitnehmen und einen reichen englischen Farmer heiraten würde. Sie hatte mit allem gerechnet, nur nicht mit Walters befreitem Gelächter, daß er sie in die Arme nehmen und sagen würde: »Gott sei Dank, meine Jettel ist wieder die Alte.« Schmollend, aber auch geschmeichelt gab sie nach und seufzte: »Von mir aus mach deine verfluchte Praxis hier auf.«

»Wenn du nur einen Tag hungern mußt, pack ich dir persönlich die Koffer«, versprach Walter.

Er gab auch Frau Wedel, von der er – zu Recht – glaubte, sie hätte den entscheidenden Anteil an Jettels spätem Sinnenwandel, ein Versprechen. »Sobald ich kann, ziehe ich aus Ihrer Wohnung aus und Sie wieder rein«, sagte er.

Anfang Oktober ließ er sich als Rechtsanwalt nieder und empfing eine Stunde später seine erste Mandantin. Es war die Tochter des Tabakwarenhändlers, der sein Geschäft im Haus hatte. Sie wollte ihren im Krieg verschollenen Mann für tot erklären lassen und wußte nicht wie. Am Abend legte Walter seine ersten im freien Beruf verdienten Gebühren auf den Küchentisch – ein Pfund Speck, der immer noch als krisensicherste Währung galt, ein halbes Pfund Bohnenkaffee und fünf Päckchen Zigaretten.

Jettel genierte sich nicht ihrer Begeisterung und ließ sich auf keine Diskussion über die jüngste Vergangenheit ein; sie brühte den Kaffee auf, obwohl Montag immer noch Muckefucktag war, sang endlich wieder »Die Liebe vom Zigeuner stammet«, trank zwei Tassen hintereinander und sagte: »Wenn es sein muß, kann ich auch mal einen Brief für dich schreiben. Ich hab schließlich beim besten Anwalt in Breslau gearbeitet.«

»Und vergiß jetzt bloß nicht den Hinweis, daß er mich als größten Idioten aller Zeiten beschimpft hat«, sagte Walter. Er strahlte, als hätte Jettel je Sinn für seine Witze gehabt. Max lernte umgehend das neue Wort und sagte erst zu seinem Vater, dann zu seiner Mutter und schließlich zum Bild des Polizisten auf seinem Teller: »Idiot.«

Seine sprachliche Entwicklung, gepaart mit einem stark ausge-prägten Bewußtsein für die Unwiderstehlichkeit seines Char-mes, machte ebenso rasche Fortschritte wie die Praxis und im nachhinein wieder einmal Jettel zur Cassandra mit dem abso-lut unfehlbaren Blick für Katastrophen. Walter hatte wohl die Schwierigkeit einkalkuliert, ungestört in einer Wohnung mit einem neugierigen zweieinhalbjährigen Kind arbeiten zu kön-nen, aber nie mit der Begeisterung seines Sohnes für fremde Menschen im allgemeinen und für die Mandanten des Vaters im besonderen gerechnet.

Nur kurze Zeit begnügte sich Max noch mit den traditionellen Gepflogenheiten seines Alters, freundlichen Menschen Spiel-zeug zu zeigen und sie in den Bannkreis von Unschuld und Vertrauensseligkeit zu lotsen. Unangenehm rasch ging er dazu über, an ihnen seinen atypischen Wortschatz auszuprobieren und in der Süße des Beifalls zu schwelgen. Max empfing Klienten entweder mit der Frage »Wollen Sie sich scheiden lassen?« oder mit der Feststellung »Damit kommen Sie nicht durch« und reagierte auf jeden Versuch, ihn vom Schnittpunkt des Geschehens zu entfernen, mit jenem anhaltenden Gebrüll, das selbst den bescheidenen Rahmen sprengte, den Walter sich für seinen Beruf vorgestellt hatte. Jettel hätte sich keinen besseren Bundesgenossen wünschen können als ihren resolu-ten Sohn, um die Wohnung wieder freizubekommen. Nach zwei Monaten gab Walter auf.

Im Anwaltszimmer hatte er von einem Kollegen erfahren, der einen Sozius für eine Praxis suchte, die als alteingesessen und sehr angesehen bezeichnet wurde. Rechtsanwalt und Notar

Doktor Friedhelm von Freiersleben wohnte im einst renommierten Westend und empfing Walter in einem repräsentativen alten Bürgerhaus, das die Zeiten ebenso unbeschadet überstanden hatte wie der Hauptmieter im ersten Stock.

Der saß in einem dunkelgrünen Ledersessel vor einem Schreibtisch aus auffallend schönem Mahagoni, trug ein Jakkett aus grau-weiß meliertem Tweed und mißfiel Walter schon deshalb sofort, weil er nicht nur wie ein englischer Colonel aussah, sondern auch die in britischen Militärkreisen weitverbreitete Angewohnheit hatte, »ihre Leute« zu sagen, wenn er von Juden sprach.

Im übrigen redete Friedhelm von Freiersleben sehr wenig von seiner Praxis und zu viel von den jüdischen Freunden, die er zu seiner Verwunderung und seinem großen Bedauern irgendwie aus den Augen verloren hatte. Walter dachte an seinen brüllenden Sohn, daran, daß er einen Aktenschrank, Schreibmaschine, Telefonanschluß und Platz für eine Schreibkraft brauchte, unterdrückte Stolz, Instinkt und Ekel und sagte zu, Jettel am folgenden Sonntag nachmittag zum Kaffee mitzubringen.

»Immer mein Prinzip gewesen, sich die Gattin meiner Partner anzuschauen«, lachte Friedhelm von Freiersleben, »eine Frau sagt mehr über einen Mann aus als tausend Worte.« Er küßte Jettel die Hand und nannte sie »eine kleine Augenweide«, erzählte ihr von dem Rittergut seines Vaters, daß sich seine Schwestern schon in den dreißiger Jahren ihre Wäsche aus Paris hatten kommen lassen, lud sie in sein Sommerhaus nach Kronberg ein, überreichte ihr zum Abschied eine langstielige rote Rose und bat sie, dafür zu sorgen, daß ihr »tüchtiger Gatte« zu seinem eigenen Wohl eine rasche Entscheidung treffe.

Walter war so sicher, daß seine Frau den Avancen eines Mannes erlegen war, von dem er sich nicht vorstellen konnte, sie würden je in irgendeinem wesentlichen Punkt übereinstimmen, daß er auf dem Nachhauseweg Magenkrämpfe bekam. Er mußte sich, kalkweiß im Gesicht und zitternd, vor der zerstörten Oper an eine Hausmauer lehnen, und wußte, daß er im Fall einer Zusage nie wieder ohne zu erröten in den Spiegel blicken könnte.

Jettel erklärte, Friedhelm von Freiersleben habe einen bösen Blick, unangenehmen Mundgeruch, und sie habe seit jeher eine Abneigung gegen langstielige rote Rosen. Außerdem sei der Bohnenkaffee abscheulich dünn gewesen, hätte nach Zichorie geschmeckt und wäre schlagender Beweis, daß der Mann ein Hochstapler sein müßte.

»Das ganze Getue mit dem Sommerhäuschen«, räsonnierte sie. »Mich kann man nicht für dumm verkaufen. Das hat schon meine Mutter gesagt. Ich hab noch nie von Kronberg gehört. Ich wette, daß es den Ort gar nicht gibt. Wenn du mit dem zusammengehst, stürzt du uns alle ins Unglück.«

Walter nickte so unglücklich, daß Jettel sich nicht mehr die Zeit gönnte, weitere Trumpfkarten auszuspielen, sondern, nicht ohne aufrichtiges Mitgefühl, fragte: »Warum sprichst du nicht mal mit Maas? Der ist doch Frankfurter. Vielleicht kennt er jemand', mit dem du dich zusammentun kannst.«

Es war eine der seltenen Gelegenheiten in seiner Ehe, daß Walter widerspruchslos, dankbar und umgehend Jettels Rat annahm. Karl Maas war entsetzt, als er von Walters Besuch bei Friedhelm von Freiersleben hörte, nannte ihn einen schmierigen Defraudanten und erzählte, daß er Antisemit aus Passion und schon glühender Anhänger der Nazis gewesen sei, als noch niemand sie ernstgenommen habe, aber die Nazis hätten ihn wegen einer dubiosen Urgroßmutter aus dem Osten nicht in die Partei aufgenommen. Deshalb hätte Friedhelm von Freiersleben auch das Spruchkammerverfahren zur allgemeinen Empörung in Justizkreisen als »Nichtbetroffener« überlebt. Im übrigen sei er mittellos und wahrscheinlich nicht mehr lange Notar.

»Sie haben mehr Massel als Verstand«, sagte Maas. »Jedenfalls hätten Sie mich zu keinem besseren Zeitpunkt fragen können. Wenn es stimmt, daß es für jeden Topf einen Deckel gibt, dann hab ich genau das Richtige für Sie. In der Neuen Mainzer hat sich gerade ein Anwalt niedergelassen, der wahrscheinlich einen Sozius gebrauchen kann. So ein anständiger Trottel wie Sie. Fafflok heißt er, und ich weiß, daß er Ihnen gefallen wird. Er ist nämlich auch aus dem Osten.«

Sie hatten den gleichen Sprachduktus, die gleiche Vorstellung von Redlichkeit und Pflicht, Tradition und Verantwortung, den gleichen aus harter Sprache und weichem Herzen gespeisten Witz, die gleiche Scheu vor Emotionen, und sie sahen die gleichen Landschaften und derb-herzlichen Menschen, wenn sie zurück nach Oberschlesien schauten.

Fritz Fafflok war groß und sehr schlank; auf den ersten Blick wirkte er durch seine gebeugten Schultern kleiner, als er war. Schon das entsprach seinem Lebenscredo. Er war in allem ein Mann der Untertreibung, der weder Erfahrung, Klugheit noch seine große berufliche Kompetenz ahnen ließ. Seine Augen verrieten spontan seine Güte, die verlegenen Gesten, denen nichts Linkisches anhaftete, waren Ausdruck seiner Bescheidenheit. Toleranz gehörte nicht zu seinem Wortschatz, sondern zu den Grundbedürfnissen seiner Seele. Er war ein Katholik, der seinen Glauben auf die gleiche Art ehrte wie Walter den seinen. Er stammte aus Kattowitz, kannte Sohrau, die Fürstenschule zu Pless und Leobschütz. Das Wort Heimat genierte ihn nicht. Er nannte den Sonnabend nicht Samstag und sagte »Viertel vier«, wenn die Uhr fünfzehn Minuten nach drei zeigte. Seine Frau kaufte die Wellwurst beim Fleischer und nicht beim Metzger und verlangte bei der Gemüsefrau keinen Wirsing, sondern Welschkohl.

Als die Polen in Kattowitz angerückt waren, hatten sie Fafflok, der in den letzten Kriegsjahren, nach seiner Verwundung, die Verschleppten und Versklavten vor Gericht zu verteidigen versucht hatte, in seiner Wohnung gelassen. Mehr brauchte Walter nicht zu wissen. Außer Karl Maas und Greschek war Fritz Fafflok der erste Deutsche, dem Walter in Frankfurt begegnete, der nicht von seinem inneren Widerstand und den vielen jüdischen Freunden sprach, denen er geholfen habe, und der sagte: »Ich habe alles gewußt.«

Sie sprachen von Mohnkuchen und Karpfen in brauner Sauce, von Breslaus Tod, Ausflügen ins Riesengebirge und von Zeiten, als man in Oberschlesien nicht fragte und manchmal noch nicht einmal genau wußte, wer Deutscher, Pole oder Jude gewesen war. Fritz Fafflok erzählte, daß er im Krieg drei Finger verloren hatte und wie er sich im Moment der Verwundung nur gegrämt hatte, daß er nie mehr Geige spielen würde.

Walter berichtete von seinem schwarzen Freund Owuor auf der Farm in Ol' Joro Orok und wie er ihm beigebracht hatte, Besuchern »Arschloch« entgegenzurufen, und der »Ich hab mein Herz in Heidelberg verloren« singen konnte. Fafflok verwandelte sein liebenswürdiges Lächeln zu einem Gelächter mit Tränen und ahnte, daß Walters feuchte Augen trotz allem, was er von seiner Emigration bloßgelegt hatte, Ausdruck eines nicht verwundenen Abschieds waren.

Sie einigten sich, ohne Vertrag und Feierlichkeit, »es miteinander zu versuchen«, und wußten beide, daß sie in diesem Moment mehr als eine Anwaltssozietät beschlossen. Walter erzählte von Friedhelm von Freiersleben, seinem Prinzip, sich »die Gattin anzuschauen« und lud Faffloks für den nächsten Sonntag zum Abendessen ein.

Schon auf dem Nachhauseweg wurde ihm bewußt, daß er sehr viel mehr von seinen Kindern als von Jettel erzählt hatte. Mißgestimmt und unsicher fragte er sich, wie ihre anspruchsvolle Art, ihre Klagen, Kompromißlosigkeit, die Lust zu provozieren und die Angewohnheit, ehelichen Zwist sofort und ungeniert auszutragen, auf eine Frau wirken würde, die mit zwei Kindern die Flucht von Oberschlesien nach Frankfurt hatte durchstehen müssen.

»Er ist so ein netter Kerl«, sagte er, »mir liegt viel daran, daß er einen guten Eindruck von dir bekommt.«

»Ich kaufe Roquefort, den gibt es neuerdings wieder.«

»Jettel, ich rede nicht vom Essen.«

»Woher soll ich das wissen? Du redest doch sonst immer vom Essen.«

Regina schenkte ihrem Vater, ohne daß er nur ein Wort zu sagen brauchte, wieder einmal Kopf und Herz. Sie zog das bordeauxrote Kleid aus der Schweiz an, obwohl es kurze Ärmel hatte und der Dezembertag besonders kalt war, übte vor dem Spiegel ein Lächeln ein, das nicht sofort ihre unbeholfene Scheu verraten würde, badete ihren Bruder besonders sorgfältig, bürstete sein Haar, bis er schrie, beruhigte ihn mit einem Gedicht von Wordsworth, einem Sonett von Shakespeare und Schokolade, wickelte ihn in ein hellblaues Tuch, das gut zu seiner Haut paßte, und trug ihn ebenso stolz herein wie Else, die eine neue Schürze und die erste Dauerwelle ihres Lebens hatte, die Suppenterrine.

Max, euphorisch von den Zärtlichkeiten im Ohr und der Schokoladensüße im Mund, süchtig nach Applaus, klatschte sich als erster Beifall und spuckte nach einer kurzen Pause aus der hohen Warte von Reginas Hüfte Frau Fafflok mitten auf die Stirn. »Damit werden Sie nicht durchkommen«, sagte er.

Frau Fafflok rieb ihr Gesicht trocken und sagte lachend: »Meine Kinder konnten in dem Alter nur spucken.« Mit einem einzigen Satz hatte sie Jettels Festung erobert und bekam genau die Geschichten zu hören, vor denen sich Walter graulte. Jettel erzählte sehr ausführlich und ebenso animiert von der Aufmerksamkeit, die ihr zuteil wurde, daß ihre Mutter und alle Studenten in der Tanzstunde sie vergöttert hatten und daß ihr Mann ihr in Nairobi ein Dienstmädchen hatte versprechen müssen.

»Sonst hätte ich keinen Fuß auf deutschen Boden gesetzt«, erklärte sie. Nach der Suppe litt Walter noch mehr Qualen, als Jettel mitten in einer Unterhaltung über den schwierigen Start in Frankfurt ihr Besteck auf den Teller legte und feststellte: »Mein Mann ist besonders lebensuntüchtig und dazu störrisch wie ein Esel.«

»Das sind alle Männer«, pflichtete Frau Fafflok ihr bei und berichtete, daß der ihrige sehr langsam, furchtbar verträumt und immer unpünktlich sei.

»Selbst zu unserer Hochzeit ist er zu spät gekommen«, sagte sie.

Käthe Fafflok war eine ebenso resolute wie kluge, aufrichtige und verständnisvolle Frau. Sie hatte große Achtung vor ihrem Mann, den sie »Lumpsele« nannte und ermahnte, nicht auf seinen Schlips zu kleckern, obwohl sie ein ganz anderes Naturell hatte als er und im Gegensatz zu ihm ihre Meinung auch dann äußerte, und zwar umgehend, wenn sie nicht darum gebeten wurde. Sie war flexibel, sehr nüchtern und hatte wenig Geduld mit Menschen, die sich bemitleideten, mit der Gegenwart haderten und ihre Vergangenheit vergoldeten.

Jettel wurde die große Ausnahme. Käthe Fafflok fand sie schön und liebenswürdig und so kapriziös, wie sie als junges Mädchen selbst gern gewesen wäre. Jettels Dominanz störte sie nicht, weil sie ihrer eigenen Courage entsprach: Sie war vor allem tolerant genug, um Jettels Unlogik als Spontaneität und ihr Phlegma als Teil ihres Selbstbewußtseins zu werten. Käthe Fafflok sollte einer der wenigen Menschen werden, die sich die Mühe machten, die Probleme einer schwierigen Ehe auch aus Jettels Blickwinkel zu betrachten, und sie empfand voller Anteilnahme, wie die Jahre der Emigration die Redlichs geprägt und geschunden hatten; vor allem hatte sie das Gespür für die Festigkeit von Bindungen, die so ganz anders waren, als sie auf Außenstehende wirkten. Jettels Instinkt für Menschen, auf den sie ihren Mann und auch Regina immer erst hinweisen mußte, war tatsächlich ausgeprägt. Sie erkannte sofort die Sympathie, die ihr entgegengebracht wurde, und zögerte nicht, aus ihr eine ungleiche Freundschaft zu machen.

Es wurde ein Abend von Hoffnung, Heiterkeit und Harmonie. Selbst Regina erstickte ihre Furcht vor Fremden, erzählte von Afrika und ließ sich so unbekümmert von ihrem Traumrausch einfangen, daß sie fast das Geheimnis verriet, das sie immer noch mit ihrem Vater teilte, weil sie mit ihm Suaheli sprach, wenn sie beide zu gleicher Zeit die Trommeln und Affen in den Wäldern von Ol' Joro Orok hörten.

Es war aber Else, die für die erste gemeinsame Erinnerung der beiden Familien sorgte. Auf einer winzigen Untertasse brachte sie kopfschüttelnd ein paar Krümel vom kostbaren Roquefort herein und erklärte: »Den Schimmel hab ich herausgeschnitten, Frau Doktor.«

Am 2. Januar 1949 eröffneten Fritz Fafflok und Walter Redlich ihre gemeinsame Praxis.

7

Aus dem noch kleinen, sich aber rasch vergrößernden Kreis der Schaulustigen schloß Regina, daß die beiden Volkswagen, die mit offenen Türen auf der Höhenstraße standen, soeben erst zusammengestoßen sein mußten. Sie hatte höchstens noch zehn Meter bis nach Hause und schon wegen der randvoll gefüllten Milchkanne in der einen und der schweren Aktentasche in der anderen Hand nicht vor, überhaupt stehenzubleiben. Da fiel ihr der Fahrer des einen Wagens auf.

Obwohl sie sonst kein Gedächtnis für Gesichter hatte, erinnerte sie sich sofort an den auffallend kleinen Mann mit dem wirren schwarzen Haar und den goldenen Schneidezähnen. Sie hatte ihn an den Hohen Feiertagen in der Synagoge gesehen. Er war ihr am Schluß des Gottesdienstes beim Herausgehen auf den Fuß getreten, hatte ihr erst zugelächelt, danach sehr feierlich die Hand gereicht und alles Gute zum neuen Jahr gewünscht. Mehr als die an diesem Fest traditionellen paar Worte in Hebräisch hatte er nicht mit ihr gesprochen.

Als er nun vor seinem Wagen stand, sehr erregt, immer zorniger werdend, mit der rechten Hand auf seinen eingedrückten Kotflügel schlagend und unverkennbar nach Worten ringend, merkte Regina, daß der Mann sehr gebrochen Deutsch sprach. Es war nicht nur das spontane Mitfühlen mit einem Menschen, der einem anderen allein schon seines sprachlichen Unvermögens wegen nicht gewachsen war, das sie stehenbleiben ließ. Der Mann, unüberhörbar aus dem Osten, rührte sie, weil er so klein und ängstlich war und so wirkte, als könne er die Situation nicht einschätzen, in die er geraten war, und sei sich dessen auch bewußt.

Der Fahrer des anderen Wagens, groß, kräftig und gekleidet in eines jener bunten, mit Palmen und Vögeln bedruckten Hemden, die gerade Mode wurden, brüllte und stemmte seine Hände in die Hüften. Der kleine Schwarzhaarige sah sich mehrmals ratlos um, hob beide Hände hoch, zeigte danach abermals auf seinen Kotflügel und stammelte nervös, daß er die Polizei rufen wolle. Er sagte nicht, wie Regina sofort auffiel, »Polizei«, sondern »die deutschen Polizisten«.

In den Häusern wurden Fenster geöffnet und Kissen herausgelegt. Der Brauch, es sich beim Gaffen bequem zu machen, hatte Regina bisher immer nur ob seiner so ungenierten Zurschaustellung von Neugierde erstaunt. Nun empfand sie beim Anblick der Männer mit Zigarette oder Zeitung in der Hand und den älteren Frauen, die zum Teil noch ihr Staubtuch hielten, eine Irritation, die rasch in Ekel überging. Anders als sonst, glaubte sie, aus den gefräßigen Mienen eine bei solchen Szenen sonst nicht übliche Gehässigkeit zu lesen. Das Stimmengewirr wurde lauter.

Zunächst konnte Regina nicht ausmachen, ob nur die beiden am Unfall Beteiligten redeten oder ob die Herumstehenden bereits ihre Meinung äußerten. Mit einem Mal hörte sie aber schneidend deutlich, wie der Mann im bunten Hemd schrie: »Dich hat man auch vergessen zu vergasen.«

Der Zweifel, ob sie tatsächlich gehört hatte, was ihre Ohren sie glauben machen wollten, war gnadenlos kurz. Er währte nur so lange, bis Regina das Würgen in der Kehle spürte und daß ihre Hände kalt wurden. Ihr war es, als zerreiße sie ein Schmerz, von dem sie nicht wußte, in welchem Teil ihres bebenden Körpers er begonnen hatte. Ihr erster Impuls war, schnell weiterzugehen, solange sie noch Kraft in ihren Beinen fühlte, aber sie begriff, daß es bereits zu spät zur Flucht und nicht nur der Schock war, der sie beutelte, sondern das Gewicht ihrer

Scham, weil sie dastand, als sei nichts geschehen, und schwieg, als habe sie nichts gehört.

Regina wußte schon lange, daß sie nicht die Courage ihrer Mutter hatte, sich spontan gegen Kränkungen und Diffamierungen aufzulehnen, doch nie hatte sie ihre Scheu vor Konfrontation als Schwäche oder gar Feigheit empfunden. Sie hatte die Angewohnheit, nie vorschnell und ungefragt ihre Meinung zu äußern, als typisch für ihre englische Erziehung akzeptiert und das nicht ohne einen Stolz, von dem sie glaubte, daß er sie unverwundbar mache. Nun hatte ihr ein einziger kurzer Satz Selbstbewußtsein und Würde genommen.

Sie machte sich trotz ihrer Aufregung nichts vor, als sie nach oben zur Wohnung schaute. Sie hoffte, ihre Mutter würde am Fenster stehen. Das Verlangen, Jettel zu rufen und ihr die Pflicht anzuvertrauen, sich zu wehren, wurde zu einem Schmerz, der das Herz rasen und die Augen brennen ließ. Entsetzt spürte Regina, daß sie nicht mehr lange gegen die Tränen würde ankämpfen können; ihr Kopf konnte nur den einen Gedanken halten: Sie wünschte sich, sie hätte nur schlecht geträumt und würde gleich in den tröstenden Armen ihrer Mutter erwachen. In diesem Moment der Kapitulation sah sie ihren Vater.

Walter stand vor dem Mann im bunten Hemd. Er erschien Regina in ihrer Angst und Verwirrung zu klein und sehr schwach, doch seine Stimme, das hörte sie staunend, war gewaltig.

»Sagen Sie das noch mal«, schrie er.

»Das sag ich jedem, der es hören will. Wir haben doch eine Demokratie. So was wie den da hat man früher vergast.«

»Ich werde Sie anzeigen«, sagte Walter. Er war nun ganz ruhig. Als Kind hatte Regina ihn oft so erlebt, wenn er sich verloren wußte und sich doch weigerte, seiner Verzweiflung nachzugeben.

Der Mann mit den großen Händen sah einen Moment auf

seine Füße, als müsse er neuen Boden gewinnen, blickte aber schnell wieder hoch und fragte lauernd, während er seine Schultern nach hinten bog: »Was geht Sie dieser Itzig hier an? Was mischen Sie sich überhaupt ein?«

»Weil ich auch so ein Itzig bin, den man vergessen hat zu vergasen. Und wie man Schweine wie Sie anzeigt, weiß ich auch. Sie haben Pech, ich bin Rechtsanwalt.«

Regina drängte es so stark zu ihrem Vater wie vor wenigen Augenblicken zur Mutter. Sie lief, die Milchkanne noch immer in der Hand, auf ihn zu, merkte da erst, daß sie wieder atmen, sehen, fühlen konnte und daß die Menschen, die Masken des Hasses und der Gleichgültigkeit, verschwunden waren.

Nur der kleine schwarzhaarige Mann war noch da – ein paar Schritte und tausend Jahre von ihm entfernt der geschrumpfte Riese. Walter, den Hut nach hinten geschoben, die Lippen fest aufeinandergepreßt, stand zwischen ihnen und notierte schweigend die Autonummern. Regina sah, daß er Schweißperlen auf der Stirn hatte. Sie ließ ihre Aktentasche fallen und griff nach seiner Hand.

»Ich war dabei, ich hab alles gehört«, flüsterte sie.

»Tut mir leid, Regina. Das wollte ich nicht. Komm mit, so können wir nicht nach Hause. Am besten ist, wir setzen uns erst mal drüben auf die Bank. Deine Mutter geht das hier nichts an.«

Sie saßen zwischen den Bäumen und blühenden Rosen der breiten Allee, erschöpft und verbrannt von ihrem Zorn, und sie konnten beide einige Minuten nichts sagen. Sie wagten noch nicht einmal, einander anzusehen.

»Tut mir leid, Regina«, wiederholte Walter, »das hätte ich dir gern erspart. Ich hab mir immer gewünscht, daß du so was wie heute nie erleben mußt. Bisher hast du ja nicht gewußt, daß es solche Dinge gibt.«

»Doch. Das weiß ich schon lange. Nur sonst ist es anders.«

»Wie anders?«

»Leiser. Nicht so gemein.«

»Ich bin froh, daß du nicht wie deine Mutter bist.«

»Sie hat Mut. Ich nicht.«

»Doch, du hast Mut. Nur anders.«

»Ich weiß nicht«, zweifelte Regina, »warum bist du überhaupt stehengeblieben?«

»Ich hab sofort gesehen, daß der Mann Jude war.«

»Ich auch«, sagte Regina.

Sie fühlte das Zittern im Körper ihres Vaters und dachte, obwohl sie es gerade in diesem Moment nicht wollte, an den letzten Tag in Afrika, als sie beide auf dem Boden in der Küche gesessen und Abschied von Owuor genommen hatten. Ihre Ohren öffneten sich zu rasch und zu weit. »Dein Vater«, hörte sie Owuor sagen, »ist ein Kind. Du mußt ihn beschützen.« Obwohl ihre Augen noch naß waren, konnte sie schon wieder lächeln und sich bereit machen, ihrem Vater die Träume, die er nicht verloren geben konnte, zu erhalten.

»Ein feines Pärchen sind wir«, sagte Walter, »sitzen hier wie zwei ungezogene Kinder, die sich nicht nach Hause trauen.«

»Dabei haben wir gar nichts gemacht. Nur die anderen.«

»Es sind immer die anderen.«

»So einen schönen Satz hätte ich früher auswendig gelernt«, sagte Regina. Sie griff nach der Kanne am Boden, weil ihr einfiel, daß ihre Mutter die Milch brauchte und Erklärungen verlangen würde, doch ihr Vater legte seine Hand auf ihren Arm.

»Warte noch einen Moment. Du mußt mir was versprechen«, bat er.

»Hab ich schon. Von mir erfährt Mama nichts.«

»Da ist noch was. Versprich mir, daß du nur einen jüdischen Mann heiratest, wenn es soweit ist.«

»Wie kommst du plötzlich darauf?«

»Nicht plötzlich, Regina. Du wirst in diesem Jahr achtzehn. Ich hätte schon längst mit dir darüber sprechen sollen. Nur, an solchen Tagen wie heute wird mir bewußt, daß ich es nicht ertragen könnte.«

»WAs«, fragte Regina, obwohl sie wußte, wovon die Rede war, »könntest du nicht ertragen?«

»Nicht sicher zu sein, daß ein Mann nicht in irgendeinem Streit meine Tochter als dreckige Jüdin beschimpft. Manchmal frage ich mich ja, weshalb du nie mit einem jungen Mann ausgehst.«

»Eben darum«, erwiderte Regina verlegen.

Es gab Kartoffelsalat mit Hering, Apfel, Salzgurke und selbstgemachter Mayonnaise zum Abendessen, dazu Knoblauchwurst vom neuen schlesischen Metzger auf der Berger Straße und als Nachtisch das Traditionsgespräch, daß die Frankfurter keine Ahnung von gutem Kartoffelsalat hätten und sonst auch nicht kochen könnten. Allerdings mußte, im Gegensatz zu sonst, Jettel selbst auf ihre Meisterleistungen hinweisen, weil Walter, wie sie nicht ohne Vorwurf feststellte, mit seinen Gedanken weit weg war und Regina ausgerechnet an einem Mittwoch Kopfschmerzen hatte.

Mittwoch war seit langem schon ein besonderer Tag. Da kamen die neuen Illustrierten vom Lesezirkel »Daheim«. Erst berauschte sich jeder an seinem Lieblingsblatt, und zum Abschluß las Walter immer den mit Fotos illustrierten Liebesroman laut und mit einer so falschen Betonung einzelner Worte vor, daß Jettel und Regina sich immer wieder gegenseitig mit ihren Lachanfällen ansteckten, denn Else merkte nichts von Walters spöttischer Zugabe, lauschte andächtig und sagte zum Schluß auch noch jedes Mal: »So schön gemütlich ist's hier wie bei uns zu Haus' auf dem Hof.« Allerdings fiel Regina nach den Erlebnissen des Tages erstmals auf, daß die traurige Heldin ein junges Mädchen war, das sich ihrem adeligen Vater zuliebe gegen ihr Herz und für die Pflicht entscheiden mußte.

Noch sehr viel klarer wurde ihr die tiefere Bedeutung der plötzlichen Einladungen ins jüdische Altersheim, und zwar von

Menschen, die häufig von ihren Verwandten aus dem Ausland besucht wurden und die selbst ihr Vater kaum kannte. Bisher hatte er die Besuche immer umständlich und wenig überzeugend mit seinem neuen Amt im Vorstand der Jüdischen Gemeinde begründet. Nun sagte er ungeniert und – nur noch zu Jettels Verwunderung – mit einer Bestimmtheit, die jeden Widerspruch ausschloß: »Da gehen wir hin. Für Regina ist ein Mann aufgetaucht.«

Regina ärgerte sich weniger über den Umstand, daß sie sonntags grundsätzlich jede Einladung ihrer Mitschülerinnen ablehnen mußte und noch nicht einmal sagen konnte, weshalb, als über ihre Naivität in der Zeit vor dem entscheidenden Gespräch mit ihrem Vater.

Sie hatte monatelang nicht gemerkt, daß die seltsamen Kaffeenachmittage, bei denen sie sich ebenso langweilte wie ihr vierjähriger Bruder, einer jüdischen Tradition galten, die sie in ihrem liberalen Elternhaus nie vermutet hatte. Weder die Toleranz ihres Vaters noch die romantischen Vorstellungen ihrer Mutter in Sachen Liebe und Ehe, die sich jeden Mittwoch bei der Lektüre der Illustriertengeschichten dokumentierten, hielten die beiden davon ab, ihre Tochter wie eine preisgekrönte Kuh auf dem Viehmarkt vorzuführen. Regina war ebenso verblüfft wie wütend und unsicher.

Wäre ihr ein Leben möglich gewesen wie anderen Gleichaltrigen, die sich von ihren Eltern ohne Rücksicht auf Familie und Tradition, ohne Schuldgefühle und mit der heiteren Unbekümmertheit von Optimismus ohne Erfahrung lösen konnten, hätten sie die Männer, fast alle wesentlich älter als sie, sogar gerührt. Die meisten stammten aus Ländern, in denen es offenbar ebenso schwer war, sich jüdisch zu verheiraten, wie im Nachkriegsdeutschland; kamen sie aus England oder Amerika, dann lebten sie – gesellschaftlich isoliert – in Kleinstädten ohne Jüdische Gemeinden.

Diese Männer einer entwurzelten Generation glichen einander

auf eine so beängstigende Art, weil sie alle einer Hölle von Heimatlosigkeit und Verfolgung entkommen und entschlossen waren, ihre ermordeten Träume von Kraft, Jugend und Familie nachzuholen.

Sie hatten melancholische Augen, die nicht zu ihrer mangelnden Scheu paßten, sich nicht mit Konventionen oder Höflichkeiten aufzuhalten, erzählten in einer Mischung aus gebrochenem Deutsch und jiddischen Ausdrücken von tragischem Schicksal und sagten ungeniert, daß sie eine tüchtige Frau suchten, und zwar sofort. Nur war Regina zu lange nicht auf die Idee gekommen, daß sie als Beute der einsamen Jäger ausersehen war.

Im Laufe eines Monats tauchten ein Kaufmann aus Chile auf, ein Farmer aus Neuseeland, zwei amerikanische Handelsvertreter und der Besitzer eines Lebensmittelladens in der Nähe von Lüttich. Der Kaufmann aus Chile hatte es besonders eilig. Er rief noch am Sonntag abend an und fragte, ob Regina sich schon entschieden habe und er eine zweite Schiffskarte bestellen könne.

Regina verlor Mut, Humor und Fassung. Max weinte mit und schrie: »Ich lasse mich scheiden.« Jettel nannte ihren Mann einen gefühllosen Trottel, und Walter mußte sich endlich eingestehen, daß er auf diese alttestamentarische Art nicht für die Zukunft einer Tochter sorgen wollte, die er zu seinen Idealen von Unabhängigkeit und Stolz erzogen hatte. Er nahm künftig keine Einladungen mehr ins Altersheim an, doch er sprach weiter, grimmig und besessen, von seiner Verantwortung, Regina zu verheiraten, ehe sie Gelegenheit hatte, sich in einen nichtjüdischen Mann zu verlieben.

»Wir leben doch nicht im Mittelalter«, räsonnierte Regina. »Ich hätte nie gedacht, daß du es so eilig hast, mich aus dem Haus zu bekommen.«

»Hab ich nicht, Regina«, gestand Walter, »ich kann mir überhaupt nicht vorstellen, wie das Leben ohne dich wäre.«

»Warum veranstalten wir dann diesen ganzen Tanz?«

»Wenn ich das nur wüßte. Wie hat Owuor immer gesagt: Meine Zunge ist schneller als mein Kopf.«

Obwohl das Gespräch zunächst keine Konsequenzen hatte, tat es Regina schon deshalb gut, weil Walter im genau passenden Moment Owuor erwähnt hatte, sie sich an ihre Kindheit erinnern konnte und vor allem daran, daß ihr Vater sich nie darauf verstanden hatte, sich zu fügen und abzuwarten. Sie machte Frieden mit ihm, denn sie begriff, daß er an einer Schuld litt, über die er noch nicht einmal mit ihr sprach. Er verzieh sich nicht, daß er Regina in ein Land geholt hatte, in dem es für sie aussichtslos war, einen jüdischen Mann zu finden, ihr aber gleichzeitig das Versprechen abgenommen hatte, keinen Nichtjuden zu heiraten.

Die Jüdische Gemeinde in Frankfurt war klein, und um so schneller witterten die Menschen ihre Chance, denen Ehevermittlung noch traditionelles Gebot war. Regina wurden der Besitzer eines Cafés auf der Zeil vorgestellt, ein agiler Witwer, der gerade seine zweite Würstchenbude aufmachte, ein zukunftsgläubiger Schrotthändler mit Buckel und eigenem Auto und der Inhaber eines Modesalons, von dem Jettel schwärmte, weil er Kleider verkaufte, die sie sich noch in Jahren nicht würde leisten können. Walter gefiel ein Rabbiner aus Bremen am besten, weil er bei ihm wenigstens das Bildungsniveau vermutete, das er für einen Ehemann seiner Tochter ersehnte.

In ihrer neu gefundenen Gelassenheit hätte Regina fast das Geheimnis von George Guggenheims Schinkenbrötchen verraten. So sagte sie aber nur: »Dann sieh zu, daß du dir das Rauchen abgewöhnst, falls du mit mir und meinem Mann Schabbes feiern willst.«

Walter lachte so herzhaft, als hätte sie einen wirklich guten Witz gemacht, und Regina erkannte endgültig, daß er seine Komödie leid war. Die letzten Zweifel am Doppelspiel ihres Vaters schwanden, als ihr auffiel, daß Walter nie versäumte,

seinen vierjährigen Sohn über den aktuellen Stand am Heirats-
markt aufzuklären, und jedem erzählte, wie er Tränen gelacht
hatte, als Max in der Synagoge einen jungen, ins Gebet vertief-
ten Mann am Ärmel zupfte und ihn fragte: »Willst du meine
Schwester heiraten?«

Als das Jahr 1950 zu Ende ging, fühlte sich Regina auch nach
außen befreit von den Bedrohungen einer erzwungenen Ehe
und der entwürdigenden Begutachtung ihrer Person und des
väterlichen Vermögens. Selbst die eifrigsten Heiratsvermittler
fanden keine neuen Kandidaten mehr. Zwischen Vater und
Tochter erblühte die alte Vertrauensbasis von versteckten Andeutungen und wissendem Einverständnis, von Sentimentalität und Ironie stärker denn je zuvor. Regina konnte sogar
wieder lachen, wenn Walter sagte: »Du bleibst eben eine alte
Jungfer und führst deinem Bruder den Haushalt.«

So wappnete sie sich auch nicht mit dem aus jüngsten Erfahrungen zurückgebliebenen Argwohn, als Walter sagte: »Ich
habe einen Bundesbruder aus Mainz kennengelernt und ihn
für Freitag abend eingeladen.« Es war bereits die Zeit, in der
er, stets auf der Suche nach jenen Kontakten, die sein Herz zur
Glut trieben, fast jede Woche entweder Menschen entdeckte,
die aus Leobschütz, Sohrau oder Breslau stammten, oder es
meldeten sich Bundesbrüder aus dem Ausland bei ihm, die in
Frankfurt auf der Durchreise waren.

Energisch setzte er sich über Jettels Einwände hinweg, daß es
Fremde seien, die er einlade und die ihr nur Arbeit machten.
Gäste, mit denen er die nie vergessene Welt von gestern
durchstreifte, als sei sie nie untergegangen, waren ihm Erfüllung und einzige Bestätigung, daß sich seine Träume erfüllt
hätten.

Doktor Alfred Klopp war nicht wie die übrigen Gäste, mit
denen sich Walter so sehr viel besser unterhielt als seine Frau
und Tochter. Er war ein auffallend gutaussehender, ruhiger,
höflicher Mann, ungefähr fünfundvierzig Jahre alt, und un-

übersehbar zufrieden und in guten Verhältnissen. Er hatte, von guten Freunden versteckt, die Verfolgung in Holland überlebt und sich sehr bald nach dem Krieg als Kinderarzt in seiner Heimatstadt Mainz niedergelassen.

Er erzählte, daß er keine Familie habe, sprach aber nicht davon, daß er eine gründen wolle, sondern redete von seinen Patienten, Büchern, die er gern las, und daß er seit seiner Zeit in Holland die flämische Malerei als ein Stück Heimat verehrte. Regina fand Doktor Klopp faszinierend und sehr sympathisch. Dann eroberte er ihr Herz, weil er sich mit Max unterhielt, als wäre er nur um seinetwillen gekommen.

Sie grübelte, ein wenig beklommen, über die Ironie des Schicksals und gestand ihrem Herzen ungewöhnlich rasch, daß sie diesen nachdenklichen Mann, dessen Beruf und Bildung ihr imponierten, auf der Stelle geheiratet hätte, wäre er bei den verhaßten Sonntagseinladungen im jüdischen Altersheim aufgetaucht. Noch während des Essens tauschte sie den grauen Pullover mit den gestopften Ärmeln gegen eine neue rote Bluse aus, steckte ihr Haar hoch, benutzte Jettels Lippenstift und Rouge und ertappte sich bei dem Wunsch, Doktor Klopp würde ihr ebensoviel Aufmerksamkeit widmen wie ihrem Bruder.

Als sie wieder ins Zimmer kam, hörte sie aber Jettel sagen: »Meine Regina ist wirklich ein tüchtiges Mädel. So fleißig im Haushalt und wie sie sich um ihren Bruder kümmert! Alle beneiden mich um meine Tochter. Sie kann wunderbar nähen.«

Regina, die lose Säume mit Sicherheitsnadeln hochsteckte und in zwei Kontinenten Handarbeitslehrerinnen erzürnt hatte, wußte sofort Bescheid. Ihre Haut wurde so rot wie die Bluse, und sie war froh, daß sie Doktor Klopp, der sich sehr aufmerksam mit seinem Schmorbraten beschäftigte und mit einem Mal verlegen und zerstreut wirkte, die Gemüseschüssel reichen konnte, ohne daß ihre Hände zitterten.

Sie versuchte, ihn anzulächeln, doch sie kam nicht mehr dazu, auf seine Frage nach ihrer Schweizer Reise zu antworten, weil Jettel gerade erzählte, wie wenig es Regina ausmache, nachts aufzustehen, wenn ihr Bruder sie brauche. »Der Mann, der meine Regina bekommt, ist ein Glückspilz«, sagte Jettel und lachte so kokett, als sei auch sie Teil des Fangs, den sich der Gast auf keinen Fall entgehen lassen dürfe.

Unmittelbar nach dem Essen verabschiedete sich Doktor Klopp ein wenig abrupt und sehr verlegen. Ihm war eingefallen, daß er noch eine kleine Patientin besuchen und »dringende schriftliche Arbeiten« erledigen mußte. Im Mantel und Hut stand er an der Tür und winkte zu Max hinüber.

»Mach einen Knicks, Regina«, sagte Walter.

»Besser«, fauchte sie später ihren Vater an, »hättest du ihm nicht klarmachen können, daß ich für ihn zu jung bin.«

Obwohl er sich, zumindest den ersten Teil des Abends, gut unterhalten hatte, ließ Doktor Klopp nie wieder etwas von sich hören. Regina war ihm trotzdem dankbar. Ohne ihn wäre sie erst viel später dahintergekommen, daß ihr Vater nichts mehr fürchtete als den Moment, da er seine Tochter einem anderen Mann überlassen mußte.

»Du willst überhaupt nicht, daß ich heirate«, warf sie ihm vor.

»Bei allem, was mir heilig ist, das ist nicht wahr«, schwor Walter.

»Bwana, du lügst wie ein Affe.«

»Ja, aber du bist selbst schuld.«

»Warum?«

»Du hast«, seufzte Walter und ahmte Owuors Stimme nach, »mein Herz gestohlen, Memsahib.«

8

Wenn Max an der Kurbel drehte und eine Hand zum offenen Fenster hinaushielt, konnte er den leise pfeifenden Wind fangen und aus ihm einen durchsichtigen, kühlen Waschlappen für sein brennendes Gesicht machen. Sobald er den Kopf nur ganz wenig von der einen Seite zur anderen bewegte, wurden Bäume mit dicken runden Stämmen dünn wie der Suppenkaspar am fünften Tag. Die Bäume flogen grünbehütet in den blauen Himmel und kratzten an den weißen Seifenpulverwolken. Die meiste Zeit aber saß Max nur ganz still neben seinem Vater und schaute ihn durch den schwarzen Vorhang seiner langen Wimpern an. Das große Wunder rollte immer weiter. Es war wie in den Märchen, an die dumme Kinder glaubten. Nur tausendmal besser und so wahr und so süß wie beim Frühstück der rote See aus Erdbeermarmelade auf dem Brötchen.

Max hatte als erster erfahren, daß sein Vater ein reicher Riese geworden war, der mit einer Hand hupen konnte und mit der anderen dem Schaltknüppel Befehle gab, denen er sofort und heulend gehorchen mußte. Dieser Riese hätte auf einem goldenen Roß über die Häuser mitten in die Sonne reiten können. Hätte er nur gewollt, wäre er in einem Flugzeug aus purem Silber zum Mond und wieder zurück geflogen, aber solche Tricks hatte er nicht nötig, denn er saß in einem großen prächtigen Auto mit Kotflügeln aus dunkelrotem Blech und Fenstern aus funkelndem Glas.

Der Riese mit dem dunkelbraun gewellten Haar, der aussah

wie gestern noch der Vater, sang »Im Harem sitzen heulend die Eunuchen«, »Wer soll das bezahlen?« und »Gaudeamus igitur«. Schäumende Blasen kamen aus seinem Mund. Zwischen den Liedern und gewaltigen Hurrarufen nahm der König aller Riesen die Hände vom Steuer und klatschte. Ganz kurz und sehr hart war der Donner. Wenn er aber weder sang noch hupte oder klatschte, rief er so laut, daß die Scheiben zitterten: »Dieses Auto gehört mir und meinem Lieblingssohn.«

»Regina nicht?« fragte der mächtige Sohn.

»Frauen haben keine Autos. Aber sie dürfen mitfahren, wenn sie artig sind.«

»Warum fährt Regina dann nicht mit?«

»Auf einer Jungfernfahrt haben Weiber nichts verloren. Es bringt Unglück, sie mitzunehmen.«

»Was ist eine Jungfernfahrt?«

»Das hier. Wir fahren zum ersten Mal in unserem eigenen Auto. Das ist reine Männersache.«

»Nur du und ich«, sagte Max zufrieden, »ich und du. Und Müllers Kuh.«

»Müllers Kuh nehmen wir nicht mit. Ein Rechtsanwalt hat mit Kühen nichts im Sinn. Das war einmal. Nur in meinem anderen Leben hab ich mit Ochsen geredet.«

»Hast du schon mal gelebt, Papa?«

»Und ob, mein Sohn. Da war ich eine kleine graue Maus und hatte Angst vor jeder Katze.«

»Und jetzt«, erkannte Max, »bist du der gestiefelte Kater.«

»Quatsch. Ich bin Rechtsanwalt und Notar.«

»Ich werde auch Rechtsanwalt und Notar. Mit einem großen Büro und vielen Mandanten.«

»Tu das, Maxele, mein Sohn.«

Die Wunderkutsche war ein gebrauchter Opel Olympia, ein schnaufendes, von vielen Blessuren immer nur leidlich genesenes Vorkriegsmodell. Es war ein Gelegenheitskauf von einem Mandanten, der auf dem Steilflug nach oben die Pferde gewechselt und Walters Sehnsucht nach Mobilität gewittert hatte – in einem Tempo, zu dem der Wagen schon seit Jahren nicht mehr fähig war.

Fortan war der robuste kleine Opel mit der Zauberkraft vor allem der Triumph eines Mannes, der auf einer Farm in Afrika gefangen gewesen war und von einem Esel mit Sattel geträumt hatte, wenn das Fieber ihn schüttelte und er einen Arzt brauchte. Zwischen Königstein und Kronberg hielten der singende Riese und sein auserwählter Sohn an, sie setzten sich auf eine Wiese aus grünem Samt, aßen Kartoffeln aus Marzipan und Brot aus Nougat, rauchten Zigaretten aus Tabak und Schokolade und beschlossen, das Auto »Susi Opel« zu nennen.

Max, der in den katholischen Kindergarten in der Eichwaldstraße ging und sich sehr für die geheimnisschweren Geschichten interessierte, die Schwester Ela aus den Tiefen ihres schwarzen Habits hervorholte, wollte Susi Opel mit drei Tropfen aus der kleinen Flasche Heidelbeerlikör taufen, die im Handschuhkasten lag.

»Juden gehen nicht zur Taufe«, belehrte ihn sein Vater, »jüdische Autos auch nicht. Das darfst du nicht vergessen.«

»Nie«, versprach Max.

In einem Leben, das Wunder wieder zuließ, war Susi Opel, wenn sie rot und geduckt vor dem Haus stand, eine strahlende Heldin, auf Hügeln und in Kurven wurde sie die keuchende Geliebte von Vater und Sohn. Ein einziger Blick in ihren Spiegel ließ das neue Fräuleinwunder der schlanken, stark geschminkten Mädchen in den langen Röcken und auf hohen, klappernden Absätzen verblassen. Der Hahn, der vom Wirtschaftswunder krähte, das schon in der Wiege lag und Konten und neue Häuser wachsen ließ, fand weniger Gehör als die eigenen quietschenden Reifen und der hustende Motor. Sie sangen in allen Tonarten von einem Traum, an den Walter so lange geglaubt und der nun so sichtbar Gestalt angenommen hatte, daß Jettel schon lange nicht mehr dem festen Gehalt eines Richters nachweinte.

Die Praxis der Rechtsanwälte Fafflok und Redlich prosperierte so gut, daß am Gericht bald kaum noch einer vage und gönnerhaft von den »beiden Dickschädeln aus dem Osten« sprach, sondern mit Respekt und oft auch mit Neid sagte: »Die haben's geschafft.«

Fafflok hatte außer seinem Fleiß und seiner beruflichen Brillanz, seiner Beharrlichkeit und dem kaufmännisch klugen Blick seine alte, vollbusige, in allen Arbeiten perfekte Schreibkraft aus Kattowitz in die Anwaltsehe eingebracht. Zu seiner Aussteuer gehörten vor allem zwei Industrielle mit oberschlesischen Wurzeln und großem Bedarf an einem Notar. Walter konnte zunächst nur Energie, die Schnelligkeit von Denken und Handeln, die Passion für den geliebten, nie vergessenen Beruf bieten und die Besessenheit, der Gegenwart zu entreißen, was die Jahre in der Emigration ihm geraubt hatten.

Sehr bald kamen die Mandanten auch um seiner selbst willen – jüdische Menschen aus dem Ausland, die auf Entschädigung für den Verlust ihrer Häuser und Geschäfte hofften, und Juden, die es nach Frankfurt verschlagen hatte, die Familie, Gesundheit und jede Basis des Lebens im Konzentrationslager verloren hatten und die immer noch das Wort Gerechtigkeit kannten.

Flüchtlinge aus Oberschlesien wurden in Scharen vorstellig.

Die Trommeln im Wald von Ol' Joro Orok hätten auch nicht schneller einen Stammeskampf oder ein Buschfeuer melden können als die beglückten Oberschlesier einander, daß da in der Neuen Mainzer Straße 60 ein freundlicher Mann hinter seinem Schreibtisch saß, dessen Rechtsbewußtsein so groß wie seine Güte war. Er hatte die gleiche Sprache, den gleichen Humor wie die Menschen, die – wie er vor ihnen – Heimat, Glaube und Habe verloren hatten. Weil er sein eigenes Schicksal als Ausgestoßener und Beraubter nicht vergessen konnte, war er nie nur der Berater, der er sein mußte, sondern ein Mitfühlender. Er erachtete keinen Fall, der ihm übertragen wurde, als zu gering für seinen vollen Einsatz. Vor allem wußte dieser Mann mit dem polternden Temperament des Cholerikers und den Augen, die sofort Großherzigkeit verrieten, wie wichtig es den Gedemütigten war, vor Gericht zu gehen und ihre Würde einzuklagen. Wenn die Ungebetenen aus dem Osten als »Zigeunerpack« und »Flüchtlingsgesocks« beschimpft und der Vergehen beschuldigt wurden, die sie empörten und kränkten, rechnete er im Kopf nicht die sehr geringen Gebühren des Rechtsstreits aus, sondern verbrannte am gleichen Zorn wie sie.

Als bekannt wurde, daß Walter für seinen Freund Greschek in Marke fast jede Woche einen Brief schrieb, damit keine Anschuldigung ohne Ahndung blieb, faßten auch die anderen Mut, sich gegen die Provokation der Besitzenden zu wehren. Sie reisten mit dem Kleinmut des Außenseiters aus den kleinen Dörfern der Umgebung an, in die sie verbannt worden waren, und sie verließen die Praxis mit erhobenem Kopf.

Obgleich es in der Zeit der sich regenden Wirtschaft längst nicht mehr Brauch war, ließ sich Walter, genau wie einst von den Bauern im Kreis Leobschütz, auch mit Naturalien bezahlen. Lebensmittel waren für die Flüchtlinge, die auf Dörfern lebten und billig bei Bauern einkauften, leichter zu verschmerzen als Geld; einige hatten bereits kleine Läden. Gemüse, Kartoffel, Gänse und Hasen, Holz für einen Wohnzimmertisch, billiges Blechspielzeug, Kleiderstoffe und Decken empfand Walter durchaus als Gegenleistung für seine Arbeit. Wichtig war ihm nur, daß sich die in seinem Zimmer gestapelte Ware gerecht zwischen ihm und Fafflok aufteilen ließ.

Gelegentlich erinnerte aber Fafflok, milde und nicht immer aus eigenem Antrieb, doch an Miete, Versicherungen, Gehalt für das Büropersonal (zu Frau Fischer aus Kattowitzer Zeiten war ein Lehrling hinzugekommen) und an die anderen Bedürfnisse jenseits von Küche und Haushalt. Seine Frau hielt ihn erstmals und danach immer öfter zu solchem Widerspruch an, als er ihr aus einem Weißwarengeschäft in Friedberg die sechste Tischdecke brachte.

Ermutigt von dieser Rebellion begann auch Jettel zu meutern, als sie und Regina aus dem selben Laden immer wieder mit Schürzen und Blusen versorgt wurden, die selbst den bescheidenen Ansprüchen der Zeit nicht standhielten und dazu noch aus dem gleichen Stoff wie die Tischdecken waren. Weil das Auto lockte, hätte Jettel keinen besseren Zeitpunkt wählen können, um Walter schließlich zur Abkehr vom geliebten Tauschhandel zu bewegen.

Susi Opel bot ohnehin die Möglichkeit, die Verbundenheit mit Oberschlesien in neue Bahnen zu lenken. Es gab kaum einen Sonntag, an dem Walter nicht mit Jettel, Regina, Else und Max losfuhr, um – wenigstens ein paar Stunden – die verlorene Heimat wiederzufinden. Die Fahrten in die vergoldete Vergangenheit gingen nach Bad Vilbel und nach Kleinkarben, nach Friedberg, Bad Nauheim, in Dörfer, die selten auf einer Karte zu finden waren, und auch zu den Bauernhöfen, auf denen Flüchtlinge untergekommen waren.

Kaum sprach sich herum, daß der »Herr Doktor« und die Seinen gekommen waren, wurden kleine Feiern improvisiert, die zu Galafesten der Wehmut wurden. Es gab immer Streusel- und Mohnkuchen, Schlagsahneberge und »echten Kaffee«; nie fehlten der »ordentliche Schnaps«, die Senfgurken und das Heringshäckerle nach altem Familienrezept. Zum Braten gab es nicht Sauce und Kartoffelbrei, sondern Tunke und Stampfkartoffeln. Die grünen Bohnen wurden, wie »bei Muttel«, süßsauer und mit Rosinen zubereitet, und hatte sich der »Herr Doktor« gar angesagt, kamen gebackene Kalbsfüße und Hirn auf den Tisch, weil doch jeder wußte, daß er gerade um derentwillen die Reise gemacht hatte.

Walter glaubte das selbst. Jettel und Regina ließen sich nicht täuschen. Sie erkannten sehr schnell und um so betroffener von der schweigenden Übereinstimmung ihrer Vorbehalte, daß es nicht sein heimatkranker Magen war, den er sonntags verwöhnen wollte. Er heilte seine Herzwunden.

Nur mit den Menschen aus Leobschütz und – noch mehr – mit den Jugendfreunden aus Sohrau konnte er ohne Vorurteil, Unsicherheit und Einschränkung in die Welt eintauchen, an die er glauben mußte, um seine Rückkehr nach Deutschland in dem barmherzigen Licht der Selbstbestätigung sehen zu können. Wenn die Sohrauer mit einer Unschuld nach seinem Vater und seiner Schwester fragten, als seien die beiden auf eine Reise gegangen und hätten vergessen, die versprochenen Urlaubsgrüße zu schicken, dann empfand er schon die Frage als Teilnahme an seinem Schicksal.

Berichtete er dann vom Mord an seinem Vater und seiner Schwester, und die Menschen fragten verwundert: »Warum?« und sagten, ebenso unschuldig wie verblüfft: »Das waren doch so gute Menschen«, dann wurde er nie ungeduldig, nie verlegen, nie mißtrauisch. Fragten die Leobschützer nach ehemaligen jüdischen Mitbürgern, ließ er nicht einmal die Ahnung zu, daß sie hätten wissen müssen, was mit Menschen geschehen war, die nicht rechtzeitig ausgewandert waren. Er, der spätestens seit der Emigration nach Afrika die Flucht in die Illusion und die gefährliche Zunge der Sentimentalität verachtete, verlor jeden Sinn für Realität, war nur einer da, um die Bilder und Klänge der Heimat zu beschwören.

Kein einziges Mal fragte sich Walter in den Stunden, da er mit jedem Schluck Schnaps den Balsam des Vergessens trank, weshalb gerade die Menschen in Oberschlesien nicht gewußt haben sollten, was ihren jüdischen Nachbarn geschehen war. Nie zweifelte er an der Lauterkeit und Aufrichtigkeit ihrer Empörung; nie kam ihm der Gedanke, seine geliebten Landsleute könnten, wie so viele Menschen im Nachkriegsdeutschland, auch eine Vergangenheit haben, über die sie nicht sprachen. Ehe ihm das Gegenteil bewiesen wurde, setzte Walter von jedem das Beste voraus, und er legte keinen Wert auf ein Wissen, das seinen Glauben an das Gute entkräftet hätte.

Immer war er sicher, daß er nirgends besser als im Kreis der Klagenden und Tränenbeladenen, denen das gleiche Unrecht der Vertreibung geschehen war wie ihm, seiner Tochter und dem kleinen Sohn mit dem Frankfurter Zungenschlag das Bild des anständigen Deutschland vermitteln konnte. Es traf ihn tief, als Regina fragte: »Haben denn in Leobschütz und Sohrau die Synagogen nicht gebrannt?« Und er war außer sich vor Zorn, als Jettel nach einem Sonntagsausflug, den er als besonders ergreifend empfunden hatte, sagte: »Greschek hat mir ganz andere Geschichten erzählt.«

Es war aber Max, der – mit einer einzigen Frage – seinen Vater davon abbrachte, sich weiterhin jede Woche auf die Suche nach der verlorenen Heimat zu begeben. In der Synagoge verliebte sich Max spontan und dauerhaft in eine lockenköpfige, gleichaltrige Schönheit mit großen Augen im runden Puppengesicht und fragte seinen Vater, nicht ohne Vorwurf: »Hast du denn nicht gewußt, daß es jüdische Kinder in Frankfurt gibt?«

Es war eine der seltenen Gelegenheiten, in denen Walter seinem Sohn, den er ebenso umfassend wie früh über Verfolgung und Emigration aufgeklärt hatte, keine aufrichtige Antwort gab.

Das bezaubernde Kind, schon so klug wie kokett und selbstbewußt, hieß Jeanne-Louise und eroberte Max mit weißen Socken, Pariser Chic und dem Vorschlag, er solle sie am Schabbes besuchen, dürfe so viele Pralinen essen, wie er wolle, und den Hund streicheln. Jeanne-Louises Vater war gebürtiger Frankfurter, seit einem Jahr wieder Rechtsanwalt in seiner Heimatstadt und auf dem besten Weg, ein sehr reicher Mann zu werden. Walter verriet weder seinem Sohn noch der übrigen Familie, daß er dies alles schon seit langem wußte.

Als Josef Schlachanska mit Frau und Tochter aus der Emigration in Frankreich zurück in die Stadt kam, in der ihn viele Menschen noch von früher kannten und ebenso viele sofort auf ihn aufmerksam wurden, hatte er Walter durch einen gemeinsamen Bekannten fragen lassen, ob er an einer Sozietät interessiert sei. Das war ein halbes Jahr nach der Praxiseröffnung mit Fafflok. Walter hatte Schlachanskas Angebot abgelehnt und umgehend erfahren, daß dieser gesagt hatte: »Dem Trottel aus Afrika wird das noch in der Seele leid tun. Der verdient von jetzt an nicht mehr die Butter aufs Brot.«

Verletzt und empört und schon gar nicht frei von Neid auf die schnellen Erfolge eines Mannes, der um keinen Sieg zu kämpfen brauchte, vermied Walter jeden privaten Kontakt mit Schlachanska, obwohl er mit ihm im jüdischen Gemeinderat war und er ihm, zumindest dort, glänzend gefiel. Josef Schlachanska, mit einem Schnurrbart, der das runde, glatte Gesicht noch weicher machte, als es ohnehin wirkte, fiel nicht allein durch seine in der Zeit des eben erst überwundenen Hungers erstaunliche Leibesfülle auf. Er war in allem ein Triumphator von barocken Ausmaßen. Sein scharfer Witz und sein Humor, eine kalkulierte Balance zwischen Komik, Spott und Selbstironie, waren so mitreißend wie seine Energie und das titanische Temperament.

Er hatte jene zeitgemäße Witterung für Gewinn und Spekulation, die Walter als standeswidrig empfand. Als Anwalt hatte er eine immense schauspielerische Begabung, die Walter ebenfalls als berufsunwürdig abtat und die schon deswegen Furore machte, weil er grundsätzlich und mit großer Geste Richter als befangen ablehnte und so den Eindruck eines Streiters erweckte, der bereit war, mit dem vollen Einsatz seiner zweieinhalb Zentner für die Belange seiner Mandanten zu kämpfen.

Mit den Frankfurtern redete Josef Schlachanska in ihrer behäbig derben Sprache, machte die gleichen Scherze wie sie und gab ihnen sofort die Gewißheit, er sei einer der ihren. Die

Juden aus dem Osten, die ihn so spontan zu ihrem Berater machten, als hätten sie seit Jahren nur auf seine Niederlassung als Anwalt gewartet, verschonte er mit jenen Umständlichkeiten, Vorbehalten und juristischen Finessen, die sie als typisch deutsch empfanden. Walter vermochte weder das eine noch das andere.

Josef Schlachanska, der allzeit gewillt war, Kompromisse mit der weltlichen Moral zu machen, und sich nie scheute, das zuzugeben und dies auf eine Art, die den Menschen gefiel, war ein frommer Mann. Trotz allem, was er erlebt hatte, als er und seine Frau zwei Jahre bei einem jungen Arztehepaar in Paris untertauchen mußten und sich nur im Schutz der Dunkelheit für ein paar Minuten auf die Straße wagten, zweifelte er nicht an einem Gott, der den Millionenmord an seinem Volk zugelassen hatte.

Josef Schlachanskas Vater war Lehrer am Philanthropin, der renommierten jüdischen Schule in Frankfurt gewesen, der Bruder als Leiter einer jüdischen Schule in Köln kurz vor Kriegsausbruch aus dem sicheren England nach Deutschland zurückgekehrt und mit seinen Schützlingen deportiert worden. Genau wie Walter hatte er aber erkannt, daß er als Jurist nur in Deutschland in seinem Beruf arbeiten konnte. Er sprach von Rückkehr, nie von Heimat.

Schlachanskas Haushalt war koscher, seine Tochter wurde streng religiös erzogen, er und seine Familie versäumten keinen Gottesdienst. Wenn er, in seinen weißen Gebetsmantel gehüllt, in der Synagoge mit tiefer warmer Stimme sang und Inbrunst sein Gesicht erleuchtete, hörte und sah keiner den Kantor und jeder ihn.

Er hatte die Größe, Fehler zuzugeben, und stritt die rüde Bemerkung nicht ab, die er über Walter gemacht hatte, entschuldigte sich dafür mit einem Charme, der so vereinnahmend war wie seine Menschenfreundlichkeit, und streckte Walter beide Hände entgegen, als das Eis endlich gebrochen war. Er hatte das Bedürfnis, von der Fülle abzugeben, die er zum Leben brauchte, und war ein Gastgeber aus Passion.

Als Kenner der Frankfurter Verhältnisse hielt es Schlachanska nur kurze Zeit in der ihm nach der Rückkehr aus dem Pariser Exil zugewiesenen Wohnung im bescheidenen Frankfurter Nordend. Er zog in eine Sechszimmerflucht mit großer Terrasse in die vornehme Eysseneckstraße um, die den Krieg recht gut überstanden hatte. Dort residierte er unter prächtigen Lampen und Kristallüstern, in plüschbezogenen Sesseln und schweren dunklen Möbeln. Er hatte Porzellan aus Frankreich, aufwendig gerahmte Bilder mit jüdischen Motiven, ein Dienstmädchen, eine Kinderschwester und in allem den pompösen Geschmack, der seinen gewaltigen Auftritten entsprach. Schlachanska kannte beim Protzen weder Hemmungen noch Grenzen; seine Generosität sorgte dafür, daß ihm die Menschen Eitelkeit und Prunksucht mit der gleichen Selbstverständlichkeit zugestanden wie einem beim gemeinen Volk außergewöhnlich beliebten König.

Mit den Pralinen, die seine Tochter Max versprochen hatte und die er so unbefangen in seinen sabbernden Setter Seppel stopfte, als hätte er nie Hunger und Todesnot erfahren, verlockte er Walter, nach der ersten Einladung eine zweite anzunehmen. Mit seiner Unverblümtheit in Sprache und Urteil, die bei allen Gegensätzen Walters Charakter entsprachen, sprengte er die Barrieren so rasch und entschieden wie Alexander der Große den Gordischen Knoten.

Max empfand Josef Schlachanska als die Verkörperung all dessen, was er einst selbst sein wollte – er war ein reicher, mächtiger, prächtiger Riese mit dem größten Auto in Frankfurt, einem Maybach. Dieser Kinderfreund, der wie ein Clown scherzen und wie ein Zauberer die Welt verwandeln konnte, bediente sich aus großen gläsernen Schüsseln mit Bergen von Süßigkeiten und brauchte nur in die Hände zu klatschen, und alle gehorchten seinen Befehlen. Am Schabbesnachmittag saß er in einem geblümten Ohrensessel in einem gestreiften Schlafanzug und brachte einen fünfjährigen Jungen in den ersten Loyalitätskonflikt seines Lebens. Er korrumpierte Unschuld und die vom eigenen Vater täglich aufs neue beschworene Bescheidenheit ein wenig mit der elektrischen Eisenbahn, die der Chauffeur bedienen mußte, und vollständig mit dem Maybach.

Schon, weil Max auf seinem Recht bestand, mit Jeanne-Louise zu spielen, statt in den Zärtlichkeiten und Tränen von unbekannten Erwachsenen zu baden, waren die Einladungen zum Schabbes bald eine ebenso feste Einrichtung für Walter, Jettel und Regina wie zuvor die Fahrten zu den Oberschlesiern. Am Anfang war Jettel lediglich froh, daß sie nur einen Kuchen statt zwei für das Wochenende zu backen und sich bis zum Abendessen um nichts mehr zu kümmern brauchte. Sie war indes die erste, die auch den Kontakt zu Frau Schlachanska fand und in ihr mehr sah als die anspruchsvolle Frau, die noch mehr Glanz begehrte, als sie ohnehin schon hatte.

Mina Schlachanska war ebenso eitel und von sich selbst überzeugt wie ihr Mann, doch weil sie nicht seinen Charme und schon gar nicht seinen Humor hatte, wirkte sie verschlossen und hochmütig. Sich anderen Menschen zuzuwenden, war ihr eher religiöse Verpflichtung als Bedürfnis. In der Zeit der existentiellen Bedrohung und täglichen Angst vor der Deportation nach Deutschland war ihr ohnehin geringes Talent zur Toleranz verkümmert; danach reichte ihre Duldsamkeit nur für den Vulkan an ihrer Seite, der sie großzügig und gutgelaunt aus dem Füllhorn seines neuen Reichtums schöpfen ließ.

Ihre Intuition für Eleganz und die Art, wie sie ihren an französischer Mode geschulten Geschmack betonte, wirkten provokativ in einer Zeit, in der andere Menschen sehr zaghaft die ersten Schritte von der Not in die Normalität wagten. Sie verwechselte schäbige Kleider mit schäbiger Gesinnung, empfand das kränkende Mitleid der Besitzenden mit den Besitzlosen als aufrichtige Teilnahme an fremdem Schicksal und verschonte nur sich vor ihrem kritischen Verstand. Etikette, Konvention und Tradition waren Mina Schlachanska wichtig, Wohlstand und die Sicherheit, die sie so lange hatte entbehren müssen, alles.

Sie stammte aus bescheidenen Verhältnissen, hatte ihren Mann als junges Mädchen in Italien kennengelernt, ihn umgehend geheiratet, obwohl er geschieden war und das ihren Vorstellungen von Moral und Ehe zusetzte, war mit ihm nach Frankreich geflohen und beim Einmarsch der Wehrmacht im Frauenlager von Gurs interniert worden. Sie sprach kaum über die Zeit, die ihr unheilbare Wunden geschlagen hatte, eher noch über die zwei Jahre, da sie mit ihrem Mann hatte versteckt leben müssen und wie er nach der Befreiung in einer Fischfabrik in Paris gearbeitet hatte.

Mina Schlachanska war besessen von der Sucht, die Versäumnisse des Lebens nachholen zu müssen. Bescheidenheit kam ihr nicht mehr in den Sinn – schon gar nicht bei der Erziehung ihrer Tochter, die sie viel zu elegant anzog und nicht mit ärmlich gekleideten Kindern spielen ließ. Luxus empfand sie als das Recht einer Frau, die nicht zurück ins Land der Verfolger hatte kommen wollen.

Obwohl Walter ihren Fleiß, ihre Disziplin, ihren Sinn für Würde, ihre vorbehaltlose Liebe für ihren Mann und den Perfektionismus bewunderte, mit dem sie ihren aufwendigen Haushalt führte, versagte er ihr die Toleranz, die er seine Kinder lehrte. Zu sehr verübelte er ihr den Materialismus, der sie in seinen Augen hart und neidisch machte.

»Quatsch nicht so dumm«, sagte Jettel, »was meinst du, wie ich geworden wäre, wenn ich durchgemacht hätte, was diese Frau hat durchmachen müssen.«

»Ich hätte dich nicht gelassen, Jettel, und seit wann gibt es irgendeinen Menschen auf der Welt, der mehr durchgemacht hat als du?«

»Sie ist eine gute Frau.«

»Wie kommst du denn darauf?«

»Das sagt mir meine Menschenkenntnis. Du hast ja keine. Das hat schon meine Mutter gesagt.«

Am unbehaglichsten war Walter die Vorstellung, der Lebensstil der Schlachanskas könnte seine Kinder neidisch machen und zu Größenwahn verführen. Max schwärmte schon längst nicht mehr von Jeanne-Louises weißen Söckchen und Lackschuhen, sondern nur von ihrem Kinderzimmer, dem teuren Spielzeug, dem Maybach ihres Vaters und dem Chauffeur, der ihm die Aktentasche zum Wagen trug.

Regina nahm ihrem Vater indes sehr bald die Sorge, sie könne sich durch Äußerlichkeiten blenden lassen und bleibenden Schaden nehmen. Als Josef Schlachanska sie eines Nachmittags sinnierend anschaute und sagte: »So ein Mädchen läßt man nicht das Abitur in Deutschland machen, sondern schickt es nach England oder Israel, damit es einen Mann findet«, betrachtete sie alles, was er künftig tat und sagte, aus gewohnt skeptischer und argwöhnischer Perspektive. So war sie es auch, der Walter als einzige anvertraute: »Weißt du, so reich wie der Schlachanska wird dein Vater nie. Dafür kann er aber gut schlafen.«

Er empfand es darum als eine doppelt ironische Pointe des Schicksals, daß Schlachanskas unermüdlich wiederholter Satz »Man wohnt nicht in einer beschlagnahmten Wohnung und schon gar nicht in der Höhenstraße« seinen Ehrgeiz auf eine für ihn schier unfaßliche Weise in Bewegung setzte.

9

Jettel, bei allem, was mir heilig ist, glaub mir. Ich hab sieben Semester Jura studiert und den Doktor gemacht. Du brauchst keinen neuen Hut, um zum Notar zu gehen.«

»Tu nicht immer so klug. Ich hab schon beim Notar gearbeitet, als du deinem Vater noch auf der Tasche gelegen hast.«

»Was soll also der Unsinn?«

»Ich denke, ich soll heut' Hausbesitzerin werden.«

»Das Haus wird auf deinen Namen eingetragen. Das macht man so in einem freien Beruf. Außerdem wirst du dann auch ganz anders dastehen, wenn du mich ins Grab gebracht hast.«

»Du hast doch selbst gesagt, es ist ein großer Tag.«

»Der größte Tag in unserem Leben, Jettel, seit wir aus Leobschütz fort mußten. Die Geburt unseres Sohnes nicht mitgerechnet.«

»Na also! Glaubst du, Frau Schlachanska würde an einem solchen Tag in einem alten Hut herumlaufen?«

»Frau Schlachanska hätte sogar einen neuen Hut auf, wenn sie einen Offenbarungseid leisten müßte. Aber wir müssen jetzt unser Geld zusammenhalten. Da ist es besser, du hörst auf mich statt auf Frau Schlachanska.«

»Wenn es noch nicht einmal für einen Hut reicht, wirst du nicht weit mit deinem Aufbau kommen.«

»Unser Aufbau, Jettel.«

Der Hut war hellblau und hatte einen weißen Schleier mit winzigen Punkten, hinter dem Jettels Haut den gleichen zarten Schimmer hatte wie ihre alte Bluse vom indischen Schneider

aus Nairobi. Weil Walter den Hut als »schrecklich schön«
bezeichnet und trotz seines Zorns gelacht hatte, wäre Jettel um
ein Haar gar nicht mit ihm zum Notar gegangen. Die durch die
Umstände erforderliche rasche Versöhnung fand erst im War-
tezimmer von Rechtsanwalt Friedrich statt, den Walter noch
vom gemeinsamen Besuch beim Repetitor Wendriner in Breslau kannte und der Jettel in augenglänzende Euphorie versetzte, weil er sie nicht nur mit Handkuß begrüßte, sondern fast
zeitgleich sagte: »Welch ein bezaubernder Hut, gnädige Frau,
ein Frühlingsgedicht. Wie wunderbar, daß unsere Frauen
nicht verlernt haben, uns wieder ins Reich der Träume zu
entführen.«
»Ich hab schon früh festgestellt, Friedrich, daß Sie ein ebenso
guter Dichter wie Jurist sind«, erinnerte sich Walter, »und
wenn Sie meiner Frau weiter den Kopf verdrehen, wird sie
mich gar nicht erst in ihr Haus einziehen lassen.«
In nachdenklichen Momenten erschien es ihm als eine ausglei-
chende Gerechtigkeit des Schicksals, daß das Haus in der
breiten, von Ahornen bewachsenen Rothschildallee wieder
einen jüdischen Eigentümer bekommen sollte.
Seine Abneigung gegen jenes Übermaß an Phantasie, das er in
jedem Lebensalter als gefährlich empfand, schützte ihn indes
vor unpassenden Vergleichen und hielt ihn davon ab, die
Duplizität der Ereignisse überzubewerten.
Walter hatte das kriegszerstörte Gebäude oft von seinem
Wohnzimmerfenster aus betrachtet, denn er wußte um die
Tragödie seiner Besitzer; er hatte ausgerechnet in dem Moment erfahren, daß das Haus zum Verkauf angeboten war, als
er sich entschlossen hatte, endlich sein Versprechen an Frau
Wedel einzulösen und sich nach einer anderen Wohnung
umzusehen.
Dem um die Jahrhundertwende gebauten Mietshaus hinter
einem schmiedeeisernen Tor und mit hohen Fenstern und
massiven Balkons, die trotz der Bombentreffer noch vom Bür-

gerstolz einer selbstbewußten Generation kündeten, fehlten Dach und oberstes Stockwerk. In der Sprache der Zeit galten die zwei noch bewohnten Etagen als »herrenloses jüdisches Vermögen«. Grundstück und Haus waren nach Kriegsende an die Jewish Restitution Successor Organisation gefallen, die dafür sorgte, daß sich die neue Bundesrepublik nicht die Zinsen der Verbrechen des alten Deutschlands gutschrieb.

Walter war für die Organisation als Berater und Notar tätig und konnte sie dank seiner zähen Geduld und dem energischen Einsatz von Josef Schlachanska dazu überreden, ihm das Haus zu einem sehr guten Preis zu überlassen. Es hatte dem jüdischen Ehepaar Isenberg gehört, das in Auschwitz ermordet worden war und keine Nachkommen hatte.

Frau Wedel hatte Walter, kaum daß er bei ihr eingezogen war, vom Schicksal der Isenbergs erzählt und auch berichtet, daß das Haus Nummer 9 als erstes in der Rothschildallee Opfer der Bomben geworden war und daß die Menschen einander hinter vorgehaltener Hand erzählt hätten, das sei die Strafe Gottes.

Als bekannt wurde, daß Walter das Haus kaufen wollte, sprachen ihn so viele Menschen in der Gegend auf das Schicksal der Isenbergs an, die »doch wirklich ordentliche Leute waren und nichts dafür konnten«, daß es selbst ihm, der so lange zögerte, ehe er verurteilte, dämmerte, die Deportation der jüdischen Bürger in Frankfurt hatte wohl doch nicht ganz so unbemerkt stattfinden können, wie nach dem Krieg immer behauptet wurde.

»Ich bin mal gespannt, wie viele Leute mir jetzt erzählen, wie furchtbar sie gelitten haben, als die Isenbergs abgeholt wurden«, sagte Jettel.

Walter nickte. Er hätte ihr auch nicht widersprochen, wenn er nicht mit ihr einer Meinung gewesen wäre. Seine Kraft zu Auseinandersetzungen mit seiner Frau war an diesem wichtigen Tag schon am frühen Nachmittag verbraucht. In der Praxis von Rechtsanwalt Friedrich hatte sich Jettel erst durch die vereinten Bemühungen von Friedrich, Fafflok und Walter zu den notwendigen juristischen Formalitäten bewegen lassen. Als sie nämlich hörte, daß Walter das Haus nicht bar bezahlen würde und dies im übrigen auch nicht üblich sei, griff sie wütend zu ihrer Handtasche und teilte dem ratlosen Juristen-Trio mit: »Ich hab in meinem ganzen Leben keine Schulden gemacht und fange auch jetzt nicht damit an.«

»Ohne dich, Jettel, würden wir alle im Schuldturm sitzen«, sagte Walter.

Es war ein blauer Papagei mit großem Schnabel, der zweimal hintereinander »Ach« sagte, während ein winziger Affe an einer Banane kaute und auf seine Weise demonstrierte, wie sich das Leben geändert hatte – drei Jahre zuvor wäre niemand auf die Idee gekommen, daß es in Frankfurt mal genug Bananen geben würde und dann auch noch für Affen.

Walter und Jettel saßen im Café Wipra am Liebfrauenberg und waren sich bereits wieder in einem für beide wichtigen Punkt einig – nur dort konnte man richtigen Mohnkuchen essen; der Besitzer und seine Frau waren Schlesier und wußten, im Gegensatz zu den Frankfurtern, daß Mohn zweimal gemahlen werden und vor dem Backen in Milch aufgeweicht werden mußte. Das Café Wipra mit blühenden und sogar tropischen Pflanzen, Vögeln, Affen und den vielen anderen Tieren, die sich in Käfigen wohl genug fühlten, um den staunenden Gästen das Gefühl von Urlaub und Exotik zu vermitteln, war besonders beliebt bei Kindern; Walter und Jettel gingen öfters auch alleine hin. An diesem glückhaften Tag hatte Walter außer von Mohnkuchen noch von den schwerverdaulichen Liegnitzer Bomben geträumt und Jettel das Bedürfnis, ihren neuen Hut an einer Stätte einzuführen, in der sich kaum eine Frau unbehütet zeigte.

Jeder bestellte zum Kuchen zwei Portionen Schlagsahne, Walter danach einen doppelten Cognac und Jettel einen Eierlikör, der sie in so gute Stimmung versetzte, daß sie versuchte, eine von Walters Zigaretten zu rauchen. Beiden fiel zu gleicher Zeit ein, daß sie das zuletzt bei einem Ausflug von Leobschütz nach Jägerndorf getan und ebenso gehustet hatte wie nun in Frankfurt.

Die Zeit des Hungers lag noch immer nicht lange genug zurück, um einen drückenden Magen als Last zu empfinden. Mehr als nur satt zu sein glättete die scharfen Konturen des Lebens. Die Fülle machte Jettel sanft und Walter nachdenklich. Obwohl sie soeben nach Leobschütz gereist waren, kamen sie in Afrika an.

Es war Walter, der den Affen im Käfig vor dem kleinen Marmortisch, an dem er saß, zu lange beobachtete und sich nicht mehr schützen konnte. Er dachte erst an die Farm in Ol' Joro Orok und wie der Inder Daji Jiwan dort das Haus aus frisch geschlagenen Zedern hatte bauen lassen. Zunächst roch Walter nur das Holz, doch seine Nase drängte ihn weiter, und er sah, wie Owuor das Feuer im Kamin mit seinem Atem nährte, sehr langsam aufstand und sich befriedigt umschaute. Als das Bild endlich seine Farben verlor, begann Owuor »Ich hab mein Herz in Heidelberg verloren« zu singen. Seine Stimme stieß bis zu den Hütten am Fluß. Walter merkte, daß sein Nacken steif wurde und der Cognac in der Kehle brannte. »Komisch«, seufzte er, »auf der Farm wußte ich wenigstens, wovor ich Angst hatte.«

Er erschrak, als ihm aufging, daß er soeben eine Antwort von Jettel provoziert hatte, die in einem Kleinkrieg enden mußte, der den Tag doch noch verderben würde, aber zu seiner Verblüffung griff sie nach seiner Hand und drückte sie.

»Wir werden auf unsere alten Tage noch ein Liebespaar«, lachte Walter, »und eigentlich gefällt mir dein Hut doch.«

Auch in den folgenden Wochen lernte er Jettel aus neuer, ihm absolut willkommener Perspektive kennen. Sie machte, immer mit dem Hinweis »es ist schließlich mein Haus« und schon am frühen Morgen so gekleidet, als wollte sie beim Oberbürgermeister vorsprechen, den Aufbau der Rothschildallee 9 zu ihrer persönlichen Aufgabe. Jettel, im Hut und mit den Handschuhen aus weißer Spitze, ohne die sich eine Dame nicht auf der Straße zeigte, stampfte durch den Schutt der Baustelle mit der Kampfeslust und dem Selbstbewußtsein einer Amazone und der Koketterie, mit der sie in ihrer Tanzstundenzeit alle jungen Männer dazu gebracht hatte, keine andere als sie im Ballsaal zu sehen.

Sie brachte den Architekten mit ihren Wünschen, Vorschlägen und unvermittelt einsetzendem Tränenfluß in Rage und beruhigte ihn ebenso schnell mit Charme, Kirschkuchen und ihn sehr faszinierenden Geschichten von ihren Erfahrungen als Bauherrin in Ol' Joro Orok. Sie holte die Handwerker, die sie mit ihrem Temperament wehrlos machte und mit ihrem hilflosen Lächeln bezauberte, aus ihren Werkstätten heraus und lockte sie mit Klagen und vielen Versprechungen auf Kostproben aus ihrer Küche und mit phantasiebegabten Appellen an ihr Ehrgefühl zum Bau. Das war auch nötig, denn Walter war wieder einmal dem Reiz der Usancen vor der Währungsreform erlegen und hatte die Aufträge an Schreiner, Klempner, Maler, Ofensetzer, Elektriker und Dachdecker vergeben, die seine Gebühren nicht bezahlt hatten und bei der Aussicht, daß sie ihre Schulden abarbeiten sollten, sehr mißmutig waren und sich nur durch Jettels variationsreiche Auftritte motivieren ließen, überhaupt in der Rothschildallee zu erscheinen.

Das ursprünglich dreistöckige Haus bekam vier Etagen. Im obersten Stockwerk wurden zwei kleine Wohnungen gebaut. Die eine war Greschek versprochen worden, der jede Woche aus Marke schrieb, daß er das Leben auf dem Dorf als verfemter Flüchtling, wo er empörenden Verdächtigungen und oft auch brachialer Gewalt ausgesetzt sei, keinen Tag länger ertragen könne und daß er vor allem wieder in seinem alten Beruf arbeiten wolle.

»Greschek hat sein Lebtag nicht gearbeitet«, erinnerte sich

Walter, »sondern andere für sich arbeiten lassen. Aber weg aus seinem verdammten Dorf muß er. Der geht ja dort ein. Wir werden ihm die Hausmeisterstelle geben. Da braucht er keine Miete zu bezahlen und kann Grete das bißchen machen lassen, was zu tun ist.«

Allein schon der Gedanke an Gretes Tüchtigkeit und Fleiß gab Jettel abermals neuen Auftrieb. Sie hatte sich bereits Sorgen gemacht, daß eine Fünfzimmerwohnung zuviel für ein einziges Dienstmädchen sei und erst recht für Else, die sich auf jene Raffinessen nicht verstand, die durch das immer stärker knospende Wunder der besseren Zeiten von der gesellschaftlichen Etikette gefordert wurden. Die Aussicht auf Gresheks unermüdliche und ihr bestimmt auch treu ergebene Grete erschien ihr eine Wiederholung der glücklichen Tage auf der Farm, als es für jede Arbeit einen Mann mit starken Armen gegeben hatte.

In dieser Zeit, da Zukunft sehr viel mehr bedeutete als Vergangenheit, schlugen allein Reginas Gedanken die umgekehrte Richtung ein. Wenn sie nachmittags mit Kuchen, Wurstbroten und Kaffee in der Thermoskanne zur Baustelle geschickt wurde und das Dach wachsen sah, wurde ihr bewußt, wie beunruhigend klar die Flut der Bilder noch immer in ihr wütete. Immer wieder fielen ihr die Tage auf der Farm ein, als sie das geliebte Haus von Ol' Joro Orok hatte wachsen sehen. Ein letztes Mal, ehe das Dach gedeckt wurde, war sie auf den dünnen Balken bis zur Spitze hinaufgeklettert.

Während sie sich nun in Frankfurt an die noch rohen Wände lehnte, war sie wieder neun Jahre alt und berauscht vom Glück der lachenden, friedlichen Menschen, der Düfte und Klänge; sie sah den Schnee auf dem fernen Mount Kenya glänzen, roch die Frische der roten Erde nach dem Einsetzen des großen Regens und hörte die Trommeln, die vom neuen Haus des neuen Bwana erzählten. Schlimmer noch: Sie hörte ihre eigene Stimme vom Berg ins Tal rollen, als sie gejubelt hatte: »Es gibt nichts Schöneres als Ol' Joro Orok.« Und sie wußte, daß sich für sie seitdem nichts geändert hatte und daß ihre Sehnsucht sich nie würde betrügen lassen.

»Jetzt«, sagte Walter und blickte in den kleinen Vorgarten mit dem Fliederbaum, der den Bomben getrotzt hatte, »hast du ein Vaterhaus.«

Regina dachte an das Fotoalbum in der abgegriffenen grauen Leinwandhülle, das nach Afrika und zurück gereist war, und an das kleine vergilbte Bild von Redlichs Hotel in Sohrau, unter dem in weißer Tusche die Worte »Mein Vaterhaus« geschrieben standen. Sie sah ihren Vater an; es gelang ihr, den Kopf nicht zu schütteln, und ihn statt dessen anzulächeln wie in den Tagen ohne Anfang und Ende, da nur sie allzeit den Balsam herbeizaubern konnte, der seine Wunden heilte.

Regina wußte um die Bindung der Menschen an Vaterhäuser und daß sie zu Käfigen wurden, aus denen es kein Entrinnen gab; doch der Vater, den sie so liebte, daß sie ihn noch nicht einmal mit einem ihrer Gedanken und Ängste zu verletzen wagte, wußte nichts von seiner Tochter. Auch das hatte sich seit der Zeit nicht geändert, als Owuor am Rande des großen Flachsfeldes mit den blauen Blüten des ewigen Glücks ihr zugeflüstert hatte: »Der Bwana hat vergessen, sein Herz mit auf die große Safari zu nehmen.«

Grete Greschek, klein, drahtig, das blonde Haar mit den grauen Strähnen zu einem dünnen Knoten am Hinterkopf gebunden, die Hände rot wie das schmale Gesicht, in dem Wiedersehensfreude und Arbeitsbesessenheit glühten, kam einige Tage vor dem Umzug nach Frankfurt. Nach dem ersten gemeinsamen Essen holte sie aus ihrem zerschlissenen, grauen Pappkoffer ein Waschbrett heraus, das sie »Rumpel« nannte, eine große Dose Schmalz, »richtig mit Grieben, wie der Herr Doktor immer bei mir bekommen hat«, und eine blaue Kittelschürze. Sie nahm Jettel die Teller, die diese einsammeln wollte, aus der Hand, sagte: »Das ist doch nichts für Sie«, und hatte auch sonst nichts vergessen seit dem Jahr 1938, als die »Doktors« hatten »fortmachen müssen«.

Grete war bei jedem Umzug in Leobschütz die zupackende Trösterin gewesen, die, ohne das Wort zu kennen, den Trennungsschmerz der Menschen, mit denen sie auf eine ebenso zuverlässige, vertraute Art verbunden war wie mit ihren Geschwistern, als ihren eigenen empfunden hatte. Sie konnte sich erinnern, wie die Küche in der Lindenstraße, die Gardinen am Hohenzollernplatz und das Beet mit den Winterstiefmütterchen am Asternweg ausgesehen hatten. Sie wußte noch, daß Walter hungrig wurde, wenn er sich aufregte, und Jettel bei ungewohnten Anforderungen und Unruhe weinte und von ihrer Mutter sprach, die ihre Sensibilität schon so früh erkannt hatte.

Grescheks Grete, wie sie sich immer noch nannte, wenn sie von der Zeit in Leobschütz sprach, als ihr Kost und Logis Lohn genug waren, glaubte unverdrossen an die Heilkraft heißer Suppe. Sobald Walter und Jettel zu einem jener Kämpfe ohne Anfang und Ende ansetzten, stellte sie den Topf auf den Herd und schnitt Brot. Mit dem Ruf »Wir können suppen« brachte sie die Terrine auf den Tisch. Hausschuhe nannte Grete »Potschen« und stellte sie bereit, sobald Walter an der Haustür schellte und »Ich weiß nicht, was soll es bedeuten« pfiff. Wenn Max zwischen den Kartons und Kisten herumlief und Grete beim Einpacken von Gläsern und Geschirr störte, griff sie in ihre Schürzentasche, holte einen Groschen heraus, sagte: »Hier hast du'n Behm«, und schickte ihn zum Kiosk in der Allee, damit er sich einen Negerkuß kaufen konnte.

Sie nannte Else ein »tummes Luder«, als sie ein Schnapsglas in ihrer großen Hand zerquetschte, und einmal sagte Grete das gleiche von Regina, denn sie empfand Bescheidenheit bei Menschen, die sie achtete, als einen zu großen Ballast im Leben. Abends erzählte sie von Greschek, der doch noch ein paar Monate in Marke bleiben wolle, um die wichtigen Geschäfte zu erledigen, die er begonnen hatte. Auf keinen Fall wollte Grete die Hausmeisterwohnung allein beziehen. Nach dem Umzug bestand sie darauf, auf einem Feldbett in der Küche zu schlafen. Während sie den Kaffee zum Frühstück kochte, erzählte sie Max Geschichten von ihrer Ziege Lemmy, an der sie so hing, daß ihr die Tränen in die Augen schossen, wenn sie berichtete, wie das Tier im Garten herumsprang, sobald der Hahn krähte, den sie ebenso zu lieben schien wie die Ziege. In Frankfurt fand Grete die Eier nicht frisch und die Menschen frech.

Regina ahnte als erste, daß Grescheks nicht vorhatten, nach Frankfurt umzuziehen, aber so sehr sie auch grübelte, ihr fielen die richtigen Worte nicht ein, um ihre Eltern beizeiten vor ihren Illusionen und dem Bedürfnis zu schützen, die Uhr um Jahre zurückzudrehen.

Betten, Eßtische, Stühle, Vitrine, ein Buchregal, Schränke und Herd, Sofa, Sessel, Vertiko und eine Frisierkommode mit dreiteiligem Spiegel, wie sie Frau Schlachanska hatte, mußten gekauft werden, denn Frau Wedel hatte nicht nur ihre Wohnung, sondern auch ihre Möbel zurückbekommen. Wie Jettel von der Gemüsefrau erfahren hatte, auch Geld für die Renovierung. Walter stritt das ab, nannte die Gemüsefrau ein Frankfurter Waschweib und wollte keine Radieschen mehr aufs Brot.

Grete badete die Möbel, die alle gebraucht gekauft worden waren, in Essig und schrubbte das neue Linoleum so lange mit flüssiger Seife, bis es aussah, als seien schon mehrere Generationen darübergelaufen. Sie bohnerte das Parkett zu einer Rutschbahn, klopfte jeden Tag aufs neue den Teppich im Hof aus, den Walter von einem Mandanten statt Gebühren erhalten hatte und der voller Motten war, und sie stellte die drei Gummibäume, die zur Einweihung abgeliefert wurden und die sie zur Lüftung ihrer Staublappen benutzte, in den Wintergarten.

Dort kroch die Schlangenhaut, eine Erinnerung an einen unvergeßlichen Tag am Naivashasee, die sonnengelb getünchte Wand entlang. Unter ihr marschierten Massaikrieger mit winzigen Pfeilen und Schutzschildern aus echter Büffelhaut auf einem Regal aus jenem weißen Kunststoff auf, der gerade zum sauber griffigen Symbol der neuen Zeit zu werden begann. In der Mitte der geschnitzten Männer mit feinen Metallringen um den Hals saß eine kahlköpfige Kikuyufrau aus hellem Holz auf einem Hocker und stillte ihr Kind.

Jettel hatte die Figuren bei einem indischen Händler in Ol' Joro Orok gegen zwei Teller aus dem Obstservice getauscht; Walter war so wütend gewesen, daß er die restlichen vier an die Wand geworfen hatte. Nun aber sprachen beide bewundernd und zärtlich von »unserer Afrika-Ecke« und riefen morgens den hölzernen Elefanten »Jambo, Tembo« zu.

In der Höhenstraße war dreimal die Woche ein Wagen der Firma »Eis Günther« vorgefahren und hatte zwei Blöcke Eis für die Kühltruhe angeliefert. In der Rothschildallee stand ein Kühlschrank am Fenster — »ein richtiger elektrischer von Bosch«, wie Jettel nie zu sagen vergaß. Sie und Walter beendeten vor dem prachtvollen weißen Wunderwerk den längsten Krieg ihrer Ehe. Er hatte seit dem Tag gewährt, da Jettel entgegen dem Rat ihres Mannes, der sie in jedem Brief angefleht hatte, einen Eisschrank aus Breslau mitzubringen, auf die Farm mit einem Abendkleid angereist war.

»Du hast eben immer alles besser gewußt«, sagte Walter und stach zufrieden in ein Stück hartgefrorene Butter. »Das war die große Tragödie unserer Emigration.«

»Das Abendkleid war wunderschön. Da kannst du sagen, was du willst. So eins werde ich in ganz Frankfurt nicht finden.«

Am ersten Samstag in der neuen Wohnung machte Walter die Flasche Wein auf, die nach Afrika und zurück gereist war. Sein Vater hatte ihm bei der Auswanderung zwei für gute Tage mitgegeben, aber es war nur einer gekommen.

»Weißt du noch«, fragte Walter, »wann wir die andere getrunken haben?«

»Als das Baby tot geboren wurde«, sagte Regina.

»War das ein guter Tag?« fragte Max.

»Ja, denn deine Mutter ist nicht gestorben.«

»Fein«, sagte Max und ließ einen Eiswürfel in sein Glas fallen. Seit dem Umzug setzte er sein Brausepulver mit Eiswasser an und träumte von einem Kühlschrank in dem Maybach, mit dem er zum Gericht fahren wollte, wenn er erst Anwalt wäre.

Regina ließ, träge geworden durch die Harmonie des Augenblicks, ihrem Kopf seinen Willen und erinnerte sich an die Fee, die in einem bunten Likörglas gewohnt und mit ihr Freuden geteilt hatte, von denen ihre Eltern nichts ahnten. Der Gedanke an den Zauber, der ihr so lange gedient hatte, wärmte sie noch mehr als der Wein, aber ihre gute Stimmung hatte nicht die Ausdauer der Fee. Mit einemmal tat Max ihr leid, weil er die Not und die Angst nicht kannte, die sie widerstandsfähig gemacht hatten, und weil er nichts wußte von der Macht einer Phantasie jenseits der materiellen Wünsche. Sie stand auf, um ein Glas für Grete zu holen, und berührte im Vorbeigehen seinen Kopf.

»Vorsicht, meine Eiswürfel«, mahnte Max.

Grete trank ihr Glas auf einen Zug aus, nestelte an ihrer Schürze, holte einen Brief heraus und sagte: »Ich muß bald fort. Greschek hat geschrieben. Er braucht mich.«

»Zum Packen?« fragte Walter.

»Aber nein«, lachte Grete, »zum Putzen. Er kommt allein nicht zurecht.«

»Aber ihr zieht doch nach Frankfurt«, sagte Walter. »Josef will doch weg von Marke. Er schreibt doch in jedem Brief, wie unglücklich er ist.«

»Glauben Sie das doch nicht, Herr Doktor. Dem Greschek kann man doch gar nichts glauben. Der hat immer nur geredet. Er könnte nie in Frankfurt leben. Das ist hier alles zu groß und zu schmutzig und zu laut. Die Leute gefallen ihm hier bestimmt nicht. Und das mit der Hausmeisterwohnung ist nicht gut für ihn. Er muß frei sein.«

»Und Sie, Grete?«

»Meine Ziege wartet auf mich, Herr Doktor, aber ich komme immer zu Ihnen, wenn mich die Frau Doktor braucht.«

»Es wär' schön gewesen«, seufzte Walter. »Ich fahre Sie nach Hause und spreche noch mal mit Ihrem Josef.«

Zwei Wochen danach, an einem Samstag, fuhren Walter, Jettel, Grete und Max nach Marke ab und Else zu ihrer Schwester in Stuttgart; Regina, die ihren Fuß verstaucht und niemandem gesagt hatte, daß er ihr keine Beschwerden mehr machte, blieb allein zurück. Als sie den Wagen abfahren sah und mit einem Taschentuch in jeder Hand winkte, wie sie es als Kind getan hatte, wenn sie von der Farm fortmußte, fielen ihr die beiden schwarzen Ochsen in Ol' Joro Orok ein. Die hatten abends, wenn ihnen das Joch abgenommen wurde, immer kräftiger und jünger gewirkt als zu Tagesbeginn. Sie schämte sich ihrer Fröhlichkeit, aber die Erleichterung blieb.

Regina nahm sich vor, das Wochenende, das ihr sehr lang und kostbar in ihrer Befreiung von Pflicht und bedrückendem Ernst erschien, so zu verbringen, als sei sie eine junge Frau wie andere auch. Sie hatte zu selten Gelegenheit, ihre Freundin Puck zu besuchen, ohne daß sie ihren Bruder mitnehmen mußte.

Puck wohnte bei einer alten tauben Tante und hatte alle Freiheiten, die Regina versagt waren, die Erfahrungen mit dem Leben jenseits von Schule und bürgerlicher Prüderie, nach denen es Regina verlangte, und den reizvollen Charme der geborenen Siegerin, den sie bewunderte, ohne neidisch zu werden. An diesem Wochenende ohne Zwang drängte es Regina wie sonst selten nach der Heiterkeit und der Lebenslust, die sie bei Puck erwarteten, nach den unkomplizierten Gesprächen über Kleider, Frisuren und Kino, die die Zeit wieder möglich gemacht hatte, und nach den Vertraulichkeiten unter Freundinnen, wie sie für die Gleichaltrigen selbstverständlich waren.

Sie stand lange vor dem Einbauschrank, auf dessen Tür der Architekt mit Bleistift »Tochterzimmer« geschrieben hatte, zog erst eine weiße Bluse zum blauen Rock an, dann eine gelbe, die ihrer guten Stimmung mehr entsprach, und probierte im Badezimmer, das noch nach Gretes Seifenlauge roch, Jettels Rouge und Lippenstift aus. Sie lächelte ihrem Spiegelbild zu und lachte laut bei dem Gedanken, daß manche ihrer Klassenkameradinnen, die so spät nach Hause kommen konnten, wie sie wollten, sich nicht schminken durften und das immer erst taten, wenn sie das Haus verlassen hatten. Bei ihr war es genau umgekehrt. Regina hätte sich anmalen können wie die Vamps in amerikanischen Filmen, ohne daß es ihren Vater gestört hätte; er bot ihr Zigaretten an und freute sich, wenn sie mit ihm einen Schnaps trank, war tolerant im Gespräch und in seinen Gedanken, aber gekränkt, aufgeregt und niedergeschlagen, wenn Regina ausgehen wollte. Meistens verzichtete sie auf ihre Vorhaben, ehe sie überhaupt von ihnen sprach.

Sie hatte gerade die Wohnung abgeschlossen, als es an der Haustür klingelte. Weil sie den Türdrücker nur von innen erreichen konnte und ihren Schlüsselbund bereits verstaut hatte, lief sie schnell in den Hof hinunter. Sie sah einen Mann in blauer Uniform an den Briefkästen stehen und dachte einen kurzen Augenblick, er sei Polizist. Sie brauchte Zeit, ehe sie begriff, daß er ihr ein Telegramm hinhielt. Ihre Hände waren kalt, als sie es entgegennahm, aber sie schluckte die erste Welle von Furcht noch hinunter und sah sogar dem Telegrammboten nach, als er aus dem Hof ging.

Erst das Stechen in der Brust lähmte Körper und Kopf. Regina war so sicher, ihre Eltern und Max hätten einen Unfall gehabt, daß sie das Telegramm nicht zu öffnen wagte. Sie hetzte wieder zum dritten Stock zurück, ehe sie die Kraft fand, den gelben Umschlag aufzureißen.

Wie frisch gespitzte Pfeile durchbohrten die Buchstaben ihre Sinne und verbrannten die Kehle mit dem beißenden Salz eines Schmerzes, von dem sie vergessen hatte, daß er noch in ihr war. Die so lange gestorbenen Tage fielen sie an und beutelten sie mit gnadenloser Gier, doch, als sie die Augen aufmachte und wieder zu atmen anfing, war es der Triumph, der sie wie eine Hyäne aufheulen ließ und der jede andere Empfindung auslöschte.

»Komme samstag 18.00 uhr in frankfurt an. martin barret«, lautete das Telegramm.

10

Mein Gott, Jettel, bist du jung geblieben«, seufzte Martin, und drückte Regina so fest an seinen Körper, daß sie sofort Bescheid wußte. Der gnadenlose Räuber Zeit hatte ihn nicht bestehlen können und ihm die Gewohnheit des flüchtigen Blicks belassen. Martin hatte sie schon mit ihrer Mutter verwechselt, als sie noch ein Kind gewesen war und er ein König.

Auch sein Haar war Sieger im Kampf gegen den Fluch der Veränderung geblieben. Es hatte immer noch die Farbe vom Weizen Afrikas, der der Sonne zu rasch entgegengewachsen war. Die Augen des Mannes, der schon früher mit Riesenschritten den Graben zwischen Vergangenheit und Gegenwart übersprungen hatte, leuchteten im gleichen kräftigen Blau wie am Anfang der verwirrenden Geschichte ohne Ende. Sie wurden selbst in einem dunklen, nach Bohnerwachs und Essig riechenden deutschen Hausflur so unvermittelt hell wie das Fell von schlafenden Dik-Diks in der Mittagsglut von Ol' Joro Orok.

Bei der ersten Begegnung war Martin in Nakuru aufgetaucht, hatte Regina aus dem Gefängnis der Schule befreit und sie auf dem Weg nach Hause unter einem Baum mit der Magie der frühen Erkenntnis beschenkt. Damals hatte er die verknitterte Khakiuniform eines britischen Sergeants getragen und eine Krone, die nur Regina hatte sehen können.

Nun hatte er sich mit einem gestärkten weißen Hemd, mit blauem Blazer, Wappen und Goldknöpfen, gelb-weiß gestreifter Krawatte und einem hellen Dufflecoat als erfolgreicher Geschäftsmann auf Europareise maskiert, der vom Himmel gefallen war, um die Freunde der Jugend in die Arme zu schließen. Er hatte jedoch die Mühe gescheut, sich rechtzeitig an seine Kostümierung zu gewöhnen. In seinen Händen steckte zuviel von dem zupackenden Griff der Welt, aus der er gekommen war. Der leichte Druck seiner Lippen auf ihrer Haut versengte jeden Zweifel. Regina hatte nichts von ihrem beunruhigenden Kinderrausch vergessen, obwohl sie ihn schon vor Jahren sorgsamer begraben hatte als ein erfahrener Hund seinen Knochen.

»Ich bin nicht Jettel«, sagte sie, als das Gelächter in ihr nur noch im Gaumen kitzelte, »ich bin Regina.«

»Das kann nicht sein. Ich weiß es genau. Regina ist ein Kind.«

»Ein Kind ohne Eltern. Die sind heute morgen weggefahren und kommen erst morgen abend zurück.«

Der Pfiff, so scharf wie ein Wind, der sich zwischen zwei zu eng aneinander stehenden Bäumen verirrt hat, erreichte Reginas Ohr, noch ehe Martin sagte: »Ich hab mal jemand ganz gut gekannt, der sich Hans-im-Glück nannte. Gibt es den noch?«

»Ja, aber er heißt jetzt Martin und schickt seine Telegramme zu spät ab.«

»Da kannst du mal sehen, wie gut es das Glück mit diesem Martin meint. Darf er denn nicht reinkommen? Oder hat man dich vor Männern gewarnt?«

»Nur vor fremden«, sagte Regina und zog Martin in die Diele. Als er seinen Mantel an den Haken hängte, sah sie sein Gesicht im Spiegel und auch, daß er die Worte, die seine Lippen schon geformt hatten, eilig hinunterschluckte und mit zwei Fingern die Haut auf seinem Nasenrücken rieb. Sie erinnerte sich, daß er das schon in ihrem ersten Leben getan hatte, wenn er verlegen war und Zeit zum Nachdenken brauchte. Damals hatte ihr die Mutter sein Geheimnis verraten; jetzt konnte Regina sich auf die eigenen Augen verlassen. »Du mußt Hunger haben«, murmelte sie und wurde so unsicher wie Martins Hände, weil ihr aufging, daß sie mit Jettels Stimme sprach, »soll ich dir nicht erst was zu essen machen?«

»Um Gottes willen, sagt man das immer noch hier, wenn man einen Menschen seit Jahren nicht gesehen hat?«

»Ich glaube. Wo kommst du eigentlich her?«

»Aus Südafrika. Ich lebe seit zwei Jahren in Pretoria. Sag nur, das weißt du nicht. Ich schreibe deinem Vater doch regelmäßig.«

»Nein. Das wußte ich nicht.«

»Was? Daß ich von Kapstadt nach Pretoria umgezogen bin oder daß ich euch jeden Monat schreibe?«

»Weder das eine noch das andere«, erkannte Regina.

»Der gute Walter«, sagte Martin. »Immer noch der alte. Und der Bessere von uns beiden, wenn er liebt. Ich glaub, er hat mir nie ganz verziehen, daß deine Mutter mir den Verstand raubte, ehe ich überhaupt welchen hatte.«

»Er hat dir noch etwas nicht verziehen, nämlich daß du mir auf der Farm versprochen hast, zurückzukommen, wenn ich eine Frau bin. Und leider hab ich das nie vergessen.«

»Warum leider? Ich bin doch rechtzeitig eingetroffen.«

Martin Barret, der, als er noch Batschinksy hieß, mit Walter und Jettel Jugend, Hoffnung, die Freundschaft, die weder an der Not zerbrochen war, daß er Jettel begehrte und Walter das wußte, und später das Schicksal der Emigration geteilt hatte, strich sich abermals über die Nase. Er merkte, daß seine Haut feucht und er dabei war, sich wie jene alternden Männer zu benehmen, die er verachtete, wenn sie, ohne in den Spiegel und erst recht nicht auf das Opfer zu schauen, zur Jagd rüsteten.

Er betrachtete sehr lange, als müsse er sich Farbe und Form genau einprägen, die mit braunem Cordsamt bezogenen Sessel und das breite Sofa, auf dem ein Teddybär mit zwei Glasaugen in unterschiedlicher Größe und ein Bilderbuch zwischen Kissen aus dunkelrotem Samt lagen; nur ein Atemzug ohne Bedeutung trennte ihn noch von den vielen Fragen, die ihm gewiß ohne Anstrengung gekommen wären, hätte er Walter und Jettel angetroffen, doch seine Gedanken machten sich auf eine Weise frei von Logik und Konzentration, die ihm um so absurder erschien, weil er es nicht mehr gewohnt war, aus der sicheren Umklammerung der Realität auszubrechen.

Martin fiel im selben Moment ein, daß ihm genau an diesem Tag noch drei Monate zu seinem fünfzigsten Geburtstag blieben und daß er in seiner Jugend sehr beeindruckt von der Geschichte eines Manns gewesen war, dessen Bild alterte, während er jung und strahlend schön blieb. Eine kurze Zeit noch narrte ihn die Vorstellung, er könne aus Reginas Augen die Bestätigung lesen, daß ihm das gleiche Schicksal widerfahren sei, doch er gab der Verlockung nicht nach, sie anzusehen, und blickte statt dessen auf seine Uhr.

Er hörte sie ticken und sah, wie der goldene Zeiger das Licht einfing und daß er rasch wieder dunkel wurde. Mit einer Schärfe, die ihn ebenso irritierte wie zuvor seine Schweigsamkeit, erinnerte er sich, daß ihn schon einmal die Flut der unvorsichtig beschworenen Wunschbilder an ein umschattetes Ufer gespült hatte. Er sah einen mächtigen Baum im dunklen Wald Afrikas und einen hellen Flecken Haut, als Regina noch nichts von den Fallen wußte, die sie stellte, und ihre Bluse aufgeknöpft hatte. Der Gedanke an die Unwiederholbarkeit der Unschuld verwandelte ihn zurück in den Mann, der schon früh begriffen hatte, daß es immer die Zufälle waren und nie die Moral, die den Verzicht forderten.

»Komm«, sagte er und versuchte, fröhlicher auszusehen, als er war, »ich führ dich zum Essen aus. Ein alter Knacker und ein junges Mädchen gehören nicht unter ein Dach. Und schon gar nicht, wenn dieses schöne unschuldige Kind die Tochter seines besten Freundes ist.«

Erst im Speisesaal des Frankfurter Hofs, in dem er wohnte,

weil der Agent im Reisebüro ihm das Hotel als das beste in Frankfurt empfohlen hatte, erkannte Martin, wie klug und weitsichtig sein Vorschlag gewesen war. Mit drei Sätzen hatte er sich von der Versuchung befreit, ehe sie ihre würgenden Arme nach ihm ausstreckte, und Regina wieder zu dem Kind machte, das er anzutreffen erwartet hatte.

Es gab keinen Zweifel, daß die Gäste, von denen die meisten aus dem Ausland stammten, die Atmosphäre von gediegener, eben erst neubelebter alter Bürgerlichkeit und von Luxus nicht gewohnt und sehr beeindruckt von dem Glanz und der Eleganz waren, die einen so krassen Gegensatz zu dem alltäglichen Leben in der Stadt bildeten. Regina sah sich so verstohlen um, als schäme sie sich ihrer Neugierde, wagte nur zu flüstern und sah den Schüsseln und Platten, die an ihr vorbeigetragen wurden, so lange staunend nach, bis sie aus ihrem Blickfeld verschwanden.

In ihrem zu großen schwarzen Kleid mit enganliegenden Ärmeln, winzigen Knöpfen bis zum Hals und einem weißen Spitzenkragen, der Martin an die Tischdecke erinnerte, die seine Mutter nur für Besuch auflegte, sah Regina aus wie die feingemachten, kichernden, zimperlichen jungen Mädchen seiner Studentenzeit. Martin stellte sich mißgestimmt darauf ein, daß sie Limonade bestellen würde und statt der Vorspeise bestimmt eine Extraportion Erdbeereis mit den Sahnebergen, die ihm aus Breslau ebenso in Erinnerung waren wie die höheren Töchter, die den Duft von Lavendel mit Sinnlichkeit verwechselten und die ein Mann nur beim Tanzen berühren durfte.

Martin versuchte, dem Gestrüpp der verschlungenen Details, die sein Gedächtnis belästigten, zu entkommen. Während er ohne Verlangen die Speisekarte betrachtete, bestellte er mit einer Schärfe in der Stimme, die ihm als unangenehm übertrieben auffiel: »Martini, aber trocken.« Er ärgerte sich, als der Kellner fragte: »Für das Fräulein Tochter auch?« Und danach erst recht, daß er sich von einem Mann, der so dicke Brillengläser trug, hatte irritieren lassen.

Nach dem ersten Schluck winkte er den Kellner mit einer Handbewegung, die ihn überdeutlich als befehlsbewußten Mann aus Südafrika auswies, zurück an den Tisch.

»Trocken, sagte ich«, beschwerte sich Martin und wirbelte die Olive herum.

Regina begann tatsächlich zu kichern und hielt die Hand vor den Mund. Er sah sie verdrossen an und öffnete den Hemdknopf unter der Krawatte.

»Siehst du«, lachte sie, »es hat sich nichts geändert. Du hast dein ganzes Leben lang Krach mit Kellnern bekommen.«

»Woher willst du das wissen?«

»Das wußte ich, ehe ich dich kennenlernte. Der Satz ›Martin hätte sich das nicht gefallen lassen‹ kam auf der Farm jeden Tag vor.«

»Wer hat ihn gesagt?«

»Mama.«

»Wenn ich dir etwas glaube, dann das. Ich habe deinen Vater nie beneidet. Was willst du essen?«

»Alles. Ich meine, ich esse am besten das, was du ißt.«

»Bist du immer so leicht zufriedenzustellen?« lächelte Martin.

»Beim Essen ja. Wir haben so lange gehungert und freuen uns immer noch jeden Tag, daß wir satt werden.«

»Ich hätte nicht den Mut deines Vaters gehabt, so früh nach Deutschland zu gehen. Ist er wenigstens hier glücklich geworden? Und du auch?«

»Das sind zwei Fragen auf einmal.«

»Mit unterschiedlichen Antworten?«

»Ja.«

Martin bestellte die Vorspeisenauswahl vom Wagen, Schildkrötensuppe, zu der er ausdrücklich keinen Sherry, sondern Cognac wünschte, Filetsteaks, von denen er bereits im vorhinein wähnte, ein deutscher Koch würde sie zu stark durchbraten, und einen Wein vom Kap, der nicht auf der Karte war und den der Kellner noch nicht einmal kannte. Der Geschäftsführer wurde gerufen, um dies zu bestätigen. Martin diskutierte mit ihm ausführlich und am äußersten Rande der Höflichkeit, wollte wissen, weshalb ein in Pretoria empfohlenes Hotel keine südafrikanischen Weine führe, und fragte resigniert: »Was kann man denn hier überhaupt trinken?«

»Vielleicht ein Gläschen Sekt zur Vorspeise«, schlug der nervöse Geschäftsführer vor.

»Eine Flasche Sekt«, bestimmte Martin, »aber anständig gekühlt.«

Nach dem ersten Glas ging ihm auf, daß er Sekt nicht mehr gewohnt war und Regina noch nicht. Er hatte Sodbrennen und sie kreisrunde rote Flecken im Gesicht, die sie aber offenbar weniger störten als ihn sein Magen. Sie hielt ihm das Glas hin, das sie auf einen Zug ausgetrunken hatte, und leerte in einem Tempo, das ihn verblüffte, den Teller mit Vorspeisen. Die gleichmäßig schnelle Bewegung ihres Kiefers erinnerte Martin an den Hamster, den ihm ein Klassenkamerad geschenkt hatte und den er nicht behalten durfte. Er staunte, daß die Empörung sich in vierundvierzig Jahren nicht zersetzt hatte, und es dämmerte ihm, daß der Alkohol dabei war, sehr viel rascher seinen Kopf zu attackieren, als bei den vielen trinkfreudigen Anlässen in Pretoria, zu denen er nur die gute Laune eines Mannes beizusteuern brauchte, der mehr als die meisten Menschen erlebt hatte und um die Kunst einer guten Pointe wußte.

Es gelang ihm kaum noch, seine Gedanken einzufangen, ehe sie zu einer Lawine von Unmut über Dinge anschwollen, die längst nicht mehr von Belang waren. Der Kellner stellte gerade für Regina eine neue Auswahl vom Vorspeisenwagen zusammen. Sie hatte ihre Scheu überwunden und zeigte, animiert von den Schmeicheleien des Obers, auf die silbernen Schüsseln mit Delikatessen, die sie noch nie gesehen hatte.

Der Kellner nannte sie »gnädiges Fräulein«; Martins Miene

schwenkte von Mißstimmung zu Ironie um, doch keiner von beiden merkte es. Gewöhnlich schätzte er Frauen mit gutem Appetit, und er wollte Regina zulächeln, doch ausgerechnet in diesem Augenblick fiel ihm ein, wie sehr ihn die Gewohnheit seiner ersten Frau verdrossen hatte, nach ein paar Bissen den Teller zurück in die Küche zu schicken.

Als er aus dem tiefen Tal seiner letzten Jugendtorheit herauskletterte und dabei unerwartet lange brauchte, um zu klären, wann sie ihm widerfahren war, merkte er, daß er kein Sodbrennen mehr hatte und zudem einem Trugschluß erlegen war. Regina war doch kein Kind und schon gar keine quietschende höhere Tochter, sondern eine junge Frau, die ihn zweifelsfrei mehr verwirrte, als ihm bekömmlich war. Drei der kleinen Knöpfe ihres Kleides standen offen. Der Spitzenkragen lag nun wie ein feiner Schleier um ihren schlanken Hals und erschien ihm die Verkörperung einer Leichtigkeit, nach der es ihm schon lange verlangt hatte.

Martin empfand ein ihm absolut fremdes Bedürfnis, sie zu beschützen, ertappte sich dann bei Vorstellungen, die ihm albern pubertär erschienen, und schließlich und sehr abrupt bei der Überlegung, daß er nicht nur wesentlich jünger aussähe als er war, sondern daß auch seine Einstellung zum Leben nicht von den Jahren verschlissen war, die von ihm so viel Kraft gefordert hatten. Er legte seine Hand auf Reginas Schulter und stellte befriedigt fest, daß schon diese leichte Berührung sie erregte. Zum erstenmal fragte er sich, was Regina überhaupt von ihm wußte.

Er dachte nur noch selten und dann stets ohne Bedauern an den Umstand, daß er Jura studiert hatte und durch die Nazis seinen Beruf kaum hatte ausüben dürfen. Seiner Auswanderung nach Südafrika war durch die Zeit bei der britischen Army eine schnelle Einbürgerung gefolgt. Nach dem Krieg hatte er zwar mit einer Garage und einer Textilfirma sehr schmerzliche wirtschaftliche Rückschläge erlitten, war aber gerade zur rechten Zeit in eine Exportfirma eingetreten und hatte sie – ebenso zur rechten Zeit – allein übernommen. Das wiederbelebte Geschäft mit Europa und vor allem mit Deutschland hatte ihn zum wohlhabenden Mann gemacht. In sentimentalen Momenten, wie er gerade einen durchlebte, hatte er ein schwaches Bedürfnis nach deutscher Arbeitsmoral, Tüchtigkeit und Kultur, doch er wußte auch, daß er zu lange in Afrika gelebt hatte, um eine Rückkehr ernsthaft zu erwägen. Afrika hatte ihn zur Freiheit erzogen, nur die Stunden, nicht die Tage zu zählen.

»Was machst du?« hörte er Regina fragen.

»Was man so im Großhandel macht. Zur Zeit tausche ich Orangen gegen Maschinen.«

»Ich rede von deiner Hand.«

Regina ging sofort auf, daß sie unter dem Baum in Ol' Joro Orok schon einmal Martin gefragt hatte, was er mache. Auch damals hatte sie nur von seiner Hand gesprochen und er die falsche Antwort gegeben. Sie erzählte ohne Befangenheit von der Begegnung und gestattete auch ihren Augen keine Flucht. Nur kurz währte der alte, stärkende Zauber, daß sie von einem fremden Kind redete, das sie einmal flüchtig gekannt hatte. Dann kam die Sicherheit, daß Martin dieses Mal nicht mehr von ihr fortgehen würde, um sie mit unfertig gemalten Bildern zurückzulassen.

Wie ein junger Massai, der noch zu selten den Bogen gespannt hat, war er zur Jagd aufgebrochen und hatte im Rausch vergessen, den eigenen Körper zu schützen. Martin hatte nichts von der Gefährdung gemerkt, der er sich aussetzte, Reginas Augen aber genau Maß genommen.

»Hast du wirklich nicht gewußt, daß ich dich für einen König hielt und mich damals in dich verliebt habe?«

»Stellst du immer so verdammt offene Fragen?«

»Nein. Nie. Nur wenn sich die Gläser und Teller um mich drehen und die Kellner alle wie Pinguine aussehen«, antwortete Regina. Ihre Kehle war trocken, doch ihre Stimme fest, als sie sagte: »Und wenn der König endlich gekommen ist, um ein altes Versprechen einzulösen.«

»Herr im Himmel, du hast zuviel getrunken, und ich bin ein Riesenrindvieh, daß ich dich gelassen habe. Dir ist doch nicht schlecht, und du kippst mir hier um? Alte Männer mögen keine Komplikationen.«

»Mir war noch nie so gut, und du bist kein alter Mann.«

»Zwei Jahre älter als dein Vater, wenn ich mich nicht verrechnet habe.«

»Dreißig Jahre älter als ich, aber du bist nicht mein Vater.«

»Herrgott, Regina, weißt du überhaupt, was du da sagst?«

»Ja.«

Martin schob den Teller zur kleinen Blumenvase hin und beobachtete aufmerksam, wie die rosa und gelben Stücke der halbgegessenen Eistorte in der Schokoladensauce untertauchten. Es erschien ihm wichtig, das Spiel der zerfließenden Farben zu deuten, aber er hatte nie zu abstrakten Betrachtungen geneigt und fand keinen Schlüssel zu dem willkürlich gewählten Symbol. Er wußte nur, daß er sich wehren mußte, wenn er sich vor Illusionen und der zu späten Erkenntnis schützen wollte, daß kein Mann das Recht hatte, seine Fehler zu wiederholen.

Ihm wurde klar, daß er wenigstens seine Hand von Reginas Schulter fortziehen mußte. Diese eine Bewegung gelang ihm noch, und zwar so schnell und sicher, daß seine Lippen schon ansetzten, etwas zu sagen, das er sehr passend fand, aber er hatte nur seinen Körper auf die Flucht vorbereitet und konnte den wütenden Kampf von Eitelkeit und Wehmut in seinem Kopf nicht mehr verhindern.

Bereits auf dem ersten Stück des Weges, den er nicht gehen wollte, erdrückte ihn der Ballast seiner Erinnerungen. Er sah Jettel im Ballkleid, schwarzhaarig, lachend, lockend, geradezu lächerlich impertinent in ihrer fordernden Koketterie, doch er wollte sie nicht noch einmal begehren, weil sich Walter vor ihm in sie verliebt hatte und er Walters bester Freund war. Nur wußte er auch beim zweiten Mal nicht mehr, ob er die selbst auferlegte Prüfung bestanden hatte oder nicht.

Zu schnell gerieten die Bilder der Sehnsucht und die Erfahrungen der späteren Jahre durcheinander, um die Emotionen zu zähmen. Martin wurde erst klar, daß er gesprochen hatte, als Regina den Kopf bewegte, aber er konnte sich nicht erinnern, was ihm im Augenblick seiner Not eingefallen war. Das Pochen an seinen Schläfen wurde stärker.

»Hast du von deiner Mutter gelernt, wie man einen Mann aus der Fassung bringt?«

»Nein, von Owuor.«

»Du meinst den komischen Boy auf eurer Farm?«

»Er war kein Boy. Und auch nicht komisch. Owuor war Papas Freund und der Riese, der mich in seinen Armen hielt, wenn ich zu den Wolken flog. Er hat mir seine Augen geliehen. Er hat mir auch beigebracht, die Dinge zu hören, die nicht aus dem Mund kommen.«

»Wie hat dein großer Zauberkünstler das gemacht? Was hat er dir gesagt?«

»Du mußt deine Ohren groß machen, Memsahib kidogo«, lachte Regina. »Und das hab ich auch heute getan. Ich hab genau zugehört. Du hast von Hans-im-Glück gesprochen, als du gesehen hast, daß ich allein war. Du hast gesagt, daß du nicht mit mir allein sein willst. Da wußte ich, daß du Angst vor mir hast. Deine Angst hat mich mutig gemacht.«

»Ich hatte Angst vor mir selbst, du verdorbenes Kind aus Afrika.«

»Owuor hat immer gesagt, Angst ist Angst, und wer Angst hat, wird gejagt. Und gefangen.«

»Dein Owuor war ein kluger Mann. Bestimmt hat er dir auch geraten, nie ohne Zahnbürste aus dem Haus zu gehen, wenn dich ein Mann zum Essen einlädt.«

»Nein, er hat nur gesagt: Nimm immer deinen Kopf und dein Herz mit auf Safari. Aber eine Zahnbürste hab ich auch.«

Regina lag schon im Bett, als Martin aus dem Badezimmer kam, und wieder trug er eine Krone, die nur sie sehen konnte. Sie war wieder elf Jahre alt und hörte die Affen im Wald schreien, doch diesmal war sie klug genug, beizeiten an den Zauber des weisen Gottes Mungo zu denken. Nur er konnte den Keim eines Wunsches töten, ehe aus ihm eine todbringende Pflanze wurde, die die Eingeweide verbrannte.

Als sie aber Martins Körper berührte und er ihren, als sie seinen Atem an ihrem Ohr fühlte, die Hand auf ihrem Mund spürte und den Schrei erstickte, der noch in ihrer Kehle gefangen war, begriff sie, daß sie sich zu nahe an ein Feuer herangewagt hatte, das weder Mungo noch die Zeit je würden löschen können.

Sie hatte ihr Herz mit auf Safari genommen, aber den Kopf zurückgelassen. Viel später in der Ewigkeit, die zwischen Begierde und Erfüllung lag, schickte Owuor sein wissendes Gelächter zum Berg, denn nur er war klug. Seine kleine Memsahib aber lag in den Armen eines schlafenden Königs und hatte sich selbst dem Jäger angeboten.

»Ich dachte immer«, rief Martin am nächsten Morgen aus dem Badezimmer, »daß eine Frau wenigstens wissen will, ob ein Mann verheiratet ist, ehe sie ihn verführt. Die deutschen Frauen haben das immer gefragt. Ich erinnere mich genau.«

»Ich bin keine deutsche Frau«, lachte Regina. Sie lag noch im Bett, benommen von der Kürze des Glücks und der Schwere des Staunens.

»Du bist eine afrikanische Hexe. Ich hab es schon damals gemerkt«, sagte Martin, »aber ich hab mich nicht rechtzeitig erinnert.«

Er setzte sich vor den Spiegel und dachte, wie am Tag zuvor, an den Mann, der jung bleiben durfte, während nur sein Bild alterte.

»Natürlich bist du verheiratet«, wußte Regina. »Weshalb sollte ich dich fragen? Alle Männer in deinem Alter sind verheiratet.«
»Ich nicht. Ich bin seit Jahren geschieden. Zum zweiten Mal. Ich weiß nicht, warum, aber mir ist's wichtig, daß du das weißt.«
»Mir auch.«
»Warum?«
»Nur so. Du mußt nicht gleich erschrecken.«
»Versprichst du mir etwas, Regina«, sagte Martin zu seinem Spiegelbild. »Daß du nicht traurig bist, wenn ich wieder fort-muß.«
»Das hast du schon mal zu mir gesagt.«
»Versprichst du es mir?«
»Ja, aber nicht wegen dir. Und auch nicht wegen mir. Wie sollte ich meine Trauer erklären, ohne von dieser Nacht zu sprechen? Ich könnte meinem Vater nicht weh tun. Er liebt mich so, daß er mich nie einem Mann gönnen wird. Und dir bestimmt nicht. Er hat dir ja noch nicht die blaue Decke verziehen, unter der du mit meiner Mutter gelegen hast.«
»Ist das auch so ein Zauber von dir? Wie kommst du auf eine blaue Decke?«
»Solange ich denken kann, haben sich die beiden nicht einigen können, ob die Decke wirklich blau war.«
»Damals«, sagte Martin, »hat dein Vater wirklich nur Gespenster gesehen.«
Er konnte auch lachen, als Walter und Jettel am Nachmittag aus dem Harz von der Reise zu Greschek zurückkamen, ihn im Wohnzimmer sitzen sahen und Walter sofort nach der gerührten Umarmung fragte: »Du hast doch nicht etwa meiner Tochter was getan?«

11

Am frühen Morgen des zweiten Dienstags im April 1952 nahm Max seinen Wellensittich Kasuko vom Kopf, ohne daß der tintenblaue Vogel noch dazu kam, »Jambo« zu sagen und die Flügel auszubreiten, setzte ihn auf den Rand des Tellers und klärte seinen Freund mit dem endlich auch für einen sechsjährigen Jungen zum Gebrauch freigegebenen Satz »Heute beginnt der Ernst des Lebens« über eine Zukunft auf, die so sonnig zu werden versprach wie der Tag selbst. Nach dem Frühstück, das er der besonderen Umstände wegen als sehr lästige Verzögerung der bevorstehenden großen Ereignisse empfand, kletterte Max auf den Hocker im Badezimmer, um sich ungestört von ungebetenen und zu seinem neuen Status nicht mehr passenden Ratschlägen im Spiegel zu betrachten.

Obwohl er die erwarteten Veränderungen noch nicht im gewünschten Ausmaß feststellen konnte, lachte er seinem Gesicht doch in dem Wissen zu, daß er zweifellos am so lange ersehnten Wendepunkt seines Lebens angekommen war. Es blieb nur noch ein überschaubar kurzer Weg, bis auch er Rechtsanwalt und Notar und vor allem so reich und berühmt sein würde wie Joseph Schlachanska und dann mit einem Chauffeur in einem noch größeren Maybach als sein Idol zum Gericht fahren könnte.

Max hatte ein langärmeliges weißes Hemd mit leider noch ungewohnt engem Kragen an, eine zur Farbe seiner rotglänzenden Schultüte passende Krawatte und die langbegehrte

Mütze mit abgerundetem Schild, die aus einem bisher nur in königsblauer Wolle verpackten Kindergartenkind, das allenfalls allein zum Milchmann und auf den Spielplatz gehen durfte, einen Schüler machte, von dem Selbständigkeit nicht nur erwünscht, sondern auch verlangt wurde. Vor allem stand bereits in der vertrauten Position zwischen Tür und Waschbecken fest, daß die erste lange Hose seines Lebens, grau, weich und mit einem schwarzen Ledergürtel, Max für immer von der gewaltigen Scham der ungeliebten langen braunen, von einem mädchenhaften Leibchen baumelnden Strümpfe befreit hatte.

Es war noch mehr Bedeutsames und Unwiderrufliches geschehen. Sein Vater hatte bereits am Vortag der Mutter verboten, ihren Sohn weiterhin »Maxi«, »Herzele« oder gar »Goldfasan« zu nennen, ihn auf der Straße ohne ernsthaften Grund zu küssen, ihm bei Tisch das Fleisch zu schneiden und die Kartoffeln zu quetschen und bei eiligen Gelegenheiten die Schuhe zuzubinden und den Mantel zuzuknöpfen.

Von seinem Vater hatte Max die Bestätigung erhalten, daß er von nun an ein echter Mann sei, der nicht wegen aufgestoßener Knie oder im Streit mit anderen Kindern um Eigentum und Vorrechte weinen durfte, dem man aber auch nicht mit kränkenden Befehlen, die Teller vom Eßzimmer in die Küche zu tragen, den Mantel an den Garderobenhaken zu hängen und anderen entehrenden Pflichten aus der Welt der Frauen belästigen dürfe.

Als Kind, das nach der Mutter oder der Schwester und in gefahrvollen Situationen nach beiden zugleich rief, wenn es auf der Straße hinfiel oder im Sandkasten sein Spielzeug und seinen Ruf nicht allein verteidigen konnte, und das sich in Büchern und Zeitungen mit dem Betrachten von Bildern begnügen mußte, trennte sich Max in einem nach scharfer Kernseife, Essig und Kreide riechenden Raum von Jettel und Regina und setzte sich entschlossen an ein Pult in der ersten Reihe. Drei Stunden später kam er aus dem Klassenzimmer zurück. Max war in Begleitung eines blonden Jungen mit akkurat gezogenem Scheitel, in einer sehr kurzen, grauen Lederhose und mit überzeugend geballter rechter Faust, der ein Jahr älter, zum Glück aber doch nicht so sehr viel größer war, um das eigene Selbstbewußtsein ernsthaft in Frage zu stellen. Der Mutter, die mit den anderen aufgeregten, in ihren Sonntagskleidern und dunklen Anzügen herausgeputzten Eltern am Schultor stand, rief Max schon von weitem und für alle Zuschauer hörbar zu, daß sie sich wieder einmal getäuscht habe und er im Gegensatz zu ihren morgendlichen Mutmaßungen nicht einzelne Buchstaben zu lernen brauche und bereits eine Menge lesen und schreiben könne, die er als »ganz, ganz viel« deklarierte.

Schon an seinem ersten Schultag gelang es Max, ohne irgendeine Einbuße seines stark ausgeprägten Selbstbewußtseins die Kränkung zu verwinden, daß ihm ältere Schüler »Erste Berzel, Suppengewerzel« nachgerufen und ihm die Mütze vom Kopf gestoßen hatten. Er konnte nämlich nicht nur seinen Namen schreiben, sondern auch seine Adresse und die beiden Sätze »Ich gehe in die Lersnerschule. Mein Lehrer heißt Herr Blaschka« – der erste Erfolg der »Ganzheitsmethode«, von der schon am ersten Tag viele Eltern behaupteten, sie überfordere die Kinder und sei typisch für den beklagenswerten Hang einer Demokratie zu Experimenten auf Kosten von unschuldigen Geschöpfen, die sich nicht wehren könnten.

In der Vorfreude eines Menschen mit früh erwecktem Gespür für den Erfolg von Initiative und der Wirkung von Überraschungseffekten saß Max nach der Heimkehr aus der Schule am Küchentisch, während seine Mutter sorgsam den Ranzen auspackte und sehr verärgert feststellte, daß er die teure Banane nicht gegessen hatte und daß ein Heft und ein Bleistift fehlten.

Max ließ sich nicht auf die bei Verlust von Eigentum fälligen Erklärungen ein; er war froh, daß sich außer der Mutter auch

Else, Vater und Schwester zu gleicher Zeit von dem Umstand überzeugen lassen würden, daß er kein Schüler war wie jene vielen anderen, die sich damit zufriedengegeben hatten, lediglich die hübschen gelben Kärtchen abzuschreiben, die Lehrer Blaschka am Morgen auf die Pulte gelegt hatte. Er aber hatte sofort Macht und Möglichkeit des geschriebenen Wortes erfaßt und auch genutzt.

In seinem Ranzen stand nicht mehr, wie noch am Morgen, nur sein von der Mutter mit blauer Tinte gemalter Name, sondern »Dr. Max Redlich«. Die zwei entscheidenden Buchstaben und den wichtigen kleinen Punkt, die mit einem kräftigen schwarzen Bleistift hinzugefügt worden waren, hatte er seit einigen Wochen und nach wiederholtem Studium des kleinen goldenen Schilds an der Wohnungstür geübt. Nun empfand er es als besonderen Lohn für seine Tüchtigkeit, daß die Eltern seinen Einfall noch vor dem Mittagessen entdecken würden. Er leckte sich in süßer Vorahnung die Lippen wie sonst nur bei den beklagenswert seltenen Gelegenheiten, an denen die Mutter nach langwierigen Verhandlungen eine zweite Portion Vanilleeis aus dem Kühlschrank zauberte.

Die Erregung und noch mehr das Warten auf das fällige Lob machten seine Ohren taub für jedes Geräusch, das nicht ihm galt. Die Augen konnten sich nicht auf Details der Geschehnisse in der Küche konzentrieren. So merkte Max zunächst nicht, daß die dem festlichen Ereignis angemessenen heiteren Stimmen plötzlich verstummten, und ebensowenig fiel ihm auf, daß das Gesicht seines Vaters bereits die Farbe gewechselt hatte. Zu spät hörte er auch den mütterlichen Aufschrei und danach die im klagenden Ton hervorgebrachte Beschuldigung: »Der Bengel hat doch tatsächlich schon seinen neuen Ranzen verschmiert.« Fast zeitgleich folgte die Ohrfeige vom Vater – nicht schmerzhaft, aber demütigend heiß, weil unerwartet und ungewohnt.

Erst nach dem Himbeerpudding, der seltsam bitter schmeckte,

nahmen Vater und Sohn wieder Kontakt miteinander auf. Max erhielt fünfzig Pfennig, die Walter als »Schmerzensgeld« deklarierte und mit der überraschenden Zusage aufwertete, sein Sohn habe eine Ohrfeige für eine Gelegenheit gut, in der er sich zum Zeitpunkt der Tat seines Unrechts bewußt sei. Auf den versöhnenden Händedruck, wie er unter Männern üblich war, folgte eine ausführliche Belehrung über die unrechtmäßige Aneignung akademischer Titel.

Es war nicht nur die Ohrfeige, die für Max bleibende Erinnerung an seinen ersten Schultag wurde. Sehr viel eindrucksvoller als der zornige Ausbruch des Vaters und dessen juristische Belehrungen war der verwirrende Hinweis, daß Reichtum nicht mit geistiger Leistung gleichzusetzen sei und Joseph Schlachanska trotz Maybach, Chauffeur und der großartigen Auftritte im Gegensatz zum eigenen Vater keinen Doktortitel habe.

Schon eine Woche später hatte Max dann Gelegenheit, sich auch im materiellen Wohlstand seines Vaters zu sonnen. Da für die Ganzheitsmethode noch keine Schulbücher existierten, gab Lehrer Blaschka seine eigenen, per Hand geschriebenen Texte auf losen Blättern heraus. Nachdem Walter seinen Sohn das erstemal Hausaufgaben machen sah, bot er dem Lehrer mit dem sympathisch schlesischen Namen an, seine Manuskripte auf dem neuen Kopiergerät in der Kanzlei Fafflok und Redlich zu vervielfältigen. Max empfand dies als persönliche Auszeichnung und verzieh dem Vater spontan, daß er ihn nicht, wie viele andere Kinder in seiner Klasse, mal mit einer Flasche Schnaps, Blumen oder gar einer Bonbonniere zur Schule schickte, um den Lehrer freundlich für die Person des freigiebigen Schülers zu stimmen. So kam Max täglich in bester Laune von der Schule und genoß ausgiebig das wiederholt geäußerte elterliche Lob, daß er sehr viel schneller Freunde finde als seine Schwester.

Um so auffallender war der Mittag, auf den Tag genau drei

Monate nach Schulanfang, als der erfolgsverwöhnte Erstkläß-
ler sehr schweigsam und so bedrückt nach Hause kam, daß er
noch nicht einmal den Wellensittich aus dem Käfig holte. Er
war blaß, hatte rote Augen, und obwohl es Rührei mit Spinat
gab, die er sich noch am Morgen gewünscht hatte, schob er den
noch halbvollen Teller mit einem kleinen Seufzer zur Seite und
schüttelte den Kopf. Erst auf wiederholtes Befragen und nachdem die Mutmaßung seiner Mutter, er sei krank, sich in eine
sehr ernstzunehmende Bedrohung mit dem Fieberthermometer verwandelte, erkannte Max, daß es die letzte Möglichkeit
war, sein Schweigen zu brechen, wollte er den Tag nicht
vorzeitig mit einem jener verhaßten, feuchten Halsumschläge
beenden, die seine Mutter als die einzig geeignete Waffe
ansah, um alle Leiden außer einem verstauchten Fuß rechtzeitig abzuwehren.
»Ist das wahr«, fragte er, »daß die Juden alle in einem großen
Ofen verbrannt worden sind?«
»Wer hat so was gesagt?«
»Der Klaus Jeschke.«
»Von dem hast du ja noch nie erzählt.«
»Er ist der größte in der Klasse, weil er schon zweimal sitzenge-
blieben ist«, sagte Max und schaute seine Mutter verdrossen an.
Er merkte, daß seine Haut brannte, als hätte er tatsächlich
hohes Fieber, und er spürte noch einmal das so heftig einset-
zende Klopfen seines Herzens, als habe er die Worte, die ihn
auf so seltsame Weise verletzt hatten wie ein zu scharf geschos-
sener Ball den Kopf, soeben erst gehört. Nun, da er sich
entschlossen hatte zu reden, war es ihm mit einemmal sehr
wichtig, die Geschichte, die ihn seit der großen Pause verwirrte
und auf eine Art beschämte, wie er sie nur kannte, wenn er ein
schlechtes Gewissen hatte und sich nicht verteidigen konnte,
ohne sich in einem immer größer werdenden Netz von Lügen
zu verfangen, so schnell wie möglich und ohne jene lästigen
Fragen zu erzählen, die seine Zunge zu Umwegen zwangen.

Wütend stach er mit der Gabel in den gelben Brei aus kaltem Rührei.

»Er hat gesagt, alle Juden stinken. Deswegen hat sie Hitler verbrannt. Und dann hat er mich umgestoßen und gesagt, daß er Hitler am liebsten hat auf der ganzen Welt. Stimmt das denn, daß alle Juden stinken?«

»Dein Vater«, begann Jettel, doch sie merkte, wie schrill ihre Stimme war, und würgte die Wut zurück in ihre Brust, denn in dem Moment, da Empörung ihre einzige Kraft war, begriff sie, daß sie um ihres Sohnes willen die Glut löschen mußte. Sie schwieg, bis ihre Hände, die sie zur Faust geballt hatte, so weit entkrampft waren, daß sie das Fieberthermometer zurück in die Hülle stopfen konnten. In der Erkenntnis, daß sie Max nicht dem Gefühl aussetzen durfte, es sei etwas Außergewöhnliches geschehen, unterdrückte sie das Bedürfnis, das sie als einen körperlichen Schmerz empfand, ihren Sohn in die Arme zu nehmen. Erstaunt merkte sie, wie leicht ihr Liebe und Lüge wurden.

»Weißt du«, sagte sie, »der Klaus Jeschke ist nur ein ganz dummer Junge. Der weiß überhaupt nicht, was er redet.«

»Ich weiß immer, was ich rede«, bohrte Max.

»Es ist nicht jeder so klug wie du. Viele Kinder plappern nur nach, was sie von ihren Eltern hören. Der hat das einfach so gesagt und sich nichts dabei gedacht. Der weiß nicht, was es bedeutet.«

»Was bedeutet es denn?«

»Wir haben«, sagte Jettel, und sie zwang sich, Max anzusehen, »dir doch oft von Hitler erzählt. Du weißt doch, daß er ein sehr böser Mensch war. Du weißt doch auch, daß wir nach Afrika mußten, weil wir sonst alle hier gestorben wären.«

»Im Ofen?« fragte Max. »Hätte man uns alle verbrannt wie die Hexe von Hänsel und Gretel? Regina auch?«

»Ja«, sagte Jettel, und erst nach einiger Zeit, in der Max sie voller Erwartung, aber auch mit einer Neugierde ansah, die sie nicht deuten konnte, fügte sie hinzu: »Ich würde einfach nicht mehr mit dem Klaus Jeschke spielen, wenn ich du wäre. Dann kann er dir solche bösen Sachen nicht sagen. Und du brauchst dich nicht zu ärgern.«

Max faßte sich an den Kopf und schnüffelte. »Ich hab ja noch nie mit ihm gespielt. Mit dem doch nicht. Der stinkt. Wenn der Zwiebel-Klaus in die Klasse kommt, halten wir uns alle die Nase zu.«

»Heute abend erzählst du deinem Vater die ganze Geschichte«, seufzte Jettel, »mal sehen, was der sagt.«

Walter hatte aber Sitzung im Gemeinderat und kam so spät nach Hause, daß Max bereits im Bett lag und nicht mehr aufstehen durfte. So fand er keine Gelegenheit mehr zu prüfen, ob seine erste Begegnung mit jener neuen Feindseligkeit, die seine Zunge und Fäuste so gelähmt hatte, daß sein Kopf nicht vergessen konnte, seinen Vater ebenso verlegen machen würde wie seine Mutter.

Er war aber doch noch wach genug, um mitzubekommen, daß Klaus Jeschke für einen jener gewaltigen Kämpfe im Schlafzimmer sorgte, die fast immer am darauffolgenden Morgen am Frühstückstisch wieder aufgenommen wurden – zwar ohne Worte, aber unübersehbar für einen Jungen mit früh geschulten Augen für den Austausch elterlicher Blicke.

Während Max seinen letzten Keks auf der Zunge zergehen ließ und mit Freude den Augenblick erwartete, da sich der Geschmack von Schokolade mit dem der Zahnpaste mischen würde, begannen die Schlachtgeräusche, die ihm zu vertraut waren, um ihn zu ängstigen. Seine Mutter schrie erst: »Dein verdammtes Deutschland«, und kurz danach: »Du mußtest ja durchaus ins Land der Mörder zurück.« Und sein Vater brüllte wütend: »So dämlich kannst noch nicht mal du sein, um das Geplapper eines dummen Rotzjungen ernst zu nehmen. Glaubst du denn wirklich, daß Regina auf der feinen englischen Boarding School nie Antisemitismus begegnet ist?«

Ehe er einschlief, nahm sich Max vor, sich das Wort zu merken, das er im angenehmen Zustand zwischen Wachsein und Schlaf zum ersten Mal gehört hatte, und seinen Vater ebenso danach zu fragen wie nach der Größe der Öfen, in denen Menschen verbrannt wurden. Am nächsten Morgen vergaß er aber beides, weil er zu lange sein Federmäppchen und danach den Beutel für das Turnzeug suchen mußte; es kam erst wieder im Bethanienkrankenhaus am Prüfling zu einem jener ernsten Gespräche zwischen Vater und Sohn, die Max die beseligende Gewißheit gaben, daß die großen Probleme im Leben nur von Männern gelöst werden konnten. Da war allerdings nicht mehr von Klaus Jeschke die Rede.

An jenem Mittwoch, der für Walter zum ersten Warnzeichen wurde, daß die Zeit der Hoffnung vorbei war, gab es Sauerkraut und die von ihm geliebte Wellwurst; Jettel hatte vor dem großen Streit den Umweg zum schlesischen Metzger in der Berger Straße gemacht und konnte zu ihrem Bedauern den Speiseplan nicht mehr der gespannten häuslichen Atmosphäre anpassen. Walter aß aber nur eine Wurst, ohne die Haut auszulutschen, verlangte noch nicht einmal nach dem Senf, den Else vergessen hatte auf den Tisch zu bringen, und ließ auch fast das ganze Sauerkraut stehen.

Jettel hatte sich während des schweigsamen Mittagessens alle von den besonderen Umständen gebotene Mühe gegeben, ihren Mann nicht anzusehen und ihn nicht etwa durch einen unbedachten Blick auf die Idee zu bringen, sie sei schon zur Versöhnung bereit. Als sie merkte, wie Walter seinen Teller zur Kartoffelschüssel hinschob, wie es Max am Vortag getan hatte, dachte sie, er war es, der soeben das Zeichen gegeben hatte, den Streit fortzusetzen. Noch während sie den Satz zu formulieren begann, der in ihr kochte, blickte sie aber doch hoch und sah, daß er Schweißperlen auf der Stirn, sehr dunkle Lippen und eine ungewöhnlich blasse Gesichtsfarbe hatte.

»Was hast du?« fragte sie.

»Nichts«, sagte Walter, »brauchst dir keine Sorgen zu machen. Wir können uns ruhig weiterzanken.«

Seine Stimme war fremd und schwach, die keuchenden Atemzüge zu laut, und, als er beide Arme auf den Tisch legte und seinen Oberkörper nachgleiten ließ, stöhnte er leise und preßte seine Lippen aufeinander.

»Um Gottes willen, dir ist doch was? Hast du unterwegs schon wieder etwas gegessen? Soll ich Doktor Goldschmidt anrufen?«

»Laß das Jettel, wir können uns keinen Arzt leisten, bis wir das Schulgeld für Regina zusammenhaben.«

Einen kurzen Moment dachte Jettel erlöst, es gehe ihm wieder gut, und er habe bereits einen seiner üblichen Späße gemacht, mit denen er an die Zeiten der Emigration erinnerte, als nicht genug Geld da war, um selbst in lebensbedrohlichen Fällen überhaupt an ärztliche Hilfe zu denken. Ihr Instinkt war aber durch die Bilder, die er mit einem einzigen Satz beschworen hatte, so scharf und lauernd geworden wie in gefahrvollen Situationen auf der Farm. Sie begriff, ebenso überwältigt von ihrem Entsetzen wie von ihrer Zärtlichkeit, daß Walter tatsächlich die Zeiten und Szenen seines Lebens verwechselt hatte, sah die Angst in seinen Augen, das Flattern der Lider, half ihm vom Tisch aufzustehen, murmelte: »Dir wird gleich wieder besser«, und führte ihn zum Ohrensessel im Wohnzimmer. Dann rannte sie zum Telefon.

Eine halbe Stunde später lag Walter im Krankenhaus. Am ersten Tag diagnostizierten die Ärzte einen Herzanfall, am zweiten die schwere Diabetes und sprachen von Azeton, und am dritten Tag empfahl der Professor, die vereiterten Zähne im Oberkiefer zu ziehen. Als Max am vierten Tag endlich seinen Vater besuchen durfte, lagen die Zähne im Waschbecken und Walter kichernd im Bett.

»Dein Papa«, sagte er und schwenkte die leere Bettpfanne in

Richtung des Fensters, »hat eine Krankenschwester totgebissen und muß zur Strafe sein Leben lang Haferbrei essen.«

»Mama hat gesagt, du darfst nie mehr Schokolade essen.«

»Weibergeschwätz«, lachte Walter. »Du weißt doch, wie die Frauen sind. Lange Haare, kurzer Verstand. Schau dir lieber meine Zähne an.«

»Regina sagt, man muß den Zahn unter das Kopfkissen legen und darf sich was wünschen. Dann kommt in der Nacht eine Fee und holt den Zahn.«

»Laß dir nur nicht solchen Schwachsinn von Regina einreden. Du bist ein Mann.«

Max war gerade dabei, den siebten gezogenen Zahn zu bewundern, als Stationsschwester Clementine (die anderen Schwestern trauten sich nicht, dem als ungewöhnlich schwierig eingestuften Patienten das Essen zu bringen) mit einer Schüssel Brei und Apfelmus hereinkam und von Walter mit dem grollenden Ruf: »Das Zeug soll der Professor selber fressen«, umgehend aus dem Zimmer geschickt wurde.

»Darfst du das?« fragte Max beeindruckt.

»Merk dir's gut, mein Sohn«, belehrte ihn der Vater, »wenn du an die Krankheit glaubst, die dir die Ärzte einreden wollen, bist du verloren. Hätte ich in Afrika Geld für den Arzt gehabt, wäre ich heute schon tot.«

Abgesehen von der Malaria kurz nach der Ankunft in Kenia und dem Schwarzwasserfieber beim Militär war Walter nie ernsthaft krank gewesen. Er hatte sich auf der Farm von Anfang an vorgenommen, Krankheit durch Willenskraft und Furchtlosigkeit zu bezwingen, und war in der Zeit der Einsamkeit und Hoffnungslosigkeit so fatalistisch geworden wie die Menschen in den Hütten, die die Signale des Körpers nicht als Mahnung empfingen, weil sie ihr Leben und Sterben dem schwarzen Gott Mungo anvertrauten, ohne sich dem Schicksal zu widersetzen.

Obwohl er vor seiner Einlieferung in das Krankenhaus die

Panik der Todesangst erlebt und sie auch nicht vergessen hatte, war er nicht bereit und durch das Erlebnis Afrika, das ihn für alle Zeit geprägt hatte, auch nicht mehr fähig, einen Zusammenbruch als Krankheit ernst zu nehmen, für den die Ärzte nur Schonung und Diät vorschlugen. Er ließ sich aus seinem Büro Akten bringen, verfaßte, am kleinen runden Tisch des Zimmers sitzend, Briefe und Schriftsätze mit der Hand, bestand darauf, daß Fafflok täglich zu ihm kam und von der Praxis erzählte, und er ließ es nicht zu, daß ihm auch nur der geringste berufliche Ärger oder größere Aufregungen vorenthalten wurden.

Obwohl der Arzt die Beschränkung der Besucher auf die Familie empfohlen hatte, rief Walter vier Tage nach seiner Einlieferung ins Krankenhaus seine oberschlesischen Freunde an. Sie kamen umgehend und in Scharen, um an seinem Bett zu sitzen, ihre Probleme abzuladen und kostenlosen juristischen Rat zu erhalten; er trank gierig den rauhen Witz der ungekünstelten Heimatsprache und aß vergnügt die fetten Würste und üppigen Kuchen, die sie mitbrachten.

Mit Jettel zankte er, wie in gesunden Tagen, als sie Pralinen nach Hause trug, ehe er Gelegenheit hatte, die Schachtel aufzumachen. Er verspottete sie, wenn sie die Diätvorschriften las, die der Professor ihr gab, und behauptete, sie habe ihr ganzes Leben nur darauf gelauert, ihm die Schokolade wegzunehmen. Den Schwestern und Ärzten erklärte er immer wieder, er habe zu lange gehungert, um sich von ihnen die einzige Freude im Leben rauben zu lassen, die einem Mann seines Alters noch bliebe.

Saßen Jettel, Regina und Max gleichzeitig im Krankenzimmer, malte er ihnen mit einer Phantasie, die ihn in nachdenklichen Momenten selbst verblüffte, seine Beerdigung als eine feierliche Zeremonie mit schluchzenden Trauergästen aus, von denen sich einige, unter ihnen natürlich Jettel, ins Grab stürzen wollten. Walter, in einem weißen Nachthemd, um das er sich in

Erinnerung an Owuors Kleidung beim Servieren großer Mahlzeiten für besondere Gäste und Gelegenheiten eine rote Schärpe gebunden hatte, verfaßte die Grabreden für Karl Maas, der Amtsgerichtspräsident geworden war, für die Vertreter der Anwaltskammer, für den Vorstand der Jüdischen Gemeinde, für Schlachanska in Frack und Zylinder und für die oberschlesische Landsmannschaft.

Er versprach Jettel einen neuen schwarzen Hut mit großem Schleier und seinem Sohn, er dürfe bei der Beisetzung die goldene Taschenuhr seines Großvaters tragen und in der ersten Reihe sitzen und brauche nie mehr in die Schule zu gehen, weil er den Lebensunterhalt für seine untüchtige Mutter und schüchterne Schwester verdienen müsse. Jettel war wütend, Regina niedergeschlagen, Max begeistert.

Die bewußte Flucht aus der Wirklichkeit, das Provozieren der Ärzte, der melancholische Galgenhumor, das ständige Überschreiten des Grabens zwischen Ironie und unterdrückter Furcht schützten ihn nur am Tag. In den Nächten der Schlaflosigkeit und des Grübelns fühlte er sich alt und war gepeinigt von der Vorstellung, ihm bliebe nicht mehr die Zeit, um Jettel und seinen Kindern das Haus in der Rothschildallee schuldenfrei zu hinterlassen.

Die Existenzangst der Emigration, von der er geglaubt hatte, sie sei nach der Kraft des Wiederaufbaus nur noch Erinnerung an glückhaft überwundene Zeiten, kehrte als fauchendes Ungeheuer mit Klauen und Krallen zu ihm zurück und er selbst nach Ol' Joro Orok, um sich mit Kimani, dem nachdenklichen Menschenkenner, an den Rand des Flachsfeldes zu setzen. In seinen farbtrunkenen Wachträumen hörte er den Freund der verflossenen Jahre immer wieder sagen: »Kein Mensch stirbt, Bwana, wenn er nicht sagt: Ich will sterben.« Ehe Walter das Licht löschte, entschlüpfte er der Maskerade des Clowns, der die Welt mit Heiterkeit betrügt. Dann sah er nur noch Kimanis Gesicht mit den wissenden Augen und den weißen Zähnen, die in der Mittagssonne leuchteten, und er schlief verwirrt und doch getröstet ein.

Regina, die ihm täglich die Zeitung brachte, ehe sie zur Schule ging, traf ihren Vater eines Morgens mit geschlossenen Augen und auf dem Bauch gefalteten Händen an. »Na taka kufua«, sagte er leise.

»Das darfst du nicht sagen«, schrie sie entsetzt und kreuzte ihre Finger, »damit macht man keinen Spaß. Das bringt Unglück.«

»Warum? Kimani hat das auch gesagt, als wir von der Farm weggingen und er am nächsten Tag tot im Wald gefunden wurde. Na taka kufua, hat er gesagt. Ich weiß es genau, obwohl ich nicht bei ihm war.«

»Er wollte sterben, du nicht.«

»Ich bin ein alter Mann, Regina. Meine Zeit ist gekommen.«

»Du bist noch keine Fünfzig.«

»Viel älter. Hitler hat mir die Jahre gestohlen.«

»Und jetzt stiehlst du sie dir noch einmal. Willst du deinen Sohn nicht aufwachsen sehen?«

»Doch«, sagte Walter, »aber der liebe Gott wird mich nicht lassen.«

»Wie kannst du von Gott reden und ihm nicht vertrauen? Ist alles, was du mir als Kind beigebracht hast, nur ein Märchen gewesen, an das du selbst nie geglaubt hast?«

»Hast recht, Memsahib kidogo. Ich war nur auf Safari.«

»Aber du hast wieder mal vergessen, deinen Kopf mitzunehmen. Owuor hat mir zum Abschied gesagt, daß du ein Kind bist und ich dich beschützen muß. Mach es mir nicht so schwer.«

»Verstehst du mich denn auch nicht mehr? Ich will es euch leicht machen, wenn die Zeit gekommen ist. Ihr sollt bei meiner Beerdigung sitzen und lachen, weil alles genau so gekommen ist, wie ich es vorausgesagt habe.«

Noch ehe Regina das erste Salzkorn wahrnahm, das in ihrer Kehle kratzte, begriff sie, daß die alte, nie vergessene Geschichte dabei war, sich zu wiederholen. Es hatte sich nichts geändert seit den gestorbenen Tagen. Ihr Vater war wieder der listige Amor aus dem Stamm der Massai, der bei dem Kampf um ihr Herz genau Maß nahm, ehe er seinen Pfeil vom Bogen ließ. Sie war noch einmal das Kind, das zur Frau wurde und sich nicht gegen die besitzgierige Flamme der Liebe wehren konnte, die er entzündet hatte.

Regina sah sich unter dem Guavenbaum in Nairobi stehen und hörte ihren Vater von der Rückkehr nach Deutschland sprechen. Er bat sie, ohne an ihm zu zweifeln, mit ihm auf die Safari ohne Wiederkehr zu gehen, und sie versprach ihm ihre Begleitung.

Nur den einen kurzen Moment, in dem sie glaubte, die neue Last nicht ertragen zu können, zögerte sie. Dann nahm sie die Zeitung vom Bett, und umarmte Walter. Sie spürte seine Tränen auf ihren Lippen, hörte sein Herz und das ihre klopfen, und sie wußte, daß sie bereit war, mit ihm den Weg zurückzulegen, den keiner von beiden gehen wollte.

»Laß es eine lange Safari werden, Bwana«, schluckte sie, »wir haben viel Zeit.«

»So lang wie möglich, Memsahib kidogo. Das versprech ich dir. Und jetzt rück endlich die feinen Pralinen von Frau Schlachanska heraus, die deine Mutter gestern im Schrank versteckt hat.«

12

Am Beginn ihres letzten Tages in der Schillerschule, den Regina mit einer Gier erwartet hatte, die nur lange aufgestauter Widerwille und das Unvermögen, über die eigenen Nöte zu sprechen, hervorzubringen vermögen, erlebte sie eine doppelte Überraschung. Sie erfuhr, daß sie in Englisch und Deutsch mündlich geprüft werden sollte. Ohne daß sie dem Klagegesang der meisten ihrer Mitschülerinnen beipflichten mußte, die ihren Zweifel an sich selbst zu koketten Demonstrationen von Bescheidenheit nutzten, wußte Regina sofort, daß sie das Abitur bestehen würde, obgleich sie bei der schriftlichen Mathematikprüfung ein leeres Blatt abgegeben und es in Biologie gleichfalls auf eine Fünf gebracht hatte.

Zwar hatte die Englischlehrerin Regina nie den ungewöhnlichen Eintritt in ihr deutsches Schulleben verziehen – sie war ja von dem stotternden Mädchen aus Afrika geduzt und dem Gelächter der Klasse preisgegeben worden –, doch ihre Eitelkeit war sehr viel stärker ausgeprägt als jene Phantasie, derer es bedarf, um Mitgefühl für erschrockene Kinder aus einer fremden Welt zu mobilisieren. Nun hatte sie der Verlockung nicht widerstehen können, Regina trotz deren das Klassenniveau so unangenehm überragenden Sprachkenntnisse und den daraus resultierenden Leistungen mit der Gesamtnote Zwei vorzuschlagen, sie dann mündlich auf Eins prüfen zu müssen und so dem anwesenden Lehrkörper und vor allem dem als sehr kritisch bekannten Vertreter des hessischen Kultusministeriums eine Schülerin zu präsentieren, die bestes Zeugnis für die pädagogischen Fähigkeiten ihrer Lehrerin ablegen würde. Schließlich sprach das schwierige Mädchen aus Afrika akzentfreies Englisch, kannte sich auch in der nicht im Unterricht gelesenen Literatur aus und rezitierte so mühelos den Hamlet-Monolog, als hätte es ihn selbst verfaßt.

Regina hatte ihrerseits der Englischlehrerin nie deren mangelnde Toleranz für eine Schülerin verziehen, die mit fünfzehn Jahren, zur Sprachlosigkeit verurteilt, am Abgrund einer unbekannten Kultur gestanden hatte, die sie auf alle Zeiten im besten Fall zur Mittelmäßigkeit verdammte. Noch weniger wollte sie der Lehrerin nachsehen, daß im Lauf der Zeit aus nur naivem Unverständnis eine sehr bewußte Abneigung geworden war, die sie allein wegen der Jahre, die die ungeliebte Schülerin in der Emigration verbracht hatte, und den daraus resultierenden guten Leistungen nicht durch schlechte Noten ausdrücken konnte. In Erwartung der von der Schule zu bescheinigenden sittlichen Reife widerstand Regina indes der Versuchung, wenigstens zaghaft an der Süße der Rache zu lecken; widerstrebend gab sie ihrem von Owuor so früh und erfolgreich geschulten Talent der Nachahmung von Stimme und Mimik nicht nach. So brachte sie die feierlich gestimmte Versammlung um das Erlebnis, die Schülerin mit dem gleichen schlechten Akzent Englisch sprechen zu hören wie ihre Lehrerin.

Dem Deutschlehrer, der sie von Anfang an fasziniert, ermutigt und gefördert hatte und von dem sie sich als einzigem im Gefühl trennen würde, die Begegnung habe sich gelohnt und würde nachwirken, billigte Regina durchaus jene philanthropischen Eigenschaften zu, von denen sie seit dem ersten Tag in einer deutschen Schule profitiert hatte. Erst als er sie bei der mündlichen Prüfung mit keinem Wort nach »Faust II« fragte, was im Angesicht der ausdauernden Beschäftigung mit Goethe in der Unter- und Oberprima absolut zu erwarten war, und sie sofort ermunterte, von ihrem Wahldichter zu sprechen, witterte

sie, auch der von ihr verehrte Menschenfreund könne besondere Gründe haben, eine Schülerin mit nicht linear verlaufener
Laufbahn in den Mittelpunkt des Interesses zu plazieren.

Während sich alle anderen Oberprimanerinnen bei der Wahl
der Dichter, deren Werk es ohne pädagogische Anleitung und
Interpretation zu erarbeiten galt, auf Rudolf Binding, Manfred
Hausmann und allenfalls auf Hermann Hesse beschränkten,
hatte sich Regina für Stefan Zweig entschieden. Als sie nun im
mündlichen Abitur von seinem Unvermögen sprach, Muttersprache und Wurzeln zu vergessen und im Exil neue zu schlagen, sah sie verblüfft und auch bestürzt, daß sich einige Lehrer
die Augen wischten und noch dazu solche, von denen sie
Tränen bei dem Thema Heimatlosigkeit nie vermutet hätte.
Besonders fiel Regina die Betroffenheit der allgemein als überaus pädagogisch fähig und als erstaunlich weltoffen gerühmten
Französischlehrerin auf. Sie hatte nie begreifen können, weshalb ein auf einer englischen Schule erzogenes Kind Französisch mit einem ohrenbeleidigenden Akzent sprach, und sich
theatralisch die Ohren zugehalten, sobald Regina ansetzte, den
Mund aufzumachen.

Die Biologielehrerin, die Reginas Ressentiment gegen die ein-
gehende Beschäftigung mit der Vererbungslehre als mangelnden Fleiß und Böswilligkeit mißdeutet hatte, litt so augenfällig,
als sie vom Freitod Stefan Zweigs erfuhr, daß Regina, wäre ihre
angeborene Skepsis in der Schillerschule nicht noch stark
gefördert worden, ihr um ein Haar sowohl die Fünf im Zeugnis
als auch die Kränkungen der nur ihr evident werdenden Art
vergeben hätte.

Obgleich sie die Prüfung in Deutsch mit der ersehnten Zwei
bestand, machte sie doch der Verdacht betreten, daß sie zur
Aktrice in einem geschickt inszenierten Stück geworden war,
in dem die Pädagogen eine Toleranz demonstrieren konnten,
von der sie selbst in all den Jahren nichts gespürt hatte. Das
Erlebnis ihres letzten Schultags sorgte dafür, daß Regina ohne

die von jungen Menschen übliche Wehmut am Scheideweg ihres Lebens Abschied nahm von einer Gemeinschaft, der sie sich trotz der Freundlichkeit vieler Mitschülerinnen und der Freundschaft sehr weniger nie vorbehaltlos zugehörig gefühlt hatte.

Als sie, ebenso unentschlossen wie unbewegt, auf der Gartenstraße stand und sinnierend die grauen Mauern der Schule betrachtete, deren Steine aufopferungsvolle und von wortgewaltigen Pädagogen zum Wiederaufbau motivierte Schülerinnen aus den Trümmern mit bloßen Händen geborgen hatten, ertappte sich Regina gar bei einem Schaudern. Es steigerte ihr Bedürfnis, diesen Tag der Freude und Befreiung nur mit ihren Eltern zu teilen und vor allem in einer Atmosphäre zu genießen, in der es weder versteckte Andeutungen noch die erschöpfende Notwendigkeit gab, Mißverständnisse aufzuklären.

Anders als in ihrem bisherigen Schülerleben, als ihr ein noch zulässiges Maß an Trödeln den Aufschub von unangenehmen häuslichen Pflichten gebracht hatte, lief Regina, ohne nur einmal stehenzubleiben und sich an den alten und auch den wiederaufgebauten Häusern an den beiden Mainufern zu freuen, über den Eisernen Steg, rannte an der Konstabler Wache keuchend der Tram nach Bornheim nach und hetzte am Ziel die Höhenstraße entlang wie ein übermütiges Kind in Erwartung einer verdienten Belohnung.

Es war ein milder Märztag voll Frühlingsahnen. Im winzigen Vorgarten in der Rothschildallee 9 waren die ersten Krokusse aufgeblüht, gelb, weiß und violett und von Meisen umlagert; der Fliederbaum, den Walter zärtlich liebte und pflegte und der für ihn jeden Mai aufs neue das Naturerlebnis symbolisierte, von dem er die ganze Zeit in Afrika geträumt hatte, trug bereits Knospen. Die Rosen am runden Beet, gezogen aus den Samen, die ursprünglich aus Sohrau stammten und die Owuor dann von Rongai nach Ol' Jorok in einem kleinen weißen Couvert getragen hatte, ließen das erste Grün in ihre starken Stiele.

Regina gestattete sich nur ein kurzes Treffen mit Owuor zwischen den üppigen Rosenbüschen in der Heimat – es war aber doch lang genug, um die Haut des Freundes zu riechen und seine Arme zu spüren, während er sie zur Sonne hob und ihr sagte, sie sei so klug wie er. Sie spürte noch den Hauch seines Atems an ihrem Ohr, als sie an der Haustür klingelte. Schon im Treppenhaus roch sie, daß die Eltern mit dem Mittagessen auf sie gewartet hatten.

»Bist du durchgefallen, meine Tochter?« rief der Vater mit einer Stimme, die sich gut für das geliebte Echo von den Bergen geeignet hätte, vom dritten Stock in das Parterre hinunter. »Macht nichts, das kommt in den besten Familien vor.«

»Bei uns nicht«, schrie Regina nach oben, »ich hab bestanden.« Sie umarmte ihre Eltern gleichzeitig und schob ihre Körper zusammen, genau wie sie es als Kind getan hatte, wenn sie von der Schule zurück auf die Farm gekommen war und sich nicht hatte entscheiden können, wem sie ihre Liebe zuerst zeigen wollte. Die Tränen der Rührung, die ihre Mitschülerinnen geweint hatten, kamen endlich auch ihr, als die Mutter sagte: »Es gibt Königsberger Klopse. Die hab ich dir immer gemacht, wenn du aus deiner Boarding School nach Hause gekommen bist.«

»Und dann hast du immer gesagt: In diesem Affenland gibt es keine Kapern. Und ich hab dich gefragt, was Kapern sind.«

»Schau doch endlich auf deinen Teller«, sagte Max ungeduldig.

Er hatte seiner Schwester von dem Geld, das er am Abend zuvor von ihr erbettelt hatte, eine goldfarbige Münze an einem Band gekauft und ein Bild gemalt mit einem roten Auto, blauer Sonne, zwei grünen Strichmännchen und der Aufschrift »Regina hat Das abbitur. Nun wistu balt nicht mehr Bei uns sein.« Sie nahm ihn auf den Schoß und drückte ihn so lange an sich, bis sein Gelächter und ihr Lachen zum Gleichklang gefunden hatten. Dann fragte sie: »Wieso soll ich denn nicht mehr bei dir sein, nur weil ich nicht mehr in die Schule geh?«

»Weil du nach England fahren mußt.«

»Was soll ich denn in England?«

»Heiraten«, erklärte Max.

»Wer hat dir das schon wieder eingeredet?«

»Der Herr Schlachanska. Er hat dem Vati gesagt, daß es in England viele Männer für dich gibt. Ich hab genau zugehört.«

»Geht das wieder los?« sagte Regina und versuchte vergeblich, so auszusehen wie noch vor einer Minute. »Was wird hier gespielt?«

»Nichts«, beruhigte Walter. »Dein Bruder hat nur mal wieder bewiesen, daß er noch nicht fähig ist, eine korrekte Zeugenaussage zu machen. An der ganzen Geschichte stimmt nur, daß wir zur Feier des Tages mit Schlachanskas in Gravenbruch Kaffee trinken wollen.«

»Sieh mal einer an«, sagte Regina und suchte im Gesicht ihres Vaters nach verdächtigen Spuren, aber er erwiderte ihren Blick, ohne auch nur einmal die Augen von ihr abzuwenden, und sie spießte eine Kartoffel auf die Gabel und schluckte ihren Ärger mit Jettels besonders gut gelungener Kapernsauce hinunter.

Das beliebte Forsthaus in Gravenbruch war ein Ausflugsziel, das Walter nur bei sehr besonderen Gelegenheiten vorschlug und seit seiner Krankheit gar nicht mehr, als er dazu übergegangen war, jede unnötige Ausgabe als mangelnde Verantwortung für die Familie einzustufen. Der Kuchen in Gravenbruch war teurer als in den Cafés in der Innenstadt; Kaffee wurde nur im Kännchen serviert, und das Spiel an der frischen Luft machte die Kinder auf verteuernde Art durstig.

Ihre Mütter, in Garderobe gekleidet, die einen extravaganten Kontrast zur rustikalen Umgebung bildete, ließen sie nicht nur beim Nachbestellen von Getränken gewähren. Sie neigten auch dazu, selbst den Überredungstaktiken des gut geschulten Personals zu erliegen und fröhliche Nachmittage mit kostensteigerndem Danziger Goldwasser oder Eierlikör abzuschließen.

Frau Schlachanska hatte einen neuen, großrandigen weißen Hut mit einer großen, dunkelblauen Rose aus Tüll und ein bei ihrer letzten Reise nach Paris gekauftes blaues Seidenkostüm mit weißen Punkten an, Jeanne-Louise ein Rüschenkleid aus zitronengelbem Taft, die weißen Söckchen, in die Max noch immer so verliebt war wie am ersten Tag seiner schicksalsentscheidenden Begegnung mit weiblicher Schönheit, und weiße Lackschuhe mit zierlichen Schnallen. Jettel trug ein schwarzes Kleid mit einem rosa Schleierhut und dazu passenden Handschuhen, Regina noch die weiße Bluse mit Schleife und das blaue Kostüm, das sie zum mündlichen Abitur getragen hatte.

Walter hatte es zum Freundschaftspreis bei dem Textilfabrikanten kaufen können, dessen Hand Regina vor Jahren ausgeschlagen hatte; er war inzwischen Mandant in der Praxis Fafflok und Redlich, verheiratet mit einer Frau aus Südamerika und Vater zweier Töchter. Die Herren waren weniger penibel in der Kleiderwahl gewesen.

Joseph Schlachanska hatte seine Fülle in einen weißen Tennispullover gezwängt, Walter trug eine Khakihose vom britischen Militär, zu der er erst in Frankfurt in Liebe entbrannt war, und Max hatte einen rot-weiß gestreiften Ringelpulli und die seit dem letzten Sommer zu kurz gewordene graue Lederhose an. Sie brachte fein dosierte Bewegung in Frau Schlachanskas Augenbrauen; ihr ausgeprägtes Empfinden für Stil fand den Spielgefährten ihrer Tochter oben zu amerikanisch und unten zu deutsch.

Auch Jeanne-Louise zeigte sich erheitert. Sie hatte mit ihren sieben Jahren bereits genug von ihrer Mutter gelernt, um Äußerlichkeiten sehr kritische Aufmerksamkeit zu widmen, doch war sie noch nicht ausreichend genug geschult, um sich mit der nötigen Disziplin an die mütterlichen Vorstellungen von korrektem Benehmen zu halten. Nach dem Kaffee und einem umgehend gerügten kleinen Fleck Sahne auf dem Kleid stolperte sie beim Nachlaufspielen mit ihren Lackschuhen in eine Pfütze und gebrauchte dann auch noch ein sehr rüdes Wort, das sie erst vor einer Viertelstunde von Max gelernt hatte.

Von den neugierigen Kindern und deren von den Eltern nie unterdrücktem Drang befreit, sich zu Fragen zu äußern, deren Bedeutung sie keineswegs erfassen konnten, kam Joseph Schlachanska nach dem dritten Stück Frankfurter Kranz und dem zweiten Cognac zum Thema, um dessentwillen er den Ausflug vorgeschlagen hatte. Er erzählte kurz vom eigenen Abitur, streifte nur seine bewegte Studentenzeit und fragte sehr unvermittelt: »Na, Regina, was willst du jetzt machen?«

»Ich hab mir das alles noch nicht genau überlegt.«

»Du willst doch nicht etwa in Deutschland bleiben?«

»Doch, das will ich«, erwiderte Regina, und diesmal wußte sie Bescheid, daß da an einem Fangnetz für sie gearbeitet wurde, ohne daß sie Walter anzuschauen brauchte. Joseph Schlachanska war jedoch nicht der Mann, der sich von der Schroffheit eines gereizten Mädchens in die Schranken weisen ließ. Er lächelte ihr mit jenem Charme der arglosen Freundlichkeit zu, dem kaum eine Frau widerstehen konnte.

»Ich habe deinem Vater vorgeschlagen, dich ein Jahr nach England zu schicken. Ein junges Ding wie du muß hier mal rauskommen und andere Menschen kennenlernen.«

»Die, die ich kenne, reichen mir«, sagte Regina und nahm sich auch keine Zeit, mehr Luft zu holen, als sie brauchte, um ihren aufgestauten, zum neuen Leben erwachten Zorn loszuwerden. »Sie reden auch nicht von Menschen, sondern von einem Mann, den ich finden soll. Ich bin jedoch nicht jahrelang zur Schule gegangen, um mich mit einem Mann verheiraten zu lassen, den ich nicht kenne und der nichts anderes zu bieten hat, als daß er zufällig jüdisch ist.«

Sie wartete voller Ungeduld auf den Sturm, den sie soeben entfacht hatte, starrte befangen auf ihre Hände, von denen sie ahnte, daß sie die gleiche Farbe hatten wie ihr Gesicht, ließ sich von Hilflosigkeit und Wut beuteln, fühlte sich verraten und gedemütigt. Als sie aber Walter anschaute, erwischte sie die alte, vertraute, sie so unendlich berührende Panik in seinem Blick.

Schon als die erste Welle der Zärtlichkeit sie wärmte, begriff sie, daß sich nichts verändert hatte seit den ersten Tagen der ungebetenen Freier. Ihr Vater fürchtete nichts mehr als die Trennung von seiner Tochter. Er hatte nur nicht den Mut gehabt, Schlachanska die Wahrheit einzugestehen. Regina tupfte sich langsam den Schweiß von der Stirn. Sie mußte sich konzentrieren, nicht mit den Augen zu zwinkern, als sie mit einer Stimme, die nur für sie hörbar zitterte, ihren Vater fragte: »Können wir meine Zukunft denn nicht morgen besprechen? Ich will mir heute den schönen Tag nicht verderben.«

»Kessu«, sagte Walter mit Owuors Unschuld in den Augen und drückte unter dem Tischtuch sehr sanft Reginas Hand. »Kessu«, erklärte er Joseph Schlachanska, »ist ein wunderbares Wort. Es heißt, morgen, bald, irgendwann oder nie. Manchmal fehlt mir in diesem Land das Kessu.«

»Ach, Redlich, Ihr verdammtes Afrika hat Sie verdorben. Wären Sie dort geblieben, hätten Sie am Ende Regina noch mit einem Neger verheiratet.«

»Darf Regina einen Neger heiraten, wenn er jüdisch ist?« fragte Max und, weil er sah, daß sein Vater so laut lachte wie kaum sonst und er also wußte, daß er etwas besonders Kluges gesagt hatte, nutzte er die Gelegenheit, um den Rest vom Danziger Goldwasser aus einem Glas zu lecken. Er war es dann auch, der als einziger eine unauslöschliche Erinnerung an den Tag von Reginas mündlichem Abitur hatte.

Der von seinen Lebensjahren und Walters Temperament auf-
geriebene kleine Opel stand neben Schlachanskas mächtigem
Maybach auf einer Wiese, die am frühen Nachmittag noch
trocken gewesen, aber schon nach dem ersten kleinen Regen-
schauer überraschend schnell naß geworden war. Walter hatte
mit den Seinen fast schon die Straße erreicht, als er im Rück-
spiegel sah, daß sich der Maybach festgefahren hatte und nach
jedem Gasgeben immer tiefer einsank. Schlachanska saß flu-
chend und mit hochrotem Gesicht am Steuer und schob jedesmal, wenn er den Motor abstellte und wieder anließ, seinen
Körper in Richtung Windschutzscheibe, als wolle er seinen
Wagen mit der eigenen Zentnerlast bewegen, doch der Maybach rührte sich nicht.

Walter stieg pfeifend aus dem Opel aus, warf krachend die Tür
zu, bat Frau Schlachanska und Jeanne-Louise auszusteigen,
was sie auch ohne den erwarteten Widerspruch taten, und
versuchte, den Metallkoloß anzuschieben.

»Laß das, du Narr«, schrie Jettel alarmiert, die mit Max aus
dem Opel geklettert war, »ein Mann mit einem kranken Herz
schiebt keine Autos.«

»Dann schieb doch mit.«

Sie schoben alle – Walter keuchend, Max mit ermunternden
Zurufen, Frau Schlachanska in hochhackigen Schuhen, Jettel
mit rutschendem rosa Hut und Regina im empfindlichen Kleid
ihres Ehrentags, doch sie erkannten noch vor der völligen
Erschöpfung, daß ihre Mühen vergeblich waren.

»Kommen Sie, mein Freund, ich fahr Sie nach Hause, falls Sie
überhaupt wissen, wie man in einen kleinen Wagen einsteigt.«
Joseph Schlachanska fand auf dem Beifahrersitz nicht genug
Platz für seinen Bauch, und als er sich ächzend nach hinten
zwängte, blieb er, die Nase an die Heckscheibe gedrückt,
stecken. Seine Beine mit den teuren Wildledermokassins, die
gerade in Mode kamen, hingen zum Auto heraus.

»Wie Pu der Bär«, jubelte Max.

»Halt den Mund«, schimpfte Walter.

Er mußte den Beifahrersitz ausbauen, ehe er Schlachanska auf die Rücksitze schieben konnte. Mit bis nach unten heruntergekurbelten Fenstern und laut »Kwenda Safari« singend, fuhr er nach einer Stunde los.

Frau Schlachanska, wütend, weil sie ihr Seidenkleid verfleckt hatte, und Jettel mit verrutschtem Schleier teilten sich im zunächst warmen, dann sehr kräftigen Frühlingswind auf der Wiese, zwischen Gänseblümchen und einem Schaf mit schwarzem Kopf, den zerschlissenen Sitz vom Opel. Jeanne-Louise saß stumm auf dem Schoß ihrer Mutter. Max konnte es trotz mütterlicher und schwesterlicher Ermahnung nicht lassen, um das fröstelnde Quartett herumzutanzen und in Abständen »Mein Vater ist der beste Autofahrer der Welt« zu grölen.

Als Walter mit Rumbler zurückkam, dem an seinem freien Tag eilig herbeizitierten und durch eine gewaltige Portion Schadenfreude sichtlich animierten Chauffeur, um seinen Beifahrersitz und die Familie abzuholen, lehnten Mutter und Tochter Schlachanska es indes ab, auf die Befreiung des Maybachs aus seiner schmachvollen Lage zu warten. Sie drängten sich, ungewöhnlich kleinlaut, in den Opel.

»Das«, versprach Max am Abend seinem Vater, noch immer beeindruckt vom Sieg des von ihm verkannten Davids über den so lange Jahre bewunderten Goliath, »werde ich dir nie vergessen.«

Erst zwei Tage später kam es zum fälligen Gespräch zwischen Vater und Tochter. Regina war auf eine sie sehr irritierende Art verlegen und wurde es noch mehr, als ihr aufging, daß es Walter auch war.

»Ich bin kein reicher Mann«, sagte er mit einer Feierlichkeit, die er sofort als übertrieben und sehr töricht verurteilte, »aber ich habe genug Geld, um dich studieren zu lassen. Du darfst studieren, was du willst. Woran hast du gedacht?«

Beklommen fragte sich Regina, ob ihr Vater wirklich nicht

ahnte, daß sie sehr bald nach ihrem Eintritt in die Schiller-
schule schon nicht mehr hatte studieren wollen und auf keinen
Fall auf einer deutschen Universität. Die Pflicht bedrückte sie,
daß sie sich nun dankbar für eine Wohltat erweisen mußte und
den Wohltäter nicht nur deshalb enttäuschen dürfte, weil sie
beim Gedanken an ihre Zukunft nichts empfinden konnte als
jene mit den Jahren des Bewußtwerdens immer stärker gewordene Sehnsucht nach einer überschaubaren Welt unter Menschen, die so fühlten wie sie. Ihr ging aber gerade noch rechtzeitig auf, daß es trotzdem leicht war, ihrem Vater eine Freude
zu machen, und zwar mit der Antwort, die er gewiß seit Jahren
von ihr erwartete. Sie lächelte voller Reue im Bewußtsein ihrer
Nachlässigkeit, als sie erkannte, daß es diesmal sie gewesen
war, die so lange ihre Augen blind und ihre Zunge stumm
gemacht hatte.

»An Jura«, sagte sie zufrieden.

»Das kann doch nicht dein Ernst sein, Regina. Nur häßliche
Mädchen studieren Jura. Richtige Blaustrümpfe, die keinen
Mann abbekommen.«

»Dann hätten wir eine Sorge weniger«, überlegte Regina und
grübelte angestrengt, ob sie die Pointe eines Witzes nicht begriffen hatte, »aber ich besteh nicht auf Jura. Es war nur so eine
Idee, weil ich mich für alles interessiere, was du von deinem Beruf erzählst. Eigentlich«, sagte sie, kaute kurz an ihrer Erleichterung und ermutigte sich endlich zur Wahrheit, »möchte ich
überhaupt nicht so sehr gern studieren. Ich bin bald einund-
zwanzig und hab dir doch lang genug auf der Tasche gelegen.«

»Quatsch nicht so dumm. Ich sag dir doch, daß ich es mir
leisten kann, meine Tochter auf die Universität zu schicken.
Nur Jura sehe ich nicht so gern. Und das wirklich nicht nur,
weil du ein hübsches Mädchen bist. Ich hab erlebt, was Jura
bedeutet. Du kannst den Beruf nirgends außer in Deutschland
ausüben. Ein Jurist ist Gefangener auf Lebenszeit.«

Verwirrt fragte sich Regina, wieviel Überwindung das Geständnis ihren Vater gekostet hatte. Sie wußte, daß sie ihn nicht ansehen durfte, und fixierte das Bild vom Breslauer Rathaus, wie sie es als Kind getan hatte, wenn die Worte nicht schnell genug vom Kopf in den Mund gesprungen waren. »Du willst doch«, sagte sie, und mit einem Mal wurde es ihr leicht, das Einverständnis der ewigen Verschwörung anzudeuten, »daß ich hierbleibe. Wie wär's«, schlug sie vor, »mit Kindergärtnerin? Ich hab doch Kinder sehr gern.«

»Willst du wirklich noch Ringelreihen tanzen und ›Alle meine Entchen‹ singen, wenn du eine alte Dame von fünfzig bist?« fragte Walter.

»Du bist zu klug für mich, Bwana. Schneiderin wäre doch auch nicht schlecht. Kleider brauchen die Leute immer.«

»Ich wußte nicht, daß du gerne nähst.«

»Ich auch nicht«, lachte Regina. »Wie wär's mit Buchhändlerin? Viele aus meiner Klasse haben das vor.«

»Die Tochter eines Rechtsanwalts wird nicht Verkäuferin. Du bist doch nicht jahrelang zur Schule gegangen, um in einem Laden zu stehen. Herrgott, Regina, es muß doch irgend etwas auf der Welt geben, das so ein intelligentes Mädchen wie du gern tut.«

»Schreiben«, erkannte Regina, »ich hab mein ganzes Leben nichts anderes wirklich gern getan.«

»Doch nicht etwa Bücher? Hast du nicht an deinem Vater gesehen, was es bedeutet, sein Leben lang ein Hungerleider zu sein?«

»Ich denke schon einige Zeit an Journalismus«, sagte Regina zu schnell und noch mehr verblüfft, doch sie sah es als eine durchaus glückhafte Fügung an, daß ihr gerade der Deutschlehrer eingefallen war, der die meisten ihrer Aufsätze mit der Bemerkung »zu journalistisch!« versehen hatte. »Aber ich hab keine Ahnung, wie man das wird.«

»Ich auch nicht, aber die Idee ist nicht ganz so schlecht wie die anderen. Ich kann ja mal am Gericht oder in der Jüdischen

Gemeinde herumfragen, ob irgend jemand einen Menschen kennt, der was mit Zeitungen zu tun hat.«

»Hauptsache, die Zeitung ist nicht in England oder in sonst einem Land mit einem Aufgebot heiratswütiger jüdischer Männer«, seufzte Regina.

»Ich vermute, du hättest gegen Südafrika nicht ganz soviel einzuwenden?«

»Woher weißt du?« staunte Regina, »wie bist du draufgekommen? Warum hast du nie was gesagt?«

Sie war zu verwirrt und auch zu erleichtert, um ihrem Vater zu zürnen, daß er zur Jagd aufgebrochen war, ohne ihr vorher seine mit so viel List geschärfte Waffe zu präsentieren, und sie so leicht zur Strecke gebracht hatte. Einen betäubenden Herzschlag, der ihre Haut warm und ihren Kopf heiß machte, gestattete sie sich die Flucht an das sorgsam verschüttete Ufer, genoß die Stille des Augenblicks und den von Honig und Salz getränkten Geschmack der Erinnerung, doch dann hörte sie den Jäger lachen, und sie zerschnitt ihren Traum mit einem ebenso scharf geschliffenen Messer wie in der Stunde des Abschieds.

»Hast du wirklich geglaubt, ich weiß nichts von dir und Martin? Martin konnte nie länger als eine Stunde mit einer Frau zusammensein, ohne sie zu bekommen.«

»Mit mir war es eine Nacht«, sagte Regina, »und ich bin froh, daß du es weißt.«

Sie versuchte in den Tagen, die sie seit der ersten Stunde in einer deutschen Schule herbeigesehnt hatte und die ihr nun ebenso lang wie sinnlos erschienen, sich ihre mangelnde Begeisterung für ihre Zukunft und die sie noch mehr störende Lethargie als die normale Verfassung einer Abiturientin zu erklären, die zu lange in der Obhut einer gnadenvoll vor dem Leben schützenden Gemeinschaft gewesen ist. Doch sie war zu ungeübt im Selbstbetrug und auch nicht naiv genug, um nicht genau Bescheid zu wissen. Regina hatte nie die Furcht des

Kindes überwunden, das mit einer nicht wiedergutzumachenden Plötzlichkeit und vernichtender Heftigkeit aus der Vertrautheit der eigenen Welt gestoßen worden war, um für immer unter Fremden zu leben.

Sie empfand es als besonders ironische Pointe des Schicksals, daß ausgerechnet Joseph Schlachanska, der Reginas Bleiben in Deutschland als Sünde wider Erfahrungen und Glauben ansah, sie schließlich aus der Umklammerung ihrer verwirrten Selbstzweifel erlöste. Er hatte gute Beziehungen zu einem Verleger in Offenbach und überredete ihn, ohne selbst Walter vorher etwas davon zu sagen, Regina zu empfangen.

13

Regina, von einer zierlichen, rotblonden Frau mit auffallend grünen Augen hinter einer ebenso auffälligen, goldumrandeten Brille nach zehn Minuten angsterregenden Wartens energisch in das Zimmer von Verleger Brandt und bis zum leeren Stuhl vor seinem wuchtigen Schreibtisch geschoben, versuchte, ihren Faltenrock glattzustreichen und sich dabei möglichst wenig zu bewegen. Sie trug das blaue Kostüm, das sie durch ihr mündliches Abitur geleitet hatte und seitdem zu allen Gelegenheiten von größerer Bedeutung dafür zu sorgen hatte, daß sie sich nicht ihres zu jugendlichen Aussehens zu genieren brauchte. Dennoch war sie überzeugt, daß sich in ihren Augen und um den Mund schon vor dem ersten Wort der Unterredung die gespannte Unbehaglichkeit abgezeichnet hatte, die sie als eine ebenso große Belastung empfand wie die Zweifel, ob sie ihren Eltern je den Grund für ihre erste Niederlage auf dem Weg zur lockenden Selbständigkeit würde erklären können.

Der Verleger hatte eines jener glatten runden Gesichter, die Regina sonst immer die Scheu vor Fremden nahmen, weil weit auseinanderliegende Augen und eine breite Stirn sie auch bei weißhäutigen Männern spontan an die gutmütige Offenheit der Schwarzen denken ließ. Er saß in einer braunen Tweedjacke, die sie ebenfalls an ihre Kindheit, und zwar an ihren ersten Schuldirektor, erinnerte, vor einem Schreibtisch aus dunklem Holz, auf dem sich neben einem Fliederstrauß vergilbte Zeitungen zu einem wackeligen hohen Berg stapelten.

Regina ahnte, daß ihr nicht mehr viel Zeit bleiben würde, um wenigstens einen vernünftigen Satz zu sagen, wenn sie nicht umgehend das Schweigen brach, doch ihr fielen noch nicht einmal jene kleinen Verbindlichkeiten ein, die sie auf der langen Straßenbahnfahrt von der Konstabler Wache nach Offenbach formuliert und immer wieder geprobt hatte.

Trotz aller herzklopfenden Bemühungen, sich auf den Anlaß ihres Besuchs und erst recht auf die Aufgabe zu konzentrieren, den Eindruck einer gescheiten jungen Frau zu erwecken, die es danach drängte, Block und Bleistift zu ergreifen und das Leben zu porträtieren, vertrödelte Regina ihre Zeit bei einem Gedankenspiel, das sie zwar als absurd empfand, von dem sie aber nicht mit der gebotenen Eile lassen konnte. Sie stellte sich mit einer Detailtreue vor, die sie im Angesicht ihrer Situation als absolut bemerkenswert einstufte, daß ihre Familie in den Zeiten der Not mit dem Wissen um solche Papierberge sich jeden Tag jenen Durchfall hätte leisten können, den alle noch mehr fürchteten als die Verknappung der Fettrationen.

Regina fiel erst auf, daß sie im Gedanken an die Tage, als das gedruckte Wort längst nicht so wichtig war wie das Papier, auf dem es stand, wohl ihre Lippen bewegt haben mußte, als Uwe Brandt sagte: »Das gefällt mir. So ist es mir auch immer gegangen, als ich jung war. Ich hab einfach drauflos gelächelt, und die Leute hielten mich für freundlich.«

»Danke«, murmelte Regina.

»Wofür?«

»Daß Sie überhaupt etwas gesagt haben.«

»Das berühmte erste Wort«, lachte Brandt, »das macht allen Journalisten zu schaffen.«

Regina merkte noch vor dem Verleger, daß er selbst, wenn auch wohl ohne Absicht, den Grund ihres Besuchs zur Sprache gebracht hatte. Sie kramte, zu umständlich, wie sie sofort registrierte, in ihrer Handtasche, hielt ihm schließlich ihr Abiturzeugnis entgegen und überlegte, ob die Behauptung, der

Deutschlehrer habe ihr zum Journalismus geraten, bereits jetzt angebracht und keine allzu große Übertreibung sei.

»Ach, lassen Sie das nur, schönes Kind. Ich halt nichts von Zeugnissen. Unser Klassenprimus hat es nicht weiter als bis zum Oberamtmann bei der Bahn gebracht. Und ist im Irrenhaus geendet.«

»Hoffentlich passiert so etwas auch in meiner Klasse«, sagte Regina. Sie wurde aufs neue befangen, als sie merkte, daß sie gelacht hatte, fand aber zu ihrer Verwunderung doch den Mut weiterzureden. »Ich bin nicht die Beste in der Klasse gewesen. Seit Afrika nicht mehr.«

»Wie kommen Sie plötzlich auf Afrika?«

»Ich hab da gelebt«, erklärte Regina. Sie fragte sich unglücklich, wie es hatte geschehen können, daß sie sich hatte hinreißen lassen, ohne die geringste Notwendigkeit von sich selbst zu erzählen und gleich so Entscheidendes, aber sie wollte den Faden des Gesprächs auch nicht sofort wieder zerschneiden und erklärte dann doch: »Ich meine, wir sind nach Kenia ausgewandert, als die Nazis kamen.«

Als der Verleger sehr spontan und mit einer Aufmerksamkeit, die Regina nur selten erlebte, nach ihrer Familie, der Emigration und dem Leben in der Fremde fragte und sie ohne Hemmungen und mit immer stärker werdender Freude von Ol' Joro Orok, den Flachsfeldern, Owuors Weisheit und den Klängen der Nacht erzählte, war sie sicher, daß sie, genau wie als Kind in auswegloser Lage, den schwarzen Gott Mungo beschworen hatte. Er war ihr zu Hilfe gekommen und hatte seinen Blitz in ihre Zunge geschmettert.

»Sie können gut erzählen«, sagte Uwe Brandt, als Regina ihm auch die Rückkehr nach Deutschland geschildert hatte und selbst den Wunsch, irgendwo zu stehen und kein Haus und keinen Menschen zu sehen, und daß sie immer noch auf dieses Erlebnis warte. Sie hörte ihn erst lachen und dann auch sprechen.

»Das ist mehr als die meisten Journalisten können. Eine gute Geschichte gut erzählen. Woran haben Sie eigentlich gedacht? An die Offenbach-Post oder an die Abendpost?«

Regina mußte einen gewaltigen Umweg machen, um in die Gegenwart zurückzufinden. Sie grübelte mit sehr viel mehr Anstrengung als brauchbarem Ergebnis, ob sie je von der Offenbach-Post gehört hatte und ob überhaupt von einer Zeitung die Rede war. Erleichtert, weil sie ihr zumindest eine Spur wiesen, dachte sie an die jungen Männer an der Hauptwache, die dort die »Abendpost« hochhielten und mit erstaunlicher Stimmkraft die neuesten Nachrichten ausriefen, die man der großen Lettern wegen ohnehin von weitem lesen konnte. So sehr sie sich aber auch konzentrierte, wurde sie nicht schlüssig, weshalb sie sich für eine von zwei Möglichkeiten entscheiden sollte.

»An die Abendpost«, sagte sie zögernd.

»Da haben Sie sich aber einen gewaltigen Happen vorgenommen. Boulevardjournalismus ist nicht leicht für eine Frau. Kennen Sie Herrn Schlachanska eigentlich gut?«

»Sehr gut«, sagte Regina, beglückt, daß Uwe Brandt offensichtlich keine Äußerung von ihr zu den ersten beiden Sätzen erwartete.

»Ein interessanter Mann.«

»Sehr«, bestätigte sie.

»Aber gerade das macht mich nachdenklich.«

»Warum?«

»Sehen Sie«, sagte der Verleger, doch er schwieg zu plötzlich und veränderte auch sein Gesicht zu merkbar, um Regina nicht sofort in einen Zustand von beunruhigter Anspannung zu versetzen. Sorgsam rückte er die Vase mit dem Flieder von der rechten zur linken Seite des Schreibtischs, suchte einige Zeit sein Taschentuch erst in der Jacke und dann in der Hose und rieb seine Stirn trocken.

»Darf ich Ihnen eine kleine Geschichte erzählen?«

Regina zwang sich zu einem Nicken. Sie ließ sich von der Last ihrer Befangenheit tief in den Stuhl drücken und fragte sich, ob der Verleger wohl Joseph Schlachanska gut kannte, vor allem seit wann und in welchem Maß er ihr dessen Maybach und Auftreten anlasten würde. Zu entmutigend deutlich, um nicht das letzte Stück ihrer Sicherheit zu verlieren, hörte sie ihren Vater schimpfen: »Das fällt auf uns alle zurück, wie sich der gute Schlachanska benimmt.«

»Vor zwei Wochen«, erzählte Uwe Brandt und sah Regina mit einem Blick an, den sie als skeptisch deutete, »war ein Vertreter für Zeitungspapier hier und hat mir ein Angebot gemacht. Ein wirklich freundlicher, sehr gut Deutsch sprechender junger Mann. Ich hab sein Angebot durchkalkuliert und fand es zu teuer. Und wissen Sie, was passiert ist, als ich das dem guten Mann gesagt habe?«

»Nein.«

»Der Kerl hat hier in meinem Büro eine furchtbare Szene gemacht und geschrien, er habe nur deshalb den Auftrag nicht bekommen, weil er Jude sei. Fragen Sie mal meine Sekretärin, wie schrecklich das für uns alle war.«

»Ja«, sagte Regina.

»Ich weiß nicht, ob Sie sich das vorstellen können, weshalb ich Ihnen die Geschichte erzähle.«

»Ich glaube ja.«

»Wenn ich Sie nun nicht als Volontärin bei uns einstelle, weil wir nirgends eine freie Stelle haben, dann glauben Sie doch ganz bestimmt, daß ich Sie aus rassischen Gründen ablehne. Ich meine, wir können ja heute nicht mehr normal über diese Dinge reden. Das ist das Schlimme an unserer Zeit.«

Noch ehe sie den letzten Satz gehört hatte, wußte Regina, daß sie tatsächlich den Gott Mungo beschworen und er ihr für einen kurzen, belebenden Augenblick auch die Zaubermacht seines rechten Armes geliehen hatte, um die die Schwachen baten, wenn ein Dieb ihnen drohte, für immer Gesicht und

Kraft zu stehlen. Als sie das Abiturzeugnis von ihrem Schoß nahm, es sehr langsam zusammenfaltete, in die Handtasche legte und danach mit der lauernden Plötzlichkeit eines im Angesicht tödlicher Gefahr geblendeten Wasserbüffels aufstand, war sie sich noch nicht ganz sicher, ob sich nicht auch die Strahlen von Mungos tödlichem Feuer zwischen ihren Zähnen verfangen hatten. Der Wunsch aber loderte stark in ihren gedemütigten Sinnen und trieb sie zu einem Ufer, das sie bisher noch nie erreicht hatte.

»Wenn Sie so denken«, sagte Regina, und sie konnte es nicht fassen, daß ihre Stimme ruhig wie die eines sterbenden Windes war, »dann hat es keinen Zweck, daß Sie weiter mit mir reden. Zu Hause nennen wir so was Sippenhaft.«

Sie fühlte, als ihre Augen die Tür suchten, wie die Empörung in ihr einer großen, beseligenden Befreiung wich; endlich erlöst von dem sie so lange drückenden Erlebnis am Tag, als sich ihr Vater dem antisemitischen Autofahrer in der Höhenstraße gestellt hatte, dachte sie nun nur noch mit dem Jubel der auf wunderbare Weise Erstarkten an die feige vertanen Minuten, als in ihr nichts als Schweigen und Angst gewesen waren. Sie glaubte sich sogar lachen zu hören, laut und voller Lust, doch dann erkannte sie, daß es nicht ihr Gelächter war, das ihre Ohren erreicht hatte.

»Bleiben Sie um Himmels willen hier, Sie temperamentvolles Fräulein«, rief Uwe Brandt. »So hab ich das doch wirklich nicht gemeint. Ganz im Gegenteil. Sie gefallen mir. Ich find es wunderbar, wie Sie mir eben gesagt haben, was Sie von mir halten.«

»Ja«, sagte Regina und ärgerte sich, daß sie nur noch Flüstern aus sich herausgepreßt hatte. Sie konnte sich nicht rasch genug entscheiden, ob sie sich wieder hinsetzen oder umgehend mehr als nur ein Wort sagen müßte, aber der Weg zum Stuhl schien ihr zu weit, und sie merkte auch, daß ihre Augen sich nicht auf ein bestimmtes Ziel einigen konnten. Sie blieb stehen, und nach ein paar Sekunden, in denen sie glücklos nach einer zu den Umständen passenden Antwort suchte, gab sie sich damit zufrieden, daß es ihr wenigstens gelungen war, den Mund zuzumachen.

»Journalisten brauchen Mut«, erklärte Uwe Brandt mit jenem Wohlwollen, das allgemein als ansteckend empfunden wurde. »Das hab ich schon als Anfänger bei Ullstein begriffen. Am besten ich schicke Sie gleich zum Chefredakteur der Abendpost. Wenn Sie mit dem klarkommen, wird hier keiner glücklicher sein als ich. Ich freue mich auch, wenn ich meinem alten Freund Schlachanska einen Gefallen tun kann. Sie trinken am besten erst eine Tasse Kaffee mit mir. Wir sollten unserem Herrn Frowein ein bißchen Zeit lassen, um sich von dem Schock zu erholen. Er tut sich schwer mit Frauen, müssen Sie wissen. Gehen Sie nur schon vor ins Sekretariat. Ich komme gleich nach«, sagte er und griff zum Telefon.

Emil Frowein legte den Hörer seufzend aus der Hand und analysierte sehr gründlich und, wie immer, unbarmherzig ehrlich gegen sich selbst den Grund für seinen Stimmungsumschwung. Es war nicht die übliche Aversion des Chefredakteurs gegen die Einmischung des Verlegers in redaktionelle Belange, die ihm zu schaffen machte. Er empfand sich als diplomatisch genug, Verdrossenheit der sich so häufig wiederholenden Art zu negieren, und war stets bereit zu einem mit Geduld und Einfühlungsvermögen geführten Gespräch mit Menschen, die es zu seinem geliebten Beruf drängte.

Auf keinen Fall scheute Emil Frowein je den großen Aufwand, um festzustellen, ob die jungen Leute im Stuhl vor seinem Schreibtisch nur Opfer von romantischen Illusionen waren oder wenigstens vom ersten Eindruck her geeignet erschienen, einen Weg zu gehen, der, zumindest ihm, weder schmerzende Zugeständnisse an das eigene Talent erspart hatte und, noch viel schlimmer, die Gefahren allzu schnell akzeptierter Kompromißbereitschaft und einen Ehrgeiz, den er schon lange als ungesund abtat. Es war die Art, in der Brandt die junge Frau angekündigt hatte, die Frowein beunruhigte – nicht der Umstand, daß Chefredakteure gut beraten waren, sich den Wünschen ihrer Verleger in bezug auf Personal nicht ohne wirklich zwingende Gründe zu widersetzen.

»Ich schicke Ihnen mal was ganz Besonderes zur Ansicht«, hatte Uwe Brandt am Telefon gesagt. »Eine auffallend hübsche Person. Weiblich. Hat wunderbares schwarzes Haar, wie es eben nur Jüdinnen haben.« »Uwe«, wie er in der Redaktion allgemein genannt wurde, hatte das Gespräch ein wenig unvermittelt beendet, aber nicht rasch genug, um seinen Chefdakteur im unklaren darüber zu lassen, daß er herzhaft gelacht hatte.

Es war bekannt und auch ein von allen durchaus akzeptierter Branchenwitz, daß Emil Frowein Vorbehalte gegen Frauen im Journalismus hatte, es sei denn, sie hielten sich an die bewährten Themen Kirche, Küche, Kinder und neuerdings natürlich auch Mode. Es kostete ihn wenig Mühe und nur einige ironische Formulierungen, seine Ansicht, die nicht mehr als absolut zeitgemäß galt, auch fundiert zu verteidigen. Frowein fand Frauen, wenn schon ehrgeizig genug, um seinen hohen Ansprüchen zu genügen, zu empfindlich, futterneidisch, zänkisch und so fast immer ein Problem in einer von Männern dominierten Redaktion. Oder sie neigten dazu, was seiner Ansicht nach eine kontinuierliche Zusammenarbeit über das zumutbare Maß hinaus erschwerte, ihrer – für ihn durchaus verständlichen und auch begrüßenswerten – Sehnsucht nach Sicherheit einen zu großen Stellenwert einzuräumen. Sie ließen sich im Beruf zu sehr von ihrem Privatleben ablenken und heirateten dann auch sehr oft ausgerechnet zu einem Zeitpunkt, da sie endlich voll einsetzbare Kräfte zu werden begannen.

Die bedauernswert kurze Zeit, die ihm bis zu der angekündigten Begegnung mit »Uwes« schwarzhaariger Schönheit blieb,

nutzte Frowein, um sich so entschlossen wie schonungslos
darüber klarzuwerden, daß es diesmal wahrhaftig nicht die
Aussicht auf das störende weibliche Element in seiner Redaktion war, die ihn irritierte. Der gute »Uwe« hatte mit dem
sicheren Instinkt eines Mannes, der viel wußte und nichts
sagte, an der richtigen Stelle gelacht. Ebensogut hätte er seinen
Chefredakteur fragen können: »Wie hast du's mit der Religion?«

Es war nicht so, daß sich ausgerechnet Frowein nach seinen
Erlebnissen in Polen, Holland, Belgien und Frankreich der
Auseinandersetzung mit einer Vergangenheit entzogen hatte,
die er in nichts beschönigte und um so weniger je würde
verstehen können. Wenn es einen Mann im neuen Deutschland des schnellen Vergessens gab, der die Bilder nicht los
wurde, die er gesehen hatte, und an der Schuld trug, die ihm
sein früh ertaubtes Gewissen für alle Ewigkeit aufgeladen
hatte, dann war es Emil Frowein.

Noch keinen Tag seines Lebens nach der Stunde Null, die er
mit all seiner Klugheit und Bereitschaft zur Einsicht als solche
empfand, hatte er sich die Schwäche und Verblendung seiner
Jugend vergeben. Er hatte nur, und das wurde ihm erst bewußt,
als er die Tür seines Zimmers anstarrte und auf das Klopfen
wartete, seit dem Krieg nicht mehr jenseits der beruflichen
Erfordernisse Kontakt zu einem jüdischen Menschen gehabt
und auch nicht damit gerechnet, daß es je wieder zu einem
persönlichen Gespräch kommen würde.

Selbstverständlich war Frowein, schon als eingeladener Chefredakteur und weil er es als Selbstverständlichkeit in seiner
Position empfand, zur Einweihung der wiederaufgebauten
Synagoge in der Freiherr-vom-Stein-Straße gewesen. Er hatte,
obwohl es ihm leicht gewesen wäre, den mühelosen Weg des
Delegierens an einen Reporter zu wählen, sogar den Bericht
über das Ereignis selbst geschrieben, das ihn bewegt, niederge-
drückt, aber erst recht dazu getrieben hatte, sich jenem Teil

seiner Persönlichkeit zu stellen, dem er mit jeder Stunde der Einkehr immer weniger Abbitte leisten wollte.

Er ließ keine Veranstaltung der »Gesellschaft für christlich-jüdische Zusammenarbeit« aus, zu der Journalisten geladen wurden, räumte Berichten über die »Woche der Brüderlich-keit« größtmöglichen Platz im Blatt ein und hatte es wahrhaftig nicht nur als Chronistenpflicht empfunden, an den alljährlich stattfindenden Gedenkfeiern zum 9. November 1938 auf der Stätte der niedergebrannten Synagoge in der Friedberger Anlage teilzunehmen.

Nun, in dem Moment, der ihm die Ruhe mit einer Intensität raubte, die er sich trotz allem, was er über sich selbst wußte, nicht erklären konnte, kam er sich wie ein verängstigtes Kind vor, das nicht nach Hause findet. Zu klar erkannte er, daß die theoretischen Übungen in Reue seiner bußfertigen Seele nur eine sehr kleine Last genommen hatten. Ihn schauderte.

Frowein schenkte sich einen Kaffee aus der Thermosflasche ein und holte eine Zigarette aus der zerknüllten Packung »Lucky Strike«. Er hatte gerade festgestellt, daß seine Hände ebenso unruhig waren wie sein Kopf, als er das Klopfen hörte. Energisch befreite er sich aus dem Netz seiner Emotionen, rief sehr bestimmt: »Herein«, sprang auf, was er nicht vorgehabt hatte, sah Regina in der Tür stehen und daß sie tatsächlich sehr schwarzes Haar hatte, genau wie sein Kater, und sagte: »Ich hab Sie schon erwartet. Kommen Sie, setzen Sie sich. Ich beiße nicht. Ich seh nur so aus.«

Er stellte, durch Routine spontan erlöst von seiner Befangen-heit, die üblichen Fragen nach Schule, Abitur, besonderen Neigungen und Vorstellungen von einem Beruf, zu dem er viel lieber ab- als zuriet, doch er erhielt nicht die üblichen Antwor-ten. Regina verbarg weder ihre Ahnungslosigkeit vom Journa-lismus noch den Umstand, daß eher Zufall denn Neigung sie überhaupt in das Zimmer geführt hatten, in dem sie nun saß. Die rigide Erziehung der englischen Schule zu Untertreibung und einengender Bescheidenheit fiel sie mit lange nicht mehr so kompromißlos erlebter Heftigkeit an und geleitete Verstand und Zunge. Sie erzählte, belustigt und ironisch, von ihren mittelmäßigen Leistungen in der Schule, vom Deutschlehrer und dessen Aversionen gegen die Simplifizierung von schwierigen Zusammenhängen und kam, weil ihr keine weiteren Details zu ihrer geistigen Entwicklung mehr einfielen, sie aber das Gespräch im Fluß halten wollte, unvermittelt auf ihre Zeit bei Guggenheims zu sprechen. Verlegen erwähnte sie auch ihre vom Vater argwöhnisch unterdrückte Begeisterung für Malerei und Theater.

»Will er denn, daß Sie Journalistin werden?«

»Er hat nichts dagegen. Er findet es auf alle Fälle besser, als wenn ich Bilder male oder Schauspielerin werde.«

»Ach, malen Sie?«

»Aber nein.«

»Und haben Sie mal an die Schauspielerei gedacht?«

»Da wäre ich zu Hause längst rausgeflogen. Außerdem war ich mein ganzes Leben lang zu schüchtern, um auch nur ein Gedicht aufzusagen.«

»Ich hab als Vater auch zu viele unbegründete Ängste.«

»Dann müßten Sie mal meinen Vater kennenlernen«, sagte Regina.

Ihre Stimme, die Präzision vor allem, mit der sie jedes Wort artikulierte, die auffallende Härte einer Sprache, die nicht zu ihrer zurückhaltenden Art paßte und die dazu noch Erinnerungen an lang verschüttete Fröhlichkeit weckte, fielen Frowein auf. Er brauchte mehr Zeit, als er erwartet hatte, um sich einzureden, daß es nur Reginas Sprache war, die ihn beschäftigte, und fragte: »Wo kommen Sie her?«

»Aus Afrika. Ich meine«, verbesserte sie rasch, »ich habe lange dort gelebt.«

»Sind Sie denn dort geboren worden?«

»Nein. Geboren bin ich in Deutschland.«

»Wo?«

»Ach«, sagte Regina und wurde rot, »das werden Sie nicht kennen. Ich bin in ganz Frankfurt noch keinem Menschen begegnet, der diesen ulkigen Ort kennt, wenn er nicht zufällig von dort stammt.«

»Versuchen Sie's mal«, lächelte Frowein.

»Aus Leobschütz.«

»In Oberschlesien. Meine Frau ist dort geboren.«

Sie lachten beide und Regina so sehr, daß sie sich auf die Lippen beißen mußte, um nicht von Owuor zu sprechen und daß er sie als Kind mit der Weisheit verzaubert hatte, die Herzen zweier fremder Menschen würden sofort zusammenwachsen, wenn sie im selben Augenblick lachten. Sie hatte es seit Owuor oft und immer glücklos versucht, rechtzeitig die Laute plötzlichen Gelächters einzufangen. Es galt, dem Fremden sofort den Blick zu stehlen. In Froweins Gesicht entdeckte Regina jenen Ausdruck von gehetzter Bekümmertheit, den sie von ihrem Vater kannte. Ihr wurde auch bewußt, daß der Mann vor ihr Schatten in den Augen hatte und sich im Gespräch oft durch Witz und Ironie schützte und daß sie das sehr an Martin erinnerte; sie mußte ihren Gedanken verbieten, sich von ihrem Kopf loszureißen.

»Was machen Sie«, fragte Frowein, »wenn ich Sie ins Theater schicke, um eine Kritik zu schreiben, und das Theater brennt?«

Regina hetzte zum Tor des Irrgartens zurück und sah Frowein frappiert an. »Ich seh zu, daß ich raus komm und laufe nach Hause«, sagte sie.

»Und rufen nicht in der Redaktion an und berichten, daß das Theater brennt?«

»Auf die Idee wäre ich nie gekommen. Jedenfalls nicht, ehe ich meiner Familie bewiesen hätte, daß ich noch lebe.«

»Eigentlich«, sagte Frowein, »war das die Kardinalfrage, ob Sie zur Journalistin taugen.«

»Da bin ich wohl durchgefallen.«

»So ist es«, sagte Frowein. »Aber nicht als Tochter. Ich will es trotzdem mit Ihnen versuchen. Nur am besten gleich im Feuilleton. Ist das einzige Ressort einer Zeitung, in dem man Journalisten ein Herz zubilligt.«

Er bat seine Sekretärin um frischen Kaffee und eine zweite Tasse; Regina mochte ihm nicht sagen, daß ihr noch übel von der ersten bei Herrn Brandt war, und noch weniger wagte sie danach zu fragen, was er mit dem Wort »versuchen« gemeint hatte. Sie starrte den Kaffee an und sagte, sie würde ihn immer schwarz trinken, denn sie sah, daß er es auch tat, und danach hatte sie große Mühe, ihm zu erklären, weshalb ausgerechnet seine Bemerkung »Schon wieder keine Milch« sie so sehr erheiterte.

Sie nahmen, als wollten sie sich zutrinken, zur gleichen Zeit die Tassen hoch und stellten sie wieder hin. Regina dachte an ihren Bruder und an ein Spiel, das er lange Zeit sehr geliebt hatte. Wer den ersten Tropfen verschüttete, hatte verloren. Frowein dachte an ein schwarzhaariges Mädchen mit erhobenen Händen und toten Augen, das er einmal in Holland gesehen hatte. Eine Minute nur, eine Ewigkeit lang. Er räusperte sich und erklärte: »Ich möchte Ihnen noch was sagen.«

»Ja?« fragte Regina.

Sie witterte, als sie ihn anschaute und eine Blässe entdeckte, die ihr vorher nicht aufgefallen war, und auch alarmiert durch seinen ernsten, auch feierlichen Ton, daß sie nun ähnlich Peinigendes erleben würde wie bei Uwe Brandt. Sie betäubte ihre Sinne, doch ihr Herz schlug so heftig, daß sie sich bei der alten kindlichen Frage erwischte, ob schon ein zu lautes Herz einen Menschen verraten würde, doch sie konnte ihre Augen besiegen.

»Ich war Nazi.«

Regina war so sicher, daß sie zu früh Beute ihrer Ängste geworden war, daß sie tatsächlich wieder zum Kind wurde. Sie preßte ihre Lippen aufeinander, bis sie den Schmerz fühlte, denn sie wußte, daß ein Mensch auf kopfloser Flucht zuallererst den Mund verschließen mußte, wenn er schon töricht genug gewesen war, sich von seinen Ohren narren zu lassen.

Sie sah Emil Frowein ruhig an, fixierte die weißen Stellen an seinen Schläfen, die Zähne in seinem geöffneten Mund, den Knoten seiner grauen Krawatte, den Rauch seiner Zigarette, der in winzigen Wolken zu den hellen Vorhängen drängte. Ihre Angst hatte keine Echo gefunden.

»Warum haben Sie das gesagt?« fragte Regina leise.

»Weil Sie es doch erfahren hätten. Jeder in dieser Redaktion wird darauf warten, gerade Ihnen die schöne Geschichte zu erzählen. Ich will es selbst tun.«

»Erzählen Sie.«

Er gebrauchte Worte und Begriffe, die Regina noch nie gehört hatte, sprach von Schreibtischsündern, Konjunkturrittern und den deutschen Frontzeitungen, die er in besetzten Ländern mit der Ideologie getränkt hatte, die es ihm für alle Zeiten verwehrte, ohne Scham in den Spiegel zu sehen. Er war sein Ankläger und Richter, redete von der Dummheit der Klugen, vom Ehrgeiz und von der Verblendung des jungen Mannes, der er einst gewesen war, von der Verzweiflung des frühen Wissens und der noch größeren, der zu späten Einsicht.

Regina ließ es nicht zu, daß seine Worte ihr Herz täuschten. Frowein gefiel ihr. Sie dachte an die Sekunde des gemeinsamen Lachens, spürte seine Aufrichtigkeit, bewunderte seinen Mut und wußte genug.

»Sie sind der erste Nazi, den ich je getroffen habe«, sagte sie lächelnd. »Jedenfalls der erste, der es zugibt. Sonst begegnen mir immer nur Leute, die Juden gerettet und guten Morgen statt Heil Hitler gesagt haben. Mein Vater wird staunen, wenn ich ihm das heute abend erzähle. Wir suchen zu Hause schon seit Jahren einen echten Nazi.«

»Was wird er seiner Tochter sagen?«

»Ach«, erzählte Regina, »mein Vater ist wie Sie. Durch und

durch ehrlich. Er sagt immer, vielleicht wäre er auch Nazi gewesen, wenn Hitler ihn gelassen hätte.«

»Ein bemerkenswerter Vater«, sagte Emil Frowein, »mich wundert nicht, daß er auch eine bemerkenswerte Tochter hat.«

Regina hörte das Telefon auf dem Schreibtisch nicht läuten, sah keine Bewegung. So merkte sie zunächst auch nicht, daß der seltsame, der redliche Wolf, der seinen Pelz nicht hatte wechseln wollen, nicht mehr mit ihr sprach. Doch dann wurde seine Stimme donnernd und verschluckte seinen Atem, und zum zweitenmal an diesem Tag konnte sie keines der Worte verstehen, die ihre Ohren peitschten.

Aufgeregt schrie Frowein in den Hörer: »Doch nicht der Schlachanska aus Frankfurt? Sag bloß, die haben unseren guten Schlachanska verhaftet.«

14

Der kleine silberne Mercedes, nach dem Regina am Tag zuvor eine Stunde lang in jeder Ecke der Wohnung gesucht hatte, um die Tränen ihres Bruders zu stillen, der jede Hoffnung aufgegeben hatte, sein Lieblingsspielzeug je wiederzusehen, lag auf dem kleinen Rasenstück zwischen dem runden Rosenbeet und dem Fliederbaum. Erleichtert schloß sie das schwarze Eisentor zum Vorgarten auf. Als sie sich lächelnd nach dem Auto bückte und an das glückliche Gesicht dachte, das sie in wenigen Minuten begrüßen würde, befreiten sich ihre Sinne endgültig von der Verwirrung des zehrenden Tages.

Sie ließ genug Luft in Brust und Kopf, um allein schon an der bewußten Bewegung ihres Körpers zu genesen, und roch so lange an dem von der Nachmittagssonne erwärmten Flieder, bis ihre Nase nichts mehr von der betäubenden Süße halten konnte. Erst in diesem Moment der endgültigen Erlösung erreichte sie die Botschaft, daß sie unverwundet, stolz und vor allem so glücklich nach Hause zurückkehrte, wie seit Jahren nicht mehr.

Weil Regina vom Rausch der Befreiung noch trinken wollte, ehe sie ihn mit ihren Eltern teilen mußte, setzte sie sich mit dem Blick auf die hellen Mauern des Hauses und ohne den Lärm von der Straße auch nur zu hören unter den Fliederbaum. Sie zog ihre Schuhe aus, stemmte ihre Füße in den feuchten Boden, rieb ihren Rücken an dem dünnen, kräftigen Baumstamm und schloß die Augen.

Sehr deutlich sah sie sich wieder im Zimmer des Verlegers

sitzen, beobachtete pedantisch, wie er die Vase von einer Seite des Schreibtischs zur anderen rückte, und hörte ihn von dem Vertreter mit den zu hohen Preisen für Zeitungspapier reden. Mit dem Behagen der Siegerin, die sie bisher nie in ihrem Leben gewesen war, genoß sie noch einmal ihren wütenden Ausbruch aus der Welt des langen Schweigens und danach jene kostbaren Einheiten einer neuen Zeit, als sie mutig und zungenstark geworden war.

Später, in der sanft wärmenden Schwebe zwischen Zufriedenheit und beginnender Schläfrigkeit, sah sie in scharfem Umriß Emil Froweins Zimmer mit den hellen Gardinen und den dünnen Rauchschwaden seiner Zigarette, und schließlich sah sie auch die grauen Augen, die ihre Schatten nicht mehr hatten halten können, als sie Reginas Blick begegnet waren. Sie hob wieder, diesmal belebt von der List und der Lust des Wissens, ihre Tasse hoch und wartete auf das Lachen, von dem er nicht ahnte, was es verkündete. Sie aber wußte, als sie den Duft des Flieders zum letztenmal in ihre Nase ließ, daß ihr Herz sehr lange zögern würde, von dieser Safari zurückzukehren.

Träge überlegte Regina, was von all dem sie ihrem Vater erzählen könnte und vor allem wie, ohne ihn zu ängstigen und sich selbst nicht den Geschmack von Freude und Stolz zu nehmen, doch sie schaute zu den Fenstern des dritten Stocks, ehe sie genügend Zeit gehabt hatte, die letzten Bilder und Worte zum Panorama des Begreifbaren zu sortieren. Max stand auf dem Balkon, rüttelte an den Stäben und rief aufgeregt ihren Namen.

»Ein dicker Mann mit einem großen Auto sitzt im Gefängnis. Aber ich sag dir nicht, wer das ist. Das darf ich nicht. Vati sagt, das ist Anwaltsgeheimnis«, schrie er in den Garten herunter.

Regina sprang auf, nahm die Schuhe in die Hand, hetzte die Treppe hoch, bemerkte, daß ihr Vater den Hut aufhatte, und fragte so atemlos wie vorwurfsvoll: »Was soll der Quatsch?«

»Darfst nicht erschrecken, Regina. Schlachanska ist verhaftet worden!«

»Ich weiß. Aber warum mußtest du das ausgerechnet einem siebenjährigen Jungen erzählen?«

»Er war da, als der Anruf kam. Ich hab vor Schreck alles laut wiederholt, und wenn ich etwas in meinem Leben bedauere, dann das. Mach du ihm klar, daß er nicht davon reden soll. Jeanne-Louise soll's nicht erfahren.«

»Wo ist Mama?«

»Bei Frau Schlachanska. Du kannst dir gar nicht vorstellen, was hier seit dem Anruf aus Schlachanskas Büro los war. Ich muß auch gleich noch mal weg. Wir wollen versuchen, ihn wenigstens für haftunfähig erklären zu lassen. Dann muß er nicht ins Gefängnis und kann im Krankenhaus liegen. Woher weißt du's denn schon?«

»Ich hab's in Offenbach erfahren. In der Redaktion«, sagte Regina. Als ihr bewußt wurde, daß sie das Wort mit dem Stolz eines Kindes betont hatte, das nur sich selbst wahrnimmt, strich sie sich bekümmert das Haar von der Stirn.

»Tut mir leid, Regina. Ich bin ein schlechter Vater. Hat's geklappt?«

»Ja, Bwana«, sagte Regina und lachte ihre Scham fort. Sie umarmte Walter so lange, bis sein keuchender Atem ihre Ohren versiegelte. »Du bist ein guter Vater«, sagte sie, »nur gute Väter haben feuchte Augen, wenn sich ihre Töchter freuen.«

»Einen Moment hab ich noch Zeit«, sagte Walter. »Rauch noch eine Zigarette mit mir, Regina.«

»Du rauchst doch nicht mehr.«

»Nur wenn Mutti dabei ist, raucht er nicht«, jubelte Max, »Anwaltsgeheimnis. Im Büro raucht er immer. Ich weiß es schon lange.«

»Ich leider auch«, seufzte Regina, »du hast nie viel Glück mit Lügen gehabt. Genau wie ich.«

Sie saßen im Wintergarten mit den gelbgestrichenen Wänden, die in der Abendsonne wie die Maisfelder am Rande des Waldes leuchteten. Die schuppige, schwarz-weiße Schlangenhaut wölbte sich über dem Sofa, ein großer Speer glänzte rotbraun hinter den weißen Korbsesseln, und auf dem Regal aus Kunststoff erklärten die kleinen Massaikrieger aus dunklem Holz zwischen den grasenden Elefanten und hellen hölzernen Gnus einander ihren ewigen Krieg. Eine gelbe Gummi-Ente war nach Afrika geschwommen und saß neben einem Büffel mit nur noch einem Horn. Max rieb seinen silbernen Mercedes mit dem Zipfel seines blau-weiß karierten Hemdes ab und ließ ihn um den Aschenbecher sausen. Der Tabak roch schwer und süß; in den kleinen rosa Schnapsgläsern aus Leobschütz spiegelten sich die letzten Tropfen tiefroten Brombeerlikörs.

Regina ließ die Spitze ihrer Zunge ins Glas gleiten, und sie ließ es in Erinnerung an die Freuden der eigenen Kindheit zu, daß ihr Bruder es auch tat. Sie war zu müde, um sich zu entscheiden, ob sie immer noch zufrieden oder bereits schon in den Klauen der Erregung war, die mit Schlachanskas Verhaftung zu tun hatte.

Mit Wehmut erkannte sie, daß sie seit Walters Krankheit zu selten Gelegenheit hatte, mit ihm vom Zauber des Einverständnisses zu kosten, der beide so fest aneinander kettete. Als sie von ihrem Besuch in Offenbach erzählte, war sie schon nicht mehr die Chronistin, die sie hatte sein wollen. Zu unerwartet bohrten in ihr der alte Schmerz und die immerjunge Sehnsucht nach den gestorbenen Tagen, als es genug gewesen war, die Stunden wie Sand durch die Finger rieseln zu lassen und nur die Ohren zu öffnen. Entschlossen, weil sie dabei war, den Aufbruch zu versäumen, kehrte sie zurück in die Gegenwart.

Ihre Stimme war so gut eingeölt mit Bedacht und Vorsicht wie in dunkler Nacht der Körper eines nackten Diebes mit Öl, als sie von Emil Frowein berichtete und wie sie ihn sofort sympathisch gefunden hatte. Es gelang ihr tatsächlich, ohne Anstrengung und sogar mit Freude das Wort »sympathisch« so auszusprechen, als sei es das einzige, das ihr eingefallen war.

»Er will doch nicht etwa ein Verhältnis mit dir anfangen?«

»Wie ist das mit Schlachanska passiert?« erwiderte Regina.

»Du darfst den Namen nicht laut sagen«, mahnte Max. »Keiner darf das. Nur der Vati und ich.«

»Es mußte mal passieren. So ganz durchschau ich die Sache immer noch nicht. Er hat offenbar die Gelder, die seine Klienten als Wiedergutmachung bekommen und die sie nur hier ausgeben dürfen, ins Ausland verschieben helfen. Man nennt das Devisenvergehen. Ich muß dir das mal in Ruhe erklären.«

»Und du?« fragte Regina erschrocken. »Du bist doch auch dagegen, daß die Juden aus dem Ausland erst nach Deutschland reisen müssen, um an ihr Geld zu kommen.«

»Das bin ich. Ich bin dagegen, daß Menschen nur wegen Geldern, die ihnen zustehen, gezwungen werden, hierher zu kommen. Ich finde es unmoralisch, daß man ihnen sagt, wenn ihr unser Geld wollt, dann müßt ihr vergessen, was wir euch angetan haben. Schlachanska hat sich wenigstens dagegen gewehrt.«

»Machst du auch so was?« bohrte Regina.

»Nein. Du weißt doch, daß dein Vater ein Trottel ist. Ein ehrlicher, preußischer Nebbich mit einer Rechtsauffassung und Gesetzestreue, über die Schlachanska gelacht hat.«

»Und was bedeutet das?«

»Daß ich im alten Opel herumkutschiere, deiner Mutter nicht genug Hüte und mir keine neuen Schuhe gönne. Ich wollte gut schlafen und daß meine Kinder mich nicht in der Hammelsgasse besuchen müssen.«

»In der Hammelsgasse ist das Untersuchungsgefängnis«, sagte Max, »darf Jeanne-Louise jetzt dort hin?«

»Red du mal mit deinem schlauen Herrn Bruder und bring ihn zum Schweigen«, lachte Walter und stand auf. Er nahm seinen

Hut vom Tisch, gab seinem Sohn einen Klaps auf die Schulter, seiner Tochter einen Kuß und stand bereits an der Wohnungstür, als er sich umdrehte. Regina kannte die Bewegung genau. Auch seine Stimme konnte sie nicht täuschen. Sie hatte schon seit fünf Minuten gemerkt, daß seine Kehle zu prall und seine Augen unruhig geworden waren.

»Ach Regina«, sagte Walter, »ich hab noch eine kleine Bitte an dich. Ich war um acht mit einem Mandanten im Hotel National verabredet und glaub nicht, daß ich's schaffe, pünktlich dort zu sein. Ich weiß, du hast Angst vor Fremden, aber gib dir mal einen Ruck. Ich will nicht, daß gerade dieser Mann den Abend in Frankfurt allein verbringen muß.«

»So viele Worte für eine kleine Bitte? Was ist los mit dir?«

»Ich kenn dich. Dieser Mandant wird dich aber bestimmt interessieren. Frag einfach an der Rezeption nach Otto Frank aus Basel und sag ihm, daß du meine kluge Tochter bist, große Memsahib des gedruckten Wortes. Er ist übrigens der Vater von Anne Frank. Ich hab ihm schon Bescheid gesagt. Er erwartet dich.«

Obwohl Regina sehr früh und danach immer wieder den Spuren Anne Franks nachgegangen war, hatte sie sich doch nie klargemacht, daß das Schicksal es dem Vater auferlegt hatte weiterzuleben. Noch während sie in der düsteren Hotelhalle auf Otto Frank wartete und verstimmt grübelte, weil es Walters mitteilsamer Art nicht entsprach, weshalb er ihr nie erzählt hatte, daß er ihn kannte, konnte sie sich eine Begegnung mit dem Vater des ermordeten Mädchens nicht vorstellen.

Sie starrte die vergilbte Tapete an und malte sich bedrückt einen alten, gezeichneten Mann mit gebeugtem Rücken und Stock, einer gebrochenen Stimme und zitternden Händen aus. Sie war sicher, daß ihr noch nicht einmal ein verbindliches Wort zur Begrüßung einfallen und daß es ihm ebenso ergehen würde, wiederholte einige Male beschwörend den Namen, war verängstigt und erschöpft von ihren Phantasien.

Otto Frank war groß, schlank und weißhaarig, auf unauffällige Weise elegant und sah jünger aus, als er war. Er trug eine helle Jacke, die die Freundlichkeit seines schmalen, leicht gebräunten Gesichts betonte. Er hatte auffallend gerade Schultern und einen schnellen und festen Schritt, als er auf Regina zukam. Auch sein Händedruck war fest. Er lächelte und sagte: »Sie müssen sich nicht genieren, wenn Sie mich erschrocken anstarren. Das bin ich gewohnt. Die meisten Leute tun es. Sie halten mich für ein Gespenst. Ich finde es großartig, daß mir mein Anwalt seine zauberhafte Tochter schickt.«

»Ich dachte, Sie würden böse sein«, erwiderte Regina und merkte erleichtert, daß ihr doch noch das Wenige eingefallen war, das sie verbissen in der Straßenbahn zum Hauptbahnhof geprobt hatte. »Sie wollten doch sicherlich etwas mit meinem Vater besprechen«, fuhr sie, ermutigt von ihrer unvermuteten Courage, fort, »er kommt nach. Das soll ich Ihnen sagen.«

»In meiner Sache läuft alles glatt. Ihr Vater ist ja ein großartiger Anwalt. Ich wollte eigentlich nur den Mann kennenlernen, der mir noch keinen einzigen Brief ohne einen sehr persönlichen Gruß geschrieben hat. Muß ein Menschenfreund sein, Ihr Vater.«

»Ist er«, bestätigte Regina und fragte sich, wie sie sich nur vor der Begegnung mit Otto Frank hatte fürchten können. Sie war nahe daran, ihm von ihrer Verwirrung zu erzählen und hatte auch keine Mühe mehr, die richtigen Worte zu finden, doch er sprach bereits wieder. Seine Stimme gefiel ihr. Sie war sanft wie sein Blick und doch fest wie sein Händedruck.

»Sie kommen mir gerade recht«, fand er. »Ich eß nicht gern allein, und wenn ich etwas von Damen Ihres Alters versteh, dann haben sie um diese Zeit meistens Hunger.«

»Stimmt. Ich könnt einen Ochsen fressen. Ich glaub, man sagt das hier so in Frankfurt.«

»Tut man«, bestätigte Otto Frank, »ich hab lange genug hier gelebt.«

Sie saßen in einer kleinen Nische des großen, hell erleuchteten Restaurants, in dem es mehr Kellner als Gäste gab. Er bestellte Eier mit Grüner Sauce und erklärte mit einer kleinen Grimasse, als habe er sich lächerlich gemacht und müsse sich entschuldigen, es sei leider auch sein Magen, der Frankfurt nie habe vergessen können.

Der letzte Hauch von Unsicherheit fiel von Regina ab, ehe noch die Eier in einem Bett von Kresse und die silberne Sauciere auf den Tisch kamen. Otto Frank erzählte von Basel und daß er sich nur sehr allmählich an den Dialekt gewöhnen könnte, von seiner zweiten Frau, die er bald nach der Befreiung aus Auschwitz kennengelernt hatte, und berichtete von den Reisen, die er nicht liebte, aber nicht vermeiden konnte, weil er vor allem die jungen Menschen, die ihn kennenlernen wollten, nicht enttäuschen mochte. Er sprach viel von Amsterdam und herzlich von seinen Freunden dort, doch sehr plötzlich, als hätte er sich zu unpassender Ausführlichkeit hinreißen lassen, bat er Regina, von sich zu erzählen.

Sie berichtete von der Rückkehr nach Deutschland, von Hunger, langer Wohnungssuche und dem eigenen Haus, wunderte sich, wie genau er die Rothschildallee kannte und wie oft er in seinem Leben dort gewesen war, sprach kurz von ihrer Schulzeit und länger, als sie höflich fand, von ihren beruflichen Plänen. So kam sie auf ihren Besuch in Offenbach. Selbst die Geschichte mit dem Vertreter des Verlegers ließ sie nicht aus. Sie konnte nun ohne Beklemmung und sogar sehr ironisch von der Begebenheit erzählen; er empfand sie als ebenso skurril wie sie, aber »leider sehr typisch«. Als Otto Frank das erstemal lachte, sah Regina ihn einen zu langen Moment und mit zu weit aufgerissenen Augen an.

Er merkte es und lachte zum zweiten Mal: »Alle denken«, sagte er, »ich könnte nicht mehr lachen. Vielleicht finden die Leute, daß ich das auch nicht mehr darf. Als hätte ich kein Recht mehr zu leben. Heute fällt mir übrigens das Lachen leicht.«

»Warum?« fragte Regina.

»Schauen Sie doch mal in den Spiegel.«

Sie legte das Besteck sofort, aber ohne sich an ihrer Ratlosigkeit zu stören, auf den Teller, holte den kleinen Spiegel aus der Handtasche, in der noch immer das zusammengefaltete Abiturzeugnis lag, hielt ihn hoch und den Kopf ein wenig schief – wie zu Hause der Wellensittich, wenn er mit dem Schnabel gegen die funkelnde Scheibe in seinem Käfig hackte.

Regina blickte in ihr von dunklem Haar umrahmtes Gesicht mit den hohen Backenknochen, der scharf geschnittenen Nase und den schmalen Mund, sah ihre blasse Haut und Augen, die von frühem Wissen gezeichnet und nie ohne einen Schleier von Trauer waren, und sie wußte Bescheid. Seit sie zum erstenmal Annes Tagebuch gelesen und ihr Bild gesehen hatte, hatte sie empfunden, was Annes Vater ihr soeben bestätigt hatte.

»Nicht wahr«, fragte sie leise, »sie hat mir ähnlich gesehen?«

»Ja. Sehr. Ich bin noch nie jemandem begegnet, der mich so stark an Anne erinnert wie Sie.«

»Das tut mir leid«, murmelte Regina, »das wollte ich nicht. Ich meine, das muß schlimm für Sie sein. So auf einmal.«

»Nein. Ich will ja nicht vergessen. Ich will mir vorstellen, wie sie ausgesehen hätte, wenn sie hätte leben dürfen. Das ist so schwer. Für mich bleibt Anne ewig Kind. Wir hatten keine Zeit mehr zum Abschiednehmen. Da entgleiten Gesichter. Man kann sich nicht gegen die Zeit wehren.«

Regina dachte an die Abschiede, die hinter ihr lagen, doch dieses eine Mal waren die Krallen der Trauer gestutzt zur Sanftheit des dankbaren Staunens, und sie begriff, welche Gnade ihr widerfahren war. Ihr war bei jedem Abschied der lange Blick gewährt worden. Sie kannte jeden Zug des Gesichts, das sie nicht vergessen wollte, brauchte nur die Augen zu schließen, um Owuor zu sehen, mußte nur die Ohren öffnen, um ihn lachen zu hören. Sein Gelächter prallte als gewaltiger Donner vom schneebedeckten Berg zurück, wann immer sie danach rief.

»Was haben Sie empfunden, als Sie Annes Tagebuch gelesen haben?«

Sie konnte nicht mehr rechtzeitig aus Ol' Joro Orok zurückkehren, um ihre Zunge zu zähmen, ihren Kopf zur Vorsicht zu ermahnen. »Mir hat es leid getan, daß ich so wenig von Ihrer anderen Tochter erfahren habe. Ich meine«, sagte Regina, entsetzt, als sie sich sprechen hörte, »sie war doch auch Ihr Kind.«

Sie hatte nicht damit gerechnet, daß Otto Frank so spontan reagieren und so schnell aufstehen würde; sie wollte ihm sagen, daß sie ihn nicht hatte kränken, nicht hatte verwunden wollen, daß sie, als sie Annes Tagebuch gelesen hatte, selbst noch ein unwissendes, neugieriges Kind gewesen war. Keines der klärenden Worte, die in ihr tobten, konnte sie laut genug aussprechen. Otto Frank schob seinen Stuhl zurück und ging rasch um den kleinen Tisch herum, stand hinter Regina, beugte sich herunter. Dann drückte er sie an sich und gab ihr einen Kuß. Sie fühlte, als ihr die Tränen kamen, auch die seinen.

»Danke, Regina«, flüsterte er, »daß du das gesagt hast. Wie lange habe ich darauf gewartet, das ein einziges Mal zu hören. Ich leide sehr, daß alle Welt von Anne und kein Mensch je von Margot spricht. Sie war ein wunderbares Mädchen. So großzügig, so verständnisvoll und so bescheiden. Ich hab sie in der ganzen Zeit nie klagen hören. Wir haben uns so wunderbar verstanden. Sie war ganz Vaters Tochter.«

Er erzählte, als er wieder saß, mit der Besessenheit eines Menschen, der zu lange den Fluß seiner Erinnerungen aufgehalten hat, von seiner anderen, der älteren, vergessenen Tochter, von der er nur noch mit den wenigen Menschen sprechen durfte, die seine beiden Kinder gekannt hatten. Er führte Regina in jeden Winkel des Amsterdamer Hinterhauses, in

dem das geschehen war, was die Menschen zu wissen glaubten, und er sprach mit einer Ruhe, als würde die Zeit einem
Vater den Trost des Verstehens gewähren.

Auch sie war ruhig. Manchmal war ihr, als hätte ihr Herz
aufgehört zu schlagen. Dann schloß sie die Augen, doch es
drängte sie immer weiter zu den Spuren, die frisch wurden
wie der Abdruck eines nackten Fußes im Lehm. Sie genierte
sich nur zu Beginn des Gesprächs ihrer Fragen, empfand sie
bald nicht mehr als Neugierde, die sie so verachtete, denn sie
begriff, daß Otto Frank sie erwartete und hören wollte.

Regina merkte erst da, daß er sie duzte, und in einem Moment
aufsteigender Furcht glaubte sie gar, er würde, wie sie es auch
tat, wenn sie ihren Kopf nicht in der Gegenwart halten konnte,
die Zeiten und Gesichter verwechseln. Mit all ihrer Kraft zum
Mitleiden wünschte sie ihm auch den kurzen, barmherzigen
Traum der gelungenen Flucht, doch er schaute sie an und
sagte: »Ich habe seit Jahren auf diesen Abend gewartet. Ich
werde ihn nie vergessen.«

»Sagen Sie bloß, meine zurückhaltende Tochter hat tatsächlich mal den Mund aufbekommen und einen fremden Menschen gut unterhalten?« fragte Walter.

Sie hatten ihn beide nicht an den Tisch kommen sehen, und
sie bewegten zu gleicher Zeit den Kopf, als sei eine Tür
aufgegangen und ein unerwarteter Lufthauch hätte sie ge-
streift.

»Das hat sie«, sagte Otto Frank, »Väter wissen nie genug über
ihre Töchter. Ich wette, Sie haben noch nie bemerkt, daß
Regina eine glänzende Zuhörerin ist.«

»Doch«, verteidigte sich Walter. »Sie hat schon als Sechsjäh-
rige ihre Ohren weit aufgesperrt. Das lernen die Kinder sehr
früh in Afrika.«

Er sah erschöpft aus, grau im Gesicht, zu dünn und die Schultern zu schwer beladen, doch seine Augen hellten sich auf, als
er nach der Speisekarte griff; er bestellte auch Eier mit Grüner

Sauce, sagte, die sei das einzig Gute an der Frankfurter Küche, und entschuldigte sich, daß er seinen Gast so lange hatte warten lassen.

»Ich mußte noch«, sagte Walter und traf mit der Übung von langen Jahren genau die Spitze von Reginas Schuh unter dem Tisch, »einen Mandanten für haftunfähig erklären lassen.«

»Und wo ist er jetzt?«

»Im Krankenhaus. Ich besuch meine Leute viel lieber im Krankenhaus als im Gefängnis.«

»Ich hatte schon aus Ihren Briefen den Eindruck, daß Sie ein netter Mensch sind. Wußtest du, Regina, daß dein Vater mir so genau über Eure Zeit in Afrika geschrieben hat?«

»Ach«, sagte Regina.

»Sehen Sie«, lachte Walter, »kaum taucht ihr Vater auf, überläßt sie ihm das Reden.«

Befreit von Jettels wachsamem Auge und übermütig wie ein Kind, das sich schon im Augenblick der Tat vor Strafe sicher weiß, bestellte er eine Flasche Mosel. Er ließ sich noch einmal Eier und Grüne Sauce bringen, trank so rasch, wie er redete, und genoß es wie sonst nie, von seiner Emigrationszeit zu erzählen, wobei er aus einer Fülle von Erlebnissen schöpfte, von denen Regina nicht geahnt hatte, daß sie überhaupt noch in seinem Kopf waren. An diesem Abend des Erinnerns berichtete Walter nur von der Heiterkeit und der Schönheit Afrikas und das mit solcher Freude und manchmal gar mit einem Verlangen, das ihn gelegentlich zu den sanften, dunklen Suaheli-Lauten trieb, die in dem leeren Restaurant lange kreisten, ehe sie verklangen.

»Sind Sie denn hier in Deutschland glücklich geworden?« fragte Otto Frank.

»Sehr glücklich, aber nicht happy. Falls Sie den alten Emigrantenwitz kennen.«

»Kenn ich. Nur andersherum.«

»Ich hab ihn früher auch nur andersherum gekannt«, sagte

Walter und trank das dritte Glas leer. Sein Gesicht war rot, die Augen voller Lust.

»Wenn du weiter so trinkst«, mahnte Regina und stahl Jettels Stimme, »dann haust du morgen deinen Mandanten die Akten auf den Kopf.«

»Nicht die Akten und nicht die Mandanten. Der Kopf ist auch falsch«, zählte Walter auf. »Meine Tochter hat wieder mal keine Ahnung. Wissen Sie, Herr Frank, weshalb ich Ihre Ansprüche so schnell durchgebracht habe? Ich hatte das Glück an einen besonders antisemitischen Richter zu geraten.«

»Und wo ist da das Glück?«

»Der hat mit einem Finger in der Nase gebohrt und mit dem anderen in meinem Schriftsatz herumgestochert, wie es die Herren tun, die sich noch nicht trauen zu sagen, was sie schon immer gedacht haben. Dann hat aber dieser Bursche doch gesagt, daß er noch mehr Zeugenaussagen haben wollte, um die ganze Geschichte belegen zu können. Er hat tatsächlich die ganze Geschichte gesagt. Am nächsten Tag hab ich ihm Annes Tagebuch auf den Tisch geknallt und ihm gesagt, er solle sich bei mir melden, wenn er noch Fragen hätte. Er hatte keine.«

»Danke«, sagte Otto Frank, »daß Sie geknallt haben. Und danke auch für Regina.«

Es war fast Mitternacht, als sie das Hotel verließen. Die Straße war leer. Ein alter Mann schlief, in seinen Mantel eingehüllt, auf einer Bank.

»Der hat's gut«, sagte Walter.

Regina mußte ihm erst ausreden, noch mit ihr in eine Bar zu gehen, und dann hatte sie noch größere Mühe, ihn davon abzuhalten, in das Hotel zurückzulaufen, Jettel anzurufen und sie zu fragen, ob er ihr eine Flasche Wein mitbringen solle. Walter gelang es erst beim dritten Versuch, den Wagen anzulassen. Beim Rückstoßen streifte er eine Laterne und nannte

Regina, als sie aufschrie, eine hysterische Ziege. Sie schwieg und beschimpfte ihn erst vor dem Haus als Rabenvater, der seine Kinder zu Waisen mache.

»Halbwaisen«, korrigierte Walter. Er war auch wieder nüchtern genug, um zu sagen: »Erzähl nichts deiner Mutter.«

»Sie wird auch so merken, daß du getrunken hast. Falls sie noch wach ist.«

»Ich rede nicht vom Wein, du blöde Gans. Ich meine den Richter. Deine Mutter ist so schadenfroh. Sie kann sich so schrecklich freuen, wenn auch mir manchmal die Augen aufgehen.«

15

Gekrümmt und mit verzerrtem, fahlen Gesicht schwankte Walter durch den verlassenen Garten. Er schleppte sich stöhnend zu einer Bank, ließ seinen schmerzschweren Körper nach vorn und seinen Kopf auf die Arme fallen. Es war drei Uhr nachts und genau drei Monate vor seinem fünfzigsten Geburtstag.

»Jetzt erleb ich ihn doch nicht mehr«, klagte er leise, setzte sich aber doch wieder aufrecht hin. »Hoffentlich haben Sie noch kein Geschenk gekauft.«

»Quatschen Sie nicht so dämlich«, sagte Fafflok, ruhig und überzeugend, »wir haben es nicht mehr weit.«

Er war nach Jettels aufgeregtem, kaum verständlichen Anruf in die Rothschildallee gerast und danach sofort mit Walter, der es abgelehnt hatte, Doktor Goldschmidt mitten in der Nacht wegen eines Zustands zu belästigen, den er höhnisch als Bauchschmerzen abtat, in die Universitätsklinik gefahren. An der Notaufnahme war Faffloks ausgleichendes Naturell noch mehr gefordert worden.

Walter hatte, mit plötzlich erstarkter Stimme, einen erschrockenen jungen Arzt mit kleinem Bart einen vertrottelten Ziegenbock genannt, weil er von einem Bruch gesprochen und versucht hatte, den Patienten in einen Rollstuhl zu drängen. Wütend hatte Walter gebrüllt: »Nicht mit mir!« Und darauf bestanden, den Weg zur Chirurgie allein zu gehen.

»Keine drei Minuten mehr«, ermutigte Fafflok, »wenn der Ziegenbock recht hatte. Helden wie Sie brauchen bestimmt noch nicht mal so lange.« Als er die schwere Tür in dem alten Gebäude zur Chirurgie aufstieß, konnte auch er nur mühsam atmen. Er mußte Walter stützen.

Der Arzt, alt und gut rasiert genug, um Walter als kompetent zu erscheinen, diagnostizierte einen eingeklemmten Leistenbruch. Allerdings vermerkte er auf dem Krankenblatt eine Verwirrung der Sinne, die ihm selbst bei Berücksichtigung der starken Schmerzen des Patienten atypisch erschien. Walter hatte die gebotene Notwendigkeit der sofortigen Operation mit der Bemerkung zur Kenntnis genommen: »Sir, ich sage Ihnen gleich, daß ich in der Narkose Deutsch sprechen werde.«

»Selbstverständlich tun Sie das«, begütigte der Arzt, »falls Sie überhaupt bei der Effizienz unserer modernen Narkosen zum Sprechen kommen.«

»Selbstverständlich ist das nicht«, belehrte ihn Walter in der entspannenden Pause zwischen zwei Krampfanfällen, »als ich Schwarzwasserfieber hatte, hat man mir meine Muttersprache verdammt übelgenommen.«

»Schwarzwasserfieber? Wo war denn das?«

»In Nakuru. Im Nakuru Military Hospital. Sergeant Redlich, wir befinden uns im Krieg mit Deutschland. Vergessen Sie das nicht.«

»Herr Doktor Redlich war in der Emigration in Afrika«, erläuterte Fafflok. »In Kenia.«

Als er auf die Trage gelegt wurde, bat Walter, noch fünf Minuten allein mit Fafflok sprechen zu dürfen.

»Eigentlich nicht«, murmelte der Chirurg im Hinausgehen.

»Kümmern Sie sich um meine Jettel«, sagte Walter in dem weißgekachelten Raum und holte seine Arme energisch unter dem dicken Laken hervor, »wenn ich nicht zurückkomme. Sie ist so lebensuntüchtig und weiß es noch nicht mal. Man muß für sie sorgen. Regina ist noch nicht soweit.«

»Mann, eine Bruchoperation ist doch heute keine große Angelegenheit mehr.«

»Nicht, wenn einer ein schwaches Herz hat. Nicht, wenn er sterben will.«

»So was sagt man nicht.«

»In Afrika schon. Da sagt man na taka kufua und wird vor die Hütte gelegt. Und dann holen einen die Hyänen. Wunderbar praktisch für die Hinterbliebenen.«

»Wir sind in Deutschland. Da heißt es kein Preis ohne Fleiß«, sagte Fafflok. »Selbst den Tod müssen wir uns hart verdienen. Das hab ich im Krieg gelernt. Und übrigens hab ich Ihr Geburtstagsgeschenk schon gekauft.«

Er überlegte, als er eilig durch den Garten zurück in den Tag ging, ob Walter ihn noch gehört hatte. Es verlangte ihn so sehr danach, daß er sich naiv und frevelhaft vorkam. Er vergegenwärtigte sich, belustigt und doch noch nicht befreit von Walters heraufbeschworenen Gespenstern, daß er wahrhaftig ein Mensch war, der sich nicht leicht ängstigen ließ und der eine Bruchoperation schon zu Zeiten gut überstanden hatte, da sie noch nicht als ärztliche Routine gegolten hatte. Zu seiner Verblüffung hörte er sich laut sprechen.

Als er auf der Straße einen streunenden Hund sah und sofort an eine Hyäne dachte, obwohl er doch nur Bilder von Hyänen kannte und auch das sehr lange her war, lächelte er und schüttelte den Kopf. Er fuhr dennoch so schnell und unkonzentriert über die Friedensbrücke, um Jettel ins Krankenhaus zu holen, daß er seine Phantasie noch vor seinem Tempo mäßigen mußte.

Die Operation verlief ohne Komplikationen. Am Tag danach hatte Walter Durst und beschimpfte die Schwester, weil sie ihn nicht trinken ließ, als »Mutschinga mingi«, was jedes Kind auf der Farm als Dummkopf gedeutet hätte, sie aber tolerant als jiddischen Ausdruck wertete. Am zweiten Tag hatte er Hunger und fluchte so ordinär – auf deutsch! – daß das Pflegepersonal betreten aus dem Krankenzimmer schlich; am dritten Tag langweilte er sich und nörgelte so lange mit Jettel und Regina, weil sie vergessen hatten, ihm die Zeitung zu bringen, bis beide in Tränen ausbrachen.

Am vierten Tag ließ sich Walter trotz Protest des Oberarztes und Jettels Drohungen, ihn nie wieder zu besuchen, Akten aus seinem Büro kommen und erklärte wütend, er sei es Fafflok schuldig, ihn nicht mit der Arbeit allein zu lassen; er würde ihm sonst die Sozietät kündigen. Fafflok, abermals zu Hilfe gerufen, gelang es, wenigstens die Hälfte der Akten wieder fortzuschaffen, die die Sekretärin ins Krankenhaus geschleppt hatte.

Am Ende der Woche bekam Walter eine Embolie. Nur Max war in der Wohnung, als der Anruf aus der Universitätsklinik kam.

»Ich darf nicht allein Tram fahren, bis ich neun bin«, sagte er ins Telefon.

»Warte, bis deine Mutti kommt«, riet die Schwester, »aber sag ihr, sie soll sofort ins Krankenhaus kommen. Sag ihr, daß es sehr dringend ist. Deinem Vater geht es nicht gut. Hast du mich verstanden?«

»Ja«, erwiderte Max ungeduldig, »telefonieren kann ich schon lange.«

Er holte das Geld, das seine Mutter heimlich von ihrem Haushaltsgeld umleitete und von dem sie glaubte, er wisse nicht, wo sie es vor ihm versteckte, aus einer im obersten Regal des Küchenschranks liegenden Dose mit der Aufschrift »Persönlich«, schrubbte die beiden Tintenflecke von seinen Händen und glättete sein Haar mit Wasser. So schnell, wie er konnte, rannte er die Höhenstraße hinunter, stieg in die Straßenbahn ein und an der richtigen Haltestelle um. Eine Stunde später stand er, sehr atemlos und noch mehr erhitzt von seinem Stolz als vom Rennen der letzten Strecke des Weges, am Bett seines Vaters.

»Wo ist denn deine Mutter?« fragte Walter.

»Mit ihrem Kaffeekränzchen im Kranzler.«

»Was, die sitzt im Café, wenn ihr Mann stirbt! Da kannst du mal sehen, mein Sohn, daß die Weiber alle keinen Verstand haben.«

»Sie weiß ja nicht, daß du stirbst. Regina weiß es auch nicht. Die ist auf der Arbeit. Und Else hat frei.«

»Dein Papa stirbt nicht«, sagte der Arzt, gab Walter eine Spritze und streichelte dem Sohn über den Kopf. »Wir haben genau zur rechten Zeit entdeckt, daß er uns einen ganz bösen Streich spielen wollte.«

»Was für ein' Streich?« fragte Max.

»Sie haben meinem Sohn die ganze Freude verdorben«, sagte Walter, »ich hab ihm versprochen, daß er bei meiner Beerdigung in der ersten Reihe sitzen darf.«

»Sie dürfen nicht soviel reden. Sie brauchen jetzt viel Ruhe. Ich hab Ihre Gattin bereits erreicht. Sie wird bald hier sein.«

»Und wo bleibt da die Ruhe?« fragte Walter und zwinkerte seinem Sohn zu. Max erwiderte geübt den Blick der schönen Verschwörung.

Weil Walter sich nie für Medizin interessiert hatte und für seine Krankheit schon gar nicht, und zwar aus einem Prinzip, das er als weise und als Selbstschutz empfand, und weil er im übrigen nicht von seiner Ansicht abzubringen war, daß Ärzte ohnehin zu Übertreibungen neigten, war er der einzige, der nicht wußte, daß sein Zustand einige Tage lang wirklich kritisch war.

Die Ärzte bewunderten seine Vitalität, seinen Mut, Humor und Aberwitz. Seine Art, sie zu provozieren, fanden sie originell und liebenswert und sahen sie als die geheime Waffe eines Mannes an, der Schlimmes erlebt hatte und in jener heiteren Selbstironie davon zu erzählen wußte, die schon den meisten gesunden Menschen fehlte.

Jettel verwöhnte den schwierigen Patienten mit Zärtlichkeiten, von denen beide nicht mehr gewußt hatten, daß sie dazu fähig waren, und vor allem mit Wellwurst, Heringshäckerle und Mohnkuchen. Chef- und Oberarzt mußten die Delikatessen kosten, um sich zu überzeugen, wie gut die oberschlesische Küche war. Der Fischhändler schickte einen Blumenstrauß, der noch größer als der von der Jüdischen Gemeinde war.

Max, der so lückenlos bewiesen hatte, daß es ein Unrecht gewesen war, ihm bis zu seinem neunten Geburtstag zu verbieten, allein Straßenbahn zu fahren, bestand auf seinen neuen Rechten. Er kam immer ohne Begleitung am frühen Nachmittag, um Walter bei der Bearbeitung der ins Krankenhaus zurückbeorderten Akten zu helfen, und interessierte sich vorwiegend für Strafrecht und diffizile Scheidungen. Wenn er seinem Vater eine Tafel Schokolade aufs Bett legte, lachten beide und sagten: »Anwaltsgeheimnis.«

»Zwei Dinge möchte ich noch erleben«, sagte Walter.

»Welche?« fragte Max.

»Meinen Geburtstag und deine Barmitzwa.«

»Erst dein Geburtstag«, entschied Max, »ich hab ja erst in fünf Jahren Barmitzwa.«

»Ich hab wenigstens ein Kind, das logisch denken kann und mit beiden Beinen im Leben steht. Maxele, mein Sohn, du mußt Jura studieren.«

»Will ich ja und nur ein jüdisches Mädchen heiraten.«

Regina besuchte Walter morgens um zehn, ehe sie in die Redaktion nach Offenbach fuhr. In den ersten Tagen nach der Embolie versuchte sie, die Gespräche auf Themen zu beschränken, von denen sie glaubte, sie würden Walter nicht aufregen. Nie sprach sie von Krankheit, kein einziges Mal von Zukunft, und sie beschwor, selbst getröstet in ihrer Angst um den Vater, nur die sanftesten Bilder der Vergangenheit. Später, als Walter aufstehen durfte, legten sie auf dem kleinen Tisch vor dem Fenster Patiencen. Sie taten es zum erstenmal wieder gemeinsam seit den langen Abenden von Ol' Joro Orok, als es zum Ritual gehört hatte, den Karten Schicksal zu entlocken. Der Aberglaube war so stark geblieben wie die Fähigkeit, nach hinten zu schauen und es nicht zuzugeben.

Als Walter kräftig genug war, mit Regina in den Garten zu gehen, suchte er als erstes die Bank, auf der er vor seiner Operation mit Fafflok gesessen hatte. Von da ab genossen sie immer dort die Juli-Hitze, die Blumen, die vielen Vögel, denen sie gute Wünsche in fliegenden Suahelilauten nachriefen, und vor allem die sehr sichtbaren Fortschritte, die Walter von Tag zu Tag machte.

»So müßte es immer sein«, wünschte sich Walter.

»Es wird so sein«, erwiderte Regina und kreuzte ihre Finger.

Walter sah es und sagte: »Mentalreservation. Das hast du immer gemacht.«

Er war friedfertig, witzig und übermütig, pfiff jungen Krankenschwestern nach, ließ sich von Jettel zu einem neuen Bademantel überreden, weil er sagte, er habe gemerkt, daß er noch Chancen bei Frauen habe, und gab in langen Gesprächen endlich den Argwohn auf, den er gegen Reginas Beruf empfunden hatte. Sie konnten beide, immer wieder aufs neue und laut, bei der Vorstellung lachen, daß sich Max absolut nicht erschrocken hatte, als der Anruf aus dem Krankenhaus gekommen war, und nur daran gedacht hatte, den Geheimschatz seiner Mutter zu plündern.

Dennoch fand Regina erst einen Tag vor Walters Entlassung aus der Klinik den Mut, die Gedanken laut werden zu lassen, die ihr seit Walters erstem Herzanfall zur immer größeren Bedrückung geworden waren. »Du darfst Max nicht so viel vom Tod erzählen«, sagte sie mit so viel Gleichmaß in der Stimme, als sei ihr der Vorwurf soeben erst gekommen.

»Warum? Er muß doch wissen, wie es um seinen Vater steht. Er soll ein Mann sein, wenn es soweit ist, und nicht als Kind an meinem Grab stehen. Das ist das einzige, was ich für meinen Sohn tun kann.«

»Du nimmst ihm seine Unschuld.«

»Quatsch nicht so blasiert. Ein Junge braucht keine Unschuld. Hast du deine noch?«

»Du lenkst ab, Bwana. Du weißt genau, was ich meine. Max ist ein Kind. Es ist Sünde, ihn so vor der Zeit zu belasten.«

»Bei den Juden nicht. Wir tun es seit Jahrtausenden. Müssen es tun. Als die Kinder Israels mit Moses losgezogen sind, hat man ihnen auch nicht weisgemacht, daß es ein Sonntagsspaziergang sei. Bei uns dürfen die Kinder nicht aufwachsen und denken, sie seien Menschen wie alle anderen.«

»Reicht es denn nicht, wenn Max weiß, was Auschwitz ist und wie seine Großeltern umgekommen sind?«

»Das hast du alles auch gewußt, Regina.«

»Das war eine andere Zeit. Ich mußte. Aber ich hatte meine Phantasie, zu der ich flüchten konnte. Du ahnst gar nicht, was mir meine Traumwelt bedeutet hat.«

»Doch«, widersprach Walter, »ich hab es immer gewußt. Manchmal hab ich dich sogar beneidet. Und ich hatte Angst, dich flüchten zu lassen. Ich hab immer gedacht, du würdest dann nicht mehr im Leben stehen können.«

»Und, kann ich?«

»Ja, glaub ich wenigstens. Auf deine Art. Du bist so anders als dein Bruder. Er kann sich heute schon so wunderbar durchsetzen.«

Regina sah ihren Vater an und ließ Owuors Spott in ihren Blick. Er hatte nie begriffen, weshalb sein kluger Bwana nur die Gesichter der Menschen sah und nur die Worte hörte, die sie sprachen. »Du schläfst mal wieder auf deinen Augen«, lachte sie, hob einen kleinen Zweig vom Boden auf und zerbrach ihn sorgsam in zwei gleich lange Stücke. »Ich bin die Starke, nicht dein Sohn. Ich hab Dinge auf der Farm gelernt, von denen Max sein Leben lang nichts wissen wird. Er kann dich nicht begleiten. Also spiel deine Spiele mit mir.«

»Werd's versuchen, kluge Memsahib«, lächelte Walter, »aber sieh zu, daß du auch da bist.«

»Das versprech ich dir. Ich hab mir schon zu deinem Geburtstag freigenommen.«

Der 5. September 1954 war ein Tag von Sommersonne und herbstlicher Milde. Dahlien mit schweren Köpfen, Walters Lieblingsblumen, wenn die Wicken und Rosen verblüht waren, standen in der Kristallvase seiner Mutter und lockten ihn schon in der Nacht ins Eßzimmer.

Um fünf Uhr morgens konnte der Jubilar seine Ungeduld nicht mehr bezwingen. Er weckte erst die Familie, dann Else im vierten Stock und zuletzt den kreischenden Wellensittich Kasuko unter seiner gestickten Decke. Er rief einige Male: »Ich hab's geschafft! Ich bin ein echter Fuffziger«, und sang dann laut »Gaudeamus igitur«.

Im neuen Bademantel und mit einer Krone auf dem Kopf, die er sich in der schlaflosen Nacht aus einer braunen Obsttüte gebastelt hatte, setzte er sich in den geblümten Ohrensessel und genoß im lichtdurchfluteten Wohnzimmer sein Überleben. Die fünfzig Kerzen, die Regina und Else in eine Schüssel Sand gesteckt hatten, mißfielen ihm zunächst sehr, weil einige schief und andere in zu geringem Abstand voneinander plaziert waren, doch er freute sich wie ein Kind und lachte in den Tonlagen gesunder Zeiten, als sie endlich alle brannten.

»Bei meinem Vater war's genauso«, fiel Else ein, »da waren die Kerzen auch schief.«

»Was für Ihren Vater gut genug war, ist auch gut genug für mich, Else«, fand Walter.

Jettel schenkte ihm zwei neue Hemden, von denen er sagte, eins wäre mehr, als er in seinem Leben noch auftragen könnte, und eine Uhr mit goldenem Armband, die ihn so überraschte, daß er einen Moment verlegen schwieg. Jettel sagte, sie habe sich das teure Geschenk vom Mund abgespart.

»Vom Wirtschaftsgeld«, monierte Walter, doch er hielt mit ernster Miene die Uhr gegen das Licht, ließ den Wellensittich ihr Ticken hören und gab Jettel einen schmatzenden Kuß. »Auf unsere alten Tage werden wir beide noch kindisch«, sagte er, »und vergessen, was uns die Stunde geschlagen hat.«

»So alt bin ich noch nicht.«

»Das hast du wieder mal taktvoll gesagt.«

»Du bist auch nicht alt«, sagte Jettel versöhnlich.

Max überreichte seinem Vater einen üppigen Strauß Astern und war erstaunt, als der merkte, daß die Blumen aus dem eigenen Vorgarten stammten. Er schenkte ihm dann mit begehrlichem Blick den Vierfarbstift zu zwölf Mark, den er sich schon so lange selbst wünschte und den er sich wirklich von seinem Taschengeld abgespart hatte. Zum erstenmal an diesem Tag und noch nicht ahnend, wie oft er es noch würde wiederholen müssen, sagte Max ein von seiner Schwester verfaßtes Gedicht auf.

Es hatte grob konstruierte Endreime und ein so arhythmisches Versmaß, daß sein früh ausgeprägtes Gefühl für Sprache ihm um ein Haar die flüssige Rezitation verwehrt hätte. Walter, sonst immer rasch dabei, bei seinen Kindern Dilettantismus zu wittern und auch zu rügen, erkannte in ungewohnter Einfühlsamkeit die Verse als bindende Liebeserklärung der Verfasserin und erinnerte sich gerührt, daß sie nie hatte reimen können. Er trocknete seine Tränen mit einem der sechs Taschentücher, die Else ihm überreichte. Sie waren mit einem rosa Seidenband zusammengebunden, das Else selbst geflochten hatte und er sich um den Hals schlang.

Regina hatte monatelang über ihr Geschenk gegrübelt – im melancholischen Gedenken an ihren ersten gehäkelten Topflappen und an den Schal, den Walter klaglos in der Hitze Afrikas ertragen hatte, weil er bei Gaben am meisten die Mühe schätzte, die sie dem Geber machten. Und so erhielt Walter ihr erstes Buch. Der Titel lautete »Weißt du noch?«, die Seiten, auf der alten Schreibmaschine getippt, die von Deutschland nach Afrika und wieder zurück gereist war, hatte Regina mit blauen Wollfäden zusammengenäht; den Buchumschlag aus gelbem Karton zierte ein mit blauer Tinte gezeichneter Dampfer mit einer Fahne, die in genau entgegengesetzter Richtung flatterte wie der Rauch, der aus einem der beiden Schornsteine zum Himmel stieg. In die Meereswellen hatte Regina in Blockbuchstaben den Untertitel eingelassen: »From Mombasa to Leobschütz.«

Zu Reginas Bestürzung las der Jubilar zunächst den Schluß und erfuhr somit vorzeitig von der Absicht der Schreiberin. »Ich habe«, hatte Regina auf der letzten Buchseite geschrieben, »das große Los gezogen, denn ich habe gelernt, Glück zu erkennen, wenn ich ihm begegne. Der Dank geht an einen Vater, der mit seiner Güte und Liebe meine Kindheit so reich gemacht hat, daß ich ein Leben lang alle Menschen bemitleiden werde, denen das Schicksal einen solchen Vater vorenthalten hat.«

Walter brauchte das zweite von Elses teuren Taschentüchern, ehe er wieder sprechen konnte. Er versprach mit einer Feierlichkeit, die Regina noch mehr bewegte als seine Tränen, sofort nach dem Frühstück das Buch zu lesen, und sagte, ihm sei soeben erst aufgegangen, daß ein Mensch tatsächlich vom Lesen und Schreiben leben könne.

Er war aber erst dabei, sein zweites Ei zu köpfen, dies ein viel bejubeltes Zusatzgeschenk von Jettel, die versprochen hatte, an seinem Ehrentag kein einziges Mal Ärzte oder Diätvorschriften zu erwähnen, als es schellte. Regina und Jettel schauten sich an und ließen den Mißmut von plötzlich gestörten Gastgeberinnen in ihre Mienen. Max hielt sich die Hand vor den Mund und kicherte mit so vielen Grimassen, daß seine Schwester ihn unter dem Tisch trat und seine Mutter ihn mit ihrem Ellenbogen anstieß, doch Walter merkte von all dem nichts. Er rannte mit der Serviette um den Hals und den Eierlöffel schwenkend in die Diele, sagte zu Else, die bereits da war, »das möchte Ihnen so passen, mir meine Geburtstagsfreude zu nehmen«, verscheuchte den Wellensittich und riß die Wohnungstür auf.

»Da stöhnt einer auf der Treppe noch viel schlimmer als ich«, meldete er.

»Ich bin ja auch nicht so jung wie Sie, Herr Doktor«, rief Josef Greschek vom ersten Stock nach oben.

Er schleppte denselben Eimer, mit dem er bei seinem ersten Besuch in Frankfurt angereist war, um den großen Hunger zu stillen. Diesmal enthielt das nie vergessene, zu neuem Glanz herausgeputzte Zaubergefäß frische Pfifferlinge und Steinpilze statt Kartoffeln. Den Speck, der nicht mehr als gesunde Kost bei bewegungsarmen Großstädtern galt, hatte Greschek gegen zwei bemerkenswert fette Enten und einen Hasen ausgetauscht, der des Jubiläums wegen ein goldenes Band um jede Keule hatte.

Später packte Greschek aus seinem Koffer – es war immer noch der alte, abgeschabte braune – einen neuen dunklen Anzug für sich und ein Päckchen mit alten Postkarten aus Leobschütz für Walter aus. Er hatte das Panorama der Melancholie nach langer Korrespondenz mit Landsleuten und nur unter Hinweis auf den guten Zweck zusammentragen können. Auf die Geburtstagskarte mit einer goldenen Fünfzig und goldenem Laub hatte Grete in steiler Schrift »Dem verehrten Herrn Rechtsanwalt und Notar Dr. Walter Redlich zu seinem 50. Geburtstag« geschrieben und dann mit ihrer Fähigkeit, das Wesentliche kurz zu fassen, hinzugefügt »wir denken viel an Frankfurt und leben gut in Marke«.

»Daß Sie gekommen sind, Greschek, ist für mich das schönste Geschenk. Ich wollt Ihnen schreiben, aber meine Frau hat gesagt, ich darf Ihnen die Reise nicht zumuten, weil Sie auch krank gewesen sind. Jetzt weiß ich, warum sie das ganze Theater gemacht hat.«

»Ich wollte erst nicht kommen. Ich hab gedacht, jetzt ist der Herr Doktor ein feiner Mann, und da werde ich bei den vielen feinen Gästen nur stören.«

»Für die Bemerkung müßte ich Sie sofort rausschmeißen. So was wäre Ihnen in Leobschütz nie eingefallen.«

»Frankfurt ist ja auch nicht Leobschütz.«

»Wem sagen Sie das, Greschek! Ich hab so oft Sehnsucht nach unserem alten gemütlichen Leben und den herzlichen Menschen.«

»So gemütlich war's auch nicht, Herr Doktor, als Sie fortmachen mußten. Und die Menschen hatten auch nicht alle ein Herz. Sie sind zu lange bei den Negern gewesen, um über alles richtig Bescheid zu wissen.«

Die Gäste waren alle zum Abendessen eingeladen, nur Faffloks schon um vier Uhr nachmittags zum Kaffee, Apfel- und Mohnkuchen und der großen Buttercremetorte vom Konditor. Sie wurden in einer Familie, die keine Verwandten mehr hatte, auf unausgesprochene Art als solche empfunden und kamen mit dem vierzehnjährigen Micha, der des Vaters schweigsame Geduld hatte und sofort begriff, daß er von Max und dessen Aufforderungen zum Spielen verschont bleiben würde, solange er vor einem gefüllten Teller saß. Ulla, drei Jahre jünger als der Bruder und mit Affenschaukeln im blonden Haar, für die Max schwärmte, war so selbstbewußt aufrichtig wie die Mutter, holte sich bald aus dem Kinderzimmer ein Buch und nannte ungerührt den Sohn ihres Gastgebers ein verzogenes Balg; das störte die Harmonie nur so lange, bis Max wieder das Gedicht aufsagen durfte.

Fafflok schenkte Walter ein Ölgemälde, das einen weiten Blick auf eine sanfte, von hohen Bäumen geprägte Flußlandschaft freigab und das Walter so verwirrte, daß ihm die Bemerkung entschlüpfte: »Der Maler hat vergessen, ein paar Menschen in den Vordergrund zu malen« – als sein Sohn ein paar Tage später das künstlerische Versäumnis mit dem neuen Vierfarbstift nachholte, war Walter außer sich.

»Für Bilder aus echtem Öl hätten die Tommys ein Vermögen ausgegeben«, seufzte Greschek.

Er hatte seine besondere Freude an Frau Fafflok; sie sprach über Ratibor, Gleiwitz und die Flucht aus Oberschlesien in der gleichen Art wie er, nüchtern und ohne Verlangen nach einem

Leben, das Greschek nur heraufbeschwor, wenn er in Frankfurt war. Er war sehr beeindruckt, daß Faffloks nicht nur ein eigenes Haus hatten, sondern auch den Bau eines Mietshauses planten.

»Sie haben geerbt«, erklärte Max, »das können wir nicht, weil unsere Familie ermordet wurde.«

Als die Herren Cognac und die Frauen Kakao mit Nuß tranken und selbst Jettel über die Geschichte vom nicht mitgebrachten Kühlschrank bei der Auswanderung lachte, war nur noch die gelöste Heiterkeit der inneren Verbundenheit in ihnen. Sie spürten alle, daß unabhängig von den Höhepunkten, Reden und Feierlichkeiten, die das Fest am Abend noch bringen würde, nur dies die Stunden waren, die im Gedächtnis bleiben würden.

»Sie sind mein einziger Freund geworden«, sagte Walter, »Greschek zählt nicht. Der war's schon vorher.«

»Ich kannte Sie vorher nicht«, überlegte Fafflok, »sonst wär ich's auch gewesen.«

Am frühen Abend, als die Frauen gerade alle in die Küche wollten und die häuslichen Pflichten verteilten, überbrachte der Postbote ein Telegramm aus Südafrika. »Meinem besten Freund Walter, auf daß er ewig jung bleibe« hatte Martin telegrafiert.

»Nebbich«, sagte Walter und steckte das Telegramm sofort in die Tasche, damit seine Tochter nicht »Einen Extrakuß für meine kleine Regina« lesen konnte.

Regina sah den Satz unter Martins Namen aber doch, wurde blaß und bestand darauf, daß sie und nicht Else den Wein aus dem Keller zu holen hatte. Sie blieb zu lange im Trost der feuchten Dunkelheit. Walter ging sie suchen. So kam es, daß er sich an seinem fünfzigsten Geburtstag zu einem Satz hinreißen ließ, den er an gewöhnlichen Tagen als Offenbarungseid bezeichnet hätte. Er zeigte Regina, daß er nicht der Vater der großen Nüchternheit, der rigiden Moral und der brennenden

Eifersucht war, sondern wirklich der einzige Mann, den sie je hatte in ihr Herz blicken lassen.

»Ich hätt ihn dir gegönnt, Regina«, schluckte Walter, »aber nur weil ich der Trottel geblieben bin, der seiner Tochter mal versprochen hat, ihr den Mond und die Sonne gleichzeitig vom Himmel zu holen.«

16

Es war ein Zufall ohne Bedeutung, daß Walter von den zwei anstehenden Veränderungen im Leben seiner Kinder am selben Tag im Spätsommer 1956 erfuhr. Morgens traf der Brief mit der sehnsüchtig erwarteten Nachricht ein, daß Max die Aufnahmeprüfung für die Sexta des Heinrich-von-Gagern-Gymnasiums bestanden hatte. Sie beruhigte den Vater sehr viel mehr als Reginas abendliche Bemerkung, sie hätte ihre Volontärzeit bei der »Abendpost« nunmehr abgeschlossen und sei fortan fest angestelltes Redaktionsmitglied.

Walter nahm keineswegs mehr Anteil an der Entwicklung des Sohnes als am Schicksal seiner Tochter. Das wußte niemand besser als er, wenn er den schmerzhaft schwarzen Blick in eine Zukunft tat, in die er seine Kinder nicht mehr würde begleiten können. Er empfand es aber für ihn vorbestimmt und gewiß auch sehr viel einfacher, sich mit einem Humanistischen Gymnasium als mit einer Zeitung zu beschäftigen, die er als »Revolverblatt« zu bezeichnen pflegte und von der er nie verstehen würde, weshalb ausgerechnet in rote Schlagzeilen verpackte Sensationen, die für den Lauf der Welt unbedeutend und dem guten Geschmack abträglich waren, sich so großer Beliebtheit im Anwaltszimmer erfreuten.

Dem Sohn kaufte Walter zur Belohnung für geistige Leistungen, die er bei ihm viel weniger als selbstverständliche Kindespflicht als einst bei Regina erachtete, einen neuen Fußball, die lang ersehnte Aktentasche, um den als zu kindlich befundenen Ranzen zu ersetzen, und stellte bei anhaltendem Erfolg nächt-

liche Besuche beim Sechs-Tage-Rennen in Aussicht und eine
spürbare Erhöhung der wöchentlichen Bezüge. Bei eventuellen
len Mißerfolgen, die er in Erinnerung an seine eigene Schulzeit durchaus einkalkulierte, drohte er mit väterlichem Zorn
der handgreiflichen Art und einer schielenden Nachhilfelehre-
rin mit dicken Beinen.

»Als deine Schwester Latein lernen wollte«, dozierte Walter,
während Max ihn am Rücken kratzen mußte, »hatte ich kein
Geld, und sie durfte kein einziges Wort von der schönsten
Sprache der Welt lernen. Da kannst du mal wieder sehen, wie
reich wir heute sind. Du darfst nämlich lernen, was du willst,
mein Lieblingssohn.«

»Suaheli«, schlug Max mit dem lang geübten Gespür für die
Gefahr von undurchsichtigen Versprechungen vor, »damit ich
endlich versteh, wenn ihr über mich redet.«

»Sieh zu, daß du deinen praktischen Kopf auch auf dem
Gymnasium benutzt. Ich war immer der sechste in der Klasse,
mehr verlange ich auch nicht von dir.«

»Der sechste von sieben«, sagte Max und labte, befreit von
falschen väterlichen Hoffnungen in bezug auf seine geistigen
Ambitionen, seine Zunge am alten Witz.

Mit der Einschätzung der Veränderung in Reginas Leben tat
sich Walter schon deshalb schwer, weil sie es versäumt hatte,
ihn über ihre lang anhaltenden Zweifel aufzuklären, sie habe
ihr Talent falsch eingeschätzt und würde irgendwann doch
noch versagen und nach Abschluß der Volontärzeit nicht in der
Redaktion bleiben dürfen. Hinzu kam, daß ihm Reginas neues
Kleid ausgerechnet in dem Moment auffiel, da er von ihrem
neuen Status im Arbeitsleben erfuhr.

So gelang es ihm zunächst nicht, sich auf den Kern der Mitteilung zu konzentrieren. Augenscheinlich hatte Regina sich bereits in Erwartung des künftigen Gehalts herausgeputzt, dessen Höhe sie mit einem bei ihr ungewohnten Stolz vermerkte.
Walter fand das Verhalten verschwenderisch und das Kleid zu

eng, zu kurz, zu aufreizend rot und zu tief ausgeschnitten. Das neumodische Wort Sexappeal kam ihm in den Sinn; es widerstrebte ihm, den Begriff mit seiner Tochter in Verbindung zu bringen.

Er sah sie nur kurze Zeit mit den aufmerksamen Augen eines Mannes an, der mehr registriert als die Rocklänge, wechselte aber sehr rasch den geschärften Blick, der soeben auch Veränderungen wahrgenommen hatte, die ihm bisher entgangen waren, zu angedeutetem väterlichen Mißmut und sagte: »Dann hast du ja noch weniger Zeit für deinen alten Vater.«

»Mehr«, widersprach Regina mit einem Eifer, der sie zunächst mehr überzeugte als Walter, »weißt du, Redakteure müssen nicht mehr über preisgekrönte Katzen und die Weihnachtsbescherung im Obdachlosenasyl schreiben. Da schickt man Volontäre hin.«

»Was hat ein jüdisches Mädchen mit Weihnachtsbescherungen zu tun? So was hast du mir nie erzählt. Ich wußte gar nicht, daß du solchen Unsinn gemacht hast.«

»Doch«, log Regina, »das hab ich. Jedenfalls manchmal.«

Als sie im Bett lag, wurde sie nachdenklicher, als sie an einem Tag der Freude vorgehabt hatte. Zunächst fiel ihr auf, daß sie sich nicht auf Saint-Exupérys geliebtes, immer wieder gelesenes Buch »Wind, Sand und Sterne« konzentrieren konnte, und danach fiel ihr noch einmal ein, wie Walter sie angesehen und daß es ihr, zumindest im Anfang, geschmeichelt hatte. Sie hörte ihre Eltern debattieren, wie viele neue Hosen Max für die Sexta brauchen würde, wollte noch einmal aufstehen und beizeiten einen Streit im Keim ersticken, der Walter schaden würde, wenn der Kampf das vermutete Ausmaß annahm, aber sie blieb dann doch in ihrem Zimmer.

Es war das kurze Gespräch mit Walter, das unerwartete Dimensionen bekam und Regina verstörte. Sie fragte sich zunächst sehr selbstkritisch, ob sie wirklich nur ihren Vater hatte beruhigen und ihm sagen wollen, daß er weiter mit ihrer freien

Zeit rechnen durfte. Ihr war es eher, als hätte es sie in einem zu euphorischen Moment dazu gedrängt, ihre besonderen Beziehungen zu ihrem Chefredakteur anzudeuten. Regina konnte sich nicht erklären, welcher Aberwitz sie fast dazu getrieben hatte, ihrem eifersüchtigen, cholerischen, besorgten Vater die Last einer so überflüssigen Beichte aufzuladen.

Es erschien ihr nützlich und wichtig, auf ihre Frage wenigstens den Ansatz einer Antwort zu finden, aber kaum hatte sie die diffizilen Probleme entwirrt, gab sie sich dann doch damit zufrieden, an einem so guten Tag ihr Gewissen zu verschonen. Es war, sagte sich Regina, die falsche Zeit, Rechenschaft für den Umstand abzulegen, daß sie sich bestimmt nicht anders verhalten hatte als andere Frauen auch, die einen Mann dazu brachten, den Kopf zu verlieren. Sie schlief ein, ehe sie genug Zeit fand, sich mehr als nur den wesentlichsten Punkt ihres Erwerbslebens zu vergegenwärtigen. So, wie sich die Dinge arrangiert hatten, wäre Emil Frowein eher in ein Kloster gegangen, als sich von ihr zu trennen, und das wußte sie.

Er hatte von Anbeginn zu seinem spontan gegebenen Wort gestanden und, zum Erstaunen seiner Redakteure, aber nach einiger Zeit durchaus nicht ohne das augenzwinkernde Einverständnis männlicher Toleranz, die einzige Frau in seiner Redaktion unter seine bisher nie strapazierten Fittiche gestellt. Emil Frowein hatte Regina nicht zu den Aufgaben befohlen, die für Volontäre sonst als berufsschmiedende Praxis galten. Nachdem er sich nicht zur Räson zurück befohlen hatte, als das Gleichgewicht seiner Emotionen schon bei der ersten Begegnung so überraschend aus der Balance geraten war, wurde es ihm leicht, auch an seinen Maximen von Autorität und Gerechtigkeit zu rütteln. Wie er bei dem ungewöhnlichen Anstellungsgespräch angedeutet hatte, ließ er Regina tatsächlich die zwei Jahre ihrer Ausbildungszeit nur in der Feuilletonredaktion arbeiten.

Sehr bald erkannte er die Richtigkeit einer Entscheidung, von der er wußte, daß sie ebenso bald zu Gerüchten Anlaß gab. Regina, über die Maßen in ihrer Einseitigkeit von einem theaterbesessenen Redakteur ermutigt, der sein Ressort als wütender Gigant gegen auch die schwächste Mutmaßung verteidigte, es könnte noch andere Anlässe zu ausführlicher Berichterstattung außer Premieren geben, lernte nichts anderes, als Kritiken zu schreiben. Man bescheinigte ihnen Kenntnis, Witz und vor allem eine sehr spürbare Liebe zum Theater.

Es war indes eine zufällige Bemerkung, die zu Konsequenzen führte, mit denen keiner der Betroffenen gerechnet hatte. Als Regina das erstemal eine Premiere wahrnehmen sollte und ihr im Sekretariat zwei Karten ausgehändigt wurden, fragte sie, wie sie die eine, die sie nicht brauchte, zurückschicken sollte. Frowein stand hinter ihr und rief sie in sein Zimmer.

»Die Bühnen schicken immer zwei Karten für den Kritiker. Aber ich kann natürlich nicht zulassen, daß sich eine junge Frau nachts allein auf der Straße herumtreibt«, sagte er und ersparte weder Regina noch sich selbst den Ton beunruhigter Väterlichkeit. »Wenn es Ihnen recht ist, werde ich Sie begleiten.«

Es war der ganz gewöhnliche Auftakt einer alten Geschichte – neu erlebt von Menschen, die einsam, verschlossen und auf der Suche nach einem Weg aus der Isolation waren und nicht wußten, wie sehr es sie zueinander drängte. Sie ahnten es beide und wehrten sich nicht. Reginas Verlangen nach Zuwendung war zu groß, ihr Interesse für den Mann, der ihr in der Stunde der Wahrheit vertraut hatte, schon zu sehr in den Bereich von Faszination und Zuneigung übergegangen, um sich mit Skrupeln zu quälen, die sie sehr bereitwillig als kleinlich und ihrer unwürdig abtat.

Frowein, der sich immer fürs Theater interessiert hatte und seit Jahren in keines mehr gekommen war, weil er es als Sünde an seiner Redaktion empfand, nicht bei der Schlagzeilenkonferenz dabei zu sein, hatte mehr Mühe mit Moral und Gewissen.

Er versuchte zunächst, sein Verhalten, das er selbst am unge-wöhnlichsten fand, als die längst fällige Belebung einer alten Leidenschaft zu analysieren und danach als die Pflicht eines verantwortungsbewußten Mentors zu deklarieren.

Sehr bald aber bemühte er sich nicht mehr, seine Redakteure und sich selbst zu täuschen. Als es spöttisch akzeptierter Brauch wurde, daß er mit Regina auch die Theateraufführun-gen besuchte, von denen die Kritiken bereits erschienen waren, begriff auch Frowein, der zurückhaltende, zaudernde Skepti-ker, der alle Kräfte bemühte, um von Emotionen frei zu sein, daß er nicht nur die Aufgabe eines geistigen Wegbegleiters im Sinn hatte. Es gelang ihm aber dennoch während des größten Teils von Reginas Volontärzeit, sich wenigstens in den Momen-ten allzu unbarmherziger Konfrontation mit seinen widerstrei-tenden Gefühlen die Illusion zu erhalten, er sei nichts anderes als ein wohlmeinender Chef, der sich um der Sache willen nicht auf die – vielleicht doch überholte – Konvention geboten-ner Zurückhaltung beschränkte.

So war er tatsächlich bestürzt, als er erkannte, daß er sich nicht aufs neue in das Theater verliebt hatte, sondern in die junge Frau, die mit aufgerissenen Augen neben ihm saß, der er in der Pause Sekt holte, die er nach der Vorstellung nach Hause fuhr und die trotz der Jahre, die sie in Deutschland gelebt hatte, immer noch Kind einer Welt war, das Begeisterung und Ableh-nung, Skepsis und Staunen auf eine Art ausdrückte, die ihm das Leben schon lange abgewöhnt hatte.

Es gefiel Frowein, daß diese Frau nie gelernt hatte, Romantik, Süße und Banalität zu mißtrauen, und daß sie sich nicht vom klassisch schönen Wort blenden ließ. Sie weinte beim »Kleinen Teehaus« in Froweins Taschentuch, kniff ihn bei »Brechts Kaukasischem Kreidekreis« erregt in den Arm, sprach bei Shakespeares »Zweierlei Maß« die Verse in Englisch mit und fragte in der Pause der »Räuber«: »Haben Sie denn gewußt, daß Schiller so großartige Stücke geschrieben hat?«

»›Die Räuber‹ müssen Sie doch in der Schule gelesen haben.«

»Aber nein, in der Zeit, da deutsche Schülerinnen ›Die Räuber‹ lasen, saß ich in meinem Guavenbaum und hab meiner Fee Dickens vorgelesen.«

»Wie sah die Fee aus und wie der Baum?«

»Die Fee trug ein Kleid aus den Blättern einer weißen Seerose, der Baum roch nach Honig, und die Bienen sangen Lieder, die nur die Fee und ich hören konnten.«

Es war Reginas Blick, getränkt von plötzlich belebtem Verlangen, mehr noch als ihr Lachen, der Frowein nicht aus dem Gedächtnis wollte. Sechs Wochen später, beim »Regenmacher«, duzte er sie versehentlich und entschuldigte sich, wie ein Primaner stammelnd, und einen Monat danach, bei Kaisers »Kolportage« bat er sie – »nur im Theater, das versteht sich von selbst« – beim Vornamen nennen zu dürfen.

»Das tun Sie doch schon lange.«

»Doch nicht in der Redaktion?«

»Nein, in Ihrem Kopf.«

»Und es macht Ihnen nichts aus?«

»Aber nein. Mein Kopf macht sich nicht so viel Mühe wie Ihrer mit den Worten, die er nicht in die Kehle lassen darf.«

»Schön, wie Sie das ausgedrückt haben, Regina.«

»Das war nicht ich. Ich hab nur aus meiner alten Heimatsprache übersetzt. Suaheli.«

»Ich wußte gar nicht, daß Sie Suaheli sprechen.«

»Tu ich nicht mehr, Bwana lala«, sagte Regina, als sie ins Auto stieg, »ich denke nur manchmal in Suaheli. Das hilft.«

»Gegen was?«

»Gegen fast alles außer Halsschmerzen«, überlegte sie und dachte, welch ein weiter Weg das erste gemeinsame Lachen zurückgelegt hatte und daß es nicht gut war, wenn Gelächter zu früh sein Ziel erreichte.

»Was bedeutet das, was Sie vorhin mit den vielen wunderschönen Vokalen gesagt haben?«

»Ich sprach von einem schlafenden Mann.«

»Wenn der Mann wach ist und wenn es keiner hört, darf er du sagen?«

»Wozu will er überhaupt was sagen, wenn es keiner hört?«

Als »Das Tagebuch der Anne Frank« auf die Frankfurter Bühne kam und das Publikum so bewegt war, als habe es soeben erst von der Tragödie erfahren, war es Frowein, der Tränen in den Augen hatte. Regina saß, mit erstarrtem Körper und vom Schmerz betäubt, neben ihm und dachte an den Vater, der durch den Ruhm der einen Tochter die andere noch einmal hatte in den Tod begleiten müssen.

Sie erzählte Frowein von der Begegnung. Er unterbrach sie nur ein einziges Mal und da mit einem kaum hörbaren Seufzer. Er war laut genug, um Regina die Gewißheit zu geben, daß es in dem Deutschland, das so bereitwillig rasch und doch so widerstrebend von Kollektivscham sprach, wenigstens einen Mann gab, der die Bedeutung des Wortes guthieß. Nur dies war ihr wichtig.

Als Frowein in die Rothschildallee einbog, rüttelte er zum letztenmal an dem Traum der Einverständlichkeit und sagte: »Wir würden gern mit Otto Frank Kontakt aufnehmen.«

»Wer ist wir?«

»Die Redaktion. Hast du seine Adresse?«

»Mein Vater hat sie. Warum?«

»Wir sollten ein Interview mit ihm machen. Das würde uns gut stehen.«

»Da bist du leider an der falschen Adresse. Ich bin nicht der Typ, der seine Freunde von Leuten durch die Mangel drehen läßt, wie sie bei uns in der Redaktion rumlaufen. Außerdem bin ich allergisch gegen Neugierde.«

»Nicht Neugierde, Regina. Das ist Zeitgeschichte. Das mußt du begreifen, wenn du eine gute Journalistin werden willst.«

»Wenn das der Preis ist, will ich gar nicht. Ich taug nicht dazu, aus dem Tod Zeitgeschichte zu machen. Hast du vergessen, daß ich aus einem brennenden Theater nach Hause laufe, um meine Eltern zu beruhigen, und nicht daran denke, einen Bericht zu schreiben?«

»Wie könnte ich«, fragte Frowein, »damit hat ja alles angefangen.« Er wußte, daß es nicht der richtige Augenblick war, von sich zu sprechen. Er tat es doch und sagte, seinen Blick auf die Windschutzscheibe gerichtet: »Ich hab mich in dich verliebt, Regina.«

»Ich weiß.«

»Ich hab gekämpft und verloren.«

»Ich hab nicht gekämpft«, erkannte Regina, »verlieren werde ich aber doch. Du bist nicht der Mann, der damit leben kann, daß er erst den Kopf und dann sein gutes Gewissen verloren hat. Als Chef schon gar nicht. Nur wie erklärst du der Redaktion, daß du mich rausschmeißen mußt?«

»So etwas darfst du nie wieder sagen. Glaubst du wirklich, ich laß dich büßen, daß ich ein alter Narr bin. Keiner in der Redaktion wird je erfahren, was ich mir geleistet habe. Das versprech ich dir.«

»Das«, sagte Regina, und sie hatte mehr Mitleid mit ihm als mit sich selbst, »solltest du dir nicht einbilden. Und übrigens«, sagte sie und konnte ihre Zunge nicht mehr rechtzeitig zurückholen, »hast du noch nichts getan.«

In den Monaten nach dem Gespräch, das sie im nachhinein sehr viel mehr verwirrte, als ihr im Moment bewußt geworden war, fragte sie sich oft mit einer Neugierde, die ihr unwürdig erschien und zu ihrem Entsetzen immer größer wurde, ob Froweins Verhalten ihr willkommen war oder ihre Eitelkeit kränkte. Er bemühte sich nie, nicht einmal dann, wenn er mit ihr im Theater war und sie nach Hause brachte, die Intimität eines bekennerischen Augenblicks zu wiederholen.

In der Redaktion war er ein zurückhaltender, spöttischer Chef, der dazu übergegangen war, eine junge Kollegin nach bestandener Bewährungsprobe nicht mehr anders zu behandeln als die Männer, die ein offenes Wort und auch schon mal einen derben Spaß schätzten; er ließ nun öfters in ihrer Gegenwart die rüden Männerwitze zu, die er sich früher mit bedeutsamem Räuspern und zeitgleichem Hinweis auf die einzige Frau in der Redaktion verbeten hatte. In der Kantine rief er Regina unbefangen an seinen Tisch. Meistens sprachen sie vom Theater.

Sie bewunderte die Geschicklichkeit der perfekten Tarnung und die Maskerade der Souveränität, war ihm dankbar für die Leichtigkeit seines Tons und wie er sie durch seinen Witz in die Gemeinschaft der Kollegen einband. War sie aber nicht in der Redaktion und ließ ihren Gefühlen den Willen zum Widerspruch, halfen ihr weder Vernunft noch Logik aus der Festung ihrer Provokation. Da erschien ihr Froweins Verhalten als eine Gleichgültigkeit, die ihr Unbefangenheit, Sicherheit und Mut nahmen. Die Beschränkung auf das Unpersönliche kränkte ihren Stolz, den sie in melancholischen Momenten und dann auch sehr vage als Wunsch definierte, selbst das Recht der Entscheidung wahrzunehmen.

Es dauerte lange, ehe Regina bereit zur Wahrheit war. Sie war verblüfft, als ihr aufging, welchen Umweg sie gemacht hatte, um überhaupt zu erkennen, daß ihre Reaktion die einer Frau war, die nach dem Wort die Tat verlangte. Es drängte sie nicht nach Froweins Aufrichtigkeit der ersten Begegnung, die sie noch immer so rührte, nicht nach seinen Bekenntnissen und noch nicht einmal nach seiner wohltuenden Ermutigung, wenn er von einem Talent sprach, an dem sie selbst zweifelte.

Sie begehrte nur ihn und dies nicht, weil sie ihn liebte. Sie wollte, einmal nur, ihr Herz und erst recht ihren Stolz von der Last des Verzichts befreien. Als sie erkannte, was sie wirklich bedrückt hatte und dies seit der einen Nacht, deren Wunden weder Zeit noch Einsicht zu heilen vermochten, begriff sie auch sehr schnell, daß sie nicht mehr lange warten würde, Frowein aus dem bequemen Hinterhalt des Mentors in die Realität des Mannes zu locken.

Er kam ihr zuvor. Die Hersfelder Festspiele begannen am ersten Juli-Wochenende – einen Tag zuvor brach sich der Kritiker, der seit Jahren über die beiden ersten Premieren berichtete, das Bein. Nach der letzten Redaktionskonferenz des Tages kam Frowein in Reginas winziges Zimmer; er hatte es seit Wochen gemieden. Einen Moment noch stellte er sich an das Fenster und sah in den Hof, dann setzte er sich auf ihren Schreibtisch und legte seinen Arm um ihre Schulter. Zuerst sagte er: »Wie wär's mit Ihnen?« Dann auffallend gut gelaunt: »Keine Widerrede.« Und schließlich, in noch besserer Stimmung: »Ich fahr Sie hin. Ich bin am Wochenende sowieso Strohwitwer.«

»Es ist gut«, sagte Regina.

»Es ist gut«, flüsterte er, als genau vierundzwanzig Stunden später Maria Stuart in der lauen Nacht, begleitet vom Gezwitscher der von den hellen Bühnenscheinwerfern aufgeschreckten Vögel, das Schaffot unter dem freien Himmel der Stiftsruine bestieg.

»Warum darf in Hersfeld nicht geklatscht werden?« fragte Regina beim Hinausgehen.

»Weil dies hier mal eine Kirche war. Wir Deutschen haben große Ehrfurcht vor Gotteshäusern. Das haben wir immer bewiesen.«

Regina genoß den Spott in seiner Stimme und spürte, wie aus der Verbundenheit, die sie zu Frowein empfand, doch noch ein Gefühl wurde, das es ihr leicht machen würde, ohne Scham in den Spiegel zu blicken. »Danke«, sagte sie.

Sie gingen schweigend und hielten einander an der Hand, erlöst von den Tagen der falschen Blicke und falschen Worte, den mit Kerzen beleuchteten Weg durch den Park zum Kurhaus, kamen an Fachwerkhäusern vorbei und erreichten bald das kleine Hotel, in dem die Sekretärin zwei Zimmer gebucht hatte. Frowein verlangte von einem mürrischen Portier die beiden Schlüssel.

Obwohl die Halle dunkel war, sah Regina, daß sein Gesicht brannte. Die Hand, die ihre streifte, war heiß und feucht. Sie lächelte ihn an, als er ihr Zimmer aufschloß, und hoffte sehr, daß auch er nichts sagen würde. Einen Moment blieb er noch stehen und wartete, bis sie das Licht angeknipst und ihre Jacke ausgezogen hatte. Dann sprach er doch. Seine Stimme erinnerte sie an die jungen Vögel in den verdorrten Dornakazien, die noch nicht gelernt hatten, den ersten Strahl der Sonne abzuwarten.

»Dein Zimmer ist größer«, sagte er, »ich bin in fünf Minuten wieder da.«

»Fünf Minuten«, wiederholte Regina.

»Ist das zu schnell?«

»Nein, zu langsam.«

Regina grübelte, als Frowein sich zögernd auszog, ob sie nicht zu jung war, nur Jäger sein zu wollen, oder schon zu alt, um vergessen zu dürfen, daß eine falsche Beute den Jäger für lange Zeit kraftloser als ein törichtes Kind machte. Als sein Atem schwer wurde und ihr anzeigte, daß auch er von der Unausweichlichkeit der Begierde wußte, nahm sie sich vor, Zärtlichkeit nicht mit Liebe, Erregung nicht mit Erfüllung zu verwechseln. In der Nacht wachte sie auf und wußte nicht, ob sie es nicht doch getan hatte, aber das Gesicht, das sie sah, gehörte nicht dem Mann, der neben ihr schlief. Der Tag wurde bereits hell und ließ durch das geöffnete Fenster einen Hauch von täuschendem Rosa herein, als der Schmerz des Begreifens einsetzte und ihr die Gewißheit gab, daß sie in ihre eigene Falle geraten war. Sie hatte nichts von dem, was sie hatte vergessen wollen, wirklich vergessen.

Frowein hörte ihren Seufzer und sagte: »Das darf uns nie wieder passieren.«

Regina wollte ihm gerade erklären, daß er sich keine Sorgen zu machen brauche und daß sie Erfahrungen mit Nächten habe, von denen nichts blieb als die Kraft der ungebetenen Bilder zur falschen Zeit. Es gelang ihr aber ohne die Mühe der langen Überlegung, ihre Kehle so geübt mit der Sanftheit der gnädigen Lüge einzuölen, wie sie es als Kind gelernt hatte, wenn einer drohte, ihr das Gesicht zu stehlen.

»Nie wieder«, beruhigte sie.

Als sie am Montag nach Frankfurt zurückkam, saßen alle beim Abendessen. Ihre Mutter hatte ihr bereits den Teller mit belegten Broten hingestellt und sagte, wie jeden Abend: »Einmal Quark, einmal Teewurst und einmal Tomaten. So hast du es doch am liebsten.«

Regina sah, daß Odysseus zwischen den Gläsern und zwei silbernen Schalen in den frisch geputzten Scheiben des Schranks auftauchte und lange zauderte, ehe er weiterzog. Als Kind hatte sie von ihrem Vater erfahren, daß Odysseus, der Vielgeliebte, bei der Heimkehr auch einen Teller mit belegten Broten vorgefunden und erst da gewußt hatte, daß er nie mehr auf Reisen gehen mußte. Sie unterdrückte das Bedürfnis, von ihren Händen den Schmutz des Tages und aus ihrem Kopf den bleischweren Ballast der Nacht zu waschen, setzte sich hin und sagte: »Das Tomatenbrot laß ich mir bis zum Schluß. Das eß ich am liebsten.«

»Das hast du schon als Kind getan«, sagte Jettel.

»Nur damals«, monierte Walter, »bist du nicht mit fremden Herren ins Blaue gefahren.«

»Ich war in Hersfeld, bei mir ist das Arbeit«, sagte Regina und bereitete sich auf den Kampf vor, »und der fremde Herr ist zufällig mein Chef.«

»Ein schöner Chef«, sagte Walter.

17

Jettel war besorgt und niedergeschlagen, als Walter an einem Novembernachmittag sehr viel früher und auch länger als sonst an der Haustür schellte; sie dachte, die Beschwerden, über die er vor ein paar Tagen geklagt hatte und die nach einem heißen Bad dann doch verschwunden waren, wären wiedergekommen. Ängstlich schaute sie über das Geländer ins Treppenhaus hinunter, um zu hören, ob ihr Mann mehr keuchte als gewöhnlich. Sie rief: »Was ist los?« Doch sie erhielt keine Antwort.

In jeder Etage standen Schemel; Walter setzte sich fast immer schon im ersten Stock hin und ruhte sich so lange aus, bis er wieder zu Atem kam. Oft schon im ersten Stock. Jettel sah aber, daß er bereits in der zweiten Etage angekommen war. Sie war erstaunt. Walter keuchte überhaupt nicht, war weder blaß, noch hatte sein Gesicht jene ungesunde Röte, die Anstrengung anzeigte. Er hielt einen Strauß roter Rosen in der Hand und pfiff, als er sehr mühelos von dem kleinen Sitz aufstand, besonders laut Jettels Lieblingslied »Die Liebe vom Zigeuner stammet«.

Ohne daß sie sich auch nur einige Sekunden zur Klärung der Frage nahm, weshalb sie der Anblick von roten Rosen noch mehr beunruhigte als ein Herzanfall, mit dem sie fest gerechnet hatte, wurde sie wütend. Ihr war zu spontan eingefallen, daß Walter ihr zum letztenmal in Breslau Blumen gebracht hatte. Das war drei Tage vor ihrer Verlobung, und sie war so naiv gewesen, daß sie nicht gemerkt hatte, daß er das schöne

Bouquet (es waren auch Rosen, allerdings gelbe) für einen Krankenbesuch gekauft und den Patienten nicht mehr in der Klinik angetroffen hatte. Die unromantische Pointe hatte er ihr erst Jahre später verraten – auf der Farm, und ausgerechnet bei einem der vielen überflüssigen Streits über ihre mangelnde Bereitschaft, es mit dem Einlegen von Salzgurken in einem Land zu versuchen, in dem die Gurken selbst schon kümmerlich und trocken waren. Jettel machte sich keine Illusionen.

Obwohl sie sich noch gegen die bittere Wahrheit wehrte, die ihr soeben in voller Tragweite bewußt geworden war, mußte sie doch sehr spöttisch bei dem Gedanken lächeln, wie sehr sich ihr naiver Mann diesmal getäuscht hatte. Sie war nicht mehr die junge, nur schöne, ahnungslose Braut mit den törichten Träumen der behüteten Tochter, sondern eine erfahrene, reaktionsschnelle Frau mit einer untrüglichen Witterung für die Situationen in einer langen Ehe, in denen es galt, einen kühlen Kopf und Haltung zu bewahren. Dank der vielen Beiträge in den Illustrierten, die sich neuerdings nicht mehr vor der präzisen Erörterung der intimsten Probleme zwischen Mann und Frau scheuten, wußte sie sehr wohl, was zu tun war.

Jettel zweifelte keinen Moment, daß Walter sie betrogen hatte und ihr nun seinen Fehltritt gestehen wollte, aber verblüfft, ja sprachlos war sie trotzdem. Sie hatte schon vor der Heirat begriffen, daß Walters tief religiöser Glaube und seine strenge Moral beste Garanten für seine eheliche Treue sein würden. Gerade das hatte ihr an einem Mann gefallen, dessen Charakter ja auch ihre Mutter zeit ihres Lebens als »grundanständig« bezeichnet hatte.

In den letzten Jahren hatte Jettel selbstverständlich auch angenommen, daß schon allein seine nachlassende Gesundheit ihn davon abhalten würde, sie mit irgend etwas anderem als mit den im Büro heimlich gerauchten Zigaretten und der in den Manteltaschen gehamsterten Schokolade zu betrügen. Zumindestens hatte sie die von Walter so verspottete und immerhin von den Damen der besten Gesellschaft gelesene Lektüre einen sehr engen Zusammenhang zwischen körperlichem Befinden und ehelich intakter Gemeinschaft vermuten lassen.

Andererseits war Jettel erleichtert, daß sie auf dem Höhepunkt einer so überraschend eingetretenen Krise, ebenfalls durch einen Beitrag, den sie zum Glück erst vor einer Woche gelesen hatte, sich nicht im unklaren über den Weg war, den sie nun gehen mußte. Sie durfte sich weder Betroffenheit noch Eifersucht anmerken lassen und erst recht nicht ihre immense Verwirrung, daß es Walter tatsächlich zu gelingen schien, selbst jenen Hauch von Schuldbewußtsein aus seinem Gesicht zu bannen, von dem Jettel ganz sicher wußte, daß er zum traurigen Gesamtbild gehörte. Ihr Mann sah aus, als sei er nie krank gewesen. Seine Schultern waren gestrafft, die Augen klar und fröhlich wie lange nicht mehr. Er trug den Kopf beleidigend hoch.

»Jettel«, sagte er und drückte ihr die Rosen in Hände, die nicht ganz ruhig waren, »ich muß dir was erzählen.«

Sie preßte nun doch ihre Lippen und leider auch die Augen zusammen und überlegte angestrengt, wieviel Zeit wohl die erfahrenen Lehrmeister der Ehe einer Frau zubilligten, ehe sie sich zu ihrem Temperament bekennen und ihr Herz befreien durfte. Ihr war den ganzen Tag nicht gut gewesen, und nun merkte sie, daß sie stärkere Kopfschmerzen als bisher wahrgenommen hatte und daß der Boden zu schwanken schien.

Sie sagte nur: »Ja«, und versuchte, nicht aus der Zustimmung eine Frage zu machen.

»Nicht hier im Flur.«

»Sag's schon. Ich weiß sowieso, was du mir sagen willst. Mich kannst du nicht hinters Licht führen.«

»Ich hab dich betrogen.«

»Also doch.«

»Was heißt also doch? Du hast mich ja nie genau gefragt. Ich hab dir nur mal gesagt, daß ich noch drei Jahre brauchen würde, und ich hab dich dann in dem Glauben gelassen. Aber ich hab's heute schon geschafft.«

»Was?«

»Das Haus schuldenfrei zu bekommen. Um Gottes willen, Jettel, da mußt du doch nicht gleich weinen. Heulen hättest du müssen, wenn ich dich als Witwe mit Schulden zurückgelassen hätte.«

Es war, begriff Jettel mit einer Dankbarkeit, die sie auf eine ihr sehr ungewohnte Art beschämte, einer der erfülltesten Augenblicke ihrer Ehe und einer der raren Momente, in denen es ihr gelang, sich über sich selbst lustig zu machen. Erwärmt von einem Gefühl, das sie mühelos als Glück deutete, vergaß sie, daß sie klug, lebenstüchtig und erfahren war und erzählte Walter, wohin ihre Phantasie sie getrieben hatte.

Sie schlug mit bewußt theatralischer Geste die Hände über ihrem Kopf zusammen und sprach von einem Abgrund. Walter fiel auf, wie schön ihr Haar war, und er überlegte gutgelaunt, wie sie auf das Wort gekommen war und ob Frauen in ihren vertraulichen Gesprächen einander auch die beruflichen Geheimnisse ihrer Ehemänner verrieten.

Sie saßen zusammen auf dem Sofa und lachten sich in eine Stimmung, die sie belebte und auf eine sanfte Art zur Harmonie verschütteter Zeit treiben ließ. Beiden fiel zu gleicher Zeit ein, daß sie in Leobschütz auch mal so befreit gelacht hatten, aber sie konnten sich nicht mehr an den Anlaß erinnern und wurden ein wenig wehmütig. Der Wellensittich zupfte Jettel immer wieder an den Haaren und Walter sie einmal am Ohr.

»Meine Jettel«, kicherte er, »glaubt tatsächlich noch an meine Manneskräfte. Das ist das schönste Kompliment, das du mir seit Jahren gemacht hast.«

»Warum?« fragte Jettel und wurde auf eine Art rot, die Walter noch wehmütiger machte.

Er trank den Schweizer Birnenschnaps, den er eigentlich im

Bücherschrank für die Tage versteckt hatte, an denen die Schmerzen seine Brust zerrissen, und aß, obwohl es erst fünf Uhr nachmittags war, ein Brot mit kalter Bratensauce. Danach küßte er Jettel noch einmal und wischte, ohne daß sie auch nur ein Wort sagte, seine fettigen Hände an der hellgelben Decke vom Wohnzimmertisch ab, die sie nur mit der Klage aufzulegen pflegte, sie hätte sie nie gekauft, hätte sie nur geahnt, wie empfindlich sie wäre.

Walter erzählte mit dem Behagen eines Bergsteigers, der den Gipfel vor der Zeit erreicht, wie weit und mühsam der Weg gewesen sei, die Rothschildallee so schnell schuldenfrei zu bekommen, und wie glücklich das Bewußtsein ihn mache, daß er seine Pflicht habe tun dürfen. Als er noch einmal zur Flasche mit dem Birnenschnaps griff, wurde er übermütig, und wünschte sich zum Abendessen zwei weiche Eier im Glas.

Weil Jettel nickte, als sei wirklich Sonntag, wie er behauptete, ließ auch die letzte Widerstandskraft aus der Zeit der großen Sparsamkeit nach. Er versprach, sich endlich neue Schuhe und Jettel den Persianer zu kaufen, nach dem sie seit den harten Wintern von Leobschütz gejammert hatte.

»Zur Silberhochzeit«, plante er, »wird meine Jettel nicht mehr herumlaufen und jedem erzählen, daß ihr Alter sie frieren läßt.«

Jettel, schon wieder imstande, auf ihre Erfahrenheit im Umgang mit heiklen Situationen und auf ihre gute Witterung für den richtigen Moment zu vertrauen, verriet Walter noch einen Herzenswunsch. »Ich möchte«, sagte sie und streichelte Walters Stirn, »so schrecklich gern zu unserer Silberhochzeit verreisen. Eine richtige Winterreise, wie sie jetzt schon so viele Leute wieder machen.«

»Du allein? Willst du dir einen Jungen suchen, der nachts mehr kann als nur keuchen?«

»Du wirst immer gleich so unanständig. Wir alle natürlich. Wir sind noch nie zusammen fortgewesen. Wir haben noch keinen

Tag Ferien gemacht. Wir wissen überhaupt nicht, was Urlaub ist. Manche Leute fahren sogar schon bis Mallorca.«

»Sag es doch lieber gleich, Jettel«, lachte Walter, »du willst dir nicht die Arbeit mit einer großen Feier machen. Vielleicht hast du gar nicht so unrecht. Die wenigsten Leute, die wir einladen würden, sind wirkliche Freunde. Ach, Jettel, ich hab mir in unserem ersten Leben immer vorgestellt, wir würden unsere Silberhochzeit in Breslau feiern. Weißt du auch warum?«

»Weil meine Mutter so gut kochte?«

»Auch. Aber ich wollte dich ganz feierlich in die Arme nehmen und sagen: Siehst du, meine geliebte Ina, nun hab ich es doch ein ganzes Leben mit deiner verwöhnten Tochter ausgehalten. Das hättest du bei unserer Hochzeit nie gedacht, nicht wahr?«

»Doch«, weinte Jettel, »sie hat es gewußt. Es war das letzte, was sie mir gesagt hat, als ich in Hamburg aufs Schiff bin. Sei gut zu Walter, er liebt dich so, hat sie gesagt.«

»Deine Mutter war eine kluge Frau. Du weißt gar nicht, wie oft ich an sie denke.«

»Ich auch. Ach, Walter, das Leben ist nie mehr so geworden wie vor den Nazis.«

»Es wäre eine Sünde an den Toten, wenn es nicht so wäre.«

»Ich wußte nicht, daß du so denkst.«

»Du weißt vieles nicht.«

Eine Stunde später, als Max nach Hause gekommen war und von dem schuldenfreien Haus erfahren und wieder mal zum Stolz des Vaters bewiesen hatte, daß er im Gegensatz zu seiner Mutter die Prozentrechnung beherrschte, zog Walter seinen Mantel an und erklärte, er wolle Regina von der Straßenbahn abholen.

»Ich kann«, sagte er ein wenig verlegen, »gar nicht abwarten, ihr von unserem Glück zu erzählen.«

»Was, noch einmal die Treppen gehen?« fragte Jettel, schon in der Schürze, um das Abendessen zu machen, »du weißt doch gar nicht genau, wann sie kommt. Du bist wohl verrückt geworden.«

»Bin ich. Heute gibt es keine Treppen für mich. Heute kann ich fliegen.«

»Darf ich mitfliegen?« fragte Max.

»Laß deinen Vater allein gehen«, verstand Jettel, »nicht alles in unserer Familie ist reine Männersache. Hilf mir lieber beim Tischdecken.«

»Nur heute, mein Sohn, ein Mann gehört nicht in die Küche. Glaubst du, die Rothschildallee wäre schon schuldenfrei, wenn ich deiner Mutter beim Kartoffelschälen geholfen hätte?«

Regina stieg gerade aus der Straßenbahn, als ihr Vater die Haltestelle erreichte. Sie brauchte nur den Bruchteil einer Sekunde, um die alte Angst vor plötzlicher Not in die Schranken zu weisen und sein Gesicht zu deuten.

»Ich muß dir was sagen, Regina.«

»Brauchst du nicht, ich seh's dir an. Die Rothschildallee ist schuldenfrei.«

Er umarmte sie vor einem Getränkekiosk, erzählte, noch einmal erheitert, obwohl er Jettel versprochen hatte, das Geheimnis nie zu verraten, von den Zweifeln an seiner ehelichen Treue und holte ein Päckchen aus der Manteltasche.

»Eine Uhr«, staunte Regina, »und so eine wunderschöne. Du bist ja verrückt. Wie kommst du drauf? Ich hab doch nicht Geburtstag.«

»Aber ich. Ich bin heute noch einmal geboren worden. Du sollst wissen, daß ich weiß, wem ich meinen Mut zu verdanken hab.«

»Das geht doch nicht. Was wird Mama sagen? Sie wird gekränkt sein, wenn sie sieht, daß du mir so was Teures kaufst und ihr nicht. Du weißt doch, wie eifersüchtig sie ist. Ich will nicht, daß sie sich aufregt.«

»Dein Vater hat nur ein krankes Herz, aber einen gesunden Kopf. Laß mich nur machen. Du wirst staunen.«

»Kein fauler Zauber, Bwana«, bat Regina, »dazu werden wir zu alt.« Sie machte die alte Uhr ab, legte die neue um und hielt ihren Arm hoch. Die Straßenlaternen durchbohrten mit gelbem Licht den feuchten Nebel. Das goldene Armband wurde hell und erinnerte sie einen Glücksmoment lang an die grüne Glasscherbe, mit der sie in der Stunde der langen Schatten von Ol' Joro Orok die letzten Strahlen der Sonne eingefangen hatte. »Für faulen Zauber bist du zuständig, du verdorbene Memsahib des listenreichen Owuor.«

Sie liefen noch langsamer, als Walters kurze Schritte es geboten, den kurzen Weg nach Hause und wärmten sich an ihrer Liebe. Um sich noch eine Extraportion ihrer stärkenden Verbundenheit zu sichern, schellten sie auch nicht an der Haustür und machten in jeder Etage lange Pausen, weil die Treppen nun Walter doch sehr anstrengten und nur noch seine Freude Flügel hatte. Er schloß, wieder statt zu klingeln, die Wohnungstür auf und stampfte, zu Reginas Überraschung, so heftig mit dem Fuß auf, daß das Parkett dröhnte.

»Schau dir das mal an, Jettel«, brüllte er zornig, noch in Hut und Mantel, »was sich deine feine Tochter mal wieder geleistet hat. Läßt sich von fremden Herren goldene Uhren schenken.«

»Sie ist nicht aus Gold«, stotterte Regina und brauchte viel Phantasie und Kraft und fast zuviel Zeit, um ihren Augen das Staunen abzujagen, »und außerdem hab ich sie mir selbst gekauft.«

»Natürlich ist sie aus Gold«, widersprach Walter, griff nach Reginas Arm, schob Mantel und Pullover hoch und grub seine Nägel in ihre Haut, »und ich wette, sie ist von deinem feinen Herrn Reiswein.«

»Frowein«, korrigierte Regina bewundernd, »und er macht mir keine Geschenke. Das müßtest du doch spüren. Ein guter Vater würde das. Der würde auch wissen, daß seine Tochter eisern sparen kann, um sich auch mal einen Herzenswunsch zu erfüllen.«

»Bravo«, knurrte Walter, »das hast du dir fein ausgedacht.«

Sie kamen überein, in den Harz zu fahren und die Silberhochzeit, einen Tag vor Weihnachten, in Bad Grund zu feiern und bis Neujahr dazubleiben. Ein Oberschlesier hatte dort vor einigen Jahren ein kleines Hotel eröffnet. Er antwortete postwendend auf Walters Brief und schrieb, daß er »unserem Herrn Doktor und seiner werten Familie« selbstverständlich einen Sonderpreis berechnen würde und es als besondere Ehre betrachte, so liebe Gäste »in familiärer Atmosphäre mit den Speisen der Heimat« zu verwöhnen.

Jettel bekam ihren Persianer. Er war zu schwer und entsprach nicht ganz der Mode, doch er paßte wunderbar zu ihrem schwarzen Haar und verjüngte ihr Gesicht mit Zufriedenheit. Walter sagte, sie sehe aus wie die Fürstin von Pless, und weil Jettel so oft vom Reichtum des Fürsten gehört hatte, faßte sie das als Kompliment auf und kaufte vom Geld in ihrer Privatschatulle noch einen schwarzen Hut.

Regina wurde für die ersten Winterferien ihres Lebens mit einem neuen Pullover in jenem Norwegermuster ausstaffiert, das nun auch in den preiswerten Bekleidungsgeschäften zu haben war. Für Max gab es gebrauchte Skischuhe; sie paßten ihm so schlecht, daß er zum Trost noch einen Schlitten und die Zusicherung bekam, Regina würde mit ihm zum Rodeln gehen. Walter ließ sich zu einer Wollmütze, Fausthandschuhen und einem blauen Schal überreden und beschimpfte Frau und Tochter als Verschwenderinnen.

Morgens um fünf war es am Tag der Abreise schon in Frankfurt feucht und kalt. Auf der Fahrt mußte mehrmals die vereiste Windschutzscheibe freigekratzt und die Familie mit heißem Kaffee aus der Thermosflasche aufgewärmt werden. Als es am Rand des Harz' heftig zu schneien begann, fiel ein Scheibenwischer aus. Walter fluchte sehr, weil er ihn nicht hatte reparieren lassen, doch er ließ sich seine gute Laune nicht verderben und setzte trotz Jettels mißgestimmtem Protest, die

Reise würde ihn zu sehr anstrengen und sie habe auch schon Frostbeulen, den Umweg über Marke durch, um Greschek und Grete zur Silberhochzeit einzuladen.

»Nee, Herr Doktor«, wehrte Greschek nach dem Mittagessen ab, »das können Sie von mir nicht verlangen. In einem Hotel zu hocken und nichts zu tun haben. Das ist nichts für unsereinen. Da werd ich verrückt. Und Grete muß doch bei unserer Ziege bleiben.«

»Und zu meiner Beerdigung werden Sie auch nicht kommen?«

»Das ist doch ganz was anderes. Kommen Sie auf dem Rückweg lieber nach Marke und bleiben Sie noch ein paar Tage. Dann hab ich auch genug Zeit, schöne Pilze für Sie zu holen.«

»Was, im Dezember, Greschek?«

»Der hat doch keine Ahnung«, sagte Grete, »er hat sich noch nie nach einem Pilz gebückt.«

»Römers Hotel« in Bad Grund, ein Fachwerkhaus mit verblichenem Glanz, zerbrochenen Fensterläden und seit zwei Jahren nur noch im Sommer geöffnet, empfing seine einzigen Gäste mit einem großen Weihnachtsbaum in der auffallend zugigen Halle und der warmen Zusicherung des Besitzers, es würde keiner die Familienfeier stören. Er hätte auch zwei Hasen bestellt und den Ofen im Speisesaal nachsehen lassen.

»Sie haben doch Zentralheizung«, sagte Walter.

»Ach, die funktioniert nicht richtig, Herr Doktor. Sie wissen ja, wie das mit den Handwerkern im verfluchten Westen ist. Die wollen alle nur verdienen.«

»Wir können uns ja unter dem Weihnachtsbaum wärmen«, flüsterte Max auf dem Weg zu den Zimmern.

»Ein jüdisches Kind sitzt nicht unter einem Weihnachtsbaum«, brummte Walter.

»Aber wir haben ihn doch nicht aufgestellt. Da gilt das doch nicht.«

»Den lieben Gott kann man nicht betrügen.«

Die Zimmer waren geräumig und mit Möbeln vollgestellt, die der vergilbte Hotelprospekt, der auf einem runden Glastisch mit einer ebenso vergilbten Häkeldecke lag, als »bürgerlich, gemütlich« und Jettel als »alten Plunder« bezeichnete. Die Schränke klemmten, die Betten quietschten, wenn sich einer nur auf sie setzte, und die Waschschüsseln auf den eisernen Ständern waren alle rostig, das Wasser in den Krügen eiskalt.

In dem Zimmer, das sich Walter und Jettel nach der entmutigenden Besichtigung aller Räume aussuchten, wurde der von einem mürrischen Hausmädchen entzündete Ofen glutrot, ohne zu wärmen. In dem Raum, in dem Regina und Max schlafen sollten, rauchte der Ofen so, daß schon zu Beginn der ersten Nacht alle vier im elterlichen Doppelbett lagen – Jettel im neuen Persianer und die übrigen drei auch im Mantel, Walter dazu noch in Mütze und Handschuhen.

»Das hab ich mir in Afrika immer gewünscht«, sagte Walter.

Max kicherte sich in den Schlaf, sein Vater hustete so, daß er in der Nacht aufstehen mußte. Er setzte sich an den kleinen Glastisch, zündete eine Kerze an und kratzte mit seinem Füllfederhalter in das Heft, das Max zur Übung von schwer lernbaren lateinischen Vokabeln hatte mitnehmen müssen.

»Was machst du da?« murmelte Jettel.

»Ich dichte.«

»Du wirst immer meschuggener. Du kannst ja gar nichts sehen.«

»Wenn ich dich sehe, reimt sich alles.«

Das Frühstück mit belebend heißem Kaffee, Mohnkuchen und Brötchen, die Walter zum ersten Mal seit Jahren wieder als Semmeln bezeichnete und von denen er behauptete, sie würden genauso wie in der Sohrauer Backstube schmecken, fand aber allgemeine Zustimmung. Ebenso der Vorschlag des Hoteliers mit der wohltuend klaren oberschlesischen Stimme, zum Fest am Abend den für Jettel gedachten Ehrenstuhl mit einer silbernen Girlande zu umkränzen.

»Meine Frau«, schniefte Walter, »hat leider noch einen sehr unbescheidenen Wunsch. Sie möchte an ihrem Ehrentag nicht frieren.«

»Es gibt als Vorspeise Hühnersuppe«, fiel dem Wirt ein. »Schon meine Muttel hat immer gesagt, nichts wärmt so gut wie Hühnersuppe. Und wir wußten zu Hause noch, was ein anständiger Winter ist.«

»Ich finde den hier anständig genug«, bemerkte Walter, »schneller hätt ich mich in Leobschütz auch nicht erkälten können.«

Er konnte die rauhe Kälte nicht vertragen und hustete so sehr, daß er nach fünf Minuten den Spaziergang abbrechen mußte, zu dem Jettel ihn ohnehin nur mit dem Hinweis auf die bekannte Heilkraft der Winterluft hatte überreden können. Obwohl gerade sie, wenn auch im Sommer, stöhnend klagte, daß sich der Mensch nicht vor Hitze, aber sehr gut vor Kälte schützen konnte, war sie erleichtert, daß sie Walter zurück ins Hotel begleiten mußte.

Regina lief mit Max im peitschenden Wind unter den verschneiten Tannen weiter. Ihr ging auf, daß sie noch nie eine winterliche Landschaft erlebt hatte und daß sie ihr nicht gefiel. Sie erzählte Max, wie sie sich als Kind bei Gluthitze immer eingebildet habe, sie sei Captain Scott und auf dem Weg zum Südpol.

»Hast du auch lebendige Freunde gehabt«, fragte Max, »oder kamen sie alle aus Büchern?«

»Ich hatte«, erinnerte sich Regina, »immer nur eine Freundin. Ich war ein sehr schüchternes Kind.«

»Ich bin nicht schüchtern, aber ich hab auch nur einen Freund.«

»Gefällt dir's denn nicht auf dem Gymnasium?«

»Doch. Ich glaube. Die Lehrer gefallen mir ganz gut, aber die Jungs sagen oft Dinge, die ich zu Hause nicht erzählen will, um Vati nicht aufzuregen.«

»Das kenn ich«, seufzte Regina, »mir haben aber auch die Lehrer nicht gefallen.«

Als sie ihren Bruder an sich drückte und er einen Moment ganz bewegungslos in ihren Armen lag, sie seine Herzschläge hörte und seine Augen sah, dachte sie an den Tag seiner Geburt. Sie genoß es, daß der Glücksrausch, den sie damals empfunden hatte, noch immer in ihr war, und lächelte.

»Warum lachst du?« fragte Max.

»Weil ich mir als Kind immer gewünscht habe, daß aus meinem Reh ein Bruder wird.«

»Und jetzt willst du, daß aus mir ein Reh wird?«

»Nein, aber wenn ich später an den Harz denke, werde ich immer an diesen Augenblick denken.«

»Das versteh ich nicht«, sagte Max, »du sagst immer so komische Sachen.«

Am Abend der Silberhochzeit wurde es noch kälter als zuvor, aber das Speisezimmer, von zwanzig Kerzen in vier Bronzeleuchtern verwandelt, hatte doch einen Hauch von Festlichkeit. Die Rotweinflasche stand in einem silbernen Kelch. Die Papierservietten waren zu kleinen Schiffen gefaltet, eine Grapefruit auf einem Glasteller mit Käsehappen gespickt.

Jettel trug eine von Walter und Regina mit steifen Fingern geflochtene Krone aus einem silbernen Band und ertrug, gesättigt vom Hasenbraten, die Neckereien ihres Mannes mit einem Humor, von dem sie fand, daß er ihr ebensogut stand wie der Haarschmuck. Die Stimmung war gut genug, um den ersten Krach in der Ehe ganz ernsthaft, aber doch ohne Bösartigkeit auszugraben und endlich einwandfrei zu klären, weshalb Walter keinen Hummer hatte essen dürfen. Vor dem Vanilleeis mit heißer Schokoladensauce kam auch die Hochzeitsnacht zur Sprache, in der Walter ein neu geschenktes Radio auseinandergenommen hatte.

»Immerhin hab ich Zeit gefunden, deine Schwester zu machen«, belehrte Walter seinen Sohn.

»Und wo«, fragte Max, »hast du mich gemacht?«

»In einem winzigen Zimmer. Wir mußten den Hund vor die Tür schicken, damit wir Platz hatten.«

»Du warst schon immer verrückt«, sagte Jettel.

»So verrückt, daß ich nachts dichte.«

»Was hast du gestern wirklich mitten in der Nacht gemacht?«

»Gedichtet«, sagte Walter, knöpfte seine Jacke zu und stand auf. Er kletterte auf seinen Stuhl, holte ein zusammengefaltetes Stück Papier aus der Tasche, räusperte sich und begann zu lesen:

Liebe Jettel!

Jetzt ist es schon das zehnte Jahr,
daß Du fern von Afrika,
den Hochzeitstage feiern tust,
seit Du von dort fort gemußt,
weil der liebe Ehegatte,
genug von diesem Lande hatte.

Ach, was tatst Du damals klagen,
jedem Menschen tatst Du's sagen,
wie schön es doch gewesen war,
in dem geliebten Afrika.

In Deutschland herrschte damals Not.
Viel Trümmer gab's und wenig Brot!
Das ist nun Gott sei Dank vorbei.
Vorüber ist die Hungerei.
Man kann jetzt alles wieder kaufen,
und, wenn man Lust hat, sich besaufen.

Jetzt bist Du aus dem Gröbsten raus,
besitzest heut' ein eignes Haus,
der Ehegatte ist sogar
in Frankfurt Anwalt und Notar.

Die Tochter, die ist noch viel mehr.
Sie ist ein richt'ger Redakteur,
und auch der Sohn ist (gar nicht dumm!)
Sextaner am Gymnasium.

Du hast's zu allerhand gebracht,
seit Du von Kenia weggemacht.
Drum wünschet Dir Zufriedenheit,
für jetzt und auch für spät're Zeit,
Gesundheit bis ins hohe Alter
Dein immer Dir getreuer
                                    Walter

Max half seinem Vater vom Stuhl, setzte sich selbst wieder hin und wollte gerade klatschen, doch erst fiel ihm die große Stille auf und dann, daß seine Eltern und Regina weinten. Verlegen drückte er sein Gesicht in die Serviette. Er war ein wenig stolz, als er merkte, daß auch ihm Tränen kamen. Ihm wurde bewußt, daß es das erstemal in seinem Leben war, daß er mit den Erwachsenen weinte.

18

Im Spätsommer 1957 fand das Rätsel um den untersetzten Mann mit Glatze und hochrotem Gesicht, der bisher nur als Silhouette hinter der Haustür aufgetaucht war, eine überraschende Lösung. Als Walter und Jettel von einem Arztbesuch aus Rodheim sehr viel früher als gewöhnlich zurückkehrten, stand der mysteriöse Zweizentnermann, den Max für einen Spion und Regina für eine jener dubiosen Gestalten gehalten hatte, die neuerdings verstärkt in der Redaktionskonferenz die Berichte der Lokalredakteure belebten, im Hof und rauchte eine Zigarette. Da die solange hinausgezögerte Konfrontation somit unvermeidlich geworden war, stellte sich der Verursacher der zahlreichen Spekulationen, widerstrebend, aber längst nicht so unhöflich wie erwartet, als Heini Kowalski aus Neiße vor. Nur Jettel hatte wieder einmal den richtigen Instinkt mit ihrer Mutmaßung bewiesen, daß der schweigsame Mensch, von dem sich bald herausstellte, daß er seit Jahren einen Hausschlüssel besaß und auch benutzte, ihr Leben eines Tages aus dem Lot bringen würde.

Heini Kowalski war nicht der Mann, der in der Stunde der Entscheidung Zeit verschwendete. Drei Tage nach der Begegnung mit deren Arbeitgebern brachte er Else endlich dazu, ihnen zu gestehen, daß sie zu jeder Beichte die Last einer Lüge hatte tragen müssen. Sie war, wie Walter schon immer geargwöhnt hatte, ohne seinen Verdacht laut werden zu lassen, nicht im Juli zur Maiandacht und überhaupt nicht mehr unbeschwert in die Kirche gegangen.

Ihre freien Nachmittage, Abende und mit der Zeit auch ihren Urlaub hatte sie nicht ausschließlich, wie angenommen und auch vielfach behauptet, mit ihrer jüngst verstorbenen Mutter und ihrer Schwester verbracht, sondern mit einem geschiedenen Mann, der sie sowohl in immense religiöse als auch in weltliche Gewissenskonflikte gestürzt hatte. Durch die zufällige Begegnung, die er trotz seines tatkräftigen Naturells ja wahrlich nicht erzwungen hatte, war Heini nun entschlossen, die Zeit der Rücksicht umgehend zu beenden. Er nahm sich vor, noch vor dem Herbst Else für immer in seine kräftigen Arme zu schließen, und er machte ihr in jener deutlichen Art klar, die sie an ihm am meisten schätzte, daß er selbst das klärende Wort finden würde, wenn ihr der Mut dazu fehlte.

Nach dem Abendessen gestand Else, blutrot im hübschen, ebenmäßigen Gesicht und weinend: »Ich hätte ihn nie geheiratet, solange meine Muttel noch lebte. Aber jetzt ist das anders. Die Zeit ist anders geworden, Frau Doktor, das müssen Sie verstehen.«

»Sie haben es doch so gut bei uns, Else. Sie sind doch wie Kind im Hause.«

»Ja, das werde ich auch nie vergessen, aber ich will auch noch ein Kind haben.«

»Langt denn sein Verdienst für Sie beide, Else?« fragte Walter.

»Noch nicht. Heini mußte ja auch von zu Hause wegmachen, und er fängt jetzt erst an, mehr zu verdienen. Aber ich hab ja schon eine neue Stelle. Bei den Amis.«

»Donnerwetter. Als was?«

»Bei einem Konsul. Für die Kinder. Er hat zwei Zimmer frei. Da können wir beide wohnen.«

»Else, Else, was ist aus Ihnen geworden? Erst mißbrauchen Sie die Maiandacht und dann wollen Sie vor der Ehe mit einem geschiedenen Mann zusammenleben. Das wäre Ihnen in Hochkretscham nicht in den Sinn gekommen.«

»Wir wollen ja bald heiraten, Herr Doktor, und der Konsul hat gesagt, wenn er zurück muß nach Amerika, nimmt er uns beide mit.«

»Da kannst du mal sehen, wie knapp Hauspersonal geworden ist«, sagte Walter, als er Jettel so weit beruhigt hatte, daß sie ihm wenigstens wieder in Ruhe zuhören konnte, »wenn man unsere Else schon mit ihrem Galan nach Amerika importieren muß.«

»Und was«, klagte Jettel, »wird aus mir? Du hast mir immer ein Dienstmädchen versprochen, als du mich zurück nach Deutschland verfrachtet hast. Owuor hätte uns nie sitzenlassen.«

»Owuor hatte es leichter. Bei dem haben wir gar nicht gemerkt, wenn er geheiratet hat. Schön war das. Er holte sich eine neue Bibi, schickte sie nach Hause zu seinen anderen Frauen und blieb bei uns. Einer wie Owuor kommt nicht wieder, aber du bekommst dein Dienstmädchen, Jettel«, seufzte Walter. »Es macht mich fast glücklich, daß wenigstens du dich in all den Jahren nicht verändert hast.«

Else blieb bis zur Gewißheit, daß Jettel nicht ohne Hilfe im Haushalt sein würde. Es wurde ein Abschied mit der Schwere der Wehmut und dem Kummer von Menschen, die Trennung tragen gelernt hatten und sie dennoch nicht ertrugen. Nur Max weinte nicht, und doch bat er Else, »Auf der Lüneburger Heide« zu singen, das Lied seiner Kindertage, und abends hatte er keinen Hunger.

»Vergessen Sie uns nicht, Else. Und machen Sie uns keine Schande beim Herrn Konsul«, neckte Walter, »denken Sie daran, daß man beim Roquefort den Schimmel ißt.«

»Ich hab noch mehr gelernt«, schluchzte Else in Heinis kariertes Taschentuch.

»Was? Daß bei uns die Frau Doktor die Hosen anhat?«

»Nein. Daß unser Pastor in Hochkretscham nicht recht hatte. Die Juden sind gute Menschen.«

»Erzählen Sie das bloß nicht weiter, Else. Man wird Ihnen nicht glauben.«

Auf Else folgte Anna, die es störte, daß die grünen Bohnen süß-sauer und mit Rosinen angemacht wurden. Jettel kam mit ihr ebensowenig aus wie mit Emmy, die weder Kinder mochte noch Männer in großer Eile, die nach dem Essen sofort in ihre Kanzlei wollten und die unwirsch wurden, wenn der Kaffee nach dem Mittagessen zu heiß war, um ihn in einem Zug hinunterzustürzen. Hanna war so fleißig, daß sie am ersten Tag das Parkett in sämtlichen Zimmern schrubbte und am zweiten Tag die Schlangenhaut im Wintergarten mit Seifenlauge abwusch.

Am dritten Tag sagte sie erst: »Ich darf nicht mehr herkommen.« Und dann, ehe sie auch nur nach der Plötzlichkeit ihres Entschlusses befragt werden konnte: »Mein Vater will nicht, daß ich bei den Juden schaffe.« Regina borgte sich Mutters Courage und Vaters Stimme und brüllte so laut: »Raus«, daß es die Nachbarn im Nebenhaus hörten. Am Abend erzählte Jettel die Geschichte immer wieder und sagte bewundernd: »Regina ist ein tüchtiges Mädel.«

Für Maria schwärmte Max. Sie wohnte bei ihren Eltern, erschien jeden Morgen pünktlich und in weißen Shorts, sang die Schlager von Caterina Valente, die auch er so verehrte, und ließ trotz ihrer hausfraulichen Begabung keinen Zweifel über den Umstand, daß sie mit der baldigen Entdeckung ihres wahren Talents rechnete. Walter nahm Anstoß an der freien Sicht auf Marias nackte braungebrannte Beine und noch mehr an den Illusionen, die er als unpassend für eine anständige Frau empfand. Er bestand trotz Jettels Protest auf Kündigung.

Mit der blonden, blauäugigen Ziri aber kam wieder die Wärme eines Menschen ins Haus, der nichts begehrte, außer Teil einer Gemeinschaft zu werden, die sich bewußt war, wie eng sie die schützenden Grenzen um sich selbst zog und wie sehr sie Vertrauen und Vertrautheit brauchte. Ziri hatte die letzten

Jahre mit der Mutter auf einem bäuerlichen Anwesen in der Nähe von Würzburg gelebt, stammte aber aus dem Sudetenland, und das fanden Walter und Jettel so beruhigend heimatnah, als sei sie aus Oberschlesien. Sie war überaus kräftig, lachte ohne Grund und mit Ausdauer und verwechselte Walters Derbheit nie mit einer kränkenden Absicht. Sie erkannte auch sehr schnell, daß Jettel zwar launisch und anspruchsvoll, aber überaus fähig zu einer mütterlichen Freundlichkeit und Güte war, von der flüchtige Betrachter nichts ahnten.

»Wir sind ein bißchen schwierig«, deutete Jettel bei dem Anstellungsgespräch vage an, zu dem Ziri gleich einen vollgepackten Koffer und einen Korb Äpfel mitgebracht hatte.

»Schlimmer noch«, warnte Walter. »Wir sind jüdisch, vielleicht wird das Ihrer Mutter nicht recht sein.«

»Warum«, wunderte sich Ziri, »soll das meiner Mutter nicht recht sein? Die sagt immer, Gottes Garten ist groß. Meine Schwester geht mit einem Neger.«

»Da kann uns ja nichts mehr passieren.«

Nach einer Woche zog Ziri unter dem Hinweis, sie habe noch nie in ihrem Leben allein an einem Tisch gesessen, zu den Mahlzeiten aus der Küche ins Eßzimmer um, und beschämte Walter sehr, daß er in all den Jahren der engen Gemeinschaft nie daran gedacht hatte, Else das gleiche vorzuschlagen. Ziri spielte mit Max Fußball im Flur, schlüpfte beim Versteckspiel in die Schränke und boxte mit ihm. Sie fand Regina zu mager, schmuggelte immer eine Portion Butter in ihr Essen, benutzte ihren Lippenstift und lieh sich den afrikanischen Zaubergürtel mit den winzigen bunten Perlen aus, wenn sie nach Hause fuhr.

Jettel eroberte Ziris Herz im Sturm, weil sie erkannte, wie gut Jettel kochen konnte, und sich keinen Schritt aus der Küche entfernte, wenn es an die Vorbereitungen ging. Sie war begierig, von ihr feine großstädtische Lebensart zu lernen, und außerdem entzückt von den sentimentalen Liedern, die Jettel einst von einem Dienstmädchen ihrer Mutter in Breslau mit auf den Lebensweg bekommen hatte und immer noch mit trauriger Stimme beim Kochen sang.

Ziri war entschlossen, keinen Bauern zu heiraten, sondern einen Städter, doch wenn sie sonntags aus Würzburg nach Frankfurt zurückkehrte, brachte sie Walter Kräuter aus dem mütterlichen Garten für sein krankes Herz, frischen Speck und Geschichten aus dem bäuerlichen Leben, die ihn an Leobschütz erinnerten.

»Ziri ist wie Owuor«, sagte Walter, »nur weiß und schön.«

»Owuor war auch schön«, widersprach Regina und schloß die Augen, bis der Kopf Nahrung gefunden hatte, »Owuor fing die Sonne mit den Zähnen ein.«

»Morgen«, lachte Jettel, »back ich mit Ziri Mohnkuchen. Sie will das unbedingt lernen. Du mußt also mit Regina zum Arzt. Ich hab mir das genau ausgerechnet mit ihrem freien Tag.«

Regina war noch nie mit zu Doktor Schmitt nach Rodheim gefahren; anfangs war sie auch sehr mißtrauisch gewesen, als ihr Vater, ausgerechnet in einem winzigen Dorf, mit den regelmäßigen Arztbesuchen begonnen hatte und dies nur, weil er auf einem Schlesiertreffen gehört hatte, daß der Arzt den Ruf einer Kapazität innehatte. Es hieß, er habe ein modernes medizinisches Gerät aus Amerika, um die Erkrankungen des Herzens genau festzustellen, und er könne seine Patienten gezielter und wirksamer behandeln als die Fachleute in der Großstadt.

Da in Rodheim sehr viele ehemalige Sohrauer lebten, war Regina sofort klargewesen, daß auch Doktor Schmitt Oberschlesier war. Sie glaubte nicht an sein vielgepriesenes Gerät und hatte sogar die Frage gewagt, ob er allein schon deshalb besser sei als die Fachärzte in der Großstadt. Walter hatte sie eine blasierte Gans genannt. Auf jeden Fall hielt Regina die plötzliche Einsicht ihres Vaters für die Notwendigkeit regelmäßiger Untersuchungen, die er so lange abgelehnt hatte, nur für die übliche Sehnsucht nach heimatlichen Lauten und Erinnerungen.

Es war ein nasser, düsterer Dezembertag, der an die Harzer Reise erinnerte. Walter und Regina, angenehm durch die Heizung im Wagen und einen Schluck aus der kleinen Schnapsflasche im Handschuhfach erwärmt, redeten erst von einem juristisch komplizierten Fall, der Walter seit langem beschäftigte, kamen aber durch die Straßenverhältnisse bald auf ihre Erlebnisse in »Römers Hotel« und gerieten sehr rasch in die Hochstimmung von Menschen, die sich in großer Gefahr bewährt haben und im Rückblick ein Vergrößerungsglas benutzen.

Bei dem Gedanken, wie sie zu viert mit Mantel im Bett gelegen hatten, lachten sie so sehr, daß ihnen heiß wurde und ihre Schultern bebten. Sie konnten ihre Euphorie auch nicht mehr zügeln, als das Bild schon zu verblassen anfing. Walter lenkte den Wagen an den Straßenrand, kurbelte das Fenster herunter und atmete so tief ein, daß er hustete. Er starrte einige Minuten schweigend in den grauen Nebel hinaus.

»Manchmal«, sagte er mit einer Stimme, die zu abrupt ihre Heiterkeit verschluckt hatte, um Reginas Ohren nicht mit Sturm zu bedrohen, »glaub ich, das war das letztemal, daß wir alle zusammen glücklich gewesen sind.«

»Wie kannst du so was denken? Dir geht es doch in letzter Zeit gar nicht schlecht.«

»Ich bin so abergläubisch geworden wie du und deine Mutter.«

»Und was sagt dir dein Aberglauben?« fragte Regina, während sie hastig den eigenen beschwor und in der Manteltasche ihre Finger kreuzte.

»Ich hab jahrelang den lieben Gott Tag für Tag gebeten, mir die Zeit zu lassen, um die Rothschildallee abzuzahlen, und zu warten, bis du soweit bist, für deine Mutter und deinen Bruder zu sorgen. Ich hab vergessen, mit ihm eine Fristverlängerung auszumachen.«

»Bist du Faust? Hast du einen Pakt mit dem Teufel geschlossen? Gott gibt sich nicht nur mit dem zufrieden, was wir ihm mitteilen. Er hat eine eigene Meinung und läßt uns nicht büßen, wenn unsere Gebete nicht vollständig sind. Das hast du mir als Kind immer gesagt. Erinnerst du dich nicht?«

»Doch. Schön, daß du noch daran denkst. Ich mache mir oft Vorwürfe, daß ich dir nicht mehr geben konnte. Ich habe dich nicht gerade religiös erzogen. Dabei wußte ich doch, worauf es ankommt, aber alles, was ich glaubte, starb in mir, als sie unsere Familie ermordet haben.«

»Nicht alles«, sagte Regina. »Sonst hättest du nicht mehr gebetet, und ich könnte heute nicht an Gott glauben. Ich glaube noch immer, daß er es gut mit mir meint.«

»Um was bittest du ihn denn?«

»Das weißt du genau«, sagte Regina. Sie lächelte, als ihr die Gebete ihrer Kindheit einfielen und sie hinzufügte, »daß du deine Stellung behältst, Bwana.«

Doktor Friedrich Schmitt, weißhaarig, korpulent und mit einem groben und doch freundlichen Gesicht, der überdeutlichen Aussprache und dem Witz, den Regina kannte und vor allem als den einzigen Balsam erkannte, der ihrem Vater wohlzutun vermochte, stammte aus Gleiwitz. Er gefiel Regina, weil er Anteilnahme vor Kompetenz stellte und sich Zeit nahm, den Patienten von seinem körperlichen Zustand und Ängsten abzulenken. Ihr fiel auch als ungewöhnlich auf, daß der Arzt über seine Jugend ohne den klagenden Ton von Menschen redete, die sich beim Blick in die Vergangenheit frei von Belastung wähnen.

»Dann wollen wir mal«, sagte Doktor Schmitt.

»Wieso wollen?« fragte Walter.

Regina saß, als die Untersuchung begann, auf einem niedrigen Stuhl vor dem Schreibtisch, spürte zu unvermittelt die Kälte der Angst in ihren Gliedern und starrte auf das angespannte Gesicht des Arztes und beklommen auf das Gerät, von dem beim letzten Schlesiertreffen so viel die Rede gewesen war; ihre Haut brannte bei dem Gedanken, daß sie nichts von dem wußte, was sie hatte wissen müssen, und angenommen hatte, die Kunde vom medizinischen Fortschritt sei nur das Hirngespinst einiger törichter Phantasten gewesen, und die Ärzte könnten sich kein Bild vom menschlichen Herz machen.

Die Vorstellung, daß der weißhaarige, väterliche Mann, der keinen Meter von ihr entfernt stand, genau den Zustand von Walters Herz feststellen, mit ihm über den Befund sprechen und am Ende gar erkennen würde, was die Zukunft mit ihm vorhatte, lähmte Reginas Vernunft und Überlegung. Ihre Angst ließ keinen der wirren Tagträume aus, die sich ihre Phantasie je ausgemalt hatte. Ihr fielen sogar Owuors Geschichten von den überlebensgroßen Kriegern ein, die nachts kamen, um die Herzen der guten Menschen zu stehlen. Die Bedrohten konnten sich nur wehren, wenn sie den höhnisch lachenden Angreifern den Daumen ins rechte Auge bohrten.

Regina zwang ihren Kopf zum Krieg. Sie kämpfte gegen die Gespenster ihrer Kindheit, gegen die Ohnmacht, gegen Aberglaube und Rebellion, und sie war fast schon so weit, die Augen zu schließen und einen stärkenden Schluck aus dem Becher der Zuversicht zu trinken. Es war ihr aber unmöglich, den Blick von der nackten Brust ihres Vaters abzuwenden. In Panik machte sie sich zur Flucht und raschen Wiederkehr bereit: Die Flucht war leicht und sanft, doch sie konnte nicht mehr schnell genug die Rückreise in die Realität des kleinen Raums mit den kahlen Wänden und dem schmalen Untersuchungsbett antreten. Die Schleier vor den Augen wurden dicht.

Als Kind hatte Regina sich oft vorgestellt, ihr Vater sei Achill und stark und mutig genug, um seine Brust den Pfeilen der Feinde hinzuhalten, ohne daß er verwundet werde. Die Zeit erschien ihr so lang her und doch so kurz. Sie hatte geglaubt, sie könnte ihrem Vater ins Herz sehen. Sie wußte auch genau, daß es so gewesen sein mußte, und daß dieser Blick ihr die Kraft gegeben hatte, ihn zu lieben, ohne die scharfen Zähne des Zweifels in den Kopf zu lassen.

Als Regina ihren Vater auf dem weißen Laken liegen sah und er ihr so viel kleiner vorkam als in den erschlagenen Tagen von Ol' Joro Orok, bedauerte sie zum erstenmal seit dem Aufbruch aus ihrer Kindheit, daß sie ihm nie davon erzählt hatte. Sie hatte aber nie gewagt, die Zweifel zu erwähnen, die ihre Liebe zwangen, nicht den breiten, bequemen Weg zum Ziel, sondern den grasbewachsenen, kleinen Pfad zu nehmen. Es war, erkannte Regina mit einer Verzweiflung, die ihren Körper steif machte, zu spät für die Wahrheit.

»Das sieht doch gar nicht so übel aus«, hörte sie Doktor Schmitt murmeln, »wir müssen zufrieden sein.«

»Freut mich, wenn wenigstens Sie zufrieden sind«, sagte Walter.

Es war die Ironie in der Stimme ihres Vaters, diese vertraute Mischung von Bitterkeit und Belustigung, die Regina den scharfen Klauen der Angst entriß. Sie schloß einen kurzen Augenblick die Augen und machte ihre Kehle feucht, hörte sich atmen und fühlte, daß ihr Herz wieder langsamer schlug. Ruhig versuchte sie, sich vorzustellen, was der Arzt gesehen hatte. Erleichtert und getröstet begriff sie, daß sie noch immer die Waffe zu schmieden wußte, um die Verzweiflung zurück in ihre Höhle zu treiben. Sie brauchte nicht zu wissen, sie durfte glauben. Die Krieger hatten nicht zugeschlagen. Sie waren blind und stumm.

Die grauen Zeichen auf dem weißen Papier, das der Arzt in Händen hielt, erzählten nichts von der Güte ihres Vaters, seiner Liebe für die Familie, von seinem fanatischen Gerechtigkeitssinn, von seiner Fähigkeit zu verzeihen. Ein solches Herz, das fühlte sie mit der wiedergewonnenen Kraft des alten Vertrauens, wurde von Gott nicht vor der Zeit zum Tod verurteilt. Doktor Schmitt tat ihr fast ein wenig leid, weil er nur sehen durfte, was ihn sein Gerät sehen ließ. Sie aber brauchte nur den

Seufzer in ihrem Hals hinunterzuwürgen und mit der Ubung der Jahre das Salz zurück in ihre brennenden Augenhöhlen zu drücken.

»Na, Regina«, fragte Walter, als er sich die Krawatte umband und dabei ihr Gesicht in dem kleinen Spiegel über dem Waschbecken erblickte, »woran denkst du?«

»Entschuldigung, ich hab geträumt.«

»Meine Tochter, müssen Sie wissen, ist eine Meisterträumerin. Sie wird noch auf meiner Beerdigung träumen.«

»So weit ist es noch nicht«, sagte Doktor Schmitt, »wenn Sie vernünftig leben.«

»Das heißt doch bei den Herren Ärzten, auf alles verzichten, was das Leben lebenswert macht. Wozu soll ich da überhaupt noch leben?«

»Für die träumende Tochter.«

»Ich hab noch einen anderen Grund«, sagte Walter mit einer Stimme, die nur den Arzt glauben machen konnte, der Gedanke sei ihm zum erstenmal gekommen. »Ich muß die Barmitzwa meines Sohnes erleben.«

»Was heißt das?«

»Nennen wir es die jüdische Konfirmation. Bei uns wird ein Junge mit dreizehn Jahren zum Mann. Es ist der stolzeste Augenblick im Leben des Vaters. Mein Vater konnte nicht dabei sein. Er kämpfte für Kaiser und Reich. Mich hat das damals sehr getroffen. Für meinen Sohn muß ich noch ein Jahr und drei Monate durchhalten.«

»Sie können noch auf der Hochzeit Ihres Sohnes tanzen«, sagte Doktor Schmitt, »wenn Sie die Zigaretten und die Schokolade weglassen und etwas seltener auf die Barrikaden gehen.«

»Es war schön, daß du mit warst«, sagte Walter nach zehn Minuten schweigender Fahrt, »das hab ich mir schon lange gewünscht. Ich wollte nur deine Mutter nicht kränken. Auf meine alten Tage werde ich nämlich sentimental. Ich hab mir vorgestellt, du könntest mir ins Herz schauen.«

»Konnte ich. Genau. Vorsicht, fahr bloß langsamer. Unter dem großen Baum steht ein Mann. Und nimm ihn bloß nicht mit. Das ist zu gefährlich im Dunkeln.«

»Seit wann läßt man Menschen im Regen stehen? Hast du vergessen, wie wir in Nairobi am Straßenrand gehockt und darauf gelauert haben, daß uns einer mitnimmt? Ich hab keine Angst. Nur vor Menschen, die zu schnell vergessen.«

Der Anhalter war ein alter Mann mit langem weißen Bart und schwarzer Baskenmütze, einem großen Rucksack, wie er in der Hungerzeit zum Hamstern benutzt wurde, und einem weiten Mantel, dem selbst der starke Regen nicht den stechenden Geruch von Zwiebeln und kaltem Rauch hatte nehmen können. Erst wurde der prallgefüllte Rucksack nach hinten geschoben, und dann kletterte der Mann flink auf den Rücksitz, setzte sich auffallend gerade hin und seufzte erleichtert. Er war sehr klein und ein wenig bucklig, sein Stock so groß, daß er ihn vor den Körper halten mußte.

»Sind Sie Rübezahl?« fragte Walter und gab zu viel Gas, »den hab ich gut gekannt.«

»Ich weiß nicht«, überlegte der Mann. Seine Stimme war tief. »Es gibt niemanden mehr, der mich kennt. Also mach ich mir auch keine Gedanken, wer ich bin.«

»Also doch Rübezahl. Wo wollen Sie eigentlich hin?«

»Ist egal.«

»Ganz egal?«

»Hauptsache, der Ort hat ein Gefängnis.«

Als Kleidung und Bart des Erschöpften nicht mehr tropften, wurde seine Zunge beweglich. Wenn er nickte, und das tat er oft, schlug sein Kopf leicht auf den Fahrersitz, und der Bart kitzelte Walters Nacken. Er nannte nicht seinen Namen, sprach nicht von Zukunft und lachte oft, aber stets ohne Heiterkeit. Im Sommer zog er von Dorf zu Dorf und lebte im Freien, im Winter versuchte er, wenigstens eine Nacht im Gefängnis unterzukommen.

»Bei dem Sauwetter«, erzählte er, »geht nichts über eine gute warme Zelle, und wenn ich Glück hab, geben sie mir am nächsten Tag noch Frühstück. Aber das kommt in letzter Zeit immer seltener vor.«

Er hatte, als er mit seiner Wanderschaft anfing, davon geträumt, mal bis nach Paris zu kommen, denn er hatte von den Brücken gehört, unter denen sich die Nächte angenehm mit gleichgesinnten Menschen verbringen ließen. Es reizte ihn, daß er ihre Fragen nicht verstehen würde, doch er war nie weiter als bis nach Kehl gelangt.

»Ich war gern in Frankreich«, sagte er.

»Wann?«

»Im Krieg.«

»Im Krieg?« fragte Walter. »Da waren Sie doch viel zu alt?«

»Im ersten nicht. Da durfte ich. Im zweiten haben die mich ins KZ gesteckt.«

Er ließ sich nicht bewegen, viel über eine Zeit zu erzählen, für die er, wie er sagte, eine Spur leiser als zuvor, schon lange nicht mehr die richtigen Worte finden könne. Sein Gedächtnis sei auch nicht mehr gut und er auch zu alt, um sich mit Erinnerungen voller Blut zu quälen. Regina drehte sich um und suchte seinen Blick, aber in der Dunkelheit konnte sie nur den Umriß seines Kopfes erkennen.

»Es tut mir leid«, entschuldigte sich der Mann, »ich weiß nicht, wie ich drauf gekommen bin, das mit dem KZ zu erzählen. Das tu ich nur noch ganz selten. Die meisten wollen das auch nicht hören.«

»Ich schon«, sagte Walter, »und meine Tochter hier auch.«

Nach dem Krieg hatte er nicht mehr die Suche nach den verwehten Spuren aufgenommen. Er lebte von dem, was man ihm gab, und beschränkte seine Sorgen auf die Auswahl der Gefängnisse, die ihm ihre Tore öffneten. »Ist nicht immer leicht«, klagte er, »die werden immer komischer, die Leute, die das Sagen haben. Wollen nur noch die Verbrecher.«

»Machen Sie sich keine Sorgen«, riet Walter. »Heute abend bekommen Sie ein Bett in Preungesheim.«

»In Preungesheim ist schon lange nichts mehr zu machen. Die Frankfurter sind besonders eigen.«

»Ich kenne mich gut in Preungesheim aus.«

Sie tranken Korn und aßen Spiegeleier in einer weihnachtlich geschmückten Wirtschaft kurz vor Bad Homburg und waren die einzigen Gäste. Regina wollte ihre Mutter anrufen, damit sie sich nicht ängstige, aber das Telefon war ständig besetzt, und sie gab es auf. Der Mann gestand endlich, daß er Rübezahl hieß, und Regina leistete ihrem Vater nach langen Jahren doch noch Abbitte. Als Kind hatte sie ihn immer im Verdacht gehabt, daß er Rübezahl genauso erfunden hatte wie sie ihre Fee.

»Du trinkst schon den dritten Schnaps«, hielt sie Walter vor und nahm ihm das Glas aus der Hand.

»Ein Mann wird doch noch mit einem Freund was trinken dürfen«, sagte Walter streng. »Was mich interessiert«, fragte er und sah den Namenlosen mit einer Müdigkeit an, die zuvor nicht in seinen Augen gewesen war, »haben Sie nie erfahren, daß Ihnen Wiedergutmachung zusteht für die Zeit im KZ?«

»Doch«, erwiderte der Mann, »aber ich wollte nicht. Oder glauben Sie, daß man gestohlenes Leben mit Geld bezahlen kann?«

»Nein«, erwiderte Walter, »das glaube ich nicht, aber ich hätte Ihnen gern geholfen. Ich helfe vielen.«

»Hab ich mir gleich gedacht, daß Sie Jude sind.«

»Warum?«

»Sie sind nicht schneller gefahren, als ich das mit dem KZ gesagt habe, sondern langsamer.«

»Manchmal möchte man überhaupt nicht mehr weiterfahren.« Eine Viertelstunde später hielt Walter den Wagen mit quietschenden Bremsen vor einer schäbigen kleinen Pension im Stadtteil Preungesheim an. Er drückte mehrmals auf die Hupe und sagte dann mit einer Wut, die Regina keinen Augenblick täuschte: »Da sehen Sie, wie weit das heute mit den Gefängnissen gekommen ist. Die haben nicht einmal mehr Wärter.«

»Aber das ist nicht das Gefängnis.«

»Doch, das ist es. Glauben Sie mir. Ich bin Anwalt und kenn mich aus. Kommen Sie, wir gehen einfach rein und sorgen zusammen für Ordnung.«

Der Alte stieg zögernd aus und folgte Walter, der die Tür zu einer dunklen Gaststube aufstieß, in der einige Gäste an einem runden Tisch lärmten. Der Wirt rieb ein Bierglas mit einem schmuddeligen Handtuch ab und hob träge den Kopf, doch als er Walter sah, legte er Glas und Tuch aus der Hand und sagte erfreut: »Daß ich Sie mal wieder sehe, Herr Doktor Redlich. Und noch so spät am Abend. Was führt Sie bloß in unsere Gegend?«

»Geschäfte. Mein Freund hier braucht ein Zimmer und morgen ein ordentliches Frühstück«, sagte Walter und hielt dem Wirt einen Geldschein hin. »Eigentlich wollte er im Gefängnis übernachten, aber ich hab ihm gesagt, bei Ihnen sei es auch schmutzig genug.«

Der Wirt nahm den Schein und zwinkerte Regina zu. »Immer ein Späßchen in der Hinterhand, Ihr Herr Vater. Das gefällt mir so gut an ihm.«

»Er meint es ernst«, erklärte Regina. »Er will seinem Freund helfen. Der weiß nicht wohin bei dem Regen.«

Der Wirt sah erst den alten Mann und dann Walter an. »Für Sie tu ich alles, Herr Doktor. Sie haben auch nicht viel gefragt, als Sie mir geholfen haben. Kommen Sie«, sagte er zu dem Mann, »ich zeig Ihnen die Stube. Wenn der Herr Doktor Redlich das so will, wird es schon seine Richtigkeit haben.« Er legte die Hand kurz auf die Schulter des Alten und schob ihn zur Tür hinaus. Einen Moment standen beide im trüben Licht eines muffigen Korridors. Der Freund der einen Nacht winkte, ehe er sich umdrehte, und Walter und Regina hoben auch die Hand.

Sie saßen noch kurz im Wagen vor dem baufälligen Haus und starrten in die Dunkelheit.

»Woher kennst du solche Kaschemmen?« fragte Regina.

»Ach, der Wirt war mal Mandant bei mir, und ich hab ihm ein bißchen geholfen, als er in großer Not war. Das hat er mir nie vergessen.«

»Wird nicht nur ein bißchen gewesen sein, wie ich dich kenne«, lachte Regina.

»Du redest schon wie deine Mutter«, wies sie Walter zurecht. »Ein komischer Tag«, überlegte er, »ich weiß gar nicht mehr, wie er angefangen hat. Aber er hat mir irgendwie gutgetan. Rübezahl hat mich an die Menschen in Afrika erinnert, die ich immer so beneidet hab. Kein Anfang und kein Ende. Was erzählen wir bloß deiner Mutter? Wo in aller Welt können wir so lange gewesen sein?«

»Für Lügen bist du zuständig«, erinnerte ihn Regina und hielt den Arm mit der Uhr hoch, »ich bin nur Mitläuferin.«

Sie kamen nicht mehr zum geübten Spiel der großen Verwirrung. Jettel stand blaß und mit roten Augen in der Wohnungstür: »Ich hab immer gewußt, daß der Dreizehnte ein Unglückstag ist«, weinte sie. »Schlachanska hat einen Herzanfall gehabt. Er ist tot.«

19

Der Streit währte zwei Tage: Er war dem Anlaß und erst recht dem Schock angemessen, bis auf beklagenswert eruptive Ausbrüche gedämpft im Ton, aber von Anbeginn ohne Aussicht auf Einigung durch einen Kompromiß. Jettel war dagegen, Max zu Schlachanskas Beerdigung mitzunehmen. Sie argumentierte mit Leidenschaft, aber auch mit ungewöhnlich nachvollziehbarer Logik, die den Widerspruch ihres Mannes noch über das übliche Maß hinaus stimulierte, Max sei noch ein Kind, und es würde ihn zu sehr aufregen, Jeanne-Louise am Grab ihres Vaters weinen zu sehen.

Max hatte seiner Schwester – sie beschwörend, niemandem etwas von seiner Angst zu erzählen – gestanden, wie sehr ihn der Gedanke an Jeanne-Louise bedrückte: Weil Walter das nicht ahnte, kränkte es ihn besonders, daß Regina ihrer Mutter recht gab. Er beklagte die Hysterie der Frauen als größte Feindin der Vernunft und ließ keine Gelegenheit aus, um zu klären, daß auf alle Fälle sein Sohn mit fast zwölf Jahren kein Kind sei und dank eines weitblickenden Vaters schon gar nicht ein verzärteltes; im übrigen sei es nie zu früh für einen Mann, sich an Aufregungen zu gewöhnen und beizeiten zu lernen, die Zähne zusammenzubeißen.

»Man sieht's ja an euch«, klagte Walter, »was daraus wird, wenn Mütter ihre Kinder dazu erziehen, ihre Augen vor dem Leben zu verschließen.«

Er kam am Tag vor der Beerdigung nicht zum Mittagessen nach Hause, sondern kaufte Max die dunkle Hose, die dieser ohnehin schon lange gebraucht hatte. Um aber zu beweisen, daß er doch nicht der verständnislose Diktator war, für den ihn Frau und Tochter hielten, brachte er Jettel aus der Stadt die schwarzen Lederhandschuhe mit, gegen die er sich seit dem Kauf des Persianers gewehrt hatte.

»Eines Tages«, sagte er zufrieden, »werdet ihr mir alle noch dankbar sein.«

Sie trafen, weil der Wagen trotz der Kälte und entgegen aller Erfahrungen mit der Batterie sofort angesprungen war, eine halbe Stunde zu früh am Friedhof ein. Im Hof vor der Trauerhalle standen indes schon so viele Menschen, daß Walter einen Moment dachte, er hätte sich in der Zeit geirrt. Nervös lief er mit Max voraus, grüßte zerstreut eine Gruppe von Frauen und danach überrascht einige Anwälte, mit deren Kommen er in Anbetracht der Umstände seit dem Urteil gegen Schlachanska nicht gerechnet hatte.

Belustigt stellte er sich vor, wie witzig Schlachanska den Anblick von Menschen kommentiert hätte, deren Verbundenheit erst wieder zutage trat, wenn der Betroffene es nicht mehr registrieren konnte. Die Überlegung machte Walter jene grimmige Freude, die seine Gedanken immer zu weit schweifen ließ – er erinnerte sich erst an die Pralinen in einer silbernen Schale in Schlachanskas elegantem Wohnzimmer und dann, wie er sie in den sabbernden Setter gestopft hatte. So sah er den kleinen bärtigen Mann im abgeschabten Mantel und mit dem großen schwarzen Hut, der mit aufgeregten Bewegungen auf ihn zueilte, erst, als er unmittelbar vor ihm stand und sehr energisch sagte: »Das geht nicht. Der Junge muß raus.«

»Warum?« fragte Walter verblüfft. Einen Augenblick dachte er, Max habe vielleicht seine Kopfbedeckung vergessen, und er machte sich nicht schnell genug klar, daß dies seit Jahren nicht mehr vorgekommen war. Er wurde verlegen, als er merkte, daß er seinem Sohn über den Kopf gestrichen hatte, um zu fühlen, ob er ein Käppchen trug.

»Kinder dürfen nicht auf den Friedhof.«

»Wir sind seit Jahren mit der Familie befreundet«, klärte Walter den Mann auf, »unsere Kinder sind zusammen aufgewachsen. Joseph Schlachanska würde sich sehr wundern, wenn mein Sohn heute nicht dabei ist.«

Der Mann lehnte sich auf seinen Stock, machte seinen Mund weit genug auf, um ein Lachen anzudeuten, und schüttelte den Kopf. »Bestimmt nicht. Der Herr Schlachanska war ein frommer Mensch. Der wußte Bescheid. Kinder, die noch Vater und Mutter haben, dürfen nicht auf den Friedhof.«

»Seit wann?«

»Seit es Juden gibt, Herr Doktor Redlich«, sagte der Mann mit dem Mitleid der Wissenden für die, die verlernt haben, in den Zeiträumen zu rechnen, auf die es ankommt. »Nur in Frankfurt hat man sich nicht mehr an die Gesetze gehalten, bis unser Rabbiner zu uns kam. Selbst unsere Leute sind mit Kränzen zu den Toten gekommen.«

»Schon gut«, murmelte Walter.

Er fühlte sich beschämt, als er den eifrigen Mahner anschaute. Der schwächliche kleine Kerl mit den überwachen Augen und großen Gesten ließ ihn an die Männer denken, die er als Kind in der Betstube in Sohrau gesehen hatte; sie waren alle so fromm wie arm gewesen, und seine Mutter hatte sie oft am Freitag abend eingeladen. Er sah das weiße Tischtuch mit dem Mohnzopf und dem silbernen Weinbecher, den einer dem nächsten reichte, und er konnte die Hühnerbrühe riechen.

Der Gedanke, daß der Haushalt seiner Mutter noch koscher gewesen war und sie den Frömmsten der Frommen an ihren Tisch bitten konnte, machte Walter melancholisch. Einen Augenblick, der ihm sehr lang erschien, neidete er dem Alten die Festigkeit eines Glaubens, der von Gott nicht forderte, sich den Veränderungen der Zeit anzupassen.

Wehmütig erinnerte sich Walter, daß er das letztemal ebenfalls auf einer Beerdigung so gedacht hatte – in Nairobi beim Tod des alten Gottschalk. Es war ein Freitag gewesen, und der Rabbiner hatte wegen des anbrechenden Sabbats nicht mit dem Begräbnis warten wollen, bis die Tochter des Toten eintraf. Gerade Walter hatte damals die Botschaft verstanden. »Ohne die Frommen unter uns würde es längst keine Juden mehr geben«, hatte er den Rabbiner verteidigt, und fast alle Leute, die das hörten, hatten ihn einen Narren genannt.

»Schon gut«, wiederholte Walter und streckte dem alten Mann die Hand entgegen. »Ich bin kein frommer Mensch, aber ich achte die Gesetze.«

Er lief mit Max zum Tor zurück und wünschte sich so sehr, sein Sohn würde das später auch einmal sagen können, daß der Gedanke, es könne vielleicht anders sein, zum körperlichen Schmerz wurde. Laut sagte er aber: »Siehst du, deine Mutter ist doch eine kluge Frau. Sie hat wieder einmal bewiesen, daß sie selbst die Dinge weiß, die sie nicht wissen kann.«

Er lachte, doch ohne Laut zu geben, während er sprach, und dann grübelte er, immer noch in einer Stimmung, deren Entrücktheit und Verlangen er sich nicht erklären konnte, weshalb ihn mit einemmal die Blumensträuße störten, die er nun überall sah und zuvor gar nicht bemerkt hatte. Offenbar hatten es sich viele von Schlachanskas nichtjüdischen Mandanten nicht nehmen lassen, ihm ein letztesmal zu beweisen, daß sie anders dachten als seine Richter.

Walter nahm sich vor, seine Klienten beizeiten über den schlichten Ritus einer jüdischen Beerdigung und den Verzicht auf Blumenschmuck aufzuklären. Er sah sich ironisch lächeln, während er mit seinen Oberschlesiern redete, und hörte sie sagen, sie hätten schon immer seinen Witz geliebt, aber diesmal gehe er wirklich zu weit mit seinen Scherzen. Ihm war es, als hätte er sich zu unpassender Zeit ein verbotenes Stück Heiterkeit gegönnt, und er löste sich mit einem kleinen Seufzer von seiner Phantasie.

»Am besten«, sagte er, »du gehst mit Regina nach Hause. Ich

möchte nicht gerade an Schlachanskas Beerdigung klären, ob
bei uns auch die Erwachsenen Halbwaisen sein müssen, ehe
sie auf den Friedhof dürfen. Tut mir leid, Maxele, jetzt wirst du
doch bis zu meiner Beerdigung warten müssen, um zu begreifen, was ich dir heute erklären wollte.«

Sie liefen zunächst schweigend und später, noch einmal einen
besonders gelungenen Scherz von Ziri am Abend zuvor genie-
ßend, an einer efeubewachsenen Mauer entlang. Regina fiel
auf, daß Max seit dem Spaziergang im Harz nicht mehr wie ein
Kind neben ihr trippelte und auch nicht mit jedem großen Stein
Fußball spielte. Sie war gerührt und sehr empfänglich für den
Gedanken, daß es ein sehr passender Tag sei, um über die
kleinen Beweise der Vergänglichkeit zu grübeln.

Am festen Schritt ihres Bruders erkannte Regina, daß ihm der
Weg vertraut war. Trotzdem war sie erstaunt, als er vor dem Tor
zum Hauptfriedhof stehenblieb und in dem verschwörerischen
Ton, den er nur bei ihr gebrauchte und in letzter Zeit immer
häufiger, sagte: »Auf den christlichen Friedhof dürfen auch wir
hin. Ich kenne eine Bank ganz nah am Eingang.«

»Woher?«

»Ich hab mit Else hier gesessen«, erzählte Max, »als ich noch
klein war.«

»Ich denk, du bist mit Else immer im Günthersburgpark gewesen.«

»Nicht an Allerheiligen, Allerseelen und Weihnachten«, zählte
Max auf. »Weihnachten war ich auch immer in der Kirche. Zur
Krippe. Else«, kicherte er, »ließ mich, als ich noch ganz klein
war, auch das Jesuskind halten.«

»Das mußt du mal deinem Vater erzählen«, sagte Regina
verblüfft.

»Else hat immer gesagt, wenn ich zu Hause erzähle, daß ich
mit ihr in der Kirche war, fall ich tot um.«

»Das kenn ich«, erinnerte sich Regina, »nur meine Else hieß
Owuor.«

»Hast du denn auch nicht alles erzählt, als du ein Kind warst?«
»Nein, nicht alles. Ich lebte damals in zwei Welten und hatte
schreckliche Mühe, meine schwarze und die weiße Welt aus-
einanderzuhalten. Ich hatte immer Angst, die Eltern könnten
sich aufregen. Ich wollte sie nie beunruhigen.«
»Ich auch nicht«, nickte Max. »Nur bei dir hab ich nie Angst,
daß du dich aufregst. Dir kann ich alles sagen.« Er malte mit
einem Stock Kreise in den nassen Boden und grub energisch in
jeden drei kleine Löcher. »Weißt du eigentlich«, fragte er,
ohne hochzuschauen, »daß Schlachanska eineinhalb Jahre
bekommen hat? Warum mußte er denn nie ins Gefängnis?«
»Das hättest du allerdings deinen Vater ruhig fragen dürfen. Er
hätte es dir besser erklären können als ich. Das Urteil ist noch
nicht rechtskräftig gewesen. Papa fand die Strafe viel zu hoch.
Woher weißt du's?«
»Von Jeanne-Louise«, sagte Max.
»Du lieber Himmel! Ich denke, sie hat das alles nie erfahren.
Du hast ihr doch nicht etwa was gesagt?«
»Quatsch. Ein Mädchen in ihrer Klasse hat es ihr erzählt. Ich
finde es gut, daß Jeanne-Louise ihrem Vater nie gesagt hat, was
sie wußte. Man darf doch lügen, wenn man jemanden liebt?«
»Man muß, nur ich wußte nicht, daß du schon soweit bist.«
»Komisch, dich will ich nie anlügen, und dabei liebe ich dich
doch auch.«
»Manchen Leuten muß man nichts verschweigen. Das ist dann
das ganz seltene Glück im Leben«, erinnerte sich Regina und
sah Owuors Kopf mit regenfeuchten Locken hinter einer trop-
fenden Tanne auftauchen.
Sie zielte mit ihren Augen auf die Pupille ihres Bruders. Es war
ein altes Zauberspiel – aus einem früheren Leben, noch nicht
für Kinder und nie für Menschen, die nur begriffen, was sie mit
dem Kopf verstanden. Wer zuerst die Augen senkte, hatte
verloren. Wenn vier Augen aber mit einem gemeinsamen
Wimpernschlag den Kampf aufgaben, wurde es ein Tag, der

für keinen der beiden Herausforderer je verdorrte. Regina erfuhr diese schweigende Magie der Verbundenheit zwischen Gleichgesinnten zum erstenmal so intensiv mit ihrem Bruder. Sie sah Max länger an, als es die Spielregeln zuließen.

Ihre Haut wurde warm, als sie erkannte, daß die alte Geschichte einer Liebe, von der es kein Entkommen mehr gab, soeben wieder neu angefangen hatte. Wenn Amor ansetzte, ihr Herz für alle Zeiten zu durchbohren, verkleidete er sich immer noch als der listige Krieger aus dem Stamm der Massai, und sie vermochte sich ebensowenig zu wehren wie unter dem Guavenbaum in Nairobi, als ihr Vater sie endgültig besiegt hatte. Der Bruder, dessen Geburt sie einst von dem großen Gott Mungo erfleht hatte, war kein Kind mehr. Noch wußte er es nicht, aber er verstand sich schon auf das Knoten von Fesseln, die keiner von beiden je würde lösen können.

»Komm«, seufzte Regina, »wir müssen gehen. Wie sollen wir erklären, wo wir so lange gewesen sind? Das glaubt uns keiner, daß wir die ganze Zeit vor fremden Gräbern und auf dem falschen Friedhof gehockt haben.«

Sie rannten das letzte Stück des Weges, aber das Auto stand bereits im Hof. Ein außergewöhnlich großer Pappkarton lag zwischen den beiden Mülltonnen. Max sagte: »O weh, das gibt Krach, der Vati hat wieder eine neue Küchenmaschine gekauft, die die Mutti nicht haben will«, aber sie nahmen sich nicht mehr die Zeit, ihrer Neugierde nachzugeben. Schon im Hausflur hörten sie, daß die Eltern sich stritten.

»Das Ding«, schrie Jettel, »kommt mir nicht ins Haus. Jeder sagt, daß die Sendungen erst ganz spät abends anfangen. Der Junge wird nicht mehr pünktlich ins Bett wollen und morgens zu müde sein, um in der Schule richtig aufzupassen.«

»Seit wann interessierst du dich für lateinische Vokabeln, Jettel? Und wozu muß ein zwölfjähriger Junge um acht Uhr im Bett liegen?«

»Er ist erst elf. Du machst ihn immer älter, wenn es dir in den

Kram paßt. Mir liegt nur das Wohl meines Kindes am Herzen. Ich hab neulich erst wieder gelesen, daß ein Fernseher ein Teufelsgerät ist, wenn man Kinder hat.«

»Schlachanskas haben das Teufelsgerät seit Jahren. Du hast sehr gern davor gesessen. Und Jeanne-Louise ist immer noch die Beste in der Klasse. Fernsehen ist nicht anders als Kino. Nur du brauchst dir vorher nicht den Hals zu waschen, wenn du was sehen willst. Und im übrigen steht unser Fernseher ja schon da, und er bleibt auch hier.«

Das Fernsehgerät war das Honorar von einem immer noch auf der Naturalienbasis kalkulierenden Mandanten für Walters Erfolg in einem ursprünglich aussichtslos erscheinenden Fall. Der Mann war einer der ältesten Klienten der Praxis, besaß ein Hotel in der Innenstadt, Anteile an einer Firma in Tel Aviv und bezahlte meistens seine Gebühren mit sehr beliebten Einladungen zum Sonntagsessen im eigenen Restaurant oder mit Grapefruit und Avocados, die er kistenweise aus Israel kommen ließ.

Mit den Grapefruits, die es nur in einigen wenigen Luxusgeschäften gab und die Jettel Pampelmusen nannte, hatte sie sich erst abgefunden, nachdem sie erfahren hatte, daß sie bei Faffloks, die ja ebenfalls regelmäßig mit den als unzumutbar bitter empfundenen Früchten bedacht wurden, täglich auf den Frühstückstisch kamen und dort für einen auffallenden Rückgang der Erkältungskrankheiten gesorgt hatten. Gegen Avocados war die Abneigung geblieben, doch hatte Jettel in letzter Zeit wenigstens damit aufgehört, sie als giftige grüne Birnen zu verschmähen und sofort in den Mülleimer zu werfen. Einmal hatte sie die mißliebigen Gaben sogar, wie das Rezept in einer als fortschrittlich bekannten Frauenzeitschrift empfohlen hatte, mit Salz, Pfeffer und Zitrone serviert. Auch mit dem Fernsehgerät zeigte sie sich nach dem ersten Abend feuriger Auseinandersetzungen unerwartet flexibel.

Es stellte sich nämlich sehr bald und ebenso deutlich heraus, daß der dunkelbraune Kasten mit dem hellen Schirm, der auf einer dafür leer geräumten kleinen Kommode im Wohnzimmer stand, über seinen eigentlichen Verwendungszweck hinaus unvermutete Kräfte besaß. Das unscheinbare Gerät, auf dem eine kleine Lampe und ein Pfeife rauchender Gartenzwerg standen, wurde Friedensstifter in einer Ehe, in der bisher der Streit über Belanglosigkeiten auch jenem temperamentgeladenen Kämpfer die Kraft nahm, der ihn begonnen hatte.

Gerade in den Tagen, als der Schmerz des Begreifens einsetzte und deutlich machte, daß die gesamte Familie mit Joseph Schlachanska einen ebenso loyalen wie ungewöhnlichen Freund, den heiter-weisen Vermittler jüdischen Lebens und einen sehr unkonventionellen Berater verloren hatte, lenkte das Fernsehgerät wenigstens für einige Stunden von dem bedrückenden Gefühl ab, das Leben sei abermals und für immer durch einen Abschied gezeichnet.

Es war nur Zufall, daß das Fernsehen gerade zu dem Zeitpunkt die Abende zu erhellen begann, als die quälende Niedergeschlagenheit nach Schlachanskas Tod den Rhythmus der Tage aus dem Gleichmaß brachte. Es war aber kein Zufall, daß gerade Walter, Jettel und Regina besonders intensiv auf einen Reiz reagierten, von dessen Existenz sie selbstverständlich gewußt hatten, nach dem es ihnen aber nie verlangt hatte.

Die Faszination der grauen Bilder auf schwarzweißem Grund belebte nicht nur ihre Phantasie auf sehr ungewöhnliche Art; sie bot die immerwährende Möglichkeit zur Wiederholung von Erlebnissen, an die sie lange nicht mehr gedacht hatten und die sie im Rückblick so heiter wie Menschen stimmten, die auf dem Speicher ein altes Bilderbuch finden und beseligt in die Vergangenheit eintauchen. Walter und Jettel waren sich einig, daß es ihnen mit dem Fernsehen so erging wie zu Zeiten des Stummfilms, an den sie sich nun mit einer Freude und zu ihrem Erstaunen so klar erinnerten, als kämen sie gerade aus einem Breslauer Kino.

Die Nachrichten wurden zu einem allabendlichen Höhepunkt, den sich schon deswegen niemand entgehen lassen wollte, weil es ein so neuartiges, geradezu komisches Erlebnis war, Adenauer und all die anderen bedeutenden Politiker aus Bonn, die man nur aus den schlechten Abbildungen in Zeitungen und allenfalls aus den Wochenschauen im Kino kannte, nun aus so knapper Entfernung betrachten zu dürfen, als seien sie geladene und besonders willkommene Gäste.

»Nur, daß es Besucher sind, denen man nichts anbieten muß und die nicht erwarten, daß man sich mit ihnen unterhält«, freute sich Walter.

»Da hast du endlich mal einen guten Einfall gehabt«, bestätigte Jettel zufrieden. Sie, die sich mit Ausnahme der Fragen, die jüdisches Leben im neuen Deutschland betrafen, nie mit Politik beschäftigt hatte, interessierte sich nun mit gleicher Aufmerksamkeit für die Debatten und Parteien im Bundestag und schwer verständliche wirtschaftliche Zusammenhänge wie für die Gesten, Mimik und Anzüge der Abgeordneten.

Die Bilder aus dem Ausland wurden zu einem Erlebnis von besonderem Reiz. Sie machten die Welt groß und reduzierten die eigene auf überraschend kleines Format. Eine Straße in New York, eine Modenschau in Paris, Bilder aus Bombay, Tokio oder Tel Aviv, selbst ein Hund im Londoner Hyde Park oder gar die englische Königin in ihrer Kutsche wurden zu einem großartigen Panorama fremden Lebens, für das man nur einen Knopf zu drücken brauchte, um Teil davon zu werden.

Eines Abends erschien der Suezkanal auf dem Bildschirm. Jettel, Walter und Regina sprangen so erregt auf, als seien sie wieder auf dem Deck der »Almanzora«, mit der sie zurück nach Deutschland gefahren waren.

»Keine Kamele«, meldete Walter.

»Sie sind alle an Bord, Sir«, schrie Regina, und alle drei kosteten so animiert den alten Scherz aus, als hätten sie seit Jahren nur darauf gelauert, ihn aus den Tiefen einer zu hastig verschütteten Grube zu fördern.

Sie genierten sich noch nicht einmal vor Ziri und Max ihrer Naivität, wenn sie sich, für einige Augenblicke nur, den alten, so plötzlich wiederentdeckten Genuß gestatteten, den Konturen der Realität die Schärfe zu nehmen. Sobald die Bilder flimmerten, fühlten sich Walter, Jettel und Regina in die Zeiten zurückversetzt, als das Radio die einzige Verbindung zur Welt gewesen war. Sie erinnerten sich, selbst Walter nicht ohne Behagen und Melancholie, wie sie auf der Farm alle Fenster und die Tür aufgerissen hatten und die Menschen von den Hütten mit ihren schlafenden Säuglingen, den Ziegen und Hunden herbeigeströmt waren, um jubelnd Töne, die sie nicht deuten konnten, aus dem kleinen Kasten zu empfangen.

Max hatte seine eigenen Freuden. Er schwärmte für die Familiengeschichten, bei denen es fast immer einen Jungen in seinem Alter gab, der so dachte wie er. Für die Familie Schölermann mit dem prächtigen Vater, der tüchtigen, verständnisvollen Mutter und den liebenswerten Kindern schlich er mittwochs im Schlafanzug bis an die Tür des Wohnzimmers und legte sich auf den Boden – die ermunternden Geschichten von der Haltbarkeit der Liebe und Harmonie wurden zu spät gesendet, und seine Mutter bestand immer noch darauf, daß er abends um acht im Bett lag. Die Furcht vor Entdeckung wog indes leicht gegen die überraschende Erkenntnis, daß es bei anderen Familien auch nicht sehr viel anders zuging als bei ihm zu Hause.

»Eines Tages«, mutmaßte Regina hoffnungsfroh nach einer Sendung über das Leben in Kairo, »werden wir auch noch Nairobi zu sehen bekommen, und Owuor wird uns zuwinken.«

»Wieso Nairobi?« fragte Walter, und seine Augen verrieten, daß auch er Verlangen nach ganz bestimmten Bildern hatte.

»Du glaubst doch nicht im Ernst, daß Owuor ohne uns in Nairobi geblieben ist?«

»Wünschen kostet nichts. Hast du mir immer als Kind gesagt.«

Ein paar Tage später gab es für Regina keinen Zweifel mehr, daß sie und ihr Vater das Schicksal auf die alte, zuverlässige Art beschworen hatten. Zu spät erkannte sie die Provokation. Sie waren zu unbekümmert gewesen und hatten vergessen, daß es nicht gut war, Wünschen die schützende Hülle der klugen Beschränkung zu entreißen. So verwandelte die Stunde der Wahrheit den gedankenlosen Übermut in ein todbringendes Monster mit frisch geschliffenen Zähnen.

Zum Ende der Abendnachrichten wurde von einem Mord an einem Farmer berichtet. Walter war gerade dabei zu monieren, daß Jettel die Fleischwurst nicht beim schlesischen Metzger gekauft hatte; die Diskussion über den fehlenden Knoblauch lenkte zu lange von dem Bildschirm ab, und so merkte zunächst niemand, daß von Kenia die Rede war. Erst als die Zunge des Sprechers stolperte, weil er Naivasha zu sagen versuchte, bekam das Wort erste Kontur. Alle drei riefen es, noch immer ahnungslos, dem Mann im Kasten so ernsthaft zu, als sei gerade die richtige Betonung der gut genährten Silben von Wichtigkeit.

Das erste Bild war noch ein Schatten in einem Raum voll Gelächter. Dann tauchten aber aus dem Grau des Bildschirms die verkohlten Mauern eines niedergebrannten Hauses auf. Die eingeschlagene Tür lag quer über einem runden Beet niedergetrampelter Nelken; das Gelächter verstummte und ertrank im Entsetzen fassungslosen Schweigens. Auf dem kurzgeschnittenen Rasen vor dem Haus lag eine tote Kuh mit aufgeschlitztem Bauch. Blutgetränkte Haare klebten an einem weißen Zaun. Schwarze in Polizeiuniform und zwei weiße Männer in Khakishorts standen vor einem Jeep. Ein Hund, den man nicht sehen konnte, bellte. Dann wurden kleine Fotos von drei blonden Kindern und einer Frau eingeblendet. Walter stand auf und stellte das Gerät ab.

»Naivasha«, flüsterte Jettel, »das kann doch gar nicht sein. Da war es doch so schön.«

»Auf dem See sind wir mit Martin Boot gefahren«, sagte Walter, »ich wußte gar nicht, daß sich die Sache bis nach Naivasha hinzieht.«

»Mau-Mau«, schluckte Regina.

Sie hatten alle seit Jahren von dem Krieg der Schwarzen gegen die Farmer im Hochland gewußt, doch ohne Bilder war dieser ferne Blitz nicht zum Donner der Wirklichkeit geworden. Er blieb stets nur Ahnen von gewaltgetränkten Veränderungen in einer Welt, die sie als sanft und hell kannten. Sie hatten oft und zu einem sehr frühen Zeitpunkt vom Kampf Jomo Kenyattas gegen die britischen Kolonialbehörden gehört, sein Foto in den Zeitungen gesehen, und — jeder für sich — hatte versucht, die Züge des alten, entschlossenen Kriegers zu deuten, der von Freiheit sprach und Mord befahl. Schon lange kannten sie das Wort Mau-Mau als das blutige Motto für Aufstand und Unabhängigkeit. Sie wußten von Anbeginn, daß es Tod bedeutete, doch auch als sie erfuhren, daß die Ruhe wieder in Kenia einzukehren begann, wagten sie nicht, dieses fremde Wort auszusprechen.

Walter konnte sich sein Schweigen am wenigsten erklären. Der Mau-Mau-Aufstand, in dem selbst Kinder ermordet worden waren, und zwar von Menschen, die sie geliebt hatten wie die eigenen, war schließlich eine späte Bestätigung für die Weitsicht seines Entschlusses zum Aufbruch aus Kenia. Es war in den vergangenen Jahren viel Post in Frankfurt von alten Bekannten eingetroffen, die ihre Farmen hatten verlassen müssen und wieder in eine ungewisse Zukunft nach Amerika, England und Israel weitergewandert waren. Selbst Jettel sprach nur noch selten von Kenia als dem Paradies, das sie hatte aufgeben müssen.

Es ging Walter aber nicht darum, daß er recht getan hatte, als einer der ersten vor dem Sturm aufzubrechen. Ihm widerstrebte die späte Bestätigung einer Weitsicht, die er nicht gehabt hatte. Zu gut wußte er, daß er in Kenia überhaupt nie an einen blutigen Krieg zwischen Schwarzen und Weißen gedacht hatte. Im Rückblick fühlte er nur Dankbarkeit und in letzter Zeit auch Sehnsucht nach dem Land, das ihn und seine Familie vor dem Tod errettet hatte. Er litt mehr an der Vorstellung, als er sich eingestehen wollte, daß diese alte Welt nicht mehr existierte, in der Sonne, Wind, Regen und friedliche Menschen so lange sein Leben bestimmt hatten.

Regina indes hatte immer gewußt, weshalb sie das Wort Mau-Mau nicht aussprechen durfte. Nur mit geschlossenen Lippen konnte sie die Wälder und Felder, die Berge, Hütten, die geliebten Menschen, Tiere und den weisen Gott Mungo für ihren Kopf und ihr Herz retten. Nun hatte sie die Wirklichkeit mit einer blutbeschmierten Fratze eingeholt, vor der ihr schauderte. Regina bohrte, als sie das dunkle Fernsehgerät anstarrte, die Finger in ihre Schläfen, doch sie bekam keine Antwort auf ihre Fragen, und sie ahnte, daß sie künftig nicht mehr wissen würde, wohin sie an den Tagen ohne Licht aufbrechen sollte.

»Ob unser Haus in Ol' Joro Orok noch steht«, flüsterte Jettel, »und das Klo mit den drei Herzen und die schöne Küche unter dem großen Baum?«

»Kommt es darauf an?« erwiderte Walter. »Wir haben uns von so vielem im Leben getrennt. Da werden wir es doch noch verschmerzen können, wenn wieder ein Teil unserer Erinnerungen kein Zuhause mehr hat.«

Als Regina im Bett lag, knipste sie sofort die kleine Nachttischlampe aus. Es gelang ihr auch mit der Übung langer Jahre, den Brand der Bilder zu löschen, aber ihre Gedanken waren wie die gefährlichsten Buschfeuer, die sich immer wieder aufs neue an der eigenen Glut sättigen – zu brennend spürte sie, daß ihre Ohren ein Wort aufgefangen und noch nicht an ihren Kopf weitergegeben hatten. Sie setzte sich im Bett auf und befahl, wie der Jäger, der die Spur verloren hat, noch einmal die Bilder und vor allem die Laute zurück. Erst nach langer Wanderung in einem von Schlingpflanzen erstickten Wald tauchte sie an jenem hellen Fleck auf, der den Verirrten wieder sehend macht. Dort erreichte Regina endlich das so lang erwartete Echo. Ihr Vater hatte von Ol' Joro Orok gesprochen und zu Hause gesagt.

Sie wiederholte voller Staunen die beiden Worte, und doch brauchte sie noch mehr Zeit als zuvor, um die Botschaft zu begreifen. Verwirrt und doch auf eine Art befreit, die ihren aufgepeitschten Sinnen Ruhe gab, erkannte sie schließlich, daß Walter ebenso auf Safari gegangen war wie sie. Im Augenblick dieser beseligenden Bestätigung war es ihr zunächst nur, als sei es ihr gelungen, den Felsen fortzustoßen, der ihr so lange die Sicht verwehrt hatte. Das Glück währte nur kurz. Dann begriff sie bestürzt und mit einer Trauer, die erst ihren Kopf und dann ihr Herz spaltete, weshalb Walter zurückgereist war in die Welt, die er hatte verlassen wollen, um wieder eine Heimat zu finden. Er hatte beim Abschied jenen scharfen Schmerz zugelassen, der nie verheilte. Der Bwana war nie zu Hause angekommen.

20

Zu ihrem fünfzigsten Geburtstag im Juni 1958 wünschte sich Jettel von ihrem Mann für den Spätsommer eine Reise ins Ausland und von Regina, daß sie sie begleite. Sie war selbst erstaunt, daß sie den Mut aufgebracht hatte, ihren Wunsch zu äußern, und war überzeugt, Walter würde sich noch nicht einmal die Mühe machen, mit ihr ernsthaft über ihre Idee zu reden. Allein den Gedanken an die weite Reise, die sie im Sinn hatte, empfand Jettel als so außergewöhnlich und in Anbetracht der konservativen Ansichten ihres Mannes auch provokativ, daß sie den Wunsch überhaupt erst zu äußern wagte, als sie zufällig mitbekam, daß Walter ihr einen neuen Teppich für das Wohnzimmer schenken wollte.

Wann immer Jettel über Ferien zu sprechen versuchte, wurde Walter übellaunig und beleidigend. Er pflegte sie bei den unangenehmen Auseinandersetzungen als größenwahnsinnig und verschwenderisch zu bezeichnen und aufgebracht darauf hinzuweisen, daß er in seinem Leben doch wahrlich genug und gewiß nicht nur freiwillig herumgekommen sei und ohnehin nur den einen Wunsch hätte, noch einmal das Riesengebirge zu sehen. Die moderne Sehnsucht nach Luxus, Ferien und Ferne, die zu Walters Mißbilligung auch die Menschen erfaßte, die früher nicht weiter als zum Onkel aufs Land gefahren waren, erschien ihm eine beklagenswerte Zeiterscheinung, borniert, vermessen und in seinem eigenen Fall eine Undankbarkeit gegenüber einem Schicksal, in dem das Wort Aufbruch eine besonders unheilvolle Bedeutung hatte.

»Herrgott«, warf Jettel ihm in der Woche vor ihrem Geburtstag vor, »ich will doch nicht auswandern. Ich will nur zwei Wochen mal was anderes sehen und keine Deutschen.«

»Und wo, bitte, soll das sein?«

»Ich habe an Österreich gedacht«, sagte Jettel und schlug wütend ihr Schlüsselbund auf den Tisch.

Sie hatte mit Spott, beleidigenden Vorwürfen, auch mit einem großen Streit gerechnet, aber nicht mit einer so frappierenden Reaktion. Walter lächelte erst erniedrigend ironisch und schlug sich dabei an den Kopf, daß Jettel sich auf der Stelle vornahm, umgehend die Gäste zur Feier auszuladen und ihm das vorher noch nicht einmal zu sagen. Er genierte sich dann nicht einmal, so albern und laut zu wiehern, daß Ziri mit dem Fleischmesser in der Hand aus der Küche hetzte, um ja kein Detail der unvermuteten Heiterkeit zu verpassen.

Zu Jettels Verblüffung stand Walter betont langsam vom Ohrensessel auf, salutierte schwungvoll, legte seine Hand auf ihre Schulter und sagte fast zärtlich: »Fahr du nur, mein geliebter ahnungsloser Engel. Wenn du weg bist, werde ich die ganze Zeit hier im Lehnstuhl sitzen und daran denken, was du in der Emigration über die Österreicher gesagt hast. Und wenn du wiederkommst, hat sich dein Alter totgelacht.«

Reginas Reaktion am nächsten Morgen erstaunte Jettel noch mehr. Sie hatte den Vorschlag, mit Regina zu fahren, zunächst nur gemacht, weil sie wußte, daß es Walter immer leichter fiel, dann Geld auszugeben, wenn er glaubte, seiner Tochter eine Freude zu machen. Bei allen taktischen Erwägungen, auf die sie sehr stolz war, hatte Jettel aber doch der Gedanke nicht behagt, daß sie Regina in einen Konflikt bringen würde, über den sie nicht sprechen konnte.

Im Gegensatz zu Walter ahnte Jettel nämlich schon seit Jahren, daß Regina ihre Urlaube nicht, wie sie behauptete, mit einer Kollegin im Bayerischen Wald verbrachte. So zweifelte sie, nicht ohne Verständnis, ob ihre Tochter den mit solcher Sorgsamkeit gehüteten und offenbar sie auch befriedigenden Teil ihres Privatlebens für eine Reise mit der Mutter aufgeben würde. Regina stimmte aber so spontan und auch unverkennbar gerührt der gemeinsamen Reise zu, daß sich Jettel im nachhinein sehr einer List schämte, deren Egoismus ihr die ganze Zeit nicht entgangen war.

In den Wochen nach ihrem Geburtstag fragte sie sich dennoch häufig und ebensooft auch besorgt um ihr Selbstbewußtsein, ob es nicht allein Reginas Gutmütigkeit war, die sie zu dem unerwarteten Ja bewogen hatte. Je näher aber die Reise nach Mayerhofen im Zillertal rückte (Jettel war sehr stolz, daß sie das Ziel allein ausgesucht und mit dem Reisebüro ohne Walters Hilfe alle Verhandlungen geführt hatte), desto mehr spürte sie, daß Regina sich nicht nur auf den Urlaub, sondern zweifelsfrei auch auf das Zusammensein mit ihr freute.

Zufrieden holte Jettel aus dem Schatz ihrer Küchenlieder »Die Tiroler sind lustig, die Tiroler sind froh« heraus und erzählte in beiden ihrer Kaffeekränzchen den neidischen Damen, die gerade peinliche Erfahrungen mit ihren erwachsenen Kindern machten, daß es für eine Mutter kein größeres Glück gebe, als mit einer so umsichtigen und liebevollen Tochter zu verreisen. Bald vermochte Jettel auch nicht mehr zu glauben, daß sie je hatte eifersüchtig auf Regina sein können.

Ebensowenig konnte sich Regina erklären, weshalb sie ihrer Mutter in der Vergangenheit so sehr viel weniger Geduld und Toleranz entgegengebracht hatte als ihrem Vater. Es war, als fiele mit jedem Tag der früh einsetzenden Reisevorbereitungen ein Stück Reserviertheit zwischen zwei Menschen ab, die sich einst sehr gut gekannt und einander durch Umstände, die sie sich nicht erklären konnten, aus den Augen verloren hatten.

Beide merkten die Veränderungen zum erstenmal an dem Tag, als Jettel sich die silbergrau leuchtende Abendbluse und Regina den engen schwarzen Pullover kauften, Walter – wie üblich – stirnrunzelnd zu den Herrlichkeiten »schrecklich schön« sagte und sie sich beide anschauten und geradezu verschwörerisch mitleidig lachten. Sie debattierten tagelang über Schuhe und Sandalen, Kniestrümpfe und dicke Socken, ob sie vielleicht Lodenmäntel oder gar ein Dirndl brauchten, und allen Ernstes, als hätten sie nie auf einer Farm gelebt, was sie machen würden, wenn sie eine Kuh über eine Wiese jagte.

Einmal äußerte Jettel, sie komme sich vor wie zu den Zeiten, da sie mit ihrer Mutter und Schwester Ferien gemacht habe. Sie gebrauchte nun öfters das Wort »Badereise«, sprach von den feschen jungen Männern, die sich in Norderney um ihre früh verwitwete, schöne Mutter bemüht hatten, und ähnelte sehr, während sie lächelnd in eine Vergangenheit eintauchte, die sie seit Jahren nicht mehr erwähnt hatte, dem koketten, großäugigen kleinen Mädchen im Matrosenanzug auf dem verblichenen Foto in der alten Teedose.

Unter den Reiseunterlagen waren zwei blauleuchtende Schmetterlinge aus Pappe. Regina und Jettel steckten sie am Tag der Abreise an die neuen weißen Strickjacken und kicherten wie junge Mädchen vor dem ersten Rendezvous. Der Sonderzug mit Liegewagen der Touropa fuhr nachts um elf: Walter bestand darauf, zum Hauptbahnhof mitzukommen. Er spendierte einen Gepäckträger, Jettels geliebte Ingwerstäbchen für die Fahrt und sorgte in dem Abteil, das sie erst nach aufgeregtem Suchen fanden, mit der verlegen vorgetragenen Bitte um Verwirrung, man möge seine Frau und Tochter besonders rücksichtsvoll behandeln – sie seien soeben erst aus der Nervenklinik entlassen.

»Gib acht auf dich«, mahnte Jettel, als sie sich zum Fenster hinausbeugte. »Und iß richtig. Ziri weiß genau Bescheid, was sie euch kochen soll. Ich hab ihr extra für jeden Tag eine Liste gemacht.«

»Da siehst du, wie weit es mit mir gekommen ist. Hast noch nicht einmal mehr Angst, mich mit einem jungen hübschen Mädchen allein zu lassen.«

»Du weißt doch ganz genau, daß ich mein ganzes Leben nicht eifersüchtig gewesen bin. Geh auch mal mit Max zu Frau Schlachanska. Sie hat mir versprochen, euch einzuladen.«

»Ausgerechnet«, beklagte sich Walter. »Sie schaut mich immer so vorwurfsvoll an, als nimmt sie mir übel, daß ich nicht statt ihrem Mann gestorben bin.«

»Geh trotzdem. Sie ist eine gute Frau. Der Kuchen auch.«

»Zank dich nicht mit deiner Mutter, Regina. Und mach ihr unterwegs klar, daß Tirol in den Bergen liegt und nicht am Meer«, rief Walter in den Abfahrtspfiff hinein, »und erklär ihr, daß die Leute dort verkleidete Deutsche sind.«

Mayerhofen im Zillertal, von Innsbruck ab nur mit dem Omnibus erreichbar, empfing seine von der langen Fahrt strapazierten Gäste mit Marillenschnaps in kleinen bemalten Glaskrügen, voll erblühten roten Geranien auf den dunklen Holzbalkons der frischgestrichenen Häuser, zwei blumengeschmückten Kühen und einer Kapelle auf dem Marktplatz, mit Sonne auf den Wiesen und Neuschnee auf den Berggipfeln. Regina machte ihrer Mutter ein so begeistertes Kompliment, daß Jettel im Nu ihre Müdigkeit überwand und eine selbst für sie erstaunliche Energie mobilisierte, um dem verblüfften Reiseleiter zu klären, daß sie in dem entzückenden Haus mit dem hübschen Schild »Kramerwirt« wohnen wolle oder auf der Stelle abreisen würde.

Regina genierte der temperamentvolle Beweis mütterlichen Behauptungswillens enorm, und sie scheute sich, während der Verhandlungen den Mann im Trachtenanzug überhaupt nur anzuschauen. Er aber nannte Jettel mehrmals »Gnädige Frau«, bewunderte ihre Bluse, tauschte, nach anfänglichem Zögern, ohne Widerrede das vorgesehene Quartier mit dem verlangten und sorgte dann auch dafür, sogar mit einem Lächeln, daß Jettels Zusatzwunsch erfüllt wurde und sie das Zimmer mit Blick auf den Marktplatz und nicht die kleinere Stube mit Aussicht zum Hof bekam.

»Nur nichts gefallen lassen«, lachte Jettel und ließ sich gutgelaunt auf das Bett mit der rot-weiß karierten Wäsche fallen, »da können dein Vater und du sich eine Scheibe von mir abschneiden.«

Am ersten Abend gab es Kaiserschmarrn, den Jettel nach der ersten Portion als Rührei mit Rosinen bezeichnete und nach der zweiten als jene echte Wiener Küche lobte, die sie als junges Mädchen schon schätzen gelernt hatte. Die neuangekommenen Gäste erhielten ein Glas Wein als Aufmerksamkeit des Hauses und wurden anschließend zu einem kleinen Empfang in der großen Gaststube gebeten; ein bärtiges Trio in Lederhosen und grünen Hüten mit langer Feder spielte Volkslieder und auf Jettels besonderen Wunsch zweimal »Die Tiroler sind lustig«.

Grauhaarige Frauen in durchsichtigen weißen Nylonblusen schauten neidisch auf Jettels frischgefärbte Locken und spitzäugig auf ihr tiefausgeschnittenes Kleid mit üppigen roten Rosen auf schwarzem Grund. Die Männer mit Hosenträgern, die sich über ihren zu engen Hemden wölbten, studierten begehrlich Reginas Beine. Sie genossen beide die Blicke, bestellten ein Glas Wein, aus dem sie abwechselnd tranken, spotteten flüsternd über die übrigen Gäste, später bequem laut in Suaheli und fanden sogar Worte, um so schwierige Begriffe wie »typisch deutsch« und »spießig« auszudrücken.

Am Schluß des Abends freundeten sie sich mit dem Dackel der Wirtin an und kamen überein, daß Walter wirklich ein großer Narr sei, weil er stets behaupte, Dackel seien immer noch Nazis. Beim Einschlafen waren sie sich einig, daß sie in Jahren nicht mehr so gelacht und sich nicht so wohl gefühlt hatten: Sie wurden wach, als ein Hahn krähte, und stellten fest, daß sie seit Ol' Joro Orok keinen mehr gehört hatten.

Auf der ersten Karte an Walter schrieb Jettel: »Natürlich ist Tirol Ausland. Wir schränken uns sehr ein und bekommen dafür so viel zu sehen, daß uns der Kopf schwirrt.« Sie sparten das Geld, das sie für das Mittagessen eingeplant hatten, indem sie zwei Brötchen vom Frühstück mitnahmen, zwei Bananen und Milch kauften, und gaben es aus für eine Fahrt mit einer altmodisch-kleinen Eisenbahn nach Jenbach und für Omnibustouren nach Innsbruck, Salzburg, zum Tuxer Joch und zum Großglockner.

Jettel, die zu Hause jede Anstrengung mit dem Hinweis auf ihr Alter und ihre Migräne vermied, wurde auf keiner Fahrt je müde, war zu Reginas Erstaunen mit allem zufrieden und enorm beliebt bei den Mitreisenden; sie flirtete mit den Männern, die sich darum rissen, ihre Tasche zu tragen und ihr aus dem Bus zu helfen, und kümmerte sich mütterlich um alte Frauen ohne Begleitung. Die erzählten ihr alle schicksalsschwere Lebensgeschichten, interessierten sich noch mehr für Jettels afrikanische Erlebnisse und erinnerten sich ausnahmslos wehmütig an jüdische Freunde, denen sie in der Zeit der Not geholfen hatten.

Mit der neuen Box fotografierte Regina ihre strahlende Mutter vor dem Goldenen Dachl in Innsbruck, im Garten von Schloß Mirabell in Salzburg und in der Getreidegasse mit einer Packung Mozartkugeln. Im Hinblick auf den geplanten Höhepunkt der Ferien kauften sie aber dann doch nur an einem Kiosk eine kleine Flasche Rum, die ihnen besonders preiswert erschien.

Sie schwankten lange, ob Bressone, das zu ihrer Verwunderung ja auch Brixen hieß, nicht schon »genug Italien« wäre, um ihr Verlangen zu stillen, buchten aber dann doch die große, teure Brennerreise mit einer Stunde Aufenthalt in Bozen und drei Stunden in Meran. Weil der Omnibus unterwegs eine Panne hatte, durften sie in Bozen nur einen hastigen Blick auf den Obstmarkt werfen und konnten gerade noch ein Pfund Trauben kaufen, aber in Meran spürten sie sofort, daß sie endlich das Land ihrer Sehnsucht erreicht hatten.

»Wir haben es mit der Seele gesucht«, rezitierte Regina.

»Das hast du schön gesagt«, bewunderte Jettel.

»War ein bißchen Goethe dabei.«

Sie spazierten auf der prächtigen Promenade vor dem vornehmen Kurhaus, lauschten, in Gluthitze auf einer weißen Bank sitzend, ergriffen den Walzermelodien der Kurkapelle, saßen in einem Café an der plappernden Passer mit einer eigenen Palme und Papagei, streichelten mit der Zunge das schöne, fremde Wort Espresso und mit der Hand die winzigen, silbernen Tassen und wunderten sich sehr über den fließend Deutsch sprechenden Kellner. Dennoch waren sie sich einig, daß sie in das Herz Italiens vorgestoßen waren.

In den Geschäften unter den kühlen, dunklen Lauben fanden sie ein winziges, gläsernes Pferd mit blauer Mähne für Ziri, durften Wein kosten und brauchten nichts für den berauschenden Schluck Seligkeit zu bezahlen. Beide hatten sie rote Flekken im Gesicht und Töne im Ohr, die Regina als Lockruf der Sirenen erkannte, probierten Strohhüte und Sonnenbrillen und starrten verlangend auf die gewiß billigen, aber für sie leider immer noch zu teuren Schuhe, Gürtel und Handtaschen. Nach dem zweiten Espresso – diesmal wagten sie, den Zucker in den hübschen Beuteln mitzunehmen – entschieden sie sich für den gemeinsamen Erwerb einer Kette aus weißen Porzellankugeln mit aufgemalten rosa und blauen Rosen. Jettel bezahlte fünfzig Lire mehr als Regina und sicherte sich für alle Zeiten das Recht, das Prachtstück immer sonntags ausführen zu dürfen und die Kette sofort anzuziehen. Ein Soldat in italienischer Uniform, der nachweislich kein Deutsch konnte, weil er Jettel »Signora« nannte, schnalzte mit der Zunge, und ihre Wangen färbten sich rosa.

Für die letzten Lire kauften sie Max einen kleinen, echt italienischen Schutzmann aus »wirklich gutem« Plastik, der einen blauen Helm hatte und bei Wind mit den Armen ruderte, und für Walter zwei Liter Chianti in einer moosgrünen Flasche im hellgelben Bastkorb. Sie loderten in erregter Freude bei dem

Gedanken, daß er eine solche Herrlichkeit in seinem ganzen Leben noch nicht gesehen habe und es bestimmt nicht wagen würde, die Flasche zu entkorken, obwohl der Händler glaubhaft versichert hatte, man könne später eine Kerze in den Hals stecken und sie würde genauso schön sein wie zuvor.

Vor der Abfahrt kauften sie von den nun wirklich letzten Münzen eine große Tüte Eis und lutschten sie abwechselnd. Regina durfte die Kugeln auswählen; sie deutete die Blicke ihrer Mutter richtig und ließ sich nur Schokolade, Nougat und Mokka geben, obwohl sie am liebsten Vanille- und Erdbeereis aß.

»Ich komme mir vor, als ob ich in Italien um Jahre jünger geworden bin«, sagte Jettel.

»Das bist du«, bestätigte Regina, »aber nicht erst in Italien.«

Auf dem Rückweg hatte der Omnibus in Brennerbad abermals eine Panne. Die murrenden Ausflügler wurden vom Fahrer mit Rotwein aus eigenem Bestand getröstet. Nur die überkritischen älteren Herren monierten, daß ein Omnibusunternehmen so viele Gläser, aber keinen Ersatzreifen dabei hatte. Auf einer Wiese unter einem Apfelbaum, dessen Äste kaum die Last der rotglänzenden Früchte halten konnte, sprach Jettel den Gedanken aus, der Regina seit dem zweiten Tag der Reise nicht mehr losgelassen hatte.

»Es ist«, erinnerte sie sich, »eigentlich das erstemal, daß wir beide so ganz allein zusammen sind, seitdem ich in Nakuru schwanger war und so verzweifelt war, weil ich spürte, daß das Baby tot zur Welt kommen würde.«

»Und wir reden miteinander wie damals«, schluckte Regina mit der gleichen Schwere in der Stimme, »ich hab gedacht, du hättest das längst vergessen.«

»Nein. Ich denke oft daran. So klein wie du warst, du hast mich damals sehr getröstet. Ich hatte das Gefühl, du verstehst mich so gut, wie ich meine Mutter verstanden habe.«

»Und heute denkst du das nicht mehr?«

»Ich weiß nicht so recht. Du bist immer auf der Seite deines Vaters.«

»Nein«, erwiderte Regina, »das bin ich nicht. Ich verstehe dich oft sehr viel besser als du denkst, aber ich will Papa schützen. Ich hab immer Angst um ihn, wenn er sich aufregt. Glaub nur nicht, daß ich nicht längst begriffen hab, wie schwierig es ist, mit ihm verheiratet zu sein. Ich weiß auch, daß er oft den Streit anfängt.«

»Meistens«, seufzte Jettel, »streiten wir über dich. Du hörst uns immer nur zanken, aber du weißt ja nie, wie die Sache angefangen hat. Papa ist von der Idee besessen, daß du ein Verhältnis mit deinem Chef hast. Oder daß du von Martin nicht loskommst und deswegen nicht heiraten willst. Und dann nimmt er mir schrecklich übel, wenn ich ihm sage, daß du alt genug bist, um zu wissen, was du tust.«

Es drängte Regina, Jettel zu umarmen, aber der alte Streit ihrer Eltern um ihr Herz machte sie so unsicher wie in ihren Kindertagen. Ihre Haut glühte, und sie ließ ihre Arme sinken.

»Danke«, sagte sie leise und streichelte Jettels Hand.

»Wofür?«

»Daß du mich so viel besser verstehst als ich dich, müßte ich sagen. Aber ich meinte eigentlich danke für die ganze Reise. Ich werde diese Tage nie vergessen.«

»Ich auch nicht. Das wollte ich dir die ganze Zeit schon sagen. Aber neugierig bin ich auch. Was stimmt denn nun? Das mit Martin oder das mit deinem Chef?«

»Beides. Und beides nicht ganz so, wie ihr denkt. Du bist eine kluge Frau.«

»Das sag ich doch immer«, lachte Jettel, nahm einen kleinen Apfel aus dem Gras und warf ihn in die Luft, »nur dein Vater wird das nie begreifen. Er hat eben keine Menschenkenntnis. Trotzdem freue ich mich auf ihn, obwohl ich mich jetzt schon über ihn ärgere. Ich wette, er schickt Max keinen Tag pünktlich ins Bett.«

Sie hatte selten so recht gehabt. Walter hätte es als sündhafte Verschwendung seiner Freiheit empfunden, Max ins Bett zu schicken, ehe er selbst schlafen ging. Er, der sich oft seiner tiefen Bindung zu Regina schämte, weil er sie als ungerecht gegenüber Max empfand, war dabei, seinen Sohn aus neuer Perspektive kennenzulernen. In den zwei Wochen, in denen er mit ihm allein lebte, begriff er nicht nur, daß Max kein Kind mehr war. Er erkannte auch, daß er den gleichen Humor hatte wie er selbst, die gleiche Freude an provozierenden Scherzen und derber Sprache und auch die gleiche Art, Emotionen mit einer Nüchternheit zu kaschieren, die andere Menschen nicht nachempfinden konnten. Dieser Gleichklang beglückte ihn sehr. Er wurde, wenn er mit Max zusammen war, weder so schnell müde wie gewöhnlich, noch hatte er trübe Gedanken. Es machte ihm eine große Freude, daß dieser fröhliche, intelligente Sohn mit einem ausgeprägten Sinn für Sprache und Ironie so spürbar die gemeinsamen Unterhaltungen genoß.

Walter ließ sich an keinem Tag der zwei Wochen die Gelegenheit entgehen, Max zu beweisen, wie erquickend, unkompliziert und harmonisch das Leben war, wenn Männer keine Rücksicht auf Frauen und deren Hang zu nehmen brauchten, sich im unpassenden Moment mit Dingen zu beschäftigen, die einem Mann das Leben vergällten. Zum erstenmal entwickelte sich mit dem Sohn das gleiche innige Verhältnis augenzwinkernder Einverständlichkeit wie einst auf der Farm mit der Tochter.

Wenn Walter in Ol' Joro Orok allein mit Regina gewesen war, hatte er stets versucht, das Leben anders zu gestalten als sonst. Er hatte ihr erlaubt, sich eine Woche lang nicht zu waschen und so lange aufzubleiben, bis sie vor dem Kamin einschlief und von Owuor ins Bett getragen wurde. Nun animierte er Max zum Ausbruch aus der Konvention, all das zu tun, was Jettel nicht schätzte, und über Dinge zu sprechen, die sonst in seiner Gegenwart nicht erwähnt wurden.

Während Walter in der Badewanne saß, hörte er Max die lateinischen Vokabeln für den nächsten Tag ab, erklärte ihm mit Seife, Bürste und Waschlappen als Demonstrationsmaterial den Satz des Pythagoras, danach politische Probleme, das Wesen des Antisemitismus und was er zu tun hätte, wenn er seinen Vater vor der Zeit zum Großvater mache. Max durfte im Ehebett schlafen, mit ins Gefängnis und nach der Schule ins Büro. Dort stärkte er seinen Appetit auf das Leben, indem er die Akten von Scheidungsprozessen studierte.

Mittags aßen sie im Stehen bei einem Metzger, für den Walter gerade die Scheidung eingereicht hatte und dessen Ansichten er nicht nur über eheliche Untreue teilte, sondern auch über die Qualität guter Rippchen. Sie kauften Currywurst an der Bude, holten zum Nachtisch Negerküsse und aßen sie auf einer Bank in der Grünanlage vor dem Büro. Einmal fragte Walter seinen Sohn, ob er denn nicht lieber mit den Jungen aus seiner Klasse zusammensein wollte.

»Nein«, sagte Max, »ich mach Ferien von den Jungs aus meiner Klasse.«

Zweimal aßen sie an einem glutheißen Tag unter Bäumen im vornehmen »Kaiserkeller« und brachten den Kellner erst in große Verlegenheit, weil sie Schuhe und Strümpfe auszogen und dann in noch größere, als Walter vorgab, er habe seine Geldbörse verloren. Er kaufte Max eine Klingel für sein Fahrrad, die wie eine Autohupe klang, und sich selbst eine Kette, damit seine Brille direkt von der Nase auf die Brust rutschen konnte. Der Optiker erzählte ihnen, daß es solche Ketten bisher nur in Amerika gegeben hätte: Sie merkten sofort, daß das stimmte, denn die Menschen, die Walters baumelnde Brille sahen, blieben stehen und lachten verstohlen.

Im übrigen war Fußballweltmeisterschaft und Walter nach zwei Wochen der flimmernden Bilder, kreischenden Reporterstimmen, Aufregung und ständigen Bangens um Wohl und Sieg der famosen eigenen Elf gründlich genug geschult, um

Schiedsrichter und Spieler, die den deutschen Sieg und die deutsche Ehre gefährdeten, in der gleichen empörten Lautstärke wie sein Sohn zu verteufeln. Ohne es zu ahnen, stand er auch unmittelbar vor einer Erkenntnis, die ihn tief berühren sollte. Es war am Tag des mit fiebernder Anspannung erwarteten Spiels um den Einzug ins Finale zwischen Schweden und Deutschland. Walter genoß am Anfang das Duell in Göteborg, als hätte er sich zeit seines Lebens für nichts anderes als für Freistöße, Ecken und Elfmeter interessiert. Er jubelte genauso wie Max und zu dessen Zufriedenheit, als der deutschen Elf, deren Kämpfer Walter längst mit Namen nennen konnte, eine überraschende Attacke gelang. Dennoch ließ seine Konzentration früher nach als bei den bisherigen Spielen – es war ein entmutigender Tag mit einem verlorenen Prozeß und einem als kränkend empfundenen Streit mit dem Richter gewesen.

Obwohl er sich anfangs noch sträubte, Max durch seine Unaufmerksamkeit zu enttäuschen, verloren die Bilder zuerst ihre Deutlichkeit und dann ihre Bedeutung. Schließlich waren es nur noch die Ohren, die Nahrung fanden. Es zog ihn mit einer Kraft, deren Verlockung er sich bald nicht mehr zu entziehen vermochte, zum nie vergessenen Klang vertrauter Geräusche hin. Je länger das Spiel dauerte, desto mehr erinnerten ihn die antreibenden, regelmäßig gebrüllten und monotonen Rufe von »Heia, Heia« der schwedischen Zuschauer an die Trommeln im Wald von Ol' Joro Orok.

Walter sah sich, als er, einen Moment nur, seinen Augen die Reise gestattete, am Rande des großen Flachsfeldes stehen. Er sah auch, wie Regina ihren Hut in die Luft warf und sich auf die rotglänzende Erde legte, um die Botschaft der Töne aufzufangen, hörte die schwarzen Affen mit der weißen Mähne kreischen und danach Owuor lachen. Das Echo prallte als dumpfer Donner vom Berg zurück. Sie standen zu dritt im hellen Blitz, schrien mit einer einzigen Stimme in den Wald hinein und gaben so das Zeichen, daß sie die Trommeln erreicht hatten.

»Heia, Heia«, rief Walter den Bildern zu und machte seine Stimme dunkel.

»Heia darfst du nicht sagen«, beschwerte sich Max. »Das ist Verrat.«

»Hochverrat«, verbesserte Walter. »Ich will doch nur durch den Lärm die Feinde vertreiben. Im Krieg macht man das so. Das weiß ich noch von den Heuschrecken.«

Es gelang ihm indes nicht rasch genug, aus einer Welt aufzutauchen, die im Rückblick schon deshalb das kurze Einverständnis mit dem Leben vorgaukelte, weil er damals jung und gesund gewesen war. Zeitgleich mit der Erinnerung an seine noch ungebrochene Kraft empfand er aber auch wieder die starke Bedrückung Afrikas und litt, als habe er Deutschland soeben erst verlassen müssen, mit frisch blutenden Wunden an der Sehnsucht nach der Heimat, die ihn verstoßen hatte.

Der Kampf mit Erinnerungen, von denen jede einzelne in eine andere Richtung drängte, versengte Walters Sinne. Er seufzte, um das Feuer zu löschen und mit ihm die Beunruhigung, daß er die Heimat, die er in Afrika betrauert, in Deutschland wohl doch nicht mehr gefunden hatte. Erschrocken hielt er sich die Hand vor den Mund, damit sich der quälende Laut der Resignation nicht wiederholte, doch mit einemmal wurde ihm bewußt, daß es sein Sohn war, der gestöhnt hatte. Erleichtert riß er die Augen auf und sah Max an.

»Die Sau hat den Juskowiak vom Platz gestellt«, schrie Max.

»Ist das einer von uns?«

»Mensch, Vati, du kennst doch den Juskowiak. Wie sollen wir jetzt noch gewinnen?«

Weil der Klang der harten Silben ihn auf so eigentümliche Weise faszinierte, grübelte Walter, nur einen Herzschlag lang, über den Namen Juskowiak; die Zeit reichte für eine neue Bilderflut. Er dachte an Sohrau, an sein Vaterhaus mit den Linden, sah Straßen, Plätze, Menschen und Szenen, dachte schließlich an den oberschlesischen Abstimmungskampf nach dem Ersten Weltkrieg und wie fanatisch er sich als junger Mann dafür eingesetzt hatte, daß seine Heimat deutsch bleiben sollte. Er hörte sich fordernd und besessen von deutscher Kultur und deutschem Vaterland reden, von Treue, Ehre und Opfermut, und er versuchte, sich zu erinnern, was er empfunden hatte, als er die Worte gesagt, wollte sich die jungen Männer vorstellen, die sich mit ihm der verlorenen Sache hingegeben hatten, aber ihm fiel kein einziger Name mehr ein, nur noch der Eifer und Haß in grob-entschlossenen Gesichtern. Mit einemmal neidete er den Freunden von einst, neidete auch dem jungen Mann, der er gewesen war, die Sicherheit der Überzeugung, nur die eigene Sache sei die gerechte gewesen.

»Der Fritz Walter ist verletzt. Mann, der kann nicht mehr. Der humpelt vom Platz. Die schwedische Drecksau hat ihn gefoult. Das ist unfair«, brüllte Max. »Schau dir doch diese Schweinerei an, Vati.«

Auch Walters Augen fingen zu brennen an, als er im roten, verquollenen Gesicht seines Sohns die sich verzeichnenden Spuren von dem Eifer und Haß entdeckte, an die er soeben gedacht hatte. Das Spiegelbild seiner eigenen Jugend gefiel ihm nicht. Er hatte das Bedürfnis, sich endlich vor dem Mißverständnis zu schützen, das er nun als die lebenslange Illusion empfand, die den Menschen blind machte. Es drängte ihn, dem jungen Mann von damals zu sagen, daß Heimat nur ein Traum sei, doch er wußte nicht mehr, ob er sich selbst oder seinen Sohn warnen wollte.

»Wir sind nur noch neun«, rief Max, »jetzt sind wir verloren.«

Es war die Verzweiflung in der kindlichen Stimme, die die Gespenster vertrieb. Befreit sah Walter, wie Max sich auf die Lippen biß und die Hände zur Faust ballte. Er erkannte sofort die Zeichen, die ihn noch mehr aufwühlten als der Blick in seine Vergangenheit. Es war der Moment der großen Erlösung, als Walter begriff, daß der Sohn die Heimat gefunden hatte, die es für den Vater nie wieder geben würde.

»Fußball«, sagte er, »ist wirklich schön.«

»Du schläfst doch die ganze Zeit«, beschwerte sich Max.

»Ein Vater schläft nie. Der denkt nach. Merk dir das, mein Lieblingssohn.«

Das Spiel endete drei zu eins für die Schweden. Noch im Bett wiederholte Max, daß das Ende der deutschen Hoffnungen eine Tragödie sei und er nie wieder in seinem Leben lachen wolle. Er tat es aber doch, als Walter im Schlafanzug einen Regenschirm schwenkte, dabei »Heia, Heia« rief und vorschlug, sich das Gesicht mit Schuhwichse zu schwärzen.

Am nächsten Morgen, zwei Stunden vor Eintreffen des Sonderzugs aus Tirol, gingen Walter und Max in den Kaufhof, um Jettel mit einem neuen Kochtopf zu empfangen. Er war noch höher und sehr viel größer als der alte Suppentopf, der bei der Auswanderung in Leobschütz zurückgeblieben war, hatte funkelnde Griffe und glänzte wie ein silberner Pokal. Walter hielt ihn über den Kopf, und die junge Verkäuferin leckte sich die Lippen und sagte anerkennend: »Sie haben eine gute Wahl getroffen. Echt schwedischer Stahl.«

»Schwedischer Stahl«, ahmte Walter die hohe Stimme nach. Er schlug den Deckel auf den Topf und fragte laut: »Wissen Sie denn nicht, was passiert ist? Sie glauben doch nicht, daß ein anständiger Deutscher noch seine Suppe in einem Topf aus Schweden kochen kann. Ich bin doch kein Vaterlandsverräter.«

Mit einer Stimme, die abermals anschwoll, schrie er: »Heia, Heia.« Die Kunden strömten herbei und sahen Walter amüsiert, neugierig, manche auch bewundernd an. Er rief noch einmal »Heia, Heia« in den Raum; diesmal skandierten die Menschen, die um ihn standen, die Rufe mit und klatschten heftig Beifall.

»Das hast du fein gemacht«, bewunderte ihn Max, als er mit seinem Vater auf dem Bahnsteig ankam, »ich hab nicht den Mut, vor so vielen Menschen so laut zu schreien.«

»Wir Deutsche lassen uns nichts gefallen«, kicherte Walter. »Wir tragen den Kopf wieder oben.«

Der Zug aus Innsbruck fuhr zwei Minuten zu früh in Frankfurt ein. So kam er weder dazu, seinem Sohn den Unterschied zwischen Mut und Übermut klarzumachen, noch konnte er ihm das sagen, was er ihm am Abend zuvor nach dem letzten schwedischen Tor hatte erklären wollen.

21

Erst Mitte November beendete ein ungewöhnlich kalter Tag die außergewöhnliche Periode von milder Sonne und Wärme, die den frühen Herbst so lange vergoldet hatte. Mit einem schneidenden Wind, Regen, Hagelstürmen und unerwartetem Temperatursturz raubte dieser Tag der Kontraste Walter jede Hoffnung, daß er sich nur an den Wetterwechsel zu gewöhnen brauche, um kraft seines Willens gut durch den Winter zu kommen. Er hatte, kaum daß er das Haus verließ, die ziehenden Schmerzen im Arm, die er seit seinem ersten Herzanfall zu deuten gelernt hatte, hustete in der Nacht so heftig, daß er nicht im Bett bleiben konnte und sich bis zum Morgengrauen im Ohrensessel im Wohnzimmer quälte und keuchte beim Laufen schon nach den ersten Schritten. Weil er noch nicht einmal genug Energie hatte, Jettel rechtzeitig zu widersprechen, saß er drei Tage später, obwohl er sich gerade an diesem Nachmittag deutlich besser fühlte, im Sprechzimmer von Professor Heupke.

Dort starrte er so erbost die Astern in einer hellgrünen Marmorvase an, die ihn ausgerechnet in einem so unpassenden Moment an eine Graburne denken ließ, als seien die Blumen und nicht der Mann hinter dem Schreibtisch für die ungebetene Botschaft verantwortlich, die er soeben vernommen hatte. Schon die Untersuchung hatte Walter als viel zu gründlich für einen Zustand empfunden, den er nun wieder und, wie er fand, auch sehr anschaulich, als eine nur kleine und vorübergehende Unpäßlichkeit bezeichnete.

Noch mehr als die Untersuchung verdrossen ihn der Vorschlag, den Professor Heupke soeben gemacht hatte, dessen ernster Ton und sein verschlossenes Gesicht. Ergrimmt definierte Walter die Miene als jenes probate Mittel einer von ihm mißachteten Berufszunft, um einen Kranken aus dem Zustand momentaner Niedergeschlagenheit in jene demütige Haltung zu manövrieren, die seiner Meinung nach jeder Mediziner seit Hippokrates zur glaubwürdigen Ausübung seiner Heilkunst mißbrauchte.

Angewidert wandte Walter sich ab und konzentrierte sich einige Zeit nur auf die großen Regentropfen an der Fensterscheibe. Als er sich endlich umdrehte, schlug er leicht mit der Faust auf den Tisch und ballte die Hand in der Jackentasche zur Faust. Er nickte und straffte die Schultern, um anzudeuten, daß ihm doch noch eine Antwort auf die vor einigen Minuten gestellte Frage eingefallen war. Befreit und sehr plötzlich mit seinem Schicksal versöhnt, wurde ihm klar, daß er absolut noch genug Widerstandskraft hatte, sich mit seiner gewohnten Beherztheit zu wehren. Das Wortspiel gefiel ihm. Er lachte mit einer Andeutung von Vergnügen, als ihm aufging, daß es für ihn in diesem Augenblick wohl besonders zutreffend war.

»Diesmal nicht«, sagte er überdeutlich. »Mich bekommt keiner mehr in Ihr Krankenhaus.«

»Aber Sie wissen doch, wie das geht. Das Ganze ist reine Routinesache«, widersprach Professor Heupke geduldig, »damit wir Sie mal wieder auf Vordermann bringen.« Er mobilisierte die große Portion Zuversicht, die er brauchte, um unbefangen zu lächeln, und wunderte sich gleichzeitig, daß es ihm immer noch gelang, jene Sympathie für Walter zu empfinden, die er ihm seit der ersten Konsultation vor einigen Jahren entgegenbrachte. »Ein paar Tage Krankenhaus«, stellte er fest, »werden Ihnen guttun.«

»Das haben Sie beim letztenmal auch gesagt«, monierte Walter. »Merken die Ärzte denn nie, wenn sie am Ende ihres

Lateins sind? Einen neuen Motor können Sie mir nicht einsetzen.«

»Aber Ihre Zuckerwerte wieder in Ordnung bringen«, zählte Professor Heupke auf, »und Ihr Herz stärken. Und dafür sorgen, daß Sie sich ein bißchen Ruhe gönnen. Mehr will ich ja gar nicht. Geben Sie«, schlug er vor, »doch einem Arzt auch mal die Chance, einem Patienten zu helfen, der ihm ans Herz gewachsen ist.«

»Keine Schmeicheleien«, verbat sich Walter streng. Mehr noch als die Beharrlichkeit des Arztes, von der er fand, daß sie auf eine geradezu irritierende Art seiner eigenen entsprach, ärgerte ihn, daß Jettel nicht nur seine Leiden mit einer Akribie aufgezählt hatte, die er bei besseren Anlässen sehr viel mehr geschätzt hätte, sondern auch noch jeden Satz, den Professor Heupke sagte, mit dem von ihm verhaßten Satz »Das sage ich ja immer« kommentierte.

»Nach Weihnachten«, sagte Walter triumphierend, »habe ich alle Zeit der Welt. Aber da verreisen ja neuerdings die Herren Ärzte und scheren sich keinen Deut um ihre Kranken.«

»Ich nicht.«

»Sie feiern selbstverständlich Silvester am Krankenbett Ihres Lieblingspatienten.«

»Wegen Silvester«, versprach der Professor, »machen Sie sich keine Sorgen. Da nehmen Sie Urlaub vom Krankenhaus und feiern mit Ihrer liebenswerten Gattin. Dann naschen Sie, was das Zeug hält, und ich fange im neuen Jahr gleich von vorn an und sage kein einziges Wort.«

»Ich werd's mir überlegen«, erwiderte Walter. »Und nur deshalb, weil Sie soeben den ersten Witz gemacht haben, seitdem wir uns kennen. Aber machen Sie sich keine allzu großen Hoffnungen, daß ich mich hier auf die faule Haut lege.«

»Und Sie bitte auch nicht, wenn Sie sich nicht helfen lassen. Und das ist jetzt kein Witz.«

»Zwei am Tag wären ja auch zuviel.«

In den schlaflosen Nächten nach dem Arztbesuch und an den Tagen, die ihm ohne Anfang und Ende erschienen, gestand Walter, zumindestens sich selbst, jedoch bald ein, daß die Besserung nur von kurzer Dauer gewesen war. Sein Starrsinn nährte jedoch die Hoffnung weiter, sein Körper würde sich auch diesmal selbst helfen. Er hatte weder vor, ins Kranken-haus zu gehen, noch sich länger mit dem Vorschlag des Arztes zu beschäftigen, doch weder Jettel noch Regina ließen ihm seinen Frieden.

Vier Wochen lang drohten beide, flehten, weinten und stritten mit Walter. Sie beschimpften ihn und ließen sich beschimpfen, versöhnten sich mit ihm, versprachen, ihn zweimal täglich im Krankenhaus zu besuchen und allen Bekannten Bescheid zu sagen, daß sie es auch taten. Sie schworen, Zigaretten und Schokolade mitzubringen und nicht zu protestieren, wenn er sich Akten aus dem Büro kommen ließ. Jettel appellierte ebenso erfolglos an Walters Verstand wie Regina an sein Verantwortungsbewußtsein. Als letzte Hoffnung, ihn zur Be-handlung in der Klinik zu überreden, schaltete sie Fafflok ein, doch auch er resignierte. Am Ende war es Ziri, der das Wunder zu einem Zeitpunkt gelang, als keiner noch damit rechnete. Mit einem einzigen Satz stimmte sie Walter um.

»Ich hab immer gedacht«, sagte sie eine Woche vor Weihnach-ten, »Sie wollen die große Feier Ihres Sohnes miterleben.«

»Ziri ist die einzige von Euch Weibern mit Grips«, erklärte Walter am gleichen Abend. »Immerhin wird eine Barmitzwa nur noch im engsten Kreis gefeiert, wenn der Vater gerade gestorben ist. Bis März muß ich noch aushalten. Das bin ich meinem einzigen Sohn schuldig. Wie seid ihr bloß darauf gekommen, daß ich nicht ins Krankenhaus gehe?«

Sein Nachgeben, das er nun feixend als ein Spiel deklarierte, das jeder Mensch mit einem Quentchen Humor sofort durch-schaut hätte, veränderte auf einen Schlag das Leben für alle. Der Streit mit Jettel galt nun wieder den Banalitäten des Alltags und verlor seine Stacheln. Walter neckte Max und Ziri mit alter Lust; vor allem fand er mit Regina zu der Einvernehmlichkeit zurück, die beide so sehr vermißt hatten.

Nach dem Anruf bei Professor Heupke, dessen teilnehmende Freundlichkeit er genoß, als käme sie ihm tatsächlich zu, besserten sich Walters Husten und Stimmung in einem verblüffenden Tempo. Die cholerischen Ausbrüche wurden seltener, die verletzende Aggressivität wich den skurrilen Scherzen, die ihm so große Freude machten. Regina erwartete gar, er würde bald mit dem Vorschlag herausrücken, nun doch nicht ins Krankenhaus zu gehen, aber sie irrte sich.

An guten Tagen pfiff Walter nach der Verschnaufpause auf der Treppe in der zweiten Etage »Ich hab mein Herz in Heidelberg verloren« und nannte Ziri, die den Namen noch immer nicht aussprechen konnte, Owuor. Immer häufiger, erwartungsfroh und mit sich immer mehr konkretisierenden Plänen, die im frappierenden Widerspruch zu seiner Sparsamkeit und Bescheidenheit standen, redete er von der Barmitzwa im März des kommenden Jahres.

Er versprach seinem Sohn eine Feier, von der in Frankfurt noch nach Jahren die Rede sein würde, und seiner Frau ein neues Kleid aus einem jener kleinen Geschäfte, die neuerdings bei den Damen gesellschaftsfähig wurden. Abends entwarf er die lange Gästeliste, die er am nächsten Morgen fröhlich erweiterte. Sie umfaßte den größten Teil der Jüdischen Gemeinde, dazu Kollegen, Richter, Staatsanwälte und gute Mandanten. Es fehlten weder die Oberschlesier noch die Bundesbrüder aus der alten Studentenverbindung, von denen in den letzten Jahren mehrere nach Deutschland zurückgekehrt waren. Greschek sollte im Wohnzimmer und Grete im Wintergarten schlafen. Eines Abends schlug er vor, Martin einzuladen. Regina war dagegen und ihr Vater schon zu eingenommen von der Idee, um ihr Spiel zu durchschauen. Er stolperte in die Falle und schrieb nach Südafrika.

Zum Hochzeitstag schenkte er seiner Frau die Perlenkette, die sie sich seit Jahren gewünscht hatte. Einen Tag danach, am Weihnachtsabend, zankte er sich so heftig mit ihr, weil sie den Karpfen und den Gänsebraten auf zwei Mahlzeiten verteilen wollte, daß sie mit theatralischer Geste die Kette auf den Küchentisch warf und drohte, sie nie wieder anzuziehen und die Gans, die Greschek aus dem Harz geschickt hatte, ungerupft in den Herd zu stopfen. Aber auch Jettels Aufstand, der ebenso eine Feiertagstradition war wie der Honigkuchen, den sie selbst auf der Farm gebacken hatte, als es keinen Honig gab, vermochte die Stimmung nicht auf Dauer zu trüben.

»Weihnachten«, pflegte Walter seit den Zeiten des überwundenen Hungers zu sagen, »dürfen sich auch die Juden sattessen.«

Er behauptete, das habe er schon als Junge im Barmitzwa-Unterricht gelernt, und freute sich stets besonders auf die Feiertage. Obwohl er seine Kinder früh gelehrt hatte, sich nur mit den eigenen religiösen Festen zu identifizieren, keinen Tannenzweig in der Wohnung duldete und Jettel seit der Verlobungszeit den Weihnachtsbaum ihrer Mutter im Wohnzimmer vorwarf, fand er nichts dabei, die Weihnachtslieder aus dem Radio mitzusingen und am zweiten Feiertag bei Faffloks unter dem prächtig geschmückten Baum zu sitzen und soviel Stollen zu essen, bis ihm übel wurde.

Es wäre ihm nie in den Sinn gekommen, auf Heringshäckerle, gestopften Gänsehals, die Biersauce zum Karpfen und Mohnklöße zu verzichten, die ihn an Weihnachten in Oberschlesien erinnerten. Er nahm über Weihnachten drei Pfund zu und war gut gestimmt, sogar übermütig, als Jettel nach den Feiertagen seinen Koffer für das Krankenhaus packte.

Walter kannte das Hospital zum Heiligen Geist noch von früheren Aufenthalten. Vor allem, und das war wesentlich wichtiger für ihn, kannten die meisten Schwestern ihn und begrüßten ihn auch diesesmal mit einer Herzlichkeit, die ihm wohl tat. Sie hatten früher schon begriffen, daß Walters oft rüde Art nur die Tarnung seiner Güte war, gingen bereitwillig auf seine Neckereien, derben Witze und Scherze ein, hatten Verständnis für sein ungeduldiges, oft ungerechtes Naturell, und sie ließen sich nie durch seine Schroffheit täuschen, wenn ihm Kleinigkeiten mißfielen.

Sowohl die Schwestern mit den grauen Haaren als auch die mit den festen Hüften und schlanken Taillen schätzten seine ungenierten Komplimente und großzügigen Trinkgelder. Sie fanden Walter originell und waren sehr gerührt von der Liebe, die er seiner Familie entgegenbrachte und die Familie ihm. Vor allem hatten sie den allergrößten Respekt vor einem Patienten, den die Oberschwester so gut kannte, daß sie ihn jeden Abend besuchte und sich lange mit ihm unterhielt. Am letzten Tag des Jahres ließ sich kaum eine der Schwestern die Gelegenheit entgehen, ihm persönlich alles Gute zu wünschen.

Walter versprach allen, auf seine Gesundheit zu achten, mit niedrigen Zuckerwerten und Mohnklößen für die ganze Station zurückzukommen, und er verpflichtete bärbeißig alle zum Schweigen, die von seiner Großherzigkeit hätten erzählen können. Er hatte die Oberschwester gebeten, in einem Sechsbettzimmer auf seine Kosten Sekt und belegte Brote zu spendieren, und einer Lehrschwester, deren Eltern aus Ratibor stammten und in Göttingen wohnten, das Geld für die Fahrkarte nach Hause zugesteckt.

Feierlich sicherte Walter zwei Ärzten und der Oberschwester zu, sich für den Weg zu seiner Wohnung ein Taxi zu nehmen, schlich aber schon nach dem Mittagessen aus der Klinik, holte sein Auto aus einer Seitenstraße ab und fuhr singend nach Hause. Weil er erst nachmittags erwartet wurde, konnte er der Versuchung nicht widerstehen, seine Familie noch mehr zu erschrecken, als er es mit seinem vorzeitigen Schellen an der Haustür getan hätte. Er schloß die Wohnungstür mit einem Gebrüll auf, das in Ol' Joro Orok nur Owuor gelungen war, wenn er dem Berg ein dreifaches Echo abverlangte, warf seinen Hut an Jettels Kopf vorbei auf den Küchentisch, boxte Regina von hinten in den Rücken und schickte Max in die Drogerie an der Ecke, um Wunderkerzen, Luftschlangen, Knallbonbons, Blei und einen Zuckerhut zu kaufen.

»Du wirst immer meschuggener«, schimpfte Jettel und ließ trotzdem spüren, daß sie sich freute. Sie hatte sich nach einer hitzigen Diskussion von dreitägiger Dauer doch noch überreden lassen, dieses Mal den Kartoffelsalat endlich wieder genauso zu machen wie in Leobschütz und nicht auf den Hering zu verzichten, den weder Regina noch Walter vertrugen.

Er kostete ihn im Stehen, wischte seinen Mund schmatzend an der frischgewaschenen Küchengardine ab, nannte Jettel zärtlich »Alte« und gab ihr einen Kuß. »Schade, daß Ziri heute nicht mit uns feiern kann«, sagte er und tat so, als würde er das Kichern aus dem Besenschrank nicht hören. Er zog sie heraus, drückte sie an sich und seufzte: »Sie wissen gar nicht, welche Freude Sie einem alten Mann machen.«

»Deshalb bin ich ja schon heute gekommen.«

»Haben Sie Ihrer Mutter denn verraten, daß Sie ein Verhältnis mit Ihrem Chef haben?«

»Ja«, lachte Ziri, »aber sie hat's mir nicht geglaubt.«

»Da bin ich ein ganz anderer Vater«, betonte Walter und schaute Regina an, »ich würde meiner Tochter sofort glauben, wenn sie mir so etwas erzählt.«

Nach dem Abendessen bestand Walter, obwohl es ein besonders milder Tag war, erst auf der Feuerzangenbowle und dann darauf, die ersten fünf Wunderkerzen auszuprobieren. Zum Glück für den weiteren Verlauf der Nacht war Jettel nach nur einem halben Glas des viel zu starken alkoholischen Getränks nicht mehr in der Lage zu entscheiden, wer das Loch in den neuen Store am Wohnzimmerfenster gebrannt hatte, und begnügte sich mit einer nur kleinen Serie von Klagen. Walter beschuldigte drohend seinen Sohn und Max ebenso erregt ihn.

Regina merkte, mit einem Anflug von Wehmut, der pfeilschnell ihr Herz rasen ließ, daß ihr Bruder bereits ihr altes Spiel, falsche Spuren zu legen und sich dabei selbst nicht zu schonen, perfekt beherrschte.

Nach alter englischer Sitte hatte sie eine Münze in einem Berliner Pfannkuchen versteckt. Sie verhieß dem Finder Gesundheit und Glück für die Zukunft, doch auf ganz unenglische Art hatte Regina bereits beim Backen gegen das Gebot englischer Fairness verstoßen und nicht für Chancengleichheit gesorgt. Sie hatte den Pfannkuchen des Schicksals mit einer großen Rosine markiert, legte schnell allen einen Berliner auf den Teller und schob ihrem Vater den Glücksbringer zu.

»Typisch für die Engländer«, schimpfte Walter, als er das Fünfzigpfennigstück ausspuckte, »daß sie es als gutes Omen empfinden, wenn sich einer in der Neujahrsnacht die Zähne ausbeißt«, aber es war ihm anzumerken, daß er zwar gegen Sentimentalität, nicht jedoch gegen Aberglauben gefeit war.

Beim Bleigießen holte Ziri aus der Schüssel einen Klumpen, den Walter galant als Hochzeitskutsche deutete, doch als Regina ein sehr ähnliches Gebilde goß, war er nicht zu der gleichen Großzügigkeit bereit.

»Das«, sagte er, »sieht doch jeder, daß das Ding ein riesengroßer Koffer ist. Wahrscheinlich willst du im neuen Jahr deinen alten Vater für immer verlassen. Wie Hamlets Tochter.«

»Lears Tochter«, verbesserte Regina, »Hamlet starb als Junggeselle.«

»War der denn unglücklich verliebt?«

»Ja, in ein Mädchen aus Südafrika.«

Jettels Bleiklumpen wurde einstimmig zu einem glückbringenden Schornsteinfeger deklariert, der von Max nach langer Überlegung nur zu einem Löffel.

»Ein silberner Löffel«, schwärmte Regina und gab sich Mühe, so auszusehen wie die Fee ihrer Kindertage, »ist das höchste Glück beim Bleigießen.«

»Quatsch nicht so blöd«, widersprach Walter, »ein Löffel bedeutet, daß du, mein Sohn, im kommenden Jahr alle Suppen selbst auslöffeln mußt, die du dir einbrockst.«

Er wärmte sein Blei als letzter, beugte sich tief über die Schüssel mit Wasser und holte eine kleine, rechteckige Platte heraus. Ehe sie jemand gründlich betrachten konnte, nahm Walter sie in die Hand und sagte: »Nebbich, was soll ich schon gießen? Das ist ein Sarg.«

Ziri bekreuzigte sich und wurde blaß, Jettel und Regina rot und wütend; Walter fragte seinen Sohn, ob wenigstens er wisse, weshalb Frauen keinen Humor hätten. Max schüttelte seinen Kopf, rollte mit den Augen, murmelte »lange Haare, kurzer Verstand«, stand auf und legte von hinten seine Arme um seinen Vater.

Eine halbe Stunde vor Mitternacht ging Ziri zu den Mietern im vierten Stock, um ihnen ihre Neujahrswünsche und eine Kostprobe von Jettels Mohnklößen zu überbringen. Sie war kaum zehn Minuten fort, als Walter, ohne daß es einer merkte, dort anrief, mit verstellter Stimme nach Ziri verlangte und ins Telefon flüsterte: »Kommen Sie sofort herunter, der Herr Doktor ist soeben gestorben.«

Walter, mit einer bunten Papiermütze aus einem Knallbonbon auf dem Kopf, empfing kichernd die schluchzende Ziri und das verstörte junge Ehepaar vom vierten Stock im Hausflur und hatte mehr Mühe als geplant, Jettel, Regina und Max die Zusammenhänge zu erklären und alle soweit zu beruhigen, daß sie bereit waren, ihm zu verzeihen und das neue Jahr mit trockenen Augen zu empfangen. Trotzdem blieb er bei der Behauptung, daß ihm in seinem ganzen Leben noch kein Silvesterscherz so gut gelungen sei. Fünf Minuten vor zwölf sang er die ersten Töne von »Auld Lang Syne«. Seine Stimme war kräftig und klar.

Regina starrte ihren Vater erschrocken an und konnte es nicht fassen, daß sie die vertrauten, so lange vergessenen Laute hörte. Sie sah winzige Sterne, die zu einem kreisenden Ball um ihre verwirrten Sinne zerschmolzen und dann in einem Feuerregen zerfielen. Ihr Körper bebte, die Augen brannten, und es gelang ihr nur kurz, aus ihnen die salzigen Körner zu verbannen, ehe sich die Bilder mit der Gewalt eines zu schnell genährten Buschfeuers entzündeten und zu einem brennenden Wald wurden. Die alte sehnsuchtsgetränkte schottische Weise mit der zerreißenden Melodie, die sie seit ihrer Schulzeit im englischen Internat kannte, hatte sie immer gerührt. Gnadenlos wüteten nun die Erinnerungen, die Szenen einer Tropennacht, der Klang der Stimmen unter den Zitronen- und Guavenbäumen, gepeitscht von einem schwülen Wind, in ihrem Kopf. Sie hatte das Lied zum letzten Mal Silvester 1946 in Nairobi gehört.

Damals hatten die Emigranten aus Deutschland um Mitternacht unbeholfen und verlegen »Auld Lang Syne« gesungen, um wenigstens sich selbst zu beweisen, daß sie nach verzweifelten Jahren der Suche nach neuen Wurzeln in Kenia endlich ihre Heimat gefunden hatten und keine Ausgestoßenen mehr waren. Mit beängstigender Deutlichkeit sah Regina wieder die Menschen, an die sie seit Jahren nicht mehr gedacht hatte, im Kreis stehen und sich die Hände reichen.

Sie hörte sie wieder singen und spürte aufs neue in ihrer Brust den Druck von hastig ersticktem Gelächter, als die harte, kehlige deutsche Aussprache ihre Ohren erreichte. Nur Walter, der das Lied beim britischen Militär gelernt hatte, hatte die Silben, die alten gälischen Worte, die verwehende Sehnsucht und die mystische Romantik zum Schwingen gebracht. Sie war stolz auf den strahlenden Ritter gewesen, dessen Zunge in einem herrlichen Augenblick der kurzen Erfüllung nicht wie die der Fremden stolperte, wenn sie Englisch sprach.

Regina sah ihren Vater in der Uniform eines Sergeants unter Afrikas duftenden Bäumen stehen. Hell glänzten die drei weißen Streifen auf dem Ärmel seines Khakihemdes. Walter war schlank, größer als die meisten Menschen, die um ihn standen, und sehr jung. Die Augen waren ungetrübt, das Haar voll und schwarz. Er hielt Reginas Hand und spaltete mit der Wärme seiner Berührung ihr Herz in zwei Teile, denn sie wußte, daß er von nichts anderem träumen konnte als von der Rückkehr nach dem Deutschland, das sie fürchtete. Als sie ihren Vater so kraftvoll in der Sprache singen hörte, die nicht die seine war, hatte sie zum erstenmal geahnt, daß er es versäumen würde, sich für den Aufbruch vor jenen Erinnerungen zu schützen, die dem Menschen für immer seine Ruhe stahlen. Es war einer der vielen Momente in ihrem Leben gewesen, und auch einer der frühesten, in denen aus dem Band der Liebe zum Vater die fordernde Kette der Unzertrennlichkeit wurde.

Der Frankfurter Nachthimmel wurde taghell, gleißend grün und brennend rot. Durch die offenen Fenster rauschte der Klang von Kirchenglocken und dumpfen Böllerschüssen. Auf der Straße rasten und hupten die Autos. Ein Hund jaulte, Tauben flogen hoch. Die Kinder lärmten und warfen kreischend Knallfrösche von den Balkonen. In die Vorgärten fiel vergoldeter Regen und verglühte. Regina machte sich mit einer klatschenden Bewegung daran, ihre Ohren vor den Rufen der alten Welt zu schützen, und riß ihre Augen auf. Die Flamme unter der Feuerzangenbowle brannte blau, sanft gelb das Licht aus den Pergamentschirmen der sechsarmigen Lampe an der Decke. Jettels neue Perlenkette glänzte auf weißer Haut.

Die Wunderkerze, die Walter jubelnd schwenkte, während er »Prost Neujahr« rief, tauchte aber mit der Bösartigkeit eines lauernden Ungeheuers sein Gesicht in die vergifteten Farben der Vergänglichkeit. Regina sah graue Haut, dunkle Schwermut in den Augen, tiefe Furchen auf der Stirn, gebeugte Schultern, die zu lange eine Last getragen hatten, für die ihre Kräfte nicht reichten, den leicht gewölbten Bauch, dünn gewordene Arme, weiße Finger mit blauen Knöcheln. Der Schmerz der Erkenntnis war vernichtend. Ihr Vater war ein von

Alter und Krankheit gezeichneter Mann. Sie wußte, daß sie nicht mehr lange die Wahrheit würde ertragen können, ohne daß ihr Blick sie zur Verräterin an der Hoffnung machte, die sie ihm seit der Stunde schuldete, da er selbst die Hoffnung verloren gegeben hatte. Dann aber griff Walter wieder nach ihrer Hand – mit der gleichen Wärme wie in den gestorbenen Tagen, mit dem gleichen magischen Beben in seinen Fingern und so, als sei nichts geschehen seit der Nacht, da er in Nairobi ihr Ritter geworden war. Die Kette der Liebe um Reginas Körper wurde schwer und heiß. Walter beugte sich schwerfällig zu ihr herab, seine Lippen streiften ihre Haare und berührten ihr Ohr; ihr war nur noch wichtig, daß keiner außer ihr ihn »Danke« sagen hörte.

»Was habt ihr beide bloß immer zu flüstern«, beschwerte sich Jettel.

»Wir haben nicht geflüstert«, behauptete Walter gekränkt, »Regina, bitte verrate deiner eifersüchtigen Mutter auf der Stelle, was ich dir eben gesagt habe.«

»Er will eine Schnitte mit Bratensoße haben und hat sich nicht getraut, dir das zu sagen«, vermittelte Regina.

Am späten Nachmittag des Neujahrstages, fröhlich aus dem Taxi winkend und den Hut zum Fenster herausschwenkend, fuhr Walter zurück in das Hospital zum Heiligen Geist, körperlich gestärkt von Jettels saftigem Hasenbraten und seelisch von einer Nacht, die er als unbeschwert, anregend und außergewöhnlich gelungen empfand. Er erzählte dem Taxifahrer, daß er grundsätzlich Urlaub im Krankenhaus mache, und merkte ein wenig betroffen, immer noch gutgelaunt, daß er tatsächlich die Zeit so zu empfinden begann. Der Duft von Bohnerwachs in den langen Fluren erreichte seine Nase. Er roch ihn gern. Die Wärme tat ihm wohl, danach die Schwestern, deren von der langen Nacht noch ermüdete Mienen sich aufhellten, als sie ihn willkommen hießen. Die Oberschwester hatte ihm eine Christrose in einem blauen Glas ins Zimmer stellen lassen. Er berührte zart eine Blüte, öffnete einen Wimpernschlag lang der Schönheit sein Herz, setzte sich auf das frischbezogene Bett und stellte fest, daß es ihm keine Mühe mehr machte, die Schuhe aufzubinden. Als er seinen Schlafanzug anzog, pfiff er noch einmal »Auld Lang Syne«; die Lust des Lebens pochte in seinen Schläfen.

Mit der Müdigkeit, die er bald darauf doch spürte, umhüllte ihn eine Zufriedenheit, die ihm sein stets gegen den geschwächten Körper aufbegehrendes Naturell nur selten gönnte. Die Dämmerung stimmte ihn milde und zuversichtlich, obwohl er seit Afrika die Zeit zwischen Tag und Nacht als zu lang und bedrohlich empfand; er schloß seine Augen und schlief einige Minuten sehr fest. Als er erfrischt aufwachte, sah er Reginas Gesicht, erwiderte ihren Blick der Liebe, dachte an die Barmitzwa von Max und nahm sich vor, dem Arzt und auch sich selbst die Zeit leicht zu machen, die er noch im Krankenhaus bleiben mußte. Er hörte Schritte auf dem Flur und das Klappern von Geschirr vor den Zimmern und hatte die gleiche Freude an den vertrauten Geräuschen wie in den Nächten auf der Farm, wenn er die Klänge deuten konnte, ehe sie anfingen, ihn zu beunruhigen.

Die junge Lernschwester mit dem Frankfurter Zungenschlag und den Ratiborer Eltern, der er das Geld für die Fahrkarte gegeben hatte, war zurück von zu Hause und dankte ihm mit Mohnklößen nach dem Rezept ihrer Großmutter aus Hindenburg. Er erzählte ihr mit Einzelheiten, die ihm viel Freude machten, von einem kleinen Betrüger, den er einmal dort vor dem Amtsgericht verteidigt und vor einer Gefängnisstrafe bewahrt hatte. Das junge Mädchen im gestärkten Kleid hatte beim Lachen sehr schöne Zähne, doch ihr Blick und erst recht ihre Sprache ließen Walter wissen, daß Oberschlesien ein sehr fernes Land geworden war. Er seufzte, die dralle Blonde fragte ihn, ob er Schmerzen habe.

»Nicht da, wo Sie denken«, diagnostizierte er.

Am späten Abend besuchte ihn die Oberschwester mit einem blankpolierten roten Apfel auf einem feingemaserten Holzteller. Ihre Stimme erinnerte ihn an die seiner Mutter, der schwarze Rock in dem weißen Zimmer an Ängste, die er vergessen wollte, doch er berichtete, noch einmal erheitert, von seinem Silvesterscherz und wie er alle erschreckt hatte. »Sie wissen doch, Totgesagte leben länger«, fiel ihm ein.

»Ihre arme Frau tut mir leid«, sagte sie.

»Mir auch. Manchmal wenigstens. Doch habe ich mir vorgenommen, im neuen Jahr ein neuer Mensch zu werden. Der alte Packesel wird noch gebraucht.«

Die Vorstellung vom neuen Menschen, dem es kraft seines Willens und Verantwortungsbewußtseins gelingen könnte, sich zum Wohl derer, die er liebte, selbst zu bezwingen, gefiel ihm so gut, daß er am nächsten Tag Professor Heupke davon erzählte. Der Arzt erkannte seine Chance und sagte: »Dann bleiben Sie doch noch zehn Tage bei uns. Sie werden sehen, wie gut Ihnen das tut.«

»Acht«, handelte ihn Walter entschieden herunter, »am 9. Januar will ich zu Hause sein. Dafür lasse ich in der Zeit, die ich hier bin, alles mit mir machen.«

Er hielt Wort, fast klaglos die Diätvorschriften ein, lange Mittagsruhe, leidlichen Frieden mit Jettel und sich fern genug von beruflichen Forderungen, um sich nicht mehr als einmal am Tag aufzuregen. Am Ende der Woche fühlte er sich stark und sicher. Nachmittags ging er mit Jettel eine halbe Stunde in der schneeverwehten Parkanlage am Krankenhaus spazieren. Obwohl er beim erstenmal behauptet hatte, er könne überhaupt nicht mehr laufen, und sie wolle ihn nur möglichst schnell umbringen, um das von ihm mühsam Ersparte auf Reisen zu verprassen, litt er trotz der Kälte weder an Atemnot noch an Schmerzen in der Brust. Er nahm drei Pfund ab, sein Gesicht hatte wieder Kontur und Farbe. Die hohen Zuckerwerte besserten sich und erst recht die Laune des Arztes, der so enthusiastisch wurde, daß er von Nacherholung und einer kurzen Kur in Bad Nauheim sprach.

»Nur über meine Leiche«, sagte Walter.

Regina besuchte Walter immer am späten Abend nach der Arbeit. Sie brachte ihm Zeitungen und Bücher und erhärtete seine lang gehegte Vermutung, daß seine grüblerische Tochter in der Redaktion sehr viel heiterer sei als zu Hause. Sie erzählte von Kollegen, Diskussionen, Begegnungen und vom Theater. Walter interessierte sich zum erstenmal richtig und ohne seine sonstigen Vorbehalte und ironischen Bemerkungen für ihre Arbeit; einmal ging er so weit, sie als tüchtig zu bezeichnen und sich zu dem Geständnis hinreißen zu lassen, daß er ihren Beruf doch nicht so unpassend für sie einschätze, wie er immer behaupte. Er gab auch endlich zu, was sie schon lange wußte, daß er im Anwaltszimmer die »Abendpost« las und daß ihm ihre Artikel gefielen.

»Ein Schwiegersohn hätte mir allerdings besser gefallen«, schränkte er schnell ein.

»Schwindle nicht so, Bwana. Über das Thema sind wir uns doch schon vor langem einig geworden. Du hättest mich nie einem Nebenbuhler gegönnt.«

»Ich hab dir aber deine Freiheit genommen.«

»Du hast sie mir gegeben.«

Sie sprachen viel von Ol' Joro Orok und Owuor, verdrängten, belustigt von ihrer Fähigkeit dazu, die Not der Vergangenheit und tränkten die Gegenwart mit einer Wehmut, deren sie sich in einer anderen Atmosphäre als der des Krankenhauses geschämt hätten. Sie genossen die langen Gespräche, die Intimität und am meisten das Wissen, das sie einander genug waren. In den langen Stunden der Einvernehmlichkeit gelang es keinem von beiden, sich je so zu verstellen, daß der andere nicht merkte, wie zielsicher ihre Erinnerungen zu den geliebten Menschen Afrikas strebten, die Krankheiten als Gottes Wille hinnahmen und Zukunftsangst nicht kannten.

»Zeit, daß ich nach Hause komme«, erkannte Walter, »es macht schwach zurückzuschauen.«

In der Nacht vor seiner Entlassung schlief er schlecht und wachte morgens um fünf auf. Ungeduld und Unruhe, die Gier nach Arbeit, Pflicht und Tat, nach Bewährung und eigenen Entschlüssen hatten ihn eingeholt. Es drängte ihn nach Familie, Heim und Aktivität. Er verlangte sein Frühstück, kaum daß der Geschirrwagen auf dem Flur klapperte, aß es hastig und ärgerte sich über den dünnen Kaffee und das zu lang gekochte Ei, zog sich an und packte seinen kleinen Koffer, obwohl er mit Jettel verabredet hatte, daß sie ihn um zehn Uhr abholen sollte. Er stellte sich kurz an das Fenster, zählte die Autos auf der Straße, grämte sich, daß das eigene zu Hause stand, und klingelte dann nach der Schwester.

»Wann kann ich endlich gehen?«

»Donnerwetter, Sie haben ja schon zusammengepackt. Der Herr Professor will doch noch einmal nach Ihnen sehen.«

»Braucht er nicht, ich schick ihm ein Bild von mir.«

»Spätestens um acht wird er hier sein. Er hat's Ihnen gestern doch extra versprochen.«

»Und was glaubt er, soll ich bis dahin hier machen?«

»Nun sind Sie mal an Ihrem letzten Tag nicht so ungeduldig, Herr Doktor Redlich. Das bekommt Ihnen nicht.«

»Die Warterei erst recht nicht.«

»Ist doch nicht mehr lange. Machen Sie doch noch ein Rätsel«, schlug Schwester Martha vor, »das tun Sie doch sonst so gern.«

»Weil Sie's sind«, brummte Walter, »aber unter Protest.«

Er brauchte einige Zeit, ehe er den Füllfederhalter fand, und suchte ebenso lange nach der Brille, setzte sich in den Lehnstuhl am Fenster und schlug, durch die Routine der Bewegung, die ihm bereits wie ein gutes Stück Alltäglichkeit erschien, mit der erzwungenen Tatenlosigkeit versöhnt, die Zeitschrift auf. Eine kleine Weile beschäftigte ihn der Gedanke, daß eine Krankenschwester einen unzufriedenen Mann sehr viel besser zu besänftigen verstand als eine Ehefrau, und er lächelte. Walter hatte sein Leben lang Befriedigung an der Logik von Kreuzworträtseln gefunden. Sie entsprachen seiner Neigung, nur mit Ausdauer und unter Ausschaltung des Gefühls an das gesetzte Ziel zu gelangen: Es faszinierte ihn, daß der Sieg bei Kreuzworträtseln nicht von Zufällen abhängig war. In der Emigration war es ihm als symbolträchtig erschienen, daß er nicht genug Englisch konnte, um auch nur ein einziges Rätsel zu lösen.

Er merkte, daß er zu rasch dabei war, die leeren Kästchen zu füllen, machte Pause, um das Vergnügen noch einige Zeit zu verlängern, und schaute zum Fenster hinaus. Das klare Licht der Straßenlaternen entsprach seiner Stimmung. Die Bäume waren in der kalten Nacht erstarrt, die erste Eisblume auf der Scheibe aber schon geschmolzen. Als die zweite zu tropfen begann, beugte er sich wieder über das Blatt und schrieb weiter. Es war so still im Raum, daß das Kratzen der Feder laut wurde.

Der Wecker, auf sieben Uhr gestellt, läutete schrill. Schwester Martha kam herein. Das harte Linoleum dämpfte keinen ihrer festen Schritte. »Sehen Sie«, sagte sie, »nun sind Sie ja doch wieder eingeschlafen und auch noch mit der Brille auf der Nase.« Sie ging, so leise wie ihre groben Schuhe es zuließen, zum Nachttisch, um das Tablett mit dem Frühstücksgeschirr zu holen, aber sie blieb mit ihrem Ärmel an der kleinen Lampe hängen und konnte das Tablett nur mit Mühe festhalten. Der kleine Milchkrug schlug gegen die Kanne, polternd fiel die Tasse zu Boden, die Scherben gegen das eiserne Bettgestell.

»Entschuldigen Sie, das wollte ich wirklich nicht«, sagte die Schwester und drehte sich erschrocken nach Walter um. Als er sich nicht rührte, fing sie zu lachen an. »Bis zum Schluß müssen Sie Ihre Späßchen mit uns machen. Nun, lassen Sie's gut sein, Herr Doktor Redlich, ich weiß ganz genau, daß ich Sie mit meinem Lärm geweckt habe.«

Sie stellte das Tablett ab, und ging, immer noch lachend, die wenigen Schritte zum Sessel. Weil sie den Kopf gesenkt hielt, richtete sie ihren Blick zunächst nur auf den kleinen Tisch mit der aufgeschlagenen Zeitschrift. Das Kreuzworträtsel hatte nur noch einige leere Kästchen.

Walter war vor seinem Tod nicht mehr zu den letzten Lösungen gekommen. Er hielt den Füller noch in der Hand.

22

Regina hatte in einer mit dem Donner des schwarzen Gottes wütenden Nacht von Ol' Joro Orok lange vor der Zeit, die ein Mensch braucht, um für immer sehend zu werden, von den Tagen des letzten Blitzes erfahren. Diese Tage bewaffneten sich mit einer todbringenden Axt und schlugen Wunden, die nie mehr verheilten. Wer einmal ihre Schmerzen erlitten hatte, konnte allzeit die Narben zählen und sie zum Sprechen bringen. Keinem der Kämpfer der Finsternis war es aber je gelungen, Regina auf Dauer die Hoffnung des Kindes zu entreißen, das noch die Hand des Vaters auf der Schulter fühlt. Nun war dieser Tag gekommen.

Der 11. Januar 1959 war ein Zerstörer des Lebens. Ihm genügte ein einziger Hieb für den entscheidenden Schlag. Regina machte sich bereit, den so lange gefürchteten Feind zu empfangen. Als sie das Geräusch ihrer Zähne auffing, die wie Keulen mit einem eisernen Kopf aufeinanderschlugen, preßte sie die Lippen zusammen. Sie wußte, daß sie sich gegen die schnellen Tränen der Trauer mit der gleichen Entschlossenheit wehren mußte wie ein junger Massai gegen das Brennen seiner ersten Wunde, wollte sie sich der Hinterlassenschaft ihres Vaters würdig erweisen. Die Disziplin, mit der er seine Last getragen hatte, war der Dank, den sie ihm schuldete.

In der Ferne läuteten Kirchenglocken aus der Welt des Lebens. Der zweite Tag der neuen Zeitrechnung war ein Sonntag. Er brachte nach einer eisigen Nacht so niedrige Temperaturen, wie sie in der verwöhnenden Milde der Frankfurter Winter kaum je vorkamen, und war schon morgens um zehn in seiner Unerbittlichkeit erstarrt. Dennoch wurde bereits eine halbe Stunde vor der angesetzten Zeit klar, daß weder die abnorme Kälte noch ein beißender, immer kräftiger werdender Wind und schon gar nicht ein für viele Menschen weiter Anfahrtsweg nur einen Freund, Bekannten, Kollegen oder Gleichgesinnten, der die Verpflichtung des Dabeiseins empfand, davon abgehalten hatte, sich zu Walters Beerdigung aufzumachen.

Die frierenden Menschen standen in kleinen Gruppen vor den weißen Mauern des Friedhofs, versammelten sich im Hof vor der Trauerhalle und stellten sich unter die Bäume, die über die erste Reihe der zugeschneiten Gräber wachten. Diejenigen, die sich mit den Gepflogenheiten auskannten und nicht argwöhnen mußten, durch eine Bewegung, deren Konsequenz sie nicht übersehen konnten, ihnen fremde religiöse Gebote zu verletzen, kamen kurz in die kleine, längliche Wartehalle, in der aus jedem Atemzug ein Dunst von grauem, feuchtem Nebel wurde. Dort verharrten Jettel leise weinend und Regina stumm neben Fafflok auf einer schmalen weißen Holzbank. Auf der gegenüberliegenden Seite saßen einige alte Frauen in abgetragener Kleidung und bärtige Männer mit wachem Blick.

Regina hatte sie noch nie und Jettel nur bei Begräbnissen gesehen. Die Fremden, deren Mienen ohne Scheu und deren viele ausdrucksvolle Gesten wissen ließen, daß sie mit dem Tod besser vertraut waren als mit dem Leben, unterhielten sich mit einer Munterkeit, die weder zu ihren grauen, zerfurchten Gesichtern noch zum Ort des Geschehens paßte. Sie machten sehr abrupte Pausen in ihren Gesprächen, schauten dann gedankenvoll auf Mutter und Tochter und fingen so unvermittelt wieder zu reden an, wie sie aufgehört hatten; wenn sie nickten, was sie häufig taten, war es, als hätten sie die Gleichheit ihrer Bewegungen lange eingeübt.

Wann immer das gute Schweigen einsetzte, hörte Regina die Stimme ihres Bruders, beruhigend fest und sehr deutlich.

Fühlte sie sich einen Moment lang von den forschenden Blicken befreit, die sie peinigten, drehte sie sich um und konnte, wenn sie es wagte, ihren Körper zu strecken und den Kopf hoch genug zu heben, auch Max sehen. Er stand mit seinem Religionslehrer in einem kleinen Nebenraum und übte zum letztenmal das Totengebet für seinen Vater. Es war Regina, obwohl sie nicht Hebräisch konnte, in den zwei Tagen, die seit dem Anruf aus dem Heilig Geist Hospital vergangen waren, so vertraut geworden, als hätte sie es ein Leben lang gehört.

Sie versuchte, während sie die kalte Hand ihrer Mutter hielt, die Fähigkeit des Fühlens zurück in die eigenen, krampfenden Glieder zu holen, um Leid und Mitleiden weitergeben zu können, wie es das Gebot der töchterlichen Liebe forderte. Sie konnte aber ihren Gedanken, die sich in einem Augenblick des Gewährenlassens aus der Gegenwart in die Tage ohne Angst und Tod gestohlen hatten, nicht mehr die Richtung befehlen. Die Flucht nahm ihrem Kopf die Stärke und ihrem Körper zu viel Kraft.

Entschlossen kniff Regina ihre Augen zusammen, um das Wasser in ihnen wieder zum Salz zu machen, das nicht sichtbar wurde, und schaute in den Hof hinaus. Sie sah den Turm der hohen schwarzen Hüte, die Mauer der dunklen Mäntel und eine nicht endende Fläche weißer Gesichter, und wieder flohen ihre Sinne. Sie ertappte sich bei der Vorstellung, daß die vielen Menschen ihren Vater sehr gefreut hätten und wie lustvoll und belustigt er immer gesagt hatte, es würde sich schon deswegen keiner seine Beerdigung entgehen lassen, weil man zu jüdischen Begräbnissen die Kosten für den Kranz sparte.

In einem Augenblick, der Besinnung, Respekt und Demut befahl, einen Scherz zu genießen, empfand sie als Sünde; sie war zur Sühne bereit. Max kam aus dem Hinterzimmer. Sein Schritt war laut in der plötzlichen Stille. Er setzte sich neben Regina, lehnte sich an ihre Schulter, und endlich spürte sie die Wärme, die sie zuvor nicht an Jettel hatte weitergeben können.

Von Reue in die Scham gezerrt, weil sie so zufrieden an das Leben ihres Vaters und nicht an dessen Tod gedacht hatte und das mit einer Ruhe, die sie als befremdend und provozierend empfand, ließ Regina die Hand ihrer Mutter los. Verwirrt wandte sie sich ihrem Bruder zu, um den Trost des schweigenden Teilens, der sie soeben glückhaft durchströmte, in Besitz zu nehmen. Ihr wurde bewußt, daß Max noch die gleichen sanften und wimpernschweren Augen hatte, die in seinen Kindertagen die Menschen bezaubert hatten. Nun aber, da zu frühes Wissen diese Augen verdunkelte, war noch eine Färbung hinzugekommen – die Güte, die seinen Vater zu dem Mann gemacht hatte, der er gewesen war.

»Hast du denn eine Ahnung, wann wir hier endlich raus dürfen und in die Halle gehen können?«

»Als allerletzte«, erwiderte Max, »das kannst du dir doch denken. Wir sitzen doch drüben in der ersten Reihe. Das weiß ich genau. Vati hat es mir fest versprochen.«

Er hatte sich bei seinem letzten Satz Mühe gegeben, seine Stimme mit der Trauer zu durchziehen, die die Ohren der Freunde und erst recht die der Fremden von ihm erwarteten, aber Regina hörte doch die vertrauten, verräterischen Schwingungen zu rasch unterdrückter Leichtigkeit heraus und wußte Bescheid. Sie biß sich abermals auf die Lippen, um das Lächeln, das in ihr war, zurückzudrängen, ehe es sichtbar wurde. Auch Max bekam die Scherze seines Vaters nicht aus dem Ohr.

»Weißt du noch, wann er dir das zum erstenmal versprochen hat?«

»Bei seinem ersten Herzanfall«, erinnerte sich Max. »Muß ich mich heute schämen, daß ich damals so gelacht habe?«

»Nein, er hat gewollt, daß du lachen kannst, wenn du an ihn

denkst. Auch heute. Mir hat er als Kind immer versprochen, ich brauchte mir bei seiner Beerdigung nicht den Hals zu waschen.«

»Finde ich genauso schön.«

Auf dem Weg zur Trauerhalle, den Arm um Jettel gelegt und ihre Hand in die ihres Bruders, fiel Regina eine große Gruppe älterer Menschen auf, die befangen und abwartend vor der Tür standen. Die schwarzen Hüte der Männer waren auffällig neu, die Mäntel sahen aus, als hätten sie so viel wie ihre Träger erlebt. Die Frauen, klein von Statur und rundlich, hatten verhärtete Züge. Die Gesichter mit den roten Augen und den Mienen bedrückter Verlegenheit ähnelten einander; obwohl Regina diese Mitleidenden, deren Aufrichtigkeit sie spürte, durch eine Bewegung ihres Kopfes wissen ließ, daß sie ihnen im Gedenken an ihren Vater dankte, konnte sie sich an keinen einzigen Namen erinnern. Sie wußte aber, ohne daß sie nur einen Moment zu überlegen brauchte, wie alle die kleinen Städte und Dörfer hießen, aus denen sie stammten.

Es bewegte sie sehr, die schweigende Gruppe zu sehen. Sie waren alle gekommen, die Schlesier und Oberschlesier, diese entwurzelten Menschen, mit denen Walter die Erinnerungen an die Naivität der Jugend und die unstillbare Sehnsucht nach Breslau, Leobschütz und Sohrau geteilt hatte – nur diese Menschen mit dem verklärenden Blick in die Vergangenheit hatten seinen lebenslangen Traum von Heimat noch einmal Wirklichkeit werden lassen, ohne daß er den Tod seiner Illusionen zugeben mußte.

Regina bemerkte, daß viele von Walters geliebten Landsleuten die Hände vor dem Bauch gefaltet hielten, als wollten sie sie zurückhalten von der Tat, nach der es sie drängte. Es gelang ihr aber nicht, sich die Zusammenhänge zu erklären, bis eine Frau an sie herantrat und ihr zuraunte: »Der Herr Doktor hat immer gesagt, wir dürfen ihn nicht blamieren und mit Blumen auf einen jüdischen Friedhof kommen.«

»Er hätte sich gefreut, daß Sie daran gedacht haben«, flüsterte Regina zurück. Wieder verwehrte ihr ein heiterer Gedanke die Hingabe an ihren Schmerz. Ihr fiel ein, wie Walter ihr erzählt hatte, daß er seine Oberschlesier, wann immer sie in sein Büro kamen oder er sie besuchte, über den Ritus einer jüdischen Beerdigung aufgeklärt hatte und wie sie alle gesagt hätten: »Einen so feinen Mann wie den Herrn Doktor kann man doch nicht mit leeren Händen auf seinem letzten Weg begleiten.«

Regina konnte sich so genau den harten Klang der schlesischen Stimmen vorstellen, die Überraschungsrufe mit den langgezogenen Vokalen, die groben, bildhaften Redewendungen, daß sie auch ihren Vater sprechen hörte. Seine Stimme war präsent genug, um ihre Sinne zu schärfen. Als sich zu den vertrauten Klängen erst der Witz und die Ironie und schließlich auch die vor so langer Zeit fertiggemalten Bilder zuzuordnen begannen, erkannte Regina, was ihr Vater für sie getan hatte.

Er war ein Weiser im traditionellen Gewand des Narren gewesen. Er hatte mit den Seinen nicht aus skurriler Lust am Makabren, sondern immer nur deshalb die Zukunft geprobt, damit sie die Gegenwart ertragen konnten, ohne zu verzweifeln. Es war nur noch Reginas Körper, der zitterte, und nur die Kälte, die ihn beben ließ.

Längst nicht alle Menschen fanden einen Platz in der großen Trauerhalle. Sie standen an den Wänden und im Mittelgang. Die Tür konnte nicht geschlossen werden; der eisige Wind drängte bis zu dem Sarg aus einfachem Holz. Regina versuchte, sich ihren Vater in diesem Sarg vorzustellen, aber ihr Kopf sperrte sich gegen die Wirklichkeit. Sie sagte sich auch immer wieder, der Gedanke müsse sie trösten, daß der Tod so schnell und ohne Schmerz und Wissen zu ihm gekommen war, doch sie konnte nur an das Bleigießen von Silvester und an die seltsamen Scherze der Nacht denken. Verlegen drückte sie Jettels Hand, als der Rabbiner an das Pult trat.

Er war ein weißhaariger Mann von imponierender Größe mit

einem jederzeit zum Zorn bereiten roten Gesicht, bezwingenden Augen und einer Stimme, wie sie den Aufrechtesten und Eifrigsten der biblischen Propheten nachgerühmt wurde: Er sprach donnernd von der Pflicht zur Glaubenstreue und Tradition und sagte, er habe diese in den Gesprächen mit Walter bei aller Liberalität stets gespürt. Er nannte den Verstorbenen einen Mann der Widersprüche, der mutig die Emigration auf eine Kaffeefarm in Südamerika auf sich genommen, der seine Familie geliebt habe und dem es nicht mehr vergönnt worden wäre, seine Kinder aufwachsen und in seine Fußstapfen treten zu sehen. Regina starrte auf ihren Schoß und hob dann doch den Kopf. Hinter dem Rücken ihrer Mutter suchte sie den Blick ihres Bruders. Auch seine Schultern bebten, auch er hielt sich die Hand vor den Mund.

»Lacht bloß nicht, wenn der Rabbiner mich mit jemand anders verwechselt«, hatte Walter oft gesagt, »das tut er grundsätzlich bei Beerdigungen. Hauptsache, er sagt, ich sei ein guter Mensch gewesen.«

Die gemessene Rede vom Vertreter der Anwaltskammer, der von selten gewordenem Berufsethos eines Redlichen sprach, ohne daß ihm das Wortspiel auffiel, auch die Worte vom Vertreter des Vorstands der Jüdischen Gemeinde, der Walter einen Mann der ersten Stunde nannte und sein cholerisches Temperament feinsinnig als Zivilcourage umschrieb, und erst recht die mit lateinischen Ausdrücken gespickte Ansprache eines greisen Bundesbruders aus der Breslauer Studentenzeit glichen, sehr oft wortgenau, so frappierend Walters ironischen Entwürfen, daß selbst Jettel einmal lächelte. Auf der Farm, wenn sie unvermittelt an ihre Jugend gedacht und von ihren Erfolgen als junges Mädchen geschwärmt hatte und Walters alte Eifersucht erwacht war, hatte sie manchmal so ausgesehen. Später selten.

Regina erinnerte sich an die Tage ihres ersten Lebens und wurde wehmütig. Obwohl sie sich sagte, es sei nicht die Zeit dazu, begann sie, über die Ehe ihrer Eltern zu grübeln. Sie fragte sich, ob ihr Vater wenigstens in dem kurzen Augenblick von Jettels befreiendem Lächeln erkannt hätte, daß seine Frau mehr Humor hatte, als er ihr zugestehen wollte. Der Seufzer, den Regina unterdrückte, und auch die Tränen, die ihr kamen, erschienen ihr illoyal. Trotzdem bohrte die Frage weiter in ihr, weshalb sich ihr Vater nie von einem Vorurteil hatte abbringen lassen. Es befriedigte sie, daß ihre Liebe stets stark genug zur Nachsicht gewesen war.

Das Bedürfnis nach Luft und Flucht wurde fordernd, als der virile Bundesbruder den lateinischen Zitaten griechische folgen ließ. Reginas Augen, zu lange schon beherrscht von einem Willen, der die Bekundung der tatsächlichen Empfindungen nicht gestattete, konnten kein Gesicht vom anderen unterscheiden. Mit einemmal sah sie unter den Gesichtslosen Emil Frowein stehen. Sie konnte es nicht fassen.

Er überragte die meisten Anwesenden, und es war ihm anzumerken, daß er als einer der wenigen dem Redner zu folgen vermochte. Regina hatte ihn noch nie mit einem steifen, schwarzen Hut gesehen und brauchte einen Moment, um ihn zu erkennen. Sie fragte sich, wie er auf die Idee gekommen war, diesen Abschied, der ihm nichts bedeuten konnte, mit ihr zu teilen, doch sie fand keine Antwort. Nur die Sekretärin war dagewesen, als Regina sich für den Redaktionsdienst abgemeldet hatte. Mehr noch als Froweins unerwartetes Erscheinen rührte sie der Umstand, daß er sich einen neuen Hut gekauft hatte. Sie nahm sich vor, wenn sie wieder denken, fühlen und reden konnte, ihm das zu sagen.

Es war nun Regina, die lächelte, als ihr einfiel, daß ihr Vater grundsätzlich Reiswein gesagt hatte, wenn er von ihrem Chef gesprochen hatte. Das hatte sie oft gegrämt. Sie verstand schon nicht mehr weshalb, fand die Verballhornung mit einemmal witzig und erkannte, daß nur der plumpe Scherz es wohl ihrem Vater ermöglicht hatte, Distanz zu wahren und trotzdem über einen Abschnitt im Leben seiner Tochter zu sprechen, der ihm wichtig war.

Regina war nie auf die Idee gekommen, die beiden Männer miteinander bekannt zu machen. Frowein, das glaubte sie nun, hätte auf alle Fälle zugestimmt, Walter wahrscheinlich nicht. Trotzdem war es Regina, als hätte sie wenigstens versuchen sollen, den beiden Kapiteln ihres Lebens eine Nahtstelle zu verschaffen. Die versäumte Gelegenheit tat ihr leid; es erschien ihr als eine zu boshafte Pointe des Schicksals, daß der Tod einen Epilog schrieb, der ihr selbst hätte einfallen müssen.

Frowein und ihr Vater ähnelten einander sehr in ihrer Bescheidenheit, Aufrichtigkeit und Anständigkeit. Nur so, das hatte Regina von Anbeginn gespürt, war zu verstehen, was in den letzten Jahren immer wieder geschehen war, wenn sie Aussprache, Bestätigung und Zuwendung gesucht hatte. Es machte sie traurig, daß sie ihrem Vater nie etwas von der Gleichheit der Männer, die ihr Leben prägten, hatte sagen können. Walter hatte so sehr nach Erklärungen verlangt und Regina immer nur geschwiegen.

Erst in diesem Moment der schweifenden Gedanken, die nichts mit ihrer Trauer, ihrer Angst vor Trennung, nichts mit dem Wissen vom Tod aller Liebe zu tun hatten, begriff Regina, was ihr widerfahren war. Sie war nicht mehr zu dem entscheidenden Wort gekommen, nicht mehr dazu, den Kopf noch einmal zu wenden. Ihr war es, als der Anruf vom Krankenhaus kam, nicht anders gegangen als in Ol' Joro Orok, da sie ahnungslos, ohne Abschied, ohne einen Blick auf Haus, Wald und Feld, auf Menschen und Tiere die Farm verlassen hatte und nie wieder zurückgekehrt war. Sie hatte auch dieses Mal keinen Abschied nehmen dürfen.

Sie versuchte mit einer Verzweiflung, die sie mit jeder Attacke herabzog in die Hoffnungslosigkeit, die Gespräche des letzten Abends zurückzuholen, doch sie hörte nur Wortfetzen, an denen sie sich nicht wärmen konnte und die ohne Bedeutung blieben. Regina wußte nur eins: Sie hatte ihren Vater nicht ein letztesmal mehr Bwana genannt, er sie nicht zärtlich Memsahib, und keiner würde fortan mit ihr zusammen die Worte der Verschwörung aussprechen. Die Lieder waren verklungen, der Zauber tot, das Spiel beendet.

Owuor hatte das Feuer im Ofen gelöscht. So wie an dem vergifteten Tag in Nairobi, als er im Morgengrauen, mit dem alten Hund an der Leine und seine Habe im Küchenhandtuch geschnürt, losgezogen war. Regina und Walter hatten in der Küche gesessen. Damals war es ein langer Abschied geworden, einer, der die Bilder, die im Kopf zu bleiben hatten, für immer in Form und Farbe, mit Laut und Duft fixierte. Ob ihr Vater noch einmal nach dem Freund seiner langen Wanderung gerufen hatte, wie er es oft tat, wenn er eine Handreichung brauchte und keiner zur Stelle war? Hatte er noch einmal Owuor lachen, das Echo zurückprallen gehört?

Die Erinnerung an Owuor ließ Regina nicht mehr los. Sie wußte, daß sie nur die Augen zu schließen brauchte, um sein Gesicht zu sehen, aber sie traute sich nicht, ihrem Verlangen nachzugeben. Es war nicht gut, mit dem Kopf auf Safari zu gehen, solange der Körper noch gebraucht wurde.

In der Halle wurde es einen Moment still. Langsam ging ein älterer Mann zum Rednerpult. Dort suchte er lange nach dem Manuskript in seiner Manteltasche und faßte sich an seinen Hut, als wolle er ihn absetzen, doch ihm fiel noch rechtzeitig ein, daß das jüdische Religionsgebot einen bedeckten Kopf verlangte. Er lächelte befangen und blinzelte, als er den Arm sinken ließ. Der Mann sprach für die Oberschlesier. Noch konnte Regina nur Worte hören, ohne daß aus ihnen Sätze wurden, aber sie zwang sich zur Aufmerksamkeit und erkannte bald, daß sie die Rede schon einmal gehört hatte.

Sie merkte es an der emphatischen Betonung des Wortes Heimat und an der Art, wie der kleine, untersetzte Mann mit den stahlblauen Augen »Herr Doktor« sagte. Walter hatte die

Rede der Oberschlesier besonders ausführlich, und, wie sich nun herausstellte, fast wortgetreu entworfen. Die Mischung von Nüchternheit und unerwarteter Sentimentalität lag ihm. Regina hörte ihren Vater lachen. Oder war es Owuor? Er hatte ihr beigebracht, daß Worte nur dann gut und richtig waren, wenn man sie zweimal sagte. Das Echo von Owuors Gelächter hatte sie Lachen gelehrt.

Die Trauer wurde fern und sanft. Regina fühlte sich auf vertraute Art getröstet. Es war doch nicht so, daß der Mensch den langen Abschied brauchte, um sich nicht von der Liebe seines Lebens trennen zu müssen. Es würde ihr mit ihrem Vater nicht anders ergehen als mit Owuor. Auch er konnte sie nicht verlassen, wenn sie es nicht zuließ. Wie Owuor hatte er ihr die Gnade des Gelächters geschenkt. In einer anderen Sprache, aber mit dem gleichen, unzerstörbaren Zauber. Regina beugte sich leicht nach vorn und sah ihren Bruder an, der mit der Sicherheit eines gut präparierten Schülers manches Wort leise mitsprach, ehe es der Mann aus Oberschlesien sagte. Sie erkannte, daß auch Max der Witz und Sarkasmus, aber auch die Fähigkeit zur Liebe prägen würden, die sein Vater vorgelebt hatte. Nur wußte er es noch nicht.

Der Kantor stand auf und begann, mit voller, weittragender Stimme die ersten Töne des Totengebets zu singen. Regina hatte es oft bei Gedenkfeiern für die Ermordeten der Konzentrationslager gehört und jedesmal erlebt, wie diese alte Klage die Tränen eines jeden löste, dessen Herz es erreichte. Nun galt die erschütternde Melodie, die zu Wort und Musik in Inbrunst, Frömmigkeit und Ewigkeit erstarrte Trauer, ihrem Vater. Die Augen der Tochter blieben trocken. Der Abschied lag schon hinter ihr. Und vor ihr die Tage, an denen sie nur eine einzige Szene in ihren Kopf zu lassen brauchte. Ihr Vater stand in Nairobi unter dem Guavenbaum, spannte den Bogen und traf ihr Herz mit Amors Pfeil. Mehr brauchte Regina nicht für ein Leben der Liebe.

Als sie aufstand, um mit Jettel und Max dem Sarg zu folgen, spürte sie, daß ihr viele neugierig-kritische Blicke galten; sie hob den Kopf, obwohl sie wußte, daß es nicht Sitte war für diejenigen, denen der Tod Leiden befahl. So konnte sie auch deutlich hören, wie zwei Frauen ausführlich debattierten, weshalb sie nicht geheiratet und Max nicht geweint hätte.

»Nebbich«, sagte die eine Frau, »sind zu stolz für beides. Das Mädel zum Heiraten und der Junge zum Weinen. Dabei steht der Kleine kurz vor der Barmitzwa. Das ist das Schlimmste, was einem Jungen passieren kann. Ohne Vater am wichtigsten Tag in seinem Leben.«

»Die Mutter«, erwiderte die zweite Frau, »tut mir leid. Das hat sie nicht verdient. Eine so gute, vornehme Frau.«

Als Max, so fremd in seinem Ernst, am Grab das Totengebet des Sohnes für den Vater sprach, konnte Regina kaum die Tränen zurückhalten. Sie galten nicht dem Vater, sondern dem Bruder, dem noch viel früher als ihr selbst Schutz und Zuversicht der Kindheit genommen wurden. Voller Aufbegehren und Melancholie dachte sie an die Barmitzwa, die nun im Trauerjahr nur noch im allerkleinsten Kreise stattfinden würde, und sie nahm Max an der Hand, um ihn zu trösten, doch der Druck seiner Finger war stark und warm. Er hatte bereits begonnen, die Pflicht zu übernehmen, die ihm aufgebürdet wurde. Er war noch keine dreizehn Jahre.

Erst als Fafflok, der bedächtige, schweigsame Wegbegleiter des letzten Lebensabschnitts, stockend vor Kummer, am Grab die aufrichtigsten und wärmsten Worte des Tages sprach, ging Regina auf, daß ihr Vater weder in scherzender Laune noch in seinen depressiven Stimmungen je Faffloks Rede entworfen hatte. Regina ahnte den Grund. Fafflok war ihm in Frankfurt der einzige Freund geworden. Nur ihn, dessen Gläubigkeit er wie den eigenen Glauben achtete, hatte Walter von seinem makabren Spiel ausgenommen.

Reginas Erinnerungen gingen an die Anfänge in der fremden

Stadt zurück, an Hunger, Not und Hoffnung, an die erste Begegnung mit Faffloks, an den Kauf der Rothschildallee und an Walters Besessenheit, seiner Familie ein schuldenfreies Haus zu hinterlassen. So viele Szenen, Gespräche und Empfindungen strömten auf sie ein, daß sie die Frau mit dem Kopftuch nicht auf sich zukommen sah. Regina bemerkte sie erst, als die Fremde ein kleines Messer aus der Tasche holte und einen Schnitt in ihren Mantel ritzte. Erschrocken schaute sie ihren Bruder an. Sein neuer dunkler Anzug, schon für die Barmitzwa gekauft, war ebenso zerschnitten wie Jettels Mantel.

»Das macht man so bei den Ehepartnern und Kindern«, flüsterte Max. »Das ist zum Zeichen der Trauer.«

»Das wußte ich nicht.«

»Ich schon. Aber ich hab nicht dran gedacht. Vati hat immer gesagt, ich soll zu seiner Beerdigung eine alte Jacke anziehen. Er wird sich mächtig ärgern, daß ich's vergessen hab.«

»Und wie«, bestätigte Regina.

»Beim nächsten Mal wissen wir's«, flüsterte Max.

»Fängst du auch schon so an wie dein Vater?«

»Ja.«

»Das ist gut. So muß es sein.«

Zwei Stunden nach dem Begräbnis kamen die ersten Kondolenzbesucher in die Rothschildallee. Es wurde, schon weil der Sonntag es ermöglichte, Tradition sofort in die Tat umzusetzen, ein Orkan der Teilnahme. So viele Menschen waren noch nie in der Wohnung gewesen – Freunde, Bekannte und auch Fremde kamen, um die Hinterbliebenen zu umarmen und zu küssen, um zu seufzen, zu klagen und zu weinen, die Einrichtung und die Zukunft zu taxieren, Rat zu erteilen und sich an eigenes Leid zu erinnern. Sie drückten Jettel an sich, schauten verstohlen-kritisch auf Regina und Max, registrierten ausnahmslos, daß deren Augen nicht rotgeweint waren, und versicherten der schluchzenden Witwe, daß der Tod des Mannes für die Frau so sehr viel schlimmer sei als der des Vaters für die Kinder.

Jettel nickte wissend und weise, sagte aber, sie habe gute Kinder, die sie nie verlassen und ihr, wie ihr seliger Mann es getan hätte, jede Schwierigkeit aus dem Weg räumen würden. Das hätten sie dem Vater in die Hand versprechen müssen. Die Menschen, die längst nicht mehr betroffen flüsterten, sondern ungeniert ihre Fähigkeit demonstrierten, fremdes Leid auf zupackende Art zu bewältigen, schauten abermals auf Regina und Max und nickten zurück. Die Frömmsten senkten ihre Augen und schwiegen. Sie brachten nach alter Sitte Suppe, Fleischspeisen, Fisch, Obst und Kuchen ins Haus. Wer den Tod eines Menschen zu beweinen hatte, sollte nicht durch alltägliche Bedürfnisse wie die Sorge um die Nahrung von seiner Trauer abgelenkt werden.

»Die Frommen sind mir am liebsten«, sagte Max in der Küche, legte sich ein Stück gefilte Fisch auf den Teller und begutachtete einen Kuchen.

»Das hat dein Vater auch immer gesagt.«

»Weil er auch so gern gegessen hat wie ich?«

»Nein. Er hat die Frommen immer beneidet, weil sie wissen, wohin sie gehören. Ich übrigens auch.«

Jettel, trotz ihrer Tränen gefaßt und in einem grauen Flanellkleid mit weißen Rüschen – sie hatte erst auf dem Friedhof erfahren, daß es bei den Juden nicht üblich ist, schwarz zum Zeichen der Trauer zu tragen – erzählte immer wieder von Walters letzten Tagen, vom Kreuzworträtsel, das nicht fertig geworden war, und vom Glück ihrer Ehe. Ihre Wangen waren gerötet. Sie war bereits dabei, einen neuen Abschnitt in die Geschichte ihres Lebens zu weben.

»Mein Mann«, berichtete sie, »hat mich auf Händen getragen und mir jeden Wunsch von den Augen abgelesen. Das hat er auch seinen Kindern beigebracht.«

Regina beneidete Jettel sehr und nicht nur, weil sie zu den

wenigen Frauen gehörte, die Tränen nicht häßlich machten. Sie versuchte, sich die Zukunft mit ihrer Mutter auszumalen. Noch konnte sie es nicht, aber sie war bereit, die Pflicht, die sie ihrem Vater schuldete, zu übernehmen; sie konnte fast schon in Gedanken an die geschönte Vergangenheit lächeln, die nun Jettel zu einer Wahrheit machen würde, an die sie selbst glaubte. Regina fragte sich auch, ob Jettel nicht die täglichen Streitereien ihrer temperamentvollen Ehe fehlen würde; diesmal mußte sie sich zusammenreißen, um nicht tatsächlich zu lächeln. Sie war überzeugt, daß ihre Mutter in ihr und später, wenn er alt genug war, auch in Max neue Partner finden würde, um sich weiter im Kampf gegen Logik, Einsicht und Kompromißbereitschaft zu bewähren.

Erst am frühen Abend verließen die letzten Besucher das Haus. Jettel bat Ziri, den Tisch zu decken. »Wir wollen so leben wie bisher«, sagte sie feierlich, »das bin ich meinem Mann schuldig. Aber ich werde keinen Bissen hinunterbekommen.« Sie aß mit Appetit und seufzte viel. »Er hätte es so gewollt«, sagte sie, »daß gerade ich die Krakauer vom schlesischen Fleischer esse. Ich hab sie extra für ihn gekauft.«

Nach dem Essen sah sie sich um und sagte, vorwurfsvoll zwar, aber ohne Bosheit: »Es wundert mich doch, daß ihr beide kein einzigesmal geweint habt. Mich haben viele Leute angesprochen, ob euch Papas Tod nicht nahegeht.«

»Man kann auch weinen, ohne zu weinen«, erwiderte Regina, doch ihre Mutter hatte nie die regelmäßige Wiederkehr von Worten erkannt, wenn es nicht die eigenen waren.

Als Max im Bett lag, ging sie, wie in den Tagen, als er ein Kind gewesen war, noch einmal in sein Zimmer. Er hatte sich oft eine neue Tapete gewünscht, doch Walter war zu sparsam gewesen. Es war ein alter, heftig geführter Streit zwischen Vater und Sohn, der jetzt bei einer Mutter, die sich bereits am Tag des Begräbnisses als verarmte Witwe fühlte, kein rasches Ende finden würde.

Regina starrte die Bilder von bäuerlichen Wagen und fleißigen Pferden an der Wand an, von Burgen, Bäumen und Babys in der Wiege, von Jungen mit Ball, Mädchen mit Puppen, Clowns mit Trompete, von Männern mit Ziegen und Dörfern mit Kirchtürmen, von denen ein Hahn krähte. Sie sah ihren Bruder im blau-weiß gestreiften Schlafanzug auf dem weißen Kissen liegen. Seine Augen ähnelten denen der Puppen auf der Tapete. Sein Gesicht war blaß, die Haare dunkel, die Hand, die nach ihrer griff, zu klein für das, was sie geben wollte.

»Weißt du noch«, fragte Max mit Verlangen in der Stimme, »wie du mir früher immer Gedichte aufgesagt hast?«

»Das war, weil ich nicht singen konnte. Ich hätte nicht gedacht, daß du dich dran erinnerst.«

»Ich erinnere mich noch an alles«, sagte Max, und nach einer Pause fragte er, »hast du nicht ein Gedicht für heute?«

»Doch«, sagte Regina, »willst du wirklich?«

»Wirklich.«

Sie holte ein zerlesenes Taschenbuch aus ihrem Zimmer, obwohl sie den Text von Kurt Tucholskys Gedicht, das sie seit zwei Tagen nicht aus ihrer Not verbannen konnte, auswendig kannte und das Buch nur zum Schutz für ihr Gesicht brauchte, rückte den kleinen Stuhl vor das Bett und begann, ohne Max noch einmal anzusehen, sofort laut zu lesen:

> »Die Welt sieht anders aus. Noch glaub ich's nicht.
>> Es kann nicht sein.
> Und eine leise, tiefe Stimme spricht:
>> ›Wir sind allein.‹
>
> Tag ohne Kampf – das war kein guter Tag.
>> Du hast's gewagt.
> Was jeder fühlt, was keiner sagen mag:
>> du hast's gesagt.«

Zeitgleich mit der eigenen Stimme hörte Regina die ihres Vaters. Es war ein durstender Tag in Nairobi, sie saß auf dem von der Sonne ausgebrannten Rasen, schaukelte den Kinderwagen und rezitierte Verse aus Shakespeares »Sommernachtstraum«. Max, sechs Monate alt, strampelte mit nackten Beinen und gurgelte Fröhlichkeit. Hinter einem Baum trat Walter in seiner Khakiuniform hervor und fragte: »Na, Regina, stopfst du deinen Bruder schon wieder voll mit deinen Gedichten?« Die Mißbilligung in Walters Stimme hatte sie verlegen gemacht, doch sie hatte mit Shakespeares Zunge weitergesprochen, und ihr Vater hatte zugehört.

Regina schüttelte den Kopf wie an dem so lange vergangenen, nie verstorbenen Tag und las weiter:

> »Ein jeder von uns war dein lieber Gast,
>   der Freude macht.
> Wir trugen alles zu dir hin. Du hast
>   so gern gelacht.
>
> Und nie pathetisch. Davon stand nichts drin
>   in all der Zeit.
> Du warst Berliner, und du hattest wenig Sinn
>   für Feierlichkeit.«

Als Regina merkte, daß ihre Stimme den Halt verlor, weil sie das Gesicht ihres Vaters zu deutlich sah und sein Leben und seine Liebe zu einer Sturzflut von Schmerz wurden, zögerte sie einen Moment, ob sie die letzten beiden Verse, die sie so fürchtete, vorlesen oder Max sagen sollte, das Gedicht sei schon zu Ende. Sein Empfinden für Sprache und Schönheit ließ es nicht zu.

»Weiter«, drängte er.

»Wir gehen, weil wir müssen, deine Bahn.
Du ruhst im Schlaf.
Nun hast du mir den ersten Schmerz getan.
Der aber traf.

Du hast ermutigt. Still gepflegt. Gelacht.
Wenn ich was kann:
Es ist ja alles nur für dich gemacht.
So nimm es an.«

Regina hatte den Zauber von Owuor in Ol' Joro Orok am Rande des Flachsfeldes im blauen Rausch des großen Regens gelernt: Tränen, ob die des Gelächters oder die der Trauer, machten aus zwei Herzen ein einziges. Menschen, denen dies geschah, konnten sich ein Leben lang nicht mehr voneinander trennen, ohne daß ihr Herz für immer zersprang. Sie aber hatte schon einmal das Gewicht der Kette gespürt, die aus Liebe geschweißt worden war, und sie hielt ihre Tränen zurück. Doch nur so lange, bis sie Max weinen hörte.

QUELLENVERZEICHNIS

HEYNE
BÜCHER

Stefanie Zweig

Stefanie Zweigs
autobiographische Romane
wurden zu Bestsellern.

»Eine literarische
Liebeserklärung – vor
tragischem Hintergrund.«
HAMBURGER ABENDBLATT

»Der Background wird
ausgezeichnet dargestellt ...
Stefanie Zweig beobachtete
sehr genau.«
SÜDDEUTSCHE ZEITUNG

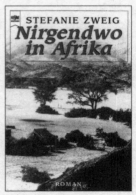

01/10261

HEYNE-TASCHENBÜCHER